le Guide du routard

Directeur de collection et auteur
Philippe GLOAGUEN

Cofondateurs
Philippe GLOAGUEN et Michel DUVAL

Rédacteur en chef
Pierre JOSSE

Rédacteurs en chef adjoints
Amanda KERAVEL et Benoît LUCCHINI

Directrice de la coordination
Florence CHARMETANT

Directrice administrative
Bénédicte GLOAGUEN

Direction éditoriale
Catherine JULHE

Rédaction
**Olivier PAGE, Véronique de CHARDON,
Isabelle AL SUBAIHI, Anne-Caroline DUMAS,
Carole BORDES, André PONCELET,
Marie BURIN des ROZIERS, Thierry BROUARD,
Géraldine LEMAUF-BEAUVOIS,
Anne POINSOT, Mathilde de BOISGROLLIER,
Alain PALLIER, Gavin's CLEMENTE-RUÏZ
et Fiona DEBRABANDER**

BELGIQUE

2010

ha

②

Avis aux hôteliers et aux restaurateurs

Les enquêteurs du *Guide du routard* travaillent dans le plu strict anonymat. Aucune réduction, aucun avantage quelconque, aucune rétrib n'est jamais demandée en contrepartie. Face aux aigrefins, la loi autorise le iers et restaurateurs à porter plainte.

Hors-d'œuvre

Le *Guide du routard,* ce n'est pas comme le bon vin, il vieillit mal. On ne v pousser à la consommation, mais évitez de partir avec une édition ancienne. modifications sont souvent importantes.

routard.com dépasse 2 millions de visiteurs uniques par mois !

● *routard.com* ● Sur notre site, tout pour préparer votre périple. Des fiches pratiques sur plus de 200 destinations, de nombreuses informations et des services : photos, cartes, météo, dossiers, agenda, itinéraires, billets d'avion, réservation d'hôtels, location de voitures, visas... Et aussi un vaste forum pour échanger ses bons plans, partager ses photos, définir son passeport routard ou trouver son compagnon de voyage. Sans oublier *routard mag*, ses reportages, ses carnets de route et ses infos pour bien voyager. La boîte à outils indispensable du routard.

Petits restos des grands chefs

Ce qui est bon n'est pas forcément cher ! Partout en France, nous avons dégoté de bonnes petites tables de grands chefs aux prix aussi raisonnables que la cuisine est fameuse. Évidemment, tous les grands chefs n'ont pas été retenus : certains font payer cher leur nom pour une petite table qu'ils ne fréquentent guère. Au total, 510 adresses réactualisées, dont une centaine de nouveautés, retenues pour la qualité et la créativité de la cuisine, sans pour autant ruiner votre portefeuille. À proximité des restaurants sélectionnés, 510 hôtels de charme sont indiqués pour prolonger la fête.

Nos meilleurs campings en France

Se réveiller au milieu des prés, dormir au bord de l'eau ou dans une hutte, voici nos 1 800 meilleures adresses en pleine nature. Du camping à la ferme aux équipements les plus sophistiqués, nous avons sélectionné les plus beaux emplacements : mer, montagne, campagne ou lac. Sans oublier les balades à proximité, les jeux pour enfants... Des centaines de réductions pour nos lecteurs.

Avis aux lecteurs

Les réductions accordées à nos lecteurs ne sont jamais demandées par nos rédacteurs afin de préserver leur indépendance. Les hôteliers et restaurateurs sont sollicités par une société de mailing, totalement indépendante de la rédaction, qui reste donc libre de ses choix. De même pour les autocollants et plaques émaillées.

Pour que votre pub voyage autant que nos lecteurs,
contactez nos régies publicitaires :
● fbrunel@hachette-livre.fr ●
● veronique@routard.com ●

Le contenu des annonces publicitaires insérées dans ce guide n'engage en rien la responsabilité de l'éditeur.

Mille excuses, on ne peut plus répondre individuellement aux centaines de CV reçus chaque année.

© **HACHETTE LIVRE (Hachette Tourisme), 2010**

Tous droits de traduction, de reproduction
et d'adaptation réservés pour tous pays.

© **Cartographie** Hachette Tourisme.

TABLE DES MATIÈRES

LES QUESTIONS QU'ON SE POSE LE PLUS SOUVENT 14

LES COUPS DE CŒUR DU ROUTARD 15

COMMENT Y ALLER ?

- EN VOITURE 16
- EN TRAIN 16
- EN BUS 20
- EN AVION 22

BELGIQUE UTILE

- ABC DE LA BELGIQUE 25
- AVANT LE DÉPART 25
- ARGENT, BANQUES, CHANGE 29
- ACHATS 30
- BUDGET 31
- CLIMAT 32
- HÉBERGEMENT 33
- HORAIRES D'OUVERTURE ET
  JOURS FÉRIÉS 34
- LANGUES 35
- LIVRES DE ROUTE 41
- POSTE 42
- SANTÉ 42
- SITES INTERNET 42
- TABAC 43
- TÉLÉPHONE ET
  TÉLÉCOMMUNICATIONS 43
- TRANSPORTS INTÉRIEURS 44

HOMMES, CULTURE ET ENVIRONNEMENT

- BANDE DESSINÉE 49
- BELGITUDE ET BELGICAINS 51
- BOISSONS 52
- CUISINE 54
- ÉCONOMIE 57
- FÉDÉRALISME 59
- FÊTES ET FOLKLORE 61
- GÉOGRAPHIE 63
- HISTOIRE 64
- MÉDIAS 75
  - Du côté des ondes - Program-
  mes en français sur TV5MONDE
  - FRANCE 24 - Les gazettes
- PATRIMOINE CULTUREL 76
- PERSONNAGES 79
- POPULATION 89
- SAVOIR-VIVRE ET COUTUMES ... 90
- SITES INSCRITS AU
  PATRIMOINE MONDIAL
  DE L'UNESCO 91
- SPORTS ET LOISIRS 91
- UNITAID 92

LA RÉGION DE BRUXELLES-CAPITALE

BRUXELLES (BRUSSEL)

- UN PEU D'HISTOIRE 94
- BRUXELLES ET SES TRAUMATISMES ARCHITECTURAUX 96
- LES INSTITUTIONS EUROPÉENNES 98
- LES EUROCRATES 99
- TOPOGRAPHIE DE LA VILLE 100
- ARRIVÉE À BRUXELLES 100
- ADRESSES ET INFOS UTILES ... 101
- TRANSPORTS 107
- OÙ DORMIR ? 111
- OÙ MANGER ? 120
- OÙ MANGER DES GAUFRES ? OÙ ACHETER DES SPECULOOS ? 133
- OÙ BOIRE UN VERRE ET RENCONTRER DES BRUXELLOIS(ES) ? 133
- OÙ ÉCOUTER DE LA MUSIQUE ? 139
- OÙ VOIR UN SPECTACLE ? 140
- OÙ DANSER ? 141
- À VOIR 142
- SHOPPING 199
- FÊTES ET MANIFESTATIONS CULTURELLES 200
- PRINCIPALES BROCANTES 200
- DANS LES ENVIRONS DE BRUXELLES 201
  - Tervueren
- QUITTER BRUXELLES 202

LA RÉGION FLAMANDE

LA PROVINCE DU BRABANT FLAMAND (VLAAMS BRABANT)

- LA FORÊT DE SOIGNES (ZONIËNWOUD) 204
- LE CHÂTEAU DE BEERSEL 205
- LE CHÂTEAU DE GAASBEEK ... 206
- LE JARDIN BOTANIQUE NATIONAL (NATIONALE PLANTENTUIN) DE MEISE 207
- LOUVAIN (LEUVEN) 208
- DIEST 214
- LÉAU (ZOUTLEEUW) 217

LA PROVINCE DU LIMBOURG (PROVINCIE LIMBURG)

- HASSELT 219
  - Le domaine provincial de Bokrijk

La Hesbaye limbourgeoise (Haspengouw)
- TONGRES (TONGEREN) 224

LA PROVINCE D'ANVERS (PROVINCIE ANTWERPEN)

- ANVERS (ANTWERPEN) 227
  - Cogels Osylei • Linkeroever (rive gauche de l'Escaut) et le quartier

Sint-Anna • Openluchtmuseum voor Beeldhouwkunst Middelheim (musée de Sculptures en plein air

du Middelheim) • Le port d'Anvers
- **LIERRE (LIER)** 273
- **MALINES (MECHELEN)** 277

• Dierenpark Planckendael à Muizen

LA PROVINCE DE FLANDRE ORIENTALE (OOST-VLAANDEREN)

- **GAND (GENT)** 285

Dans les environs de Gand : la région de la Lys (Leie)

• Croisière sur la Lys • Circuit des villages de la Lys à vélo • Les musées des Artistes de l'école de Laethem-Saint-Martin • Deurle

• Laethem-Saint-Martin • Deinze
• Le château d'Ooidonk à Bachte-Maria-Leerne • Le château de Laarne

Les Ardennes flamandes

- **AUDENARDE (OUDENAARDE)** .. 321
  • Ename

LA PROVINCE DE FLANDRE OCCIDENTALE (WEST-VLAANDEREN)

- **BRUGES (BRUGGE)** 326

Dans les environs de Bruges

- **DAMME** 371
- **JABBEKE** 373
- **OSTENDE (OOSTENDE)** 374
  • Le domaine de Raversijde

La côte est, d'Ostende au Zwin

- **DE HAAN (LE COQ)** 385
  • Sea Life Centre à Blankenberge
- **KNOKKE-HEIST** 387

La côte ouest, d'Ostende à La Panne

- **NIEUPORT (NIEUWPOORT)** 389
- **COXYDE-OOSTDUINKERKE (KOKSIJDE)** 391

- **LA PANNE (DE PANNE)** 393
- **FURNES (VEURNE)** 394
  • Bakkerijmuseum
- **DIXMUDE (DIKSMUIDE)** 397
  • Le cimetière allemand de Praet-bos-Vlasdo • Old Timer Museum Bossaert à Reninge
- **YPRES (IEPER)** 400
  • Quelques hauts lieux de 1914-1918 au départ d'Ypres : le Hooge-Crater, Langemark, Poelkappelle, Zillebeke, Zonnebeke et le Dugout Experience – Memorial museum Passchendaele 1917
- **POPERINGE** 406
- **COURTRAI (KORTRIJK)** 408

LA RÉGION WALLONNE

LA PROVINCE DU BRABANT WALLON

- **WATERLOO** 412
- **NIVELLES** 417
- **L'ABBAYE DE VILLERS-LA-VILLE** 420
- **LOUVAIN-LA-NEUVE** 421

- **LE LAC DE GENVAL** 425
  • En bordure de la forêt de Soignes : le domaine de La Hulpe et la Fondation Jean-Michel-Folon

LA PROVINCE DE LIÈGE

- **LIÈGE** 427
  - Le préhistosite et la grotte de Ramioul à Ivoz-Ramet • Le château et les cristalleries du Val Saint-Lambert à Seraing • Source O Rama à Chaudfontaine

La basse Meuse

- **LA MINE DE BLEGNY** 457

Le pays de Herve

- **AUBEL** 459
- **HERVE** 459
- **SOIRON** 460
- **VERVIERS** 461
- **LIMBOURG** 465
  - Le barrage et le lac de la Gileppe
- **EUPEN** 467

Les Hautes-Fagnes

- **LE CENTRE NATURE DE BOTRANGE** 469
  - Botrange • Le château de Reinhardstein
- **MALMEDY** 471
  - Baugnez 44 Historical Center • Schieferstollen Recht à Recht
- **SAINT-VITH (SANKT VITH)** 474
- **STAVELOT** 475
  - Le musée historique de Décembre-1944 à La Gleize • Coo
- **SPA** 480
  - Le château de Franchimont • Theux

Au sud de Liège

- Les grottes de Remouchamps
- Aywaille : le château de Jehay à Jehay-Amay et la collégiale Sainte-Ode à Amay
- **HUY** 486
  - Le château de Modave

LA PROVINCE DU LUXEMBOURG

- **LA ROCHE-EN-ARDENNE** 490
  - Le belvédère des Six-Ourthes à Nadrin • Le parc Chlorophylle
- **VIELSALM** 493
- **HOUFFALIZE** 494
- **DURBUY** 495
  - Barvaux-sur-Ourthe
- **MARCHE-EN-FAMENNE** 498
  - L'église Saint-Étienne à Waha
- **SAINT-HUBERT** 500
  - Euro Space Center à Transine • Fourneau-Saint-Michel • Le village du livre de Redu
- **BASTOGNE** 503
  - La Ferme des Bisons à Recogne
- **ARLON** 506

La Gaume

- **VIRTON** 509
- **TORGNY** 510
  - Montquintin
- **L'ABBAYE D'ORVAL** 512
  - Le relais romain de Chameleux

La vallée de la Semois

- La haute Semois : Chiny-sur-Semois, Chassepierre
- **BOUILLON** 514
  - La basse Semois : Corbion, Rochehaut, Botassart, Alle-sur-Semois, Vresse-sur-Semois et Laforêt

LA PROVINCE DE NAMUR

- **NAMUR** 521
  - Le musée de la Fraise à Wépion
- Corroy-le-Château
- **ANDENNE** 535

LES GUIDES DU ROUTARD 2010-2011 (suite)

(dates de parution sur **routard.com**)

Villes européennes

- Amsterdam et ses env...
- Barc...
- ...
- ...xelles (novembre 2009)
- Florence
- Lisbonne
- Londres
- Moscou, Saint-Pétersbourg
- Prague
- Rome
- Venise

Amériques

- Argentine
- Brésil
- Californie
- Canada Ouest et Ontario
- Chili et île de Pâques
- Équateur et les îles Galápagos
- États-Unis côte Est
- Floride
- Guatemala, Yucatán et Chiapas
- Louisiane et les villes du Sud
- Mexique
- New York
- Parcs nationaux de l'Ouest américain et Las Vegas
- Pérou, Bolivie
- Québec et Provinces maritimes

Asie

- Bali, Lombok
- Birmanie (Myanmar)
- Cambodge, Laos
- Chine (Sud, Pékin, Yunnan)
- Inde du Nord
- Inde du Sud
- Istanbul
- Jordanie, Syrie
- Malaisie, Singapour
- Népal, Tibet
- Sri Lanka (Ceylan)
- Thaïlande
- Tokyo, Kyoto et environs
- Turquie
- Vietnam

Afrique

- Afrique de l'Ouest
- Afrique du Sud
- Égypte
- Kenya, Tanzanie et Zanzibar
- Maroc
- Marrakech
- Sénégal, Gambie
- Tunisie

Îles Caraïbes et océan Indien

- Cuba
- Île Maurice, Rodrigues
- Madagascar
- République dominicaine (Saint-Domingue)

Guides de conversation

- Allemand
- Anglais
- Arabe du Maghreb
- Arabe du Proche-Orient
- Chinois
- Croate
- Espagnol
- Grec
- Italien
- Japonais
- Portugais
- Russe

Et aussi...

- Le Guide de l'humanitaire
- Tourisme durable
- G'palémo

NOS NOUVEAUTÉS

PÉRIGORD (décembre 2009)

Il faut bien tout un guide pour raconter la beauté de ces paysages piquetés de châteaux forts. La pierre blonde éclate au soleil couchant et les vins généreux donnent une troisième dimension à la découverte de cette contrée. On va en quête d'un mode de vie, fondé sur des choses simples. Où la nature a, de tout temps, donné à manger, à voir et à boire. La visite de sublimes villages, de demeures merveilleuses ou la descente d'une rivière nous permet de parcourir le fil de l'histoire jusqu'à la préhistoire. Nos ancêtres devaient déjà grogner de plaisir, au petit matin de l'humanité, en sortant de leur grotte. En ouvrant ses volets sur la beauté naturelle d'un site, sur la courbe d'une colline, sur la majesté d'une falaise ou l'élégance d'un village, l'*homo-turisticus* prend aujourd'hui le même plaisir. Et quand, le soir venu, épuisé par tant d'émotions, l'on s'assoit à la table d'une ferme-auberge, en dégustant un foie gras fondant, en savourant un tendre magret, on se dit que l'homme préhistorique avait bien raison.

BERRY (mai 2010)

Tous les chemins mènent au Berry, le centre de la France. On y pénètre aussi au cœur de l'histoire. Les sens en éveil, on aborde ce mystérieux pays qui réunit le Cher, l'Indre et une partie de la Sologne, dans un paysage rural alternant sombres forêts, douces collines, vignobles prospères et cours d'eau... Un univers propice aux baguenaudes dans des sites naturels comme le parc de la Brenne, ces marais baptisés « pays des mille étangs », d'une richesse écologique fantastique. On remonte l'histoire sur les traces de Talleyrand, au prestigieux château de Valençay, qui n'a pas à pâlir de son vin blanc, et peut s'enorgueillir de son fromage de chèvre. En se promenant dans les petites rues bordées de maisons médiévales de Bourges, on pense également à ces alchimistes qui y jouaient, il y a quelques siècles, les apprentis sorciers. La pierre philosophale serait d'ailleurs cachée, selon une légende, au cœur même du Berry ! Mais la richesse du pays de George Sand et de Jacques Cœur ne repose pas uniquement sur cette atmosphère ésotérique ! Le charme des vastes étendues céréalières de la Champagne berrichonne et les verts bocages de la vallée de Germigny enchantent le visiteur à la recherche de calme et de douceur de vivre.

LES COUPS DE CŒUR DU ROUTARD

● À Bruxelles, flâner dans les élégantes galeries Saint-Hubert, la plus ancienne galerie commerçante d'Europe, pour faire provision de pralines et de *speculoos,* ces délicieux petits gâteaux secs qui accompagnent, presque toujours, une tasse de café.

● Découvrir les bières belges : en toute occasion, au café, au resto, dans les réceptions, avec des moules-frites... Elles font partie du paysage gastronomique du plat pays et leur variété a de quoi laisser pantois.

● À Bruxelles, parcourir les quartiers de la proche périphérie pour dénicher les dernières façades Art nouveau épargnées par la boulimie des promoteurs immobiliers. On y croise aussi quelques façades dédiées aux héros du 9e art, la bande dessinée.

● À Bruxelles toujours, emmener ses enfants au pied de l'Atomium, cette incroyable construction métallique héritée de l'Expo universelle de 1958, et leur montrer Mini-Europe, ce splendide inventaire miniature des principaux monuments de l'Union européenne.

● À Bruxelles encore, le dimanche matin, faire un tour dans les Marolles où se tient, par tous les temps, le marché aux puces de la place du Jeu-de-Balle et où Tintin découvre la maquette du bateau du *Secret de la Licorne.*

● À Anvers, suivre les traces des *fashionistas* pour découvrir les dernières tendances des stylistes déjantés qui ont succédé à la Bande des Six et imposé un style nouveau dans le monde de la haute couture.

● À Anvers aussi, découvrir le cadre de vie de Pierre Paul Rubens dans sa somptueuse maison-atelier italianisante du début du XVIIe s, non loin de celle de l'imprimeur Plantin Moretus et de la cathédrale, où sont exposées ses toiles les plus célèbres.

● À Gand, à l'église Saint-Bavon, aller se pâmer devant le *retable de l'Agneau mystique* des frères Van Eyck, une des œuvres majeures de l'histoire de la peinture arrivée quasi intacte jusqu'à nos jours malgré les tribulations de l'histoire.

● À Bruges, se laisser porter par une barque au fil des canaux pour s'imprégner de toute la magie délicate d'une ville sortie tout droit d'un passé moyenâgeux prestigieux.

● À Ostende, se délecter de croquettes de crevettes et d'une sole, face à la mer du Nord, avant d'aller découvrir la production artistique ébouriffante du musée d'Art moderne.

● À Liège, aller faire la fête dans le Carré un vendredi ou un samedi soir en se mêlant aux hordes d'étudiants qui y pratiquent une bamboche joyeuse et débridée.

● À Binche, le Mardi gras, entrer dans la ronde endiablée des Gilles emplumés qui lancent des oranges pour fêter le carnaval.

● À Torgny, dans le sud de la province de Luxembourg, découvrir un vignoble belge (mais si, mais si !) dans un environnement qui évoque plus la Provence que les Ardennes.

COMMENT Y ALLER ?

EN VOITURE

➤ **De Paris,** deux solutions :
– L'autoroute du Nord (A 1) vers Lille. Péage autour de 11 € selon les périodes.
Bifurcation sur l'E 19 vers Bruxelles et Anvers. Sur l'E 19, à la hauteur de La Lou-
vière, bifurcation sur l'E 42 vers Charleroi, Namur, les Ardennes et Liège.
– L'autoroute du Nord (A 1) vers Lille, puis l'A 14-E 17 vers Gand et Anvers.
➤ **De Lille :** vers Bruges et Ostende, par Courtrai et l'A 17.
➤ **De l'Est et de la Suisse :** par Metz, Thionville, Luxembourg et l'E 411, l'auto-
route des Ardennes.
Les autoroutes sont gratuites en Belgique.
Attention au retour vers la France le dimanche soir : les camions attendent à la
frontière jusqu'à 22h afin de pouvoir utiliser les autoroutes françaises. À 22h tapan-
tes, c'est le rush, mieux vaut franchir la frontière avant cette heure.

EN TRAIN

➤ *Thalys,* le train à grande vitesse, relie **Paris-Gare du Nord** à Bruxelles-Midi en
slt 1h22 (jusqu'à 28 départs/j.). Départ de Paris-Gare du Nord ttes les 30 mn 6h25-
21h55 (22h31 dim). *Thalys* dessert également Anvers, Bruges, Charleroi, Gand,
Liège, Mons, Namur et Ostende. D'autre part, les lignes sont prolongées vers Amsterdam via Anvers et vers Cologne via Liège.
➤ Au départ de **Lille,** *Eurostar* vers Bruxelles-Midi.
Si vous arrivez à Bruxelles en *Thalys* ou en *Eurostar,* il vous est possible d'acheter
pour une poignée d'euros un billet « Toute gare belge (TGB) » et prolonger ainsi
votre parcours sur le réseau belge. Avec le tarif TGB, votre billet *Thalys* est valable
pour un voyage entre une des gares du réseau national belge et Bruxelles-Midi,
Antwerpen Centraal (Anvers) ou Liège-Guillemins.
Le billet est valable 2 jours à partir du départ ou de l'arrivée du train *Thalys.* Votre
voyage sur les lignes belges peut être effectué, selon le cas, à partir de la veille de
votre voyage aller en *Thalys,* ou jusqu'au lendemain de votre voyage retour.
Un billet *Thalys* au départ ou à destination de Bruxelles-Midi est aussi valable pour
les correspondances en train avec les gares de Bruxelles-Nord, Centrale, Luxembourg et Schuman. Pratique pour se rendre donc dans le centre sans avoir à prendre le métro ou le tramway.
À noter, la création d'une liaison directe Lille-Bruges en 1h20, à l'initiative de la
SNCB. Limitée aux week-ends dans un premier temps et en correspondance avec
les TGV de/vers Paris, elle fonctionne de fin mai à fin septembre.

Voyages-sncf.com

Voyages-sncf.com, acteur majeur du tourisme français qui recense neuf millions
de visiteurs par mois, propose d'acheter en ligne des billets de train, d'avion, des
chambres d'hôtel, des locations de voitures, de vacances et des séjours clés en
main ou Alacarte®, ainsi que des spectacles, des excursions et des musées. Un
large choix et des prix avantageux sont offerts toute l'année, pour tous types de
voyages dans le monde entier : SNCF, 180 compagnies aériennes, 84 000 hôtels
référencés et les principaux loueurs de voitures.
Leur site ● *voyages-sncf.com* ● permet d'accéder tous les jours, 24h/24, à plusieurs services : envoi gratuit des billets à domicile, Alerte Résa pour être informé

de l'ouverture des réservations et profiter du plus grand choix, calendrier des meilleurs prix (TTC), mais aussi des offres de dernière minute et des promotions... Pratique : • *voyages-sncf.mobi* •, le site mobile pour réserver, s'informer et profiter des bons plans n'importe où et à n'importe quel moment.
Et grâce à l'Écocomparateur, en exclusivité sur • *voyages-sncf.com* •, possibilité de comparer le prix, le temps de trajet et l'indice de pollution pour un même trajet en train, en avion ou en voiture.

Pour préparer votre voyage

– *Billet à domicile :* commandez et payez votre billet par téléphone au ☎ 36-35 (0,34 € TTC/mn) ou sur Internet, la SNCF vous l'envoie gratuitement à domicile.

Pour voyager au meilleur prix

La SNCF propose des tarifs adaptés à chacun de vos voyages.
➢ *TGV Prem's, Téoz Prem's et Lunéa Prem's :* des petits prix disponibles toute l'année. Tarifs non échangeables et non remboursables (offres soumises à conditions).
– *Prem's :* pour des prix minis si vous réservez jusqu'à 90 j. avant votre départ, à partir de 22 € l'aller en 2de classe avec TGV, 17 € en 2de classe avec Téoz et 35 € en 2de classe en couchette avec Lunéa (32 € sur Internet).
– *Prem's Dernière Minute :* des offres exclusives à saisir sur Internet. Bénéficiez jusqu'à 50 % de réduction sur des places encore disponibles quelques jours avant le départ du train.
– *Prem's Vente Flash :* des promotions ponctuelles.
– *TGV Prem's Week-End :* 25 € ou 45 € garantis en 2de classe pour des départs sur les derniers TGV du vendredi et du dimanche soirs (une offre exclusive TGV).
➢ *Les tarifs Loisir*
Une offre pour tous ceux qui programment leurs voyages mais souhaitent avoir la liberté de décider au dernier moment et de changer d'avis (offres soumises à conditions, tarifs échangeables et remboursables). Pour bénéficier des meilleures réductions, pensez à réserver vos billets à l'avance (les réservations sont ouvertes jusqu'à 90 j. avant le départ) ou à voyager en période de faible affluence.
➢ *Les cartes*
Pour ceux qui voyagent régulièrement, profitez de réductions garanties tout le temps avec les Cartes Enfant +, 12-25, Escapades ou Senior (valables 1 an).
– Vous voyagez avec un enfant de moins 12 ans : pour 70 €, la *Carte Enfant +* permet aux accompagnateurs (jusqu'à 4 adultes ou enfants, sans obligation de lien de parenté) de bénéficier de réductions allant jusqu'à 50 %, et à l'enfant titulaire de la carte de payer la moitié du prix adulte après réduction (s'il a moins de 4 ans, l'enfant voyage gratuitement).
– Vous avez entre 12 et 25 ans : avec la *Carte 12-25,* pour 49 €, vous bénéficiez jusqu'à 60 % de réduction et - 25 % garantis sur tous vos voyages, même au dernier moment.
– Vous avez entre 26 et 59 ans : avec la *Carte Escapades,* pour 85 €, vous bénéficiez jusqu'à 40 % de réduction et - 25 % garantis sur tous vos voyages, même au dernier moment. Ces réductions sont valables pour tout aller-retour de plus de 200 km effectué sur la journée du samedi ou du dimanche, ou comprenant la nuit du samedi au dimanche sur place.
– Vous avez plus de 60 ans : avec la *Carte Senior,* pour 56 €, vous bénéficiez jusqu'à 50 % de réduction et - 25 % garantis sur tous vos voyages, même au dernier moment.
➢ Avec les *Pass InterRail,* les résidents européens peuvent voyager dans 30 pays d'Europe, dont *la Belgique.* Plusieurs formules et autant de tarifs, en fonction de la destination et de l'âge.

MIQUE-AUX-NOCES

À noter que le *Pass InterRail* n'est pas valable dans votre pays de résidence (cependant l'*InterRail Global Pass* offre une réduction de 50 % de votre point de départ jusqu'au point frontière en France).

– *Pour les grands voyageurs, l'InterRail Global Pass* est valable dans l'ensemble des 30 pays européens concernés, intéressant si vous comptez parcourir plusieurs pays au cours du même périple. Il se présente sous 4 formes au choix. Deux formules flexibles : utilisable 5 jours sur une période de validité de 10 jours (159 € pour les 12-25 ans, 249 € pour les plus de 25 ans), ou 10 jours sur une période de validité de 22 jours (239 € pour les 12-25 ans, 359 € pour les plus de 25 ans). Deux formules « continues » : *pass* 22 jours (309 € pour les 12-25 ans, 469 € pour les plus de 25 ans), *pass* 1 mois (399 € pour les 12-25 ans, 599 € pour les plus de 25 ans). Ces quatre formules existent aussi en version 1re classe !

– *Si vous ne parcourez que la Belgique*, le *One Country Pass* vous suffira. D'une période de validité de 1 mois, et utilisable, selon les formules, 3, 4, 6 ou 8 jours en discontinu : à vous de calculer avant votre départ.

InterRail vous offre également la possibilité d'obtenir des réductions ou avantages à travers toute l'Europe avec ses partenaires bonus (musées, chemins de fer privés, hôtels, etc.).

Tous ces prix sont applicables jusqu'au 31-12-2009.

Pour plus de renseignements, adressez-vous à la gare ou à la boutique SNCF la plus proche.

Tarifs du One Country Pass (Benelux)

	+ de 25 ans	12-25 ans	4-11 ans
3 jours	109 €	71 €	54,50 €
4 jours	139 €	90 €	69,50 €
6 jours	189 €	123 €	94,50 €
8 jours	229 €	149 €	114,50 €

Pour obtenir plus d'informations sur les conditions pour réserver et acheter vos billets

– **Internet :** ● voyages-sncf.com ● tgv.com ● corailteoz.com ● coraillunea.fr ●
– **Téléphone :** ☎ 36-35 (0,34 €/mn).
– Également dans les gares, les boutiques SNCF et les agences de voyages agréées SNCF.

EN BUS

▲ EUROLINES

☎ 0892-89-90-91 (0,34 €/mn). ● eurolines.fr ● Vous trouverez également les services d'Eurolines sur ● routard.com ●

– *Bureaux à Paris (1er, 5e et 9e arr.)*, La Défense, Versailles, Avignon, Bordeaux, Clermont-Ferrand, Dijon, Grenoble, Lille, Lyon, Marseille, Metz, Montpellier, Mulhouse, Nantes, Nice, Nîmes, Perpignan, Rennes, Strasbourg, Toulouse et Tours.

– *Deux gares routières internationales à Paris :* Gallieni (☎ 0892-89-90-91 ; Ⓜ Gallieni) et La Défense (☎ 01-49-67-09-79 ; Ⓜ La Défense-Grande-Arche).

Leader européen des voyages en lignes régulières internationales par autocar, Eurolines permet de voyager vers plus de 1 500 destinations en Europe à travers 34 pays, avec 80 points d'embarquement en France.

– *Pass Eurolines :* pour un prix fixe valable 15 ou 30 jours, vous voyagez autant que vous le désirez sur le réseau entre 40 villes européennes. Le *Pass Eurolines* est fait sur mesure pour les personnes autonomes qui veulent profiter d'un prix très attractif et désireuses de découvrir l'Europe sous toutes ses coutures.

Tout pour partir*

*bons plans, concours, forums,
magazine et des voyages à prix routard.

> www.routard.com

routard *com*

Chacun
sa route

▲ **VOYAGES 4A**
– *Tarnos : 306, rue de l'Industrie, 40220. Rens et résas : ☎ 05-59-23-90-37. • voya ges4a.com • Lun-ven 10h-18h.*
Voyages 4A propose des voyages en autocar sur lignes régulières à destination des grandes cités européennes, des séjours et circuits Europe durant les ponts et vacances, le carnaval de Venise, les grands festivals et expositions, des voyages en transsibérien, des séjours en Russie... Formules tout public au départ de Paris, Lyon, Marseille et autres grandes villes de France.

EN AVION

Pas vraiment une bonne idée puisque le train à grande vitesse *Thalys* relie Paris à Bruxelles en 1h22. D'ailleurs, *Air France* a supprimé sa liaison Paris-Bruxelles. Restent les liaisons depuis les aéroports de province, sachant que Clermont-Ferrand - Bruxelles, Bordeaux-Bruxelles et Lyon-Bruxelles sont les seules directes.

Les lignes régulières

▲ **AIR FRANCE**
Rens et résas au ☎ 36-54 (0,34 €/mn ; tlj 24h/24), sur • airfrance.fr •, dans les agences Air France (fermées dim) et dans ttes les agences de voyages •
Air France propose à tous des tarifs attractifs toute l'année. Vous avez la possibilité de consulter les meilleurs tarifs du moment, rubrique « Offres spéciales. Promotions » sur le site • *airfrance.fr* •
Le programme de fidélisation Air France-KLM vous permet d'accumuler des *miles* à votre rythme et de profiter d'un large choix de primes. Avec votre carte Flying Blue vous êtes immédiatement identifié comme client privilégié lorsque vous voyagez avec tous leurs partenaires.
Air France propose également la carte Fréquence Jeune, réservée aux jeunes âgés de 2 à 24 ans résidant en France métropolitaine, dans les départements d'outre-mer, au Maroc ou en Tunisie. Avec plus de 18 000 vols par jour, 900 destinations et plus de 100 partenaires, Fréquence Jeune vous offre autant d'occasions d'accumuler des *miles* partout dans le monde.

▲ **BRUSSELS AIRLINES**
Rens : ☎ 0892-64-00-30 (0,34 €/mn) depuis la France et ☎ 0902-51-600 (0,75 €/mn) en Belgique. • brusselsairlines.com •
➢ Liaisons vers Brussels Airport au départ de Lyon, Marseille, Nice, Paris-CDG, Orly, Strasbourg, Toulouse et Genève.
La compagnie aérienne a fusionné avec *Virgin Express*. Deux tarifications : *b-flex economy+* visant une clientèle professionnelle et *b-light economy* proposant des formules *low-cost* depuis Brussels Airport vers plus de 50 destinations en Europe.

Les compagnies *low-cost*

Ce sont des compagnies dites « à bas prix ». De nombreuses villes de province sont desservies, ainsi que les aéroports limitrophes des grandes villes. Ne pas trop espérer trouver facilement des billets à prix plancher lors des périodes les plus fréquentées (vacances scolaires, week-ends...). À bord, c'est service minimum. Afin de réduire les files d'attente dans les aéroports, certaines font même payer l'enregistrement aux comptoirs d'aéroport. Pour éviter cette nouvelle taxe qui ne dit pas son nom, les voyageurs ont intérêt à s'enregistrer directement sur Internet où le service est gratuit. La réservation se fait parfois par téléphone (pas d'agence, juste un numéro de réservation et un billet à imprimer soi-même) et aucune garantie de remboursement n'existe en cas de difficultés financières de la compagnie. En outre, les pénalités en cas de changements d'horaires sont assez importantes, et les taxes d'aéroport rarement incluses. Il faut aussi rappeler que plusieurs compa-

■ Adresses utiles

i 1 Offi... ...isme
i 2 C... ...e

🛏 Où dormir ?

11 Pension Du... ...es
12 Pen...
13 ...
14 P...
15 P...
16 R... ...rante
17 R...
18 ...
19 P...
20 ...
21 H...
22 ...
23 Resi...
24 Hotel ...
25 Hotel ... ...

|●| Où manger ?

30 Restaurante Do... ...do
31 Resta...
32 Resta...
33 Café ...
34 Tasc...
35 R... ...na
36 Te...
37 R...
38 Resta...
39 Cafe...
40 Club...
41 Res...
42 R...
43 Restaura... CAF...

44 Restau... ...on ...
45 Rest... ...
46 ...
47 C...
48 Tas... ...M...
49 R...
50 Te...
51 Res... ...em...
52 Re... Do... ...dr...
53 C... ...el ...on...
54 ... ...Tr...to
55 ...
56 P... ...
57 Restaurant ...smo

🍸 Où boire un verre ?

61 Bar Pati...o
62 Bar de...
63 Pinc...
64 B... ...ss...
65 C... ...
66 ... ...ha
67 ... ...a
68 Ca... ...mi...ric...
69 Ca... ...lo
70 B...
71 C...
72 O...
73 Ti Ve...
74 Café... ...em
75 Ca...
76 Estoñ... ...rde

★ Où sortir ?

83 Pingo...n do Norte
84 Pav... ...str...
85 ...
86 ...
87 B...
88 Ca...a do Mon...

★ A voir

90 Palacio do ...ont...
91 Pavil... ...estre
92 C... ...tural...
93 ... ...d...
94 ... ...te

gnies facturent maintenant les bagages en soute. Ne pas oublier non plus d'ajouter le prix du bus pour se rendre à ces aéroports, souvent assez éloignés du centre-ville. Au final, même si les prix de base restent très attractifs, il convient de prendre en compte tous ces frais annexes pour calculer le plus justement son budget. Voici des compagnies desservant la Belgique :

▲ RYANAIR
☎ *0892-555-666.* ● *ryanair.com* ●
➤ Vols vers Charleroi-Bruxelles Sud depuis Limoges, Bergerac, Pau, Carcassonne, Perpignan, La Rochelle, Marseille-Provence, Montpellier, Grenoble et Nîmes. De l'aéroport, liaisons directes en bus vers Bruxelles et Bruges.

▲ EASYJET
● *easjyjet.com/fr* ●
➤ Vols depuis Genève et Nice vers Bruxelles.

▲ JETAIRFLY
● *jetairfly.com* ●
➤ Vols depuis Brest, Toulon, Lourdes, Bastia et Ajaccio vers Brussels Airport.

BELGIQUE UTILE

Pour la carte de la Belgique, se reporter au cahier couleur.

ABC DE LA BELGIQUE

- *Superficie :* 30 513 km².
- *Capitale :* Bruxelles.
- *Villes principales :* agglomération de Bruxelles (1 000 050 hab.), Anvers (472 000 hab.), Gand (230 000 hab.), Charleroi (210 000 hab.), Liège (200 000 hab.), Bruges (117 000 hab.), Namur (108 000 hab.).
- *Population :* 10 510 000 habitants (97 % urbanisés), dont 871 000 étrangers (65 000 Français, officiellement).
- *Densité :* 314 hab./km². Une des plus fortes d'Europe.
- *Taux de croissance annuel :* 0,2 %.
- *Espérance de vie :* 76,5 ans pour les hommes, 82,4 ans pour les femmes.
- *PIB par habitant :* 30 660 €.
- *Taux de chômage :* 7,1 % (mais avec de grandes disparités régionales).
- *Régime politique :* monarchie constitutionnelle, parlementaire et fédérale.
- *Chef de l'État :* le roi Albert II.
- *Premier ministre :* Herman Van Rompuy depuis décembre 2008.
- *Formations politiques :* les centristes démocrates humanistes, les socialistes et les libéraux. S'y ajoutent les écologistes, les nationalistes flamands et l'extrême droite flamande.
- *Divisions administratives et politiques :* 3 régions (Bruxelles-Capitale, la Région flamande et la Région wallonne) et 10 provinces en tout.
- *Langues officielles :* le français, le néerlandais et l'allemand.
- *Communautés linguistiques :* française, flamande et germanophone.
- *Altitude maximale :* 694 m. Pas si plat, le plat pays !

AVANT LE DÉPART

Adresses utiles

En France

Fédéralisme oblige, la représentation touristique belge à Paris est scindée en deux ailes linguistiques.

🛈 *Office belge de tourisme Wallonie-Bruxelles pour la France et la Suisse romande :* 274, bd Saint-Germain, 75007 Paris. ☎ 01-53-85-05-20. ● info@belgique-tourisme.fr ● belgique-tourisme.be ● silvousplait.fr ● *Fermé au public.* Les brochures peuvent être téléchargées sur les sites internet ou commandées par téléphone.

🛈 *Tourisme Belgique, Flandre-Bruxelles :* BP 143, 75363 Paris Cedex 08. ☎ 01-56-89-14-42. ● tourismebelgi que.com ● *Fermé au public.* Brochures à télécharger dont la décoiffante *Flandre, descendez en terre irrégulière.*

■ **Consulats de Belgique :**
– Paris : 1, av. Mac-Mahon, 75017. ☎ 01-44-09-39-39. ● paris@diplobel.org ● Ⓜ et RER A : Charles-de-Gaulle-Étoile. Lun-ven 9h-12h30.
– Également des consulats à Bordeaux, Lille, Lyon, Marseille, Nice, Nantes et Strasbourg. Adresses disponibles sur ● diplomatie.be ●

Au Canada

🛈 *Office belge de tourisme :* CP 760, succursale NDG, Montréal (Québec) H4A-3S2. ☎ (514) 457-28-88.

🛈 *Représentation au Québec de l'office de promotion du tourisme Wallonie-Bruxelles :* 43, rue de Buade, bureau 525, Québec (Québec) G1R-4A2. ☎ (418) 692-49-39.

■ *Ambassade de Belgique :* 80 Elgin Street, 4th floor, Ottawa (Ontario) K1P-1B7. ☎ (613) 236-72-67 à 69. ● ottawa@diplobel.org ●

■ *Consulat de Belgique :* 999, bd de Maisonneuve Ouest, suite 850, Montréal (Québec) H3A-3L4. ☎ (514) 849-73-94.

En Suisse

■ *Ambassade de Belgique :* 41, Jubilaümstrasse, 3005 Bern. ☎ (031) 350-01-50 à 52. ● bern@diplobel.org ●

■ *Consulat de Belgique :* 58, rue Moillebeau, 1209 Genève 19. ☎ (022) 730-40-00.

Formalités

Pensez à scanner passeport, visa, carte de paiement, billet d'avion et vouchers d'hôtel. Ensuite, adressez-les-vous par mail, en pièces jointes. En cas de perte ou vol, rien de plus facile pour les récupérer dans un cybercafé. Les démarches administratives en seront bien plus rapides. Merci tonton Routard !

Depuis l'entrée en vigueur des accords de Schengen, en principe, plus aucun contrôle n'est exercé entre la Belgique et la France. Mais il vaut mieux vous munir d'une pièce d'identité en cours de validité ou d'un passeport valide ou périmé depuis moins de 5 ans (ainsi que de votre permis de conduire et des papiers de votre véhicule, si vous conduisez).
Pour bénéficier des soins de santé (on ne vous souhaite pas d'en avoir besoin), les Français ont intérêt à se procurer la carte européenne d'assurance-maladie, disponible auprès de votre centre de Sécurité sociale.
Les ressortissants suisses doivent également avoir leur carte d'identité nationale.
Les Canadiens n'ont pas besoin de visa à condition de ne pas séjourner plus de 3 mois.

Assurances voyage

■ *Routard Assurance :* c/o AVI International, 28, rue de Mogador, 75009 Paris. ☎ 01-44-63-51-00. ● avi-international.com ● Ⓜ Trinité-d'Estienne-d'Orves. Depuis 1995, *Routard Assurance*, en collaboration avec *AVI International*, spécialiste de l'assurance voyage, propose aux routards un tarif à la semaine qui inclut une assurance bagages de 2 000 € et appareils photo de 300 €. Pour les séjours longs (de 2 mois à 1 an), il existe le *Plan Marco Polo*. Depuis peu, également un nouveau contrat pour les seniors, en courts et longs séjours. *Routard Assurance* est aussi disponible en version « light » (durée adaptée aux week-ends et courts séjours en Europe). Vous trouverez un bulletin de souscription dans les dernières pages de chaque guide.

■ *AVA :* 25, rue de Maubeuge, 75009 Paris. ☎ 01-53-20-44-20. ● *ava.fr* ● Ⓜ Cadet. Un autre courtier fiable pour ceux qui souhaitent s'assurer en cas de décès-invalidité-accident lors d'un voyage à l'étranger, mais surtout pour bénéficier d'une assistance rapatriement, perte de bagages et annulation. Attention, franchises pour leurs contrats d'assurance voyage.

■ *Pixel Assur :* 18, rue des Plantes, 78600 Maisons-Laffitte. ☎ 01-39-62-28-63. ● *pixel-assur.com* ● *RER A :* Maisons-Laffitte. Assurance de matériel photo et vidéo tous risques dans le monde entier. Devis basé sur le prix d'achat de votre matériel. Avantage : garantie à l'année.

Carte internationale d'étudiant (carte ISIC)

Elle prouve le statut d'étudiant dans le monde entier et permet de bénéficier de tous les avantages, services, réductions étudiants du monde, soit plus de 37 000 avantages, dont plus de 8 000 en France, concernant les transports, les hébergements, la culture, les loisirs... C'est la clé de la mobilité étudiante !

La carte ISIC donne aussi accès à des avantages exclusifs sur le voyage (billets d'avion spéciaux, assurances de voyage, carte de téléphone internationale, cartes SIM, location de voitures, navette aéroport...).

Pour plus d'informations sur la carte ISIC et pour la commander en ligne, rendez-vous sur les sites internet propres à chaque pays.

Pour l'obtenir en France

Pour localiser un point de vente proche de chez vous : ☎ 01-40-49-01-01. ● *isic.fr* ●
Se présenter au point de vente avec :
– une preuve du statut d'étudiant (carte d'étudiant, certificat de scolarité...) ;
– une photo d'identité ;
– 12 €, ou 13 € par correspondance incluant les frais d'envoi des documents d'information sur la carte.
Émission immédiate.

En Belgique

La carte coûte 9 € et s'obtient sur présentation de la carte d'identité, de la carte d'étudiant et d'une photo auprès de :
■ *Connections :* rens au ☎ 02-550-01-00. ● *isic.be* ●

En Suisse

Dans toutes les agences *STA Travel* (☎ 058-450-40-00), sur présentation de la carte d'étudiant, d'une photo et de 20 Fs. Commande de la carte en ligne : ● *isic.ch* ● *statravel.ch* ●

Au Canada

La carte coûte 16 $Ca. Elle est disponible dans les agences *TravelCuts/Voyages Campus* mais aussi dans les bureaux d'associations d'étudiants. Pour plus d'infos : ● *voyagescampus.com* ●

Carte FUAJ internationale des auberges de jeunesse

Cette carte, valable dans plus de 80 pays, vous ouvre les portes des 4 200 auberges de jeunesse du réseau *Hostelling International* réparties dans le monde entier. Les périodes d'ouverture varient selon les pays et les AJ. À noter, la carte est souvent obligatoire pour séjourner en auberge de jeunesse, donc nous vous conseillons de vous la procurer avant votre départ. En effet, adhérer en France vous reviendra moins cher qu'à l'étranger.

Pour tout renseignement et réservation en France

Sur place

■ *Fédération unie des auberges de jeunesse (FUAJ) :* 27, rue Pajol, 75018 Paris. ☎ 01-44-89-87-27. ● fuaj.org ● Ⓜ *Marx-Dormoy ou La Chapelle. Horaires d'ouverture disponibles sur le site internet.* Montant de l'adhésion : 11 € pour les moins de 26 ans et 16 € pour les plus de 26 ans (tarifs 2009). Munissez-vous de votre pièce d'identité lors de l'inscription. Pour les mineurs, une autorisation des parents leur permettant de séjourner seul(e) en auberge de jeunesse est nécessaire (une photocopie de la carte d'identité du parent qui autorise le mineur est obligatoire).
– Adhésion possible également dans toutes les auberges de jeunesse, points d'information et de réservation FUAJ en France.

Par correspondance

Envoyez une photocopie recto verso d'une pièce d'identité et un chèque à l'ordre de « FUAJ » correspondant au montant de l'adhésion. Ajoutez 2 € pour les frais d'envoi. Vous recevrez votre carte sous 15 jours.
– La FUAJ propose également une *carte d'adhésion « Famille »,* valable pour un ou deux adultes ayant un ou plusieurs enfants âgés de moins de 14 ans (fournir une copie du livret de famille). Elle coûte 23 € (tarif 2009). Une seule carte famille est délivrée pour toute la famille, mais les parents peuvent s'en servir lorsqu'ils voyagent seuls. Seuls les enfants de moins de 14 ans peuvent figurer sur cette carte ; ceux de plus de 14 ans devront acquérir une carte individuelle.
– La carte donne également droit à des réductions sur les transports, les musées et les attractions touristiques de plus de 80 pays. Ces avantages varient d'un pays à l'autre, ce qui n'empêche pas de la présenter à chaque occasion. Liste de ces réductions disponible sur ● hihostels.com ● et celle des réductions en France sur ● fuaj.org ●

En Belgique

La carte d'adhésion est obligatoire. Son prix varie selon l'âge : 3 € pour les 3-15 ans ; 9 € pour les 16-25 ans ; 15 € pour les plus de 25 ans.

Renseignements et inscriptions

■ *À Bruxelles :* LAJ, rue de la Sablonnière, 28, 1000. ☎ 02-219-56-76. ● info@laj.be ● laj.be ●
■ *À Anvers :* Vlaamse Jeugdherbergcentrale (VJH), Van Stralenstraat 40, B 2060 Antwerpen. ☎ 03-232-72-18. ● info@vjh.be ● vjh.be ●

Votre carte de membre vous permet d'obtenir de 5 à 9 € de réduction sur votre première nuit dans les réseaux LAJ, VJH et CAJL (Luxembourg), ainsi que des réductions auprès de nombreux partenaires en Belgique.

En Suisse

Le prix de la carte dépend de l'âge : 22 Fs pour les moins de 18 ans, 33 Fs pour les adultes et 44 Fs pour une famille avec des enfants de moins de 18 ans.

Renseignements et inscriptions

■ *Schweizer Jugendherbergen (SJH) :* service des membres, Schaffhauserstr. 14, 8042 Zurich. ☎ 01-360-14-14. ● bookingoffice@youthhostel.ch ● youthhostel.ch ●

Au Canada et au Québec

La carte coûte 35 $Ca pour une durée de 16 à 28 mois et 175 $Ca pour une carte valable à vie. Gratuite pour les enfants de moins de 18 ans qui accompagnent leurs parents.

Renseignements et inscriptions

■ *Auberges de jeunesse du Saint-Laurent/Saint Laurent Youth Hostels :*
– À Montréal : 3514, av. Lacombe, Montréal (Québec) H3T-1M1. ☎ (514) 731-10-15. N° gratuit (au Canada) : ☎ 1-866-754-10-15.

– À Québec : 94, bd René-Lévesque Ouest, Québec (Québec) G1R-2A4. ☎ (418) 522-2552.
■ *Canadian Hostelling Association :* 205 Catherine St, bureau 400, Ottawa (Ontario) K2P-1C3. ☎ (613) 237-78-84. ● info@hihostels.ca ● hihostels.ca ●

ARGENT, BANQUES, CHANGE

Comme en France, c'est l'*euro* qui est la monnaie en circulation en Belgique. Nos amis suisses et canadiens devront donc encore changer leur monnaie nationale.
– *Les banques* sont ouvertes du lundi au vendredi de 9h à 16h (pour la plupart) et quelques-unes le samedi matin.
– Le pays est quadrillé par un réseau de *distributeurs* de billets (les réseaux *Mister Cash* et *Bancontact*), où vous pourrez retirer des billets à l'aide de votre carte de paiement. Le logo des cartes acceptées figure en bordure de chaque distributeur. La carte VISA n'est acceptée que par un distributeur sur 10. Attention, lors de week-ends prolongés, certains distributeurs voient leur stock de billets s'épuiser rapidement, prenez vos précautions. Si vous avez à régler votre hébergement en liquide, vérifiez bien auprès de votre banque le montant du retrait maximum autorisé par semaine (souvent 300 €).
– *Change :* de manière générale pour nos lecteurs privés d'euros, il est recommandé de vous munir d'euros, car vous risquez de voir vos billets nationaux changés à un taux qui vous laissera quelques regrets... Préférez les banques aux bureaux de change (surtout dans les lieux touristiques) – les commissions peuvent varier – et comparez les panneaux indiquant le cours des devises.

Les cartes de paiement

Quelle que soit la carte que vous possédez, chaque banque gère elle-même le processus d'opposition et le numéro de téléphone correspondant ! Avant de partir, notez donc bien le numéro d'opposition propre à votre banque (il figure souvent au dos des tickets de retrait, sur votre contrat ou à côté des distributeurs de billets), ainsi que le numéro à 16 chiffres de votre carte. Bien entendu, conservez ces informations en lieu sûr et séparément de votre carte. Par ailleurs, l'assistance médicale se limite aux 90 premiers jours du voyage.

– *Carte MasterCard :* assistance médicale incluse ; numéro d'urgence : ☎ (00-33) 1-45-16-65-65. En cas de perte ou de vol, composez le numéro communiqué par votre banque ou à défaut le numéro général : ☎ (00-33) 8-92-69-92-92 pour faire opposition ; numéro également valable pour les autres cartes de paiement émises par le Crédit agricole et le Crédit mutuel. ● *mastercardfrance.com* ●
– Pour la carte **American Express,** téléphoner en cas de pépin au ☎ (00-33) 1-47-77-72-00 (numéro accessible tlj 24h/24, PCV accepté en cas de perte ou de vol). ● *americanexpress.fr* ●
– *Carte bleue Visa internationale :* assistance médicale incluse ; numéro d'urgence (Europe Assistance) : ☎ (00-33) 1-41-85-88-81. Pour faire opposition, contactez le numéro communiqué par votre banque. ● *carte-bleue.fr* ●
– Pour ttes les cartes émises par **La Banque postale,** composer le ☎ 0825-809-803 (0,15 €/mn) et pour les DOM ou depuis l'étranger : ☎ (00-33) 5-55-42-51-96.
– Également un numéro d'appel valable quelle que soit votre carte de paiement : ☎ 0892-705-705 (serveur vocal à 0,34 €/mn). Ne fonctionne ni en PCV ni depuis l'étranger.

Western Union Money Transfer

En cas de besoin urgent d'argent liquide (perte ou vol de billets, chèques de voyage, carte de paiement), vous pouvez être dépanné en quelques minutes grâce au système *Western Union Money Transfer.* Pour cela, demandez à quelqu'un de vous déposer de l'argent en euros dans l'un des bureaux *Western Union ;* les correspondants en France de *Western Union* sont *La Banque postale* (fermée sam ap-m, n'oubliez pas ! ☎ 0825-00-98-98) et *Travelex* en collaboration avec la *Société financière de paiement (SFDP ; ☎ 0825-825-842).* L'argent vous est transféré en moins d'un quart d'heure. La commission, assez élevée, est payée par l'expéditeur. Possibilité d'effectuer un transfert en ligne 24h/24 par carte de paiement (*Visa* ou *MasterCard*) émise en France. ● *westernunion.com* ●

ACHATS

Magasins

Les boutiques, échoppes et magasins pullulent dans le centre des villes où vous tomberez inévitablement sur des marchés, brocantes et autres étalages. Tous les produits du terroir national et de bien au-delà vous seront proposés chaque fois que vous vous promènerez.
Pour vous donner un coup de main (pas pour porter !), quelques petits conseils pour faire de bonnes affaires...

Ce qui se mange

– Les chocolats (pralines) : ils se conservent une semaine (à l'abri de la chaleur !).
– Le massepain, les *babeluttes.*
– Les *couques* (viennoiseries) et les biscuits, *speculoos,* baisers, macarons et pain à la grecque.
– Les fromages : le herve (dans un emballage isolant), les fromages d'abbaye à pâte molle.
– Les jambons fumés des Ardennes.

Ce qui se boit

– Un petit casier des innombrables bières « spéciales » et d'abbaye, et les verres qui vont avec ; de la Gueuze.
– Du *peket,* du genièvre.

Ce qui se lit

La B.D. bien sûr ! Les fanas et collectionneurs ne sauront où donner de la tête, attention à l'ivresse des bulles !

Gadgets

Le credo européen s'affiche sur un tas d'objets et d'accessoires aux couleurs bleu et jaune du drapeau de l'Europe des 27 : il y en a pour tous les goûts.

Artisanat

– *La dentelle :* c'est LA spécialité. Si vous avez une tante à héritage à qui faire plaisir, ne cherchez pas plus loin ! Points de Bruxelles, de Bruges, de Malines, si cela vous passionne, faites-vous expliquer toutes les subtilités de ce qui constitua naguère une véritable industrie (plus de 15 % des Bruxellois en vivaient au XVIIIe s).
– *La tapisserie :* destinée à l'ornementation, elle a connu ses heures de gloire aux XVe et XVIe s. Il en subsiste des objets et accessoires divers vendus dans des boutiques touristiques. Mais il faut aimer !
– *Le verre et le cristal :* industrie dont la Wallonie s'est fait une spécialité ; la maîtrise des souffleurs de verre a produit des merveilles (à visiter : les cristalleries du Val Saint-Lambert à Liège). À admirer, à moins d'avoir les moyens car ce n'est pas donné !
– Autres spécialités wallonnes : la dinanderie (le cuivre repoussé) et les étains (à Huy), la céramique et la faïence (à La Louvière), la porcelaine (à Tournai).
– Avec un peu de chance, vous pourrez peut-être acquérir à prix d'or quelques objets d'*artisanat ancien* chez les innombrables antiquaires et brocanteurs du royaume. Si vous vous y connaissez, c'est un régal de chiner en Belgique. Objets recherchés : le style « Expo 1958 », avec tout ce qui rappelle les fifties autour de la construction de l'Atomium.

BUDGET

Le coût de la vie en Belgique est, dans les grandes lignes, comparable à celui de la France. Manger au resto coûte en moyenne un peu plus cher mais les portions servies sont plus généreuses.
Les prix indiqués comprennent le service mais il est toujours bienvenu d'arrondir le montant dans les cafés et restaurants.

Logement

Les prix indiqués sont pour 2 personnes (valeurs en euros arrondies).
– *Bon marché :* 18-25 € par personne (auberge de jeunesse).
– *Prix modérés :* jusqu'à 60 €.
– *Prix moyens :* 60-90 €.
– *Plus chic :* 90-125 €.
– *Chic :* plus de 125 €.
– *Très chic* suppose qu'on est encore au-delà.

Nourriture

– *Bon marché :* jusqu'à 10 € le plat.
– *Prix modérés :* 10-12,50 € le plat.
– *Prix moyens :* 12,50-20 € le plat.
– *Chic :* plus de 20 € le plat.
Un resto chic peut très bien servir un plat du jour pas cher le midi. Ainsi, un resto que nous avons placé dans « Plus chic » peut-il très bien figurer dans « Prix modérés » et inversement.

BELGIQUE UTILE

Grosso modo, le midi, on peut manger un plat pour 7,50 à 10 € et souvent cela suffit pour assouvir une honnête faim, mais, le soir, pour faire un bon repas complet dans un bon resto, ne pas compter moins de 30 € par personne. C'est donc cher.

CLIMAT

Non, il ne faut pas s'habiller en Eskimo pour visiter la Belgique ! Les conditions climatiques y sont, à un ou deux degrés près, les mêmes que dans le Bassin parisien. Le climat étant océanique et tempéré, vous devrez en toute saison prévoir un vêtement de pluie. C'est vrai qu'une idée tenace fait croire qu'il y pleut tout le temps ! Pas plus qu'en Normandie et moins qu'au Pays basque. Les températures ne subissent pas de gros écarts, bien qu'on ait vu récemment des étés torrides. De même, en hiver, le gel peut s'installer assez longtemps et donner des journées froides et ensoleillées.

La dominante sera un temps ni chaud ni froid avec des alternances rapides entre soleil et pluie, mais aussi parfois de longues périodes de temps gris avec ciel couvert. Une exception pourtant : le plateau des Ardennes, où les températures peuvent être inférieures de 5 °C à celles de la côte. Les brouillards y sont fréquents dans les vallées.

Les floraisons du printemps sont idéales pour se balader le long des canaux de Bruges et des quartiers entiers de Bruxelles resplendissent de la parure des cerisiers du Japon.

L'été voit les plages du littoral se couvrir des familles wallonnes en quête de l'iode de la mer du Nord. Quand le soleil est de la partie, on y grille aussi bien qu'à La Baule et la chaleur y est moins lourde qu'à l'intérieur du pays.

L'automne est une saison idéale pour parcourir les forêts giboyeuses des Ardennes. Couleurs magnifiques.

Février voit le début des cortèges carnavalesques. Gare au brouillard et au verglas !
■ *Prévisions météo* (Institut royal météorologique) : ☎ 090-02-70-03.

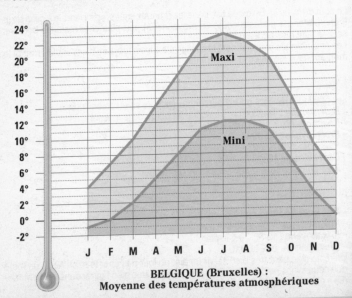

BELGIQUE (Bruxelles) :
Moyenne des températures atmosphériques

HÉBERGEMENT

Toute la gamme classique pour se loger. De nombreux campings, surtout sur la côte et dans les Ardennes, des AJ, des pensions familiales dans les petites localités, des *B & B* dans les villes d'art, des hôtels pour tous les goûts et toutes les bourses. Il y a abondance sauf, peut-être, dans la catégorie des hôtels sympas, confortables... et bon marché (à Bruxelles, principalement).

Par ailleurs, lorsque vous souhaitez bénéficier d'une des réductions que nous avons obtenues pour nos chers lecteurs, n'oubliez pas de vous la faire confirmer À LA RÉSERVATION. Cela évitera des malentendus au moment du paiement avec les employés de la réception soi-disant pas au courant.

– *Combine intéressante (surtout à Bruxelles) :* paradoxalement, il y a des chambres libres en pagaille le week-end... dans les hôtels haut de gamme qui accueillent une clientèle d'affaires en semaine. Dès lors, des forfaits « week-end » y sont pratiqués. Les prix peuvent ainsi se voir amputés du tiers ou de la moitié du tarif semaine ! Renseignez-vous. Parfois, on peut même négocier avant de réserver.

Le petit déj est quasiment toujours compris et généralement copieux.

Les catégories de prix sont assez variables et sont fonction :
– du quartier ; les centres historiques sont beaucoup plus chers ;
– de l'époque de l'année ; les mois les plus intéressants (en semaine) sont janvier, février, juillet, août et décembre.

Pour des indications précises, voir la rubrique « Budget ».

Il existe des possibilités de « vacances vertes » organisées par les *Gîtes d'étape* ou les *Amis de la nature* (en Ardennes), de vacances à la ferme et de nombreux gîtes ruraux.

Les chambres d'hôtes sont en plein développement, surtout en Flandre. C'est réglementé, donc confort minimal assuré, et ça permet les contacts. Et même à la campagne, on n'est jamais très loin d'une grande ville.

Taxistop (on en reparle pour les déplacements ; voir la rubrique « Transports intérieurs ») peut vous trouver des logements chez l'habitant.

– *N.B. :* le tourisme est « régionalisé » en Belgique ; vous pourrez obtenir des renseignements pour la Flandre et Bruxelles (c'est leur capitale déclarée) auprès des organismes officiels flamands, et les responsables du tourisme wallon vous tuyauteront sur leur région et sur Bruxelles, tandis qu'à Bruxelles on se débrouillera pour vous renseigner sur tout !

Adresses utiles

Numéros de téléphone belges depuis l'étranger.

Office de tourisme *(office de promotion du tourisme et Toerisme Vlaanderen) :* voir plus haut « Avant le départ. Adresses utiles ».

Belsud : central de résa, ☎ (00-32) 2-504-02-80. ● belsud.be ● Brochure disponible à l'OPT et en téléchargement. Le site reprend 2 500 idées de séjours en Wallonie et à Bruxelles par type d'hébergement et par thème. Frais de réservation : 8 €.

Logis de Belgique : *rue de l'Église, 15, La Roche-en-Ardenne 6980.* ☎ *(00-32) 84-41-27-67.* ● opt.be/contenus/ logis_de_belgique ●

Auberges de jeunesse

– Il n'y a pas de limite d'âge pour séjourner en AJ. Il faut simplement être adhérent.
– La FUAJ propose deux guides répertoriant toutes les AJ : un pour la France, un pour le monde (8 €).
– La FUAJ offre à ses adhérents la possibilité de réserver en ligne depuis la France grâce à son système de réservation international ● hihostels.com ● jusqu'à 6 nuits maximum (parfois plus) et jusqu'à 12 mois à l'avance, dans plus de 800 auberges

de jeunesse situées en France et à l'étranger (le réseau *Hostelling International* couvre plus de 80 pays). Gros avantage, les AJ étant souvent complètes, votre lit (généralement en dortoir) est réservé à la date souhaitée. Et si vous prévoyez un séjour itinérant, vous pouvez désormais réserver plusieurs auberges en une fois. L'intérêt, c'est que tout cela se passe avant le départ, en français et en euros, donc sans frais de change ! Vous versez simplement un acompte de 5 % et des frais de réservation de 2,25 € (non remboursables). Vous recevrez en échange un reçu de réservation que vous présenterez à l'AJ une fois sur place. Ce service permet aussi d'annuler et d'être remboursé selon le délai d'annulation, qui varie d'une AJ à l'autre. Le système de réservation international accessible sur le site ● hihostels.com ● permet d'obtenir toutes informations utiles sur les auberges reliées au système, de vérifier les disponibilités, de réserver et de payer en ligne, de visiter virtuellement une auberge et bien d'autres astuces !

Campings, gîtes et chambres d'hôtes

– *Campings :* 350 terrains en Belgique, se renseigner auprès des bureaux du tourisme provinciaux (voir plus haut la rubrique « Avant le départ. Adresses utiles »).

■ *Gîtes d'étape du Centre belge du tourisme des jeunes :* rue Van-Orley, 4, Bruxelles 1000. ☎ (00-32) 209-03-00. ● cbtj.be ● Le centre gère 29 sites à Bruxelles et en Wallonie.

■ *Maisons des Amis de la nature, Maison verte :* rue des Frères-Descamps, 94, Ath 7800. ☎ (00-32) 68-28-09-09. ● ufan.be ●

■ *Accueil champêtre en Wallonie* (tourisme rural) : chaussée de Namur, 47, Gembloux 5030. ☎ (00-32) 81-60-00-60. ● accueilchampetre.be ● Près de 400 adresses d'hébergements, mais aussi loisirs à la ferme, saveurs du terroir et découvertes pédagogiques.

■ *ASBL Gîtes de Wallonie :* av. du Prince-de-Liège, 1, Namur 5000. ☎ (00-32) 81-31-18-00. ● gitesdewallonie.be ● Gîtes ruraux, 500 meublés de tourisme et 250 chambres d'hôtes.

■ *ASBL GIWAL :* rue Joseph-Raze, 3, Esneux 4130. ☎ 043-80-19-34. ● giwal. be ● L'association recense les gîtes d'étape et refuges pour randonneurs situés à proximité des sentiers de grande randonnée en Wallonie.

■ *Taxistop :* av. Thérésienne, 7, Bruxelles 1000 ; Maria-Hendrikaplein, 65 b, 9000 Gand ; bd Martin, 27, Ottignies-Louvain-la-Neuve 1340. ☎ (00-32) 70-222-292. ● taxistop.be/2/benb ● Taxistop propose son *Guide du logement* chez l'habitant et coordonne, en outre, les échanges internationaux de maisons ou d'appartements. Centralise aussi pour l'Europe les offres et demandes de places libres dans les voitures particulières (covoiturage).

HORAIRES D'OUVERTURE ET JOURS FÉRIÉS

– Les *banques* sont ouvertes du lundi au vendredi de 9h à 16h. Certaines ferment pendant l'heure du déjeuner. Quelques-unes assurent une permanence le samedi matin.

– Les *bureaux de poste* sont ouverts du lundi au vendredi de 9h à 17h ; de 9h à 12h le samedi matin dans les grandes villes. En Flandre, interruption du service de 12h30 à 13h30. Attention, vous ne trouverez pas forcément de téléphone dans les bureaux de poste, ces organismes occupent des bâtiments différents.

– Les *magasins* ouvrent en majorité à 9h ou 10h et ferment à 18h ou 19h. Les grandes surfaces prolongent jusqu'à 20h et même 21h le vendredi. Tout est fermé le dimanche mais, dans les grandes villes, fonctionnent des *night shops* qui peuvent vous dépanner 24h/24.

– *Jours fériés :* 1er janvier, lundi de Pâques, 1er mai, Ascension, lundi de Pentecôte, 21 juillet (fête nationale), 15 août, 1er novembre, 11 novembre et 25 décembre. Les « fêtes de communauté » peuvent induire la fermeture de services officiels. Celle des Flamands a lieu le 11 juillet, celle des francophones le 27 septembre.

LANGUES

Parlez-vous le belge ?

Un bon conseil : n'essayez pas d'imiter l'accent belge ! Vous n'y arriverez pas : il y en a plusieurs et, de toute façon, vous ne duperez personne ! Cela dit, pour comprendre et vous faire entendre, quelques précisions ne seront pas superflues.

Ce que beaucoup de Français croient identifier comme l'accent belge standard est le français parlé (très convenablement, bien souvent) par les Belges d'origine flamande. Les coureurs cyclistes du Tour de France en donnent une belle illustration. Influencés par leur langue maternelle, ils ne distinguent pas toujours le tutoiement du vouvoiement, confondent les verbes pouvoir et savoir, et écorchent le français en le prononçant avec un accent germanique.

Le flamand ou néerlandais

Parlée par 22 millions d'Européens (aux Pays-Bas et en Belgique), cette langue a pour origine les parlers germaniques des envahisseurs qui occupèrent l'Europe occidentale à la fin de l'Empire romain.

Le néerlandais « officiel », enseigné dans les écoles des deux pays, est une langue codifiée qui fédère les dialectes issus de cinq grandes familles : le « hollandais », le saxon, les dialectes limbourgeois, les dialectes brabançons et les dialectes « flamands » de Flandre occidentale et de Zélande.

Il est aussi inapproprié, du point de vue linguistique, de parler de « hollandais » homogène pour les Pays-Bas que de « flamand » homogène pour les néerlandophones de Belgique. Un habitant de la Flandre parle une langue dialectale à la maison, assez différente de celle que ses enfants apprennent à l'école, et franchement divergente de la langue qu'il entend à la télévision hollandaise.

Les moqueries entre Flamands et Hollandais prenant pour prétexte les différences d'accent sont aussi nombreuses qu'entre Français et Wallons !

Voici un petit lexique de la prononciation de la langue parlée dans le nord de la Belgique, pour ne pas avoir l'air stupide en lisant les noms de lieux ou de personnes, et échanger quelques mots pour nouer la conversation.

Votre français sera la plupart du temps très bien compris et accepté en Flandre, pour peu que l'on ne vous prenne pas pour un Belge francophone, mais un petit effort sera particulièrement apprécié. Ce n'est pas plus compliqué que l'anglais ou l'allemand.

– *Néerlandais, mode d'emploi :* l'accent tonique est presque toujours placé sur la première syllabe, sauf lorsque le mot est composé d'un préfixe, tels *be-, ge-, er-, her-, ont-, ver-*. Dans ce cas, l'accent tonique sera sur la syllabe suivante.

Le temps

lundi	*Maandag* (« maan-dakh »)
mardi	*Dinsdag* (« dînss-dakh »)
mercredi	*Woensdag* (« wounss-dakh »)
jeudi	*Donderdag* (« donn-deur-dakh »)
vendredi	*Vrijdag* (« vreill-dakh »)
samedi	*Zaterdag* (« zaa-ter-dakh »)
dimanche	*Zondag* (« zonn-dakh »)
été	*Zomer* (« zoo-meur »)
automne	*Herfst* (« hairfst »)
hiver	*Winter* (« ouinn-teur »)
printemps	*Lente* (« lenn-te »)
semaine	*Week* (« wéék »)
heure	*Uur* (« uurh »)
minute	*Minuut* (« mi-nuut »)

Compter

un	*een* (« ééen »)
deux	*twee* (« touée »)
trois	*drie* (« drî »)
quatre	*vier* (« vîr »)
cinq	*vijf* (« veill-f »)
six	*zes* (« zaiss »)
sept	*zeven* (« zé-veun »)
huit	*acht* (« akht »)
neuf	*negen* (« né-geun »)
dix	*tien* (« tîn »)
onze	*elf* (« elfe »)
douze	*twaalf* (« touaalf »)
treize	*dertien* (« dair-tîn »)
quatorze	*veertien* (« véer-tîn »)
vingt	*twintig* (« touinn-teugh »)
trente	*dertig* (« der-teugh »)
quarante	*veertig* (« véer-teugh »)
cent	*honderd* (« honn-deurt »)

Se déplacer

avion	*vliegtuig* (« vlîg-teuigh »)
bateau	*boot* (« baut »)
port	*haven* (« haa-veun »)
train	*trein* (« treill-n »)
gare	*station* (« stassionn »)
quai	*perron* (« paironn »)
auto	*auto* (« o-outo »)
bus	*bus* (« beuss »)
vélo	*fiets* (« fîtss »)
gauche	*links* (« linn-ks »)
droite	*rechts* (« raikh-ts »)

Hébergement

hôtel	*hotel* (idem !)
chambre	*kamer* (« kâa-meur »)
auberge de jeunesse	*jeugdherberg* (« yeughd-hair-bairg »)
lit	*bed* (« baitt »)
clé	*sleutel* (« sleu-teul »)
salle de bains	*badkamer* (« bad-kaa-meur »)
dormir	*slapen* (« slâa-peun »)
prix	*prijs* (« preill-ss »)
chambre d'hôtes	*gastenkamer* (« gasteun Kâa-meur »)

Repas

restaurant	idem
table	*tafel* (« tâa-feul »)
manger	*eten* (« é-teun »)
boire	*drinken* (« drinn-keun »)
vin	*wijn* (« ou-eill-n »)
bière	*bier* (« bîr »)
eau	*water* (« ouaa-teur »)
pain	*brood* (« braut »)
café	*koffie* (« ko-fî »)
thé	*thee* (« taie »)

lait	*melk* (« mai-lk »)
viande	*vlees* (« vléss »)
légumes	*groenten* (« groun-teun »)

Visites

rue	*straat* (« straat »)
avenue	*laan* (« lâann »)
place	*plein* (« pleill-n »)
marché	*markt*
digue	*dijk* (« deill-k »)
plage	*strand* (« strann-t »)
église	*kerk* (« querk »)
château	*kasteel* (« cass-téel »)
pont	*brug* (« brugh »)
hôtel de ville	*stadhuis* (« stad-heuill-ss »)
musée	*museum* (« mu-sé-om »)
fermé	*gesloten* (« gueu-slau-teun »)
interdit	*verboden* (« veur-bau-deun »)

Rencontres

oui	*ja* (« yâa »)
non	*neen* (« néen »)
où ?	*waar ?* (« ouâar ? »)
comment ?	*hoe ?* (« houe ? »)
combien ?	*hoeveel ?* (« houe-véel ? »)
trop cher	*te duur* (« te dûur »)
merci (à vous)	*dank u* (« dannk-û »)
merci (à toi)	*dank je* (« dannk-yeu »)
bonjour (familier)	*dag* (« dagh »)
bonjour (matin)	*goedemorgen* (« gou-de-morgeun »)
bonsoir	*goedenavond* (« gou-de-na-vonnd »)
au revoir	*tot ziens* (« tott-dzînss »)
aujourd'hui	*vandaag* (« vann-dâagh »)
demain	*morgen* (« mor-gueun »)
hier	*gisteren* (« ghis-te-reun »)
s'il vous plaît	*alstublieft* (« alss-tu-blïft »)
s'il te plaît	*alsjeblieft* (« alss-yeu-blïft »)

Si vous avez pris la peine de prononcer quelques mots à haute voix grâce à la méthode phonétique, vous verrez les visages se fendre d'un sourire ravi !
Sachez que l'Europe est un grand village et que le néerlandais a donné des mots au français : bouquin, boulevard, étape, affaler, matelot, bâbord, tribord et, évidemment, kermesse.

Le français de Belgique

Autre accent typique : le bruxellois. Bruxelles est une ville au statut officiellement bilingue mais où plus de 80 % des habitants parlent le français.
L'histoire reconnaît les origines brabançonnes (donc flamandes) de Bruxelles, mais le brassage des populations suivi du choix de la ville comme capitale de l'État ont « francisé » la population locale. Cela a généré un français savoureux où les mots aux intonations germaniques et à la syntaxe saugrenue issue du flamand restent nombreux. On y décèle même des apports espagnols qui datent du XVIe s ! Cette langue est toujours vivante dans les quartiers populaires et fait l'objet d'une littérature dialectale dont on peut avoir une bonne illustration au théâtre de marionnettes de Toone (voir le chapitre sur Bruxelles).

Le répertoire bruxellois est particulièrement prolifique dans le domaine des insultes, lesquelles font partie du patrimoine culturel de la ville. Alors, pour vous permettre de suivre un échange dans un café (*caberdouche* ou *staminei*), voici quelques invectives que n'aurait pas désavouées le capitaine Haddock (les albums de Tintin sont truffés de mots bruxellois) :

smeerlap (« sméer-lap »)	salaud
snotnuis (« snot-neuills »)	morveux
dikkenek (« dikeu-naik »)	prétentieux (gros-cou)
froecheleir (« frouche-lair »)	tripoteur
ettefretter (« aite-frai-tteur »)	ronge-cœur
broebeleir (« broube-lair »)	bègue, confus
puuteleir (« pû-te-lair »)	peloteur
klachkop (« klache-kop »)	chauve
schieve architek (« skîve architaik »)	imbécile

Cette dernière invective (littéralement : architecte tordu) provient du quartier des Marolles, qui a été partiellement rasé par la construction du babylonien palais de justice ; les habitants en ont gardé rancœur à l'architecte Poelaert.

Vous voilà armé pour affronter les soirées bruxelloises, on ne pourra pas vous *enquiquiner* (se moquer de vous) ni vous faire avaler des *zieverderà* et des *carabistouilles en stoemelinks* (des racontars et des bobards en douce).

Cela dit, pour vous rassurer, les Bruxellois parlent en majorité un français parfaitement compréhensible, mais ils tiennent, comme tous les Belges francophones, aux particularités de leur langue.

Les belgicismes

« Septante » et « nonante » ! Voilà à quoi un Belge se fait repérer immédiatement dans un rassemblement de francophones (avec la Suisse qui poussera le bouchon jusqu'à oser « huitante » !). Et il y tient, puisque la logique linguistique est de son côté : les langues cousines de la latinité utilisent *setenta*, *ochenta*, *noventa* (espagnol) et *settanta*, *ottanta*, *novanta* (italien).

Le français de Belgique est aussi du français. Les particularismes belges ne sont, ni plus ni moins, que des archaïsmes bien authentiques, alors qu'en France le jacobinisme centralisateur a eu tendance à réduire les saveurs des provincialismes. Des tournures de phrase sont communes au ch'ti du

SOIXANTE-DIX OU SEPTANTE ?

Au Moyen Âge, on avait coutume de compter de 20 en 20. Aussi trouvait-on les formes vint *et* dis *(30), deux vins (40), trois vins (60), quatre vins (80), etc. (cf. l'Hospice des Quinze-Vingt). Ce système a été utilisé par les Celtes et les Normands qui l'ont introduit en Gaule. À la fin du Moyen Âge, les formes concurrentes* trente, quarante, cinquante, soixante *s'imposent définitivement. Pourquoi cet arrêt ? Aucune réponse n'est vraiment convaincante. Sans doute par besoin de conserver un calcul mental mieux adapté aux grands nombres (70 = 60 + 10, 80 = 4 × 20, 90 = 80 + 10). En tout cas, le système belge est le plus logique.*

Nord. Par exemple, l'usage du « quoi » en fin de phrase (« je te raconterai quoi... » en place de « je te raconterai ce que... »).

Petit lexique des originalités du français de Belgique

amitieux	affectueux
à tantôt	à tout à l'heure
athénée	lycée
aubette	kiosque à journaux

bac à ordures	poubelle
bisser, trisser	redoubler, tripler (une année scolaire)
blinquer	reluire
bloquer	étudier, bûcher
boules	bonbons
bourgmestre	maire
brol	désordre, foutoir
brosser	sécher (les cours)
carte-vue	carte postale
ça va ?	d'accord ?
chicon	endive
clenche	poignée de porte
coussin	oreiller
crollé	bouclé, frisé
cumulets	culbutes (faire des)
déforcer	affaiblir
délibérer	discuter, mettre en délibération
dépôt d'immondices	décharge publique
drache (aussi chez les ch'tis)	averse
drève	allée forestière
dringuelle	pourboire
écolage	apprentissage
essuie-main	serviette de toilette
estacade	jetée
évier	lavabo
faire la file	faire la queue
farde	chemise, dossier
feu ouvert	cheminée, âtre
flat	studio
fourche	temps libre
fristouiller	cuisiner, cuire
friture	baraque à frites
guindaille	fête, beuverie d'étudiants
il n'est pas contraire	il est accommodant
jouer avec ses pieds	le faire marcher
koter	habiter une chambre d'étudiant *(kot)*
margaille	dispute
navetteur	travailleur se déplaçant tous les jours de son domicile à son lieu de travail
pain français	baguette
pensionné	retraité
piétonnier	rue commerçante réservée aux piétons
pistolet	petit pain rond (qui coûtait une pistole)
plafonner	plâtrer
postposer	retarder, différer
posture	statuette
pour du bon	sérieusement
prester	effectuer une prestation
remettre	vomir ou céder (commerce à remettre)
renseigner	indiquer, signaler
rhétoricien	élève de terminale
roter	râler, être en colère
sacoche	sac à main
salade	laitue
singlet	« marcel », maillot de corps

socquet	douille (d'ampoule d'éclairage)
subside	subvention
tapis plain	moquette
tirer son plan	se débrouiller
tirette	fermeture Éclair, zip
toquer	frapper à la porte
valves	tableau d'affichage
vidange	bouteille consignée

Précision utile : ne perdez jamais de vue que lorsqu'on vous invite pour « dîner », vous êtes attendu entre 12h et 13h, que le repas du soir s'appelle le « souper » et qu'à l'hôtel vous pouvez prendre votre « déjeuner » au lit (pour petit déjeuner), et si on vous demande si cela vous a « goûté » (vous a plu), vous pouvez répondre : « oué sans doute ? » (non !) ou « non peut-être ? » (oui !)...

Le wallon

Le wallon est le dialecte de la langue d'oïl qui a le moins été influencé par le français, du fait de son isolement aux confins du monde roman. Il a conservé des caractéristiques du latin.
L'accent wallon est reconnaissable par son côté un peu traînant, les voyelles sont souvent allongées, la prononciation des voyelles nasalisées permet de distinguer « brin » de « brun » ; en revanche, « ui » et « oui » se prononcent de façon semblable. Le wallon est resté une langue très vivante, la littérature s'est développée dès le XVIe s et connaît encore une vitalité importante, notamment dans le domaine du théâtre et de la poésie. Le vocabulaire recensé (une société de littérature wallonne existait dès 1856) est de loin plus riche que dans les autres dialectes du français. On distingue trois dialectes wallons : l'est-wallon parlé au pays de Liège et dans le Nord de la province de Luxembourg ; le wallon central parlé dans le Brabant wallon, le Namurois et les Ardennes ; l'ouest-wallon parlé dans le Hainaut.
En Région wallonne, on parle également le picard du côté de Tournai, le lorrain en Gaume, le champenois dans le Sud de la province de Namur, le luxembourgeois du côté d'Arlon et l'allemand dans les cantons de Saint-Vith et Eupen.

Quelques mots wallons

berdeller	rouspéter, ronchonner
bisser	redoubler (une année scolaire)
bleffer, gletter	baver
bouquette	crêpe
canada	pomme de terre (à Namur)
capon	espiègle
chipoter	tripoter, hésiter, tracasser
crompîre	pomme de terre (à Liège)
djâle	diable
djauser	parler
dringuelle	pourboire
huche	porte
il fait douf	il fait chaud
loque à reloqueter	serpillière
peineux	penaud
péket	genièvre
racrapoté	ratatiné
rawette	supplément
saisi	ahuri
spitant	vif, pétillant
tiès	tête
wachotte	lessive

LIVRES DE ROUTE

– *Bruges la morte* (1892), de Georges Rodenbach, Flammarion, coll. « GF ». Roman symboliste où un homme recherche le souvenir de sa femme disparue dans une analogie entre le visage d'une autre, qui lui ressemble, et une ville – Bruges –, dont le décor mélancolique appelle la fatalité et la mort.

– *La Petite Dame dans son jardin de Bruges* (1996), de Charles Bertin, Actes Sud, coll. « Babel ». Un homme se souvient de sa grand-mère, disparue 50 ans plus tôt. Une évocation pleine de délicatesse de la ville et de la vie qu'on y menait dans la première moitié du XXe s.

– *Le Chagrin des Belges* (1983), de Hugo Claus, Le Seuil, coll. « Points ». Dans la région de Courtrai, le portrait sans concession de la Flandre pendant l'occupation allemande. Nationalisme et collaboration vus par un jeune garçon dont la famille est déchirée. Un très grand livre.

– *Le Bourgmestre de Furnes* (1939), de Georges Simenon, Gallimard, coll. « Folio ». Écrit par Simenon dans un « état hallucinatoire », le portrait du patron d'une manufacture de cigares, bourgmestre de sa ville et homme à la morale rigide dont l'univers quotidien va basculer. Détail piquant : Simenon n'a jamais mis les pieds à Furnes.

– *Jacques Brel : une vie* (1984), d'Olivier Todd, 10/18. La biographie la plus fouillée et la plus juste que l'on puisse trouver sur l'auteur des *Flamandes* et de *Bruxelles*.

– *Le Lion de Flandre : la bataille des Éperons d'or* (1838), de Hendrik Conscience, Copernic. Vaste fresque historique retraçant la lutte acharnée du comté de Flandre contre son suzerain le roi de France au XIVe s. Cette épopée patriotique fut le facteur qui déclencha le renouveau du sentiment national flamand. Le morceau de bravoure est le récit de la bataille des Éperons d'or qui vit la déroute de la chevalerie française en 1302.

– *Simenon* (1992), de Pierre Assouline, Gallimard, coll. « Folio ». Magistrale biographie d'un personnage hors du commun. Le même auteur a récidivé avec une vie d'*Hergé* (1996) tout aussi remarquable (Plon et Folio).

– *Le Mal du pays* (2003), de Patrick Roegiers, Le Seuil, coll. « Points ». Sous forme de lexique alphabétique, un panorama de la Belgique délirant, décapant, féroce et néanmoins attachant. À déguster à petite dose.

– *La Belgique* (2005), du même auteur, Gallimard, coll. « Découverte ». Joliment illustrée, l'histoire tumultueuse de ce pays complexe et contradictoire est abordée par Patrick Roegiers à la manière d'un roman, avec ses héros, ses aléas, et évoque les questions cruciales qui se posent à l'occasion des 175 ans de son indépendance.

– *Le Goût des Belges* (2006), d'Éric Boschman et Nathalie Derny, Racine. Cent cinquante produits et recettes estampillés *made in Belgium*. Cent cinquante produits emblématiques passés au crible et assaisonnés à l'humour belge. Irrésistible !

– *400 façades étonnantes à Bruxelles* (2003), d'Isabelle de Pange et Cécile Van Praet-Schaat-Schaack, Aparté. Ce livre s'adresse à tous les fans d'architecture et d'urbanisme. Quatre cents façades de caractère, qui nous content Bruxelles.

Et pourquoi pas quelques B.D. pour aborder la Belgique ?

– *Le Fantôme espagnol* (Bob et Bobette), de W. Vandersteen, Érasme (épuisé). Largement inspiré par Bruegel, cet album de la première époque de Vandersteen restitue dans son style naïf les Pays-Bas espagnols à l'époque de la répression du duc d'Albe.

– *Quick et Flupke* (1930), d'Hergé, Casterman. Les *ketjes* (gamins) des Marolles, ce quartier populaire de Bruxelles, jouent des tours pendables à l'agent 15 au lieu d'aller à l'école ou d'apprendre le violon. Plus facétieux que méchants, ils incarnent la *zwanze* (gouaille) de la ville.

– *Brüsel,* dessins de Schuiten, scénario de Peeters, Casterman. La capitale, ses trams, sa pluie et ses chantiers ouverts par des promoteurs immobiliers délirants. Un fleuriste (il a les traits de Philippe Geluck !) se débat dans un univers à la Kafka pour ne pas succomber à la maladie du progrès. Le dessin de François Schuiten est un hymne à l'architecture.

– *Bob Fish,* d'Yves Chaland, Humanoïdes Associés (épuisé). Yves Chaland (disparu en 1990) était français mais il mérite le titre de Bruxellois d'honneur pour être l'auteur du pastiche le plus réussi de l'école belge de la B.D. : les aventures de Bob Fish, de Freddy Lombard et du jeune Albert renvoient par leurs références à Hergé, Jacobs, Franquin et Tillieux, à cette époque dorée des années 1950 et au « style Atomium » de l'Expo 1958. La version traduite en marollien est un régal pour les connaisseurs !

– *Astérix chez les Belges,* Hachette. Pour retrouver les Belges célèbres au temps des Romains, croqués par Uderzo et campés dans tous leurs travers par ce diable de Goscinny qui nous y donne sa version de l'invention des frites.

POSTE

– *Horaires :* voir plus haut « Horaires d'ouverture et jours fériés ».
– *Timbres :* le prix d'un timbre pour affranchir une carte postale ou une lettre est de 0,52 € pour la France ou la Suisse et 0,80 € pour un autre pays.

SANTÉ

Pour un séjour temporaire en Belgique, pensez à vous procurer la carte européenne d'assurance-maladie. Il vous suffit d'appeler votre centre de Sécurité sociale (ou de se connecter au site internet de votre centre, encore plus rapide !) qui vous l'enverra sous une quinzaine de jours. Cette carte fonctionne avec tous les pays membres de l'Union européenne (y compris les 12 petits derniers). C'est une carte plastifiée bleue du même format que la carte Vitale. Attention, elle est personnelle et valable 1 an (chaque membre de la famille doit avoir la sienne, y compris les enfants).

SITES INTERNET

● *routard.com* ● Tout pour préparer votre périple. Des fiches pratiques sur plus de 200 destinations, de nombreuses informations et des services : photos, cartes, météo, dossiers, agenda, itinéraires, billets d'avion, réservation d'hôtels, location de voitures, visas... Et aussi un espace communautaire pour échanger ses bons plans, partager ses photos, définir son passeport routard ou trouver son compagnon de voyage. Sans oublier *routard mag,* ses reportages, ses carnets de route et ses infos pour bien voyager. La boîte à outils indispensable du routard.
● *lesoir.be* ● *lalibre.be* ● *ladh.be* ● Les sites des principaux quotidiens francophones.
● *rtbf.be* ● Celui de la radio-TV publique en français.
● *tintin.be* ● Le site de la fondation Hergé. Liens intéressants.
● *frites.be* ● Site humoristique sur le thème de la frite, déconseillé aux Français.
● *belgattitude.com* ● Complètement décalé, avec des sketches des Nuls.
● *autoworld.be* ● La plus belle collection de voitures du royaume.
● *fgov.be* ● Le site officiel du gouvernement. On peut même y voir des photos du mariage de Philippe et Mathilde. Délicieusement ringard.
● *europa.eu.int* ● Tout savoir sur les institutions et le fonctionnement du Big Bazar européen.

TABAC

La législation sur la consommation du tabac dans les lieux publics en Belgique s'est alignée sur ses voisins :
– *Lieux de travail :* interdiction totale depuis le 1er janvier 2006.
Depuis le 1er juillet 2009, interdiction dans tous les lieux où on sert de la nourriture.

TÉLÉPHONE ET TÉLÉCOMMUNICATIONS

Pour téléphoner vers la Belgique

– *De France :* 00 + 32 + le numéro à 8 chiffres du correspondant sans le 0 initial.
– *De Suisse :* idem que depuis la France.
– *Du Canada :* 00 + 32 + n° du correspondant.

Pour téléphoner de Belgique

– *Vers la France :* 00 + 33 + les 9 chiffres du correspondant (donc sans le 0 initial).
– *Vers la Suisse :* 00 + 41 + indicatif ville + n° du correspondant.
– *Vers le Canada :* 00 + 1 + indicatif ville + n° du correspondant.

Les cabines publiques

Vous trouverez essentiellement des appareils à carte ; les télécartes s'achètent dans les bureaux de poste ou chez tous les commerçants qui apposent la petite affichette rouge sur leur devanture.
On commence à voir des appareils publics qui permettent l'emploi des cartes de paiement internationales.

Les tarifs

Téléphoner entre 18h30 et 8h ainsi que les samedi, dimanche et jours fériés vous permet une communication deux fois moins chère qu'en temps normal.

Quelques numéros utiles

■ *Secours médicaux, pompiers :* ☎ 100.
■ *Police fédérale :* ☎ 101.
■ *Croix-Rouge :* ☎ 105.
■ *Renseignements abonnés :* ☎ 1307.

Urgence : en cas de perte ou de vol de votre téléphone portable

Suspendre aussitôt sa ligne permet d'éviter de douloureuses surprises au retour du voyage ! Voici les numéros des trois opérateurs français, accessibles depuis la France et l'étranger :

■ *SFR :* depuis la France : ☎ 10-23 ; depuis l'étranger : ▯ + 33-6-1000-1900.
■ *Bouygues Télécom :* depuis la France comme depuis l'étranger : ☎ 0800-29-1000 (remplacer le 0 initial par + 33 depuis l'étranger).
■ *Orange :* depuis la France comme depuis l'étranger : ▯ + 33-6-07-62-64-64.

Vous pouvez aussi demander la suspension depuis le site internet de votre opérateur.

> ☎ **112** : voici le numéro d'urgence commun à la France et à tous les pays de l'UE, à composer en cas d'accident, d'agression ou de détresse. Il permet de se faire localiser et aider en français, tout en améliorant les délais d'intervention des services de secours.

TRANSPORTS INTÉRIEURS

La voiture

Les autoroutes

Lorsqu'un astronaute, au retour d'un voyage dans l'espace, raconte ce qu'il a vu de là-haut, il ne manque jamais de décrire les grandes métropoles mondiales qui scintillent dans la nuit, ainsi que, dans un coin d'Europe occidentale, une curieuse toile d'araignée lumineuse : le réseau autoroutier belge !

Voilà un pays où, tous les soirs, des milliers de lampadaires au sodium éclairent un des réseaux de communication les plus denses du monde. Depuis peu des économies d'énergie sont faites en coupant l'éclairage de 0h30 à 5h30 du matin, ce qui ne rencontre pas une satisfaction générale dans la mesure où le revêtement de certains tronçons est en assez mauvais état.

Attention : une différence qui peut porter à confusion : à l'inverse de la France, les panneaux directionnels autoroutiers sont en vert, les autres panneaux sont en bleu.

Les équivalences linguistiques des noms de lieux

Il ne faut jamais perdre de vue qu'à partir de Bruxelles les points les plus éloignés du pays ne se trouvent pas à plus de 2h de route. Le seul risque de retard réside dans le piège sournois dû aux bizarreries des appellations de lieux, différentes selon la zone linguistique où est planté le panneau indicateur. Nous ne voulons pas que telle mésaventure vous arrive, cher lecteur, lorsque, sur le ring de Bruxelles (le périphérique), vous suivez la direction de Mons qui, quelques kilomètres plus loin, devient *Bergen*... ou, pire, si vous ignorez que Lille s'appelle en flamand *Rijsel* !

Une liste des équivalences linguistiques des noms de ville s'impose. En voici quelques-unes. Les autres figurent de toute manière dans le texte.

Français	**Flamand**
Anvers	*Antwerpen*
Braine-le-Comte	*'s Gravenbrakel*
Bruges	*Brugge*
Bruxelles	*Brussel*
Courtrai	*Kortrijk*
Furnes	*Veurne*
Gand	*Gent*
Grammont	*Geraardsbergen*
Jodoigne	*Geldenaken*
Liège	*Luik*
Louvain	*Leuven*
Malines	*Mechelen*
Mons	*Bergen*
Namur	*Namen*
Renaix	*Ronse*
Soignies	*Zinnik*
Tirlemont	*Tienen*
Tournai	*Doornik*

Pour clore, sachez que vous risquez de tomber sur *Parijs* pour Paris, *Rijsel* pour Lille et *Aix-la-Chapelle* pour Aachen ; que Escaut et Meuse se disent *Schelde* et *Maas*. Et que *uitrit* n'est pas la ville la plus répandue de Belgique mais signifie simplement « sortie ». *Omlegging* signifie « déviation ».

Les routes

Vu les faibles distances, la densité du réseau routier et sa gratuité, la voiture a tous les atouts pour les déplacements en Belgique sauf... le coût des parkings et les sérieux embouteillages aux heures de pointe.

Vitesses maximales autorisées : autoroutes, 120 km/h ; routes à quatre voies, 90 km/h ; agglomérations, 50 km/h. Triangle de signalisation, trousse de secours, gilet réfléchissant et extincteur de bord (non périmé) sont obligatoires.

Le port de la ceinture est imposé partout (même à l'arrière) et la police fédérale effectue de nombreux contrôles les nuits de week-end, tant pour réprimer les abus d'alcool (maximum : 0,5 g/l de sang) que pour dépister l'usage de drogues au volant. Attention, ça ne rigole pas, les retraits de permis sont immédiats, et, du fait des véritables hécatombes à la sortie des boîtes le samedi soir, ces mesures sont salutaires. De même, il faut savoir qu'en cas de contrôle de police et d'amende, celle-ci est exigible immédiatement (en liquide) sous peine d'immobilisation du véhicule.

Attention également à la priorité à droite : depuis 2008, elle est devenue « absolue ». Tout conducteur doit céder le passage à tout véhicule venant de droite, même si celui-ci a marqué un temps d'arrêt avant de franchir le carrefour.

Pour consulter l'état des routes : ● *inforoutes.be* ●

Essence

Attention : beaucoup de pompes à essence ne sont accessibles le soir et le week-end qu'avec une carte de paiement belge compatible avec le réseau *Bancontact*. Si vous ne disposez que d'une carte de paiement de type *Visa* ou *MasterCard*, il vous faudra impérativement chercher une pompe où une caisse est accessible toute la nuit. C'est la plupart du temps le cas le long des autoroutes.

Location de voitures

■ **Auto Escape :** ☎ 0820-150-300 (0,12 €/mn). ● autoescape.com ● Vous trouverez également les services d'Auto Escape sur ● routard.com ● Il est recommandé de réserver à l'avance. L'agence *Auto Escape* réserve auprès des loueurs de gros volumes d'affaires, ce qui garantit des tarifs très compétitifs. *Auto Escape* offre 50 % de remise sur l'option d'assurance « zéro franchise » (soit 2,50 € par jour au lieu de 5 €) pour les lecteurs du *Guide du routard*.

■ **BSP Auto :** ☎ 01-43-46-20-74 (tlj). ● bsp-auto.com ● Les prix proposés sont attractifs et comprennent le kilométrage illimité et les assurances. *BSP Auto* vous propose exclusivement les grandes compagnies de location sur place, vous assurant un très bon niveau de service. Le plus : vous ne payez votre location que 5 jours avant le départ.

Loueurs en Belgique

■ **Avis :** ☎ 02-348-92-12.
■ **Europcar :** ☎ 070-223-001.

■ **Hertz :** ☎ 02-702-05-11.
■ **National :** ☎ 02-524-57-38.

Le stop

Interdit de stopper sur les autoroutes et les bretelles d'accès. Installez-vous avant les panneaux d'entrée d'autoroute avec le carton précisant votre destination.

Bon plan : Classique 21 diffuse, d'avril à octobre, les messages de *Taxistop*. Tous les jours, des propositions de covoiturage à destination de l'Europe entière, mais aussi en Belgique. Service *lift* : ☎ 02-737-20-21. Pour demander une destination (il faut disposer d'un numéro où vous rappeler) ou proposer une place dans votre petite auto : ☎ 02-779-08-46.

La bicyclette

La Flandre est le paradis des cyclistes : pistes aménagées, signalisation spécifique. Ne vous en privez pas, à condition de pouvoir lutter contre le vent qui est parfois... « contraire ». Nombreuses possibilités de location (voir les responsables locaux du tourisme). Le meilleur plan, pour le vélo ou le VTT, c'est de le louer dans les gares : à partir de 9,50 € par jour, avec dépôt de caution de 12,50 € si l'on a une adresse en Belgique, 20 € en dehors. Prix plus élevés pour un VTT. Billets combinés train-vélo : procurez-vous la brochure.
– *Sites utiles :* ● *ravel.wallonie.be* ● Tout sur le réseau autonome des voies lentes (Ravel) de la Région wallonne qui propose des parcours et itinéraires touristiques fléchés à effectuer à vélo, à VTT, à cheval... aménagés sur des voies ferrées désaffectées ou des chemins de halage. Pour la partie flamande du pays : ● *fietsroute. org/index_fr.htm* ● (en néerlandais). Itinéraires avec cartes.

Le train (SNCB-NMBS)

Important : tous les trains belges sont non-fumeurs.
Deux types de lignes : les *IC* (*Intercity,* desservant les grandes villes) et les *IR* (*Interrégion,* reliant les villes moyennes). La plaque tournante du réseau est Bruxelles, où il ne faut pas changer de train puisque la ville est traversée par la « jonction » à six voies reliant la gare du Midi à la gare du Nord en passant par la gare centrale (à 300 m de la Grand-Place).
Rapide, fréquent mais, il faut le reconnaître, assez cher en proportion des distances parcourues. Néanmoins, plein de possibilités de billets à tarif réduit :
– *le billet aller-retour en 1 jour* (mer du Nord et Ardennes) : 50 % de réduction sur le prix normal à certaines périodes de validité ;
– *le billet week-end :* aller-retour à la carte en bénéficiant de 50 % de réduction (du vendredi 12h au dimanche soir) ;
– *le Go-Pass* (pour les moins de 26 ans) : 10 voyages au choix pour 46 € ; utilisable aussi par les copains et valable 6 mois ; ● *gopass.be* ●
– *le Rail pass :* 10 trajets simples entre deux gares au choix ; valable 1 an et non nominatif ; prix : 71 € en 2de classe ;
– *d'autres formules :* la *Keycard,* la formule *B-Excursion* et le *Ticket Jump.*
Attention, si vous n'avez pas acheté votre billet avant de monter dans le train, il vous sera réclamé un supplément de 1,25 € si vous en avez averti le contrôleur. Sinon, l'amende est de 25 €. Vous voilà prévenu ! Un billet ne peut être scindé pour s'arrêter quelques heures dans une ville avant de repartir plus loin.

■ **Renseignements pour les usagers des chemins de fer :** ☎ 02-528-28-28. ● *b-rail.be* ●
■ **Réservations Thalys et Eurostar**

vers Londres : ☎ 02-528-28-28. ● *thalys.com* ● Également aux guichets d'une des quelque 70 gares belges.

– *Conseil :* ne cherchez pas à composter votre billet avant de monter dans le train, cette pratique n'a pas cours en Belgique.

Le bus

Sur les tronçons qui ne sont pas desservis par le train, le réseau SNCB est doublé par des lignes de bus. Depuis la régionalisation des transports, on distingue les bus de *de Lijn,* dans la Région flamande (● delijn.be ●), et ceux des *TEC,* en Région wallonne (☎ 081-32-27-11 ; ● infotec.be ●). Les heures de départ et d'arrivée de ces bus sont organisées de façon à vous permettre des « correspondances » sans – en principe – perdre trop de temps. Leurs horaires sont répertoriés dans l'indicateur SNCB. Le numéro d'appel de la SNCB (☎ 02-528-28-28) est à même de fournir des renseignements sur les horaires de bus dans tout le pays.

Dans les grandes agglomérations urbaines : transports en commun urbains, bus, trams (une ligne de tram parcourt aussi toute la longueur du littoral), mais aussi, depuis quelques années, métro et pré-métro (trams souterrains) à Bruxelles, Anvers et dans le « Grand Charleroi ». Le réseau bruxellois de transports en commun s'appelle la *STIB* (● stib.be ●).

Beaucoup de forfaits hôteliers incluent également des billets de tram, train, bus gratuits dans leurs « arrangements » (voir la formule *Happy Trip* en Flandre).

HOMMES, CULTURE ET ENVIRONNEMENT

Partir en Belgique, pour un Français ou un Suisse, ça ne se présente pas à priori comme un voyage particulièrement torride. Et pourtant, même si l'on ne fait pas beaucoup de kilomètres, c'est bien à une vraie balade exotique que nous nous invitons. Comment imaginer qu'un « ailleurs » si proche soit si différent de la France ? Comment ne pas s'étonner devant tant de richesses sur un aussi petit territoire ? Plat pays certes, mais son relief, ce sont ses habitants qui le lui donnent. Chaleureux, drôles et toujours accessibles. Si nous, Français, résumons trop souvent la Belgique à ses frites et à ses blagues (celles que les Belges, bien sûr, font à nos dépens), c'est que la France a trop longtemps ignoré son voisin. Mais ce complexe de supériorité, qui a prévalu au cours des siècles, se corrige bien vite au fil de la visite.

Et si l'on devait faire quelques comparaisons, on s'apercevrait rapidement que nos voisins n'ont rien à nous envier dans bien des domaines : la cuisine, par exemple ! Où l'on découvre que la diversité culinaire belge va bien au-delà de la simple moules-frites. Et puis la peinture ! La Belgique a produit un nombre étonnant de grands maîtres dont les chefs-d'œuvre laissent encore aujourd'hui pantois. Depuis une décade, chaque création artistique en Belgique est tellement tendance que le royaume est presque devenu la patrie insurpassable de l'humour décalé, le paradis de l'autodérision au point de basculer presque vers le cliché. Mais qui s'en plaindra ?

Côté patrimoine, pas de montagnes mais des forêts, peu de bords de mer mais un concentré de richesses artistiques et culturelles époustouflantes ; des églises gothiques en pagaille, des musées de toute beauté, une nature qui invite à la balade à vélo, des marchés aux fleurs et, surtout, des fêtes, des fêtes et encore des fêtes. C'est fou comme ce peuple a le sens de la joyeuse réunion conviviale. Que ce soit pour se lancer des oranges ou des oignons, pour danser ou défiler dans la rue, tout se termine toujours par de grandes agapes où la bière se boit au tonneau.

Éternelles querelles

Sur le plan politique, le pays se veut un laboratoire de l'Europe. On peaufine sans cesse les institutions, tentant d'apporter toujours de nouvelles réponses pacifiques et consensuelles aux problèmes les plus cruciaux. Pas si facile de ne pas se chamailler quand on vit à 10 dans une petite maison, qu'on y parle trois langues différentes et qu'on n'a de moins en moins les mêmes goûts. C'est un peu ce tour de force qu'a essayé avec difficulté de réussir la Belgique, en respectant la personnalité de chacune de ses composantes tout en conservant une identité propre. Cela ne se passe pas toujours sans crises politiques plus ou moins graves, du fait des aspirations à plus d'autonomie de chacune des communautés, mais en définitive, comme dans les vieux couples, on finit toujours par préférer assurer le patrimoine commun que tenter l'aventure de la séparation... mais pour combien de temps encore ? À chaque élection, le fossé se creuse toujours un peu plus... et n'est pas près de se combler.

Problèmes linguistiques, variété de population, mixité des genres et bouillonnement intellectuel... Vous entrez dans un univers en équilibre instable, passionnant et déroutant, mais qui ne fonctionne pas trop mal, et cela grâce à un système qui fait défaut dans l'Hexagone : l'esprit de consensus. Les Belges ont toujours préféré casser un peu de vaisselle que de faire couler le sang. On vient de loin pour étudier à Bruxelles l'art de faire entrer un œuf dans une bouteille sans fêler la coquille.

La vie à trois

Bruxelles, la Flandre et la Wallonie constituent trois univers bien différents, bien marqués. Chacun met en avant ses atouts.

La capitale, cœur de l'Europe et destination de week-end de plus en plus à la mode, entend son nom prononcé tous les jours dans les médias.

En Wallonie, vous entrerez vite dans la danse des nuits folles de Liège. À Namur, on se laisse doucement porter au fil de la Meuse par l'atmosphère délicieusement provinciale et raisonnable.

Et la Flandre, quant à elle, a su mettre en valeur un patrimoine unique au monde. Ah, les charmes de Bruges et de Gand !

Trois régions, trois bonnes raisons de venir par ici traîner vos babouches. En voisin, en curieux... et bien vite en ami.

BANDE DESSINÉE

C'est principalement en Belgique que s'est développé ce qu'on appelle le 9e art. Bruxelles a tenu à matérialiser le chemin parcouru depuis les années 1920 en érigeant ce merveilleux musée qu'est le Centre belge de la bande dessinée.

Comment en est-on arrivé là ? Nous allons nous employer à le raconter, sans pouvoir malheureusement être complet...

Au pays des boy-scouts

Il était une fois... en 1925, un certain Georges Remi, chef de patrouille chez les scouts, qui illustrait la revue *Le Boy-Scout belge* par des histoires mises en images. Son personnage se nomme Totor, « chef de la patrouille des Hannetons ». Ses études secondaires achevées, le jeune Georges entre comme illustrateur au quotidien *Le XXe siècle,* dirigé par un abbé de choc et fortement marqué à droite. Il devient l'homme à tout faire du journal et lorsque l'abbé Wallez décide de créer un supplément pour la jeunesse, c'est à Hergé (RG, contraction de ses initiales) qu'il confie le travail. Le 10 janvier 1929, Tintin (et Milou), reporter au *Petit XXe,* fait son apparition dans sa première aventure : *Au pays des Soviets.* Le ton est franchement anticommuniste – c'est dans l'air du temps – et le dessin assez grossier bien que plein de promesses.

Les ventes du journal grimpent, Hergé crée *Quick et Flupke* et Tintin part au Congo, en Amérique, puis en Égypte et aux Indes *(Les Cigares du pharaon).* Le propos est toujours simpliste – bagarres et poursuites – mais pour la suite *(Le Lotus bleu),* l'auteur prend la peine de se documenter auprès d'un jeune étudiant chinois : Tchang. Celui-ci lui fait comprendre la nécessité de raconter la vérité aux jeunes lecteurs et, désormais, Hergé prendra son métier au sérieux, sans se douter que son héros connaîtra une notoriété universelle.

Des imprimeurs malins

À Tournai, le vénérable éditeur Casterman (racheté en 1999 par Flammarion) se charge de publier les albums d'Hergé en leur assurant une large diffusion.

La formule des suppléments du jeudi pour les jeunes fait des émules et en 1938, à Marcinelle, l'imprimeur Jean Dupuis crée le magazine *Spirou,* du nom d'un groom d'hôtel créé par Rob-Vel, et en y associant Joseph Gillain (Jijé), qui dessine *Blondin et Cirage* pour le supplément du *Patriote illustré...* Les piliers de « l'école belge » se mettent en place.

Arrivent la guerre et ses vicissitudes. Réduction du papier (et publication en couleurs pour compenser la réduction des pages), collaboration à des journaux aux mains de l'occupant (Hergé, avec *Le Soir*), mais la pénurie de *comics* venus des États-Unis amène les jeunes dessinateurs à inventer leurs propres scénarios. Jijé crée *Jean Valhardi* et on voit apparaître *Tif et Tondu* et *L'Épervier bleu*.

Un nouveau magazine voit le jour en français : *Bravo* (il existait en néerlandais), où fleurissent les histoires dessinées par E.-P. Jacobs, Vandersteen, Laudy et Reding. Après la Libération, une pléiade d'autres titres sont publiés, ils connaissent une existence plus ou moins éphémère et ne pourront se développer, faute d'une diffusion vers la France pour cause de censure ! En 1946, Hergé, sans travail, accepte du jeune résistant Raymond Leblanc la proposition de donner le nom de Tintin à un nouvel hebdomadaire. Le *Journal de Tintin* et son concurrent *Spirou* font le vide autour d'eux. Désormais, on parlera de l'école de Bruxelles (autour d'Hergé, Jacobs et Martin) et de l'école de Marcinelle (autour de Franquin, Morris et Jijé). Dans les cours de récré, les gamins se divisent en pro-*Spirou* et pro-*Tintin*.

L'école de Bruxelles

Elle se distingue par un grand souci de la précision du trait, de la lisibilité, et par le parti de privilégier les récits réalistes. Hergé, en « conseiller artistique », y fait entrer les collaborateurs de son studio et accueille de nouveaux talents à qui se transmet ce goût pour les histoires bien structurées, au graphisme précis illuminé de couleurs éclatantes, et souvent moralisantes ou didactiques. L'âge d'or du *Journal de Tintin* va durer près de 30 ans et faire la fortune d'éditeurs tels que Casterman, Lombard et Dargaud, qui reprendront les histoires en albums.

Les acteurs de cette épopée sont légion : Jacobs (*Blake et Mortimer*), Martin (*Alix, Lefranc*), Cuvelier (*Corentin, Line*), Vandersteen

> ### NUL N'EST PROPHÈTE EN SON PAYS
>
> *À l'époque, le buste de Tintin et Milou qui coiffait l'immeuble des éditions du Lombard, près de la gare du Midi, était la plus grande enseigne lumineuse tournante de Belgique. Raymond Leblanc, fondateur du Journal de Tintin, ne manquait jamais de raconter sa construction : « On a fait venir des ingénieurs allemands qui avaient installé l'enseigne Mercedes à Stuttgart. Quand elle a été placée, j'ai voulu voir l'impression qu'elle donnait quand on sortait du tunnel en tramway. Sur la banquette en face de moi, il y avait un petit garçon, accompagné de sa maman. Le tram s'est arrêté et le petit garçon s'est écrié : "Maman ! Regarde c'est Spirou !" » Mille sabords, raté !*

(*Bob et Bobette, Prince Riri*), Liliane et Fred Funcken (*Capitan, Chevalier blanc*), Bob De Moor (*Cori, Barelli*), Tibet, Reding, Craenhals, Macherot, Graton, Aidans, Hermann, Greg (rédac' chef), Paape, Attanasio, Derib, Vance, Dupa... et même Uderzo qui, avec Goscinny, crée le personnage d'*Oumpah-Pah* avant de lancer *Astérix*. Le *Journal de Tintin* a cessé de paraître dans les années 1980.

L'école de Marcinelle (faubourg de Charleroi)

Ce qui fait la spécificité de l'autre « tendance » de la B.D. belge, c'est un penchant pour l'humour plutôt qu'un style graphique particulier. Le goût de la parodie et de la caricature qu'affichent en commun les auteurs provient de la réunion initiale d'une bande de joyeux zigues qui s'amusaient beaucoup en dessinant ! Les *Histoires de l'oncle Paul* ont fourni un alibi de sérieux à la publication, mais, au fil de son histoire, le journal *Spirou* a connu des expériences originales et des tentatives de renouvellement de l'intérieur.

La liste des collaborateurs qui ont assuré le succès de ce journal et des albums des éditions Dupuis est longue. Le noyau central des débuts : Jijé (*Jerry Spring, Blon-*

din et Cirage), Sirius (L'Épervier bleu, Timour), Franquin (Spirou et Fantasio, Gaston Lagaffe), Morris (Lucky Luke), Peyo (Johan et Pirlouit, Les Schtroumpfs, Benoît Brisefer), Hubinon (Buck Danny), Will (Tif et Tondu, Isabelle), Tillieux (Gil Jourdan), Paape (Marc Dacier), Roba (Boule et Bill). Bien d'autres se sont ajoutés : Mitacq, Cauvin, Leloup, Jidéhem, Walthéry, Lambil... Les années fastes du journal Spirou correspondent à la période où le scénariste Yvan Delporte en fut le rédacteur en chef.

La B.D. devient adulte

En France, la B.D. prend le virage historique qui ne la confinera plus au public « enfantin » avec l'arrivée de Pilote puis, dans les années 1970, de L'Écho des Savanes, Métal hurlant et Circus. La Belgique cesse d'être le laboratoire principal de toutes les expériences nouvelles. Désormais la B.D. ne s'adresse plus uniquement aux enfants.

Casterman relève le défi de la modernité en publiant le magazine À suivre en 1978. Il accueille de nombreux auteurs formés à l'institut Saint-Luc de Bruxelles, vivier de nouveaux talents : Schuiten, Andreas, Sokal... Les collaborations se sont dispersées vers divers supports graphiques et les histoires complètes sont désormais publiées directement en albums, avec quelques gros succès, tels les séries XIII ou Largo Winch de Van Hamme ou les cartoons désopilants du Chat de Philippe Geluck.

La « ligne claire » (étiquette sous laquelle est rassemblée la majorité des créateurs belges) fait à présent partie de l'histoire. La B.D. quitte la sphère d'influence franco-belge pour devenir internationale.

Si vous êtes fan de bulles, ne manquez sous aucun prétexte le Centre belge de la bande dessinée à Bruxelles (CBDB), le nouveau musée Jijé ainsi que le parcours des façades B.D. de la ville.

BELGITUDE ET BELGICAINS

Les milieux intellectuels et artistiques francophones de Belgique ont toujours nourri vis-à-vis de la France un complexe ambivalent où se mêlent à la fois le désir d'assimilation à la culture française et le besoin d'afficher une identité spécifique.

La reconnaissance passerait-elle obligatoirement par Paris ? En proportion de la population belge, il y a autant – sinon plus – de talents dans le plat pays que dans n'importe quelle province française. Ce point de vue fut adopté par pas mal de « Rastignac » montés avec succès à Paris et qui, aussitôt, s'empressèrent d'oublier leurs origines (Simenon ou Michaux furent de ceux-là).

De plus, aux yeux des défenseurs d'une « identité » régionale (souvent wallonne), les écrivains belges de poids avaient le défaut d'être... des Flamands écrivant en français (Maeterlinck, Verhaeren, Rodenbach, Crommelynck...) et de donner à l'extérieur l'image d'un pays très éloigné de Liège ou de Charleroi !

Les partisans de cette quête de spécificité « belge moins la Flandre » se sont efforcés de ratisser tout ce que le Sud du pays pouvait aligner comme éminences des arts et des lettres afin d'élaborer autour d'eux ce concept de « belgitude », convergence de caractéristiques propres aux divers courants censés définir une identité belge. L'autodérision n'est pas absente de ce néologisme inspiré de la « négritude » de Léopold Sedar Senghor.

Bizarrement, c'est au cœur de cette ironie un peu masochiste que l'on pourrait isoler le dénominateur commun à tous les courants de la « belgitude ». L'inclination pour l'étrange et le fantastique, l'usage de l'humour parfois grinçant, la divagation jubilatoire et le « réalisme magique » ne se trouvent-ils pas dans la conscience collective de ce pays fécond en personnages aussi représentatifs de ce « surréalisme latent » que Bruegel et Magritte, Jean Ray et Ghelderode, Ensor et

Brel, Hergé et André Delvaux, Jaco Van Dormael et les Snuls, Harry Kumel et François Schuiten, Achille Chavée et Marcel Mariën ? Sans oublier ce pape de l'étrange qu'est Michaux...

« Belgicains », en revanche, est un vocable inventé par les partisans du fédéralisme pour qualifier les Belges qui se réclament de la « Belgique de Papa ». Les Belgicains (espèce en voie de disparition) s'opposent farouchement aux idées séparatistes, ambitionnent de restaurer à l'étranger l'image d'un royaume, uni autour de la fonction royale. Les Belgicains sont plus nombreux à Bruxelles et en Wallonie qu'en Flandre et se sont fait remarquer en arborant aux balcons le drapeau national lors de la crise politique de 2007-2008 où la partition du pays apparaissait comme un scénario de plus en plus crédible.

BOISSONS

ATTENTION !

Dans les restaurants en Belgique, il n'y a pas de carafe d'eau sur la table. Si vous demandez de l'eau, on vous servira de l'eau minérale en bouteille, souvent facturée assez cher, et on s'attend à ce que vous commandiez des boissons à la carte. Prenez une bière à la pression, c'est ce qui sera le plus économique. La carafe d'eau, sachez-le, est vraiment une exception culturelle française !

Bières

Chaque Belge consommerait chaque année près de 150 l de bière ; cela le place dans le peloton de tête européen avec le Tchèque, l'Allemand et le Danois. Brel a chanté : « Ça sent la bière de Londres à Berlin, Dieu qu'on est bien ! » Et sur le fronton de la maison des Brasseurs, qui borde la Grand-Place de Bruxelles, sont gravés ces mots : « Des bienfaits du ciel et de la terre, par la grâce de saint Arnould et le savoir des hommes, est née cette boisson divine : la bière. » C'est dire l'importance de ce breuvage dans la vie quotidienne au pays de Gambrinus (du nom de Jean Ier, Johan Primus, duc de Brabant et soiffard notoire).

La bière est partout : à l'apéro, sur une terrasse, en famille, après le sport, devant la télé, lors d'une réunion, avant, pendant et après les repas. Sachez qu'à une bonne table, on ne vous regardera pas de haut si vous prenez le soin de commander une bière de qualité en harmonie avec les plats à déguster (demandez conseil, vous serez surpris et vous ferez des économies).

Même si la répression de l'ivresse au volant (alcool toléré : 0,5 g/l de sang) inquiète le secteur économique des cafetiers et restaurateurs ; on trouve encore près de 50 000 bistrots où l'on peut déguster près de 350 variétés nationales de bières, brassées par une centaine d'entreprises restées souvent artisanales.

Avant de vous lancer dans des libations inconsidérées, quelques explications vous permettront d'apprécier (avec modération) toutes les richesses de la production brassicole.

Un peu de technique

Tout commence avec l'orge, dont les grains sont trempés dans l'eau pour germination. Le résultat est séché (touraillé) et réduit en farine (maltage). Le malt est transformé en jus sucré (le moût) ; le brassage sert à transformer l'amidon de l'orge en sucre maltose. Quand le moût est porté à ébullition, il est additionné de houblon, dont le dosage détermine l'amertume et l'arôme. Le moût est alors placé dans de grandes cuves pendant plusieurs jours et, sous l'action de levures, le sucre se transforme en alcool et en gaz carbonique. C'est le stade de la fermentation. Elle peut s'effectuer de trois manières : basse, haute et spontanée.

La bière la plus courante, la Pils (Stella, Maes, Jupiler), fait partie des bières de « fermentation basse » : la fermentation et la maturation se sont faites aux alentours de 8 °C pendant 7 à 10 jours et la levure repose au fond de la cuve. La bière obtenue industriellement est blonde et légère.

Les bières de « fermentation haute », dont les « spéciales », sont produites par l'action (entre 15 et 20 °C) plus courte de la levure qui remonte à la surface de la cuve. Il en existe plusieurs variétés.

Les bières rouges (*bruin bier* en flamand) proviennent d'un mélange de bière ordinaire avec une très vieille bière qui a séjourné 18 mois en fût de chêne ; saveur aigre-douce et goût fruité permettent l'adjonction de sirop de grenadine (demandez la fameuse Rodenbach-grenadine).

Les bières blanches sont faites à base de froment (c'est-à-dire de blé) et d'orge ; elles sont aussi appelées « bières troubles » en raison de l'absence de filtrage. Bière à l'aspect pâle et peu amère, la blanche, très désaltérante, se déguste de préférence en été.

À chaque Belge sa bière

Les bières « de saison », peu alcoolisées et aigrelettes, étaient autrefois brassées en Hainaut durant l'hiver pour être bues avant l'été. On peut à présent les trouver toute l'année, bien que leur étiquette porte encore la mention « de saison ». Existent aussi des bières de Noël et de Pâques, destinées à faire mousser dignement les fêtes !

Les bières brunes sont foncées, fortement aromatisées, d'abord sèches au goût, puis très douces.

Les célèbres bières d'abbaye ne sont que quelques-unes à pouvoir porter cette appellation : ce ne sont plus les vénérables moines qui brassent mais ils ont transmis (ou vendu) leurs secrets de fabrication à de respectables laïcs. On distingue les « trappistes », brunes ou blondes, brassées au Moyen Âge à l'intérieur de l'enceinte de l'abbaye (Orval, Chimay, Rochefort, Westmalle, West Vleteren, Achel), et les autres (Leffe, Grimbergen, Affligem, Maredsous, Saint-Feuillien, etc.), fabriquées à l'extérieur, sous licence, qui sont appelées bières d'abbaye. De forte densité et plutôt alcoolisées, elles se dégustent dans des verres en forme de... calice, bien sûr ! Elles sont tout simplement... divines !

Les bières de « fermentation spontanée » sont une spécialité exclusivement belge et ne se font d'ailleurs plus que dans les environs de Bruxelles. La fermentation n'utilise aucune levure mais provient d'une exposition à l'air libre dans de grands fûts appelés « foudres » où, pendant 1 à 2 ans, le moût (le lambic) se transforme sous l'action de ferments microbiens présents dans... l'air de Bruxelles *(Brettanomyces bruxellensis)*. Le lambic peut se boire tel quel (ou sous forme de *faro*, en édulcorant le lambic de sucre candi), mais le plus souvent il est mis à vieillir en fûts de chêne, puis en bouteilles pour fermenter à nouveau et donner alors la célèbre Gueuze. Cette dernière est obtenue par le mélange de plusieurs lambics d'âges différents remis en bouteilles pour éliminer le sucre (l'atténuation). Elle est spontanément pétillante et mousseuse ; parfois aigre, elle peut être additionnée de sucre ou de grenadine.

La Kriek est un lambic dans lequel ont macéré des griottes, ce qui lui donne une couleur rouge et une saveur fruitée des plus rafraîchissante. Ne quittez pas Bruxelles sans l'avoir goûtée.

À chaque bière son verre

Il ne vous reste plus qu'à exercer vos papilles gustatives mais sachez que chaque bière a son verre : la blonde, qui se boit généralement entre 4 et 6 °C, est servie de préférence dans des verres élancés sur pied pour éviter un réchauffement prématuré. Les brunes se dégustent dans un verre pansu entre 10 et 12 °C, et certaines bières utilisent un verre original, telle la Kwak, qui a besoin d'un support en bois pour tenir debout ! C'était la bière fétiche des conducteurs de fiacre et un tel support, bien utile pour éviter qu'elle ne se renverse dans les cahots, a rendu le fond du verre inutile...

HOMMES, CULTURE ET ENVIRONNEMENT

Cette prolifération des verres aux armes de leur brasserie a excité l'appétit des collectionneurs, au point que le patron du *Dulle Griet* à Gand réclame aux consommateurs une chaussure en gage. À voir le nombre de godasses suspendues au mur, nul doute que la bière donne des ailes !

À noter, pour les amateurs de cervoise, la création, par l'office de promotion du tourisme, de la brochure (toujours disponible) du circuit « Bières 2005, chemin de Saveurs en Wallonie et à Bruxelles » avec une liste impressionnante de lieux de fabrication et de dégustation de tous ces trésors brassicoles. En complément :
• *beerparadise.be* •

CUISINE

Quand on fait l'inventaire de la production picturale des peintres flamands du XVI° au XVIII° s, on peut constater que, juste après les évocations religieuses, le thème favori est sans conteste... la bouffe ! Scènes de ripailles, banquets, noces, kermesses rivalisent en abondance avec les « natures mortes » étalant des monceaux de victuailles prêtes à être englouties...

Au cours des promenades dans le centre historique des grandes villes, en levant la tête, on s'apercevra que les noms de rues rappellent les produits vendus sur les marchés : rue Chair-et-Pain, rue des Poissonniers, rue Marché-aux-Fromages, rue des Harengs, rue des Bouchers, etc. C'est dire le rapport que l'on entretient dans ce pays avec la bonne chère !

Limiter les plaisirs de la table, en Belgique, aux seules « moules-frites » reviendrait à réduire la cuisine française au museau-vinaigrette et l'italienne aux spaghettis bolognaise !

Curnonsky plaçait la cuisine belge au deuxième rang mondial derrière la française, donc pas de doute : on mange bien, très bien même dans la plupart des cas. Le choix est très varié, dans toutes les gammes de prix, et les portions sont souvent plus généreuses que celles dont vous avez l'habitude.

Si pas mal de restos belges sont des étoilés du *Michelin*, ce qui fait peut-être défaut c'est le bistrot de tradition où l'on peut manger original sans se ruiner. Ce rôle est repris en partie par les « cafés » (les *eetcafees* en Flandre).

Autre petite divergence : la trilogie traditionnelle dans l'Hexagone entrée + plat + dessert ou fromage n'est pas obligatoire ; vous pouvez vous contenter d'un plat + boisson (c'est copieux), on ne vous tirera pas la tronche. C'est d'ailleurs la manière la plus économique de se nourrir le midi. Petite précision : le *chicon* que vous trouverez souvent sur les menus est le légume que vous connaissez sous le nom d'endive (*witloof* chez les Flamands), tandis que sous le nom d'*endive* se cache la scarole ! Quant au *coucou*, ne vous attendez pas à le voir chanter dans votre assiette : ce nom désigne un vulgaire poulet !

Si vous souhaitez vous sustenter sur le pouce et pour pas cher, vous trouverez, en dehors des fast-foods internationaux, des marchands de *caricoles* (escargots de mer), de multiples friteries (qu'on appelle « fritures ») – un paquet de frites arrosées de mayonnaise ou de pickles vous cale l'estomac pour une demi-journée – et, plus simplement, dans toutes les boucheries-charcuteries du royaume on vous proposera des « pistolets fourrés » (*belegde broodjes* en Flandre), qui sont de petits pains ronds que l'on vous garnit avec tout ce que vous voulez ! Très économique.

Si vous avez envie de vous essayer aux spécialités typiquement belges présentes sur les tables familiales, en voici une petite liste (incomplète) qui, on l'espère, vous mettra l'eau à la bouche...

Petit déj

Toutes sortes de pains, des tas de *couques* (brioches) garnies de raisins, fourrées à la crème pâtissière, du *cramique* (pain brioché aux petits raisins), du *craquelin* (le même au sucre), des tartines (pain de mie) arrosées de sirop de Liège, servis avec du café noir ou du café au lait. Le *cougnou* est un pain brioché en forme de bonhomme avec un petit Jésus en sucre et que l'on trouve à l'époque de Noël.

Entrées

– Tomates-crevettes (grises).
– Croquette de crevettes.
– Fondue au parmesan.
– Asperges à la flamande (avec œufs durs et beurre fondu).
– Moules à l'escargot (à l'ail).
– Jambon des Ardennes (fumé).
– Terrine de gibier aux champignons.
– Pâté gaumais (tourte de viande de porc au vin et aux herbes).
– *Potjesvlesch* (familier des habitants du Nord).
– Tête de veau en tortue (on n'explique pas ! Osez...).
– Filet d'Anvers (jambon fumé de cheval).
– Anguilles au vert (un must incontournable).
– Flamiche (tarte salée chaude au fromage à Namur).
– Jets de houblon sauce mousseline (en mars).

> **LA BELLE HISTOIRE DU *SPECULOOS***
>
> À Rome les enfants sages recevaient des gâteaux de farine et de miel figurant les dieux de l'Olympe. Ce sont les légions de César qui initièrent les Gaulois à ce type de biscuit. Aux petits Apollons et Vénus comestibles, se substituèrent les divinités gauloises. Parmi elles, une sorte de chasseur maudit, un cavalier terrible et barbu. À l'avènement du christianisme on fit appel à un autre barbu légendaire : saint Nicolas, évêque de Myre, fêté le 6 décembre et dont la monture est un âne. Saint Nicolas étant un évêque on donna au biscuit le nom de speculator (observateur, surveillant), terme utilisé pour désigner les évêques. Le speculoos était né.

Poissons

Les fameuses moules viennent de Zélande, dans l'estuaire de l'Escaut.
– Filets de sole à l'ostendaise.
– Waterzoi de poisson (le plat le plus célèbre).
– Poisson à l'escabèche (marinade au vinaigre).
– Moules parquées (crues et garanties fraîches).
– Lotte aux poireaux.
– Brochets et truites en Wallonie.

Viandes

Bœuf et porc dominent, un label bovin de qualité : le *blanc-bleu belge (BBB)* élevé dans le Condroz.
– Carbonades flamandes (ragoût de bœuf, étuvé à la bière).
– *Coucou* de Malines (poulet fermier cuit dans l'argile).
– Waterzoi gantois (au poulet, bouillon de légumes).
– Civet de lapin à la bière.
– Lapin aux pruneaux et aux oignons.
– Rognons de veau à la liégeoise (aux baies de genévrier).
– Oie à l'instar de Visé (fricassée, sauce moutardée).
– Faisan à la brabançonne (aux chicons braisés).
– Oiseaux sans tête (paupiettes de bœuf aux raisins de Corinthe).
– *Choesels* au madère (attention, polémique : virilité du taureau pour certains, simplement abats pour d'autres, on attend un lecteur volontaire pour expérimenter ce redoutable plat bruxellois !).

Plats uniques (suffisamment copieux)

– Chicons au gratin (roulades de jambon fourrées de chicons, sauce béchamel).
– Filet américain (steak tartare servi avec frites).

– *Stoemp* (potée roborative avec chou et saucisses).
– *Hochepot* ou *hutsepot* (pot-au-feu de viande et de légumes).
– Boudin-compote-purée (boudins noir et blanc).
– Tarte *al djote* (à Nivelles, tarte chaude au fromage piquant et aux bettes).
– Salade liégeoise (pommes de terre, haricots princesse, lardons déglacés au vinaigre).

Fromages

Méconnus des Français et souvent des Belges eux-mêmes, ils sont pourtant très variés. À découvrir sans hésiter, tant en Flandre qu'en Wallonie.
– La *maquée* (fromage blanc).

Les tendres

Au lait crémeux, en salade folle ou en compagnie d'une baguette croquante, à apprécier avec un vin noble ou une bière de haute fermentation. Dans le désordre : le *Bouquet des Moines*, le *Herve doux*, la *Fleur des Fagnes*, le *Madreret*, le *Paillardin*, le *Vieil Aubel*, le *Trou d'Sottai* et l'incomparable *Remoudou de Herve* (un des meilleurs du monde... très piquant et odorant ; pour l'heure, la seule appellation belge).

Les mi-durs

Fondants en bouche et caressants, ils offrent le plus grand éventail de formes et d'arômes. On y trouve les fameux fromages d'abbaye, à déguster avec une bière de même provenance, bien sûr, comme ceux des abbayes d'*Orval*, de *Postel*, de *Val Dieu*, de *Maredsous*, de *Corsendonck*, de *Westmalle*, de *Floreffe* ou d'*Affligem*. Quelques autres labels remarquables : le *Chimay* cru ou à la bière, le *Damme*, le *Loo*, le *Passendaele*, le *Dom Tobias*, le *Rubens*, le *Père Joseph*, le *Val de Salm* ou le *Watou*.

Les fromages à pâte dure

Ils ont un caractère qui s'affirme en vieillissant : *Vieux Bruges*, *Vieux Chimay*, *Beauvoorde*, *Fagnar*, *Oude Postel*, *Sezoen* ou *Ambiorix*.

Les persillés ou « bleus »

Découpés après caillage, ils sont ensemencés de moisissures au moment du moulage. Leur goût est exceptionnel et persistant : *bleu de Franchimont*, *Château d'Arville* et *Pas de Bleu* sont les plus connus.

Douceurs

Les pâtisseries se déclinent à l'infini (viennoiseries) ; vous n'aurez que l'embarras du choix. Quelques produits typiques néanmoins :
– pain à la « grecque » (Bruxelles), mot dérivé de *brood van de gracht* (pain du fossé, du nom de la rue du Fossé-aux-Loups) : galette dure au sucre cristallisé ;
– *speculoos* (biscuits durs à la cassonade, aromatisés à la cannelle et moulés en forme de personnages) ;
– *couques* de Dinant (galettes hyper dures au miel, cuites dans des moules en bois) ;
– tartes diverses : au sucre, au riz, aux macarons, à la frangipane, au *maton* (fromage blanc) ;
– *gozettes* (chaussons fourrés aux pommes) ;
– gaufres de Liège et de Bruxelles ;
– *babeluttes* (caramels durs au beurre) ;
– massepain (pâte d'amande sucrée en forme de cochon ou de fruit).

Chocolats : au pays de l'or noir

Il n'y a pas si longtemps, le voyageur débarquant du train de Paris à la gare du Midi à Bruxelles subissait deux chocs immédiats : d'abord un gigantesque buste de Tintin, accompagné de Milou, tournant sur lui-même au sommet de l'immeuble des éditions du Lombard (il y est toujours), ensuite une subtile odeur de cacao qui venait chatouiller les narines de l'arrivant. La grande marque *Côte d'Or* (celle à l'éléphant) avait une usine de fabrication jouxtant la gare. Hélas, *Côte d'Or* a été racheté par le Suisse *Suchard*, l'usine démantelée et les travaux de rénovation de la gare pour accueillir le TGV ont désertifié ses abords.

La réputation du chocolat belge n'est plus à faire et, même sous le pavillon d'une multinationale, il garde toutes ses qualités. Les variétés vont du blanc délicat au noir à taux de cacao élevé frisant l'amer, en passant par tous les fourrés de pâte fruitée ou de noisettes. Le point culminant de cette production est la célèbre « praline » (qui n'a rien à voir avec la friandise à base d'amandes enrobées de sucre, créée par le duc de Praslin, que l'on trouve en France). On en vend à tous les coins de rue sous les marques *Leonidas* (les moins chères), *Neuhaus, Godiva, Corné, Daskalidès, Marcolini*. Un chocolatier comme *Galler* innove en proposant des mélanges aux épices, aux fleurs ou aux senteurs marines et commercialise les fameuses langues de chat inspirées par le personnage de Philippe Geluck.

Si vous ne devez rapporter qu'une chose de Belgique, ce sera un ballotin de pralines (petite boîte conçue par Jean Neuhaus dans les galeries Saint-Hubert). Les prix varient de 10 à 25 € le kg selon les marques mais vous trouverez aussi des sachets de 100 g.

Les frites : un emblème prétendument national

Pour la légende, lire l'encadré ; mais l'histoire de la gastronomie manque de certitudes à ce sujet. Cela dit, la Belgique n'a pas eu l'apanage de la découverte de la pomme de terre, loin s'en faut ! Quant à la frite, si son usage s'est répandu à la seconde moitié du XIXe s, plusieurs pays se targuent de l'avoir inventée, en premier lieu... la France, où l'on vendait des (pommes de terre) frites (au beurre) sur le Pont-Neuf à Paris avant de les voir envahir le reste du monde civilisé.

La spécificité de la frite belge est

FRITES STORY

Once upon a time, sur les bords de Meuse, les pêcheurs avaient coutume de frire à la poêle les nombreux petits poissons qu'ils prenaient. Cette coutume accompagnait les fêtes de l'Épiphanie. Jusqu'au jour où un hiver particulièrement rigoureux gela complètement le fleuve. Quelqu'un eut alors l'idée de tailler des pommes de terre en confectionnant des bâtonnets allongés, rappelant la forme des petits goujons, et de les jeter dans l'huile bouillante. Cela plut, la frite était née !

d'être la meilleure du monde, de croquer sous la dent et de fondre dans la bouche parce qu'elle est cuite... deux fois ! Tout le secret réside dans la qualité de la pomme de terre – la bintje – taillée dans la longueur en frites de 1 cm d'épaisseur. D'abord cuites 5 à 7 mn dans une graisse (de bœuf si on veut respecter la tradition) chauffée à 160 °C, elles sont refroidies quelques instants avant d'être replongées dans la friture portée à 180 °C. Les verser dans un cornet de papier permet d'absorber l'excédent de graisse et l'on peut alors les saupoudrer de sel et les arroser de mayonnaise ou de pickles. À présent, arrêtez de saliver et précipitez-vous sur le premier *fritkot* venu.

ÉCONOMIE

Deuxième pays en Europe pour son faible taux de pauvreté, septième en termes de PIB, la Belgique est un pays prospère mais avec des disparités.

La Wallonie

Le clivage traditionnel entre la Flandre dynamique et la Wallonie en déclin (ferme-ture des charbonnages, crises de la sidérurgie et de l'industrie d'armement) tend à s'atténuer depuis quelques années. Le monde du travail, historiquement très orga-nisé en Wallonie, a eu à cœur de maintenir les avantages acquis de haute lutte dans les décennies précédentes. Devant ces difficultés, la Wallonie, qui a connu un déclin démographique, tente de reconvertir son économie vers les entreprises de taille moyenne orientées vers les technologies nouvelles : l'aéronautique, l'informati-que, les biotechnologies, les télécommunications et l'agroalimentaire. Un ambi-tieux « plan Marshall » de relance économique, prévoyant plus d'un milliard d'euros d'investissements, a été lancé en 2005 par le gouvernement régional wallon pour contrecarrer les effets néfastes d'un taux de chômage élevé (17 % en Wallonie contre 6 % en Flandre, moyenne nationale 7,6 %) et une situation financière encore difficile. En 2003, la Wallonie produisait 24,3 % du PIB belge, pour 32,5 % de sa population.

La Flandre

La Flandre, de son côté, affiche une volonté d'indépendance économique, voire politique, de plus en plus revendiquée. Les milieux patronaux flamands réclament un transfert des compétences et des financements qui ne les obligeront plus à « payer les prestations sociales des chômeurs wallons ». De tradition catholique, elle a connu une croissance démographique supérieure à la moyenne nationale et sa population représente actuellement 58 % des Belges. Son développement éco-nomique s'est fait différemment : privée de ressources naturelles, elle s'est de tout temps consacrée aux industries de transformation. Le textile est sa première acti-vité traditionnelle. Celle-ci remonte au Moyen Âge, quand le drap anglais était tissé par les ouvriers flamands. L'exploitation du lin, du chanvre et de la laine a histori-quement fait la prospérité des villes flamandes. L'axe Courtrai-Gand est de nos jours le siège d'une florissante activité de production de tissu synthétique. Après 1940-1945, les capitaux – américains principalement – ont été attirés en Flan-dre par la docilité et la haute qualification de la main-d'œuvre. La pétrochimie, la chimie lourde, les constructions mécaniques, la transformation du minerai, l'élec-tronique et les automobiles sont les secteurs les plus dynamiques de l'industrie du Nord du pays, sans oublier la taille du diamant à Anvers qui, à elle seule, représente 7 % des exportations de la Belgique. Le port d'Anvers (le deuxième d'Europe après Rotterdam) permet, par an, à l'acheminement de dizaines de millions de tonnes de marchandises vers son hinterland naturel, l'Allemagne, la France, la Suisse et l'Ita-lie. Le port de Zeebrugge accueille les superpétroliers de 250 000 t.

Bruxelles

Le secteur tertiaire réalise la plus grande partie de son produit intérieur brut. Bruxel-les est devenue une ville de services où l'industrie a presque disparu. Commerce, banques, tourisme, assurances, transports et emplois dépendant de l'implantation d'organisations européennes et internationales assurent l'essentiel des ressour-ces d'une région qui a perdu une grande partie de ses habitants les plus aisés, partis s'installer dans les campagnes du Brabant. Une particularité du système fédéral est également que le travailleur paie ses impôts par rapport à son lieu de domiciliation et non son lieu de travail, comme cela est prévu par le droit interna-tional. Si tel n'était pas le cas, la ville-région de Bruxelles disposerait de quatre milliards d'euros en plus par an, au détriment de la Flandre et dans une moindre mesure de la Wallonie. En accueillant une nombreuse population immigrée, Bruxel-les s'est paupérisée, surtout dans ses quartiers centraux, et doit financer un chô-mage qui dépasse les 20 %. Comme en Wallonie, le gros point noir est celui des jeunes qui dépasse les 25 %.

Au niveau fédéral

Moins de 3 % de la population se consacre à l'agriculture ; les cultures principales sont le blé, la betterave sucrière et la pomme de terre. L'élevage est axé sur les bovins et s'oriente de plus en plus vers les porcins, ce qui cause à la Flandre des problèmes pour évacuer les déjections de ces braves cochons. La production d'énergie est encore pour l'instant largement tributaire du nucléaire.

Après des années de croissance (+ 4 % en 2000, mais 1,5 % en 2005) et 3 années de créations nettes d'emplois, l'économie nationale a connu un ralentissement marqué, dans un contexte de surendettement difficile à endiguer (dette publique annoncée autour de 103 % pour 2010), mais les finances publiques continuent d'être assainies. Pour 2006, les résultats économiques ont été bons et pour 2007 la croissance du PIB a été de 2,7 %. Malheureusement, la crise économique plombe les prévisions : on craint - 5,6 % de croissance en 2010. C'est le marché du travail qui apparaît comme le point faible de l'économie belge, dont la compétitivité est plombée par un coût du travail élevé et un taux d'emploi assez bas. Seulement 62 % de la population en âge de travailler a du boulot, effet d'une stratégie généreuse de retraites anticipées et de prestations sociales avantageuses pour les chômeurs. Malgré des efforts destinés à mieux contrôler l'indemnisation du chômage, le retour des chômeurs sur le marché du travail reste faiblard. L'économie belge a pourtant de gros atouts et attire toujours les investisseurs étrangers : régime fiscal intéressant pour les groupes multinationaux et une infrastructure de transports performante. Les réseaux de communication (routes, chemins de fer, canaux et fleuves) les plus denses du monde favorisent des échanges rapides.

Pour un pays dont les exportations représentent 71 % du PIB, la question de la compétitivité est aujourd'hui d'autant plus cruciale que le degré de dépendance à l'égard de pays tiers ne cesse de s'accroître : sur les 100 premières entreprises belges, plus de 75 sont sous contrôle d'actionnaires non nationaux et plus de la moitié de l'emploi industriel est assuré par des entreprises étrangères. Mais c'est sans doute le prix à payer pour se retrouver au cœur de l'Europe.

FÉDÉRALISME

Malgré ses composantes divergentes, la Belgique a connu des institutions unitaires depuis l'indépendance en 1830 jusqu'aux années 1970. À partir de cette date, un processus de réformes constitutionnelles a été mis en œuvre par une majorité politique pour aboutir à une structure étatique de type fédéral. Sans vouloir être exhaustifs, mais dans un souci de faire comprendre des institutions originales et complexes (beaucoup de Belges eux-mêmes se mélangent les pinceaux !), nous allons essayer d'être clairs en restant brefs : on respire un grand coup... et on y va !

Bienvenue sur la planète *Shadok* !

L'article premier de la Constitution précise que la Belgique est un État fédéral composé de trois communautés (flamande, française et germanophone) et de trois régions (Région flamande, Région wallonne et Bruxelles-Capitale).

Au niveau fédéral, le pouvoir exécutif est exercé par le roi et le gouvernement fédéral (21 ministres et secrétaires d'État) dans les domaines qui concernent le pot commun : affaires étrangères, justice, finances, budget, défense, intérieur, énergie et Sécurité sociale (les milieux politiques flamands en souhaiteraient la scission).

Le législatif est exercé conjointement par le roi, la Chambre des représentants (150 députés) et le Sénat (71 sénateurs) où sont votées les lois. Le niveau communautaire, régi par le principe d'appartenance linguistique, prend en charge les domaines de l'enseignement, des affaires culturelles, de la santé et des affaires sociales.

Au niveau régional, régi par le principe de territorialité, l'exécutif est assuré par le gouvernement régional ; le conseil régional émet des décrets dans les domaines qui intéressent la région : logement, emploi, environnement, développement économique, transports, tourisme, agriculture, commerce extérieur et coopération internationale, avec la compétence de pouvoir signer des traités avec d'autres pays. Si vous avez suivi jusqu'ici sans encombre, on peut continuer...

Les trois régions

La Belgique est aussi divisée en 10 provinces (issues des départements français de 1795). La Région flamande (six millions d'habitants) regroupe cinq provinces ; la communauté flamande comprend les habitants de la Région flamande et les habitants néerlandophones de la région de Bruxelles-Capitale. À noter que Bruxelles a été choisie comme capitale de la Région par la communauté flamande.

La Région wallonne (3,4 millions d'habitants) regroupe les provinces du Hainaut, de Namur, de Liège (dont la communauté germanophone, 70 000 habitants), du Luxembourg et la nouvelle province du Brabant wallon. Namur a été choisie pour capitale de la Région wallonne.

La région de Bruxelles-Capitale (960 000 habitants) est composée des 19 communes de l'arrondissement de Bruxelles-Capitale. Le bilinguisme français-néerlandais y est officiel. Bruxelles est donc capitale fédérale du royaume et capitale de la communauté et de la Région flamande qui ont fusionné leurs institutions. C'est aussi le siège de nombreuses institutions de l'Union européenne et de l'Otan.

Au niveau des compétences fédérales et régionales s'ajoutent les compétences communautaires relevant de l'appartenance linguistique : l'enseignement, la santé, la culture, l'audiovisuel et le sport. Les Flamands ont fusionné région et communauté (voir plus haut) mais pas les francophones...

Un petit peu de courage, on arrive au bout...

Où ça se complique

Les 589 communes constituent l'entité politique et administrative de base. Elles disposent de pouvoirs très étendus qui datent parfois de l'époque médiévale.

Bien que situées dans une région unilingue, certaines communes frontalières disposent de « facilités » pour garantir aux habitants pratiquant l'autre langue une administration dans la langue de leur choix. C'est dans ces communes frontalières que les tensions communautaires sont les plus vives : certaines communes aisées de la périphérie bruxelloise, en territoire flamand, sont habitées à présent par une majorité de francophones et le gouvernement flamand souhaite effacer les facilités linguistiques dont ils disposent en arguant du fait que celles-ci n'étaient que transitoires, le temps pour ces habitants d'apprendre le flamand. Malgré l'habitude de mettre ces problèmes « au frigo », la querelle a resurgi en 2005 avec la demande des Flamands de scinder l'arrondissement électoral de Bruxelles-Halle-Vilvorde (BHV en abrégé) pour bénéficier d'un découpage linguistiquement homogène de la carte électorale du pays, qui éviterait que les voix francophones des électeurs (on estime leur nombre à 150 000 personnes) de ces fameuses « communes à facilités » ne se reportent sur des élus francophones bruxellois. Les francophones ont contre-attaqué en réclamant le rattachement desdites communes (souvent à plus de 65 % francophones) à la région bruxelloise. Début d'un nouveau casse-tête... et échec des négociations. Amputation du territoire de la Flandre absolument « PAS NÉGOCIABLE » du point de vue flamand ! Décision a été prise de... ne rien décider et de mettre encore une fois la « patate chaude » au frigo pour 2 ans, jusqu'aux élections de 2007, qui, en ce qui concerne les résultats, n'ont fait qu'accentuer le clivage nord-sud, puisque la discussion sur cette question cruciale a encore une fois été reportée de plusieurs mois pour permettre la constitution d'un gouvernement après 7 mois de blocage. Et au moment de mettre sous presse, rien n'est décidé, mais comme cela fait 50 ans que ça dure...

Les cinq niveaux de pouvoir expliqués en quelques lignes ci-dessus ont du mal, dans un premier temps, à ne pas se marcher sur les pieds et apparaissent à beaucoup de Belges comme un embrouillamini kafkaïen et coûteux ! Soixante-deux postes de ministres et secrétaires d'État en additionnant les niveaux fédéral, régional et communautaire, soit un ministre pour 175 000 habitants, cela représente un record du monde absolu !

Il faut pourtant considérer ce « meccano » institutionnel, acquis au prix de concertations marathoniennes, comme un système imparfait peut-être mais où les communautés devraient, en principe, gérer leur devenir propre et organiser leur cohabitation dans le respect mutuel et la concertation. En réalité, alors que 60 % des habitants du Nord se disent à présent flamands avant d'être belges, 85 % des Wallons et des Bruxellois se sentent d'abord belges.

Un avenir incertain

Au stade suivant, une partie des politiciens flamands forme le vœu de réduire l'État fédéral à sa plus simple expression (le confédéralisme) et de gérer la Sécurité sociale, la fiscalité et même la justice. Déjà dans les écoles des deux bords, l'anglais est enseigné comme seconde langue plutôt que la langue du voisin. Bientôt il faudra un interprète pour dialoguer... Il y a lieu de craindre que la fin de la solidarité nationale signifierait la fin de la Belgique, qui imploserait à coup sûr, avant de voir ses composantes se remarier peut-être au sein de l'Europe dans une nouvelle structure, le roi restant alors le dernier des Belges...

Bravo d'avoir lu ce chapitre jusqu'au bout, vous avez bien mérité un ballotin de pralines !

FÊTES ET FOLKLORE

La Belgique est un pays où le particularisme (certains parlent de « localisme ») est érigé en institution. Pas étonnant, donc, de découvrir tout au long de l'année des processions, des marches, des parades, des cortèges carnavalesques ou historico-religieux, des kermesses et ducasses dédiées aux saints locaux... Chaque village, chaque région entretient farouchement sa tradition : c'est l'occasion de cultiver avec gaieté ou sérieux ce besoin d'appartenance et cette sociabilité qui sont les fondements de l'identité populaire.

Le folklore n'est pas en Belgique une curiosité de musée, il est actif et beaucoup plus vivant que dans les pays voisins.

Loin d'être des entreprises commerciales, les fêtes sont tout à fait authentiques, c'est ce qui fait leur attrait.

Les carnavals, tout sauf un spectacle

Pour faire un carnaval, il ne suffit pas de déguiser une bande de joyeux lurons et de les faire déambuler au son d'un orchestre, précédés de quelques majorettes frigorifiées. Le carnaval fait partie du patrimoine culturel et, à la limite, pourrait se passer des foules qui y assistent.

Le martèlement trépidant des sabots sur le sol est une incitation aux semailles, à l'enfouissement des graines, et les masques symbolisent les visages des ancêtres morts, dont il s'agit de se concilier la bienveillance en récoltant pour eux profusion de vivres. Le carnaval, véritable exutoire à la pression des lois et de la religion, est la dernière occasion de faire bombance avant la longue période du carême.

Durant le Mardi gras, en Wallonie, on célèbre le carnaval dans pas moins de dix-sept endroits différents. Organisé selon des traditions séculaires, où chaque costume, chaque accessoire est arboré selon une codification rigoureuse, il est suivi par une foule innombrable qui accompagne avec ferveur les évolutions des participants.

On distingue trois types de carnavals :
– ceux de la tradition rhénane dans les cantons de l'Est (Eupen) ;
– ceux de la tradition wallonne (Binche, Malmedy) ;
– ceux du Laetare à la mi-carême (Fosses-la-Ville, Stavelot).
Assister à l'un de ces carnavals (surtout celui de Binche) est une expérience inoubliable. Si vous êtes intéressé, le calendrier annuel des carnavals est détaillé dans une brochure de l'office de promotion du tourisme.

Les géants

À la lisière du rituel carnavalesque et de l'histoire, les sorties de géants mettent en scène des personnages issus de la tradition orale des légendes et faits d'armes. Il semble que leurs premières apparitions remontent au XVe s. Les personnages bibliques côtoient les créations profanes et s'affrontent dans des combats symboliques ou célèbrent leurs noces en grande liesse.
On peut citer la célèbre procession des géants d'Ath qui a lieu le dernier week-end d'août, mais Nivelles et Alost, Arlon et Grammont, Tervueren et Namur, Wellin, Dendermonde, Heist et Braine-le-Comte ont aussi les leurs.

Les processions

Chaque village ayant son saint patron, les occasions abondent pour promener ses reliques en commémoration de quelque épidémie de peste ou de quelque vœu fait par un chevalier au retour de Terre sainte. Beaucoup se déroulent à travers champs. La procession en costumes d'époque avait autrefois vocation didactique pour les paysans illettrés. Chaque tableau, un peu comme dans les mystères sur le parvis des églises, illustrait un épisode de l'histoire.
La plus célèbre est la fastueuse procession du Saint-Sang qui a lieu à Bruges le jour de l'Ascension. Elle commémore le retour de Thierry d'Alsace de la deuxième croisade en 1150.
– À Furnes (fin juillet) et Lessines (vendredi saint), des pénitents encagoulés défilent au rythme sourd des tambours. Ce n'est pas sans rappeler Séville.
– À Mons, le dimanche de la Trinité, la châsse de sainte Waudru (le Car d'or) est portée jusqu'à la collégiale et, l'après-midi, a lieu le jeu médiéval du combat de saint Georges contre le dragon, sur l'air du « Doudou ». Il s'agit pour les spectateurs d'attraper quelques crins de la queue du dragon. Cette manifestation a obtenu la reconnaissance de l'Unesco comme élément remarquable du patrimoine immatériel mondial, de même que le cortège des Géants à Ath.
– L'Ommegang de Bruxelles (premiers mardi et jeudi de juillet) n'a pas de motif religieux. Il se contente, avec faste, de commémorer le défilé processionnel donné en 1549 en l'honneur de l'empereur Charles Quint. Les beaux costumes dans le cadre majestueux de la Grand-Place attirent des bataillons de Japonais.
– Au sud de Charleroi, chaque village organise des processions de reliques qui, depuis l'épopée napoléonienne, sont accompagnées de compagnies de soldats et officiers en costume d'Empire. Les zouaves, les grenadiers, les voltigeurs, les sapeurs et autres grognards marchent en portant fusil et s'arrêtent souvent pour se rincer le gosier, mais aussi pour tirer des salves pétaradantes... Tout cela est très sérieux et les grades s'achètent !

Spectacles de marionnettes

Pour clôturer ce long et riche chapitre des traditions populaires, il convient de vous recommander les spectacles de marionnettes.
– À Bruxelles, le théâtre de marionnettes de Toone perpétue le répertoire des grands classiques : Les Trois Mousquetaires, Le Cid, Les Quatre Fils Aymon, La Passion du Christ, le tout dans un français du cru, émaillé de marollien mais parfaitement compréhensible aux non-Bruxellois !

– À Liège, les amateurs iront écouter *Tchantchès,* le Liégeois buveur et chaleureux qui vous conviera, dans un wallon accessible, à un récit de la Nativité ou des légendes de l'épopée de Charlemagne.

GÉOGRAPHIE

Les 30 513 km^2 du territoire belge (environ cinq départements français) se divisent en trois régions géographiques. À partir de la bande côtière de 70 km de long, le sol s'élève progressivement vers l'est pour culminer sur le plateau des Fagnes à 694 m d'altitude (pas si plat que ça, ce pays !).
Deux fleuves, l'Escaut et la Meuse, irriguent le pays avant de se jeter dans la mer du Nord.

La basse Belgique

Elle comprend la bande côtière rectiligne, bordée de longues plages de sable fin, de dunes et bâtie d'infrastructures touristiques quasi ininterrompues. L'arrière-pays est composé de polders très fertiles, situés sous le niveau de la mer dont ils sont protégés par un réseau de digues et d'écluses. Le petit fleuve côtier de l'Yser est intégré à ce réseau.
La basse Belgique s'étend dans la vaste plaine des Flandres jusqu'à une altitude de 100 m et trouve sa prolongation dans la Campine, grande étendue sablonneuse parsemée d'étangs, de marécages où ne poussent que la bruyère et les pins. Des gisements de houille y ont été exploités.
Les plaines argileuses du bassin de l'Escaut sont uniformément plates, les eaux s'y écoulent en larges méandres ; quelques vallonnements, entre Lys et Dendre, culminent à 150 m. Cette région porte le nom d'« Ardennes flamandes ». Les grandes villes de Courtrai, Gand, Bruxelles, Louvain et Anvers se situent dans cette plaine fortement urbanisée, qui correspond approximativement à la Flandre. Le sol ancien, facilement accessible, a permis le creusement de carrières dans le Hainaut occidental. Au sud de Bruxelles se trouve ce qui reste de la grande forêt charbonnière exploitée jadis par les Romains : la forêt de Soignes (début de la moyenne Belgique).

La moyenne Belgique

Elle se situe entre 100 et 300 m et comprend essentiellement des plateaux fertiles exploités par l'agriculture et l'élevage. Les collines de vergers y sont fréquentes dans l'est. Grosso modo, cet espace naturel correspond au Brabant wallon, à l'Entre-Sambre-et-Meuse, à la Hesbaye, au Condroz, à la Famenne et au plateau de Herve. Cette région est traversée d'ouest en est (de Mons à Liège) par le sillon houiller responsable de son industrialisation intensive.

La haute Belgique

Elle correspond au massif de l'Ardenne (de 400 à 600 m), prolongement de l'Eifel allemand. Le haut plateau bombé est imperméable et les plissements s'alignent d'ouest en est, rendant les communications plus difficiles en dehors des vallées qui coulent du sud au nord.
Le massif, aux vallées fortement encaissées et sinueuses (Semois, Ourthe, Amblève), est intensivement boisé. Les grottes y sont nombreuses et l'habitat très clairsemé.
Au-dessus de 500 m, les crêtes sont inhospitalières et les tourbières marécageuses plantées de conifères des hautes Fagnes rappellent les paysages lapons.
Au sud du massif, la Gaume appartient déjà à la Lorraine et on trouve des maisons couvertes de tuiles romaines. Il y règne un microclimat favorable à l'exploitation de la vigne !

HISTOIRE

Avant l'histoire

Les régions qui composent la Belgique actuelle sont abondamment peuplées dès le Néolithique. De nombreux sites découverts par les paléontologues l'attestent. Au VIIe s av. J.-C., les Celtes (dont les Belges) chassent ces peuplades vers le sud de l'Angleterre et occupent une zone géographique qui va de la Marne au Rhin et de la mer du Nord au Frioul.

Ave César !

« De tous les peuples de la Gaule, les Belges sont les plus braves. » Cette citation du divin César figure toujours dans tous les manuels scolaires du royaume. Il lui fallait justifier les difficultés rencontrées lors de sa pénible campagne militaire. À partir de 57 av. J.-C., il faudra 5 ans aux légions parties conquérir les Gaules pour réduire ces farouches Morins, Ménapiens, Nerviens, Aduatiques, Atrébates et autres Trévires. Les Belges auront leur Vercingétorix en la personne d'Ambiorix, roi des Éburons.

ORIGINES DES BELGES

Les Belges sont un peuple antique localisé au nord de la Gaule avant l'ère chrétienne. Selon Strabon, leur territoire se situe entre Rhin et Loire, et selon Jules César, ils sont séparés des Gaulois par la Marne. Il n'y a pas de consensus quant à l'étymologie du mot « Belge ». Une possibilité pourtant : il serait d'origine gauloise, « Belges » signifierait « les hommes de l'alliance ». César confirme l'existence d'une alliance de tribus. Autre cas : le mot serait un dérivé du verbe « belgen » – se fâcher, (se) gonfler, et serait alors d'origine germanique. L'appellation disparaît avec l'Empire romain et ne resurgit qu'en 1790 avec la constitution des éphémères États-Belgiques-Unis.

Les Gallo-Romains

Après être venu, avoir vaincu et s'en être allé franchir le Rubicon, César laisse l'administration romaine installer quatre siècles de *pax romana*. La romanisation des Gaules procure aux Belges la sécurité des frontières face aux Germains. On crée des chaussées rectilignes allant de Boulogne à Cologne ou de Reims à Trèves. Des bourgades naissent aux carrefours de ces axes, tels Arlon et Bavai, Tongres et Tournai. Le développement économique se fait à partir des *villae* qui allient les activités traditionnelles agricoles et horticoles avec la métallurgie. Les fonctionnaires impériaux, les militaires, les marchands font du latin la langue véhiculaire qui s'impose devant les parlers celtes. Le christianisme pénètre en Belgique dès le IIIe s avec la fondation d'un évêché à Tongres.

Les envahisseurs

De toute éternité, les plaines du Nord ont été des terres de passage et, aux premiers craquements de l'Empire, les peuples de l'Est déferlent vers le sud-ouest. Si beaucoup ne font que passer, les Francs, eux, s'installent et font souche. Mérovée fonde la dynastie qui porte son nom : les Mérovingiens. Childéric se fait enterrer à Tournai et son fils, le chef de bande Clovis, en 30 ans de conquêtes, réalise l'unité franque en choisissant Paris pour capitale. Ce sera le premier Belge à faire carrière à l'étranger.

La nouvelle frontière

De cette époque agitée, on retiendra pour la future Belgique l'importance de la ligne de contact entre Francs saliens au nord, conservant leur idiome germanique, et Francs ripuaires au sud, s'assimilant au monde roman avec l'appui de plusieurs ordres monastiques. Le tracé de cette ligne de fracture linguistique se modifiera encore au cours des siècles suivants en séparant les « germains » (diets, teutsch) des « étrangers » (gall, welsch ou wallons).

Des rois fainéants au fondateur de l'Europe

Pour civiliser les barbares, l'Église dépêche les moines irlandais. Une vague de sainteté se répand sur la Francie. Les basiliques et collégiales reçoivent les patronymes des missionnaires : Remacle (Stavelot), Vincent (Soignies), Lambert (Liège), Waudru (Mons), Gertrude (Nivelles). En laissant administrer leurs possessions par les maires du palais, les successeurs alanguis des rois francs connaissent quelques pépins avec ceux de Herstal et de Landen (déjà des Liégeois remuants). Le membre le plus frappant de cette famille de Hesbaye est Charles, qui n'hésite pas à brandir le marteau pour repousser le croissant à Poitiers en 732 !
Bref, le petit-fils de Pépin, Charlemagne (né à Jupille, prétendent les Liégeois), se fait sacrer empereur à Rome par le pape en 800. Il choisit Aix-la-Chapelle pour capitale et, de son vivant, le domaine impérial carolingien s'étend de l'Elbe aux Pyrénées (Roland en sait quelque chose !) et de la mer du Nord aux Abruzzes.

Le morcellement

Verdun 843 : date funeste pour l'unité de l'Empire, puisque ce traité partage les conquêtes de Charlemagne entre ses trois fils : Charles le Chauve, roi de France, hérite de l'ouest de l'Escaut ; Louis, de l'est du Rhin qui deviendra le Saint Empire germanique ; et, au milieu, Lothaire se voit attribuer un territoire qui va de la Hollande à l'Italie. À la mort de Lothaire, son éphémère royaume sera découpé en trois : Italie, Bourgogne et Lotharingie. Situation paradoxale : à l'ouest, la Flandre au parler germanique est vassale du roi de France et, à l'est, où l'on est de langue romane, on a pour suzerain l'empereur d'Allemagne. Un territoire tire les marrons du feu : Liège, dont l'évêque Notger est élevé à la dignité princière, qui bénéficiera pour longtemps d'un statut relativement indépendant et d'une prospérité qui la fera nommer l'« Athènes du Nord ».

Féodalité et richesses

Les Vikings remontent alors les fleuves sur leurs drakkars, pillent de-ci de-là et forcent tout le monde à se blottir derrière les murailles des châteaux forts. Chacun se réfugie dans son microparticularisme. Pouvoirs dispersés et terres éclatées sont soumis à toutes les convoitises par les armes, les alliances et les traîtrises. Querelles et rapines sont le lot quotidien de ces temps belliqueux. Les plus forts finissent par s'imposer et de plus grandes entités voient le jour. Le comté de Flandre d'abord, où les cités marchandes, en contact avec l'Angleterre, tissent et vendent leur drap, et étendent, par voie maritime, leur commerce vers la Baltique et le golfe de Gascogne. Les villes de Bruges, Gand et Ypres connaissent un essor considérable. Le Brabant s'organise en duché autour de la maison de Louvain ; Bruxelles et Malines deviennent des cités prospères. Le Hainaut et Namur sont des comtés et c'est de Bouillon que part un conquérant aussi pieux que bête : Godefroy. Comme la troupe des croisés, réunie à l'appel de Pierre l'Hermite, comprend un puissant contingent de chevaliers du Nord, Godefroy de Bouillon est élu pour conduire cette armée de 100 000 hommes vers la Palestine pour s'emparer des Lieux saints. Il y est proclamé roi de Jérusalem en 1099 et est enterré au Saint-Sépulcre.
Les chefs de guerre restent occupés par les infidèles au cours des huit croisades successives, laissant de nouvelles classes sociales émerger dans les villes-communes. L'opulence et le corporatisme font disparaître le servage et conduisent les marchands et artisans à réclamer des privilèges aux seigneurs : les chartes. À côté

des cathédrales du clergé, les beffrois orgueilleux des villes symbolisent les libertés obtenues et l'autonomie des communes restera une constante jusqu'à nos jours. Les villes marchandes consolident leur indépendance en infligeant, en 1302, sous les murs de Courtrai, une défaite cinglante à la chevalerie française venue venger la garnison royale, massacrée lors des « matines brugeoises ». Six siècles plus tard, ce 11 juillet 1302 servira de date à la fête de la communauté flamande.

Les Bourguignons

En 1384, Marguerite de Maele, fille du dernier comte de Flandre, épouse Philippe le Hardi, duc de Bourgogne. Pour la première fois sont réunies les régions qui composent la Belgique. Naît alors une entité politique qui a pour nom Pays-Bas, avec Bruxelles pour ville principale, et incluant une grande partie de la Hollande actuelle. Le grand-duc d'Occident, Philippe le Bon, mène une politique de centralisation et d'unification qui, si elle profite aux villes par les fastes de sa cour itinérante, laisse les campagnes épuisées par les famines et les guerres. La principauté de Liège, sous protectorat bourguignon, sera mise à sac lors de révoltes sanglantes.

Sur le plan intellectuel et culturel, la période est florissante. Outre la fondation de l'université de Louvain, Anvers devient le premier port d'Europe à la place de Bruges (en déclin à cause de l'ensablement de son accès vers la mer). Le style gothique flamboie et, grâce au progrès de la technique de la peinture à l'huile, des artistes comme les frères Van Eyck, Memling, Rogier Van der Weyden, Van der Goes et Bouts font rayonner la peinture flamande dans l'Europe entière.

Un empereur gantois !

À la mort de Charles le Téméraire au siège de Nancy en 1477, les 17 provinces bourguignonnes passent aux mains des Habsbourg d'Autriche par le mariage de Marie de Bourgogne avec Maximilien d'Autriche. Philippe le Beau, leur fils, épouse une princesse espagnole, Jeanne la Folle, qui met au monde en 1500, à Gand, un fils nommé Charles. Sous le nom de Charles Quint, ce Flamand de naissance hérite de l'Espagne et des Pays-Bas, puis devient empereur germanique. Il gouverne alors un « empire où le soleil ne se couche jamais ». Avant d'abdiquer en 1555, il dote les Pays-Bas d'un statut : le « Cercle de Bourgogne », censé empêcher la dissociation des 17 provinces.

L'empire colonial de l'Espagne fait affluer les richesses et un renouveau des idées voit le jour, tourné vers la découverte et la quête de connaissances. La philosophie avec Érasme, la géographie avec Mercator et Ortélius, l'anatomie avec Vésale, l'astronomie, la botanique trouvent avec l'imprimeur Plantin l'occasion de diffuser les livres empreints d'un nouvel humanisme. Malheureusement, les prêches critiques d'un moine allemand nommé Luther vont sonner le glas de l'unité des 17 provinces. Pour contrer la propagation de l'hérésie, Charles Quint importe le tribunal de l'Inquisition : début des siècles de malheur...

Sous la botte castillane

Philippe II, son fils, n'a rien d'un rigolo : à l'expansion de la Réforme, il oppose la répression par le sang. La lutte pour les libertés politiques couplée au besoin de tolérance religieuse, les calvinistes brandissent le drapeau de la révolte : celle des « gueux » (la résistance aux Espagnols est personnifiée par la légende de Thyl l'Espiègle). Les Réformés, à leur tour, pèchent par une fureur iconoclaste et la réaction de Philippe II est brutale : il envoie le duc d'Albe à la tête d'une soldatesque arrogante ; les provinces du Sud sont mises à feu et à sang. Les tentatives de conciliation échouent, un tribunal d'exception prononce 8 000 condamnations à mort, dont celles des comtes d'Egmont et de Hornes, décapités sur la Grand-Place de Bruxelles. Hollande et Zélande font sécession sous les couleurs de Guillaume d'Orange et une élite d'artisans et de bourgeois fuit vers le nord. Ils y emportent capitaux et brevets. Des ouvriers flamands préfèrent l'exil en Angleterre et des Wallons émigrent même vers le Nouveau Monde pour installer en 1624 un village à l'extrémité d'une île appelée Manhattan... Le cadre territorial de la future Belgique se forme alors par la partition des 17 provinces : au nord, l'Union d'Utrecht qui devient les Provinces-Unies et, au sud, la Confédération d'Arras qui précède la création des Pays-Bas catholiques.

Un peu de répit

Avec la tutelle des archiducs Albert et Isabelle (fille de Philippe II), la trêve s'installe. Isabelle est obligée de faire pendant 3 ans le siège d'Ostende sans changer de chemise ; celle-ci finira par se confondre avec la robe de son cheval, plutôt jaune sale ! L'Église en profite alors pour reprendre avec vigueur sa « re-catholicisation ». Les jésuites créent 34 collèges, Rubens fonde son atelier et devient ambassadeur itinérant, et l'art baroque émerge comme l'expression de cette foi nouvelle faite de dévotion exubérante et de triomphalisme redondant.

Belgique, terrain de Kriegspiel de l'Europe

Pas de chance : les archiducs meurent sans descendance et, alors que le XVIIᵉ s s'appellera aux Pays-Bas « le Siècle d'or » et en France le « Grand Siècle », la Belgique connaît son siècle de malheurs. Après l'amputation du Brabant septentrional et de la Flandre zélandaise, l'estuaire de l'Escaut est fermé aux Anversois. L'Espagne cède à la France l'Artois et une partie de la Flandre et du Hainaut, et tout le monde se donne rendez-vous dans les grasses plaines pour en découdre dans un Stratego géant.

Louis XIV fait caracoler ses maréchaux Condé et Turenne, qui écrivent les pages de gloire de l'histoire de France... autant de pages de sang pour les populations. Guerre de Dévolution, guerre de Hollande, guerre de la Ligue d'Augsbourg, guerre de Succession d'Espagne, longue litanie de conflits mettant aux prises la France, l'Espagne, les Pays-Bas et l'Angleterre.

Le point d'orgue de ces mortelles randonnées est le bombardement de Bruxelles en 1695 par le maréchal de Villeroy, sur ordre du Roi-Soleil. Ce désastre aura finalement un côté bénéfique puisque, incendiée après avoir subi le pilonnage de plus de 4 000 projectiles, la Grand-Place est rebâtie dans le merveilleux agencement que nous lui connaissons actuellement.

Et voilà les Autrichiens...

Faute, encore une fois, de descendance du côté espagnol, le traité d'Utrecht en 1713 remet les Pays-Bas à la maison d'Autriche. Malgré une incursion des troupes de Louis XV – guerre en dentelles oblige –, le pays s'engourdit sous la tutelle de Charles de Lorraine (gouvernant au nom de Marie-Thérèse d'Autriche) dans un provincialisme douillet mais économiquement retardé. Le déclin est aussi intellectuel : Voltaire, de passage, décrit Bruxelles comme « le séjour de l'ignorance et l'éteignoir de l'imagination ». Seuls émergent, à la rubrique « people », le brillantissime prince de Ligne, européen avant la lettre, et, à la rubrique faits divers, l'incendie, en 1731, du palais des ducs de Bourgogne, provoqué dans les cuisines par le débordement de confitures en ébullition ou de pâtisseries et de sucre selon certains, mais on s'en fiche, de toute manière, tout a été caramélisé !

De sa capitale viennoise, Joseph II, au nom du despotisme éclairé et des principes abstraits du rationalisme, tente quelques réformes centralisatrices. Il se heurte d'abord à une foi catholique profondément enracinée et à des particularismes jaloux de leurs privilèges. Là où il croit bien faire en réorganisant l'administration, il s'attire le mécontentement puis la révolte. L'indignation est à son comble lorsqu'il décrète que toutes les kermesses et ducasses doivent avoir lieu le même jour. En 1789, à Bruxelles (par réflexe conservateur) et à Liège (en résonance avec la Révolution française), quelques avocats, politiciens locaux privés de pouvoir par la présence autrichienne provoquent une révolution d'opérette, qui débouchera sur la constitution éphémère des États-Belgiques-Unis. Les patriotes brabançons et liégeois, qui se trouvent des intérêts communs malgré des objectifs divergents, arborent pour la première fois les cocardes nationales (noir, jaune, rouge). Faute de cadres pensants, cette agitation tourne court et les Autrichiens, dans un joli tour de valse, reprennent possession du pays sans verser de sang.

... suivis des Français...

Entre-temps, à Paris, les choses ont suivi un cours beaucoup plus radical et la jeune République française menacée aux frontières du Nord dépêche Dumouriez en Belgique. Valmy, Jemappes, Neerwinden et Fleurus renvoient définitivement les Autrichiens sur les rives du Danube. Les sans-culottes sont accueillis en sauveurs mais l'État jacobin ne fait pas dans le sentimentalisme et la Belgique se voit purement et simplement annexée. Elle est débitée en départements qui portent des noms de rivières.

Les excès de la Révolution sont appliqués sans sourciller : on réquisitionne, on décrète la conscription pour les armées, on pille les possessions de l'Église et les trésors artistiques prennent le chemin de Paris. Néanmoins, tout n'est pas catastrophique : l'Escaut est rouvert, Anvers est modernisée et les Belges, gens de commerce et d'industrie, se félicitent de l'ouverture du marché français. Au travail ! D'autant plus que les vestiges féodaux disparaissent par l'adoption du code civil et de structures judiciaires et administratives rationnelles. Mais tout cela se fait en français et Bruxelles, ville toujours flamande, grogne. Les Belges participent aux campagnes de l'Empereur jusqu'au jour où il finit par buter à Waterloo, là où 48 000 combattants laissent leur vie. Il y avait des Belges dans les deux camps des belligérants.

... et finalement des Hollandais

En 1815, au congrès de Vienne, les puissances de la Sainte-Alliance décident d'opposer à la France un État tampon puissant. On demande à Guillaume Ier de réunir tout cela sous la bannière d'Orange en formant le royaume des Pays-Bas. D'emblée, le mariage forcé sent le divorce : les Belges sont catholiques, les Hollandais protestants, la bourgeoisie est industrielle au sud, commerçante au nord. L'usage officiel du néerlandais déplaît même aux élites de Flandre francisées. Un besoin d'autonomie se renforce chez les Belges et, en août 1830, à la suite de la révolution de Juillet à Paris, c'est la représentation, à la Monnaie, d'une opérette exaltant la liberté des peuples qui déclenche des émeutes. Des combats opposent les troupes hollandaises aux insurgés venus de tout le pays. Les Hollandais sont chassés le 27 septembre. L'indépendance est proclamée.

La Belgique est indépendante

Le congrès national vote la Constitution et le nouvel État est soutenu par la France et l'Angleterre. Un régime de monarchie constitutionnelle est choisi et les Belges se cherchent un roi. Le choix se porte sur un prince sans emploi : Léopold de Saxe-Cobourg, veuf de l'héritière du trône d'Angleterre. Léopold Ier devient roi des Belges et prête serment le 21 juillet 1831 (date de la fête nationale). Guillaume d'Orange ne renonce pas et ses troupes entrent en Belgique. La France vient au secours de la jeune nation et les Hollandais sont refoulés tout en obtenant des compensations territoriales. Léopold Ier, habile diplomate, épouse la fille de Louis-Philippe, Louise-Marie d'Orléans.

En route vers la prospérité

S'appuyant sur la collaboration des deux partis bourgeois dominants, catholiques et libéraux, la Belgique se transforme dans les décennies suivantes en vaste manufacture hyper performante. L'industrialisation, la construction du premier chemin de fer du continent, la main-d'œuvre bon marché... Le capitalisme triomphant engrange les dividendes du libre-échange. Et tout cela en français, langue officielle...

Les querelles politiques sur les questions scolaires et sur le service militaire ne peuvent occulter les tristes réalités de la condition sociale du plus grand nombre : la misère règne dans les bassins industriels et les campagnes flamandes. Les masses laborieuses tentent de s'organiser, des grèves sont réprimées par l'armée, la soumission au patronat est prêchée par l'Église.

Naissent alors des associations d'entraide qui débouchent, en 1885, sur la constitution d'un parti ouvrier belge. Il revendique, pour les travailleurs, une part de la prospérité pour l'émancipation économique, morale et politique. Après la reconnaissance du droit de grève, le suffrage universel (tempéré par le vote plural) est acquis en 1892 avec l'appui de la composante sociale du mouvement chrétien. En parallèle, le mouvement national flamand réclame avec raison la reconnaissance de son identité culturelle et linguistique, et obtient en 1898 le statut de langue officielle pour le néerlandais.

Léopold II et le Congo

L'esprit d'entreprise de la bourgeoisie conquérante a besoin de débouchés extérieurs. Les capitaux s'investissent de plus en plus loin. On exporte des tramways à Odessa, des chemins de fer à Pékin, on construit des usines en Asie, une ville en Égypte (Héliopolis), on fonde des banques prospères et Léopold II nourrit des visions de grandeur pour un pays qui, selon lui, « pense petit et critique tout ».

Le roi s'appuie sur le monde scientifique pour proposer l'exploration d'une des seules terres inconnues de la planète : l'Afrique centrale. Il prétexte la lutte contre la traite des Noirs pour financer des expéditions de reconnaissance (rappelez-vous Stanley : « Dr Livingstone, I presume ? »). Il crée un comité d'études du haut Congo, dépêche des émissaires qui signent en son nom des traités avec des chefs de tribus et organise, dans la foulée, une association internationale du Congo dont il est le P.-D.G. Il plante alors son drapeau sur un territoire de 2 300 000 km^2 qui devient l'État indépendant du Congo. Du vrai travail de *raider*. Cela ne coûte pas un franc à l'État belge, puisque le roi finance tout sur sa propre cassette avec l'aide de partenaires financiers américains qui profiteront de concessions commerciales juteuses lors de l'avènement de l'automobile et du boom sur le caoutchouc. La « gestion » de la colonie est alors fortement remise en cause par des rapports anglais qui révèlent l'horreur de massacres commis à grande échelle par ceux que Léopold II a envoyés exploiter le pays. Cet épisode peu reluisant fera longtemps l'objet d'un black-out dans les manuels d'histoire. Les archives de l'État indépendant du Congo ont été détruites à la cession à l'État belge mais on parle de plusieurs millions de victimes.

À sa mort, en 1909, Léopold II cède à la Belgique une colonie fabuleusement riche, quatre-vingts fois plus étendue que sa métropole et dont le sous-sol recèle de l'or, de l'argent, du cuivre et des diamants. Cela n'empêchera pas son cortège funèbre d'être hué sur le parcours.

Son règne voit aussi la transformation de Bruxelles, où l'on trace de grandes artères de prestige et où l'on érige des monuments somptuaires et parfois très contestés (palais de justice, parc du Cinquantenaire). Les bourgeois aisés se font bâtir de coquettes maisons de maître dans le style Art nouveau. La capitale devient un centre artistique d'avant-garde en accueillant les chefs de file de la peinture moderne refusés aux salons de Paris. Le groupe des XX et la Libre Esthétique accueillent les tendances nouvelles en littérature, musique et beaux-arts.

La Grande Guerre

En août 1914, la neutralité de la Belgique est violée, à la suite du refus de laisser le libre passage aux armées du Kaiser. C'est la 50e invasion depuis huit siècles !

Albert Ier, neveu de Léopold II, forge sa légende de roi-chevalier en se cramponnant à un petit bout de territoire inondé derrière l'Yser. Les premières attaques aux gaz ont lieu à Ypres. Le roi et sa femme Élisabeth se dépensent sans compter pour maintenir l'indépendance et réduire les souffrances résultant de l'occupation, même si, dans les tranchées, quelques « poilus » flamands ont du mal à comprendre les ordres qui leur sont souvent donnés en français par leurs officiers.

Le traité de Versailles, en 1918, attribue à la Belgique les cantons de langue allemande d'Eupen et Malmedy, et la Société des Nations lui confie un mandat de tutelle sur un petit territoire de l'empire colonial allemand, appelé à l'époque le Ruanda-Urundi. La participation du pays à la guerre aux côtés des Alliés met fin à sa neutralité et, en 1920, les troupes belges occupent la région industrielle de la Ruhr avec les Français.

Vers le second conflit

En 1922 se crée l'Union économique belgo-luxembourgeoise (préfiguration du Benelux). L'université de Gand devient unilingue flamande et le centenaire du pays est fêté par les Expositions universelles de Liège et d'Anvers. Le sentiment d'appartenance à une nation belge unie est renforcé par le deuil d'Albert, qui fait une chute mortelle au rocher de Marche-les-Dames. Son fils Léopold III lui succède mais, 1 an après, provoque en Suisse un accident de voiture qui coûte la vie à son épouse, la jeune et belle reine Astrid. Les années brunes voient en Belgique l'éclosion de partis d'inspiration fasciste. Léon Degrelle connaît quelques succès électoraux avec son mouvement Rex. Un parti national flamand – le VNV – fait beaucoup parler de lui. Les admirateurs de l'Ordre nouveau se retrouveront bientôt sous l'uniforme vert-de-gris.

La guerre, l'occupation et la « question royale »

Devant la montée des périls, dès 1936, Léopold III et son gouvernement tentent de refaire le coup de 1914 en se déclarant neutres. Peine perdue ! Le 10 mai 1940, la Wehrmacht entre en Belgique. La Blitzkrieg n'est plus la guerre des tranchées et, malgré le soutien des Anglais et des Français, entrés en Belgique dès la neutralité violée, la débâcle est consommée en 18 jours. L'exode jette sur les routes des centaines de milliers de personnes, sous les bombes des « stukas ». Une ultime résistance permet aux Anglais de rembarquer à Dunkerque et, le 28 mai, Léopold III capitule, ce qui lui vaut les foudres du gouvernement de Paul Reynaud. Il ne faudra pas 3 semaines aux Allemands pour défiler à Paris...

Léopold fait alors un choix lourd de conséquences : en tant que chef des armées, il décide de partager la captivité de ses troupes. Le gouvernement, lui, a pris le chemin de Londres ; un fossé plus grand que la Manche les séparera désormais.

La Belgique subit l'occupation nazie jusqu'en septembre 1944 et apporte une contribution plus que symbolique à l'effort des Alliés en mettant à la disposition de ceux-ci les richesses minières du Congo. L'uranium du Katanga permet aux Américains de fabriquer la première bombe atomique.

En épousant, en 1941, la femme de son cœur, alors que ses soldats moisissent dans les camps, Léopold III n'arrange pas son cas. En 1944, comme il est empêché de régner du fait de sa captivité en Allemagne, c'est son frère Charles qui est nommé régent.

Après le dernier épisode sanglant de la bataille des Ardennes, les Belges fêtent la victoire mais ne peuvent se mettre d'accord sur le retour du roi installé en Suisse. Les léopoldistes (catholiques) et les anti-léopoldistes (socialistes et libéraux) doivent attendre 5 ans pour accepter le verdict d'un référendum qui, par 57,5 % des suffrages, est favorable au retour du souverain. Dès son retour des émeutes graves éclatent à Liège. Dans la crainte d'une guerre civile, il cède ses pouvoirs à Baudouin, le prince héritier, qui monte sur le trône à sa majorité en 1951.

Le règne de Baudouin Ier et la fin de l'État unitaire

Au sortir de la guerre, la Belgique connaît un redressement économique spectaculaire. L'outil industriel n'est pas détruit, une réforme monétaire musclée jugule l'inflation et, tandis que le port d'Anvers tourne à plein régime en débarquant le minerai du Congo, les dollars du plan Marshall affluent sur le pays. Le traité de Rome ouvre un immense marché aux produits manufacturés et Bruxelles devient le siège de la CEE et de l'Euratom. L'Exposition universelle de 1958 draine des millions de visiteurs au pied de l'Atomium et Baudouin se trouve une reine en la personne de Fabiola.

Les années 1960 commencent par l'accession à l'indépendance du Congo dans des circonstances chaotiques. Les Belges reprennent leurs chamailleries politico-linguistiques qui dégénèrent en conflit communautaire. La Flandre et la Wallonie vivent des évolutions économiques divergentes : au sud, le charbon et l'acier connaissent un déclin irréversible, la reconversion est lente et onéreuse. Au nord, se développe une industrie de transformation qui s'appuie sur un dynamisme commercial et une main-d'œuvre performante et docile.

La balance démographique penche en faveur des Flamands, plus prolifiques. Le statut de Bruxelles est au centre des polémiques. Quelques hommes politiques, habiles artisans en « ingénierie institutionnelle », parviennent alors à élaborer une série de compromis alambiqués qui mèneront le pays de la régionalisation au fédéralisme dans le respect des identités culturelles et des autonomies régionales.

À l'occasion du décès du roi Baudouin le 31 juillet 1993, la manifestation d'un sentiment national suranné submerge le pays. Au-delà de la ferveur exprimée à la personne du roi et à Albert II son frère et successeur, certains ont vu l'expression du besoin qu'ont encore les Belges de se trouver des raisons pour vouloir vivre ensemble. Sans doute, avec l'équipe nationale de football, l'institution monarchique est-elle la pierre angulaire capable de maintenir la cohésion de ce bizarre avatar de l'histoire appelé Belgique...

Scandales à gogo

En 1996, la Belgique fait parler d'elle en découvrant avec effroi les ravages de la pédophilie. L'« affaire Dutroux » met en relief le laxisme des institutions et la gabegie de l'appareil judiciaire dans leur incapacité à réprimer le plus abject des commerces : l'enlèvement, la séquestration, l'exploitation sexuelle d'enfants et leur élimination dans les conditions horribles. Le pays, traumatisé, sort d'une longue léthargie et exprime son indignation au cours d'une « marche blanche » qui rassemble 300 000 personnes dans les rues de Bruxelles. Poussé par ce sursaut moral, le pouvoir politique met en place une commission parlementaire chargée de faire la lumière sur les dysfonctionnements des enquêtes et en profite pour réformer les forces de police.

Après plus de 1 an de délibérations surréalistes, la commission remet un rapport accablant pour la police, la gendarmerie et la justice. D'autres grandes affaires de corruption, de banditisme et de fraude fiscale à grande échelle contribuent à donner le blues à une population privée de repères fiables.

En 1998, la vénérable Société Générale, pilier de l'économie belge, passe définitivement sous contrôle du groupe Suez-Lyonnaise des Eaux. Le fleuron industriel Petrofina passe dans les mains du groupe Total. Avec le groupe de distribution GIB passé aux mains de Carrefour, les bijoux de famille du capitalisme belge sont mis aux enchères et la Belgique de papa part en morceaux sous les coups de boutoir de la mondialisation.

En 1999, la crise des poulets à la dioxine achève la coalition sortante. Sociaux-chrétiens et socialistes, les partis de la coalition, sont laminés. Les écologistes (dopés par l'effet dioxine) doublent leur représentation en atteignant les 15 %. Les libéraux deviennent la première famille politique du pays. Plus inquiétant, l'extrême droite nationaliste flamande du Vlaams Blok fait un nouveau bond en flirtant avec les 30 % dans des villes comme Anvers ou Malines.

La coalition gouvernementale qualifiée d'« arc-en-ciel », avec ses composantes bleue (libéraux), rouge (socialistes), verte (écolos) et jaune (nationalistes flamands), est dirigée par Guy Verhofstadt.

Dernières nouvelles de Belgique

Après avoir dépénalisé l'usage des drogues douces (mais pas leur trafic) et l'euthanasie, la Belgique se donne les moyens légaux d'instruire et de juger des crimes contre l'humanité commis en dehors de son territoire alors même que les ressortissants ne sont pas belges. C'est une première mondiale. Mais la loi est rapidement vidée de ses aspects les plus dérangeants pour les chefs d'État étrangers.

Fin 2001, après 75 ans de bons et loyaux services, la compagnie aérienne Sabena est déclarée en faillite. 17 000 personnes se retrouvent sans emploi, un record historique.

En mai 2003, aux législatives, l'électorat renvoie les Verts à leurs chères études ; les socialistes et les libéraux forment une nouvelle coalition cornaquée par le Premier ministre sortant. Le mariage homosexuel est autorisé.

En juin 2004, Marc Dutroux et ses complices se retrouvent après 8 ans d'instruction devant les jurés de la cour d'assises d'Arlon. Marc Dutroux écope de la perpétuité.

Aux élections européennes de juin 2004, 25 % des Flamands ont voté pour le parti d'extrême droite Vlaams Belang (ex-Vlaams Blok). On s'accorde à observer que, sans l'obstacle de Bruxelles qui n'acceptera jamais d'être gérée par la Flandre, la Belgique serait déjà séparée comme la défunte Tchécoslovaquie.

En mai 2006, deux crimes crapuleux à relents racistes mettent l'accent sur la place des allochtones dans la société belge. Mais aux élections communales de septembre 2006, l'extrême droite subit son premier revers en n'emportant pas la mairie d'Anvers comme espéré. À Charleroi, la justice n'arrête pas d'enquêter sur des affaires de corruption de marchés publics, qui offrent l'image d'une classe politique vérolée par le clientélisme et la corruption.

En décembre 2006, dans une émission de fiction *Bye Bye Belgium,* la RTBF imagine la sécession de la Flandre et ses conséquences.

Résultat, en juin 2007, les législatives se concluent par un recul très net des socialistes (au nord et au sud), sans doute aussi pénalisés par l'« effet Sarkozy ».

Le royaume s'effrite...

En mars 2008, 9 mois après ses élections législatives, la Belgique retrouve un gouvernement après 282 jours de psychodrame où la partition irrémédiable du pays était annoncée par tous les médias du monde. Après un intérim de 3 mois assuré par le Premier ministre sortant, Guy Verhofstadt, pour « pacifier les esprits », les négociateurs de cinq partis politiques approuvent un programme de gouvernement de coalition. Dirigée par le vainqueur des législatives de juin 2007, le chrétien-démocrate flamand Yves Leterme, l'équipe gouvernementale constituée du CDH (les centristes démocrates humanistes), des démocrates-chrétiens flamands (CD&V), des libéraux flamands (Open VLD) et francophones (MR) et des socialistes francophones est entrée en fonction après une crise qui a frisé le blocage définitif. L'accord gouvernemental comprend un important volet social qui doit s'attaquer au problème de la baisse du pouvoir d'achat des Belges. Des dispositions mises en œuvre progressivement, en fonction de l'état du budget du royaume.

La constitution de cette pentapartite ne propose toutefois aucune solution à l'origine de la crise : la réforme des institutions fédérales réclamée par les Flamands (60 % des 10,5 millions de Belges), qui demandent une plus grande autonomie de leur région, ce que refusent les francophones, qui y voient le début de la fin de la Belgique. Finalement les choses s'apaisent provisoirement lorsque le CD&V largue le trublion nationaliste du NVA avec lequel il formait un cartel. Et la décision sur la scission de l'arrondissement de Bruxelles-Hal-Vilvorde est à nouveau reculée. En Belgique il est souvent préférable de décider de ne rien décider.

La crise bancaire puis économique mondiale touche des grandes banques de plein fouet. Dexia, la banque franco-belge perd 90 % de sa valeur boursière et est recapitalisée via un accord franco-belgo-luxembourgeois. C'est une vieille connaissance, l'ex-Premier ministre Jean-Luc Dehaene, qui prend la tête du conseil d'administration. La banque-assurance Fortis, de son côté, boit le bouillon jusqu'au fond du bol. Son conseil d'administration est poussé sans ménagement à laisser la place quand l'action, qui était de 30 € en avril 2007, dégringole à 0,50 € en novembre 2008. Les avoirs néerlandais sont récupérés par les Hollandais et le démantèlement s'achève par un rachat de l'essentiel des activités bancaires et d'assurance en Belgique et au Luxembourg par BNP Paribas.

Comme un Belge sur deux a un compte ou ses économies chez Fortis, la colère monte chez les petits épargnants. Fortis n'est plus alors qu'une coquille ne contenant que quelques actifs épars, la commission bancaire suspend la cotation de l'action jusqu'à ce que soient connus les détails de l'opération, et les actionnaires envisagent diverses actions pour défendre leurs intérêts, à la fois contre la société, ses administrateurs, et les gouvernements concernés. Déboutés en première instance, la procédure d'appel favorable aux actionnaires débouche en décembre 2008 par la démission d'Yves Leterme et de son ministre de la Justice suite à des pressions supposées de l'exécutif sur le fonctionnement de la justice.

Le roi nomme alors presque contre sa volonté un homme de confiance expérimenté à la tête du gouvernement : Herman Van Rompuy (prononcez Rompeuille), un politicien flamand blanchi sous le harnais aussi peu charismatique qu'un colin froid mais qui pourrait s'avérer par sa discrétion, sa modération et son sens des responsabilités l'homme qui passe entre les gouttes des redoutables averses du climat belge.

Pour faire le point sur le volet bancaire, en février 2009, l'assemblée générale des actionnaires de Fortis vote, à Bruxelles, contre la vente à BNP Paribas à 50,27 % et à 57 % contre la nationalisation par l'État néerlandais des services bancaires et d'assurances de Fortis Bank Nederland. On n'est pas sortis de l'auberge !

Les élections européennes de juin 2009 (couplées aux élections régionales en Belgique) voient une forte progression des écolos en région wallonne et à Bruxelles et un recul de l'extrême-droite en Flandre au profit de partis nationalistes plus « fréquentables ».

Repères chronologiques

– *57 av. J.-C.* : guerre des Gaules.

– *255 apr. J.-C.* : invasion des Francs.

– *481* : Clovis quitte son évêché de Tournai et s'installe à Paris.

– *720* : Pépin le Bref dépose Childéric III et coiffe la couronne de France.

– *800* : Charlemagne se fait sacrer empereur par le pape.

– *843* : traité de Verdun. Partage de l'Empire carolingien en trois parties ; la Lotharingie est scindée à la mort de Lothaire, la Flandre échoit au roi de France.

– *980* : Notger, prince-évêque de Liège, qui dépend du Saint Empire romain germanique.

– *1099* : prise de Jérusalem par les croisés de Godefroy de Bouillon.

– *1214* : bataille de Bouvines, Philippe Auguste défait les Flamands alliés à l'Angleterre et à l'Empire.

– *1300* : annexion de la Flandre par Philippe le Bel et, 2 ans plus tard, bataille des Éperons d'or ; le peuple flamand se débarrasse de la chevalerie française.

– *1385* : Philippe le Hardi, duc de Bourgogne, ayant hérité de la Flandre en 1384, étend sa domination sur l'ensemble des territoires « belges ».

– *1468* : Charles le Téméraire détruit Liège et annexe la principauté.

– *1477 :* Marie de Bourgogne hérite des possessions bourguignonnes et épouse Maximilien d'Autriche ; les Pays-Bas passent à la maison d'Autriche.

– *1500 :* naissance à Gand de Charles, fils de Philippe le Beau et de Jeanne la Folle ; il règne de 1519 à 1555 sur l'empire des Habsbourg d'Espagne.

– *1576 :* « pacification de Gand » qui libère les Pays-Bas espagnols de l'oppression du règne de Philippe II ; fondation des Provinces-Unies calvinistes.

– *1598 :* début du règne des archiducs Albert et Isabelle.

– *1648 :* traité de Münster, qui ampute les Pays-Bas catholiques ; les Hollandais ferment l'Escaut.

– *1695 :* bombardement de Bruxelles sur ordre de Louis XIV.

– *1713 :* traité d'Utrecht, les Pays-Bas espagnols sont rendus à l'Autriche ; Charles de Lorraine est gouverneur en 1744.

– *1780 :* Joseph II, empereur, impose des réformes mal perçues par les Belges qui se soulèvent en 1789 et chassent temporairement les Autrichiens.

– *1795 :* annexion des Pays-Bas autrichiens par la France républicaine.

– *1815 :* le congrès de Vienne réunit la Belgique et la Hollande ; Guillaume d'Orange devient le souverain de ce royaume des Pays-Bas.

– *1830 :* insurrection à Bruxelles, les Hollandais sont chassés.

– *1831 :* l'indépendance de la Belgique est reconnue ; avènement de Léopold Ier.

– *1865 :* début du règne de Léopold II, qui lègue le Congo à la Belgique en 1909.

– *1914 :* début de la Grande Guerre, à laquelle la Belgique participe aux côtés des Alliés ; Albert Ier résiste derrière l'Yser.

– *1934 :* mort accidentelle d'Albert Ier ; Léopold III monte sur le trône.

– *1940 :* invasion de la Belgique par les Allemands, capitulation du roi après 18 jours de combat ; le pays est occupé jusqu'en 1944.

– *1951 :* à la suite de la « question royale », Léopold III abdique en faveur de son fils, Baudouin Ier.

– *1959 :* Bruxelles devient le siège de la CEE.

– *1980 :* mise en place de la régionalisation.

– *1993 :* décès de Baudouin Ier ; son frère Albert II lui succède.

– *1994 :* modification de la Constitution qui fait de la Belgique un État fédéral composé de communautés et de régions.

– *1996 :* ébranlée par les affaires de pédophilie, la Belgique remet en cause le fonctionnement de la justice et de la police. Une « marche blanche » rassemble en octobre 300 000 personnes à Bruxelles.

– *1997-1998 :* une commission d'enquête publie un rapport accablant sur les dysfonctionnements de l'appareil judiciaire.

– *1999 :* à Cannes, la Belgique reçoit sa première Palme d'or avec *Rosetta* des frères Dardenne. Crise du poulet à la dioxine, les électeurs réagissent en expédiant la majorité sortante aux oubliettes. Une coalition inédite entre en fonction en juillet.

– *2001 :* un tribunal belge juge les crimes de génocide du Rwanda. Dépénalisation du pétard. Naissance d'Élisabeth de Belgique. Faillite de la compagnie aérienne Sabena.

– *2002 :* dépénalisation de l'euthanasie.

– *2003 :* une coalition rouge-bleu émerge des élections. Premier mariage homosexuel.

– *2005 :* festivités et expos se succèdent pour commémorer les 175 ans de l'indépendance du pays. Les frères Dardenne reçoivent leur deuxième Palme d'or à Cannes avec *L'Enfant*.

– *2006 :* une partie de la presse flamande suggère une révision constitutionnelle qui limiterait la fonction royale à un rôle strictement protocolaire. D'autres songent déjà à une république de Flandre indépendante... débarrassée du « boulet wallon ».

– *Décembre 2006 :* la RTBF annonce la dissolution de la Belgique par la partition de la Flandre dans une émission de reportage qui affole les spectateurs qui n'ont pas compris qu'il s'agissait d'une fiction.

– *2007 :* crise politique majeure au sortir des élections. Il faut 9 mois pour trouver un accord de gouvernement. En attendant, le pouvoir d'achat des Belges dégringole.
– *2008 :* la crise des *subprimes* frappe les grandes banques belges que le gouvernement rachète avant de les céder par appartements. Yves Leterme, en fonction depuis peu, est soupçonné de pressions sur les magistrats qui doivent valider ces opérations. Il doit démissionner avec son ministre de la Justice. Après atermoiements, c'est un vieux routier expérimenté, Herman Van Rompuy, qui reprend les rênes de la coalition en place.

MÉDIAS

Du côté des ondes

La concurrence est féroce entre les chaînes pour s'approprier la manne publicitaire et les parts d'un marché d'à peine 10 millions de consommateurs.
En français, la chaîne publique RTBF dispose de trois chaînes. Sont également présents : RTL/TVI, entreprise privée avec également trois chaînes ; BTV, ex-Canal+, pour les possesseurs du décodeur bien entendu, et les chaînes AB3 et AB4 ; les émissions en provenance de l'Hexagone : TF1, France 2, France 3, France 5 et Arte, en plus des rediffusions de TV5MONDE et des émissions en français de la chaîne thématique Eurosport.

Programmes en français sur TV5MONDE

TV5MONDE est reçue dans le pays par câble, satellite et sur Internet. Retrouvez sur votre télévision : films, fictions, divertissements, documentaires – qui témoignent de la diversité de la production audiovisuelle en langue française – et informations internationales.
De nombreux services pratiques pour les voyageurs sont proposés sur le site • *tv5monde.com* • et sa déclinaison mobile • *m.tv5monde.com* •
Pensez à demander dans votre hôtel sur quel canal vous pouvez recevoir TV5MONDE et n'hésitez pas à faire vos remarques sur • *tv5monde.com/contact* •

FRANCE 24

Chaîne d'information en continu, FRANCE 24 apporte 24h/24 et 7j/7 un regard nouveau sur l'actualité internationale.
Diffusée en trois langues (français, anglais, arabe) dans plus de 160 pays, FRANCE 24 est également disponible sur Internet et votre mobile sur • *france24.com* •, pour vous accompagner tout au long de vos voyages.

Les gazettes

Elles ont parfois du mal à subsister, sauf pour ces éditions régionalisées qui perdent moins de lecteurs.
En langue française, à Bruxelles, *Le Soir* et *La Libre Belgique* et *La Dernière Heure – Les Sports*. Leurs suppléments culturels comme la *Tribune de Bruxelles* et *Memento* peuvent vous être utiles. Le groupe Sud Presse, avec *La Meuse, La Gazette, La Province, Le Quotidien* et *La Capitale*, fait dans le genre populaire ; *Vers l'avenir* ; à Tournai, *Le Courrier de l'Escaut*, tels sont les quotidiens principaux. Le seul *news* hebdomadaire de gros tirage est *Le Vif/L'Express*, qui a la particularité de reprendre des pages de l'hebdo français. *Le Soir Magazine* garde ses adeptes. Pour les programmes TV, *Ciné-Revue, Télé Pro* et *Télé-Moustique* sont les plus vendus. *Ciné-TV-Revue* restant le plus gros tirage des hebdos.
Aucun problème pour vous procurer *Libé, Elle* ou *Le Nouvel Obs*, ils sont distribués dans toute la Belgique.

Les quotidiens flamands les plus connus sont : *Standaard*, dont les éditoriaux politiques influencent l'opinion flamande, *Het Nieuwsblad*, *Het Volk*, *Het Laatste Nieuws*, *Het Belang van Limburg* et *Morgen*, qui peut se comparer à *Libé*. *Trends* et *Humo* sont les hebdos les plus populaires en Flandre.

PATRIMOINE CULTUREL

Archéologie industrielle

Il y a quelques décennies, on s'empressait de faire disparaître les vestiges noircis et délabrés des sites datant du début de la révolution industrielle. Puits de mine, manufactures, entrepôts, cheminées étaient rasés pour faire place à des réalisations à peine plus esthétiques. Quelques pionniers (architectes, historiens) se sont passionnés pour le pouvoir d'évocation de ces lieux chargés de la mémoire collective des populations qui y avaient vécu.

À présent, à défaut de pouvoir tout conserver, on se donne la peine de restituer fidèlement ce qu'était le cadre de vie d'aïeux somme toute peu éloignés dans le temps. Avec un peu d'imagination et grâce aux documents qu'on y expose, on peut aisément se représenter les conditions de travail et de vie de nos arrière-grands-parents. Certains sites sont nés de la volonté d'industriels « éclairés », concepteurs d'univers utopistes où travail, habitat, hygiène et rapports sociaux devaient fonctionner au sein d'un ensemble harmonieux. Le génie industriel se manifeste aussi dans les technologies utilisant des moyens rudimentaires (vapeur, force hydraulique) et dans l'utilisation de matériaux sobres (fer, fonte, brique). Ces témoignages d'un proche passé sont nombreux et méritent autant d'intérêt que les prestigieux édifices civils ou religieux. Consécration : les anciens ascenseurs hydrauliques du canal du Centre, près de La Louvière, ont été classés en 1998 au Patrimoine mondial de l'Unesco.

Arts

S'il est un domaine où la Belgique regorge de richesses, c'est bien dans celui de l'activité artistique. À plusieurs époques bénies, tous les facteurs ont été réunis pour que les régions belges apportent leur contribution aux grands courants artistiques en Europe.

Toutes les écoles ont été présentes en Belgique au cours des siècles, carrefour de rencontres de plusieurs cultures. Celtes, Romains, Français, Bourguignons, Espagnols, Autrichiens, Hollandais y ont laissé des traces de leur génie propre, mais c'est dans les cités flamandes et wallonnes que des courants comme l'art mosan, la peinture flamande, le gothique flamboyant, le symbolisme, l'Art nouveau et, dans une moindre mesure, le surréalisme ont donné naissance à certains de leurs chefs-d'œuvre les plus marquants. Plutôt que de lire des commentaires fastidieux, le plus intéressant est de savoir où trouver les œuvres les plus importantes de chaque mouvement artistique. Nous les signalons dans nos textes.

Surréalisme et fantastique

Depuis le Moyen Âge, le « plat pays » a toujours engendré des générations d'artistes et d'écrivains tentés par une interprétation « décalée » de la réalité. Depuis les allégories monstrueuses de Bruegel, inspiré par Jérôme Bosch, jusqu'aux littérateurs wallons du mouvement surréaliste comme Chavée ou Scutenaire, en passant par les langueurs oniriques et mystiques des symbolistes, les squelettes et les masques d'Ensor, les divagations ferroviaires de Paul Delvaux, les récits effrayants de Jean Ray, les chapeaux-boule de Magritte, les rêves éveillés du cinéaste André Delvaux, les savants fous d'Hergé et les mondes parallèles des B.D. d'Edgar

P. Jacobs et de François Schuiten, ce pays, banal en apparence, a sécrété, sans presque le faire exprès, des univers anti-cartésiens ahurissants pour un observateur extérieur.

Jusque dans ses institutions politiques, que l'on a parfois du mal à prendre au sérieux, l'univers belge recèle des antimondes indicibles, à la limite du délire schizophrène : l'architecture loufoque de l'Atomium, la mégalomanie du palais de justice de Bruxelles aux souterrains plus mystérieux que les caves du Vatican, les iguanodons charbonneux du musée des Sciences naturelles, rescapés des glaises du crétacé, les terrils du Borinage qui ont vu fleurir la plus décapante des poésies, les grottes ardennaises où se sont perdues des rivières, les trognes extatiques des masques de cire des Gilles de Binche, les télescopages architecturaux du paysage urbain, la gouaille un rien cruelle des estaminets liégeois et les carambolages linguistiques chers à la *zwanze* bruxelloise, les chansons au quatrième degré de Jean-Luc Fonck du groupe Sttellla, les attentats pâtissiers de l'*entarteur*, Noël Godin, tout contribue à faire du périple belge une suite d'expériences inclassables où la banalité presque exaspérante peut brusquement basculer vers un insolite débridé générateur de perplexités fécondes.

Vous avez dit surréalisme ? Pour qui a appris à le déceler, en faisant fi des catégories rationnelles, le décodage du « fantastique quotidien » ou du « réalisme magique » propres à l'univers belge peut se révéler un exercice enrichissant des plus jouissifs.

En Belgique, l'aventure est bien au coin de la rue ! Après tout, n'est-ce pas en extrayant une banale boîte de conserve d'une affligeante poubelle que Milou entraîne Tintin dans les péripéties rocambolesques du *Crabe aux pinces d'or* ?

Littérature

Point de rencontre du monde latin et du monde germanique, la Belgique, vous le savez à présent, possède deux domaines linguistiques et, à fortiori, deux littératures bien distinctes. C'est vrai de nos jours mais cela n'a pas toujours été aussi simple ! S'il est certain qu'aucun Wallon n'a écrit en flamand, de nombreux Flamands de souche et « d'âme » ont utilisé le français. Cela tient aux fluctuations de l'histoire, quand le français était la langue de la bourgeoisie dominante et de l'enseignement, et le flamand un langage patoisant utilisé dans les rapports domestiques. Pourtant, la langue flamande a connu à des époques anciennes un usage qu'on peut sans hésiter qualifier de littéraire. Il a fallu attendre la fin du XIXe s, avec l'émergence du nationalisme flamand, puis la flamandisation de l'université de Gand, en 1930, pour que la langue « de Vondel » accède à la reconnaissance.

Littérature flamande

Si c'est à Louvain, Bruges, Anvers et Bruxelles que l'imprimerie se développe, la langue de l'érudition utilisée par les savants est le... latin, et le flamand est peu à peu délaissé par les lettrés. Simon Stévin l'utilise pourtant pour rédiger ses ouvrages d'algèbre et d'optique, tandis que Marnix de Sainte-Aldegonde écrit son *Rucher de la sainte Église romaine* en flamand, langue des « gueux » utilisée pour dénoncer les exactions des Espagnols.

Jusqu'au XIXe s, la langue flamande, éclatée en plusieurs dialectes, va végéter dans une utilisation patoisante, séparée par l'histoire de son tronc néerlandais.

À la suite de l'indépendance belge en 1830, un courant intellectuel et national va amener de jeunes bourgeois à puiser dans le riche passé des Flandres les raisons de revendiquer pour leur langue un statut culturel équivalent à celui du français. On dit d'Henri Conscience (Anversois né de père français !) qu'il « apprit à lire à son peuple ». Les thèmes historiques choisis dans ses romans (la victoire des communiers flamands contre la noblesse française) servaient à merveille la cause politique... Le doux abbé Guido Gezelle servit, lui, la cause de la poésie en utilisant une langue fraîche et spontanée. Sincères aussi dans la description des réalités pay-

sannes furent Karel Van de Woestijne, Cyriel Buysse et Stijn Streuvels. Herman
Teirlinck connut le succès comme dramaturge et, en parallèle au mouvement pic-
tural, une génération de romanciers choisit l'expressionnisme et le naturalisme
comme sources inspiratrices. On peut citer comme écrivains reconnus (aux Pays-
Bas surtout, parce que peu traduits en français) : Ernest Claes, Félix Timmermans,
Louis-Paul Boon, Johan Daisne (inspirateur d'André Delvaux), Hugo Raes, Gérard
Walschap, Marnix Gijsen, Hubert Lampo, Ward Ruyslinck, Jef Geeraerts et surtout
Hugo Claus dont la notoriété a largement dépassé le monde néerlandophone. Un
cas à part est celui de Jean Ray, le pape du genre fantastique, qui publia aussi bien
en flamand qu'en français !

Lettres belges d'expression française

Du Moyen Âge à 1830, la littérature francophone se confond avec sa grande voisine du sud : entre Belges et Français du Nord, quelques kilomètres de frontières
féodales pouvaient déterminer si l'on naissait sujet du roi ou sujet des comtes et
ducs « belges ». Revendiquer Froissart, Philippe de Commines, Jean Lemaire
de Belges, puis, beaucoup plus tard, Charles-Joseph de Ligne n'a pas beaucoup
de sens.
Passons au XIXe s pour commencer à s'intéresser à ce qui s'écrit et se publie dans
la jeune nation. Le paradoxe – ce n'est pas le seul dans cet étrange pays – veut que
ce soient des Flamands de souche qui firent la gloire des lettres belges naissantes :
Charles de Coster publie en 1867 et en français La Légende de Thyl Ulenspiegel et
de Lamme Goedzak au pays de Flandres et ailleurs, légende éminemment flamande inspirée de la tradition germanique. Gros succès pour cette épopée magni-
fiant la liberté.
Accèdent au rayon des best-sellers en français (sous le label : « La Jeune Belgique ») : Georges Eeckhoud (anversois), Charles Van Leerberghe (gantois), Max Els-
kamp (anversois), Émile Verhaeren (gantois), Maurice Maeterlinck (Prix Nobel et
gantois), Camille Lemonnier, Georges Rodenbach, tous ardents symbolistes et
naturalistes qui donnent un élan irrésistible à l'essor des lettres en Belgique.
– Suivent avec le temps : Franz Hellens, les poètes Marcel Thiry et Norge, Charles
Plisnier (premier Goncourt non français), Félicien Marceau ; les auteurs de théâtre
Fernand Crommelynck et Michel de Ghelderode ; les surréalistes Marcel Mariën,
Paul Nougé, Louis Scutenaire, Achille Chavée ; les inclassables Henri Michaux
(naturalisé français) et Marcel Moreau.
– Du côté des dames : Marie Gevers (la « Colette » belge), Suzanne Lilar, sa fille
Françoise Mallet-Joris, Dominique Rolin, Jacqueline Harpman (Prix Médicis 1996)
et plus récemment Amélie Nothomb (prix de l'Académie française en 1999). Mar-
guerite Yourcenar, née à Bruxelles de mère belge, était française avant de prendre
la nationalité américaine.
– Les contemporains : les romanciers Pierre Mertens, Francis Dannemark, Jean-
Philippe Toussaint (Prix Médicis 2005), Bernard Tirtiaux, Franz Weyergans (le père
de François, Goncourt 2006), Henri Bauchau, Vincent Engel ; les poètes Eugène
Savitzkaïa, Jacques Crickillion, Jean-Pierre Verheggen... Liste non limitative.
Du côté des essais et de l'histoire : Simon Leys, Hubert Juin, Georges-Henri
Dumont, Jean-Claude Bologne, Léo Moulin, André Castelot, Jacques Sojcher,
Patrick Roegiers...
Les tenants d'une littérature que l'on dit populaire ne sont pas les moins gâtés en
tirages : le champion toutes catégories est Georges Simenon, suivi de Henri Ver-
nes (le père de Bob Morane) et de Thomas Owen.

Musique classique

Au rayon classique, la Renaissance vit quelques Belges se distinguer dans la composition : le Montois Roland de Lassus fut l'un des grands maîtres de son siècle.
Peu de chose à dire avant la fin du XVIIe s, où André-Modeste Grétry commet quel-

ques opéras-comiques à succès. À l'indépendance, Fétis fait œuvre de théoricien et de musicologue, et l'organisation de l'enseignement musical permet la formation et l'émergence de grandes figures, comme César Franck, Guillaume Lekeu et, plus tard, Paul Gilson et Jean Absil. C'est du côté des interprètes que l'on peut distinguer des musiciens de qualité : le rayonnement international du concours musical « Reine Élisabeth » y est pour quelque chose. Eugène Ysaye et Arthur Grumiaux, violonistes, ont été des solistes de grande renommée. Henri Pousseur et Pierre Bartholomée sont les chefs de file de la musique contemporaine, et Philippe Herreweghe et Sigiswald Kuijken ont remis la musique baroque au goût du jour. Le baryton-basse José Van Dam porte à l'opéra et au cinéma les couleurs de l'art lyrique belge.

Variétés

Ils sont légion, les chansonniers, compositeurs et interprètes à avoir vendu du vinyle puis des CD : le grand Jacques Brel au premier rang des gloires de la scène, suivi d'Adamo, Annie Cordy, Jean Vallée, Julos Beaucarne, Frédéric François, Plastic Bertrand, Pierre Rapsat, Philippe Lafontaine, Lio, débarquée de son Portugal natal, Victor Lazlo, le groupe Zap Mamma, Hooverphonic, dEUS, Maurane et Axelle Red, la flamboyante Flamande, Arno, Johan Verminnen, Clouseau, Wil Tura et Helmut Lotti chez les Flamands.
En jazz, de grands noms aussi : Toots Tielemans, Philippe Catherine, Charles Loos, Sadi, Steve Houben...

PERSONNAGES

On ne peut raisonnablement parler de Belges que depuis 1830, date de l'indépendance, mais on peut considérer comme tels tous ceux ou celles qui sont nés ou ont exercé l'activité qui les a rendus célèbres sur le territoire de l'actuelle Belgique...
– *Salvatore Adamo* (1943) : fils de mineur, c'est le premier à porter haut les couleurs de l'immigration italienne dans la région du Centre. Son romantisme gentillet a séduit toutes les générations (François Mauriac fut l'un de ses fans du début). On se souvient des *Filles du bord de mer*, d'*Inch Allah* et de sa *Dolce Paola* écrite en hommage à l'actuelle reine des Belges. Sa carrière cinématographique fut moins heureuse mais, au Japon, ses tournées sont toujours triomphales. Il a quand même vendu plus de 90 millions de disques de par le monde.
– *Arno* (1948) : chanteur flamand (ostendais) à l'ascendance russe et anglaise doté d'un organe vocal éraillé par l'alcool et les clopes. Gouailleur et candide, désarmant de sincérité, il avoue chanter pour ne pas avoir à travailler. Il a revisité avec bonheur quelques classiques du répertoire belge comme *Les Filles du bord de mer* d'Adamo ou *Les Vieux* de Brel. Gros succès en France où il a été fait chevalier des Arts et des Lettres, et accueil enthousiaste pour son album « Jus de Box » en 2007.
– *Jacques Brel* (1929-1978) : monument incontesté de la chanson, grande gueule, bouffeur de curés et pourfendeur de bourgeois, invectiveur de *flamingants* et amoureux fou des Flandres, Belge à l'étroit dans son carcan national, rêveur d'infinis et verseur de larmes sur les femmes infidèles, Don Quichotte errant d'Amsterdam à Rio et de Knokke-le-Zoute à Vesoul, navigateur échoué aux Marquises, ce diable d'homme n'en finira jamais de ne pas nous quitter... Heureusement, ses chansons et ses films sont toujours là pour encore une fois, avec lui, essayer d'« atteindre l'inaccessible étoile »...
– *Pieter Bruegel, dit « l'Ancien »* (1528-1569) : peintre flamand brabançon, il est fasciné par les décors alpestres lors d'un voyage d'apprentissage en France et en Italie. On retrouvera ces décors de montagnes à l'arrière-plan de scènes campagnardes. Installé à Anvers, il fréquente tous les esprits novateurs de la Réforme : Érasme, Ortélius, Plantin. Il parcourt les campagnes déguisé en paysan pour assister aux kermesses de village. Peintre des mœurs rustiques, il utilise également l'allé-

gorie biblique pour dénoncer les exactions de l'occupation espagnole. Inquiété par l'Inquisition, il poursuit son œuvre à Bruxelles où naissent ses fils : Pieter (Bruegel d'Enfer) et Jan (Bruegel de Velours). Bruegel est l'un des peintres les plus importants de la Renaissance et, si ses tableaux sont disséminés aux quatre coins du globe, courez voir ceux des musées royaux des Beaux-Arts.

– *Charlemagne* (742-814) : même si Français ou Allemands ont le droit de le revendiquer, l'empereur à la barbe fleurie a sa place au panthéon des héros wallons. Celui qui inventa l'école – et transforma l'héritage mérovingien en empire européen – fut un conquérant heureux, doublé d'un législateur visionnaire.

– *Hugo Claus* (1929-2008) : représentant le plus connu des lettres belges de langue néerlandaise. On parlait de lui depuis plusieurs années comme d'un « nobélisable » (le seul Prix Nobel de littérature belge est Maurice Maeterlinck en 1911). Poète, dramaturge et romancier (*Le Chagrin des Belges*), Claus s'est également essayé au cinéma. Pour la petite histoire, il a été, l'heureux homme, le compagnon de Sylvia Kristel *(Emmanuelle)* ! Atteint par la maladie d'Alzheimer, il a choisi de se faire euthanasier.

– *Kim Clijsters* (1983) *et Justine Hénin* (1982) : l'une est flamande, tout en puissance et en volonté, l'autre est wallonne, tout en technique et en souplesse. Elles ont porté haut le flambeau du tennis féminin belge en devenant toutes deux et successivement n° 1 du classement WTA à la fin 2003. En 2005, Justine gagne Roland-Garros pour la 2ᵉ fois. En 2006, elle gagne trois tournois du Grand Chelem et Kim redevient n° 1 mondiale avant de céder sa place à Justine en 2007. La routine quoi... tout comme sa troisième victoire à Roland-Garros en 2007, année au cours de laquelle Kim a pris sa retraite... à 24 ans, avant d'annoncer son retour à la compétition au printemps 2009. Justine elle, a quitté les circuits en mai 2008, semble-t-il définitivement.

– *Jean-Pierre* (1951) *et Luc* (1954) *Dardenne* : les frangins originaires de la banlieue de Liège travaillent toujours ensemble depuis l'époque où ils commettaient films vidéo et courts-métrages documentaires avec cette exigence constante de faire un cinéma d'inspiration sociale, âpre et droit, à hauteur d'humanité. En 1996, *La Promesse* les distingue et, en 1999, Cannes les récompense en leur attribuant la Palme d'or pour *Rosetta*. L'interprète, Émilie Dequenne, reçoit le Prix d'interprétation féminine. En 2002, rebelote à Cannes avec *Le Fils*, pour lequel Olivier Gourmet reçoit le Prix d'interprétation masculine. Ils récidivent en 2005 en recevant une nouvelle Palme d'or pour *L'Enfant*.

– *Cécile de France* (1975) : née près de Namur, de son vrai nom Cécile Defrance, elle s'intéresse très tôt au théâtre et « monte à Paris » à l'âge de 17 ans pour suivre les cours de comédie à l'école de la rue Blanche. Pour survivre dans la capitale, elle est même cracheuse de feu au Quartier latin. Remarquée par Dominique Besnehard elle passe des planches aux courts-métrages et à la TV. Elle se fait connaître du grand public grâce au film *l'Art de la séduction* de Richard Berry. En 2002, elle éclate dans un rôle de

> ## L'ÉTRANGE OTTO LIDENBROCK
>
> *L'œuvre de Paul Delvaux recèle un grand nombre de personnages récurrents : la petite fille blonde vue de dos, les squelettes, etc., mais aussi un savant myope qui examine attentivement un fossile, les lunettes sur le front. Ce géologue n'est autre qu'un souvenir de lectures de jeunesse : le professeur Lidenbrock fait partie du roman de Jules Vernes, Voyage au centre de la Terre. Et sa représentation qui a tellement frappé le peintre est celle de Riou, dans l'édition Hetzel.*

lesbienne dans *l'Auberge espagnole* de Cédric Klapisch pour lequel elle obtient le César du meilleur espoir féminin. Deuxième César du meilleur second rôle féminin avec la suite : les *Poupées russes*. Joli brin de fille, actrice caméléon, bourrée de talent, tout en restant très naturelle, elle prouve une formidable capacité à donner vie à un personnage, quel qu'il soit. Preuve en est son dernier « *Sœur Sourire* » qu'elle a porté à bout de bras. Elle est maman d'un petit garçon depuis 2007.

– *Paul Delvaux* (1897-1994) *:* qui ne connaît ces étranges dames nues évoluant au milieu de ruines antiques en compagnie de squelettes et de wagons figés dans un décor de gare de banlieue ? L'univers onirique et érotique de Paul Delvaux le rattache au mouvement surréaliste. L'académisme apparent de ses compositions est détourné par le côté obsessionnel des apparitions de ces femmes cataleptiques qui firent longtemps scandale... On peut visiter à Saint-Idesbald, sur la côte, la Fondation Paul-Delvaux. Il a aussi décoré de fresques plusieurs casinos : Ostende, Chaudfontaine, Knokke.

– *James Ensor* (1860-1949) *:* l'Ostendais, à moitié anglais par son père, est l'un des peintres les plus importants de la fin du XIXᵉ s. Si sa technique annonce l'expressionnisme, son inspiration faite de thèmes macabres ou satiriques (masques de carnaval) annonce déjà le surréalisme. Son œuvre, où se mêlent le fantastique et le mystique, ne fut pas comprise par ses concitoyens mais il mit son sens du burlesque à leur service en devenant un des promoteurs en 1896 du fameux « bal du Rat mort » qui se déroule à Ostende chaque année.

– *Jean-Michel Folon* (1934-2005) *:* dessinateur, affichiste, graphiste, sculpteur, homme de théâtre et de télévision, ses affiches appartiennent à l'histoire visuelle des années 1970. Maître incontesté de l'aquarelle fluide, lumineuse et légère, créateur de petits personnages comme celui qui animait en s'envolant sur fond de soleil couchant le générique de fin d'émissions d'Antenne 2 en 1975. Folon était aussi un artiste doté d'une conscience politique et écologique : en 1988, il illustre la « Déclaration universelle des Droits de l'homme » pour Amnesty International. L'expo *Notre terre,* en 1991, contribua à appeler le public à prendre conscience des nécessités de la sauvegarde de l'environnement. Un ange est monté au ciel.

– *André Franquin* (1924-1997) *:* un des maîtres incontestés de la B.D. belge ! Dessinateur de génie, il reprit le personnage de Spirou en 1946 pour lui insuffler une fantaisie inégalée. Il y ajouta en plus de Fantasio de nombreux héros, tels le comte de Champignac, Zorglub, le merveilleux Marsupilami et l'ineffable Gaston Lagaffe. De ces albums, on retiendra *Le Voyageur du Mésozoïque, Le Dictateur et le Champignon* et, surtout, l'inénarrable *QRN sur Bretzelburg.* La dépression entraîna plus tard Franquin à dessiner une série plus amère et féroce : *Les Idées noires.* Il a indubitablement influencé toute une génération de créateurs européens.

– *Philippe Geluck* (1954) *:* avant de créer son *Chat* philosophe, le Belge le plus en vue du PAF a d'abord sévi sur les ondes nationales en animant des émissions pour jeunes, puis en dilatant les rates belges dans la *Semaine infernale* de la RTBF, avec le courrier imaginaire adressé à son *Docteur G.* Sur le canapé dominical de Drucker et au sein de la bande à Ruquier, il a conquis l'Hexagone avec un humour déconcertant, fait de fausses-vraies lapalissades, de réflexions métaphysiques et de piques acides, proche du *nonsense* cher à Desproges. Son expo du *Chat* aux Beaux-Arts à Paris a fait un vrai tabac.

– *Maurice Grévisse* (1895-1980) *:* tous les amoureux de la langue française, André Gide en premier, chérissent ce philologue qui leur a donné la meilleure grammaire jamais écrite : *Le Bon Usage* ; elle fait autorité dans tous les pays francophones. Grévisse l'a peaufinée au fil des ans et des lectures, en répertoriant tous les usages de la langue faits par les grands auteurs. La Belgique est une terre féconde pour les orfèvres de la langue, puisque *Joseph Hanse* (1902-1990), avec son *Dictionnaire des difficultés grammaticales et lexicologiques,* connut un jour la consécration en étant l'invité de Bernard Pivot.

– *Hergé* (1907-1983) *:* que peuvent avoir en commun des gens aussi divers que Haroun Tazieff, Michel Serres, Alain Resnais, Pascal Bruckner, Andy Warhol et Steven Spielberg ? Réponse : tous, ainsi que des millions d'autres anonymes, se sont sentis orphelins d'une part de leur jeunesse en apprenant, en mars 1983, la disparition de Georges Remi, le créateur de Tintin, un des héros universels du XXᵉ s. Ce jour-là, le quotidien *Libération* lui rendit le plus bel hommage qui soit en illustrant ses pages d'actualités par des planches choisies dans les aventures du petit reporter. L'apport d'Hergé à la reconnaissance de la B.D. comme art à part entière est incontestable : il en a fait un moyen d'expression accompli, son graphisme limpide a influencé toute la génération de dessinateurs de la « ligne claire », sa technique narrative est un modèle d'efficacité lumineuse et, si, pour certains, Tintin a pu paraître un héros fade et asexué, la galerie de tous les personnages secondaires fait de ses aventures une merveilleuse comédie humaine contemporaine. En 1980, Hergé tombe malade et souffre d'anémie. En mars 1981 ont lieu les retrouvailles entre Hergé et Tchang Tchong-jen, le jeune Chinois à l'origine de Tchang dans *Le Lotus bleu* et *Tintin au Tibet*. Hergé s'éteint en mars 1983 à Bruxelles. Bien qu'officiellement mort de leucémie, un de ses biographes, Philippe Goddin, affirme qu'Hergé pourrait être mort du sida. Du fait d'une maladie congénitale rare, son sang devait être régulièrement renouvelé. À cette époque, le virus VIH était mal connu et indétectable dans le sang. Il aurait donc contracté le sida lors d'une de ces transfusions, ce qui explique les fréquentes grippes, pneumonies et bronchites à la fin de sa vie.

– *Victor Horta* (1861-1947) : à la fin du XIXᵉ s, Bruxelles se dote de grandes artères et de monuments pompeux. En parallèle, une bourgeoisie prospère, en quête de nouveauté et d'affirmation culturelle, trouve avec un jeune architecte, Horta, l'occasion de concrétiser ses aspirations à une nouvelle esthétique. La construction en 1893 de l'hôtel Tassel fut l'acte fondateur de l'Art nouveau en Belgique. Au néoclassicisme dominant, Horta oppose une conception révolutionnaire : la ligne droite fait place aux volutes et ondulations de la nature, la lumière pénètre par des verrières décorées de motifs floraux, les matériaux employés – la brique, le verre et le fer forgé – sont utilisés en appliquant des techniques de construction industrielles. Horta pousse le souci du détail jusqu'à dessiner chaque élément de la décoration ; tout doit contribuer à affirmer un nouvel art de vivre basé sur l'harmonie, l'élégance et l'ingéniosité.

– *René Magritte* (1898-1967) : « Ceci n'est pas une pipe », écrivait le pape du surréalisme belge en 1929 sous la reproduction réaliste d'une pipe qui aurait pu appartenir à Maigret. Tout l'humour provocateur du peintre transparaît dans ces juxtapositions inattendues, dérangeantes, entre des objets d'usage familier plantés dans un décor insolite et ponctués d'un titre absurde... Publicitaire lui-même par nécessité alimentaire, ce dynamiteur du mental est le peintre qui a le plus influencé la publicité, récupératrice d'un grand nombre de ses idées-forces. L'ouverture d'un superbe musée qui lui est exclusivement consacré s'est faite juin 2009.

– *Maurane* (1960) : révélée par Nougaro, cette Bruxelloise est devenue une star de la chanson en francophonie grâce à une voix chaude complétée par un swing diablement balancé. Avec ses potes Jonasz, Samson et Lara, elle est de tous les festivals importants.

– *Mercator* (1512-1594) : le plus fameux cartographe du XVIᵉ s fut un scientifique complet ; théologie, philosophie, mathématiques et astronomie. Il modifia de façon durable la vision que les hommes avaient de la planète, puisque, en majorité, les cartes utilisées à notre époque sont faites selon la projection qui porte son nom. Grâce à lui, les pilotes des navires à la découverte des mers inconnues ont pu tracer leur route sur une carte fiable. Il est aussi le premier à avoir utilisé le mot « atlas » pour dénommer un recueil de cartes et, sous le titre d'*Atlas Minor*, le premier à en avoir publié un dans un format de « poche » très maniable.

– *Eddy Merckx* (1945) : les Français le surnommèrent le « cannibale » à cause de son insatiable faim de victoires. Il est considéré par tous les Belges comme le plus fabuleux pédaleur de tous les temps et comme LE sportif du XXᵉ s selon un jury de journalistes spécialisés. L'énumération de son palmarès complet nécessitant plusieurs pages du *Guide du routard*, contentons-nous de rappeler ses cinq victoires aux Tours de France et d'Italie ainsi que son record de l'heure en 1972 sur un vélo « normal ». Il a totalisé, dit-on, 525 victoires sur route ! Retraité des pelotons, il se consacre à son entreprise de cycles. Couronnement de sa carrière, le roi l'a fait baron.

– *Henri Michaux* (1899-1984) : namuroi d'origine, naturalisé français, il est inspiré par le surréalisme lorsqu'il écrit ses premiers poèmes. De ses voyages en Asie et en Amérique du Sud, il rapporte des carnets de route, défrichant bien avant tout le monde les chemins de Katmandou. La mescaline le mène aux limites de l'expérience poétique. On le dit écrivain inclassable et son œuvre, sans doute faite de bric et de broc, est de celles qui ne laissent personne indifférent tant elle est capable de libérer la sensibilité et de fasciner ceux qui ne redoutent pas une immersion brutale dans un univers magique et absurde.

– *Amélie Nothomb* (1967) : fille d'un diplomate en poste au Japon, la *wondergirl* des lettres françaises en provenance de Belgique pond chaque année, avec la régularité d'un coucou suisse, un best-seller qui fait le bonheur de son éditeur Albin Michel. Son personnage décalé de gentille sorcière aux chapeaux extravagants lui vaut un certain succès sur les plateaux huppés des émissions littéraires. L'Académie française a consacré son talent indéniable en lui décernant son prix en 1999.

– *Benoît Poelvoorde* (1964) : ce Namurois ne se destinait pas à une carrière d'acteur. C'est à Bruxelles, au cours de ses études, qu'il fréquente une bande de copains déjantés avec qui il réalise *C'est arrivé près de chez vous*, une satire sévère et sanglante du monde des faits divers. Après un détour sur Canal+ avec les *Carnets de monsieur Manatane*, il multiplie les rôles de grands cyniques bêtes et méchants. On le retrouve en 2004 dans le rôle d'un clone de Claude François inspiré du roman *Podium*, de Yann Moix. Le film a connu un succès considérable. En 2008, on le retrouve en Brutus dans *Astérix aux Jeux olympiques*.

– *Axelle Red* (1968) : née d'une mère pianiste, passionnée de soul, et d'un papa avocat, Fabienne Dermal grandit dans son Limbourg natal, baignée par les chansons d'Aretha Franklin ; elle enregistre dès ses 15 ans un premier 45-tours en anglais. Diplôme d'avocate en poche, elle sort son premier single, en français, *Kennedy Boulevard*, sous le nom d'Axelle Red, rapport à sa chevelure de feu en parfaite harmonie avec son beau visage pâle. Elle fait en 1998 l'ouverture de la Coupe du monde de football où elle chante avec Youssou N'Dour. Un mois après la naissance de sa fille, en 1999, elle reçoit la consécration aux Victoires de la musique. En 2002, *Manhattan-Kaboul*, son délicieux duo avec Renaud, arrive en tête des ventes de disques en France.

– *Jacques Rogge* (1942) : en succédant en 2001 à Juan Antonio Samaranch à la tête du Comité international olympique, ce médecin gantois porte l'espoir de ceux qui voudraient voir les Jeux d'Athènes (2004, mission accomplie) et de Pékin (2008) renouer avec l'esprit des grandes fêtes dans le cadre desquelles les idéaux de Pierre de Coubertin occuperont à nouveau la place centrale.

– *Pierre Paul Rubens* (1577-1640) : né en exil en Allemagne – son père calviniste s'y était réfugié –, il ne connut Anvers qu'à l'âge de 12 ans. Il y fit ses classes, avant de passer 8 ans en Italie où il étudia les maîtres de la Renaissance. Le Tintoret, Titien et Véronèse le marquèrent mais c'est le Caravage qui l'influença le plus. De retour dans son pays, il bénéficia des faveurs des archiducs Albert et Isabelle et fonda sa célèbre maison-atelier. Touché par la gloire, il créa une quantité considérable d'œuvres, assisté de nombreux collaborateurs (dont Van Dyck). Son activité artistique se doubla de missions diplomatiques qui le menèrent en Hollande, à Madrid et à Londres. Sa maison – à ne pas manquer, dans le centre d'Anvers – a accueilli tous les beaux esprits de son époque. L'art de Rubens eut un rayonnement immense en Europe, il marqua la synthèse entre l'italianisme et la tradition flamande. On retrouva son influence jusque chez David et Delacroix.

– *Adolphe Sax* (1814-1894) : le succès fut long à obtenir pour ce facteur d'instruments qui, dès ses débuts, dans l'atelier de son père, avait conçu de curieux cornets de cuivre qu'il avait appelés *saxhorn, saxtuba* ou *saxtromba*. Ce n'est qu'en s'installant à Paris qu'il connut la reconnaissance. Les harmonies militaires furent séduites par les sons obtenus en soufflant dans ces instruments, puis de vrais musiciens, tels Berlioz, Bizet et Verdi, composèrent des partitions intégrant le saxophone. Plus tard, après avoir franchi l'Atlantique, il nous revint avec le jazz.

– *Georges Simenon* (1903-1989) : même si, toute sa vie durant, il a gardé l'accent un peu traînant du quartier d'Outremeuse de son enfance, le « petit Georges » quitta sa ville natale avant ses 20 ans pour n'y plus revenir qu'en visite 30 ans plus tard. Peut-on, dès lors, le considérer comme écrivain belge ? Un peu sans doute par le sujet de ses premiers romans et dans la mesure où son style, selon ses détracteurs, reflétait le « plat pays » de ses origines... Au-delà de ces vaines querelles, il faut reconnaître que Simenon appartient à la terre entière, à la fois par l'immense diffusion de ses écrits – 600 millions de volumes vendus, 3 500 traductions en 47 langues –, par la prodigieuse fertilité de son imagination – plus de 300 titres, parmi lesquels 80 *Maigret*, un millier de nouvelles et une profusion d'articles et de reportages rapportés des quatre coins de la planète – et, enfin, par la multitude d'adaptations audiovisuelles que ses personnages et son fameux « climat » ont inspirées. La devise de son existence était : *Comprendre mais ne pas juger.*

– *Jaco Van Dormael* (1957) : cinéaste bruxellois dont le talent éclaboussa les écrans avec son premier long métrage, *Toto le héros* (Caméra d'or au Festival de Cannes en 1991). En 1996, il récidive avec *Le Huitième Jour* pour lequel Daniel Auteuil et Pascal Duquenne reçoivent le Grand Prix d'interprétation. Cette reconnaissance a largement contribué à faire connaître le cinéma belge francophone.

– *Jan et Hubert Van Eyck* (fin XIVᵉ-début XVᵉ s) : les deux frères sont indissociables (des spécialistes doutent même de l'existence du second) et sont les figures marquantes de l'école des « primitifs flamands », avec Rogier de la Pasture et Memling. Ils ont travaillé à Gand et à Bruges en ont laissé des tableaux qui marquent la rupture avec l'art médiéval. En perfectionnant le procédé de la peinture à l'huile, Jan Van Eyck a apporté une luminosité et un rendu du détail inégalés jusqu'alors. L'intérêt incontestable de ces compositions est d'admirer, au-delà des sujets religieux, les arrière-plans fourmillant de paysages, de décors urbains et d'évocations de la vie quotidienne d'un naturalisme fascinant. En plus du *retable de l'Agneau mystique,* que l'on peut voir à l'église Saint-Bavon à Gand, le musée Groeninge de Bruges recèle des trésors incomparables de cette peinture flamande.

Ces Belges que l'on croit français

De tout temps, la Belgique a produit des talents dans tous les domaines des arts, des sciences ou des affaires. Beaucoup d'entre eux ont éprouvé le besoin de s'expatrier pour trouver succès ou reconnaissance, gênés aux entournures par l'exiguïté des 30 000 km² du territoire. Un certain conformisme latent a, par ailleurs, souvent servi de frein aux idées trop novatrices.

Dans cette diaspora, on peut dresser la liste de ceux et celles qui, sans renier leurs origines, se sont fondus dans le paysage hexagonal.

En littérature, un marché de quatre millions et quelques de francophones est bien trop restreint pour permettre à une belle plume de vivre de sa production, aussi les écrivains ont-ils souvent choisi de se faire éditer sur la rive gauche, par des éditeurs belges... comme Robert Denoël ou Hubert Nyssen.

Les feux de la rampe et la scène rock : Johnny Hallyday, né Jean-Philippe Smet (mais toujours Français après avoir lorgné vers la nationalité belge), Régine, Plastic Bertrand, Maurane, Philippe Lafontaine, Victor Lazlo, Annie Cordy, Lara Fabian, Axelle Red, sans oublier sœur Sourire !

Le cinéma et le théâtre, avec les réalisateurs Jacques Feyder, André Delvaux, Gérard Corbiau, Chantal Akerman, Alain Berliner et Jaco Van Dormael, les acteurs Jean Servais, Fernand Ledoux, Fernand Gravey, Marie Gillain, Benoît Poelvoorde, Marianne Basler, Natacha Régnier, Émilie Dequenne, Cécile de France, Olivier Gourmet, Jérémie Régnier, Yolande Moreau et... Jean-Claude Van Damme défendant le muscle belge à Hollywood !

Le théâtre avec le plasticien Jan Fabre, qui fit scandale à Avignon en 2005, et Frédéric Flamand, exilé à Marseille. La danse aussi avec Anne-Teresa de Keersmaeker. À la télé, Virginie Efira sur Canal+, Maureen Dor dans la bande à Ruquier et la « reine » Christine Ockrent qui n'a jamais renié ses origines. De même sont belges les artistes Pol Bury, Pierre Alechinsky et Jean-Michel Folon, ainsi que la bienfaitrice des bidonvilles du Caire : sœur Emmanuelle.

Dynastie

En prêtant le serment constitutionnel, le 8 août 1993, Albert II, successeur de son frère Baudouin Ier, devient le sixième roi des Belges depuis 1831.
À l'aube du IIIe millénaire, la monarchie pourrait paraître complètement *has been* ou, pire, juste bonne à alimenter les colonnes d'une presse populaire friande de scandales. Il est à noter que dans l'Europe des 27, sept régimes politiques sont des monarchies constitutionnelles, un système politique se révélant être un facteur de stabilité et de garantie des principes démocratiques. Particulièrement en Belgique, où la présence de deux communautés parfois antagonistes rendrait le choix d'un chef d'État élu passablement épineux. Les Belges se sont accommodés de ces institutions, où le souverain joue un rôle beaucoup plus actif que les apparences pourraient le laisser croire.
La fonction royale a été définie par la Constitution de 1831, en limitant les pouvoirs du roi au sein de l'exécutif et du législatif. Si toutes les lois votées par le Parlement portent la signature royale, tout acte public de celui-ci doit être « couvert » par la signature d'un ministre. Voilà pourquoi les manifestations publiques du roi ou de sa famille apparaissent passablement guindées : le roi ne donne pas d'interviews ni de conférences de presse. Chaque infime entorse à la règle donne lieu à des réactions démesurées pouvant mettre en cause sa « neutralité ». Néanmoins, dans les coulisses, il exerce une discrète « magistrature d'influence » : à la sortie des élections, il choisit la personne chargée de former le gouvernement. Il rencontre, de manière confidentielle, les acteurs de la vie économique et politique, ce qui en fait l'homme le mieux informé du royaume. La tradition est de ne jamais dévoiler le contenu d'une audience royale. L'entorse à cette règle contribuerait à « découvrir la couronne ». À la cour de Laeken, on n'a pas l'habitude des scandales tapageurs, à l'instar des Windsor ou des Grimaldi... et, si le cas se présente, la ligne de conduite sera *no comment* ! Même si, comme dans toutes les familles, la dynastie des Saxe-Cobourg a eu sa part de drames et de joies...

Léopold Ier (1790-1865)

Choisi par le Congrès national, le duc de Saxe accepte la couronne que lui proposent les Belges en 1831. Immédiatement, il a du pain sur la planche et doit repousser les troupes hollandaises, lésées par la perte de leurs provinces du Sud. Par la diplomatie, il parvient à décourager les appétits prussiens et les visées annexionnistes de la France. Il privilégie l'alliance matrimoniale avec celle-ci en épousant la fille de Louis-Philippe, Louise-Marie d'Orléans. Diplomate hors pair, il joue un rôle pacificateur qui permet à la jeune Belgique de trouver sa place au sein des nations européennes.
En cela, il remplit parfaitement le contrat passé avec ceux qui l'avaient choisi. Lorsqu'il meurt en 1865, la Belgique est lancée sur la voie de la prospérité et la continuité de la dynastie assurée avec la naissance d'un héritier, Léopold.

Léopold II (1835-1909)

Plus forte personnalité de la dynastie, Léopold II fut critiqué de son vivant. Son intelligence, son imagination, son sens de l'action l'ont amené à concevoir des projets dont l'ambition effrayait quelque peu les politiciens timorés. Il fit construire le palais de justice de Bruxelles, tant critiqué. Les pouvoirs royaux attribués par la Constitution le gênant aux entournures, il se taille (avec quelques financiers audacieux) un empire à la mesure de ses ambitions : le Congo, et ce, à titre personnel ! Redoutant les risques de conflit sur le continent, il use de son influence pour doter le pays d'une forte armée défensive. Cultivé, amoureux de la vie sous toutes ses formes, il défraye la chronique de la Belle Époque par ses liaisons féminines et ses joyeuses virées. Ostende lui doit sa réputation de reine des plages et Bruxelles quelques-uns de ses monuments et artères de prestige. La vieillesse le rend aigri et cynique, déçu peut-être par l'absence d'héritier mâle, la reine Marie-Henriette d'Autriche ne lui ayant donné que trois filles.

Albert Ier (1875-1934)

Neveu de Léopold II, il accède au trône en 1909 et devient, avec sa femme, Élisabeth, duchesse en Bavière, une figure légendaire de l'histoire belge en s'accrochant avec son armée à une minuscule parcelle de territoire lors de l'invasion allemande de 1914. Sa conduite courageuse pendant la guerre aux côtés des Alliés lui vaut le surnom de « roi-chevalier ». Le suffrage universel est voté sous son règne et c'est un accident qui y met brutalement fin en 1934. Alpiniste accompli, Albert Ier fait une chute mortelle aux rochers de Marche-les-Dames (près de Namur). Il était père de trois enfants : Léopold, Charles et Marie-José. Élisabeth lui survit plus de 30 ans, se consacrant aux arts en créant, entre autres, le prestigieux concours musical qui porte son nom.

Léopold III (1901-1983)

Sur les 17 ans de son règne, il fut 4 ans captif dans son palais de Laeken, 1 an déporté en Allemagne en attendant la fin de la guerre et 6 ans en exil en Suisse. Il accède au trône dans des circonstances tragiques et le sort s'acharne puisque, en 1934, il provoque un accident de la route où sa femme, la reine Astrid, meurt. Venue de Suède en 1926, elle lui avait donné trois enfants : Joséphine-Charlotte (grande-duchesse de Luxembourg), Baudouin et Albert. Influencé par un entourage qui ne masque pas sa sympathie pour les régimes « forts » d'Europe centrale, Léopold III commet plusieurs erreurs fatales. D'abord en œuvrant pour une neutralité face à la montée des périls. En mai 1940, après une résistance valeureuse à l'invasion nazie, il capitule sans concertation avec les Alliés et contre l'avis de son gouvernement qui poursuit la lutte depuis Londres. Sa rencontre avec Hitler quelques mois plus tard et son mariage en 1941 avec Liliane Baels (fille d'un gouverneur de province, morte en 2002) provoquent une rupture avec une grande partie de la population. En 1944, les Allemands déportent toute la famille royale. Son frère, Charles, assure la régence. Cinq ans plus tard, un référendum remporté par ses partisans lui permet de rentrer d'exil. Des troubles graves éclatent lors de son retour et, dans un geste d'apaisement, il préfère abdiquer au profit de Baudouin en 1951. Il consacre le reste de sa vie à l'exploration de terres lointaines et à l'étude de l'ethnologie. On voit quelquefois mieux ce qui est loin.

Baudouin Ier (1930-1993)

L'enfance du cinquième roi des Belges ne fut pas tendre. Il perd sa mère dès l'âge de 5 ans et la guerre puis l'exil le privent d'une jeunesse insouciante et du contact avec un pays sur lequel il est appelé à régner. Couronné à sa majorité, il a à porter sur ses frêles épaules le poids du ressentiment à l'égard de son père. Sa timidité et son manque d'assurance alimentent la rumeur populaire qui le voit rejoindre un ordre religieux auquel sa piété fervente le prédestinait.

En 1960, la légende du « roi triste » prend fin le jour où il épouse Doña Fabiola de Mora y Aragón. Le mariage n'est couronné d'aucune descendance mais la présence de la reine à ses côtés permet à Baudouin de faire son « métier » avec un sérieux exemplaire.

Après 42 ans de règne, Baudouin incarne la « conscience politique » sur le plan intérieur et se révèle être une autorité très écoutée au plan international. Un épisode entache malgré tout son règne. En 1990, ses convictions de catholique rigoureux l'empêchent d'apposer sa signature (obligatoire) au bas de la loi destinée à dépénaliser l'interruption volontaire de grossesse. Une pirouette juridico-institutionnelle lui permet de se mettre aux abonnés absents pendant 36h, le temps pour le Parlement de voter et de promulguer cette loi, sous la signature du Premier ministre assurant l'intérim. Cette initiative très contestée le coupe, de fait, d'une partie majoritaire de l'opinion, mais nul ne peut reprocher au roi de ne pas avoir agi en accord avec sa conscience.

Baudouin Ier meurt pendant ses vacances en Espagne. Les funérailles qui s'ensuivent atteignent un degré d'émotion et de ferveur dont personne ne croyait encore les Belges capables.

Depuis 1990, nouveauté, une modification de la Constitution permet aux femmes de régner.

Albert II (1934)

L'accession au trône du frère de Baudouin, à près de 60 ans, provoque une surprise, puisqu'on pensait voir l'ordre de succession sauter au profit de Philippe, son fils aîné. Son expérience à la tête de l'office du Commerce extérieur et la popularité de la belle Paola, la reine venue d'Italie, donnent toutes les garanties de continuité dont le pays a besoin pour passer le cap difficile des réformes institutionnelles. Albert a la réputation d'un bon vivant et c'est d'ailleurs un utilisateur régulier du *Guide du routard* ! Albert et Paola ont deux autres enfants : Astrid, mariée à l'archiduc Lorenz d'Autriche (cinq enfants à leur actif), et Laurent, le prince écolo passablement anticonformiste, marié en avril 2003 et nouveau papa quelques mois après. Quelques semaines après la révélation (dont tout le monde se tamponne) de l'existence à Londres de Delphine, une demi-sœur cachée née des amours extraconjugales de son père, Philippe, à 39 ans, épouse Mathilde en décembre 1999, une craquante aristo locale qui donne naissance en 2001 à la princesse Élisabeth, qui sera peut-être la première reine des Belges. Ont suivi : Gabriel en 2003, Emmanuel en 2005 et Éléonore en 2008.

Héros imaginaires

– *Alix :* apparu en 1948 dans le *Journal de Tintin* sous le crayon du Français Jacques Martin, ce jeune esclave gaulois romanisé a rencontré au cours de ses pérégrinations antiques tous les grands de son temps : César, Cléopâtre, Vercingétorix et Brennus. Personnage central d'une B.D. académique à haute valeur didactique, ses albums furent traduits en latin pour initier les collégiens au monde romain. Notre préféré : *La Griffe noire* (éd. du Lombard).

– *Blake et Mortimer :* difficile de trouver plus *British* que ces deux héros sans peur et sans reproche ; Blake, le capitaine de l'Intelligence Service, et Mortimer, le professeur rouquin et barbu. Dans un climat de guerre froide, ils ne cessent de déjouer les pièges de leur ennemi juré : l'infâme Olrik. Edgar Pierre Jacobs, disciple d'Hergé, ne nous a laissé que 10 albums mais quel régal de se replonger dans *Le Mystère de la Grande Pyramide* ou *La Marque jaune* (éd. Blake et Mortimer et Dargaud). *By Jove !* Leurs personnages ont été repris par divers dessinateurs avec un gros succès commercial.

– *Bob et Bobette :* les plus gros tirages de la B.D. d'origine flamande sous le titre *Suske en Wiske* (plusieurs dizaines de millions d'exemplaires !), dessinés depuis 1945 par Willy Vandersteen et ses studios. Humour et voyages dans le temps se mêlent pour donner des récits classiques aux personnages secondaires plus typés, tels Lambique, le râleur au cœur d'or, et Jérôme, le surhomme. Les premiers épisodes dessinés pour le *Journal de Tintin* sont d'une facture nettement supérieure ; à découvrir : *Le Trésor de Beersel* et *Le Casque tartare* (éd. Érasme).

– *Le Chat :* depuis 1983, la silhouette massive de ce curieux matou philosophe, cousin belge de Snoopy, pratiquant l'autodérision, hante les pages du supplément

Victor du journal belge *Le Soir*. Dessiné par ce créateur multiforme qu'est Philippe Geluck, le Chat inflige ses aphorismes délirants de *nonsense* à l'aide d'une logique tortueuse et décapante. Albums, agendas (chez Casterman), peluches et cartes postales inondent les boutiques de souvenirs.

– *Gaston Lagaffe :* le héros sans emploi, entré – on ne sait comment – au journal *Spirou* en 1957. Anticonformiste, naïf et insouciant, écologiste avant la lettre, tendre défenseur des animaux les plus divers (chat dingue, mouette rieuse, homard, souris, hérisson...), inventeur-catastrophe d'un tas d'objets à l'usage incertain (machine à nouer les cravates, coussin thermos, monorail de bureau, pardessus à chauffage central), grand cuisinier aux recettes inoubliables (morue aux fraises avec mayonnaise, chantilly aux câpres flambées au pastis (!), huîtres au chocolat...), mélomane à toute heure (gaffophone)... L'antihéros né de l'imagination de Franquin est une préfiguration de la « bof génération ». Son pull trop court, ses espadrilles usées, son culte de la sieste, sa phobie du travail productif, sa malencontreuse tendance à faire échouer la signature des contrats en font l'antihéros le plus attachant de l'histoire du 9e art. M'enfin ! (éd. Dupuis).

– *Lucky Luke :* « *I am a poor lonesome cow-boy.* » Chaque aventure du célèbre héros de la conquête de l'Ouest se termine par cette case où « l'homme qui tire plus vite que son ombre » disparaît dans le soleil couchant, juché sur son fidèle cheval Jolly Jumper. Morris, son dessinateur, a sillonné les États-Unis durant 6 ans dès 1948 pour rassembler toute la documentation nécessaire à la création de ce western de parodie. On y croise tous les mythes de l'Ouest américain : Roy Bean, Billy the Kid, Calamity Jane, Jesse James et des créations dues à l'imagination fertile de René Goscinny : les Dalton, *outlaws* plus bêtes que méchants, et Rantanplan, le cabot stupide. Lucky Luke fut incarné au cinéma par Terence Hill et adapté en dessins animés (albums chez Dupuis, Dargaud et Lucky Productions).

– *Bob Morane :* immortalisé par le groupe de rock Indochine, Bob Morane a été un vrai rival pour Tintin dans l'univers de la littérature juvénile. Publiés par Marabout Junior, sous la plume d'Henri Vernes, à partir de 1953, 141 romans de l'aventurier aux cheveux coiffés en brosse feront rêver toute une génération d'adolescents à la cadence ahurissante d'un titre tous les 2 mois ! Tirées à près de 100 000 exemplaires à chaque parution, les aventures de Bob Morane, assisté de son fidèle second Bill Ballantine, aux prises avec leur implacable ennemi Mr Ming, alias l'Ombre jaune, ont connu un engouement considérable, emportant à chaque épisode leur lecteur aux quatre coins de la planète – des vocations de routard sont nées de ces lectures fébriles où suspense et exotisme se mélangeaient. Les personnages ont été adaptés en B.D. avec des bonheurs divers (aux éditions du Lombard et chez Dargaud et Lefrancq).

– *Natacha :* quel est l'adolescent qui n'a pas, dans les années 1970, fantasmé sur les charmes pulpeux de la jolie hôtesse de l'air ? Née du crayon coquin de Walthéry, pour le journal *Spirou*, Natacha travaille pour la compagnie aérienne Bardaf en compagnie de son ami le steward Walter, à bord de l'appareil piloté par le commandant Turbo. En dehors de ses aventures officielles, la blonde hôtesse connaît une vie cachée pour les collectionneurs de porte-folios et sérigraphies à tirage limité où elle peut sans retenue laisser tomber l'uniforme... (éd. Dupuis).

– *Hercule Poirot :* encore un nom à ajouter à la liste des Belges méconnus... Eh oui, le célébrissime limier à la perspicacité légendaire était né, pour Agatha Christie, dans le plat pays ! En 1916, à Torquay, dans le Sud de l'Angleterre, où la jeune romancière s'était installée pour écrire son premier roman, la ville abritait de nombreux réfugiés belges. D'où l'idée de faire de son héros un agent de la Sûreté belge. « Le petit homme aux petites cellules grises » était né. Anglophobe, continental prétentieux et maniéré, Poirot cire ses moustaches, porte des chaussures vernies à la campagne et boit du chocolat à 5h... *Shocking !* Il fut incarné au théâtre par Charles Laughton, au cinéma par Albert Finney et surtout par Peter Ustinov. À relire : *La Mystérieuse Affaire de Styles* (éd. du Masque).

– **Saint Nicolas :** tous les petits Belges attendent avec impatience le 6 décembre pour recevoir leur manne de jouets. C'est à cette date que tombe la fête du grand saint, patron des enfants selon la tradition germanique. On peut le voir dès le mois d'octobre dans toutes les galeries commerçantes du pays. Assis sur un trône, flanqué de son acolyte, le père Fouettard, il distribue des bonbons aux enfants sages. Autrefois, il se déplaçait sur un âne, à présent il fait son arrivée en hélicoptère ! Les enfants belges reçoivent aussi des cadeaux du Père Noël, les veinards !

– **Les Schtroumpfs :** ils sont entrés dans l'histoire de la B.D. par la petite porte... En 1958, dans un épisode des aventures de Johan et Pirlouit, *La Flûte à six schtroumpfs,* Peyo dessine une petite main bleue qui désigne la flûte en question et une bulle où un personnage caché glisse : « Vas-y, bonne schtroumpf ! » Un filon en or massif venait d'être découvert. Les petits lutins bleus, tous identiques hormis le Grand Schtroumpf, ont tous, à l'instar des sept nains, un caractère différent. Cela permet une gentille satire des travers humains et un monde à la Walt Disney où les seuls méchants sont un sorcier maladroit, Gargamel, et son hypocrite de chat, Azraël. Les Schtroumpfs ont séduit les Américains qui en ont fait un succès mondial par le biais de dessins animés et d'un merchandising colossal. Leur créateur, Pierre Culliford (Peyo), est devenu l'une des plus grosses fortunes de Belgique. Il a eu le schtroumpf creux en schtroumpfant ces schtroumpfs-là ! Les Schtroumpfs ont fêté leurs 50 ans en 2008 (albums chez Dupuis).

– **Thyl Ulenspiegel :** héros populaire issu de la tradition germanique, il fut repris en 1867 par l'écrivain flamand de langue française Charles De Coster, sous le titre : *La Légende de Ulenspiegel et de Lamme Goedzack au pays de Flandres et ailleurs.* Personnage picaresque, champion de la justice et de la liberté, il combat la tyrannie de l'occupation espagnole au XVIᵉ s. Espiègle gamin des Flandres, il joue des tours pendables aux oppresseurs, à la tête d'une bande de gueux. En symbolisant l'esprit frondeur et la rébellion du peuple, il est devenu une figure révolutionnaire et, à ce titre, ses aventures ont été diffusées à des millions d'exemplaires en... russe ! Gérard Philipe l'a incarné au cinéma.

– **Tintin :** est-il besoin de rappeler l'origine de ce personnage qui fut le seul rival en célébrité du général de Gaulle (de l'aveu même de l'intéressé) ? Il est la figure emblématique de la bande dessinée franco-belge et un mythe culturel international. Depuis 1929 (80 ans déjà !), les générations se sont suivies dans le culte des aventures du petit reporter et de son chien Milou. S'il incarne les valeurs positives de tout héros redresseur de torts, Tintin pèche aussi par un manque de personnalité. On ne lui connaît aucun des défauts qui rendent les héros attachants. C'est par l'intermédiaire des personnages qui entourent Tintin que l'œuvre d'Hergé atteint l'universel : les bordées de jurons et la fidélité bourrue du capitaine Haddock, la distraction et l'innocence du professeur Tournesol, l'obstination stupide des Dupond et Dupont, le sans-gêne de l'écervelée Castafiore, le fâcheux penchant de Milou pour l'alcool... Tous les travers humains sont représentés par une extraordinaire galerie de portraits tout au long des 23 albums. Tintin a fait l'objet de savantes exégèses et, par ailleurs, provoque chez les « tintinolâtres » une collectionnite qui, en salle des ventes, fait grimper les prix à des hauteurs himalayennes. Des traductions ont été publiées en 51 langues et on estime la vente des albums à plus de 200 millions d'exemplaires ! Tintin sera bientôt un personnage vivant dans un film de Steven Spielberg ; son rôle a été attribué au jeune Anglais Thomas Stangster.

POPULATION

Les 10,5 millions d'habitants de la Belgique se serrent sur 30 513 km². Cela donne une des plus fortes densités de population au monde (comme au Japon). Environ 97 % des habitants sont citadins et une bonne partie de cette population se déplace tous les jours d'une ville à l'autre pour se rendre à son travail !
Les grandes agglomérations d'Anvers, Gand, Mons, Charleroi et Namur ne se trouvent pas à plus d'une bonne demi-heure de train de Bruxelles (Liège et Bruges, 1h).

Voilà pourquoi on assiste tous les jours à de formidables migrations ferroviaires et routières. Les gares dégorgent à heure fixe des dizaines de milliers de « navetteurs » et les entrées urbaines des autoroutes ressemblent à des entonnoirs géants pour film catastrophe.

Dans les années 1970, toutes les familles ne pensaient qu'à se trouver un petit coin de verdure à la campagne. Résultat : le centre des villes est devenu désert le soir et on a vu se constituer, le long des axes de communication, d'immenses conurbations qui font que vous ne savez pas vraiment quand vous avez quitté une ville pour entrer dans une autre. Tout se touche, se chevauche, s'interpénètre, les champs et les villas, les canaux et les autoroutes, les zones industrielles et les zones résidentielles, les cheminées et les clochers, les viaducs et les tunnels... Le village à l'échelle planétaire.

Les habitants de la Région flamande représentent 58 % de la population, ceux de la Région wallonne, 32 %, ceux de la région de Bruxelles-Capitale, avec un petit million, 10 %. Tous habitent le pays mais n'ont pas forcément la nationalité belge... S'il est vain de vouloir identifier un physique type du « Belge moyen » (toutes les armées de passage ont eu le temps de provoquer pas mal de brassages de gènes), il est des apports de population plus récents qu'on peut isoler.

Les statistiques indiquent, parmi les nationalités étrangères (1 570 000 immigrés et « nouveaux Belges »), que la plus représentée en Belgique était jusqu'à nos jours l'italienne (280 000), issue de l'immigration venue après-guerre travailler dans la mine. Un accord entre les deux gouvernements (longtemps resté secret) prévoyait l'échange d'un ouvrier italien contre une tonne de charbon. La deuxième génération (et bientôt la troisième) est parfaitement intégrée et des membres de cette communauté occupent à présent des fonctions de responsabilité dans les syndicats et même au gouvernement.

En première position par le nombre viennent désormais les Marocains (265 000), dont l'arrivée, plus récente, et la concentration dans des quartiers ghettos ne sont pas sans poser des problèmes de voisinage. Sept Marocains sur 10 deviennent belges.

Les Français, mine de rien, seraient plus de 136 000 et les Néerlandais plus de 126 000. Les Turcs, eux, totaliseraient plus de 160 000 émigrés à Bruxelles et en Campine, où il leur arrive de se colleter avec leurs compatriotes d'origine kurde.

Le thème du rejet des étrangers a amené 33 % des Anversois à accorder leur vote à une liste à forte coloration raciste, le *Vlaams Blok*. Avec les Français et les Néerlandais, les Espagnols (56 000), les Allemands (33 000), les Britanniques (31 000), les Portugais (33 000) et les Polonais (25 000) fournissent le gros du contingent des Européens en compagnie de près de 30 000 fonctionnaires de l'Union européenne présents à Bruxelles.

Les ressortissants de l'ancienne colonie, les Congolais (anciens Zaïrois), ne sont qu'une vingtaine de milliers et animent joyeusement tout un quartier de Bruxelles, qu'ils ont baptisé « Matongé ».

Environ 450 000 Belges vivraient à l'étranger.

SAVOIR-VIVRE ET COUTUMES

– Les langues, toujours : au téléphone, dans la rue, annoncez d'emblée que vous ne connaissez pas le flamand et que vous n'êtes pas belge francophone ; cela évitera les malentendus. C'est parfois agaçant mais c'est comme ça, on en est arrivé là !

– En Wallonie et à Bruxelles, entre jeunes ou lorsqu'on est familier, on embrasse la personne de sexe opposé sur la joue une ou trois fois (pas deux). En Flandre, on est moins démonstratif.

– Ne prenez pas ce que vous croyez être l'accent belge, on vous repérera tout de suite.

– Dans les rapports professionnels, la simplicité est de mise et les rapports hiérarchiques peu ostentatoires. La pondération et la courtoisie ne sont pas de la lenteur d'esprit.

– On aime le consensus en Belgique, polémiquer pour le plaisir de prendre la contrepartie d'un interlocuteur n'est pas une preuve d'intelligence.

– À Liège, on apprécie la jovialité, et un brin de raillerie n'est pas déplacé.

– Être invité pour prendre le café veut dire passer vers 16h30.

– Les retards intempestifs ne sont pas de mise, seul le « quart d'heure académique » est toléré.

– Madame Pipi s'attend à recevoir 0,25 € dans sa petite assiette.

SITES INSCRITS AU PATRIMOINE MONDIAL DE L'UNESCO

Organisation
des Nations Unies
pour l'éducation,
la science et la culture

En coopération avec
le centre du patrimoine mondial de l'UNESCO

Pour figurer sur la liste du Patrimoine mondial, les sites doivent avoir une valeur universelle exceptionnelle et satisfaire à au moins un des 10 critères de sélection. La protection, la gestion, l'authenticité et l'intégrité des biens sont également des considérations importantes.

Le patrimoine est l'héritage du passé dont nous profitons aujourd'hui et que nous transmettons aux générations à venir. Nos patrimoines culturel et naturel sont deux sources irremplaçables de vie et d'inspiration. Ces sites appartiennent à tous les peuples du monde, sans tenir compte du territoire sur lequel ils sont situés.

Pour plus d'informations : • *http://whc.unesco.org* •

– 1998 : les béguinages flamands.
– 1998 : les ascenseurs hydrauliques du canal du Centre et leur site (Hainaut).
– 1998 : la Grand-Place de Bruxelles.
– 1999 : les beffrois de Flandre et de Wallonie.
– 2000 : le centre historique de Bruges.
– 2000 : les habitations majeures de l'architecte Victor Horta (Bruxelles).
– 2000 : les minières néolithiques de silex de Spiennes (Mons).
– 2000 : la cathédrale Notre-Dame de Tournai.
– 2005 : le complexe Maison-Ateliers-Musée Plantin-Moretus (Anvers).
– 2009 : le Palais Stoclet à Bruxelles.

SPORTS ET LOISIRS

La Flandre se prête à merveille à la pratique du vélo (c'est tout plat). Sur les immenses plages, près de La Panne, on peut s'adonner au char à voile et plusieurs ports de plaisance bordent la côte.

En Campine, l'équitation est à l'honneur. Les plans d'eau des lacs permettent toutes les activités nautiques et les rivières des Ardennes accueillent à la belle saison les fanas du kayak et les pêcheurs.

Les spéléos peuvent prendre leur pied dans les nombreuses grottes.

Des sentiers de grande randonnée sont balisés pour les adeptes de la marche et on peut même pratiquer l'alpinisme sur les rochers qui bordent la Meuse.

Quelques adresses utiles pour les amateurs de réserves naturelles et de randonnées pédestres ou cyclistes :

■ *Europ'Aventures :* Sprimont, 41, Sainte-Ode 6680. ☎ 061-68-86-11. • *europaventure.be* • Tour-opérateur spécialisé dans l'organisation de trekkings et de randos à pied, à cheval, à vélo et à VTT. Propose en Belgique, notamment, la Transardennaise et la Transgaumaise. Brochures et cartes disponibles en s'adressant à la *Maison de la randonnée ASBL*, même adresse.

■ *Association belge des Sentiers de grande randonnée ASBL* : BP 10, Liège 4000. • *sentiers.be* • 3 500 km de sentiers balisés dans le sud du pays et édition d'une vingtaine de topoguides décrivant les itinéraires. Itinéraires cyclistes par routes de campagne, chemins de halage le long des rivières et canaux. Ces publications sont disponibles auprès de : *Auberges de jeunesse*

ASBL, *rue de la Sablonnière*, 28, Bruxelles 1000. ☎ 02-219-56-76.
■ *Grote Routepaden vzw* : Van Stralenstraat, 40, Anvers 2060. ☎ 03-232-72-18. • *groteroutepaden.be* • 2 500 km de sentiers de GR en Flandre (topoguides en néerlandais). Organisation de randonnées sans bagage (forfaits plusieurs jours). Itinéraires à vélo avec topoguides et livrets cartographiques (ex. : Vlaanderen Route, 700 km).

UNITAID

UNITAID a été créé pour lutter contre le VIH/sida, le paludisme et la tuberculose, principales maladies meurtrières dans les pays en développement. Le financement d'UNITAID provient principalement d'une contribution de solidarité sur les billets d'avion. UNITAID intervient en facilitant l'accès aux médicaments et aux diagnostics, en en baissant les prix, dans les pays en développement. En France, la taxe est de 1 € (ce qui correspond à deux enfants traités pour le paludisme) en classe économique. En moins de trois ans, UNITAID a perçu près de 900 millions de dollars, dont 70 % proviennent de la taxe sur les billets d'avion. Les financements d'UNITAID ont permis à près de 200 000 enfants atteints du VIH/sida de bénéficier d'un traitement et de délivrer plus de 11 millions de traitements. Moins de 5 % des fonds sont utilisés pour le fonctionnement du programme, 95 % sont utilisés directement pour les médicaments et les tests. Pour en savoir plus : • *unitaid.eu* •

LA RÉGION DE
BRUXELLES-CAPITALE

BRUXELLES (BRUSSEL)

environ 1 000 050 d'hab. (agglomération)

> Pour les plans II et III de Bruxelles, se reporter au cahier couleur.

Curieuse ville. Jamais présente là où on l'attend. On croit visiter une capitale, on rencontre une cité à taille humaine, presque provinciale. On pense découvrir une ville ancienne, à l'image de la Grand-Place, on reçoit de plein fouet une ville moderne, fruit du développement urbain et industriel du XIXe s. On emprunte une rue médiévale, on bute sur une voie rapide... On l'imagine cohérente, elle est incroyablement brouillonne...

Alors, on pense pouvoir la visiter comme ça, juste avec les yeux... mais on se surprend à l'aimer, avec le cœur... Pourquoi ? Difficile à dire. Bruxelles n'est pas toute la Belgique mais elle vous aidera à mieux la comprendre. On y trouve tout... et son contraire. Il faut dire qu'il n'est pas toujours aisé d'être la capitale de la Région flamande, alors que 80 % (85 % selon certains) de ses habitants parlent le français. Ce qui est sûr, c'est que dans cet îlot francophone en pays flamand qui, de surcroît, abrite 25 % d'étrangers, le visiteur surpris s'aperçoit bien vite que rien n'est simple dans cette nouvelle Babel...

Bruxelles n'est pas la plus belle ville d'Europe mais toute l'Europe l'a voulue : Espagnols, Autrichiens, Français, Hollandais... 800 ans d'administration étrangère, pour finalement se retrouver... à la tête de l'Europe. Beau parcours, et qui en fait, malgré les querelles belgo-belges, un passionnant laboratoire de la mixité. Ses habitants eux-mêmes ont pour leur ville un sentiment diffus mêlant attachement profond et dénigrement féroce. Ce concept a été baptisé « abruxellisation », c'est tout dire... Encore du jus de cerveau sorti de la tête de quelque technocrate... ou quelque philosophe. Allez savoir, ce sont peut-être les mêmes !

La Grand-Place n'est qu'une façade, « le plus beau théâtre du monde », disait Cocteau. Vrai. Mais il faut pousser plus loin, voir au-delà des apparences, contrairement à ce que font la plupart des visiteurs. En dépassant le périmètre d'arrosage du Manneken-Pis, on entre dans les coulisses. Allez donc faire un tour aux Marolles le dimanche matin, partez à Ixelles à la recherche des façades Art nouveau de Victor Horta, allez humer les senteurs safran et menthe fraîche du marché coloré du Midi, découvrez, au hasard des coins de rues, les façades B.D., descendez une bière dans un « estaminet » – comme on appelle ici les tavernes.

Bruxelles est sérieuse mais aime la dérision. Le sens de l'humour de ses habitants porte même un nom : la *zwanze*, une gouaille bonhomme qu'on rencontre souvent dans les *caberdouche* (cafés populaires). C'est dans ces lieux de partage qu'on découvre que le Bruxellois sait se moquer de lui-même, bien plus que des autres. Et c'est une sacrée qualité. Est-ce un hasard si c'est ici que la bande dessinée, le 9e art, a établi son temple ? Est-ce si étonnant qu'on y brasse encore la bière comme il y a 6 000 ans ?

Comme on le dirait d'une vieille Gueuze, Bruxelles a de l'attaque... et reste longue en bouche...
– *N.B.* : on dit « Bru**ss**elles » et non « Bru**x**elles », comme on dit « Au**ss**erre » et non « Au**x**erre ».

UN PEU D'HISTOIRE

Le Moyen Âge

Déjà plus de 1 000 ans ! On ne le dirait pas. C'est pourtant en l'an 979 (mais tous les historiens ne cautionnent pas cette date) que la ville fut fondée, lorsque Charles de Basse-Lotharingie fit construire un *castrum* sur une petite île de la Senne, la rivière qui traversait la région. *Bruocsella* (« habitation des marais »), comme le bourg s'appelait alors, deviendra Bruxelles. La ville a déjà sa sainte, qui répond au charmant nom de Gudule et dont elle conserve les reliques avec application.
Pas grand-chose à signaler avant le XIe s, où les comtes de Louvain, futurs **ducs de Brabant,** élèvent un oratoire sur le Coudenberg, en fait à l'emplacement même de l'actuelle place Royale. Puis, au début du XIIe s, on ceinture l'ensemble de remparts, dont quelques vestiges sont encore visibles aujourd'hui. La ville se développe tranquillement, dirigée par les ducs de Brabant et par une bonne bourgeoisie marchande. Sept clans patriciens (les lignages) se partagent le pouvoir en nommant chacun un échevin, composant ainsi la magistrature de la cité. Mais Bruxelles se sent vite à l'étroit dans son enceinte. Qu'à cela ne tienne, on en dessine une plus grande dont le tracé suit les limites de ce qu'on appelle aujourd'hui le Pentagone. L'église Saint-Michel prend de l'importance. Les artisans réunis en « corporations » récusent en 1302 l'autorité bourgeoise et s'emparent de la ville durant quelques années. Même si tout rentre rapidement dans l'ordre, les **corporations** participent désormais au pouvoir sans plus aucune contestation au fil des siècles. C'est au XIVe s que la ville, prise durant 2 mois par les troupes du comte de Flandre, est délivrée par Everard 't Serclaes, un héros dont un bas-relief sous une arcade de la Grand-Place rappelle le martyre héroïque.

De la période bourguignonne à celle des Habsbourg

Tout ce siècle est marqué par un développement de l'art et de l'artisanat, notamment la sculpture, la draperie et l'orfèvrerie. Après la crise générale de l'industrie drapière, la ville trouve d'autres débouchés. Ensuite, par le jeu des alliances matrimoniales, les **ducs de Bourgogne** agrandissent considérablement leur domaine en héritant d'une grande partie des Pays-Bas (dont le duché de Brabant, qui contient aussi Anvers) et installent leur cour à Bruxelles. Celle-ci en bénéficie, notamment sur le plan artistique (enluminure, travail du cuir, tapisserie). N'est-ce pas à cette époque qu'on élève l'hôtel de ville et que tant de superbes retables sont ciselés ? La ville est riche, prospère même. Rogier de la Pasture, alias Van der Weyden, devient peintre officiel de la ville. Re-jeu des alliances, re-changement de pouvoir. La faute à Marie de Bourgogne (orpheline de Charles le Téméraire), qui se jette dans les bras de Maximilien d'Autriche. Résultat, en 1516, c'est un **Charles Quint** régnant sur l'Espagne, sur les Pays-Bas et bientôt élu empereur germanique qui arrive en ville et en grande pompe pour se faire couronner. En 1549, on donne une procession fastueuse en son honneur (l'Ommegang).
Bruxelles continue de se parer de mille richesses et s'ouvre sur l'extérieur. Mais Philippe II succède à Charles Quint en 1555, après l'abdication à Bruxelles de ce dernier. Charles Quint avait rêvé d'un grand empire européen, vivant dans la paix civile et religieuse. Découragé, usé, fatigué, l'empereur préfère abandonner le pouvoir et se retirer dans un couvent au fin fond de l'Espagne. Le règne de **Philippe II** inaugure une période troublée, sur fond de guerres de Religion. Finie la glorieuse époque, bonjour tristesse et décadence. Cela durera près de deux siècles. Alors que les autres villes d'Europe s'illuminent, Bruxelles s'assombrit. **Guillaume**

d'Orange s'oppose au régime oppressif de Philippe II. L'un a embrassé la foi protestante, l'autre est un catholique pur et dur. L'Inquisition charrie son cortège de
souffrances. Le peintre *Bruegel* dénonce les excès de la guerre dans ses tableaux.
Ce qui devait arriver alors arrive : le peuple se soulève, des révoltes font rage et
atteignent leur paroxysme en 1568, lorsque le *duc d'Albe,* chargé d'appliquer la
politique de Philippe II, fait exécuter sur la Grand-Place les *comtes d'Egmont et
de Hornes*, bons catholiques, mais opposés aux persécutions. Une plaque évoque encore ce drame sur un pilier de la maison du Roi et la date funeste reste
inscrite en rouge dans les manuels d'histoire de Belgique.
Jusqu'à la fin du XVIe s, l'ambiance n'est pas à la rigolade. Pourtant, le canal de
Willebroek est creusé et Bruxelles se voit reliée à la mer via l'Escaut. Le quartier
nord-ouest de la ville devient un port et de nombreux quais sont aménagés. La fille
de Philippe II, l'*archiduchesse Isabelle,* et son époux *Albert* reprennent les rênes
de la ville. Ils vont redonner à Bruxelles une dynamique artistique et commerciale.
Les heurts s'apaisent.
Après une période de calme relatif, patatras ! La France joue au « chamboule-
tout » avec l'Europe. Les guerres menées par Louis XIV conduisent les flottes
anglaise et hollandaise à bombarder les ports français de la Manche. Prenant
prétexte de ces agressions, le roi donne l'ordre de *bombarder Bruxelles* en 1695.
En fait, c'était une diversion destinée tout simplement à détourner les troupes
coalisées qui faisaient le siège de Namur et à les entraîner vers Bruxelles. Le
centre est détruit et 4 000 maisons sont réduites en cendres. Quatre ans plus
tard, la Grand-Place, étincelante, sort des décombres et fait l'admiration de toute
l'Europe.
En 1715, la ville devient autrichienne. Comme du temps des Espagnols, le début de
cette domination n'apporte que des malheurs. Citons pour exemple le soulève-
ment des citoyens contre les levées d'impôts, qui se soldera par la décapitation du
doyen des « métiers », François Anneessens. Encore une révolte écrasée dans le
sang.
Charles de Lorraine, gouverneur des Pays-Bas (1744-1780), redonnera néanmoins un peu de lustre à Bruxelles en la parant de nombreux monuments classiques d'inspiration française. La place Royale, l'église Saint-Jacques-sur-Coudenberg et les rues alentour constituent en fait le premier grand chantier architectural.

De la période française à la Seconde Guerre mondiale

Après 1795, durant la domination française, Bruxelles occupe une place de simple
chef-lieu de département avant de revenir sous l'administration des Pays-Bas
après la débâcle de Waterloo.
En 1830, suite à l'accumulation de problèmes religieux, linguistiques et politiques,
ainsi qu'à une disette de grande ampleur, le peuple se révolte contre les Hollandais.
C'est dans la nuit du 24 au 25 août de cette année-là que les Belges font leur *révolution.* Elle démarre de Bruxelles et gagne vite les provinces. La Belgique acquiert
son indépendance et la ville devient la capitale du nouveau pays. On achève le
creusement d'un canal qui la relie à Charleroi et l'on crée l'Université libre de
Bruxelles.
Avec l'industrialisation, Bruxelles développe de nouveaux quartiers et de gigantesques travaux sont entrepris. Sous l'impulsion des rois Léopold Ier et Léopold II (surtout de ce dernier), la seconde moitié du XIXe s voit l'édification des galeries Saint-
Hubert (1846), le voûtement de la Senne (1865), la construction du palais de justice
(1866-1883) et la création du parc du Cinquantenaire (1880). Les nouveaux quartiers font l'objet d'un plan d'urbanisme novateur. Avec Victor Horta, de superbes
demeures *Art nouveau* sortent de terre au tournant du XXe s. Bruxelles connaît
alors un important retentissement culturel. Des mouvements artistiques se forment
et influencent les pays voisins.
Occupée pendant les deux guerres mondiales, Bruxelles est bombardée trois fois
durant le second conflit.

BRUXELLES

Bruxelles aujourd'hui

Après la guerre, les grands travaux se poursuivent. Les projets de voies rapides, d'élargissement d'artères, de destruction de quartiers pour les transformer en immeubles de bureaux ne rencontrent que peu d'obstacles. La ville, balafrée de partout, subit un véritable traumatisme. Bruxelles tourne alors comme une essoreuse : elle renvoie sa population vers les banlieues plus riantes, laissant en son centre le champ libre aux spéculateurs de tout poil.

En 1958, nouvelle *Exposition universelle.* L'Atomium, symbole du progrès par la science, en devient l'édifice phare. En 1967, le quartier nord subit l'assaut des pelles mécaniques pour créer une sorte de centre d'affaires prétentieusement appelé « World Trade Center ». En 1969, des comités et des associations se créent pour défendre la ville contre la spéculation et proposer des contreprojets mettant en avant la réhabilitation. Des combats sont menés et gagnés pour sauvegarder certains édifices. Pourtant, tout le quartier dit aujourd'hui « de l'Europe », autour de la rue de la Loi, est éventré pour élever des édifices ennuyeux qui accueilleront la « technostructure » européenne.

Parallèlement à la profonde transformation de son tissu urbain, la ville connaît une modification de son pouvoir, du fait du glissement progressif du pays vers le *fédéralisme.* La Belgique tente de répondre aux tiraillements entre les communautés flamande et francophone en redistribuant les cartes institutionnelles. En 1989, on crée la région de Bruxelles-Capitale, composée de 19 communes. Les habitants de la région envoient au Parlement régional 75 élus, répartis selon une clef linguistique âprement négociée de 65 francophones et 10 néerlandophones. L'exécutif est confié à un gouvernement régional de cinq ministres (deux francophones, deux flamands et un ministre-président « linguistiquement asexué » !), flanqués de trois secrétaires d'État régionaux.

En parallèle à la création des trois régions géographiques (Bruxelles-Capitale, Flandre et Wallonie), on crée des communautés linguistiques (francophone, néerlandophone et germanophone) qui, évidement, ne recoupent pas les régions. Aujourd'hui, Bruxelles est une ville-gigogne : capitale du pays tout entier mais aussi capitale de la Flandre, tout en étant une région administrative à part entière. Certains souhaiteraient pousser la logique fédéraliste au bout de son processus en faisant de la ville une région cogérée par les deux communautés ou même un district international à la manière de Washington DC. Ce serait à coup sûr lui ôter définitivement ce qui reste de sa spécificité et cela priverait ses habitants du droit démocratique élémentaire de s'administrer eux-mêmes.

Pour compléter le tableau, Bruxelles est également le siège de l'*OTAN,* de l'UEO, de la *Commission européenne* et du Parlement européen (commissions parlementaires). Ce dernier regroupe ses institutions dans un seul et même quartier, construit de toutes pièces pour flatter son ego, entre le Pentagone et le parc du Cinquantenaire. Les Bruxellois savent que l'Europe leur est indispensable mais ils déplorent que leur ville et son architecture en ait payé trop cher l'addition.

BRUXELLES ET SES TRAUMATISMES ARCHITECTURAUX

En bombardant le centre-ville en 1695, les Français contraignent les Bruxellois à retrousser leurs manches. Ceux-ci feront vite, grand et beau. Puis c'est au tour de Charles de Lorraine. Au XVIIIe s, il décide de réaménager tout le Coudenberg sur les ruines fumantes du palais des ducs de Bourgogne, incendié en 1731. Les grands travaux continuent au XIXe s sous Léopold II et se poursuivent de plus belle au XXe s. Un exemple parmi ceux-ci : la *jonction ferroviaire* entre les gares du Nord et du Midi, qui a laissé le centre-ville en chantier durant la première moitié du siècle et, dans le tissu urbain, une indélébile cicatrice mal couturée... Malheureusement, la seconde moitié fut encore plus dévastatrice.

L'après-guerre des spéculateurs

Dans les années 1960, une période de laisser-faire politique permet aux promoteurs de caresser des projets délirants. On détruit sans vergogne pour faire du neuf, sans égard pour le passé. L'exemple de la destruction de la *Maison du peuple,* chef-d'œuvre Art nouveau de Victor Horta, à la fin des années 1960, est éloquent. Le principe spéculatif est simple. On rachète de beaux ensembles, on attend qu'ils se dégradent doucement, puis on détruit sous prétexte de « mauvais état » pour faire du neuf. Tout le monde en tire profit : les proprios qui réalisent de bonnes affaires et les promoteurs qui rebâtissent en bureaux ce qui était autrefois des logements. Les nouvelles cartes urbaines sont redistribuées anarchiquement, laissant sortir du sol quelques monstruosités. La crise des années 1970 stoppe net le nombre de chantiers, donnant à certains quartiers du centre un curieux aspect new-yorkais, où dents creuses et immeubles condamnés alternent avec des constructions neuves. Bruxelles a été et est certainement encore le plus beau terrain de jeu de Monopoly des spéculateurs d'Europe.

Bruxellisation et façadisme

La destruction en masse d'îlots entiers porte même un nom : la « bruxellisation ». Suite aux combats menés par de nombreuses associations dont le chef de file est l'ARAU (Atelier de recherche et d'action urbaines), certains projets ont pu être freinés, quelques ensembles sauvegardés. Pour montrer leur bonne foi et le respect que les vieilles pierres leur inspirent, les promoteurs inventèrent la « **façadisation** », technique qui consiste à tout détruire sauf la façade et à remodeler, derrière, des espaces modernes.

Si l'idée pouvait séduire, elle donna souvent lieu à des cacophonies architecturales, comme cette curieuse rencontre d'une façade baroque et d'un immeuble de verre à l'angle du boulevard Bischoffsheim. D'autres projets semblent plus équilibrés, comme celui de la place des Martyrs, où la cohérence de l'ensemble est respectée. Par ailleurs, après avoir réussi à vider son centre-ville, Bruxelles tente aujourd'hui de rappeler ses habitants au cœur de la cité et d'enrayer le phénomène d'« essorage » mentionné plus haut. Pas une mince affaire !

Contrairement à Paris, par exemple, le centre-ville est en effet assez désert le soir (à part quelques rues). Beaucoup de ceux qui travaillent à Bruxelles n'y habitent pas. C'est le fameux phénomène des « *navetteurs* », terme qualifiant les quelque 300 000 travailleurs qui font quotidiennement la navette entre leur lieu d'habitation – situé parfois à 50 ou 100 km – et la capitale.

Vivre à la bruxelloise

Paradoxalement, c'est peut-être cette incohérence extérieure et cette cacophonie architecturale doublées, de fait, par un climat souvent maussade et une relative modicité des loyers qui ont fait naître chez ses habitants un art du cocooning inégalé. Penchant que l'on retrouve dans les intérieurs spacieux et cosy, les jardinets amoureusement entretenus, les faubourgs verdoyants organisés en minivillages, les cafés conviviaux et les tables généreuses des restaurants qui n'ont rien à envier aux meilleures tables hexagonales. Les grandes fortunes françaises qui se sentent obligées de quitter le territoire pour cause d'ISF ne s'y sont pas trompées et les magazines de business se font l'écho du récit de ces décideurs qui ont choisi de planter leurs pénates à Uccle ou à Ixelles d'où ils ne sont qu'à 80 mn en train de Paris et de leur bureau de P-D.G.

Les chantiers en cours et à venir

Aujourd'hui, trois quartiers ont subi, subissent ou vont subir les assauts immobiliers : le quartier nord, projet entamé dans les années 1960 et presque terminé, le quartier Léopold et ensuite les abords de la gare du Midi, dont le nouveau décor moderne commence à prendre forme. Si le premier a fait couler beaucoup d'encre, il appartient au passé. Le deuxième est directement lié aux attributions européennes de Bruxelles puisque le quartier se recompose essentiellement autour de son nouveau Parlement européen. On ne peut pas dire que la réussite esthétique soit au rendez-vous pour ceux qui avaient espéré une vitrine architecturale à la hauteur des ambitions de l'Europe. Les abus autour du troisième, bordant la gare du Midi, ont permis au comité de quartier local de porter ses griefs en justice et de voir condamner par un tribunal la région bruxelloise, qui aurait organisé la dégradation du quartier à des fins spéculatives.

En bref, Bruxelles ne semble toujours pas avoir tiré la leçon des erreurs du passé et conserve sa ligne immobilière ultralibérale. Heureusement, des contre-pouvoirs sont nés pour amortir le choc. *Rénovation* et *réhabilitation* en sont les mots-clés. On commence à en voir les effets dans le centre. Le mobilier urbain et les voieries ont été redessinés, les plus vilains gratte-ciel ont été relookés et la plupart des « dents creuses » ont disparu. Bien sûr, à côté de ces quelques initiatives heureuses, encouragées par des primes à la reconstruction, mais qui laissent, par le coût des loyers, peu de possibilités aux revenus modestes de s'y installer, les chancres urbains continuent à gangrener le paysage. Près de 150 millions d'euros ont été débloqués pour restaurer et embellir le centre ces dernières années ; on ne peut nier que cela donne de jolis résultats, mais cela suffira-t-il pour donner l'envie aux habitants de la périphérie de venir s'y installer ? Pour faire revivre la ville, il faut y réinsuffler la vie. Or, celle d'une ville est étroitement liée à son histoire. Supprimez-lui les traces de son passé et elle devient amnésique. Amnésique et amère.

LES INSTITUTIONS EUROPÉENNES

Après des décennies de rivalité avec Strasbourg et Luxembourg, Bruxelles a semble-t-il définitivement acquis le titre de *capitale de l'Europe.* Elle abrite en permanence des institutions majeures de l'Union européenne : la Commission européenne, le Conseil des ministres et le Parlement européen (qui y tient ses commissions parlementaires alors que les sessions plénières se déroulent une fois par mois à Strasbourg).

Ces institutions à l'interaction parfois complexe drainent à Bruxelles une nébuleuse de groupes de pression qui exercent un lobbying effréné à la hauteur des ambitions européennes. Avec plus de 500 cabinets-conseils, Bruxelles est la deuxième ville de lobbies au monde après Washington !

En dehors du Conseil de l'Europe, à Strasbourg (avec le Parlement européen), la Cour européenne de justice à Luxembourg et la Banque centrale européenne à Francfort, Bruxelles est donc au cœur du pouvoir décisionnel de l'avenir du Vieux Continent.

La Commission européenne

Elle est dirigée depuis novembre 2004 par le Portugais José Manuel Barroso (en attendant l'application de ce « traité révisé » de juin 2007, qui verra s'instaurer une présidence pour 2 ans et demi). Après les élections de juin 2009, José Manuel Barroso est en passe d'être reconduit. Elle comprend 26 commissaires (plus le président) représentant les 27 pays de l'Union et veille à l'application des traités européens en répartissant la tâche entre 24 directions générales. Elle propose les évolutions futures de l'Union et dispose de pouvoirs de décision. Elle cherche à concilier les points de vue des États membres. Son rôle est parfois perçu comme celui d'un super gendarme administratif, surtout dans le domaine très sensible de la concurrence économique. Elle rend compte de sa tâche dans un rapport annuel présenté au Parlement européen.

Le Conseil de l'Union européenne

Épaulé par une armée de 2 000 fonctionnaires, c'est l'organisme qui vote les directives européennes ayant force de lois communautaires. Sa présidence est confiée par roulement à chacun des pays de l'Union, à raison de deux pays par an. Mais cela va changer puisqu'on envisage d'élire un président de l'UE pour 2 années et demie. Son siège est installé dans le mammouth architectural du *Juste-Lipse*.

Le Parlement européen

Les **785 députés** qui y siègent sont les représentants élus tous les 5 ans par les électeurs des 27 États membres de l'Union au nom de ses 492 millions de citoyens. Il accueille à Bruxelles, trois semaines sur quatre, les commissions parlementaires préparatoires aux sessions de vote strasbourgeoises et ce, dans l'hémicycle du « Caprice des Dieux » (allusion moqueuse à sa forme en ellipse rappelant les contours de la boîte de la célèbre marque de fromage). Il amende et entérine les propositions de la Commission et exerce un pouvoir de codécision avec le Conseil des ministres. Son président actuel est le Polonais Jerzy Buzek. À noter que l'on trouve aussi à Bruxelles la Cour des comptes, le Comité économique et social, ainsi que le Comité des Régions.

LES EUROCRATES

Formant la moitié du contingent des Européens vivant à Bruxelles, les 30 000 Eurocrates ont eu mauvaise presse (il y a pourtant moins de fonctionnaires européens à Bruxelles que de fonctionnaires à Marseille !). La *vox populi* leur attribue tous les maux de la capitale : la hausse de l'immobilier, la cherté des loyers, les embouteillages, les chantiers babyloniens, les prix élevés des restos. On leur prête exagérément des tas d'avantages éhontés : leur salaire généreux, leurs magasins hors taxes, leurs primes d'expatriés (à croire qu'habiter Bruxelles constitue la punition suprême !), leur plaque d'immatriculation, le fait qu'ils ne paient pas d'impôts, leur facilité à faire sauter les PV...

Tout cela est un peu vrai mais aussi un peu faux. L'immobilier bruxellois a subi des hausses, certes, mais bien moindres que dans d'autres capitales et le prix moyen du mètre carré résidentiel reste un des plus bas des capitales européennes. Les Eurocrates paient des impôts eux aussi mais à un taux moins élevé que ceux des Belges. À défaut de vrais magasins hors taxes, ils disposent, à leur installation, de quelques facilités pour acquérir des articles de base détaxés. Les embouteillages ? Les Eurocrates sont parmi les plus grands utilisateurs du métro. Il est vrai en revanche que les restaurateurs et cafetiers (et encore, pas tous) en profitent pour augmenter leurs prix. Leurs salaires plutôt plantureux ? Oui, mais ils ont choisi de vivre parfois loin de leur famille.

Et eux, que pensent-ils de Bruxelles ? Ravis de se trouver à quelques heures de Londres, Paris, Amsterdam ou Cologne, où ils se rendent volontiers pour une expo ou du shopping le temps d'un week-end, ils la trouvent, en majorité, facile à vivre. Ils apprécient la modicité des loyers, comparés à ceux des autres grandes capitales, les moyens de transport et les banlieues vertes. Ils vénèrent les restos bruxellois mais déplorent le provincialisme de la ville et surtout les chicaneries des administrations locales. Ils trouvent le centre assez sale et ne comprennent pas grand-chose aux problèmes belgo-belges. Ils vivent d'ailleurs un peu en cercle fermé, fréquentant après le bureau leurs pubs et restos nationaux groupés autour du rond-point Schuman, s'invitant les uns les autres et envoyant leurs mômes dans les écoles européennes.

Somme toute, le bilan des relations est plutôt favorable. Quelques petits griefs de part et d'autre mais pas de gros contentieux. Les Eurocrates se sentent bien à Bruxelles et ne demandent qu'à y rester. Quant aux Bruxellois, ils ont bien besoin de la manne qu'ils représentent (près de cinq milliards d'euros injectés tous les ans dans l'économie locale, soit 13 % du PIB de la région, générant, indirectement, près de 90 000 emplois). Et puis, à présent que se profile l'Europe des 30, où pourrait-elle s'installer ailleurs qu'à Bruxelles ?

TOPOGRAPHIE DE LA VILLE

Le Pentagone

Pour le visiteur pressé, l'observation rapide d'un plan permet de cerner ce qu'on appelle communément le Pentagone. Mais pourquoi donc appeler « pentagone » une figure qui, en fait, a six côtés et non cinq ? Allez savoir ! Bref, le Pentagone constitue le cœur de Bruxelles. Il est délimité par de larges boulevards, sorte de périphérique urbain, plein de tunnels, qui épouse le tracé de la deuxième enceinte de la ville. Amusant : ces boulevards ne portent pas le même nom d'un côté et de l'autre de la chaussée. En effet, à l'intérieur ils appartiennent à Bruxelles, à l'extérieur à une commune différente.

Les communes de l'agglomération bruxelloise

Si vous avez bien suivi nos explications, vous savez donc que la région de Bruxelles-Capitale est un ensemble de 19 communes. Bruxelles est l'une d'elles. Quand on étudie une carte, on s'aperçoit qu'elle se compose du Pentagone, additionné de plusieurs autres morceaux. N'essayez pas d'y voir une cohérence géographique, vous deviendriez dingo. Pour faire simple, disons que, hors du Pentagone, vous avez pas mal de probabilités d'être dans une autre commune. Précisons aussi qu'en tant que touriste, vous entendrez beaucoup parler dans ce guide de Saint-Gilles et d'Ixelles (non, non, pas la taille de T-shirt...), et un peu d'Anderlecht, de Schaerbeek et d'Uccle. Voilà, on en reste là, sinon vous allez perdre les pédales.

Le ring

C'est un anneau autoroutier qui cerne l'agglomération bruxelloise et qui permet d'accéder à toutes les grandes directions. Bien surveiller les numéros des sorties. Ce n'est pas toujours une bonne idée de le prendre pour se rendre dans une banlieue proche. Quand on arrive à Bruxelles, le ring est assez trompeur : sortez-en dès que vous pouvez pour entrer dans la ville. Une bonne carte aide énormément.

Les espaces verts

Cela ne se voit pas au premier coup d'œil, surtout depuis l'intérieur du Pentagone, mais Bruxelles est la ville la plus verte du continent après Vienne ! Chaque Bruxellois disposerait de 27 m² de verdure – contre 10 m² pour les Londoniens et 9 m² pour les Parisiens. La raison : en plus des espaces publics, surtout en banlieue, et à défaut de larges artères arborées, l'existence d'un foisonnant tissu urbain fait d'îlots d'habitations au milieu desquels chaque maison dispose d'un jardin. Bien souvent une simple pelouse entourée de murs, bordés d'un carré de tulipes avec quelques arbres fruitiers, parfois maigrichons, mais qui suffit à donner aux habitants l'illusion de vivre dans un coin de campagne, surtout lorsqu'ils ont la chance d'être réveillés par les merles ou les mésanges.

Arrivée à Bruxelles

En avion

✈ **Brussels Airport** (hors plan I par B1) : sur la commune de Zaventem, à 15 km au nord-est du centre. Pour consulter les heures de départ et d'arrivée des vols : ☎ 0900-70-000 (0,45 €/ mn) ou ● brusselsairport.be ●

Pour rejoindre le centre-ville

➤ Il existe, au sous-sol de l'aéroport, une *navette par train (Brussels Airport Express)* qui rallie la gare du Nord, la gare Centrale et la gare du Midi. Départ ttes les 15 mn 5h30-0h20. Durée : 20 mn. Prix : 3 €.

– Sinon, un *bus* de la STIB (la *Airport Line* : n° 12 en sem et n° 11 les w-e et j. fériés) relie entre 5h et 23h l'aéroport (plate-forme C) au centre-ville. 3 départs/h et 23 arrêts (attention, 5 arrêts slt pour le bus n° 12). Prix : 3 €. Liaisons également en bus avec *De Lijn* vers Anvers, Leuven et Mechelen (Malines).

➤ Pour un *taxi* vers le centre, compter 35 €. C'est donc cher.

➤ Vous pouvez aussi rejoindre directement *Anvers,* à 40 km de l'aéroport, par le *SN Brussels Airlines Expressbus.* Prix : 7 €.

➤ Les agences de *location de voitures* sont situées dans le hall d'arrivée et sont ouvertes de 6h30 à 23h :

■ *Avis :* ☎ 02-720-09-44.
■ *Europcar :* ☎ 02-721-05-92.
■ *Hertz :* ☎ 02-720-60-44.

■ *National Car Rental/Alamo :* ☎ 02-753-20-61.
■ *Sixt :* ☎ 02-502-37-12.

En train

Avec *Thalys,* Bruxelles n'est plus qu'à 1h22 de Paris-Gare du Nord. Env 2 départs/h en sem, la moitié le w-e. Lille n'est qu'à 38 mn en TGV ou *Eurostar.*

Arrivée à la gare du Midi

🚆 *Gare ferroviaire du Midi (plan I, A2) :* à env 1,5 km au sud de la Grand-Place. C'est ici que tous les TGV, *Thalys* et *Eurostar* arrivent. En descendant les escalators, vous trouverez sur votre droite des toilettes, des téléphones et des consignes à bagages (manuelles ou automatiques). Le hall principal (orné d'une fresque dédiée à Tintin) réunit boutiques, échoppes, agences de location de voitures (*Avis, Hertz* et *Europcar*) à gauche de l'espace d'arrivée des TGV, un bureau de change (pour nos lecteurs suisses ou canadiens), la billetterie (en plein milieu, à droite).

– Depuis la gare du Midi, possibilité de prolonger votre parcours sur le réseau intérieur belge en achetant pour quelques euros un billet « Toute gare belge ».

– *Kiosque d'accueil du BITC* (l'office de tourisme) : *en été, tlj 8h-20h (21h ven) ; en hiver, lun-jeu 8h-17h, ven 8h-20h, sam 9h-18h, dim et j. fériés 9h-14h.* Fermé 1er janv et 25 déc.

– Pour retirer de l'argent, il y a trois distributeurs de part et d'autre du kiosque d'accueil (le premier vers les taxis, puis à gauche, le deuxième en direction du métro, le troisième vers les voies 7-22).

– Par les transports urbains vers le centre, le plus simple est de prendre le tram souterrain n° 55 et de descendre à la station Bourse ou De Brouckère. Il y a aussi le métro, mais il met plus de temps, car il faut changer à la station Arts-Loi (et finalement se farcir 8 stations pour couvrir... 1,5 km).

En voiture

➤ *Pour entrer dans la ville :* pas évident de rejoindre le centre une fois qu'on quitte le contournement ouest (ring) de l'autoroute E 19, à la sortie 17 – direction « Centre » – après le virage de Forest. Une voie express mal fléchée se dilue bizarrement dans les chantiers et les sens uniques des abords de la gare du Midi. Essayez de repérer de loin la flèche de l'hôtel de ville ou le dôme du palais de justice pour rejoindre l'intérieur du Pentagone. Une fois arrivé, laissez la voiture au parking.

Adresses et infos utiles

Codes postaux

Chacune des 19 communes composant la région de Bruxelles-Capitale possède son code postal. Voici ceux dont vous pourrez avoir besoin.

– *Bruxelles* (le Pentagone plus ses excroissances) *:* 1000.
– *Ixelles :* 1050.
– *Saint-Gilles :* 1060.
– *Etterbeek :* 1040.
– *Uccle :* 1180.
– *Anderlecht :* 1070.
– *Forest :* 1190.
– *Schaerbeek :* 1030.

Infos loisirs

Plusieurs magazines tiennent le public bruxellois informé de ce qui se passe en ville.
– Le *Zone 02,* sorte de journal hebdomadaire gratuit et complet, avec articles, critiques et tout le programme culturel du moment. Les expos y sont traitées par thème. Pratique ! On le trouve dans la rue, les vidéothèques, les bars, etc.
– L'*Agenda,* gratuit lui aussi, mais moins touffu que le *Zone 02.*
– Le *Kiosque,* un autre guide culturel, du genre *Pariscope* mais mensuel. Attention, il est payant.
– Le *Brusseleir :* un mensuel gratuit bilingue de la ville de Bruxelles qui recense les activités culturelles.
– Enfin, dans le quotidien *Le Soir* du mercredi, le supplément *Mad* détaille aussi l'actualité culturelle de la semaine.

Services touristiques et d'accueil

🄵 *BIP INFO (Bruxelles International-Tourisme et Congrès ; plan couleur III, I7, 1) :* rue Royale, 2, en face du musée Bellevue, 1000. ☎ 02-513-89-40. ● bru city.be ● brusselsinternational.be ● Tlj 9h-18h. À proximité immédiate des grands musées. Dans un vaste espace accueillant avec fauteuils et canapés, le BIP fournit brochures et dépliants sur la ville, un plan du centre avec situation

---

■ **Adresses utiles**

🚆 Gare du Nord
🚆 Gare Centrale
🚆 Gare du Midi
🚆 Gare Bruxelles-Luxembourg
✈ Brussels Airport

🛏 **Où dormir ?**

7 Une Petite Maison dans une Petite Rue
8 Hôtel Monty
9 Côté Jardin

🍽 **Où manger ?**

78 Le Café des Spores
167 Le Midi Cinquante

🎯 **À voir**

164 Serres royales
165 Musées d'Extrême-Orient
166 Atomium
167 Musées royaux d'Art et d'Histoire
168 Musée royal de l'Armée et de l'Histoire militaire

169 Autoworld
170 Musée des Beaux-Arts d'Ixelles
171 Musée bruxellois de la Gueuze
172 Musée Constantin-Meunier
173 Musée Antoine-Wiertz
174 Muséum des Sciences naturelles
175 Palais Stoclet
176 Musée du Transport urbain bruxellois
177 Squares Marie-Louise et Ambiorix
178 Musée et Jardins Van-Buuren
179 Maison Cauchie
180 Musée René-Magritte
181 Parlement européen
182 Clockarium
183 Wiels
184 Maison Autrique
185 Maison communale de Saint-Gilles
186 Ancien entrepôt des douanes de Tour et Taxis
187 Mini-Europe
188 Musée des Enfants
189 Hôtel Hannon, Espace Contretype

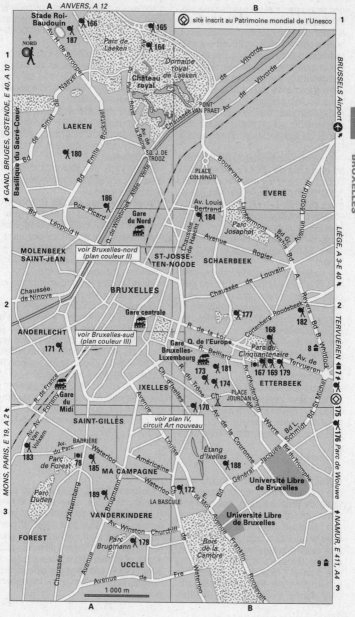

BRUXELLES – VUE D'ENSEMBLE (PLAN I)

des monuments et un programme saisonnier (le *bi-mensuel (BRU-XXL)*) des différentes activités culturelles. Peut aussi vous réserver gratuitement une chambre d'hôtel, parfois à prix réduits si c'est pour le jour même (demander les *last minute* !). Il vous suffit de préciser votre gamme de prix et le quartier où vous voulez séjourner, on fera la recherche pour vous. Bureau d'accueil d'Arsène 50, qui permet d'obtenir des places de spectacles et de concerts à ½ prix.

– Également, un bureau du *BITC au rez-de-chaussée de l'hôtel de ville, sur la Grand-Place (plan couleur II, D6, 2)*. ☎ 02-513-89-40. *Tlj 9h-18h (janv-mars, dim 10h-14h slt)*.

– *Autre bureau d'accueil à la gare du Midi (voir plus haut)*.

De plus, le *BITC* propose à la vente :

– des cartes de transport de 1 ou 3 jours ;

– le cartoguide *Bruxelles ma capitale, mes quartiers européens* (7 €), qui propose un parcours original dans le quartier européen ainsi que la découverte de 7 quartiers, cartes à l'appui : ambiance multiculturelle garantie ;

– le livret *Mon Guide et Plan* (3 €), qui propose des promenades (dont le parcours B.D.) et donne en plus un tas d'infos pratiques ;

– la **Brussels Card,** qui permet de visiter librement pendant 24h (20 €), 48h (28 €) ou 72h (33 €) 30 musées (dont le nouveau musée Magritte) ou sites bruxellois. Elle contient aussi une carte

d'accès aux transports en commun et accorde des réductions importantes dans des restaurants, bars et boutiques ;

– les *Must de Bruxelles* (18 €), un carnet de 10 coupons à utiliser, en les combinant, comme tickets d'entrée dans les principaux sites et musées ; intéressant si on compte en visiter au moins 4 ou 5 ;

– les billets des différents tours de ville en bus touristique, dont le *hop on-hop off*, qui permet d'interrompre et de reprendre comme on veut la balade dans Bruxelles.

– Durant l'été, des stewards circulent dans les centres touristiques pour renseigner les visiteurs.

ℹ️ **Toerisme Vlaanderen** *(plan couleur II, D6, 3) : rue du Marché-aux-Herbes, 61, 1000.* ☎ 02-504-03-90. ● *toerismevlaanderen.be* ● *Ouv oct-mars, lun-sam 9h-17h, dim 10h-16h (19h juil-août) ; avr-juin et sept, lun-sam 9h-18h, dim 10h-17h. Attention, fermé 13h-14h le w-e.* Brochures, documentation et infos sur la Flandre et Bruxelles.

– Curieusement, l'*OPT*, ou office de promotion du tourisme Wallonie, n'a plus de comptoir pour le public à Bruxelles même ; l'accueil se fait au Brussels Airport, hall des arrivées (☎ 02-725-52-75 ; ● *espace.wallonie@ opt.be* ● *belgique-tourisme.be* ● ; *tlj sf 1er janv et 25 déc 8h-21h*). Le plus simple est encore de consulter le site internet, bien fait, ou de commander leurs brochures par téléphone (☎ 070-221-021 ; 0,17 €/mn).

Spécial jeunes

● *brusselsmania.com* ● Un site ludique en anglais destiné aux jeunes routards de tous les pays, qui suivront, selon leurs affinités 5 petits personnages : *Brussels Cheraton*, la clubbeuse française, *Poco*, routard espagnol, *Bru4ever*, robot germanique déjanté, *Antoine Dansaert*, arpenteur de galeries d'art et *Chloe Rasmus*, étudiante paneuropéenne. Plein de bons plans pour dormir, s'éclater et se faire des

potes.

– *Mannekenpass,* une brochure vendue au prix de 5 €, réservée aux jeunes de 18 à 25 ans et comprenant un billet de transport gratuit pour 1 jour, un plan de la ville, des connexions Internet gratuites de 30 mn dans les AJ, des cadeaux et réductions dans plusieurs attractions et des bons plans de sorties (restos, bars, boîtes...) ; ● *mannekenpass.eu* ●

Bruxelles autrement

– *Europe to Brussels – TOF People :* ● *brusselstofpeople.eu* ● *Tof*, en lan-

gage populaire bruxellois, signifie quelque chose comme « chouette ». Ce site internet (en anglais) a pour ambition de mettre en rapport des routards de passage mais avides d'échanges, de bons plans et de rencontres, avec des routards en provenance du monde entier ayant plus ou moins posé leurs valises à Bruxelles. Cela permet de trouver, quelle que soit sa nationalité, un guide sympa ou un interlocuteur afin d'échan-ger dans sa langue des bons plans et mieux découvrir la ville. Sans limite d'âge, ce forum est ouvert à tous, il suffit de cliquer sur la photo en fonction de ses affinités et de se renseigner sur les expos à voir, les bars sympas, etc. Inutile de préciser qu'on y croise pas mal de fonctionnaires européens !

Sinon, plusieurs associations (pratiquant des tarifs abordables) proposent de bonnes balades et visites guidées à thème, à effectuer en bus, à pied ou même à vélo : consulter ● *voiretdirebruxelles.be* ●

■ *L'ARAU :* bd Adolphe-Max, 55, 1000. ☎ 02-219-33-45. ● *arau.org* ● L'ARAU (Atelier de recherche et d'action urbaines) est un comité d'habitants qui a décidé de prendre à bras-le-corps les problèmes d'urbanisme de Bruxelles. Le double objectif est de « créer des images alternatives de la ville sous forme de contreprojets d'aménagement urbain » et de « proposer des réformes qui augmentent le contrôle des habitants sur l'aménagement de leur ville ». Un programme ambitieux, basé sur des actions de reconstruction, de réhabilitation et de rénovation. L'association a joué un rôle important dans le processus de création de la région de Bruxelles-Capitale. Cette association pas comme les autres propose d'excellentes visites guidées en car (parfois à pied) sur des thèmes variés : « Bruxelles autrement », « Bruxelles 1900 – Art nouveau », « Bruxelles 1930 – Art déco », « Vivre à Bruxelles », « La Grand-Place et ses quartiers », « L'Europe à Bruxelles », « Les Marolles »... Prix : 10-17 € ; réductions. Tickets vendus aussi au BITC. Les tours ont lieu d'avril à novembre, généralement le samedi matin et le dimanche après-midi, au départ de l'hôtel *Métropole (plan couleur II, D5, 117)*. Chaque semaine, 1 ou 2 thèmes sont suivis. Téléphoner ou consulter le site pour savoir le(s)quel(s), connaître les horaires et réserver. Prix très raisonnable vu la qualité des guides et l'acuité de l'approche urbanistique. On ne se contente pas de vous montrer le beau Bruxelles, on met aussi l'accent sur les erreurs du passé et on tente d'esquisser des solutions pour l'avenir. Une démarche vraiment intelligente.

■ *Le Bus Bavard :* rue des Thuyas, 12, 1170. ☎ 02-673-18-35. ● *busbavard. be* ● « Nos groupes ne sont pas des troupeaux ni nos guides des perroquets. » Voilà un beau credo pour une organisation qui concocte des visites originales le week-end (principalement le dimanche) de mars à décembre. Pas moins de 65 visites à thème : « Légendes, *flauwskes* et carabistouilles », « Marolles de briques et de brol », « Bruxelles en bulles », « De fil en aiguille » (sur la mode), « Bruxelles à s'en lécher les babines », « Quand les estaminets racontent Bruxelles », etc. Le Bus Bavard fait parfois des infidélités à Bruxelles et découvre Charleroi ou Diest...

■ *Itinéraires :* rue de l'Aqueduc, 171, 1050. ☎ 02-541-03-77 ; résas : 🖂 00-32-4-96-38-85-94. ● *itineraires.be* ● Compter 8-19 €/pers. De mai à décembre, circuits pédestres autour de thèmes plus ou moins insolites : « Secrets et symboles de la ville (les francsmaçons à Bruxelles) », « *Gay* Bruxelles », « Tintin » et même un rallye interactif pour découvrir la ville avec vos 5 sens...

■ *La Fonderie :* rue Ransfort, 27, 1080. ☎ 02-410-99-50. ● *lafonderie.be* ● *Parcours pour les individuels de mi-avr à fin oct, mar, jeu, dim et certains sam.* Compter 7-10 € ; réduc. Toujours en rapport avec le travail et l'industrie. Le programme *Bruxelles Workside Story* rassemble 19 parcours urbains et portuaires (à pied, en bateau, en car ou en train). Une manière de découvrir et de comprendre Bruxelles, le travail de ses habitants et son évolution sociale, industrielle, économique et architecturale. Également, le dimanche, des promenades en bateau sur le canal.

■ *Pro Vélo :* rue de Londres, 15, 1050. ☎ 02-502-73-55. ● provelo.org ● *Tours guidés à vélo :* sam-dim en avr-oct, voire jusqu'en déc. Durée : 3-4h, et parfois à la journée. Compter 9-13 €/pers (ajouter éventuellement 8-10 € pour louer un vélo ; quelques visites à supplément pour les consos ou les entrées de musée). Une vraie bonne idée. Thèmes nombreux et variés : « Sur la trace des francs-maçons », « Les mystères verts de Bruxelles », « Cafés et B.D. », « Bières et brasseries », « Sgraffites et Art nouveau », « Art déco et modernisme », « Architecture contemporaine », « Bruxelles la nuit »...

■ *D-Tours :* ● d-tours.org ● Compter 7 €/pers, 5 € si vous avez votre MP3 (dans ce cas-là, il suffit de se connecter sur le site internet et de télécharger les commentaires : gain de temps et d'argent, sans contrainte aucune...). Là,

il ne s'agit pas d'une association mais d'une initiative originale : vous faire découvrir 3 quartiers de Bruxelles en vous faisant écouter, pendant un peu moins de 1h30 (pour chaque quartier), un commentaire sur MP3. Au menu : interviews d'habitants, morceaux musicaux, extraits de films, petits commentaires historiques (pas trop) : bref, une restitution vivante et colorée d'une certaine ambiance bruxelloise.

– *Pour la balade de la Grand-Place :* loc du matériel au BITC (plan couleur II, D6) ; voir horaires plus haut.

– *Pour la balade dans les Marolles :* au centre culturel Jacques-Franck, chaussée de Waterloo, 94, à Saint-Gilles (plan couleur III, G9) ; mar-sam 11h-18h30, dim 14h-17h, 19h-22h30.

– *Pour la balade dans le quartier Sainte-Catherine : Alice Gallery & Shop* (plan couleur II, C5), rue Antoine-Dansaert, 182 ; mar-sam 11h30-19h.

– À noter que les musées de la ville de Bruxelles proposent, de temps à autre, des activités et des visites à thème. Elles se déroulent à l'heure du déjeuner (12h30 précises) et le rendez-vous se fait généralement au musée de la Ville. Plus de renseignements sur ● brucity.be ●

Ambassades

■ *Consulat de France* (plan couleur II, F6) : bd du Régent, 1000. ☎ 02-548-88-12. ● consulfrance-bruxelles.org ● Lun-ven 8h30-15h30.

■ *Ambassade de Suisse* (plan I, B2) :

rue de la Loi, 26, BP 9, 1040. ☎ 02-285-43-50.

■ *Ambassade du Canada* (plan I, B2) : av. de Tervueren, 2, 1040. ☎ 02-741-06-11.

Poste, télécommunications

✉ *Postes :* théoriquement, lun-ven 9h-17h. Certains bureaux ouvrent plus tard et le sam mat. Bureau de la *place De Brouckère* (plan couleur II, D5) ouv lun-ven 8h-19h, sam 10h30-16h30. Autres bureaux dans le centre : métro

Gare-Centrale ; pl. Poelaert, 1 (palais de justice) ; ou encore rue des Bogards, 19 (plan couleur III, H7). Bureau de la *gare du Midi* ouv lun-ven 7h-22h, sam 10h-19h.

– *Téléphone :* on trouve encore çà et là des cabines téléphoniques à cartes mais leur nombre tend à diminuer à cause du téléphone portable (dit GSM en Belgique). Les cartes s'achètent dans les librairies (bureaux de tabac) et kiosques à journaux.

▣ *Internet :* la plupart des endroits où surfer sur le Net à Bruxelles sont des centres téléphoniques un peu poussièreux qui ouvrent le temps d'une saison, parfois un peu plus. On vous a toutefois déniché un vrai cybercafé, le

BXL (plan couleur III, H7 ; pl. de la Vieille-Halle-aux-Blés ; tlj 12h-minuit ; compter 1,50 €/h).

– Sinon, il y a, depuis plusieurs années déjà, des centres internet dans les stations de métro *Rogier* (plan couleur II,

E4) et **Porte-de-Namur** *(plan couleur III, I-J8)*, ainsi qu'à la **gare du Midi**, en face de la billetterie, tout au fond. Toutes les AJ disposent également d'une ou de plusieurs bornes. De plus, pas mal de bars ou cafés ont aménagé des espaces wifi.

Santé, urgences

■ **Secours médical urgent, pompiers :** ☎ 100.
■ **Accident, agression :** ☎ 112.
■ **Police fédérale :** ☎ 101.
■ **Croix-Rouge :** ☎ 105.
■ **Médecins de garde :** ☎ 02-479-18-18.

■ **Dentistes de garde :** ☎ 02-426-10-26.
■ **Hôpital Saint-Pierre :** ☎ 02-535-31-11.
■ **Hôpital César de Paepe :** ☎ 02-506-71-11.
■ **Centre antipoison :** ☎ 070-245-245.

Banques, change

Seuls les distributeurs *Bancontact* permettent de retirer de l'argent liquide avec les cartes *Visa, Maestro* ou *MasterCard*. Inutile, donc, de tenter l'opération aux guichets automatiques de banques telles que *Fortis* ou *Dexia*. Pour nos lecteurs suisses ou canadiens, on précise que les grandes banques (ouvertes pour la plupart du lundi au vendredi 9h-16h) font le change. Il n'y a pas de commission, simplement les taux sont plus ou moins bons (quoique assez semblables). Les bureaux de change, eux, ont l'avantage d'ouvrir jusque tard mais proposent des taux minables. Plutôt pour dépanner donc.
Agences représentant les grandes cartes de paiement :

■ **American Express :** *bd du Souverain, 100, 1170.* ☎ 02-676-21-21 *(24h/24).* Change et chèques de voyage.

■ **Visa et MasterCard :** *bd Albert-II, 9, 1210.* ☎ 02-205-87-87. *En cas de perte ou de vol :* ☎ 070-344-344 (24h/24).

Compagnies aériennes

■ **SN Brussels Airlines :** *rue des Colonies, 11, 1000.* ☎ 070-35-11-11. ● *flysn. com* ● Réservations également possibles via les agences de voyages.
■ **Air France :** *à la gare du Midi (plan I, A2).* ☎ 070-22-24-66.

Transports

À pied

C'est le meilleur moyen de se déplacer à l'intérieur du Pentagone. Hormis une certaine déclivité (entre le bas et le haut de la ville), les distances sont courtes et les parcours agréables.

En métro, bus, tram

À Bruxelles, il y a trois types de transports en commun (métro, bus et tram). Ils fonctionnent tous avec les mêmes tickets et l'ensemble du trafic est géré par la STIB. *Infos :* ☎ 0900-10-310 (0,45 €/mn). ● stib.be ●
Les transports fonctionnent grosso modo de 6h à minuit, mais il existe aussi depuis peu des bus nocturnes qui fonctionnent le week-end jusqu'à 3h du matin (voir ci-après). Procurez-vous, à l'office de tourisme ou dans les stations de métro, le plan bien fait où figurent toutes les lignes (on vous rappelle que la *Brussels Card* offre un accès libre et illimité aux transports en commun). Le métro est efficace mais se limite malheureusement à trois lignes. Quant aux bus et aux trams, euh... on trouve

BRUXELLES

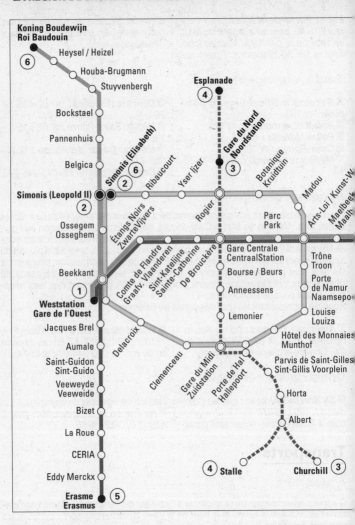

qu'il vaut parfois mieux marcher, surtout si la distance à couvrir est courte, cela vous évitera une attente parfois longue et un trajet souvent ralenti par le trafic en surface. À part ça, on notera que bon nombre de stations de métro de Bruxelles ont été décorées par des artistes belges.

– *Achat des billets :* aux guichets et machines des stations de métro, dans certains kiosques à journaux, dans les bus et les trams (uniquement le billet de un voyage), et dans les gares SNCB de la région bruxelloise. Le métro, tout comme les trams souterrains, se signale par un « M » blanc sur fond bleu.

– *Cartes de 1, 5 ou 10 voyages :* chaque voyage est valable 1h et inclut la ou les correspondances entre les différents modes de transport, train compris (dans la zone couverte par la *STIB*). Un billet normal coûte 1,70 €, la carte de 5 voyages

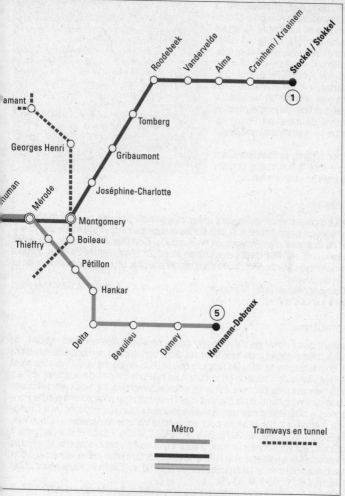

BRUXELLES

LE MÉTRO DE BRUXELLES

7,30 € et celle de 10 voyages 12,30 €. Cette dernière est donc intéressante. Le transport reste gratuit pour les plus de 65 ans et pour les enfants de moins de 6 ans, à condition que ces derniers soient accompagnés d'un adulte.

– *Carte à la journée :* elle permet d'utiliser librement tous les transports publics pendant 1 jour. Coût : 4,50 €. Un tuyau : la carte de 1 jour est valable pour deux personnes voyageant ensemble samedi, dimanche et jours fériés.

– *Le Noctis :* les bus de nuit connaissent une tarification spéciale. Les billets sont en vente dans les kiosques mais aussi à bord du bus. Compter 2 € par trajet, 3,30 € aller-retour et 21 € pour 10 trajets. Vingt lignes qui mènent aux quatre coins de la ville. Départ ttes les 20 mn environ jusqu'à 3h du matin. Toutes les lignes desservent à un moment ou à un autre la place De Brouckère.

– *Un bus des Musées* est à l'étude et fonctionne pour l'heure de mars à mi-novembre. Avec une dizaine d'arrêts, il relie les différents musées les uns aux autres. Seulement le week-end mi-mars à mi-nov 13h30-17h30. Prix : 3 €. Résultat, on se demande bien comment amortir un tel billet. Il est déjà difficile de jongler avec les horaires de musées ! Pour plus d'infos : ● trammuseumbrussels. be ●

– Pour rappel, la *Brussels Card* donne droit à l'utilisation gratuite des transports en commun.

En taxi

Rien à signaler, sinon qu'ils sont assez chers (mais pas non plus exorbitants) et relativement peu nombreux. À part sur les grandes artères et à la sortie des gares, peu de chances d'en attraper un en maraude. Compter 5-10 € pour une petite course en ville (2,40 € de prise en charge plus 1,23 €/km). Entre 22h et 6h, surtaxe pour les trajets de nuit. Pourboire compris dans le prix. Un reçu doit vous être remis en fin de course.

■ *Compagnies de taxis :* Taxis verts, ☎ 02-349-49-49. Autolux, ☎ 02-411-41-42. Mais il y en a d'autres.

En voiture

Vraiment pas évident de s'y retrouver dans une ville truffée de voies rapides, de tunnels, de passages et de sens interdits. Sans bonne carte, on risque de se perdre une bonne dizaine de fois. On rappelle que le BITC en donne une. Bruxelles n'est pas une ville qu'on sillonne en voiture. Les restructurations de quartiers entiers rendent encore plus incohérents certains flux automobiles. Le mieux est de trouver un bon parking (attention, ils ferment vers 1h du matin) et d'explorer à pied le Pentagone. De plus, les flics ont une fâcheuse tendance, dans les environs de la Grand-Place, à appeler la dépanneuse pour envoyer les voitures mal garées à la fourrière, MÊME SI LA VOITURE NE GÊNE PAS LA CIRCULATION. Est-ce écrit assez gros ? Bref, cela peut vous coûter un max, d'autant que les frais pour récupérer le véhicule sont doublés le week-end et la nuit. Si la mésaventure vous arrive, adressez-vous au commissariat central de la police *(rue du Marché-au-Charbon, Kolenmarkt ; plan couleur II, D6 ; ☎ 02-279-79-79).*

– Se munir de pièces pour alimenter les horodateurs. Tarif longue durée : 15 €. Il n'est pas nécessaire de le faire le dimanche ni entre 18h et 9h. La plupart des parkings publics disposent d'une caisse automatique où l'on doit payer avant de récupérer sa voiture. Billets, monnaie et cartes de paiement sont acceptés.

– Pour les communes extérieures au Pentagone, en revanche, il est conseillé d'être motorisé, les transports en commun n'étant pas toujours d'une efficacité assurée.

À vélo

Bruxelles ne s'arpente guère à bicyclette (peu de pistes cyclables, terrain pas vraiment plat), mais la ville a eu la bonne idée, pour encourager ce type de transport, de mettre en place un service de location de vélos : *Villo* inspiré du système Vélib parisien. Concrètement, on peut désormais louer un vélo à l'une des 180 stations réparties dans 16 communes de la région de Bruxelles-Capitale et le restituer à la station de son choix. Les 2 500 bicyclettes étant arrimées à des bornes de stationnement, il suffit d'avoir une carte de paiement internationale et de lire les instructions sur l'écran tactile dont chaque station est équipée. Outre l'abonnement annuel le coût de la location est de 5 € pour un w-e. Également tarif « courte durée » abonnement à 1,50 €/sem ou 1 €/j, 0,50 € pour la première ½h et 1 € l'heure suivante. Carte interactive des stations sur le site ● *villo.be* ● *Hotline : 078-05-11-10.* Vous pouvez aussi contacter l'association *Pro Vélo*, qui essaye de promouvoir le vélo comme moyen de déplacement et de découverte. Elle propose plusieurs visites guidées de la ville, en bicyclette bien sûr. Pour les contacter et connaître le programme, voir plus haut dans « Adresses utiles. Bruxelles autrement ».

Où dormir ?

Bruxelles, troisième ville mondiale de congrès, offre un éventail complet de formules de logements, du palace 5 étoiles au petit camping, en passant par les auberges de jeunesse, les *B & B* et les hôtels de catégorie moyenne. On précisera juste que l'hôtel 1 étoile convenable est assez rare, ou alors excentré..., et que l'hôtel 2 ou 3 étoiles a tendance à afficher des tarifs un peu surestimés.

Important à savoir : beaucoup d'hôtels (en particulier les grands) proposent des **tarifs « week-end » et « vacances »** (notamment en juillet et août) souvent très avantageux. Ne pas hésiter à se renseigner par téléphone avant de réserver et de consulter les « promos » sur Internet. On a parfois de très bonnes surprises. Nous signalons les établissements qui pratiquent ces prix écrasés. Par exemple, le *Métropole* (le grand hôtel de la place De Brouckère), l'*Amigo* (juste à côté de la Grand-Place) ou le *Hilton* dans le haut de la ville... bradent véritablement leurs prix en fin de semaine : presque 50 % de ristourne, petit déjeuner compris !

Campings

⚞ *Bruxelles-Europe à ciel ouvert* (plan I, B2) : chaussée de Wavre, 205, 1050. ☎ 02-640-79-67. ● *campingcie louvert@yahoo.fr* ● Ⓜ Trône ou Maelbeek. Bus nᵒˢ 34, 38, 60, 80 et 95 ; arrêt Parnasse. À deux pas du muséum des Sciences naturelles et de la gare du Luxembourg. De la chaussée de Wavre, prendre l'allée qui monte devant l'église ; entrée sur une cour intérieure, à gauche. Ouv slt juil-août. Compter 18 € pour 2 pers et l'emplacement. Un camping de 80 places, surtout pour les tentes, en pleine ville, presque en bordure du quartier européen ! Plutôt un vaste jardin ombragé au milieu d'un

pâté de maisons en fait, sans autre infrastructure que les sanitaires de base. Sympa pour ceux qui veulent profiter d'une situation centrale, plutôt spartiate pour les habitués des campings traditionnels.

⚞ *Camping de Wezembeek-Oppem :* Warandeberg, 52, Wezembeek-Oppem 1970. ☎ 02-782-10-09. ● *http://users. telenet.be/cr48875/* ● À 11 km à l'est du centre de Bruxelles, non loin de la sortie 2 du ring ouest. Ouv avr-sept. Compter 11,50 € pour 2 pers, 1 tente et la voiture. Bien tenu mais bruyant à cause du ring (l'autoroute qui ceinture Bruxelles). Buvette et pistes de pétanque.

Chambres chez l'habitant

Une bonne formule, un peu meilleur marché que les hôtels et qui vous permettra d'aller à la rencontre des Bruxellois. Chambres aussi bien en maison qu'en appartement, avec ou sans sanitaires privés. Certaines peuvent disposer d'une kitchenette. Pour trouver, le plus simple, outre les quelques adresses qu'on vous indique, est de contacter l'un des deux centraux de réservation (voir ci-dessous). On peut aussi parfaitement réserver directement. Voir pour cela notre sélection d'adresses après les agences. De belles surprises en perspective, même si ce n'est pas donné.

■ *Bed & Brussels :* *rue Kindermans, 9, 1050.* ☎ *02-646-07-37.* ●*info@bnb-brussels.be* ● *bnb-brussels.be* ● *Lun-ven 8h30-12h, 13h30-17h. Possibilité de réserver par téléphone, mais mieux vaut le faire sur leur site, qui montre des photos des adresses disponibles. Compter 55-95 € pour 2 pers, petit déj compris. Tarifs dégressifs (selon durée du séjour) et réduc pour les mômes de 3 à 10 ans. Formules pour les stagiaires aussi (à partir de 38 €/nuit, voire 15 € en long séjour). C'est le central de réservation principal pour les B & B bruxellois. Attention, ils se sucrent allègrement au passage ! Cette précision faite, vous y trouverez pas moins de 150 adresses avec 3 catégories de confort, réparties dans les 19 communes et classées par thème. Dernière info : si vous voulez* réserver un samedi ou un dimanche et arriver le jour même, vous devez passer par le BITC (l'office de tourisme), qui assure le relais pendant leurs jours de fermeture.

■ *Taxistop :* *avenue Thérésienne, 7, 1000.* ☎ *070-222-292.* ● *taxistop.be* ● *Lun-ven 10h-17h30. Revient moins cher que* Bed & Brussels *(à partir de 35 € pour 2 personnes), et pour cause : on peut contacter directement leurs adresses, qui sont quasiment toutes reprises sur leur site internet, avec leurs coordonnées et parfois une photo. L'offre s'étend au reste du pays. Cela étant, ne pas s'attendre au grand luxe... Centralise aussi les offres de covoiturage et d'échanges de maison, là encore un moyen original de faire des économies.*

Où dormir en chambres d'hôtes ?

Pour un week-end en amoureux, la formule chambres d'hôtes à Bruxelles constitue une solution séduisante, pleine de charme. Loin des hôtels standardisés, c'est une approche différente de la capitale, plus proche des gens. Où l'on s'aperçoit aussi que le style contemporain sait prendre sa place dans les intérieurs les plus anciens, au cœur de la ville. Il faut toutefois savoir que les tarifs sont plus élevés que ceux des hôtels qui pratiquent des promos alléchantes le week-end. Voici quelques adresses qu'on apprécie particulièrement.

🛏 *Chambres en Ville, maison d'hôtes* (plan couleur III, J8, **47**) : *rue de Londres, 19, 1050.* ☎ *02-512-92-90. Chambre 90 €, petit déj compris.* Voici une superbe adresse, où la patte et le talent de son propriétaire-décorateur se sont posés sur chacune des pièces. Consoles patinées, meubles de métiers, masques africains, chaises dépareillées, plancher qui craque... Une maison de caractère dans laquelle on se sent immédiatement à l'aise. La chambre « La vie d'artiste » est décorée d'une grande toile en tête de lit, celle « Afrique » rassemble quelques beaux souvenirs de voyages, la « Levant » possède une grande baignoire au milieu de la salle de bains... Des espaces soignés, très personnalisés. Dans chaque chambre, sèche-cheveux, douche et baignoire... Beaucoup de style, de la personnalité, jusque dans la salle de petit déj (confitures maison), très pensée et zen à la fois. Vôtre hôte est un artiste, et chaque objet nous le rappelle.

🛏 *Chambre d'hôtes Les Remparts* (plan couleur II, C5, **43**) : *chez Daniel Schaffeneers, rue du Rempart-des-Moines, 9, 1000.* 📱 *0475-81-77-08.* ● *schaffeneers@skynet.be* ● *rempart.be* ● *Compter 100 € la chambre. Attention, pas de petit déj servi, mais cuisine à disposition. 10 % de réduc sur présentation de ce guide (à signaler lors de votre résa).* Daniel est antiquaire et ça se voit. Il a le goût des belles choses et sait le faire partager. Bien que les chambres soient petites, elles sont intelligemment aménagées. Pas donné, mais une adresse de charme. Il loue également une autre chambre, dans le quartier des Sablons, au-dessus de sa boutique d'antiquités, plus grande que celles de la rue du Rempart-des-Moines et décorée avec la même touche personnelle, élégante et baroque.

🛏 *Chambres d'hôtes Downtown-BXL* (plan couleur II, C-D6, **45**) : *rue du Marché-au-Charbon, 118-120, 1000.* 📱 *0475-29-07-21.* ● *reservation@downtownbxl.com* ● *downtownbxl.com* ●

Chambre 76 €, petit déj compris. Wifi. Les 6 chambres réparties dans 2 immeubles sont tout bonnement étonnantes. Elles allient le baroque, le contemporain et un esprit zen à la fois. L'une d'elles possède même un lit tout rond, toujours amusant pour les galipettes, sous les regards multiples de Marilyn, signé Warhol. 2 chambres ont des accents africains, alors qu'une autre fait de l'œil aux années 1960. Une adresse décalée et confortable, à un tarif très abordable. Petit bémol : la TV dans la salle du petit déjeuner... ça manque de tenue !

🛏 *Chambre d'hôtes Vaudeville (plan couleur II, E6, 46)* : Galerie de la Reine, 11-13, 1000. ☎ 02-511-23-45. 📱 0471-47-38-37. ● chambre@cafeduvaudeville.be ● cafeduvaudeville.be ● 2 chambres 115 € et 2 plus grandes 155 €, petit déj compris, que l'on prend au café, à l'étage ou sur la terrasse de la galerie aux beaux jours. Wifi. À l'étage du café éponyme (comme on dit pour paraître branché), voici de bien belles chambres, 2 donnant directement sur l'intérieur de la galerie, les 2 autres sur une courette intérieure. La vraie mise en valeur du lieu, explorant des thèmes variés : « Diva », « Explorateur », « Black and White » et « Madame Loulou ». Pour chacune d'elles, une mise en couleur, des tableaux, gravures et photos déclinent avec justesse un monde, toujours dans des tonalités sourdes. La « Diva » possède de beaux rideaux de soie sauvage et d'intéressants portraits noir et blanc, l'« Explorateur » présente une vitrine de souvenirs « retour d'Afrique », des fauteuils club... De la classe, du style, du calme. Une belle adresse, particulièrement originale et hyper centrale. Excellent accueil.

🛏 *Le White Room (plan couleur II, C4, 42)* : rue Locquenghien, 45, 1000. ☎ 02-538-59-95. ● lewhiteroom.be ● 1 seule chambre 70 € (10 € de plus pour 1 seule nuit), petit déj inclus. Au fond d'un immeuble plutôt anonyme, dans la cour, une ancienne laiterie totalement reconvertie en un vaste loft industriel, aux espaces ouverts et intelligemment aménagés. Plafonds éclatés, escaliers métalliques, salon généreux et coloré. Le style est contemporain et personnel, zen et accueillant. À l'étage, la chambre, pas bien grande, parfaitement au calme. À noter qu'on partage la salle de bains avec Erik et Sven, vos hôtes (d'où le prix somme toute raisonnable). Le petit déj est compris, mais il est en self-service, dans la grande cuisine. Tout est mis à disposition, on a plus qu'à actionner le grille-pain et la cafetière ! Une adresse différente, assurément, qui ne conviendra pas à ceux qui cherchent du classique et du conventionnel.

🛏 *La Maison Jaune (plan couleur II, C5, 44)* : rue du Rempart-des-Moines, 11-13, 1000. ☎ 02-502-74-40. ● maison jaune@skynet.be ● maisonjaune-bruxelles.net ● 1 petit appart de 50 m² à l'étage d'une maison jaune, pour 4 pers (2 adultes et 2 enfants). Selon occupation, 1re nuit 109 € pour 2, 133 € pour 3 et 174 € pour 4, petit déj compris, tenu à disposition. 10 % de réduc la 2e nuit (prix encore dégressif ensuite). Un concept original que cette location d'appartement tout en longueur, à l'étage d'une petite maison... jaune, colorée et gaie, à quelques minutes à pied de la grande place. Pièces en enfilade, comportant une cuisine équipée et une salle de bains complète. Une bonne formule pour quelques jours en famille, à deux pas du centre. On s'y sent vite chez soi.

🛏 *Une Petite Maison dans une Petite Rue (hors plan I par B2, 7)* : Petite-Rue-de-l'Église, 15, 1150. ☎ 02-538-55-88. ● genevieve.n@skynet.be ● unepetite maisondansunepetiterue.be ● Ⓜ Tomberg. B & B à quelques km à l'est du centre, par l'av. de Tervueren. Un peu excentré, mais facile d'accès si vous êtes motorisé. Sur base de 2 nuits min, compter 44 € pour 1 pers et 58 € pour 2 pers par nuit ; petit déj 5 €. Moins cher à partir de 3 nuits. Petite maison (la plus petite de la rue !) abritant 2 chambres (une simple et une double) équipées, chacune, de TV et d'un coin sanitaire tout neuf. Toilettes sur le palier. La double, dans l'ancien grenier, propose 2 lits simples sur une mezzanine. À noter qu'il y a aussi une petite cuisine pour les hôtes. Bon accueil, copieux petit déj et, cerise sur le gâteau pour ceux qui ont leur *laptop*, connexion Internet gratuite.

🛏 *Côté Jardin (plan I, B3, 9)* : av. Léopold-Wiener, 70, 1170. ☎ 02-673-36-40. 📱 0476-25-36-28. ● info@cotejardin.biz ● cotejardin.biz ● Bus n°s 95 et 96 depuis la pl. Royale. Sinon, c'est à 12 mn à pied de la station de métro Beaulieu. Situé dans la commune de Watermael-Boitsfort, au sud-est du Pentagone, à env 5 km du centre (demandez qu'ils vous envoient un plan d'accès au moment de la résa). Compter 90-110 € pour 2 pers, petit déj compris. Parking facile et gratuit. Wifi. Réduc de 10 % accordée sur le prix de la chambre au 1er étage en juil-août. Assez excentré, mais voilà bien le seul inconvénient, car l'endroit est vraiment agréable et accueillant. Il s'agit d'un B & B de classe proposant 3 chambres douillettes et confortables, avec sanitaires complets nickel. Et puis il y a aussi la maison, spacieuse et bien décorée, avec sa vaste cage d'escalier surmontée d'une verrière de style Art nouveau. Le tout dans un environnement vert et aéré, à un jet de pierre d'un centre sportif avec piscine. L'hôtesse, c'est Cécile, une dame avenante et sympathique qui en connaît un bout sur l'art de recevoir. Petit déj pris dans un bel espace personnalisé.

Auberges de jeunesse

🛏 **Espace du Sleep-Well** (plan couleur II, E5, **13**) : rue du Damier, 23, 1000. ☎ 02-218-50-50. ● info@sleepwell.be ● sleepwell.be ● Ⓜ Rogier. Dans la partie nord du Pentagone, à proximité de la rue Neuve et du centre commercial City 2. Réception ouv 24h/24. Nuitée 15-30,50 €/pers selon confort et nombre de nuits, petit déj-buffet compris. Loc de draps (4,70 €) obligatoire la 1re nuit. Une partie de l'hôtel propose également des chambres à 62 € pour 2 pers. Au total, 144 lits en chambres de 1 à 8 lits. Bienvenue dans ce grand centre d'hébergement moderne, convivial et bien équipé. Le hall d'entrée, surmonté d'une verrière, donne d'emblée le ton, avec son Manneken-Pis grandeur nature et sa fresque B.D. de Johan de Moor (voir le circuit des façades B.D. dans la rubrique « À voir »). Douches et toilettes communes impeccables. Il y a désormais aussi une partie hôtel, avec des chambres simples, doubles ou triples équipées de TV et de salle de bains. Agréable salon TV avec billard et Internet, bar en sous-sol et restaurant proposant le soir (et le midi s'il y a des groupes) un menu pour à peine 8 €. Bémols : certains lecteurs se sont plaints du bruit pendant la nuit. Sans doute en fonction des groupes qui y dorment. Plus embêtant, d'autres nous ont fait part de vols malgré les casiers sécurisés. À part ça, une chouette initiative : Frédéric propose des visites guidées de la ville tous les matins à partir de 9h. Très familial et... pas cher puisqu'on donne ce qu'on veut à la fin du tour !

🛏 **Centre Vincent-Van-Gogh CHAB** (plan couleur II, F4, **10**) : rue Traversière, 8, 1210. ☎ 02-217-01-58. ● info@chab.be ● chab.be ● Ⓜ Botanique. Trams n°s 92 et 94 depuis la pl. Royale ou bus n°s 65 et 66 depuis la gare centrale. Juste un peu à l'extérieur du Pentagone, à deux pas du parc du Jardin botanique et à 10 bonnes mn de grimpette à pied de la gare du Nord. Réception ouv 7h30-2h (pas de couvre-feu). Résa conseillée, surtout pdt les vac scol. Compter 21-26 € la nuit en chambres de 1 à 10 lits, petit déj compris (prix dégressifs dès la 2e nuit). Draps en supplément (3,80 €), mais possibilité d'utiliser son sac de couchage. Wifi gratuit. Réduc de 10 % sur le prix de la nuitée sur présentation de ce guide. Pour les 17-35 ans seulement. Ce n'est pas une AJ officielle mais c'est sans doute l'établissement de Bruxelles qui fait le plus routard, grâce notamment à son agréable véranda pourvue de fauteuils en osier, d'un billard et même d'une petite fontaine. Avec ses 228 lits, c'est aussi l'un des plus grands établissements pour jeunes du pays. L'auberge est divisée en 2 parties, situées de part et d'autre de la rue, dans un quartier calme mais peu attractif. Chambres convenables avec ou sans sanitaires privés. Notons aussi, en vrac, qu'il y a un bar animé le soir, 2 bagageries gratuites, une TV avec lecteur de DVD, un téléphone à pièces, une machine à laver et 2 bornes Internet.

🛏 **Gîte d'étape-auberge de jeunesse Jacques-Brel** (plan couleur II, F5, **11**) :

rue de la Sablonnière, 30, 1000. ☎ 02-218-01-87. • brussels.brel@laj.be • laj.be • Ⓜ Botanique ou Madou. À l'angle nord-est du Pentagone. Réception 7h30-1h du mat. Pas de couvre-feu. Fermé la 2de quinzaine de déc. Nuitée 16,40-24 €/pers selon l'âge et le nombre de lits par dortoir (compter un peu plus pour les non-membres : 3 €), petit déj-buffet et draps compris. Également des chambres doubles. Internet et wifi gratuits. Auberge non-fumeurs. AJ officielle bien située, dans des locaux modernes. En tout, environ 170 lits en chambres irréprochables et assez spacieuses, de 2 à 14 lits, la plupart avec douches et toilettes communes. Tenue impeccable et accueil sympa. Bar agréable, où l'on sert toutes sortes de bières artisanales et de la petite restauration. Cuisine à disposition bien équipée. Si vous êtes un petit groupe, il y a aussi une sympathique piaule pour 8 personnes avec mezzanine. Le petit déj se prend dans une salle aux banquettes de style ferroviaire. Côté services : laverie, consigne à bagages. Table de ping-pong aussi et animation ponctuelle. Une AJ d'excellente qualité.

🏠 **2GO4 Hostel** (plan couleur II, D-E4, **14**) : bd Émile-Jacqmain, 99, 1000. ☎ 02-219-30-19. • info@2go4.be • 2go4.be • Ⓜ De Brouckère ou Rogier. Nuitée en dortoir 16-25 €, doubles avec sanitaires privés 50-65 € ; draps et café (le mat) compris. Internet gratuit. Dans le bas de la ville, en plein centre, une toute nouvelle AJ privée installée dans une grande maison de maître. Elle abrite, dans des pièces hautes de plafond, des dortoirs de 4 à 10 lits et des chambres privées pour 1, 2 ou 3 personnes. Petit salon coloré et design avec cheminée au rez-de-chaussée et mignonne salle à manger sous verrière. Cuisine équipée aussi. Un style un peu

différent de celui des autres AJ, mais tout est nickel et flambant neuf !

🏠 **Auberge de jeunesse Bruegel** (plan couleur III, H7, **12**) : rue du Saint-Esprit, 2, 1000. ☎ 02-511-04-36. • vjh.be • Réception ouv 7h-1h ; fermé 10h-14h pour nettoyage (mais possibilité d'arriver et de s'installer 10h-13h). Nuitée 18,60-34 € (un peu plus pour les non-membres), petit déj et draps compris. Parking fermé pour vélos et motos. Internet. Donne sur un boulevard (pas trop bruyant), entre la gare du Midi et la gare centrale (située à 600 m). Propose 135 lits répartis dans 48 chambres de 1 à 4 lits. L'avantage de cette auberge, c'est sa situation, assez idéale pour explorer la ville. À part ça, il s'agit d'une AJ qui remplit sa fonction, sans plus. Beaucoup de groupes et personnel plutôt néerlandophone. Repas simples et pas chers (9,10 €). Bagagerie et petit bar ouvert tous les jours dès 20h.

🏠 **Auberge de jeunesse « Génération Europe »** : rue de l'Éléphant, 4, 1080. ☎ 02-410-38-58. • brussels.europe@laj.be • laj.be • À l'ouest du Pentagone, à moins de 10 mn à pied du métro Comte-de-Flandres (25 mn depuis la Grand-Place). Réception ouv 7h-2h (mais pas de couvre-feu). Fermé 1er-20 janv et 1 sem mi-nov. Nuitée 18,50 € (en dortoir)-34 € (en chambre simple), petit déj et draps compris. Parking. Internet. AJ officielle plutôt calme mais un peu excentrée et dans un quartier pas folichon. Elle est installée dans une ancienne fonderie. 164 lits, répartis en chambres claires de 1 à 8 lits, toutes avec douche et toilettes. Les campeurs seront heureux d'apprendre qu'on peut planter sa tente dans le jardin. Bar-cafétéria, salon TV, petite cuisine pour les hôtes, terrasse, laverie, ping-pong, jeux de société. On préfère quand même les autres AJ, plus centrales.

De prix modérés à prix moyens

🏠 **Hôtel Europa** (plan couleur III, H9, **18**) : rue Berckmans, 102, 1060. ☎ 02-538-72-97. • hoteleuropa@wol.be • chez.com/hoteleuropa • Ⓜ Hôtel-des-Monnaies. Doubles 60-75 €. Parking payant. Wifi gratuit. Réduc de 5 % sur le prix de la chambre sur présentation de ce guide (si paiement en espè-

ces). Petit hôtel-pension près du quartier Louise. Escalier rose pâle, très épuré, peu de déco superflue, atmosphère claire. Les 8 chambres, bien tenues, sont avec toilettes et bains (une seule avec douche). Bon accueil d'un monsieur très charmant.

🏠 **Hôtel À la Grande Cloche** (plan couleur III, G7, **37**) : pl. Rouppe, 10, 1000. ☎ 02-512-61-40. ● info@hotelgrande cloche.com● hotelgrandecloche.com ● Ⓜ Anneessens. Doubles 72-90 € selon confort, beau petit déj-buffet compris. Parking aisé. Internet à la réception. À mi-chemin de la gare du Midi et du centre historique, l'hôtel donne sur une grande place, celle-là même où Verlaine tira sur Rimbaud dans une crise de jalousie... Aujourd'hui, il propose des chambres rénovées et dotées d'un confort tout à fait correct pour le prix, même si les moins chères partagent leurs sanitaires. À signaler, entre nous, que le rapport qualité-prix n'est plus aussi évident le week-end étant donné que À la Grande Cloche, à la différence des 3 et 4-étoiles, ne brade pas ses prix en fin de semaine. Quoi qu'il en soit, veillez à bien vous faire confirmer votre réservation par écrit. Accueil en dents de scie.

🏠 **Hôtel Galia** (plan couleur III, G8, **38**) : pl. du Jeu-de-Balle, 15-16, 1000. ☎ 02-502-42-43. ● hotel.galia@skynet.be ● ho telgalia.com ● Ⓜ Porte-de-Hal. Bus n° 48. À 10 mn de la gare du Midi. Attention, la réception ferme à 21h. Résas slt par e-mail. Doubles 75-85 €, mais, pour nos lecteurs, 65 €, petit déj-buffet compris. Sur demande, garage payant. Internet et wifi gratuits. En plein quartier des Marolles, le rendez-vous des amateurs de la chine. Attendez-vous à entendre de l'animation dès potron-minet, le marché aux puces de la place démarrant

dès 6h. Mais c'est à cette heure-là que l'on dégotte les bonnes affaires. Les chambres, bien insonorisées, n'ont pas de charme particulier mais sont bien tenues, confortables et avec salle de bains et TV. Demandez-en une qui donne sur la place, pour la vue bien sûr. Mais si vous voulez du calme, demandez-en une plutôt sur l'arrière. Bien belle salle de petit déj, dont les objets sont tous issus du marché aux puces voisin évidemment (jolie collection de jouets anciens sur le grand comptoir). D'ailleurs les brocanteurs matinaux viennent se joindre aux clients pour leur collation. Une vraie tranche d'authenticité bruxelloise ! Petit bémol, quelques problèmes de surréservations nous ont été signalés. À suivre...

🏠 **Hôtel La Vieille Lanterne** (plan couleur II, D6, **16**) : rue des Grands-Carmes, 29, 1000. ☎ 02-512-74-94. ● la vieillelanterne@hotmail.com ● lavieille lanterne.be ● Ⓜ Gare-Centrale ou Bourse. Situation intéressante, à portée du jet du Manneken-Pis (juste à l'opposé en fait). Doubles 81-98 €, petit déj (servi dans la chambre) compris. Wifi gratuit. Plutôt une petite pension qu'un véritable hôtel, tenue par une dame charmante : 6 chambres (2 par étage) dans une maison Renaissance au-dessus d'une boutique de souvenirs. Escalier raide et étroit mais chambrettes charmantes, à la déco un peu rustique, avec TV. Quartier animé donc bruits nocturnes possibles, surtout en été.

De prix moyens à chic

🏠 **Hôtel Noga** (plan couleur II, D5, **22**) : rue du Béguinage, 38, 1000. ☎ 02-218-67-63. ● info@nogahotel.com ● nogaho tel.com ● Ⓜ Sainte-Catherine. Doubles 85-135 €, petit déj-buffet compris. Garage payant. Réduc de 5 % si paiement en espèces. Ici, on est loin de l'actuel et du cadre standardisés de beaucoup d'hôtels bruxellois. Le patron, bordelais d'origine, passionné de mer et de bateaux, a réalisé un superbe décor marin dans les espaces communs... Il n'a rien laissé au hasard non plus pour que ses hôtes se sentent chez lui comme chez eux : on peut jouer du piano ou aux échecs, faire une partie de billard ou encore potasser des B.D.,

de vieux ouvrages ou la presse du jour. Les chambres, personnalisées, sont chaleureuses et confortables, avec leur mobilier choisi, TV, minibar, radio-réveil et literie Tréca. Et puis, quel plaisir, après une bonne nuit au calme, de se retrouver devant une petit déjeuner fait maison de A à Z, les oreilles bercées par de la bonne vieille chanson française, celle qu'on n'entend plus guère ailleurs !

🏠 **The White Hotel** (plan IV, M11, **40**) : av. Louise, 212, 1050. ☎ 02-644-29-29. ● info@thewhitehotel.be ● thewhite hotel.be ● Trams n° 81 ou 94. À mi-hauteur de l'av. Louise, presque à l'angle de la rue du Bailli. Double 125 € (95 € le w-e), petit déj compris. Pour les amateurs de design toujours, v'là un autre hôtel ! Dans un style un peu différent du *Monty* (voir plus loin), mais qui se défend très bien aussi : réception et salle de petit déj toutes blanches, un peu à l'image des chambres, à la déco évidemment très sobre mais bien réussie. Chacune possède, outre une TV à écran plat et tout le confort habituel, un objet design conçu par un artiste belge différent, ce qui fait de l'hôtel une véritable vitrine du design belge ! D'ailleurs, si l'un d'entre eux vous intéresse, ils sont tous repris sur un grand panneau au rez-de-chaussée... Dernière originalité de l'endroit : la location de petites motos... design, avec laquelle on vous remettra une liste des meilleurs magasins d'art... design de la capitale. On vous le disait, un hôtel pour les amateurs de design !

🏠 *Résidence Les Écrins (plan couleur II, D5, 19) :* rue du Rouleau, 15, 1000. ☎ 02-219-36-57. ● les.ecrins@ skynet.be ● lesecrins.com ● Ⓜ Sainte-Catherine. À deux pas de l'église Sainte-Catherine. *Double 90 €, petit déj compris. À noter, 1 chambre sans sanitaire 60 €. Wifi gratuit. Réduc de 10 % sur présentation de ce guide.* Au calme et au centre, près des charmants anciens quais, petit hôtel très bien tenu, aux chambres joliment rénovées, claires et confortables. 2 d'entre elles, l'une avec petit salon, l'autre avec une grande salle de bains, sont de fort belle taille. Bon accueil, bonne literie, atmosphère agréable ; bref, une sympathique adresse.

🏠 *Louise Hôtel (plan IV, L11, 41) :* rue Veydt, 40, 1000. ☎ 02-537-40-33. ● loui sehotel.com ● *Doubles 90-160 € selon occupation, mais le w-e, compter 70-80 € selon les promos, petit déj compris ; bien plus cher en sem évidemment. Les meilleures promos sont sur le Net. Wifi gratuit.* Établissement classique, bourgeois et un rien vieillot, aux chambres rénovées (pas toutes), fonctionnelles et sans charme particulier mais impeccables (écran plat, petite baignoire...). Les *cottages* donnent sur l'arrière, mais la rue est calme de toute manière. Un choix intéressant pour ceux qui veulent résider dans ce quartier un rien excentré, tranquille et un rien bobo.

🏠 *Hôtel Welcome (plan couleur II, D5,* 23) : *quai au Bois-à-Brûler, 23, 1000.* ☎ 02-219-95-46. ● info@brusselshotel. travel ● brusselshotel.travel ● Ⓜ Sainte-Catherine. *Doubles 120-140 €, petit déj compris. Également des suites 160-210 € et des chambres familiales pour 3-5 pers.* En quête d'un établissement qui sort du commun ? Stop ! N'allez pas plus loin, c'est à l'hôtel *Welcome* que ça se passe. Autrefois le plus petit hôtel de la ville, il a fait peau neuve et propose, depuis, une quinzaine de chambres rivalisant de charme et d'originalité, arrangées chacune dans le style d'une culture d'Europe, d'Afrique ou d'Asie. Toutes ont leur cachet propre, de l'« Indienne », avec sa double porte en vieux bois sculpté, à la « Chinoise », équipée d'une mezzanine et décorée d'une fresque de dragon, en passant par la « Savane », qui en jette avec sa peau de zèbre, sa moustiquaire et sa moquette mouchetée. On pourrait également citer la « Balinaise », la « Marocaine » ou la « Thaïlandaise », ou encore l'« Égyptienne » (superbe !), mais le mieux, bien sûr, est que vous veniez vous rendre compte par vous-même...

🏠 *Hôtel Rembrandt (plan couleur III, I9, 20) :* rue de la Concorde, 42, 1000. ☎ 02-512-71-39. ● rembrandt@brutele. be ● hotel-rembrandt.be ● Ⓜ Louise ou Porte-de-Namur. *Fermé en août et 20 déc-5 janv. Doubles 70-100 €, petit déj compris.* Petit hôtel familial et agréable, comme on en voit de moins en moins, à deux pas de la place Stéphanie. En tout, 12 chambres décorées à l'ancienne, toutes un peu différentes mais toutes fort bien tenues. Les moins chères avec douche seule (w-c sur le palier), les autres avec douche ou baignoire et w-c. Charme, discrétion, atmosphère accueillante, voilà comment résumer en quelques mots l'endroit. Le petit déj est servi au salon.

🏠 *Hôtel Opéra (plan couleur II, D6, 24) :* rue Grétry, 53, 1000. ☎ 02-219-43-43. ● reception@hotel-opera.be ● hotel-ope ra.be ● Ⓜ De Brouckère ou Bourse. *Double 110 €, petit déj-buffet compris. Wifi gratuit. Réduc de 10 % sur présentation de ce guide.* Adresse très centrale, dans une artère commerçante entre la Bourse et la Monnaie. Une cinquantaine de chambres confortables (coffre-fort et Internet sans fil), rénovées dans des tons chauds et agréables. Pas vraiment un coup de cœur, mais un rapport qualité-prix acceptable.

🏠 **Hôtel Saint-Michel** (plan couleur II, D6, 25) : Grand-Place, 15, 1000. ☎ 02-511-09-56. ● info@hotelsaintmichel.be ● hotelsaintmichel.be ● Ⓜ Gare-Centrale ou Bourse. Doubles 105-140 €, petit déj-buffet compris ; moins cher le w-e, en basse saison ou en cas de faible taux d'occupation. Parking payant à 2 mn à pied. Réduc de 10 % sur le prix de la chambre sur présentation de ce guide. Oui, vous avez bien lu, voici le seul hôtel de la Grand-Place. Alors on précise tout de suite, si vous venez ici, c'est pour avoir une chambre donnant sur celle-ci. Sinon, on ne voit pas vraiment l'intérêt, à part celui d'être logé en pleine ville. Comme par hasard, les chambres avec vue sont les plus chères, mais quelle félicité que de profiter le soir des éclairages de ce merveilleux théâtre architectural !

🏠 **Hôtel La Légende** (plan couleur II, D6, 39) : rue du Lombard, 35, 1000. ☎ 02-512-82-90. ● info@hotellalegende.com ● hotellalegende.com ● Ⓜ Gare-Centrale ou Bourse. Doubles 95-155 € selon standing ; un peu moins cher le w-e si on reste min 2 nuits. Également quelques suites pour 4 pers. Bien situé, entre la Grand-Place et le Manneken-Pis, cet établissement abrite des chambres modernes et fonctionnelles, aux tons chauds, avec parquet, boiseries claires et double vitrage. Prix un peu élevés mais justifiés, somme toute, par la situation et la qualité du lieu. Le petit déj est servi dans une superbe salle surplombant l'agréable petite cour intérieure.

🏠 **Hôtel Monty** (plan I, B2, 8) : bd Brand-Whitlock, 101, 1200. ☎ 02-734-56-36. ● info@monty-hotel.be ● monty-hotel.be ● Ⓜ Montgomery. Dans un quartier résidentiel un peu excentré, mais à deux pas d'une station de métro et pas trop loin des musées du Cinquantenaire. Double 149 € (99 € le w-e), petit déj compris. Internet gratuit dans les chambres. Réduc de 10 € sur présentation de ce guide. Derrière une superbe façade grise à bow-window, un concept innovant en Belgique : celui de l'hôtel design à taille humaine et à la déco épu-

rée composée de meubles et d'objets étonnants. La séduction s'opère dès la réception, au milieu des 3 pièces en enfilade modernisées par un joli contraste de couleurs corail-gris perle et rouge qu'on retrouve à tous les étages. Excellente literie. Certains objets ont été dessinés par Philippe Starck et d'autres participent d'un humour plus complète avec bonheur un réel sens de l'accueil. La vaste table centrale permet de prendre en commun un petit déj à la belge. Croissants, confitures, fromages, sirop de Liège, charcuteries, jus d'orange, fruits et pot de café fumant illustrent idéalement la convivialité à la bruxelloise, mais l'assortiment est moins complet qu'auparavant. Possibilité de location de vélos.

🏠 **Hôtel Arlequin** (plan couleur II, D6, 36) : rue de la Fourche, 17-19, 1000. ☎ 02-514-16-15. ● arlequin@florishotels.com ● arlequin.be ● Ⓜ Gare-Centrale ou Bourse. Dans la galerie qui relie la rue de la Fourche et la petite rue des Bouchers. Doubles 125-155 €, petit déj-buffet compris. Nombreuses promos sur Internet ; compter alors 85-105 € le w-e. Internet payant. En plein Îlot sacré, l'un des hôtels les plus centraux de la ville. Une bonne affaire le week-end car les chambres, de taille variable, sont plaisantes et confortables (TV, belle salle de bains). On prend le petit déj au « 7e ciel »... entendez la salle du dernier étage, qui offre à travers ses baies vitrées une vue assez unique sur l'hôtel de ville et les bâtiments du centre. Bar-disco (l'Athanor) au sous-sol.

🏠 **Hôtel Atlas** (plan couleur II, C5, 35) : rue du Vieux-Marché-aux-Grains, 30, 1000. ☎ 02-502-60-06. ● info@atlas.be ● atlas.be ● Ⓜ Bourse ou Sainte-Catherine. Double 139 € en sem, voire 250 € en période de foires et salons, 85 € le w-e et 75 € en juil-août (ne pas hésiter à aller voir leurs promos sur le site). Dans le quartier branché de la rue Antoine-Dansaert, mais donnant sur une place très calme, idéalement situé donc ! Pour la petite histoire, la (tristoune) salle du petit déj, au sous-sol, contient un bon bout de muraille de la première enceinte. À part ça, il s'agit d'un hôtel assez standardisé, moderne et fonctionnel avant tout, offrant des chambres tout confort (minibar, sèche-cheveux) mais sans aucun charme. Intéressant seulement si l'on peut bénéficier du tarif week-end et basse saison. Excellent accueil.

🛏 **Hôtel Floris Ustel Midi** (hors plan couleur III par G7-8, **27**) : sq. de l'Aviation, 6-8, 1070. ☎ 02-520-60-53. ● reservations@florishotels.com ● florishotels.com ● Ⓜ Gare-du-Midi. Doubles 75-275 €, petit déj compris. Nombreuses promos sur Internet ; compter alors 120 € env en période creuse (ou si vous réservez à l'avance), voire 64 € le w-e. Cet hôtel est bien et mal situé à la fois : à 5 mn à pied de la gare du Midi, c'est une adresse indéniablement pratique quand on déboule de Paris. Mais le quartier, dévolu à la confection en gros, craint un peu : le boulevard du Midi n'a rien d'excitant (2 x 3 voies) et le coin en lui-même est assez déglingué. Cela dit, cet hôtel de clientèle d'affaires, au petit luxe rassurant, peut se révéler attractif une fois le week-end venu, lorsque vous bénéficierez, vous lecteurs, de tarifs disons... préférentiels. En semaine, on vous le conseille moins. Jardin intérieur où, jadis, coulait la Senne, et gravures du vieux Bruxelles dans la salle du petit déj. En annexe : resto-brasserie *La Grande Écluse* (assez cher), installé dans le joli décor d'un ancien bâtiment industriel du XIXᵉ s. Cuisine de bistrot tendance méditerranéenne.

🛏 **Hôtel Argus** (plan couleur III, I8-9, **17**) : rue Capitaine-Crespel, 6, 1050.

☎ 02-514-07-70. ● reception@hotel-argus.be ● hotel-argus.be ● Ⓜ Louise. Double 135 € en principe, le we, tarif généralement à 75 €, petit déj compris. Par ailleurs, promos régulières sur Internet à 65 € pour 2. De plus, promotions à certaines périodes. Parking privé payant. Wifi gratuit. Une entrée au musée Horta offerte sur présentation de ce guide. Bien placé, dans le quartier Louise, zone commerçante du haut de la ville pleine d'animation pendant la journée. Cher en semaine, ce petit hôtel se révèle nettement plus abordable le week-end et carrément intéressant en été, lorsque ses tarifs baissent encore. Bref, c'est surtout pour les week-ends et en été qu'on le recommande. Chambres impeccables, surtout fonctionnelles (TV, minibar) et sobrement décorées, dans les tons gris et noir (un peu tristoune). Préférez celles donnant sur la rue, un peu plus lumineuses.

🛏 **Hôtel du Congrès** (plan couleur II, F5, **30**) : rue du Congrès, 42, 1000. ☎ 02-217-18-90. ● hotelducongres.be ● Compter 120 € en sem, mais 80 € en moyenne le w-e, tarif qui descend parfois autour de 60 € en cas de très faible taux d'occupation ! Et c'est là que ça devient très intéressant. Wifi. Une bonne affaire donc que cet hôtel d'hommes du même nom (hommes d'affaires quoi !), pour qui sait choisir ces périodes. Style moderne épuré, dans les tons gris avec quelques plafonds anciens bien préservés. Très bon confort.

Très chic

🛏 **Hôtel Le XVIIᵉ** (plan couleur II, D-E6, **29**) : rue de la Madeleine, 25, 1000. ☎ 02-517-17-17. ● info@ledixseptieme.be ● ledixseptieme.be ● Ⓜ Gare-Centrale. À un jet de pierre de la Grand-Place. Double 200 €, petit déj en sus ; suites 270-430 €. Tarifs promotionnels (incluant le petit déj) le w-e, et jusqu'à 50 % de réduc en été et autour des vac de Noël. Un des seuls vrais hôtels de charme de la capitale belge. L'élégance feutrée et l'excellence hôtelière dans l'ancienne résidence d'un ambassadeur d'Espagne. Très beau hall d'entrée et chambres très bien arrangées, meublées à l'ancienne pour la plupart. Certaines sont pourvues d'une terrasse

avec vue sur la flèche de l'hôtel de ville. Cour intérieure et calme absolu au cœur même de la cité. Accueil exceptionnel et confort maximal garanti, à des prix bien évidemment en rapport avec les grandes qualités du lieu. Pour nos lecteurs très, très à l'aise dans leur budget ou tout simplement tentés de se payer une petite folie... un peu adoucie le week-end (mais déjà plus en basse saison) par des tarifs spéciaux.

🛏 **Pacific Café-Hôtel** (plan couleur II, C-D5, **21**) : rue Antoine-Dansaert, 57, 1000. ☎ 02-213-00-80. ● info@hotelcafepacific.com ● hotelcafepacific.com ● Ⓜ Bourse. Doubles 179-199 € selon confort, petit déj compris ; moins cher

BRUXELLES

le w-e. Un des petits derniers sur la longue liste des hôtels design de Bruxelles. L'un des plus réussis aussi. Avec un confort douillet, un design cosy et chaleureux, le charme n'a pas cédé devant la modernité. Vieille maison oblige, les chambres sont de petits volumes et la rénovation n'y a rien changé. Elle a su en revanche jouer avec cette contrainte en cloisonnant l'espace à l'aide de rideaux et faire participer la salle de bains à la vie de la chambre. On aime bien celles sous les toits, jouissant d'une vue panoramique sur Bruxelles (assez magique le soir !). La duplex est évidemment la plus spacieuse et n'est finalement pas beaucoup plus chère que les standard. Toutes sont en tout cas dotées d'un confort haut de gamme (clim', wifi, écran plat...) et même de doux peignoirs, signés Mia Zia comme tout le linge de l'hôtel.

▲ *Hôtel Orts* (plan couleur II, D6, **34**) : rue Orts, 38-40, 1000. ☎ 02-517-07-17. • info@hotelorts.com • hotelorts. com • Ⓜ Bourse. Doubles 150-300 € (120 € le w-e). Entre la Bourse et Saint-Géry, difficile de faire plus central. Ajouter à cela un prix abordable le week-end et voilà un hôtel hautement recommandable pour ceux qui cherchent à se loger en catégorie « Plus chic » sans pour autant exploser leur budget. Ce bel immeuble du XIXᵉ s a été entièrement rénové et offre une poignée de chambres décorées par la maison Flamant. Résultat, des tons gris poudré et chocolat, de belles matières, un confort contemporain, un mobilier élégant et intemporel... Une certaine idée du luxe et du raffinement, sans fausse note. Évidemment, le quartier est assez vivant, mieux vaut dormir avec les fenêtres fermées.

▲ *Hôtel Bloom* (plan couleur II, F4, **26**) : rue Royale, 250, 1210. ☎ 02-220-66-11. • info@hotelbloom.com • hotel bloom.com • Ⓜ Botanique. Doubles à partir de 160 € en sem et 80 € le w-e (on n'ose pas vous donner le prix des suites !) ; petit déj 25 €/pers. Mais promos à surveiller sur Internet à 115 €/nuit, voire 80 € ! Difficile d'imaginer façade plus laide, plus triste que celle de ce grand hôtel de 305 chambres. Heureusement, l'intérieur a été entièrement rénové et la nouvelle direction a eu la brillante idée de faire appel à de jeunes artistes pour décorer les chambres. Ceux-ci ont reçu carte blanche et ont ainsi pu laisser libre cours à leur imagination. Résultat, chaque chambre est unique. Effet garanti ! Évidemment, mieux vaut aimer le design et l'art contemporain. On appréciera aussi que les chambres soient si spacieuses et si confortables. Très lumineuses, certaines ont même vue sur les serres du Jardin botanique. Les prix sont, certes, (très) élevés mais, comme toujours, l'hôtel casse ses prix le week-end.

▲ *Hôtel Manos Stéphanie* (plan couleur III, I9, **28**) : chaussée de Charleroi, 28, 1060. ☎ 02-539-02-50. • stay@ma nosstephanie.com• manoshotel.com • Ⓜ Louise. Double 325 € (155 € le w-e !), petit déj et champagne compris ! À ce tarif, vous faites vraiment une bonne affaire, car non seulement vous êtes dans un hôtel 4 étoiles, mais un 4-étoiles de charme ! Derrière une mignonne façade ornée de plantes vertes, une quarantaine de chambres très confortables et arrangées avec goût, dans le style classique, avec du mobilier patiné et des couvre-lits assortis aux tentures. Le reste est à l'avenant, du hall d'entrée plein de marbrures à la salle sous verrière du petit déj. Bon accueil, vraiment une adresse de classe, à ne pas confondre avec son grand frère, l'*Hôtel Manos*, situé un peu plus loin sur la chaussée, très bien aussi mais encore plus cher !

Où manger ?

Bruxelles, mode d'emploi

L'extension démographique de Bruxelles vers les banlieues vertes fait que l'on trouve beaucoup d'excellents restaurants et bars originaux dans les communes périphériques : à Uccle, Ixelles, Boitsfort, Auderghem et Woluwé, par exemple. On ne vous les indiquera pas, tout simplement parce qu'ils sont un peu loin du centre, pas nécessairement faciles à trouver quand on ne connaît pas la ville et qu'ils posent le problème du retour le soir, lorsque les transports en commun ont cessé de fonctionner. Dès lors, nos suggestions se limiteront, un rien arbitrairement on vous l'accorde, au Pentagone et aux abords immédiats des sites à visiter. Mais bon, vous verrez, il y en a déjà bien assez comme ça de ce côté-là.

À Bruxelles, pas de problème pour manger sur le pouce pas cher. Dans les rues aboutissant à la Grand-Place, les snacks insipides sont légion mais on trouve aussi plein de troquets et de petits restos (que nous vous indiquons) qui vont bien au-delà de la simple mangeaille. De même, pas mal de cafés proposent, à l'instar des *eetcafees* flamands, une carte simple et nourrissante. Certains d'entre eux vous seront signalés.

Il faut aussi bien avoir en tête que, dans cette ville, même les bons (voire très bons) restos, chers le soir, proposent souvent le midi, du lundi au vendredi, un plat du jour bon marché. Il ne s'agit pas d'un menu comme en France mais juste d'un plat, en général assez copieux, cela dit, pour rassasier comme il faut. Donc le midi, vive le plat du jour, même dans un resto huppé (qu'on pourra alors ranger dans la catégorie « Pas cher » ou « Prix modérés » et remettre dans « Plus chic » pour le soir).

Petite digression multiethnique

Ville très cosmopolite, Bruxelles offre un bel échantillonnage des différentes cuisines du globe avec toutes sortes de restos étrangers disséminés un peu partout dans l'agglomération... Sans parler des italiens et des grecs, qu'on trouve dans toutes les communes, certaines nationalités sont mieux représentées dans certains quartiers que d'autres. Ainsi, si vous voulez manger un couscous, par exemple, c'est plutôt près de la porte de Hal *(plan couleur III, G9)* qu'il faut aller, plus précisément rue de Moscou, située à 250 m de là, au *Jugurtha,* par exemple. Près de là, rue Haute, un bouquet de petits restaurants espagnols, avec par exemple la *Villa Rosa* (aux n°s 393-395).

Les restos chinois et vietnamiens, eux, sont bien sûr légion mais la rue Van Praet *(plan couleur II, C-D6),* qui part de la Bourse, en concentre un bon petit nombre, corrects pour la plupart. Pour manger indien, aucun problème non plus, mais autant savoir que le quartier de Matongé (où vivent les communautés africaine et indo-pakistanaise de Bruxelles) en réunit quelques-uns. Dans ce même quartier, beaucoup de restos africains aussi, mais si vous optez pour ce genre de cuisine, ne vous engouffrez pas nécessairement dans le premier venu car les normes d'hygiène n'y sont pas toujours respectées.

Quant au quartier Saint-Boniface *(plan couleur III, J9),* on y trouve quantité de petits restos sympas, de tous les horizons, à tous les prix. Pas mal de terrasses aux beaux jours...

Spécial petites bourses et repas sur le pouce

De-ci, de-là, des *marchands ambulants* d'escargots de mer appelés *caricoles* (en fait des bulots) proposent des barquettes de ces gros mollusques cuits au bouillon (et servis chauds), parfois accompagnés d'un verre de vin blanc. Très bruxellois, bien que les bulots viennent de... Bretagne. Malheureusement, comme les vendeurs de marrons chauds à Paris, la tradition perd du terrain. On en trouve encore place De Brouckère, devant la Bourse, et aussi, le week-end, à l'angle de la rue Haute et de la rue des Renards *(plan couleur III, H8).*

Friteries (parfois appelées « fritures » en Belgique ou « fritkot » en bruxellois)

Impossible, ou presque, d'y échapper ! Non, les Belges ne mangent pas des frites tous les jours. Cela dit, ils sont quand même fiers de leurs baraques à frites et, à toute heure, il peut y avoir la queue devant les meilleures. Quelques adresses :

➢ **Maison Antoine** (plan I, B2) : pl. Jourdan. ☎ 230-54-56. ● maisonantoine@skynet.de ● Non loin du Parlement européen et du muséum des Sciences naturelles. Tlj 11h30-1h (2h le w-e). Baraque à frites pas facile à repérer le dimanche matin au milieu du marché local. Considérée (il y a plus de 10 ans), comme la meilleure par les médias belges et même par le New York Times, qui lui a attribué « the best frites of the world ». D'excellentes frites en tout cas, super croquantes et cuites à l'ancienne, dans la graisse de bœuf (ce qui explique aussi le prix, un chouia plus élevé qu'ailleurs). Comme d'hab', en plus des frites servies en cornet de papier, comme l'exige la tradition, on peut commander une brochette, une fricadelle ou un sandwich, agrémentés de torrents de sauces (la tartare est faite maison) et déguster le tout avec une bière à la terrasse d'un des cafés du coin. Certains trouvent que la qualité a baissé, de même que l'accueil, d'autres y restent fidèles... à vous de juger !

➢ **Friture de la Chapelle** (plan couleur III, H7) : pl. de la Chapelle, tiens ! À deux pas du Sablon. Ouv tlj jusqu'à 22h. Tout simplement d'excellentes frites, épaisses et bien croquantes, comme on les aime.

➢ **Frit Flagey** (plan IV, M11) : pl. Flagey, à Ixelles. En face du Café Belga. Tlj sf lun 11h30-minuit. Fermé en juil. Ici encore, il y a toujours du monde.

Cafés-snacks et petits restos pas trop chers

Outre les snacks et les cafés où l'on sert à manger, les Bruxellois ont mis à la mode les pitas, poches de pain fourrées d'un tas de trucs, viande, légumes... Les gargotes et petits restos grecs ou arabes des abords de la Grand-Place (notamment rue du Marché-aux-Fromages ; plan couleur II, D6) en servent à emporter. Simple, bon, pas cher et... extrêmement bruxellois. De même, on peut s'improviser un en-cas tout simplement convivial et délicieux en s'arrêtant dans une des poissonneries de la place Sainte-Catherine (notamment La Mer du Nord – Nordzee). On y trouve des croquettes de crevettes, des soupes de poissons ou des assiettes de coquillages, à accompagner d'une petite mousse ou d'un petit blanc bien frais.

Autre spécialité locale : la mitraillette, une baguette que l'on fourre – en vrac – de viande, salade, tomates, sauce au choix et... frites. De quoi caler sans problème le plus exigeant des estomacs normalement constitués.

➢ **Viva m'Boma** (plan couleur II, C5, 55) : rue de Flandre, 17, 1000. ☎ 02-512-15-93. Fermé lun soir, mar soir, mer et dim. Congés : début janv, la 1re sem des vac de Pâques et 2-19 août. Compter 3,50 €. Des sandwichs préparés à la demande, généreusement fourrés et garnis, tous plus colorés et gourmands les uns que les autres. De la gastronomie à petits prix. Rien de vraiment étonnant quand on sait qu'au fond de la boutique se trouve une merveille de resto (voir plus loin).

➢ **Au Suisse – Maison Scheggia-Togni** (plan couleur II, D6, 73) : bd Anspach, 73-75, 1000. ☎ 02-512-95-89. ● info@ausuisse.be ● Tlj sf dim et j. fériés 10h-18h. Compter 3-4 €. Une institution en matière de sandwich ! Décor rétro à souhait, avec son snack à l'américaine, ses stucs, ses marbres et ses hauts tabourets alignés le long du comptoir. Tout en faisant la queue, on a – largement – le temps de choisir son pain, puis sa garniture : viandes froides, anchois, macédoine de légumes, boulettes, saucisses... Sur place ou à emporter. Populaire et intemporel, comme on aime.

➢ **EXKI** (plan couleur III, I-J8, 57) : chaussée d'Ixelles, 12, 1050. ☎ 02-502-72-77. ● portedenamur@exki.be ● Tlj sf dim 8h-22h. Compter 2-6,75 €. « Restauration rapide de qualité », peut-on lire sur la vitrine. Et c'est vrai ! Grand choix (sous vide mais tout frais du jour) de sandwichs, salades, soupes, jus de fruits mais aussi des petits plats de pâtes ou des tartes aux légumes. Les produits sont bio, issus du commerce équitable dans la mesure du possible et plutôt diététiques. Pour exemple, beurre et mayonnaise ont été bannis mais les tartines ne sont pas tristes pour autant. Au contraire, on se régale de petits pains spéciaux beurrés à la tapenade ou au caviar de tomates séchées et l'on découvre toutes sortes de recettes originales ! Self-service, on paye à la caisse et on va s'installer avec son plateau. Bon à savoir, les prix sont cassés en fin de journée car il faut faire de la place pour le lendemain. D'autres adresses en ville, notamment place De Brouckère, 14 *(plan couleur II, D5)*, rue Neuve, 78 *(plan couleur II, D5)*, rue du Marché-aux-Herbes, 93 *(plan couleur II, D6)* et à la gare du Midi.

📍🍴 **Le Pain Quotidien** *(plan couleur III, I8, 86)* : rue des Sablons, 11, 1000. ☎ 02-513-51-54. Tlj 7h30 (8h le w-e)-19h. Tartines 5-9 €, salade env 12 €. *Également des suggestions du jour.* Peut-être avez-vous déjà entendu ce nom, car, en fait, des *Pain Quotidien*, il y en a 9 autres à Bruxelles, mais aussi à Paris, New York, Los Angeles, Beyrouth, Moscou... et on en passe (84 en tout dans le monde). Bref, il s'agit d'une boulangerie-restaurant qui s'est multipliée (comme des petits pains !) dans toute la Belgique et au-delà tellement la formule a marché. Le concept est toujours le même : un rayon boulangerie (proposant divers types de pain, de la viennoiserie et des produits artisanaux) prolongé par une partie restaurant très agréablement aménagée de bois naturel. On y savoure (à une grande table ou à des petites tables individuelles) de bons petit déj mais aussi, sur le coup de midi, d'excellentes tartines, des salades et autres suggestions quotidiennes affichées au tableau noir. Devenu une véritable institution, l'endroit a inévitablement perdu un peu de son attrait initial mais nous, on aime quand même toujours et on continue à le recommander chaudement... D'autres « pain kot » (c'est comme ça qu'on les appelle ici) du centre se trouvent au 16, rue Antoine-Dansaert *(plan couleur II, D5-6, à côté du 114)* et au 124, avenue Louise *(plan couleur III, I9, 36)*.

🍴 **Épicerie de la Senne** *(plan couleur II, D6, 80)* : rue de Bon-Secours, 4, 1000. ☎ 02-502-24-26. • epiceriefine delasenne@skynet.be • Mar-sam 9h-18h ; service 12h-15h30 (ouv également pour le petit déj). Fermé 1er-15 août. Compter 10-20 €. Quelques tables à peine. Idéal pour déjeuner au calme, dans un endroit des plus agréable. Il s'agit en fait d'une épicerie fine proposant de bons petits plats à consommer sur place ou à emporter. Au menu, affiché sur une ardoise, du bon, du sain et du léger : soupes, quiches, pâtes, assiette d'*antipasti*, plats du jour et excellents sandwichs.

🍴 **Arcadi Café** *(plan couleur II, E6, 87)* : rue d'Arenberg, 1 B, 1000. ☎ 02-511-33-43. Tlj 7h-23h30, service non-stop. Plats 6,50-9,50 €. Tout au bout de la galerie Saint-Hubert, un endroit sympa pour un bon plat du jour et de fort bonnes tartes aux légumes (la spécialité). Sinon, crêpes farcies, salades, nouilles sautées, omelettes, sandwichs et pâtes en veux-tu, en voilà. L'*Arcadi* s'avère donc une bonne adresse à midi mais aussi dans l'après-midi car on y sert aussi de très bonnes tartes sucrées. Décor un poil rétro, avec de petites tables rondes et des murs chargés de vieilles photos. Un lieu convivial, attirant toujours du monde. Service un peu pressé en revanche. Quelques tables dans la galerie.

🍴 **La Mer du Nord** *(plan couleur II, D5, 82)* : rue Sainte-Catherine, 45, 1000. ☎ 02-513-11-92. Poissonnerie ouv tlj sf dim-lun 8h-18h. Le bar à poissons à l'extérieur est ouv mar-jeu 10h-17h, ven-sam 10h-18h, dim 11h-20h. Petites portions 3,50-7 €. Cette poissonnerie-traiteur anime cette jolie place et propose un bar en inox en demi-cercle, où l'on se presse toute la journée pour profiter d'une bonne soupe de poissons et de chouettes petites tapas : on a aimé les *esprot* (petits harengs a la plancha), scampi, fritures de calamars, croquettes de crevettes. Avec un petit verre de blanc, ça rince bien le gosier autant que ça remplit la panse !

🍴 **Tapas Locas** *(plan couleur II, D6, 61)* : rue du Marché-au-Charbon, 74, 1000. ☎ 02-502-12-68. • nicolas_ge meau@hotmail.com • Ouv slt le soir. Fermé dim-mar et la 1re quinzaine d'août. Compter 10,50 € les 3 tapas. CB refusées. Liqueur offerte sur présentation de ce guide. Envie de manger sympa et pas cher ? Simple : le *Tapas Locas* ! On y grignote, souvent en bandes, de bonnes tapas dans une grande salle aux tons chauds avec cuisine bien en vue. Service souriant et addition plutôt légère à l'arrivée... Pourquoi, mais pourquoi se priver ?

🍴 🍷 **De Skieven Architek** *(plan cou-*

leur III, G8, **58**) : pl. du Jeu-de-Balle, 50, 1000. ☎ 02-514-43-69. Tlj 7h-19h. Plats 10-18 €. Derrière une façade couverte de lierre, un café-resto bruxellois pur jus, tenu par une gentille famille, où vous avez toutes les chances d'entendre parler le marollien (dialecte des Marolles) ! Le nom (« l'architecte tordu ») est une allusion moqueuse à Joseph Poelaert, constructeur du palais de justice, qui fit raser plus de 1 000 maisons pour ériger son « mammouth ». On y accueille les brocanteurs pour un petit déj fait de « couques », « matons » et autres tartelettes de riz, mais on peut tout aussi bien y venir en journée, prendre un pot ou s'envoyer leur fameux stoemp, le vrai (sic !), un chicon au gratin, un lapin grand-mère ou un autre plat typiquement belge à petit prix... Propose aussi des bières artisanales « maison », fermentées en tonneaux dans la région de Gand. Déco riante et sympa, avec, bien sûr, une grande fresque du palais de justice !

|●| Mano a Mano (plan couleur III, J8-9, **53**) : rue Saint-Boniface, 8, 1050. ☎ 02-502-08-01. ● fangomano@yahoo.fr ● Tlj sf midi sam-dim jusqu'à minuit. Plats 8-11 €. Carte env 25 €. Poussez la porte de ce petit restaurant italien, vous ne le regretterez pas ! Situé dans le haut de la ville, sur une placette animée bordée de restos branchés, il régale sa clientèle, depuis plusieurs années maintenant, de plats succulents, copieux et bon marché. Toujours des suggestions en plus de la carte mais, de toute façon, tout est bon, du pain, très frais, aux pizzas en passant par les plats de pâtes fumantes et même le vin de la maison, qui descend tout seul. Très bon accueil, service efficace et bonne ambiance... Aurait-on trouvé l'adresse parfaite ?

|●| Den Talurelekker (plan couleur II, F6, **81**) : rue de l'Enseignement, 25, 1000. ☎ 02-219-30-25. Tlj sf w-e 12h-14h, 18h-22h. Plat env 22 €. CB refusées. Café offert sur présentation de ce guide. Si vous êtes dans le coin à une heure de table (le musée de la B.D. n'est pas loin), une petite pause s'impose dans cet estaminet qui sert une bonne cuisine et, là encore, à des prix qu'on croyait révolus. Carte faisant la part belle aux spécialités belges : ballekes marolliennes, carbonades à la Gueuze,

vol-au-vent, plus, tous les jours, des suggestions à peine plus chères. Le tout dans une salle « à l'ancienne », avec des banquettes en bois, des lambris et le carrelage. Son curieux nom peut se traduire du bruxellois en « lécheur d'assiette », tout un programme. Quelques problèmes d'accueil cependant.

|●| Le Lotus bleu (plan couleur II, D6, **63**) : rue du Midi, 70, 1000. ☎ 02-502-62-99. ● admm@lotusbleu.be ● Tlj sf sam-dim midi 12h-14h30, 18h-22h30. Plat du jour env 5 € (6 € avec un potage) ; carte env 18 €. CB refusées. À deux pas de la Bourse et de la Grand-Place, ce petit resto vietnamien aux allures de snack sert un bon plat du jour, très copieux, pour le prix d'un bol de riz. La bonne adresse le midi pour les affamés sans le sou... Le soir, on tombe dans une tranche de prix plus habituelle.

|●| Meyboom (plan couleur II, E5, **91**) : rue des Sables, 39, 1000. ☎ 02-219-55-99. Ouv slt lun-ven 12h-14h. Fermé de mi-juil à mi-août. Plats de pâtes 7-9,70 €. Anthony et sa famille tiennent cette affaire depuis bien des années. La recette est ultra simple : 7 recettes de pâtes et pasta (... euh, non, basta !), servies dans des assiettes fumantes et hyper copieuses. Et la petite salle de ce bistrot à l'ancienne, avec ses boiseries et ses glaces biseautées est pleine à craquer tous les jours. Les plats existent en taille « normale » et en « géante ». Parfait après avoir visité le Centre belge de la B.D., situé juste en face.

|●| Les Brassins (plan couleur III, I9, **59**) : rue Keyenveld, 36, 1050. ☎ 02-512-69-99. ● lesbrassins.com ● Tlj sf dim midi ; service jusqu'à minuit, voire 1h le w-e, non-stop sam. Résa conseillée. Plat du jour 9 €, formule lunch 13,50 € ; plats 9-20 € ; CB refusées. Dans une rue un peu déserte parallèle à la chaussée d'Ixelles, une de ces adresses typiquement bruxelloises qui fait à la fois bar à bières et resto. Salles au plancher brut décorées de plaques émaillées anciennes. Suggestions de cuisine belge : soupes, stoemps, boulettes, carbonades, mais aussi pâtes et salades. C'est plutôt bon, pas trop cher, le service est souriant (à défaut d'être très rapide) et il y règne toujours une ambiance chaleureuse. Beaucoup d'habitués à midi et des bandes de jeunes en soirée.

|●| Au Passage de Milan (plan couleur III, I8, **64**) : bd de Waterloo, 31, 1050. ☎ 02-513-89-59. ● m.vdb@lepassagedemilan.be ● Sur l'un des boulevards qui ceinturent le Pentagone, à deux pas du Hilton. Tlj sf dim et j. fériés 12h-minuit. Fermé la 2de quinzaine d'août. Formule lunch soir et w-e 14,95 € ; petite restauration env 5 € et plats 10-18 €. Wifi gratuit. Apéro offert sur présentation de ce guide, à l'occasion d'un repas. Un lieu original aménagé dans les anciennes écuries du palais d'Egmont et qui regroupe un resto, une petite librairie d'art et un lieu d'expositions. L'endroit s'avère ne peut plus sympa pour son cadre clair et design, et tout aussi recommandable pour sa cuisine, légère et bien faite. Bonnes tartines en guise d'en-cas. Côté plats, surtout des salades, des pâtes et des assiettes composées mais cela change selon les saisons.

|●| Mam Mam (plan couleur II, D6, **61**) : rue du Marché-au-Charbon, 72, 1000. ☎ 02-502-00-76. Tlj sf dim midi et mar. Plat du jour env 8 € ; plats 10-18 €. À côté du Tapas Locas, un joli resto thaï. Salle soignée, contemporaine et plaisante avec ses murs de brique. En entrant, on est immédiatement mis en confiance par les délicates odeurs provenant de la cuisine. Et ça ne trompe pas, les plats sont riches en saveurs et réalisés avec raffinement. Accueil souriant. Une bonne adresse pour ceux qui veulent manger asiatique.

|●| Café Bebo (plan couleur III, G7, **94**) : av. de Stalingrad, 2, 1000. ☎ 02-514-71-11. ● cafebebo@skynet.be ● Tlj sf dim (sf en saison). Plat du jour 9 €. Grande baie vitrée ouverte sur l'avenue Stalingrad et la place Rouppe. Cet ancien lieu branché devenu une gentille petite adresse de quartier où l'on vous sert à toute heure un potage,

un plat du jour (lasagne, rôti de porc, goulash... que des plats belges !). Le gros avantage c'est qu'on y sert en continu. On n'y vient pas exprès, mais c'est parfait pour une petite grignotte si on loge dans les hôtels du quartier.

|●| Bocca d'Oro (plan couleur III, H7, **95**) : rue de Rollebeek, 15, 1000. ☎ 02-511-24-69. Ouv le midi mar-dim et le soir jeu-sam (19h-22h). Plats 10-12 €. Antipasti 12-14 €. Adresse discrète, tout en longueur, tenu par la même famille depuis plus de 20 ans. La formule est simple : antipasti, 5 ou 6 propositions de pâtes qui changent en fonction du marché et de l'humeur du chef. Les antiquaires et brocanteurs y ont leur rond de serviette, ce qui est bon signe. Un plat de pâtes et ça repart !

|●| Le Corbeau (plan couleur II, D-E5, **92**) : rue Saint-Michel, 18, 1000. ☎ 02-219-52-46. Tlj sf dim 11h30-22h (pour la cuisine). Ven-sam, bar ouv jusqu'à 4h ou 5h du mat. Petit plat simple 7 €. Les étudiants aiment à se donner rendez-vous dans ce grand bar bruyant et animé, où l'on se régale de spaghettis bolognaises ou d'un simple stoemp pour une petite poignée d'euros. Mais Le Corbeau est aussi, et presque avant tout, un bar, où des grappes de jeunes viennent boire de la bière, servie au litre. Bonne et chaude atmosphère.

|●| Easy Tempo (plan couleur III, H8, **93**) : rue Haute, 146, 1000. ☎ 02-513-54-40. Fermé dim soir et lun. Pâtes et pizzas essentiellement 9-16 €. Antipasti 12-14 €. Petit resto italien, tout en longueur, au beau décor de faïence rappelant que l'on est dans une ancienne pâtisserie. Pour la salle du fond, on a opté pour une déco moderne, dans des tonalités sombres et plus contemporaines. Une bonne adresse, notamment pour le domaine de la pâte : cannellonis onctueux et goûteux, raviolis du chef, pappardelle al ragù di manzo e peperoni. Cuisine ouverte sur la salle, toujours gage d'une impeccable hygiène.

De prix modérés à prix moyens

Un petit conseil, surtout si vous visitez les musées, pensez aux « cantines », restos et autres cafétérias de musées. La plupart offrent des formules lunch très attractives et permettent de souffler dans un cadre agréable. Nos préférées : celles du musée des Beaux-Arts, du Centre belge de la bande dessinée, du musée des Instruments de musique, du musée d'Art et d'Histoire (pour plus de détails, se reporter aux textes concernant les musées). Elles sont évidemment accessibles même à ceux qui ne font pas la visite.

BRUXELLES

|●| *Fin de Siècle* (plan couleur II, C-D5-6, **50**) : rue des Chartreux, 9, 1000. ☎ 02-512-51-23. Tlj 16h30 (18h pour la cuisine)-1h. Plats 10-13 €. Juste à côté de la *Tavern Greenwich* (voir plus bas « Où boire un verre et rencontrer des Bruxellois(es) ? »), cette grande salle à la déco brute, un peu bruyante quand il y a du monde, recèle une belle verrière Art nouveau. Il s'y distille une atmosphère populaire et joyeuse de *stamcafé* (troquet d'habitués) où la Pils se paie toujours à un prix plancher et où l'on peut indifféremment siroter un verre en parcourant la presse ou commander l'une des suggestions du tableau noir. Cuisine de grand-mère, copieuse (jambonneau moutarde, lapin à la Kriek), avec quelques échappées méditerranéennes ou exotiques. Petits desserts tout simples et vins joliment choisis. Incomparable chocolat chaud. Service virevoltant et facétieux, jamais débordé malgré l'affluence. Clientèle très mélangée de jeunes et de touristes qui explorent les abords de ce quartier dans le vent. Le week-end, s'attendre à faire la queue ! En face, au coin de la rue Van Artevelde et de la rue des Chartreux, une annexe (le *9 et Voisins*) propose une cuisine similaire et offre l'avantage d'être ouvert à midi.

|●| *'t Kelderke* (plan couleur II, D6, **88**) : Grand-Place, 15, 1000. ☎ 02-513-73-44. • kelderke@atgp.be • Tlj 12h-00h30 (2h, jeu, ven et sam). Formule du jour 8,90 €, plats à la carte 10-26,50 €. Installé au sous-sol de la plus grande « maison » de la Grand-Place, *'t Kelderke*, belle cave voûtée avec ses arceaux de pierre, est un rendez-vous traditionnel des employés de bureau du quartier qui y viennent boulotter le plat du jour à midi (poisson en sauce, carbonade flamande, boudin « entre ciel et terre »...). Le soir, s'attendre à une addition plus élevée : on slalome sur une carte 100 % belgo-belge, où prédominent les incontournables croquettes de crevettes grises, *stoemps*-saucisses de campagne, lapin à la Gueuze et gaufres de Bruxelles. Très touristique évidemment, limite folklorique. Résultat, c'est souvent bondé, il faut donc attendre qu'une place se libère, ce qui peut parfois prendre du temps.

|●| *Raconte-moi des Salades* (plan IV, L12, **98**) : pl. du Châtelain, 19, 1050. ☎ 02-534-27-27. • info@racontemoides salades.com • Tlj sf dim, midi et soir (sur résa le soir, car souvent complet). Plats 11-20 €. CB acceptées à partir de 25 €. Si vous faites le circuit Art nouveau, n'hésitez pas à faire une petite pause dans ce resto. On peut y déjeuner sur le pouce d'une salade, d'une soupe ou du plat du jour. Ambiance plus intime le soir. La carte affiche une trentaine de salades différentes, préparées avec brio et servies dans une salle plaisante à la déco au brin baroque. Mais on trouve tout autant de pâtes, de tartares et de carpaccios, avec, là encore, des préparations pour le moins originales. Autre adresse à quelques rues de là : chaussée de Waterloo, 559 (☎ 02-345-35-25).

|●| *Café du Vaudeville* (plan couleur II, E6, **46**) : galerie de la Reine, 11, 1000. ☎ 02-511-23-45. • info@cafeduvaude ville.be • Tlj 10h-minuit (20h dim). Lunch 12,50 € ; carte env 30 €. Wifi gratuit. Café offert sur présentation de ce guide. Ici, on prend place, au choix, à la terrasse donnant sur les boutiques chic de la galerie ou à l'étage, dans une agréable salle d'inspiration un peu « magrittienne », avec des fenêtres en demi-cercle au ras du plancher. Bonne cuisine à prix justifiés (choix de salades, boulettes aux chicons, tian de boudin aux pommes...). Pour les fauchés, la maison a aussi prévu une petite restauration, comme les quiches, qui reposent derrière un comptoir vitré, ou le cornet de frites en métal (le cornet, pas les frites)... Très bien aussi pour une crêpe, tarte ou gaufre sur le coup de 16h, en 2 visites.

|●| *Viva m'Boma* (plan couleur II, C5, **55**) : rue de Flandre, 17, 1000. ☎ 02-512-15-93. Fermé lun soir, mar soir, mer et dim. Carte 23-32 €. Adresse un peu secrète, à l'arrière d'une petite épicerie qui fait des sandwichs en journée (voir plus haut). N'hésitez pas à pousser la

porte mais, attention, le soir, très peu de chances d'y trouver de la place sans réservation ! Toujours du monde en effet, dans une salle pas bien grande et sans fenêtres, aux murs blancs carrelés, avec des banquettes et des tables de bistrot. La raison de ce succès est simple : on y mange fort bien, copieusement et à des prix serrés. Une cuisine belgo-bruxelloise bien mitonnée et parfois surprenante puisque, outre les traditionnels vol-au-vent, boulettes, carbonade et waterzoi, on peut s'essayer à des plats plus rares comme la cervelle meunière, l'os à moelle, la langue d'agneau ou même le pis de vache, le tout éventuellement accompagné d'excellentes frites maison. Incontestablement une de nos meilleures adresses.

|●| *Le Pré Salé* (plan couleur II, C5, **84**) : rue de Flandre, 20, 1000. ☎ 02-513-65-45. Tlj sf lun-mar 12h-14h30, 18h30-22h30. Fermé 2 sem fin juin-début juil. Résa conseillée. Menu 35 €, sinon carte. Café offert sur présentation de ce guide. Plus *brusseleir*, tu meurs ! Décor de boucherie revisité (dont une partie, d'ailleurs, est classée) avec carreaux de faïence, banquettes, cuisine ouverte sur la salle. Le temple de la croquette de crevettes, des rognons de veau à la moutarde, du lapin à la flamande mais surtout des grosses moules charnues en saison, grande spécialité de la maison. Ici, en effet, on ne sert que la Golden, la Rolls des moules de Zélande.

|●| *Le Volle Gas* (plan couleur III, J9, **65**) : pl. Fernand-Cocq, 21, 1050. ☎ 02-502-89-17. ● vollegas@skynet.be ● Ouv (pour manger) tlj sf dim midi 12h-15h, 18h-minuit. Plats 9,50-23,50 €. Digestif offert sur présentation de ce guide. Traduction du nom : « Plein Tube ». Au cœur d'Ixelles, sur une place jolie et vivante, LE bistrot bruxellois par excellence. Version un peu chic avec ses banquettes en bois sombre surmontées de miroirs, ses petites tables en marbre, ses publicités rétro et son joli poêle de faïence en guise de dressoir. Prix toutefois démocratiques et carte autochtone vraie de vraie : *stoemps* (potées), waterzoi, lapin à la Kriek, lotte poêlée aux poireaux, *ballekes* à la marollienne, entrecôte *Volle Gas*, américain fait en salle et moules en saison.

Quelques petits ratés parfois mais, en général, c'est bon et bien réalisé. Et puis l'ambiance est bon enfant, surtout les 2 samedis par mois où il y a du jazz.

|●| *Ma Folle de Sœur* (plan couleur III, I9, **70**) : chaussée de Charleroi, 53, 1060. ☎ 02-538-22-39. Tlj sf sam midi et dim. Fermé 3 sem en août. Lunch 14,10 €, carte 26-40 €. Apéro offert sur présentation de ce guide. Cadre sans prétention, ce qui n'a pas l'air de perturber la nombreuse clientèle venue boulotter une gentille petite cuisine locale, bien maîtrisée. Carte évolutive : lapin à la Kriek, magret aux pommes, entrecôte grillée au gros sel... Sans oublier les suggestions affichées sur un tableau noir derrière le comptoir. Ça manque parfois un peu d'audace mais c'est sans fausse note et d'une belle régularité.

|●| *La Clef des Champs* (plan couleur III, H7, **96**) : rue de Rollebeek, 23, 1000. ☎ 02-512-11-93. ● cledeschamps.be ● Fermé dim soir et lun. À midi en sem, menu campagnard 19 € (16 € entrée-plat ou plat-dessert). À noter le menu du soir, mar-jeu, 20 € ; une affaire ! Sinon, menus des champs et menu des villes 33,50-44 €. Une jolie petite bonbonnière tout en longueur, parée de rose et de pourpre, pour profiter de ses bons déjeuners et surtout de ses dîners en semaine. Cuisine assez classique, à cheval entre la Belgique et la France. Un bon rapport qualité-prix. À la carte, les tarifs s'envolent un peu.

|●| *In 't Spinnekopke* (plan couleur II, C6, **54**) : pl. du Jardin-aux-Fleurs, 1, 1000. ☎ 02-511-86-95. ● info@spinnekopke.be ● Tlj sf sam midi, dim et j. fériés 11h-15h, 18h-23h (minuit ven-sam). Plat du jour 9,80 € ; à la carte, plats 15-30 €. Bien calée depuis le XVIIIe s en contrebas du trottoir, cette « petite tête d'araignée », sise dans une charmante maison fleurie et champêtre, a su patiemment tisser sa toile pour attirer à elle bourgeois et petit peuple, autour d'une cuisine belgo-belge... Elle connaît parfois quelques ratés mais reste, dans l'ensemble, un classique du circuit culinaire bruxellois, tout au moins pour les touristes car il faut avouer que les autochtones s'y font de plus en plus rares. Les prix, le service et l'ambiance s'en ressentent, dommage... Plat du jour dont les petites bourses se feront

un devoir de tirer parti. Sinon, anguilles au vert, lapin à la Gueuze, carbonade au lambic, waterzoi du pêcheur, coq *Spinnekopke*... Ici, c'est le royaume du parler *brusseleir* un tantinet moqueur mais, heureusement, la carte est traduite en français. Préférez la salle de droite, façon « chez ma grand-tante », aux autres, revues à la sauce bourgeoise. Terrasse comme sur la place du village aux beaux jours.

|●| *L'Entrée des Artistes* (plan couleur III, H7, *76*) : pl. du Grand-Sablon, 42, 1000. ☎ 02-502-31-61. Tlj 12h-15h, 18h-minuit (sf ven et w-e 12h-minuit non stop). Fermé 1re quinzaine de juil. Formule lunch 13,50 €, menu 24,90 €, carte env 32 €. Wifi gratuit. Un incontournable du quartier du Sablon. Décor de brasserie, long comptoir avec immense miroir, lustre vénitien. Les murs sont parsemés des photos de vedettes du 7e art. Un escalier monumental mène à la salle de l'étage. Cuisine belgo-française avec quelques touches résolument noir-jaune-rouge : la tomate-crevettes, les croquettes de crevettes grises, les moules en saison, les chicons au gratin, l'américain-frites, le cuissot de lapin à la Kriek, les rognons de veau liégeoise et un excellent tiramisù aux *speculoos*. Vous pouvez bien sûr vous promener dans une carte des vins assez éclectique mais rappelez-vous que la plupart des plats énumérés s'accompagnent idéalement d'une bière. Clientèle de passage plutôt que d'habitués.

|●| *Restobières* (plan couleur III, H8, *75*) : rue des Renards, 32, 1000. ☎ 02-502-72-51. • info@restobieres.be • Ouv du mer soir au dim midi. Menus 14 € le midi en sem, puis 18-30 €. Apéro et digestif offerts sur présentation de ce guide. Pour rester dans l'ambiance « brocante » des Marolles, une halte bien sympathique. La carte semble compiler et proposer tout ce que la cuisine belge compte de plus fameux. Entre croquettes et autres incontournables *stoemps* ou carbonades, on trouve *bloempanch, choesels,* waterzoi de poulet fermier et... gaufre de Bruxelles. Beaucoup de plats sont cuisinés à la bière, ce qui leur confère un arôme incomparable, sans compter que chaque plat a sa bière ! Ambiance pittores-

que le dimanche midi, quand la petite salle à manger rétro, aux murs chargés de plaques émaillées et de bouteilles de collection, se remplit de badauds et chineurs affamés. C'est souvent l'heure que choisit l'accordéoniste pour pousser la chansonnette...

|●| *Ricotta & Parmesan* (plan II, D6, *79*) : rue de l'Écuyer, 31, 1000. ☎ 02-502-80-82. • inforicottaparmesan. com • Tlj sf sam midi et dim 12h-14h30, 18h30-23h (23h30 le w-e). Compter 30 € pour un repas. Ancienne armurerie aux murs de briques dont elle a conservé un pan de mur complètement vitré et rempli d'ustensiles de cuisine d'antan, cette trattoria-bistrot dénote dans ce quartier voué en majorité à la mangeaille pour touristes. Le chef a atteint sa cible en composant une carte de cuisine italienne maison vraiment authentique composée d'un arsenal d'*antipasti*, de pâtes originales à composer soi-même et de solides recettes transalpines à des prix compétitifs qui ne font pas redouter le coup de fusil. Seul petit raté : les portions de pâtes au calibre un peu léger. Le service est assuré avec maestria par un peloton de jeunes gens des plus affables. Vins à la ficelle tout à fait convenables.

|●| *La Grande Porte* (plan couleur III, H7, *89*) : rue Notre-Seigneur, 9, 1000. ☎ 02-512-89-98. • restolagrandepor te@skynet.be • Tlj sf sam midi, dim et j. fériés 12h-15h, 18h-minuit. Plat 20 € le w-e ; carte 32 €. Apéro ou café offert sur présentation de ce guide. Plutôt une adresse de fin de semaine. Estaminet, « resto rétro » comme indiqué sur leur carte de visite, chaleureux et accueillant. En bordure des Marolles, un grand classique bruxellois. Murs de photos, d'affiches et de gravures, chapelet de lampions et piano mécanique au fond donnent le ton de cet établissement à l'image de sa cuisine, simple et copieuse. Trio vedette de la carte : les *ballekes* à la marollienne, les chicons au gratin et le *stoemp* du jour. Bonne ambiance, surtout le soir – très différente de celle du midi –, où l'on se retrouve (jusque très tard) pour la bonne soupe à l'oignon gratinée.

|●| *Le Bazaar* (plan couleur III, H8, *67*) : rue des Capucins, 63, 1000. ☎ 02-511-

26-00. • info@bazaarresto.be • Pas d'enseigne. Tlj sf dim-lun 19h30-23h (un peu plus tard le w-e). Fermé juil-août. Menu 22 €, plats 13,30-22,50 €. Ancien entrepôt à la déco étonnante : vaste salle couverte d'un pavement tout luisant, tendue de draperies, éclairée de multiples guirlandes et de vieux lustres en fer, garnie de miroirs brisés. Il y a même une montgolfière au-dessus du bar. La carte propose une cuisine plutôt sophistiquée où, sur une base française, se greffent des saveurs méditerranéennes et asiatiques, ainsi que divers couscous. Ambiance musicale valsant, sans crier gare, du dixieland aux mélopées du Sahel. Se double d'une cave transformée en boîte et qui fonctionne dès 22h30 les vendredi et samedi (entrée gratuite).

|●| **Hémisphères** (plan couleur II, E6, 74) : rue Léopold, 29, 1000. ☎ 02-513-93-70. • info@hemispheres-resto.be • Tlj sf sam midi et dim, service jusqu'à 22h30 (minuit sam). Plats 9-18 €, menus 20-28 €. Très à la mode, la déco « Mille et Une Nuits » brosse la tendance dans le sens du poil mais c'est plutôt bien fait, tout comme les plats qui couvrent le Bassin méditerranéen et s'aventurent même jusqu'en Chine ou aux Indes. Simple mais parfumé et dépaysant au possible. Avec de la menthe, rien à dire. Belles expos de photos et concert une fois par mois, pour partir à la rencontre des autres...

De prix moyens à plus chic

|●| **Stekerlapatte** (plan couleur III, H9, 52) : rue des Prêtres, 4, 1000. ☎ 02-512-86-81. • info@stekerlapatte.be • Derrière le palais de justice. Tlj sf dim midi 12h-14h, 19h-23h30. Fermé de mi-juil à mi-août. Lunch complet 12,50 €, plats 15-19,50 €. Repas complet 30-35 €. Un peu plus pour les suggestions de la sem. Kir offert sur présentation de ce guide. L'ambiance est ici indéniablement à l'authentique. On y croise le Tout-Bruxelles ! Petites gens des Marolles, bourgeois du Sablon qui descendent « s'encanailler », équipes de TV, troupes de théâtre qui viennent après le spectacle, le Stekerlapatte rassemble tout son petit monde sans souci d'âge ni de catégorie sociale. Et ça fait longtemps que ça dure, puisque ce sont les mêmes cuisiniers qui y officient depuis plus de 20 ans. Les serveuses slaloment entre les tables, sautillent d'une salle à l'autre, chargées d'assiettes fumantes pleines de pied de cochon moutardé, bloempanch à la bruxelloise, croquettes de crevettes grises, poulet de grain, jambonneau au travers de porc, à même de faire taire le plus vide des estomacs. Vraiment l'adresse généreuse où se retrouver entre amis, tout simplement. « Steker concerts » les jeudi et samedi à l'étage du resto (programme sur • stekerlapatte.be •). Entrée gratuite pour ces concerts aux clients du resto (en général vers 21h30).

|●| **La Roue d'Or** (plan couleur II, D6, 83) : rue des Chapeliers, 26, 1000. ☎ 02-514-25-54. Tlj 12h-0h30. Formule lunch 12,50 €, plats 15-30 €. Légèrement à l'écart de la Grand-Place et de son flot de touristes, une brasserie traditionnelle appréciée des Bruxellois. Le décor, qui n'a pourtant rien de surréaliste, rend hommage à Magritte. Cuisine sans complication : américain, waterzoi, moules... Les prix sont parfois un peu surestimés. La formule du midi offre quant à elle un rapport qualité-prix irréprochable. Une bonne affaire donc quand on est dans le coin à l'heure du déjeuner. Il est bon de savoir aussi qu'ils servent à toute heure.

|●| **Le Corbier** (plan couleur III, H8, 62) : rue des Minimes, 51, 1000. ☎ 02-513-51-95. • lecorbier@hotmail.com • Tlj sf dim 19h-1h. Plats 17-21 €. Carte 40 €. L'enseigne se voit de loin. Poussez la porte et descendez l'escalier, c'est dans une petite cave voûtée tout en brique éclairée à la bougie. Amin, qui sert ici avec le même enthousiasme depuis plus de 30 ans, vous mettra de suite à l'aise grâce à son incroyable gentillesse et à son humour. À la carte, pas grand-chose mais que du bon ! Juste des viandes en fait, grillées sous vos yeux au feu de bois et servies invariablement avec de la salade et une grosse patate « en chemise » (en robe des champs). Musique douce ou chanson française, des cheminées qui crépitent dans chaque pièce, l'ambiance est vraiment convi-

viale et, à en juger par le nombre de photos des célébrités qui sont passées par ici, on n'est pas les seuls à le penser !

|●| Bleu de Toi (plan couleur III, H7, **66**) : rue des Alexiens, 73, 1000. ☎ 02-502-43-71. ● bleudetoi@skynet.be ● Tlj sf sam midi et dim 12h-14h, 19h-23h (23h30 ven-sam). Fermé autour du 15 août et à Noël. Formules lunch 10-13,50 €, menus 35-65 € (boissons comprises), carte 35 € env. Wifi. Digestif offert sur présentation de ce guide. Cadre intimiste, propice au tête-à-tête amoureux (voir le nom du resto qui signifie en belge « entiché de toi »), même s'il n'est pas obligatoire d'avoir été visé par Cupidon pour y manger. Briques apparentes et feu de cheminée au rez-de-chaussée, petites salles bleues à l'étage et une adorable terrasse. La blonde et charmante Corinne a deux spécialités : la bintje farcie, une grosse pomme de terre inventée en 1905 par un instituteur hollandais passionné de croisement de patates, et le homard (plus cher), demi ou entier, à toutes les sauces. Il y a aussi des bintjes au homard, et même au caviar (la moscovite) pour celui (ou celle) qui voudrait éblouir sa (ou son) convive. Une bonne adresse, régulière depuis plus de 15 ans.

|●| La Quincaillerie (plan IV, L12, **99**) : rue du Page, 45, 1050. ☎ 02-533-98-33. ● info@quincaillerie.be ● Tlj sf dim midi 12h-14h30, 19h-minuit. Le midi, formule 13 €, menu 18,50 € ; autres menus 25-30 €, carte 14-46 €. Si vous êtes sur le circuit Art nouveau et si vous voulez rester dans le ton, vous trouverez ici un décor à la hauteur de vos attentes. Comme son nom l'indique, ce cadre mirifique est celui d'une ancienne quincaillerie. Une énorme horloge, une myriade de tiroirs, des coursives suspendues, des escaliers en fer forgé et du laiton à foison... Le décor 1900 d'origine est toujours là, un tantinet revisité par l'architecte Antoine Pinto, dont c'était là une des premières créations. Dans les assiettes, une honnête cuisine de brasserie avec quelques plats belges. Rapport qualité-prix indéniable, à l'heure du déjeuner tout au moins ; le soir, c'est surfait.

|●| Soul (plan couleur III, H7, **97**) : rue de la Samaritaine, 20, 1000. ☎ 02-513-52-

13. Ouv slt le soir, mer-sam 17h-23h. À la carte, formules entrée-plat 23-30 €. Linda la Finlandaise a voulu faire quelque chose de différent. Un resto de plus ? Non ! Alors elle a conçu une manière originale, une sorte de variation culinaire pour faire profiter au maximum ses clients des plaisirs de bouche. Des préparations saines, équilibrées, bio pour tout dire, mais pas seulement. Car les alliances sont audacieuses, n'hésitant pas à mêler les graines, quelques légumes rares, des sauces allégées, des fruits originaux (comme la grenade). Les goûts, les tessitures et les saveurs ne sont pas laissés au hasard, et c'est un vrai voyage culinaire qu'on nous propose de vivre. Pour compléter le tout, une carte des vins qui tient fort bien la route.

|●| Kika (plan couleur II, D6, **90**) : bd Anspach, 177, 1000. ☎ 02-513-38-32. ● kikakitchen.be ● Ouv slt le soir (dès 19h). Fermé dim. Résa conseillée. Plat env 14 €, repas à la carte env 30 €. Sur ce vilain boulevard, voici un établissement qui a su se faire une place, creuser sa niche. Et il vaut mieux réserver, car les tables sont vite occupées. Pour le décor, flash-back dans les années 1970, où les affreux luminaires dialoguent admirablement avec l'hideux papier peint, faisant lui-même des clins d'œil aux chaises, sorties de la même malle aux souvenirs. Plutôt moche donc, mais l'ensemble confine au branché. Contrairement à la déco, la clientèle est plutôt jeune, attirée par les prix modiques et la cuisine de qualité, à dominante transalpine, même si on y trouve également quelques touches asiatiques. Super parmentier sucré-salé, aubergine farcie, et viandes au top. Une cuisine sans esbroufe, bien présentée, copieuse et réalisée avec des produits de qualité. Accueil tout en gentillesse.

|●| Le Petit Boxeur (plan couleur II, D6, **51**) : rue Borgval, 3, 1000. ☎ 02-511-40-00. Entre la Bourse et la pl. Saint-Géry.Tlj sf lun 12h-14h, 18h30-23h15. Fermé 3 premières sem de juil. Menus 13,50 € (le midi)-29,50 € env. Café offert sur présentation de ce guide. Une adresse discrète, bien pour le déjeuner. Le décor est intime : murs marron passé, lustres en fer forgé, grands miroirs, tables tendues de blanc éclairées par des petits spots... Le lunch s'avère de bon aloi et d'un bon rapport qualité-prix. Le soir, on monte d'un cran, avec un ensemble de plats plus raffinés. On citera en exemple, mais cela change souvent, une poêlée de Saint-Jacques aux chicons, le dos de lapereau à la sauge, le carré d'agneau farci au chèvre. Accueil agréable.

|●| *L'Arrosoir* (plan couleur III, H7, **60**) : rue Haute, 60, 1000. ☎ 02-502-00-68. Tlj sf mar soir, dim soir et lun. Lunch en sem 11,50 €, carte 15,50-25 €. Un sympathique resto en bordure des Marolles et des Sablons, aménagé dans une ancienne serre, et qui tire visiblement son nom des rangées d'arrosoirs suspendus au plafond de verre. La carte, changeante, est assez courte mais propose une cuisine fine et inventive associant des saveurs exotiques aux produits bien de chez nous, comme le potage au potiron, gingembre et vanille, les croquettes aux écrevisses, le pavé de biche aux airelles, le magret à l'ananas caramélisé... Quelques plats plus simples mais tout aussi savoureux permettent de ne pas faire trop gonfler l'addition, comme les pâtes ou de belles salades. Accueil adorable.

|●| *Vert de Gris* (plan couleur III, H7, **66**) : rue des Alexiens, 63, 1000. ☎ 02-514-21-68. ● vertdegris@resto.be ● Presque à côté du Bleu de Toi. Tlj sf sam midi et dim. Plat du jour env 9 €, carte env 40 €. Apéro offert sur présentation de ce guide. Une adresse qui a beaucoup d'allure : hauts murs de brique, mobilier d'antiquaire, grandes tables conviviales pour joyeuses bandes et petits recoins intimes pour amoureux. Atmosphère un tantinet baroque pour mettre en scène une cuisine aux accents résolument transalpins mais mâtinée de quelques touches exotiques. Les alléchantes entrées peuvent être servies en plat principal. Ne pas hésiter à commander des pâtes fumantes et parfumées servies en portions généreuses. Excellents choix du côté des vins mais un peu onéreux. Service rapide et enjoué. Choix de cigares cubains.

|●| *Aux Armes de Bruxelles* (plan couleur II, D6, **77**) : rue des Bouchers, 13, 1000. ☎ 02-511-55-98. ● arbrux@beon.

be ● Tlj 12h-23h15. Résa conseillée, surtout le w-e. Moules env 22,50 €, carte 45-50 €. Voici LA brasserie incontournable, indémodable, indétrônable dans le cœur des Bruxellois. Les meilleures moules assurément, à peine plus chères qu'ailleurs quand on sait comparer les prix (ne vous fiez pas aux offres alléchantes en face). D'autant plus qu'il s'agit d'authentiques moules de Zélande, bien charnues, parfaitement cuites et généreusement servies. Service stylé, à l'ancienne, absolument charmant. Parmi les autres spécialités de la maison : les croquettes de crevettes, les carbonades à la Gueuze, le vol-au-vent, la sole meunière et les crêpes Suzette. Évidemment, tout cela fera singulièrement gonfler l'addition. Une valeur sûre.

|●| *Chez Vincent* (plan couleur II, D6, **56**) : rue des Dominicains, 8-10, 1000. ☎ 02-511-26-07. ● info@restaurantvincent.com ● Tlj jusqu'à 23h30 (22h30 dim). Fermé 10 j. début janv et 1re quinzaine d'août. Le midi, formule 13 €, lunch 18 € ; sinon, plats 15,50-31,50 €, menus 36,50-44,50 €. On aurait pu le placer dans « Chic » pour le soir mais on a préféré mettre en avant les *lunches*, permettant à un plus grand nombre de venir admirer le merveilleux décor Art nouveau de 1912. C'est le seul resto qu'on connaisse où il faille traverser les cuisines pour rejoindre la salle, couverte de fresques champêtres et marines en carreaux de faïence. Sur le mur du fond, des marins pêcheurs dans la tourmente. Dans la salle, un équipage en veste blanche galonnée qui louvoie entre les tables et s'arrête de temps en temps pour préparer un dessert. Vous, vous naviguerez entre la carbonade flamande (excellente), les plats de volaille (moins chers) ou encore les fondantes viandes grillées. Si vous optez pour les anguilles au vert, elles seront découpées et flambées sous vos yeux. Un décor unique, des serveurs souriants, une cuisine de qualité, une ambiance colorée... bref, quelques bonnes raisons de jeter sinon l'ancre, du moins son dévolu sur ce classique de la restauration bruxelloise.

|●| *Bij den Boer* (plan couleur II, C-D5, **85**) : quai aux Briques, 60, 1000. ☎ 02-512-61-22. ● bijdenboer@hotmail.

com ● *Tlj sf dim 12h-14h30, 18h-22h30. Plats 15-29 € ; menu (midi et soir) 27,50 €.* Pas facile de trouver une adresse un peu originale sur ce quai aux Briques. C'est pourquoi on a jeté notre dévolu sur ce resto-troquet sans âge, à la façade couverte de faïence bleue et à la clientèle mélangée. Personnel pas triste, qui sert une cuisine typique, simple mais sans défaut. Une bonne tambouille, quoi ! Le tout dans un cadre à l'ancienne et une atmosphère chaleureuse, surtout le week-end. Depuis plus de 30 ans, on y balaie du regard une carte qui n'affiche que des plats de poisson, comme la lotte aux poireaux, le cabillaud poché ou, pour les plus fortunés, la bouillabaisse *Mer du Nord.* Délicieuses croquettes et très bonnes moules en saison.

|●| Le Café des Spores (plan I, A3, **78**) : chaussée d'Alsemberg, 103, 1060. ☎ 02-534-13-03. *Mar-ven 12h-14h, lun et sam 18h-minuit. Compter min 30 € pour un repas, avec 1 ou 2 verres de vin.* Au rez-de-chaussée d'une maison de maître avec mezzanine, un concept original : des plats plus ou moins copieux mais tous à base de champignons ! La sélection du jour figure sur une grande ardoise derrière le comptoir, là même où le chef fait sa cuisine. Vins au verre bien choisis (à défaut d'être bon marché !) pour accompagner tout ça. Une adresse pour nos lecteurs mycophiles plutôt à l'aise dans leur budget.

|●| Museum Brasserie (plan couleur III, I7, **146**) : pl. Royale, 3, 1000. ☎ 02-508-35-80. *Tlj sf lun 12h-14h30, 18h30-22h30 (ven-sam 23h). Formule lunch 26 €, menu 36 €, carte 35-66 €.* Voici donc le nouveau resto dont tout le monde parle à Bruxelles. Alléché par la carte, tentante en diable car concoctée par Peter Goossens, le « trois-macarons » local, nous nous sommes donc laissé tenter. Le but était de revisiter la cuisine belge, de remettre à l'honneur des recettes et des saveurs oubliées. De ce point de vue, le pari est gagné. Il n'empêche que l'on ne peut que regretter une certaine irrégularité d'un plat à l'autre, des portions pas toujours très copieuses et un service assez débordé. On regrette surtout l'absence de bonnes bières à la carte (dommage quand on se régale d'une carbonnade de joues de porc à la Kriek). Le cadre, revisité par l'incontournable Antoine Pinto, est certes impressionnant (mais la salle est très bruyante) et la cuisine souvent excellente (croquettes de crevettes ou de pied de porc, anguilles aux herbes vertes, véritable « bouchée à la reine », etc.), il n'empêche que l'on est ressorti pas tout à fait convaincus, voire un peu déçus.

Chic

|●| Le Fourneau (plan couleur II, D5, **68**) : pl. Sainte-Catherine, 8, 1000. ☎ 02-513-10-02. *Tlj sf dim-lun. Compter min 35 € pour un repas complet.* Un nouveau concept à Bruxelles : le resto-comptoir-dégustation ! Cadre sobre mais réussi : un grand comptoir convivial en U avec hauts sièges donnant sur une cuisine nickel-chrome où l'on peut voir s'affairer les cuistots. Quelques tables supplémentaires meublent les espaces libres. Courte carte pour amateurs de petites portions à picorer. C'est un peu plus copieux que des tapas mais c'est surtout un assortiment de produits de première qualité à laisser fondre dans la bouche. On se fait son petit menu au gré des saisons, de ses envies et de l'humeur du chef : une langoustine à la coque, un bonbon de *king crab,* trois asperges vertes à la flamande, quelques tranchettes de bœuf Siementhal ou lamelles de Saint-Jacques aux truffes, un bol de purée Robuchon, un gratin de courgettes, deux petites côtes d'agneau dans leur jus... et quand on est rassasié, on arrête. Le service est hyper rapide et les conseils de vins au verre (3-4 €) en accompagnement particulièrement judicieux. Les viandes et les poissons sont facturés au 100 g et chaque portion navigue entre 5 et 12 €, de sorte qu'au total cela monte vite, surtout si l'on est exagérément gourmand. Faites donc bien vos comptes mais ne boudez pas votre plaisir !

|●| La Tour d'y Voir (plan couleur III, H-I7, **69**) : pl. du Grand-Sablon, 8-9, 1000. ☎ 02-511-40-43. ● restaurant@tourdyvoir.be ● *Tlj sf sam midi, dim et* *lun 12h-13h45, 19h-22h45 (23h45 le w-e). Fermé quelques sem en été. Résa conseillée le w-e. Le midi, menu complet 16 €, vraiment bien. Carte 35-50 € ; menus « surprise » 40-60 € (le 1er est une vraie affaire).* Ancienne chapelle à l'étage d'une petite galerie du Sablon, superbement réhabilitée pour célébrer... mais oui, une messe gastronomique ! Très beau décor de briques et de poutres baignant dans une musique douce. Rien, décidément, n'est laissé au hasard pour contenter le chaland, à commencer par la cuisine bien sûr, pleine de saveurs et d'inventivité. Possibilité, le midi, de profiter d'une vraie cuisine de chef sans se ruiner. Le soir, si vous voulez être surpris, abandonnez-vous aux talents d'impro du chef, il vous concoctera tout un menu (les fameux menus « surprise ») avec les ingrédients de la carte. Excellent accueil.

|●| ***Lola*** *(plan couleur III, H-I7, 76) : pl. du Grand-Sablon, 33, 1000. ☎ 02-514-24-60. ● info@restolola.be ● Tlj midi et soir jusqu'à 23h30 (non-stop le w-e). Plats 16-28 € (pâtes env 12 €).* Avec ce décor moderne, on se dit que c'est l'endroit branché par excellence où l'on paie plus le ticket de présence que le contenu de l'assiette ! Et puis on s'aperçoit bien vite que c'est du sérieux, que les préparations sont inventives et copieuses, la présentation soignée, le service pro. On oublie le cadre un rien froid et on cherche Lola pour la féliciter. On ne l'a pas vue. Dommage, sinon on lui aurait fait 2 grosses bises sur les joues.

|●| ***Rouge Tomate*** *(plan IV, M11, 72) : av. Louise, 190, 1050. ☎ 02-647-70-44. ● info@rougetomate.be ● Tlj sf sam midi et dim. Fermé fin déc. Le midi, plat du jour 15 €, formule 22 € ; carte 37-62 €.* Encore un resto concept, serait-on en droit de penser ! Grand soin dans la déco, très épurée, dans les rouges (tomate évidemment) et grèges, agrémentée d'énormes abat-jour qui diffusent une douce lumière, relayée par des bougies. L'ensemble se prolonge par une superbe terrasse-jardin, au calme étonnant. Installé confortablement, on accueille avec plaisir cette cuisine presque mondiale, avec comme fil conducteur de la légèreté (ni beurre ni crème), le respect des saveurs (produits goûteux) et un service très à l'écoute. Résultat impeccable. Branché ? Sans doute mais dans le bon sens du terme.

Où manger des gaufres ? Où acheter des *speculoos* ?

➤ ❀ ***Dandoy*** *(plan couleur II, D6) : rue Charles-Buls, 14, 1000. À côté de la Grand-Place. Ouv tlj 9h30-18h30.* LE spécialiste du *speculoos* et du pain d'épice depuis 1829. La maison est tout aussi célèbre pour ses *cramiques* aux raisins ou son pain « à la grecque » (traduction erronée du mot *gracht* voulant dire fossé – car c'est dans la « rue du Fossé » qu'autrefois on vendait le pain). 5 autres magasins dans Bruxelles ; le plus vieux (le plus joli aussi) date de 1858 et se situe 31, rue au Beurre (petite rue qui part elle aussi de la Grand-Place). Baudelaire venait y acheter son pain d'épice (qu'il savourait avec une bouteille de corton !). Celui de la rue Charles-Buls fait aussi salon de thé et sert les meilleures gaufres de la ville. Vous aurez le choix entre celle de Bruxelles ou celle de Liège (plus molle), à saupoudrer comme il se doit d'un voile de sucre « impalpable » (veillez néanmoins à ce que votre gaufre ne soit pas réchauffée, ce qui est trop souvent le cas). Quelques problèmes d'accueil à signaler. Nul doute que si le personnel était plus heureux, le client le serait lui aussi...

Où boire un verre et rencontrer des Bruxellois(es) ?

Alors là, chapeau ! Toute la graine de folie bruxelloise a éclos sur le terrain fertile du débit de boissons. Il y a de tout car toutes les formes, toutes les tailles, tous les délires s'expriment à Bruxelles. Cela dit, au-delà de l'estaminet, la ville manque un rien de tonus. Et même si c'est en train de bouger, Liège et Gand la détrônent encore pour leur bonne ambiance estudiantine. Le quartier le plus animé le soir reste celui du centre, notamment entre l'Îlot sacré et la place Saint-Géry (plan couleur II, D6), où se succèdent sans répit les cafés historiques, branchés ou à thème et les bars dansants. Citons également le quartier de la place Stéphanie (plan couleur III, I9), d'où part la chaussée de Charleroi, riche en lieux nocturnes, ainsi que le haut d'Ixelles, en particulier Saint-Boniface (plan couleur III, J8), une placette envahie aux beaux jours par les terrasses des restos et cafés qui la bordent. C'est tout naturellement dans ces zones que se retrouve le gros de nos adresses, mais on vous en a déniché d'autres ailleurs, histoire de vous permettre de profiter comme il se doit de la vie nocturne de la capitale de l'Europe...

Petite précision : quelques-uns de ces temples de la bière et de la *zwanze* se trouvent intégrés dans le parcours de la promenade guidée « Quand les estaminets racontent Bruxelles » du Bus Bavard (voir plus haut la rubrique « Adresses et infos utiles. Bruxelles autrement »). De 3 à 5h, selon l'humeur du groupe, de découvertes et de libations en compagnie de guides intarissables et passionnants. Prix justifié et 2 consommations comprises dans celui-ci.

Estaminets, tavernes et cafés historiques

À la Bécasse (plan couleur II, D6, **119**) : rue de Tabora, 11, 1000. ☎ 02-511-00-06. Tlj 10h-23h (minuit jeusam). L'entrée se repère à l'enseigne à l'oiseau incrusté dans le trottoir. Au fond du passage, on découvre un troquet populaire et rustique, plus que centenaire (Maupassant l'aimait beaucoup) mais bien vivant, où le « lambic doux » et la « Gueuze caveau » accompagnent merveilleusement une savoureuse tartine de tête pressée ou de fromage. Atmosphère paisible, où les habitués vous regarderont avec un œil amusé, comme s'étonnant que vous ayez déniché le prototype même de l'estaminet bruxellois ouvert depuis plus d'un siècle...

À l'Imaige de Nostre-Dame (plan couleur II, D6, **120**) : impasse des Cadeaux, 3, 1000. ☎ 02-219-42-49. À la hauteur du n° 8, rue du Marché-aux-Herbes. Lun-mar et jeu 12h-minuit, mer 12h-20h, ven 12h-1h, sam 15h-1h, dim 16h-22h30. Il a fallu mener sérieusement l'enquête pour le dégoter, ce vieux troquet hors d'âge, tout au fond de la ruelle. Chaleureux, sans trop en faire dans le genre « pur jus », bien des touristes passent à côté. Tant mieux. Une halte paisible pour tremper ses lèvres dans la mousse d'une bière d'abbaye en faisant sautiller son regard du vitrail aux cruches d'étain, des cruches d'étain aux lourdes poutres... Excellente bière au fût peu connue : la Bour-

gogne des Flandres.

Le Cirio (plan couleur II, D6, **118**) : rue de la Bourse, 18-20, 1000. ☎ 02-512-13-95. Ouv tlj au moins jusqu'à minuit. Aussi vénérable que les « presque-quatre-fois-vingt » à chien-chien qui viennent se payer une sortie en ville. Le style éclectique dans toute sa splendeur : stucs peints façon cuir de Cordoue, sombres lambris, cuivres patinés et toilettes aux urinoirs de faïence qui valent un petit détour, même sans motif pressant. On doit ce lieu à un certain Francesco Cirio, fondateur des magasins alimentaires de produits importés d'Italie en 1886. L'établissement a changé de destination, mais pas de décor, toujours bien dans son jus. On notera également que c'est ici qu'ont été tournées des scènes du film La Bande à Bonnot, avec Jacques Brel et Bruno Cremer. À découvrir : l'apéro half and half, composé pour moitié d'un mousseux italien et d'un vin blanc tranquille. Très demandé, mais pas vraiment le Pérou gustatif. Mais quoi, il est de bon ton de céder au moins une fois à la tradition.

Le Falstaff (plan couleur II, D6, **103**) : rue Henri-Maus, 17-25, 1000. ☎ 02-511-87-89. Tlj 10h-minuit ou 1h. Le Lipp de Bruxelles, sur le flanc de la Bourse, change régulièrement de patron mais, heureusement, ceux-ci ne touchent pas au superbe décor : miroirs biseautés, plafonds à papier gaufré, lustres en pâte de verre, vitraux remarquables (dans le fond), où l'on voit le personnage de Falstaff boire un coup. Il faut dire que la maison fut dessinée en 1903 par le décorateur Houbion, disciple de Horta. C'est la grande brasserie classique, immense, qui ronronne depuis un siècle mais dont la qualité côté restauration joue, depuis quelque temps, beaucoup au yo-yo. On s'y rendra donc pour profiter du décor, point à la ligne.

♛ À la Mort Subite (plan couleur II, E6, 111) : rue Montagne-aux-Herbes-Potagères, 7, 1000. ☎ 02-513-13-18.
● a.la.mort.subite@belgium.net ● Tlj 11h-minuit. Bière 4 € env. C'est le kaberdouch (vieux café) dans toute sa splendeur. Fidèle au poste, on y brasse toujours la fameuse Mort Subite depuis 1928 et les dorures passées, les miroirs piqués, les banquettes de bois et moleskine, les pilastres cannelés, les serveuses ripolinées et souriantes sont toujours bien présents... Un pilier du temple de l'identité bruxelloise fréquenté, en leur temps, par Brel et Béjart (le Théâtre royal de la Monnaie n'est pas loin). Béjart a écrit un émouvant La Mort Subite, Journal intime dédié à son père, le philosophe Gaston Berger mort dans un accident de voiture après un entretien filial en ces lieux. Les bonnes bières (Faro, Kriek, blanche lambic) attirent toujours avec une régularité de métronome les habitués, à peine dérangés par de rares touristes. Toutefois, pour vous éviter une déconvenue, sachez que l'authentique Gueuze, au goût aigre-doux, légèrement âpre, se sert à température ambiante. Mais que les moins téméraires se rassurent, ils trouveront forcément une bière à leur goût. Et pour accompagner le tout, tartines au fromage blanc et omelettes bien grasses.

♛ Poechenellekelder (plan couleur II, D6, 115) : rue du Chêne, 5, 1000. ☎ 02-511-92-62. Tlj sf lun 11h-1h (2h le w-e). À un jet de pipi du Manneken-Pis, cet estaminet est certainement la meilleure ambassade du petit bonhomme. Sur une ardoise, les « bières spéciales » du moment. Les murs, garnis des marionnettes de toutes les légendes de Bruxelles, de gravures et de fresques, composent un gai tableau devant lequel se faire une tête pressée, un potte kees ou

un kip-kap bien servi (ce sont des tartines, vous l'aviez compris). À condition que les serveurs veuillent bien les apporter, un peu dommage ça ! Enfin, pour une ambiance chaudement bruxelloise, une « faro au fût » à s'envoyer ou un p'tit creux à combler, le Poechenellekelder (la « Cave du Polichinelle ») reste ce qu'il y a de mieux dans un rayon de 50 m autour du Gamin. L'été, petite terrasse croquignolette dont les chaises prennent rarement un quart d'heure de repos.

♛ Taverne Greenwich (plan couleur II, C-D5-6, à côté du 50) : rue des Chartreux, 7, 1000. ☎ 02-511-41-67. Tlj sf lun-mar 12h-minuit. Salle aux murs de stuc jaunis. Ici pas de musique, atmosphère enfumée et accueil bourru. Pourtant, c'est depuis des lustres le camp de base des joueurs d'échecs de la ville, qui semblent trouver dans cette taverne, outre des échiquiers et des damiers, une atmosphère propice à la pratique du jeu. Magritte et Paul Nougé y avaient déjà leurs habitudes.

♛ De Ultieme Hallucinatie (plan couleur II, F4, 122) : rue Royale, 316, 1210. ☎ 02-217-06-14. ● info@deultiemehal lucinatie.be ● Tlj sf dim 11h (17h30 sam)-1h (min). « L'Ultime Hallucination » semble en effet en être une, puisque c'est le dernier resto proprement Art nouveau de la ville, issu de cette vague artistique de la fin du XIXe s. Ce n'est pas la partie resto, tout à fait hors de portée de votre bourse, que nous vous invitons à visiter, mais la salle du fond, ancien jardin transformé en café-brasserie et dont on a conservé le mur rocaille, le bar en fer forgé et les vitraux à motifs floraux. Les banquettes de bois proviennent d'anciens wagons de chemin de fer et compartimentent agréablement l'ensemble. Tout au fond, un bout de terrasse. Atmosphère très flamande, du patron jusqu'aux serveurs. On peut aussi y manger sans se ruiner (menus à partir de 18 €). Rien de bien extraordinaire mais le lieu a son caractère et transcende toutes les générations. Ne pas oublier, en sortant, de jeter un œil aux salles du resto, à la déco Art nouveau pur jus.

♛ La Fleur en Papier Doré (plan couleur III, H7, 110) : rue des Alexiens, 55, 1000. ☎ 02-511-16-59. ● info@fleuren papierdore.be • *Tlj sf lun 11h-minuit (3h ven-sam et 19h dim)*. « Estaminet folklorique », est-il marqué en façade. Vrai ! Et quand on pense que cette vénérable institution, ouverte depuis 1846 au cœur du quartier de l'église de la Chapelle, a failli disparaître... Félicitons donc la jeune équipe qui, refusant la fatalité, a décidé un coup de tête de reprendre les rênes de cet établissement quasi mythique. Trois salles en enfilade pour un estaminet en forme de poème à la Prévert, où s'accumulent sur les murs patinés des tonnes de gravures, croûtes insolites, mots d'auteurs peints, aphorismes, textes dada... Ici se retrouvaient poètes surréalistes, écrivains et peintres qui venaient se présenter leurs travaux les uns aux autres pour recevoir critiques ou louanges. Après-guerre, visite de CoBrA (Alechinsky et Dotremont) et d'Hugo Claus, le plus grand écrivain flamand, qui y fêta bruyamment son premier mariage. Le poêle de Louvain provient du cabaret *Le Diable au Corps* fréquenté par les jeunes Michaux, Magritte et Ghelderode. Et si vous êtes seul, regardez au fond de votre Kriek Lindemans ou de votre « blanche au fût » et méditez cet aphorisme : « Tout homme a droit à 24h de liberté par jour ! »

🍴 **Goupil le Fol** *(plan couleur II, D6, 112)* : *rue de la Violette, 22, 1000.* ☎ 02-511-13-96. *Tlj 16h-5h, voire 6h.* Autant annoncer tout de suite la couleur : ici, ils y vont fort sur le prix des consos (du reste limitées aux vins de fruits et aux cocktails avec ou sans alcool)... Cela étant, on est dans « l'estaminet rêvé pour bavarder paisiblement en écoutant la bonne chanson française à texte », comme se définit lui-même ce troquet, vraiment pas comme les autres. Si ce n'est pas Trenet qui traîne sur la platine, c'est Brel qui bêle ou Piaf qui piaffe. Mais pourquoi s'inviter dans ce lieu franco-français ? Parce qu'il est fol ! Vous comprendrez en vous frayant un passage parmi les livres posés là, les galettes de vinyle qui semblent pousser jusqu'au plafond, les gravures jaunies sous le regard royal d'Albert, Baudouin, Fabiola et les autres. Le rez-de-chaussée est plus convivial, plus social, mais les romantiques essoufflés, babas d'arrière-garde, jeunes boutonneux

naïfs ou tout simplement ados amoureux cherchant un endroit pour se bécoter monteront dans les salons du 1er étage et se vautreront dans les fauteuils et les canapés défoncés, plongés dans une opportune pénombre pour faire, refaire et défaire le monde. Il y a de l'anarchie là-dedans. Depuis plusieurs décennies, c'est comme ça et on espère que rien ne changera.

🍴 **Le Moeder Lambic** *(plan I, A3)* : *rue de Savoie, 68, 1060.* ☎ 02-544-16-99. *Juste derrière la maison communale de Saint-Gilles. Tlj 16h-3h.* Un lieu, un temple presque, en tout cas un estaminet pas comme les autres, à placer dans le tiercé de tête des troquets de la ville. Chaud et enfumé comme une cocotte-minute, plein de vibrations et d'habitués. La carte n'est plus aussi longue qu'avant mais affiche tout de même encore 250 à 300 étiquettes de bières différentes. Autour des grossières tables de bois, de jeunes braillards sympathiques en diable, auxquels il n'est guère difficile de se mêler. Pour les solitaires, derrière les bancs, plongez votre main dans les larges bacs pleins de B.D. d'occasion, lues et relues par des milliers d'yeux et à la disposition de tous. Un vrai lieu, qu'on vous dit ! Longue vie au *Moeder Lambic* !

🍴 **Le Métropole** *(plan couleur II, D5, 117)* : *pl. De Brouckère, 31, 1000.* ☎ 02-219-23-84. *Tlj 9h-1h (2h le w-e).* L'été, la large terrasse du plus beau des vieux hôtels de la ville, sis sur une vilaine place chantée par Brel (« c'était au temps où Bruxelles... »), accueille sur ses chaises en osier les dames peinturlurées qui prennent alternativement l'ombre et le soleil et picorant successivement dans un gâteau et dans leur tasse de thé. Les jeunes débrident de temps en temps l'atmosphère compassée de cette terrasse qui a survécu à la « restructuration » du quartier. Nous, on préfère l'intérieur, cette haute salle cubique habillée comme pour tourner dans un péplum de Cecil B. De Mille, avec ses colonnes dorées, ses lustres de X tonnes, ses murs de (vrai) marbre et ses grands miroirs qui répètent à l'infini ce même décor. Belle Époque, Art déco, on ne sait pas trop quelle est la dominante mais on est certain que les Chesterfield sont confortables, les serveurs plus sympathiques qu'ils n'en ont l'air et que la halte est parfaite pour humer le Bruxelles du temps jadis.

T ♪ *L'Archiduc (plan couleur II, D5-6, 114) :* rue Antoine-Dansaert, 6, 1000. ☎ 02-512-06-52. Tlj 16h-5h (min). C'est évidemment la nuit venue qu'on embarque sur le navire Art déco, qui laisse voguer son âme le long de la rue Dansaert depuis 1937. Un p'tit coup d'blues, une soirée à conclure ? Sur le pont supérieur (la mezzanine) ou au ras des flots, on se laisse bercer par le jazz tranquille, un verre de genièvre ou de Fernet Branca à la main, en observant

une clientèle bien dans sa trentaine. Beaucoup de monde le week-end, à partir de 2h du mat. Et concerts de jazz (payants ou non) samedi et dimanche vers 17h.

T *Chez Toone (plan couleur II, 124) :* impasse Schuddeveld, 1000. ☎ 02-511-71-37. Tlj sf lun 12h-minuit. Fermé en janv. Bien que ce soit plutôt pour le célèbre théâtre de Toone que vous viendrez ici, on vous signale quand même cet estaminet historique et adorable, morceau d'authenticité caché au milieu des restos surfaits. Plus de détails dans notre rubrique « À voir ».

Bars branchés pour apéro zen ou soirée rock

T *Le Fontainas (plan couleur II, D6, 109) :* rue du Marché-au-Charbon, 1000. ☎ 02-503-31-12. Lun-ven 10h-1h, w-e 11h-3h. Un sympathique troquet où la jeunesse estudiantine vient se retrouver à un moment ou à un autre de la journée, que ce soit pour un p'tit noir, un thé indien, un chocolat chaud ou une petite mousse. Selon l'heure, ambiance plus ou moins studieuse, plus ou moins gay, plus ou moins festive et animée. Clientèle gentiment bobo.

T *Delirium Café (plan couleur II, D6, 106) :* impasse de la Fidélité, 4, 1000. ☎ 02-514-44-34. ● info@deliriumcafe. be ● Tlj 10h-4h (2h dim). Pas loin de la Grand-Place, un café qui devrait, si ce n'est déjà fait, entrer dans le *Guinness Book des Records* pour le nombre de bières qu'il propose : au moins 2 004, mais souvent 2 500 ! C'est bien simple, ils ont presque toutes les bières belges et des bières de 80 autres pays ! Toujours beaucoup de monde évidemment, et de fumée, en particulier le week-end. Si vous êtes en groupe, commandez carrément un verre de 4 l ! Soirée *jam* le jeudi à partir de 22h.

T *Floris Bar (plan couleur II, D6, 106) :* impasse de la Fidélité, 12, 1000. ☎ 02-511-36-01. ● info@deliriumcafe.be ● Tlj 20h-6h. En face du *Delirium Café* et même proprio que ce dernier. L'idée est d'ailleurs un peu la même : proposer un choix déconcertant de boissons mais, au lieu de faire dans la bière, ils font ici dans les alcools. Résultat : autour de 500 genièvres différents, 110 rhums, 175 vodkas, autant d'absinthes... En

tout, pas loin de 2 000 noms à la carte ! Clientèle un peu jeune mais aussi des touristes et, finalement, quelques représentants de tous les âges.

T *Le Cercle des Voyageurs (plan couleur II, D6, 107) :* rue des Grands-Carmes, 18, 1000. ☎ 02-514-39-49. ● info@lecercledesvoyageurs.com ● Tlj sf mar 12h-22h30 (un peu plus tard le w-e). Fermé 21 juil-14 août et 29 déc-9 janv. Un endroit qu'on ne pouvait évidemment pas passer sous silence. Joli décor néocolonial, avec une mappemonde au plafond et de gros fauteuils en cuir brun, où se côtoient gens du quartier, habitués, simples touristes et routards du monde entier. On vient y prendre un pot, grignoter une quiche ou un petit plat brésilien, consulter de la doc de voyage (dans une agréable salle prévue à cet effet) et, pourquoi pas, lier connaissance avec l'un ou l'autre camarade bourlingueur. Expos fréquentes en sous-sol, concerts et conférences occasionnels. Très sympa !

T ♪ *Le Java (plan couleur II, C-D6, 113) :* à l'angle des rues Saint-Géry et de la Grande-Île, 1000. Tlj 20h-2h (4h ou 5h le w-e). Le point de rencontre des 2 cultures nationales pas toujours si antagonistes que ça. Si ce sont le chanteur Arno et ses potes flamands qui ont lancé le lieu, les francophones le fréquentent également, surtout pour son mélange des genres : se côtoient aussi bien les costards-cravates que les skins ou les belles créatures aux jambes de gazelle. Tout ce beau monde se presse autour du bar en U à la Gaudí, décoré de capsules de faïence, et déborde joyeusement sur le trottoir si la météo le permet... Les vendredi et samedi soir, au sous-sol, on y danse, on y danse.

❚ *Au Soleil* *(plan couleur II, D6, 101)* : rue du Marché-au-Charbon, 86, 1000. ☎ 02-513-34-30. *Tlj 10h-1h (2h le w-e).* Avec sa petite terrasse aux beaux jours, cet ancien magasin de « vêtements pour hommes, jeunes gens et enfants » attire bien du monde grâce, notamment, à ses excellentes bières dont la liste figure sur des ardoises au-dessus du bar. Sympathique. Quelques tartines ou plats simples en cas de petite faim. Sur la vitrine, avertissement que la terrasse doit être « geplieerd » à minuit sur ordre des casquettes ! Dans la même rue, assortiment assez large de bonnes adresses nocturnes.

❚ *L'Ultime Atome* *(plan couleur III, J8, 102)* : rue Saint-Boniface, 14, 1050. ☎ 02-511-13-67. *Tlj 12h-minuit. Formule déj 10 €. Carte env 28 €. Wifi gratuit.* Boiseries, parquet et ventilos dans une grande salle jaune ornée d'une enseigne de globe terrestre en forme de poire. Connu des Bruxellois depuis des lunes, ce rendez-vous convivial du haut de la ville brasse en continu les habitués du quartier, les étudiants du coin venus potasser leurs cours, les papys en goguette et les familles en quête d'une halte au milieu des courses. Même si la cuisine souffre d'irrégularité, on y engloutit un petit déj tardif, on s'y cale l'estomac avec les suggestions du jour affichées au tableau noir, on y prend un en-cas d'après cinoche ou tout simplement un pot en joyeuse compagnie. Beau choix de bières pour faire causette avec des Bruxellois.

❚ *Malte* *(plan couleur III, I9, 100)* : rue Berckmans, 30, 1060. ☎ 02-539-10-15. ● danergen@skynet.be ● *Tlj sf midi sam-dim 12h-15h, 19h-23h ou minuit. Conso env 6 €. Apéro offert sur présentation de ce guide.* Non loin de la porte Louise, dans un quartier désormais assez riche en bars de nuit. Décor rappelant celui des B.D. d'Hugo Pratt : atmosphère sombre, murs dorés, tables et chaises de brocante, bougies, lustre de Venise, comptoir un peu kitsch et vieux fauteuils avachis, d'où l'on peut apprécier le style parfois alangui de la

serveuse ou roucouler en toute quiétude en sirotant, pourquoi pas, un thé au caramel... On viendra volontiers aussi au *Malte* pour manger car la cuisine, certes très mode, est franchement bien réalisée.

❚ D'autres établissements nocturnes jalonnent la chaussée de Charleroi, comme, au n° 89, *Les Salons de l'Ataïde* *(hors plan couleur III par I9)*, un autre de ces « incontournables » des soirées bruxelloises, avec son impressionnante salle un peu baroque au rez-de-chaussée et son coin indien à l'étage, plus intime mais parfois très bruyant aussi, surtout les vendredi et samedi à partir de 23h (DJ).

❚ *Zebra* *(plan couleur II, D6, 123)* : pl. Saint-Géry, 35, 1000. ☎ 02-511-09-01. À l'angle de la rue Orts et de la pl. Saint-Géry. *Tlj 12h-2h.* Check-point sur l'invisible ligne de démarcation linguistique du quartier où se retrouvent volontiers les Flamands de la capitale. Café bien sympa, à la salle un peu à l'étroit dans son décor de briques nues et de tables rondes mais compensée par la grande terrasse qui déborde allègrement sur la place Saint-Géry. Musique rock. À la saison froide, on s'y presse volontiers pour siroter thé, *caïpirinha* (au litre !) ou jus de fruits frais et grignoter quelques *hapjes* (petits en-cas en flamand).

❚ *Mappamundo* *(plan couleur II, D6, 123)* : rue du Pont-de-la-Carpe, 2, 1000. ☎ 02-514-35-55. *En face du Zebra. Tlj 10h-2h.* À peine né, il donnait déjà l'impression d'exister depuis des lunes avec son intérieur faussement patiné par l'usage. Un magnifique bar au rez-de-chaussée, une petite terrasse chauffée et un étage accessible par un escalier en colimaçon. Joli mariage de pierre, de vitrail et de lattes de bois. Comme au *Zebra*, ti-punch, *mojito* et *caïpirinha* (des cocktails bien décapants !) sont à l'honneur mais on peut aussi y prendre un simple thé ou grignoter un en-cas (tartines ou soupes...). Du monde en permanence, une ambiance cool, un service rodé ; bref, tout ce qu'il faut pour mériter la visite de nos lecteurs. En face, le *Roi des Belges* joue les vases communicants quand tout le reste est plein.

❚ *Café Bizon* *(plan couleur II, D6, 123)* :

rue du Pont-de-la-Carpe, 7, 1000. ☎ *02-502-46-99.* • *mail@cafebizon. com* • *Tlj à partir de 18h.* À 50 m des deux précédents, le café *Bizon* fut l'un des tout premiers bars à prendre part à la renaissance du quartier Saint-Géry. Son nom, il le doit sans doute à l'énorme tête de bison accrochée au mur du fond. Clientèle plutôt flamande et *blues jam session* le lundi. Pour se mettre en route, une spécialité : le *Bizon blood* (du *Jack Daniel's* avec de la crème de cacao) et 22 types de genièvre. Qu'est-ce que ce sera ?

🍸 🎵 ***Havana*** *(plan couleur III, H8, 105) : rue de l'Épée, 4, 1000.* ☎ *02-502-12-24. Dans les Marolles, à l'ombre du palais de justice. Mar-sam 12h-3h min (19h dim).* Café-resto cubain sur 2 étages. Ambiance torride le week-end, lorsque le lieu se métamorphose en boîte où s'entassent jusqu'à 300 per-sonnes pour des nuits endiablées qui se prolongent jusqu'au petit matin. Également des soirées concert gratuites et des cours de salsa (8 €/pers) tous les mercredis.

🍸 🎵 ***Café Belga*** *(plan IV, M11, 108) : pl. Flagey, 1050.* ☎ *02-640-35-08. Tlj 8h-2h (3h ven-sam).* Au rez-de-chaussée de l'ancienne maison de la radio (désormais centre culturel Flagey), un grand café qui fait à lui seul revivre le quartier depuis quelques années. Clientèle extrêmement variée, on y côtoie le Tout-Ixelles, que ce soit dans la grande salle Art déco ou, quand passe un rayon de soleil, à la terrasse qui occupe une partie de la place (encore en travaux). Presse du jour à dispo et possibilité de grignoter un bout. Concerts de jazz proposés 1 à 2 fois par mois (agenda disponible sur • *cafebel ga.be* •).

Où écouter de la musique ?

Évidemment, tous les endroits cités dans cette rubrique sont autant de bars à fréquenter en dehors des jours où des formations se produisent. Mais leur essence est avant tout musicale et c'est ces soirs-là que les meilleures vibrations s'en dégagent. *Yeah man !* À l'inverse, il n'est pas rare que les bars cités précédemment (*L'Archiduc*, le *Café Belga*, le *Havana*, le *Café Bizon*, etc.) programment des concerts de manière plus ou moins régulière. Renseignez-vous...

🎵 ***Le Grain d'Orge*** *(plan couleur III, J8, 104) : chaussée de Wavre, 142, 1050.* ☎ *02-511-26-47. Tlj 11h (12h ven, 18h le w-e)-3h. Entrée gratuite et conso 2,50 €,* ce qui ne fait pas cher la bonne vibration ; happy hour *19h-20h. Concerts blues/rock chaque ven.* Le « bistr'rock », comme il s'appelle lui-même. Tout en couloir, ridiculement petit, il reçoit pourtant tous les vendredis soir d'excellents groupes de rock, de blues et assimilés. Un endroit fort à Bruxelles, musicalement parlant, même s'il ne paye pas de mine. Plein de faux « Hells » à bagouzes et barbes fleuries.

🎵 ***Sounds Jazz Club*** *(plan couleur III, J9, 116) : rue de la Tulipe, 28, 1050.* ☎ *02-512-92-50.* • *info@soundsjazz club.be* • *soundsjazzclub.be* • À côté de la pl. Fernand-Cocq. *Tlj sf dim 20h-4h. Fermé juil-sept. Début des concerts à 22h. Lun et ven-sam, entrée : 5 € ; réduc ; générale-ment gratuit les autres j.* Depuis plus de 20 ans, le rendez-vous obligé des amateurs de la note bleue. Beaucoup de groupes désormais reconnus, comme le Brussels Jazz Orchestra, ont démarré ici. De même, on y voit parfois Philip Catherine, un des guitaristes belges les plus en vue. Petite restauration possible.

🎵 ***The Music Village*** *(plan couleur II, D6, 121) : rue des Pierres, 50, 1000.* ☎ *02-513-13-45.* • *musicvillage@chel lo.be* • *themusicvillage.com* • À côté de la Grand-Place. *Concerts lun-sam à partir de 21h (21h30 un-jeu). Résa conseillée. Entrée : 7,50-20 € selon groupe et supplément de 2 € pour les non-membres.* Jazz-club avec possibilité de dîner ou simplement boire un verre, dans un cadre cossu mais engageant. L'entrée est assez chère mais la programmation, assurée par des formations belges et étrangères, est de premier ordre.

BRUXELLES

Où voir un spectacle ?

Pour connaître l'ensemble de la programmation et l'actualité culturelle et artistique, rendez-vous sur • *agenda.be* •
Spécial bon plan : **Arsène 50.** Trois guichets : *au BIP de la pl. Royale, Cinéma Arenberg (plan couleur II, E6), galerie de la Reine, 26, ou à la billetterie Flagey, pl. Sainte-Croix.* ☎ 02-512-57-45. • *arsene50.be* • *Mar-sam 12h30-17h30 (venir le sam pour les spectacles des dim-lun). Rendez-vous sur place (et uniquement sur place) pour profiter des dernières places disponibles pour les spectacles du soir, tous bradés à moitié prix !*

∞ **Chez Toone** *(plan couleur II, D6, 124)* : *impasse Schuddeveld, 1000.* ☎ 02-511-71-37. • *toone.be* • Voir tous les détails concernant ce merveilleux petit théâtre de marionnettes dans la rubrique « À voir. L'Îlot sacré ».

∞ **L'Ancienne Belgique** *(plan couleur II, D6)* : *bd Anspach, 110, 1000.* ☎ 02-548-24-24. • *abconcerts.be* • Ⓜ *Bourse. Bureau de loc ouv lun-ven 11h-18h.* La salle de concert rock la plus en vue de Bruxelles, entièrement rénovée. Soyez attentif à sa programmation, les meilleurs groupes mondiaux y font régulièrement escale.

∞ **Le Botanique** *(plan couleur II, F4)* : *rue Royale, 236, 1210.* ☎ 02-218-37-32. • *botanique.be* • La scène du « *Bota* » est de tendance plus francophone que celle de l'« *A.B.* » ; il faut dire qu'elle n'est autre que le Centre culturel de la communauté Wallonie-Bruxelles. Les différentes salles accueillent spectacles d'humour, pièces de théâtre et, bien sûr, concerts de rock, de pop ou de variétés, presque un soir sur deux. Également des soirées DJ régulièrement. Pas mal de têtes d'affiches et de valeurs sûres, mais aussi quelques talents plus confidentiels. Au printemps, s'y déroule le festival des Nuits botaniques.

∞ **Les Halles de Schaerbeek** *(hors plan couleur II par F4)* : *rue Royale-Sainte-Marie, 22b, 1030.* ☎ 02-218-21-07. • *halles.be* • *Tram n° 92. Derrière l'église Sainte-Marie.* Cet ancien marché couvert à la splendide charpente métallique, témoin architectural du patrimoine industriel, accueille de nombreuses manifestations culturelles (concerts, danse, cirque, conférences, lectures, etc.).

∞ 🍸 **Beursschouwburg** *(plan couleur II, D6, 132)* : *rue Orts, 20-28, 1000.* ☎ 02-550-03-50. • *beursschouwburg.be* • *Dans la rue en face de la Bourse. Accueil lun-ven 10h-18h, mais café ouv mer-sam dès 19h30.* Poussez la porte, il y a toujours quelque chose à voir, surtout depuis sa rénovation complète. Appelé familièrement le « *Beurs* ». Le haut lieu de la branchitude flamande de Bruxelles sans cultiver pour autant l'esprit de ghetto. Un endroit polymorphe en fait, dédié aux arts de la scène, avec des spectacles théâtraux et de danse, des concerts (jazz, musique du monde...), des montages vidéo, des présentations de collections de mode et même parfois des rencontres et débats. Bar au rez-de-chaussée et terrasse aménagée sur le toit.

∞ **La Samaritaine** *(plan couleur III, H7, 130)* : *rue de la Samaritaine, 16, 1000.* ☎ 02-511-33-95. • *samaritaine@skynet.be* • *lasamaritaine.be* • Ⓜ *Gare-Centrale. Trams n°s 92 et 94 ; bus n°s 20, 48, 95 et 96. Mar-sam à partir de 19h30. Spectacle 1h après. Fermé la 1re sem de janv, ainsi qu'en juil-août. Entrée : 12 € ; réduc étudiants (8 €) et... sur présentation de ce guide.* Adorable petit café-spectacle qui, depuis plus de 20 ans, anime ce petit bout de quartier à la lisière des Marolles. La charmante Huguette tient sa cave avec dynamisme et bonne humeur, accueillant ici des artistes passionnés. On peut aussi bien tomber sur un tour de chant que sur une pièce de théâtre, un récital de poésie ou un one-(wo)man show comique. Toujours de la qualité et une bonne humeur communicative. Allez, c'est pas l'tout, nous, on y r'tourne.

∞ **Le Magasin 4** *(plan couleur II, D4, 133)* : *rue du Magasin, 4, 1000.* ☎ 02-223-34-74. • *magasin4.be* • Ⓜ *Yser. Bus n° 46. Entrée : 7-8 €.* Vaste entrepôt de brique où se tient une douzaine de concerts par mois, plutôt en fin de semaine (téléphonez pour savoir). Musique alternative, on est susceptible d'y entendre tout ce qui s'écarte un peu des grandes tendances.

🎧 *Chez Maman (plan couleur II, D6, 131) :* rue des Grands-Carmes, 7, 1000. ● maman@chezmaman.be ● chezma man.be ● Jeu-sam minuit-6h. Entrée

gratuite. Un petit cabaret désopilant où l'on se pousse du coude pour applaudir les *drag queens* qui font leur show sur le comptoir sur des airs de Mylène Farmer, Dalida et autres Kylie Minogue. Humour ravageur. L'adresse n'est pas exclusivement gay et l'ambiance plutôt bon enfant. À ne pas manquer : les jeudis de Gina et Louise.

Où danser ?

Pas mal de boîtes finalement mais beaucoup sont assez insipides et changent de mains tous les ans ou tous les 2 ans. Rares sont celles qui ouvrent avant le jeudi. On vous signale les plus stables et les plus en vogue dans la liste qui suit, qui comprend également un ou deux disco-bars sympas. On vous rappelle que le *Havana* et *Le Java* (voir « Où boire un verre et rencontrer des Bruxellois(es) ? ») possèdent également une piste de danse.

🎵 *Le Fuse (plan couleur III, G9, 134) :* rue Blaes, 208, 1000. ☎ 02-511-97-89. ● fuse.be ● *Sam à partir de 23h. Soirée étudiants jeu. Entrée : 10 € ; 5 € avt minuit.* Temple de la techno qui jouit d'une réputation internationale, les meilleurs DJs aux manettes. Techno au rez-de-chaussée et *deep house* au 1er étage. Clientèle toutefois assez jeune. Se métamorphose en *Démence* la veille des jours fériés pour des incroyables et gigantesques *gay-parties* (même prix d'entrée).

🎵 *Le Louise Gallery (plan couleur III, I9, 135) :* ● louisegallery@skynet.be ● loui segallery.com ● *dans la galerie Louise (accès par le goulet de l'av. du même nom). Ven-sam à partir de 23h, dim pour des soirées house homos (hommes et femmes). Carte de membre requise (5 €) ; entrée : 10 €.* Ambiance B.C.B.G. dans le décor un peu baroque des soussols de la galerie Louise. Après *Le Fuse,* une des boîtes les plus en vue de la capitale. Musique commerciale pour des soirées à thème le samedi, plutôt R'n'B, rap et hip-hop le vendredi. Bondé le week-end, si bien qu'il faut parfois agrandir la salle en levant un grand rideau.

🎵 *Studio 44 (plan couleur III, I8-9, 136) :* av. de la Toison-d'Or, 44, 1000. *Jeu-dim dès 22h30. Entrée : 10 €.* À un jet de pierre du précédent. Au 1er étage d'un petit immeuble d'où l'on voit le boulevard de Waterloo. 2 ou 3 DJs (parfois de renom) différents par soirée. Tendance

R'n'B mais le lieu fait aussi dans la house, la dance et même la salsa. Tenue correcte exigée.

🎵 *Le Claridge (hors plan couleur II par F5-6, 137) :* chaussée de Louvain, 24, 1210. *Ven-sam à partir de 23h. Entrée : 6 €.* Ici, on danse aussi bien sur la bamba et le sirtaki que sur la disco des seventies et la musique électronique. C'est même la seule boîte de Bruxelles à passer encore des slows ! Clientèle dans la vingtaine. Soirée « Chez Johnny » le 1er samedi de chaque mois.

🎵 *Le You (plan couleur II, D6, 138) :* rue Duquesnoy, 18, 1000. ☎ 02-639-14-00. ● leyou.be ● *Ven-sam 23h30-6h (jeu 23h), dim (pour des soirées gay) 21h-2h. Entrée (avec une boisson alcoolisée) : 10-12 €.* Privilégie une clientèle d'habitués mais les touristes y sont les bienvenus. Un lieu qui a connu bien des transformations. Actuellement, house, dance et rythmes commerciaux dans un vaste espace rouge avec écrans, mezzanines et boules en alu. Excellents DJs.

– En face, sous l'*Hôtel Windsor* (entrée par la rue de l'Homme-Chrétien), le *Duke's,* du même proprio, draine une clientèle un peu plus mûre, dans un cadre plus intime.

🎵 *Le Montecristo (plan couleur II, D6) :* rue Henri-Maus, 25, 1000. ☎ 02-511-87-89. *Tlj à partir de 10h.* À côté du *Falstaff (plan couleur II, D6, 103),* disco-bar de style Art nouveau, au nom italien mais où l'on danse comme à La Havane ! Beaucoup de monde le week-end et cours de salsa certains soirs. Au-dessus, le *Lounge Club (ven-sam à partir de 22h ; entrée payante)* récupère en fin de nuit – sous les battements de la house – les groupuscules épars de noceurs en quête d'un dernier frisson.

♫ *Dalí's Bar* (plan couleur II, D6) : Petite-Rue-des-Bouchers, 35, 1000. ☎ 02-511-54-67. À 30 m du théâtre de Toone (plan couleur II, D6, **124**). Mer-sam à par-

tir de 22h. Dédié au grand surréaliste catalan, ce qui profite au décor : on retrouve aux murs quelques répliques des toiles de l'artiste et, à terre, des canapés rouges en forme de bouche (comme au musée de Figueras). Tout ça dans des teintes assez chaudes et vives, et le joyeux brouhaha des 20-35 ans qui carburent à la tequila gold ou au mezcal. Piste de danse au sous-sol (tendance électro-house) et musique live occasionnelle. Ça vous va ?

À voir

Bruxelles est une ville parfois déroutante dont les attraits ne s'imposent pas toujours d'eux-mêmes. On vous conseille éventuellement de faire appel à une association. Elles sont plusieurs à Bruxelles, toutes excellentes (voir leurs coordonnées en début de chapitre dans les « Adresses et infos utiles »). Elles sauront vous dévoiler les aspects les plus insolites de la ville. Ce n'est pas trop cher, surtout si vous vous regroupez à plusieurs.

DANS LE PENTAGONE

LA GRAND-PLACE (plan couleur II, D6)

🚶🚶🚶 Ⓚ Un conseil pour la découvrir : le meilleur moment en déboulant d'une des ruelles qui y mènent est incontestablement à la tombée du jour, lorsque les dorures des pignons tarabiscotés et l'élan puissant de la flèche de l'hôtel de ville, magnifiés par les éclairages, se profilent sur le bleu intense du crépuscule bruxellois. À contrario, une visite matinale au milieu des camions de livraison risque d'occasionner une petite déception.

« La plus belle place du monde », écrivit Victor Hugo. « Le plus beau théâtre du monde », déclarait Jean Cocteau. Ce qui frappe évidemment, c'est l'apparente cohérence de la diversité architecturale. Tout ici fut reconstruit sur plans, après 1695, date du grand bombardement de Bruxelles ordonné par Louis XIV et exécuté (c'est le mot juste) par le maréchal de Villeroy. La place entière, à l'exception de l'hôtel de ville, fut réduite en cendres. Plus de 4 000 maisons en bois partirent en fumée. N'écoutant que leur courage, comme on dit dans les manuels d'histoire, les Bruxellois retroussèrent leurs manches, crachèrent dans leurs mains et bâtirent ce chef-d'œuvre de pierre en quelques années.

L'Unesco ne s'y est pas trompé en classant la Grand-Place au Patrimoine de l'humanité.

Mais revenons un peu en arrière lorsque, ici, dès le XIe s, se tenait un grand marché, véritable agora politique tout autant que place de commerce, entouré de marais. Le mot « bruxelles » ne signifie-t-il d'ailleurs pas « habitations des marais » ? On retrouve, en effet, ce symbole sur le drapeau de Bruxelles-Capitale : un iris (une des seules fleurs capables de pousser dans l'eau) sur fond bleu (évoquant l'eau des marais). La place prit de l'importance, devenant tour à tour place de réjouissances (on y célébrait les fêtes) et témoignage de la puissance publique (on y dressait l'échafaud). Au XIIIe s, on y éleva les premières maisons de bois où s'installèrent bourgeois et riches commerçants. C'est dès cette époque que les corporations occupèrent les différentes maisons de la place. Au XVe s, on élève l'hôtel de ville, en style gothique. La place devient le site des premiers Ommegang, le plus célèbre étant celui donné en l'honneur de Charles Quint en 1549, et, en 1568, les comtes d'Egmont et de Hornes y perdent la tête sous la hache du bourreau espagnol. Après le sauvage et non moins inutile bombardement français de 1695 (Napoléon ne déclara-t-il pas plus tard que cette destruction était stupide ?), on décide donc de donner un peu de cohérence à cette place, en contraignant les architectes à soumettre leurs plans à un magistrat. Ainsi naquit une émulation louable entre les différentes corporations, plus avides les unes que les autres de faire plus beau et plus riche que leur voisin.

Longue de 110 m sur 68, c'est le vrai cœur de la ville. Avec ses dorures et sa grande diversité décorative, ce petit bijou est à détailler façade par façade. À noter que les deux pouvoirs historiquement opposés se faisaient face : l'hôtel de ville et la maison du Roi (le pouvoir communal et le pouvoir royal). Aujourd'hui, la plus fameuse place de la ville et d'Europe n'a pas complètement perdu sa vocation commerciale, puisqu'elle est le cadre quotidien d'un petit marché aux fleurs. Tous les 2 ans, vers le 15 août, elle est recouverte d'un magnifique tapis de bégonias (environ 750 000). Un véritable enchantement.

Pour sa reconstruction, plusieurs dizaines d'artistes plasticiens se mirent au travail. Certains partirent en Italie pour s'imprégner des nouvelles influences et appliquèrent à la Grand-Place un style Renaissance tellement riche qu'on finit par le qualifier de baroque italo-flamand (à part l'hôtel de ville, purement gothique). Et c'est vrai que chaque maison oscille constamment entre les styles Renaissance et baroque, qui se mêlent souvent imperceptiblement. Un savant mélange qui a su se libérer du corset imposé par chaque style pour engendrer un métissage architectural du plus bel effet. Sous des règles classiques (au 1er étage, des colonnes doriques, au 2e, des ioniques, au 3e, des corinthiennes), les artistes laissèrent aller leur imagination tout en réussissant à traduire dans la pierre les spécificités de chaque corporation. Parfois la symbolique est évidente, d'autres fois il faut bien la chercher. Résultat : une place unique au monde. Ce qui fait dire aux Français en s'adressant aux Belges avec un brin de cynisme et de mauvaise foi : « Finalement, si Louis XIV n'avait pas bombardé la ville, vous n'auriez pas aujourd'hui une place aussi belle, une fois ! »

À signaler, pour ceux qui aiment ça, qu'un audioguide commentant la Grand-Place est à louer au BITC.

🧍 **L'hôtel de ville** (plan couleur II, D6, **140**) : c'est évidemment le clou de la Grand-Place. Érigé en gothique flamboyant très pur au début du XVe s, il était censé dépasser celui de Bruges en magnificence. Le bombardement français de 1695 en détruisit l'intérieur mais épargna miraculeusement toute la structure. La différence de longueur entre l'aile gauche et l'aile droite s'explique par le fait qu'elles ne furent pas édifiées en même temps et qu'à l'époque de la construction de l'aile de droite des maisons en bloquaient l'extension. C'est Charles le Téméraire qui en posa la première pierre en 1444. La tour, haute de 91 m, est considérée comme un chef-d'œuvre de l'art gothique civil. Élancée, aérée et pleine d'élégance, cette coquette se compose de quatre étages qui s'affinent de plus en plus en grimpant, avec tourelles, cloche-

COMPROMIS À LA BELGE

Une anecdote savoureuse pour comprendre l'esprit de consensus local. Rappelant trois tavernes anciennes, les trois chapiteaux de colonnes sous l'aile droite de l'hôtel de ville sont éloquents. Le premier chapiteau évoque le mot « scupstoel » (pelle et chaise). Dans le doute, on « sculpta » le mot en montrant des hommes « pelletant des chaises », traduction cocasse ! Le deuxième est plus simple, le bistrot s'appelant Papen Kelder, la « Cave aux Moines », on y voit des moines boire un coup. Pour le troisième, ça se corse : le troquet intitulé De Moer faisait l'objet d'une querelle. Une allusion aux Maures ou à la Mère ? On sculpta d'un côté des personnages enturbannés et de l'autre côté une maman avec un berceau.

BRUXELLES

tons, balcons en encorbellement, pinacles, hautes fenêtres flamboyantes, et se termine par une flèche de pierres ajourées. Au sommet se dresse un saint Michel terrassant le dragon, patron de la ville et qui fait office de girouette (milieu du XVe s). Tiens, avez-vous remarqué ? Le portail n'est pas tout à fait dans l'axe de la tour. On raconte que l'architecte, réalisant son erreur, se jeta du haut de celle-ci. Franche-ment, si tous les architectes de Bruxelles qui ont fait des erreurs devaient se balan-cer par la fenêtre, il y aurait des embouteillages à l'entrée des cimetières... En fait, le brave Jan Van Ruysbroeck est mort dans son lit 4 ans après la fin des travaux. Si le bâtiment est asymétrique, c'est que l'architecte avait récupéré l'ancien bâtiment sur lequel l'hôtel de ville est érigé. Une autre interprétation est d'ordre ésotérique : la partie gauche de l'hôtel de ville compte 12 arches – beffroi compris – représen-tant l'alchimie humide en 12 étapes, tandis que la partie droite compte 7 arches – beffroi compris – célébrant la nouvelle alchimie sèche en 7 étapes. Le chiffre 7 est d'ailleurs largement représenté dans l'architecture de la Grand-Place et de la ville : les 7 rues qui y mènent, les 7 portes de la ville, les 7 lignages patriciens... interpré-tation qui n'est pas partagée par tous, loin s'en faut ! Si cela vous intéresse, des promenades guidées sont organisées sur ce thème (voir plus haut la rubrique « Bruxelles autrement »).

Plus prosaïquement, les arcades qui bordent l'édifice au rez-de-chaussée abri-taient autrefois les étals des marchands. Au-dessus, des dizaines de sculptures du XIXe s, qui rendent hommage à tous les souverains et artistes de Bruxelles. Celles qui encadrent le portail sont par contre d'origine. Notez aussi que les fenêtres du 1er étage sont rectangulaires à gauche et ogivales à droite. À voir aussi : les mas-carons grimaçants qui décorent les clefs de voûte.

Au balcon d'honneur, le samedi matin, vous aurez peut-être la chance de voir appa-raître un couple de jeunes mariés recevant l'ovation des grappes de touristes éton-nés et ravis. Pour une minute, ils peuvent alors se prendre pour des seigneurs salués par leur peuple. Dans la cour d'honneur (accessible tout le temps), deux belles fontaines de pierre, allégories des deux grands fleuves, la Meuse et l'Escaut.

Visite
Hôtel de ville accessible pour une visite guidée slt certains j. à certaines heures. ☎ 02-279-43-65. • brucity.be • *Visites en français mar-mer à 14h30 et dim (avr-sept) à 11h30. Entrée : 3 €.* En 1h, on passe en revue une vingtaine de salles de réception, salons, galeries, escalier d'honneur, antichambres, couloirs... Toutes les pièces sont ornées de tableaux, de bustes sculptés, de boiseries néogothiques et surtout d'incomparables tapisseries. La plupart de ces œuvres datent du XVIIIe s et constituent un patrimoine exceptionnel. Parmi les plus belles pièces, voici les tapis-series de Vanderborght, les tableaux du vieux Bruxelles, la tapisserie de la salle du collège, la salle gothique (en fait, néogothique puisqu'elle fut refaite en 1868 par Jamaer, un disciple de Viollet-le Duc), avec niches à tapisseries, et les peintures allégoriques de la salle des mariages, ainsi que les plafonds où apparaissent les armes des corporations.

🚶🚶 *La maison du Roi et le musée de la Ville* (plan couleur II, D6, 141) : ☎ 02-279-43-50. • brucity.be • *Tlj sf lun et certains j. fériés 10h-17h. Entrée : 3 € ; réduc. Le billet donne droit au tarif réduit dans les autres musées de la ville.*

La maison du Roi
Placée en vis-à-vis de l'hôtel de ville et réalisée originellement en gothique tardif au début du XVIe s. En fait, c'était la *broodhuis,* la halle au pain, et aucun roi n'y résida jamais. Elle fut tour à tour maison du duc de Brabant, bureau du receveur général, tribunal et même prison (les comtes d'Egmont et de Hornes y passèrent leur der-nière nuit, le 4 juin 1568, avant d'être exécutés). Rebâtie sous Charles Quint une première fois, elle fut à nouveau totalement restructurée au XIXe s, sur les bases des anciens plans du XVIe s à l'époque de la halle au pain. Il s'agit donc d'un superbe bâtiment néogothique inspiré de l'hôtel de ville d'Audenarde avec des volées d'arcades élégantes, loggia et balcon. Encadrant le portail, des statues de Marie de Bourgogne et de Charles Quint. L'édifice abrite le remarquable musée de la Ville de Bruxelles, à visiter pour bien comprendre les évolutions de la ville.

Visite du musée de la Ville

Tous les aspects historiques de la ville y sont regroupés mais ce qui attire avant tout les touristes, c'est certainement la collection qui a le moins de valeur artistique mais le plus de valeur sentimentale pour les Bruxellois, à savoir la belle collection de costumes du Manneken-Pis.

– *Rez-de-chaussée :* consacré aux arts plastiques et décoratifs. Chapiteaux sculptés, statues baroques, bas-reliefs du XVIIe s, salle des faïences et étains de Bruxelles du XVIIe au XIXe s. Admirable retable en triptyque symbolisant la Nativité. Parmi les tapisseries, un petit coup de projecteur sur le *Cortège de noces,* attribué à Pieter Bruegel l'Ancien (1567), avec tous ses paysans, et une *Chasse à l'épieu* dans de jolis tons bleus. Porcelaines et argenterie.

– *1er étage :* cette partie retrace l'évolution des espaces dans le Pentagone. Incontournable pour qui s'interroge sur l'histoire de la ville. On remarquera d'abord la superbe maquette de la première enceinte, avant de découvrir les nombreuses gravures, peintures et plans anciens du centre. Voir le beau panorama de Bruxelles en 1854, ainsi que l'impressionnant tableau du bombardement de la ville en 1695, lors duquel tout le centre fut détruit. Et puis des photos, beaucoup, de 1850 à nos jours, très intéressantes pour leur valeur documentaire.

– *2e étage :* dédié aux Bruxellois, toujours au travers de gravures et portraits de personnages importants, comme Charles Buls, le plus célèbre bourgmestre de la ville. Dessins et photos d'ateliers, entrepôts, scènes et événements de la ville.

– Et pour terminer, la *salle dédiée aux costumes du Manneken-Pis* (voir son histoire plus loin). Quelque 780 costumes, faits sur mesure et provenant du monde entier. Seule une centaine d'entre eux est exposée (Manneken-Pis en Gille de Binche, militaire, pompier, agent de la Sabena, reporter sans frontière, joueur de hockey, costume de torero, d'Elvis, de Mandela, de maharadjah, d'Iroquois, etc.) mais un écran tactile permet de tous les voir. Un film de 20 mn présente aussi l'histoire du petit bonhomme.

Les plus belles façades de la Grand-Place : étudions-les maintenant quelques instants, en commençant par l'ouest, côté gauche, à droite de l'hôtel de ville.

– *La maison du Renard :* c'est la maison des merciers. Façade ornée de sculptures académiques. La plus centrale rappelle la justice impartiale (les yeux bandés), symbole de l'honnêteté dans le commerce. Ben voyons ! Elle est encadrée de quatre statues correspondant aux quatre grands continents connus à l'époque, avec lesquels les merciers commerçaient. À son sommet, saint Nicolas, patron des écoliers en Belgique.

– *Le Cornet :* il abritait la corporation des bateliers qui donnèrent ce nom à leur maison. D'un style purement italo-flamand, son pignon se caractérise par la forme d'une poupe (arrière) de navire où quatre angelots soufflent des vents dans les quatre directions. Au 3e niveau, toute la symbolique de la mer. Au sommet, les armes du royaume d'Espagne et, dans la partie inférieure, la balustrade du ponton. Baudelaire vécut ici.

– *La Louve :* maison de la gilde des archers, qui se caractérise par un bas-relief où une louve allaite Romulus et Remus. Style italo-flamand avec pilastres et, au-dessus, quatre allégories : la Vérité, le Mensonge, la Paix et la Discorde. Au-dessus encore, des médaillons d'empereurs romains. Au sommet, un phénix doré rappelle que cette maison, comme l'oiseau, renaquit plusieurs fois de ses cendres.

– *Le Sac :* doit son nom au bas-relief au-dessus de la porte. Façade particulièrement décorée : guirlandes, coquilles, balustres, cariatides et torchères de chaque côté du sommet. Elle hébergeait les menuisiers et les tonneliers.

– *La Brouette :* corporation des graisseurs. Deux sympathiques brouettes encadrent le portail de cette façade très classique, presque ennuyeuse, où l'on retrouve les trois ordres (dorique, ionique et corinthien).

– *Le roi d'Espagne :* c'est la maison à la grande coupole, occupée par les boulangers. Classique elle aussi. On notera simplement le buste du patron des boulangers au-dessus de la porte Saint-Aubert et le buste du roi d'Espagne au centre. Élégante « renommée » dorée au sommet de l'édifice. Le café *Le Roy d'Espagne,* au rez-de-chaussée, possède une belle terrasse et une salle où pendent des vessies gonflées. Estaminet plus intime aux étages avec décor de rue, pour s'attabler en bordure des fenêtres et jouir à l'aise de la féerie lumineuse de la Grand-Place.

– Côté nord-ouest (à gauche de la maison du Roi), série de maisons moins passionnantes, plus simples tant sur le plan architectural que décoratif. *La maison du Paon* (bas-relief d'un paon en façade) et celle *du Heaume* (agrémentée de deux bas-reliefs vivants et sympathiques) mettent en scène des enfants.

– Côté nord-est (à droite cette fois de la maison du Roi), une autre série de maisons. Jeter un œil à la *chambrette de l'Amman,* l'Amman étant un magistrat représentant le duc de Brabant. Ses armes ornent d'ailleurs la façade.

– *Le Pigeon* abritait la corporation des peintres avant le bombardement. Victor Hugo y habita en 1852, fuyant les foudres de Napoléon III. C'est là qu'il a rédigé son pamphlet « Napoléon le Petit ». Classique, hyper classique même, seule sa fenêtre vénitienne au 1er étage la sort un peu de sa banalité. Rappelons ce que disait le père Hugo des Bruxelloises : « Ce sont les femmes les plus sales, sales d'avoir trop nettoyé leurs maisons. »

– *La Chaloupe d'or* (superbe taverne) et *la Taupe* réunissaient les tailleurs. Portail surmonté du buste de sainte Barbe. On peut visiter la boutique *Godiva,* au rez-de-chaussée. Ses célèbres pralines ont bien du relief.

– Côté sud, l'ensemble le plus imposant de la place rassemble en fait sous une seule façade six corporations sous le nom de *maison des Ducs de Brabant.* Style italo-flamand. Dix-neuf bustes des différents ducs et duchesses, sérieux comme des papes, ornent la façade, décorée de pilastres dorés à la feuille d'or 18 carats. Au pinacle, fronton allégorique de l'Abondance, balustrade et torchères. Deux corporations résident à chacun des trois porches. On les distingue entre elles par les médaillons qui ornent la façade : une Bourse, des outils pour la maison des sculpteurs et des maçons, un pot d'étain pour les charpentiers, un moulin à vent et à eau pour les meuniers, une Fortune pour les tanneurs et un ermite pour... on ne sait qui.

– Côté sud-ouest : même si la première maison à gauche s'appelle *Mont Tabor* et que l'architecte est connu sous le nom de Van De Putte, cette maison bourgeoise n'a jamais appartenu à la plus vieille corporation du monde mais tout simplement à un particulier. D'ailleurs, *putte* signifie « puits » en flamand.

– *La Rose* appartenait, comme il se doit, à la famille Van der Rosen, symbolisée par une simple rose épanouie dans une potiche prenant gracieusement l'air à une fenêtre.

– *La maison des Brasseurs,* pour sa part, est ornée de bas-reliefs très explicites où l'on vendange et où l'on cueille le houblon. Au sommet trône Charles de Lorraine à dada, ce qui rappelle l'époque autrichienne. La maison abrite aujourd'hui dans ses caves un petit *musée de la Brasserie* (☎ 02-511-49-87 ; *tlj 10h-17h et w-e 12h-17h déc-mars ; entrée : 6 €*). Outils, instruments de tonnellerie et machines des XVIIe et XVIIIe s y sont présentés. On y trouve également un estaminet reconstitué façon XVIIIe s avec des accessoires classiques et pittoresques : le *zageman,* la scie brandie devant le client ivre qui commence à casser les pieds aux autres consommateurs et, encadré au-dessus de la porte, l'œil de Dieu avec l'inscription en flamand « Ici on ne jure pas ! ». À l'arrière, si la chose vous intéresse, une salle, vitrine high-tech de la puissante Fédération des brasseurs belges, décrit les techniques de brassage actuelles. Gros effort didactique grâce à un film projeté en continu et aux bornes interactives que l'on peut interroger pour tout savoir sur le monde brassicole. Une bière à déguster clôture la visite, comme de bien entendu.

– *Le Cygne :* de style purement Louis XIV, le Cygne abritait la corporation... des bouchers. Vers 1830, elle fut transformée en café-logement. En 1847, Karl Marx venait y travailler avec Engels. Jules Vallès et les Communards s'y épousinèrent. Le Parti ouvrier belge y fut fondé en 1885. Au sommet, allégories de l'Abondance, de l'Agriculture et de... la Boucherie. Tiens, on ne le voyait pas comme ça !

– La dernière maison, *l'Étoile,* ou *maison de l'Amman* reconstruite au XIXe s, la plus modeste, se caractérise par son arcade qui remplace le porche. Sous celui-ci, voir le beau bas-relief Art nouveau dédié à Charles Buls et à certains architectes qui participèrent à l'édification de la Grand-Place.

– Le monument d'à côté rend hommage à **Evrard 't Serclaes,** qu'on voit sur son lit de mort. Ce « héros qui libéra Bruxelles des hommes du comte de Flandre au XIVe s » et fut assassiné puis vengé bien plus tard par les Bruxellois qui attaquèrent le château où résidaient les assassins. Pour soutenir le siège du château de Gaasbeek, ils apportèrent des dizaines de poulets. De là vient le surnom des Bruxellois, *Kiekenfretters,* littéralement « Bouffeurs de poulets ». Il est de tradition de venir caresser la statue du héros, d'ailleurs bien patinée par des générations de caresseurs. Il existe de nombreuses superstitions à son sujet. Pour voir son vœu réalisé, par exemple, il faut frotter les différentes parties du corps selon un ordre bien déterminé mais souvent inconnu du profane.

– *Événements sur la Grand-Place :* l'Ommegang, début juillet ; le tapis de fleurs, mi-août (tous les 2 ans, années paires) ; et tous les soirs en été, son et lumière qui met en valeur l'architecture de l'hôtel de ville sur fond de musique classique un peu grandiloquente.

L'ÎLOT SACRÉ *(plan couleur II, D-E6)*

Au nord de la Grand-Place s'étire un réseau de rues et de ruelles aujourd'hui protégé et classé au Patrimoine de l'Unesco, appelé l'Îlot sacré. S'il est vrai que les façades sont belles, les néons qui les décorent montrent que le côté sacré atteint vite ses limites. Vous aurez noté au passage que la tradition commerciale de tout ce quartier est particulièrement ancrée dans les noms de rues : rue au Beurre, rue des Harengs, rue des Bouchers, rue du Marché-aux-Fromages, rue du Poivre... Ici, les fauchés se rassasient rien qu'en se promenant. Si vous voulez absolument manger dans le quartier, sachez (sans généraliser, bien sûr) qu'on y facture parfois des suppléments non prévus à la commande. Soyez vigilant. Et gare aux pièges à touristes, ils forment la majorité des enseignes du quartier !

🍴 *La place de l'Agora :* pour explorer ce secteur, partir de la Grand-Place et prendre la rue de la Colline (boutique *Tintin* à gauche). En la remontant sur la droite, on tombe sur cette placette vivante et assez coquette (tous les samedi et dimanche, petit marché artisanal). Certaines maisons ont conservé leur charme ancien avec des éléments baroques, tandis que trois hôtels ont été refaits « à la manière de », singeant un peu un style néo-Renaissance-pas-cher. Remarquez, le résultat aurait pu être pire ! Au milieu de ces blocs de la place d'Espagne, Don Quichotte et Sancho Pança forment un groupe sculpté assez réussi sur l'esplanade qui mène à la gare centrale. La place de l'Agora a ainsi conservé sa cohérence, ce qui n'est pas si mal. Au centre, une fontaine agrémentée d'un intéressant bronze de Charles Buls, bourgmestre de la fin du XIXe s, assis au bord de la fontaine, aux moustaches dressées affectueusement et accompagné de son chien, tout aussi affectueux. Il tourne ostensiblement le dos à ce qu'est devenu le « mont des Arts », échec cuisant de sa carrière vouée à la défense du patrimoine. La rue de la Montagne, qui part de là, offre une belle série de maisons aux pignons variés et intéressants. Pour la plupart, elles ont été récemment restaurées. Brique et pierre alternent élégamment.

🍴 *L'église de la Madeleine (plan couleur II, E6, 147) :* rue de la Madeleine. En direction du mont des Arts et du Coudenberg, vous apercevez une petite église gothique au portail baroque. La croquignolette chapelle qui lui fut accolée sur la gauche en 1958, après la restructuration du quartier, est particulièrement notable. Les deux semblent cohabiter sans heurt. Un peu plus haut sur la droite s'ouvre la petite *galerie Bortier,* un repaire de bouquinistes.

🍴🍴🍴 Retournez sur vos pas vers un des hauts lieux de la promenade bruxelloise, les *galeries Saint-Hubert,* appelées aussi galerie du Roi, de la Reine ou des Princes, selon la section *(plan couleur II, E6, 142)* ; on y pénètre par la rue du Marché-aux-Herbes. C'est un ensemble d'un classicisme bon teint, à l'image de cette première moitié du XIXe s, époque où l'architecte Cluysenaer les dessina. Considérées comme particulièrement audacieuses, ce furent les premières galeries couvertes d'Europe. Au fil des années, le lieu devint un endroit mondain où l'on pouvait rencontrer, au siège du Cercle artistique et littéraire (l'actuelle *Taverne du Passage*), des écri-

LE CINÉ À BRUXELLES

Au n° 7 de la galerie du Roi se trouvait à la Belle Époque le siège du journal La Chronique. *C'est dans une salle au 1er étage qu'eut lieu le 1er mars 1896, soit quelques semaines seulement après Paris, la première séance en Belgique du cinématographe des frères Lumière. On y projeta notamment* L'Arroseur arrosé, Le Repas de bébé *et* L'Entrée du train en gare de La Ciotat.

vains aussi célèbres que Baudelaire, Alexandre Dumas, Victor Hugo, Apollinaire ou Verlaine. Pilastres de marbre, fenêtres en hémicycle, série de bustes perchés sur des corniches, elles constituent un ensemble architectural réussi et gentiment ennuyeux. Heureusement, la quasi-absence de néons leur a permis de conserver leur cachet. Salons de thé, brasseries, librairies de qualité et boutiques chic occupent le rez-de-chaussée des bâtiments. Les étages abritent des appartements privés. C'est ici que Verlaine acheta son pistolet et c'est dans un théâtre de la galerie, en 1896, qu'on projeta le premier film des frères Lumière. Pour les gourmands, on y trouve la fameuse chocolaterie *Neuhaus,* concurrente de la non moins fameuse *Godiva.* C'est ici même que Neuhaus, d'origine suisse, mit au point la toute première praline après avoir fait sa réputation en vendant d'abord des bonbons pour la toux, des guimauves et des réglisses pour les maux d'estomac !

🚶 *Bruxelles en Scène* (plan couleur II, E6) : galerie de la Reine, 17. ☎ 02-512-57-45. ● bruxelles-enscene.be ● Mar-ven 14h-18h, w-e 11h-18h. Entrée : 6 € ; (petite) réduc. Une attraction multimédia installée dans les sous-sols des galeries Saint-Hubert. Succession de 15 mises en scène thématiques qui se veulent poétiques, liées à l'histoire et aux mythes anciens de l'univers bruxellois : évocations qui vont des dragons terrassés par saint Michel (le saint patron de la ville) à l'architecture, en passant par les multiples formes du Manneken-Pis, les institutions politiques, etc. Bon, franchement, ça parlera plutôt à ceux qui ont déjà une idée claire de la ville. Pour les autres, ça risque d'ajouter du flou à la brume ambiante. On a quand même beaucoup aimé le bas-relief en terre glaise de Paul Day, un artiste anglais tombé amoureux de Bruxelles. Accueille aussi des expos temporaires. Juste à côté, le cinéma est aussi le siège d'*Arsène 50,* organisme qui brade les places de spectacles à la dernière minute (voir plus haut « Où voir un spectacle ? »).

Retour vers la Grand-Place

Sachez, si vous trépignez d'impatience ou si vous n'êtes à Bruxelles que pour quelques heures, que le célébrissime Manneken-Pis n'est qu'à un jet de pipi de la Grand-Place. Rien ne vous empêche donc d'aller lui rendre une petite visite, même si nous avons décidé de le décrire dans le circuit du Sablon et du palais Royal.

🚶 *Le musée du Costume et de la Dentelle* (plan couleur II, D6, **154**) : rue de la Violette, 12, 1000. ☎ 02-213-44-50. Ⓜ Gare-Centrale. Lun-ven sf mer 10h-12h30, 13h30-17h ; le w-e 14h-17h. Fermé certains j. fériés. Entrée : 3 € ; réduc. Dans quatre belles maisons de brique aux pignons à gradins, ce petit musée se consacre, comme son nom l'indique, au costume et à l'art de la dentelle, un des artisanats les plus anciens et les plus florissants du pays. Pour les amateurs du genre, toujours des pièces remarquables, présentées dans le cadre d'expositions à thème. Pour les autres, le déplacement ne sera pas nécessaire.

🚶🚶 *Le musée du Cacao et du Chocolat* (plan couleur II, D6, **160**) : rue de la Tête-d'Or (à droite de l'hôtel de ville), 9-11. ☎ 02-514-20-48. ● mucc.be ● Mar-dim 10h-16h30. Fermé lun sf juil-août. Entrée : 5,50 € ; réduc. Un peu cher pour ce qu'on y voit. Dans une maison classée de 1697, petit musée didactique qui relate l'arrivée de la fève de cacao dans nos régions et l'engouement qu'elle provoqua. Vidéo, panneaux expliquant les différentes étapes de la fabrication du chocolat, services à chocolat, moules, porcelaines, boîtes en fer-blanc. Amusant : les robes en chocolat confectionnées par la proprio, à l'étage. Pour finir (ou pour commencer), démonstration de fabrication de pralines dans l'atelier du chocolatier, où ça sent bien bon.

🍸 *La rue des Bouchers* *(plan couleur II, D-E6) :* c'est comme la rue de la Huchette à Paris ! Racolage acharné en plus. Un chapelet de restaurants standardisés, au coude à coude, où le côté expéditif du service le dispute à la banalité de la cuisine. Le soir, cet étroit boyau doit bien concentrer plus de 50 % des touristes de la ville qui, en bons moutons de Panurge, s'y retrouvent en groupes et semblent s'en contenter, faute de bonnes recommandations. Tant pis, ils n'avaient qu'à acheter le *Guide du routard* ! Traversée par les galeries, la rue a du charme mais les auvents des terrasses empêchent d'observer les lieux et les néons criards gâchent franchement le paysage. Essayez de glisser un œil au travers des stores pour observer les pignons à redans des maisons anciennes. Une exception à la médiocrité générale : le restaurant *Aux Armes de Bruxelles,* une des institutions gastronomiques incontestée de la capitale (voir « Où manger ? »).

➤ Prendre à gauche la Petite-Rue-des-Bouchers, ruelle également sacrifiée aux restos de tout poil. Au fond d'une minuscule impasse (côté gauche), on trouve le merveilleux petit *théâtre de Toone*.

👫🚶 *Le théâtre de Toone* *(plan couleur II, D6, 124) : impasse Schuddeveld, 1000.* ☎ 02-513-54-86. ● toone.be ● *Au fin fond d'une impasse qui donne dans la Petite-Rue-des-Bouchers. Autre entrée par l'impasse Pétronille, à la hauteur du n° 66 de la rue du Marché-aux-Herbes. Spectacles à 20h30 (16h sam) mais pas ts les soirs. Fermé en janv. Téléphoner pour connaître le programme et pour réserver. Prix d'entrée du spectacle : 10 € ; réduc (sf ven-sam). CB refusées.*

Au milieu des restos pour touristes, voici un vrai morceau d'authenticité spirituelle, il est dans une maison datant de 1696. Il s'agit d'un théâtre de marionnettes pour adultes, créé, à l'origine, en 1830 par un certain Antoine Genty, dit Toone en dialecte local. La tradition se perpétue vaillamment depuis et aujourd'hui Nicolas Géal (Toone VIII !) assure les différents spectacles. Une trentaine de pièces au répertoire, généralement de savoureuses parodies de classiques comme *Le Bossu, Les Trois Mousquetaires, Lucrèce Borgia, Macbeth, Othello* ou *Roméo et Juliette*. À Noël, place à la *Nativité* et, à Pâques, on ressort la *Passion du Christ*. Conformément à la tradition, des « manipulateurs » ani-

WOLTJE ET TINTIN, PARENTS ?

Chez Toone, à l'entracte, on visite le petit musée et ses dizaines de marionnettes du XIXᵉ s. Les personnages sont fabriqués de divers matériaux : les têtes sont en carton-pierre (colle et craie), le corps est fait de carton bourré de paille, les plus anciens ont des yeux de verre et les « bagarreurs » sont en bois. Dans chaque pièce, on retrouve Woltje, la vedette qui dénoue les drames et joue à l'occasion quelques tours pendables. On dit qu'Hergé se serait inspiré de Woltje pour créer Tintin. S'il est vrai qu'il en a l'intelligence, la vivacité... et le pantalon de golf, personne ne nous a jamais confirmé cette influence et aucune littérature n'y fait allusion.

ment les personnages tandis que Toone VIII fait toutes les voix à lui seul, même les chants féminins. Les pièces sont généralement dites dans un français émaillé de dialecte « bruxello-flamand », un mélange hilarant ! Autre particularité : si l'on se met bien devant, on voit les manipulateurs en plein travail. On aime cette transparence dans l'art. Ainsi, on assiste à deux pièces : celle qui se joue sur la petite scène et celle jouée en coulisses.

Toone, c'est le cœur de Bruxelles qui vit encore et, comme disait Cocteau, « il y a trop d'âmes en bois pour ne pas aimer des personnages en bois ayant une âme ».

🍸 Au rez-de-chaussée, le petit estaminet *Chez Toone* est un lieu plein de chaleur, parfait pour rester dans l'ambiance et poursuivre le rêve après le spectacle.

🚶 *L'église Saint-Nicolas (plan couleur II, D6, 155) :* croquignolette, c'est la seule église de la ville qui n'ait pas été débarrassée des maisons (ajoutées au XVIIIᵉ s) s'accrochant à elle comme des arapèdes. Si la façade côté rue de Tabora est moche et récente, depuis la rue au Beurre, vision romantique en diable (si l'on peut dire pour une église). Elle possède une longue histoire puisqu'elle fut érigée il y a bientôt 1 000 ans. Avant 1695, l'église était flanquée d'un énorme beffroi, que l'on distingue aisément sur les gravures anciennes. Il ne fut jamais reconstruit. Peu de vestiges subsistent de la prime jeunesse de l'église, si ce n'est sa forme originale qu'on qualifiera « de guingois ». Entrez et constatez que la nef et le chœur ne sont pas dans l'axe. Ils tournent élégamment pour suivre le cours d'un ancien ru qu'on ne détourna pas à la construction. Bel effort de respect de la nature.

À voir à l'intérieur, la *châsse des martyrs de Gorcum,* beau travail du XIXᵉ s, ainsi que quelques vestiges romans et un tableau attribué à Rubens, la *Vierge à l'Enfant endormi.* Le troisième pilier du bas-côté gauche possède encore un boulet français (1695) fiché dans le mur.

AUTOUR DE L'ÎLOT SACRÉ *(plan couleur II, C-D6)*

🚶 *La Bourse (plan couleur II, D6) :* bd Anspach. Pas grand-chose à en dire. À l'aise dans ses habits cossus néoclassiques de la seconde moitié du XIXᵉ s, elle impose son arrogance à tous. Dans ses jeunes années, Rodin a collaboré aux frises sculptées du fronton. Sur son flanc gauche, des vestiges en sous-sol de l'ancien couvent franciscain des Récollets, fondé en 1238, ont été mis au jour. On les aperçoit partiellement par des baies vitrées mais on peut aussi les visiter. Ce site s'appelle *Bruxella 1238 :* ☎ 02-279-43-50. *Visite guidée en français le 1ᵉʳ mer de chaque mois à 11h. Résa au* ☎ *02-279-43-55 puis rdv dans le hall d'entrée de la maison du Roi, sur la Grand-Place, pour l'achat du ticket et le départ de la visite. Coût : 3 € ; réduc.* Dans ces sous-sols, on a également retrouvé le caveau de Jean Iᵉʳ, duc de Brabant et fin stratège qui défit en 1288 l'archevêque de Cologne. Pour les passionnés d'histoire uniquement.

🍸 Et puisque vous êtes là, prenez donc un verre de l'autre côté de la Bourse, au *Falstaff (rue Henri-Maus, 17-23, 1000 ; plan couleur II, D6, 103),* doté d'une des plus belles décorations de boiserie Art nouveau de la ville (voir plus haut « Où boire un verre et rencontrer des Bruxellois(es) ? »).

🚶 De là, les fans de ce style Art nouveau pourront descendre sur quelques dizaines de mètres, vers la gauche, le boulevard Anspach pour voir au n° 85 l'ancien *cinéma Pathé Palace* de 1913, au sommet duquel le coq se dresse toujours fièrement. La communauté française l'avait racheté pour y héberger le *Théâtre national,* qui se trouve maintenant boulevard Émile-Jacqmain. À voir : un foyer style années 1950 éclairé par les vitres bleu-vert du bow-window. L'architecture est nettement influencée par la Sécession viennoise.

🚶👫 Au sous-sol de la station de métro Bourse est installé le petit *musée Scientastic,* capable d'amuser petits et grands lassés des promenades historiques, surtout si le temps est à la pluie. ☎ 02-732-13-36. ● scientastic.be ● *Lun-mar et juin-ven 10h30-17h30 ; mer, sam-dim et j. fériés 14h-17h30. Entrée : 7,70 € ; réduc.* Réalisées avec un matériel d'une simplicité biblique, plus de 100 expériences interactives nous révèlent de façon ludique des lois sur l'optique et la physique... Travail sur la perception des cinq sens. Tout ne présente pas le même intérêt évidemment (certaines expériences sont bien vieillottes), et on trouve le prix d'entrée sacrément élevé.

➤ Au-delà de la place de la Bourse et avant la place Fontainas, vers le sud, on peut se balader dans le lacis des rues d'origine médiévale qui composent le quartier Saint-Jacques, autour de l'église baroque Notre-Dame-du-Bon-Secours. Pas mal de nos adresses de bars et de restaurants se trouvent près de la rue du Marché-au-Charbon, autrefois chemin de pèlerinage menant les routards de l'époque vers Saint-Jacques-de-Compostelle (beaucoup plus loin !). On peut encore apercevoir les fameuses coquilles « Shell » sur la façade de l'église.

🕯 Au-delà du boulevard Anspach, sur la droite quand on vient de la rue du Lombard, la petite *place Saint-Géry* *(plan couleur II, C-D6)* constitue le cœur historique de la ville. C'est devenu un des coins les plus branchés.
Ici, au Xᵉ s, au milieu des marécages de la vallée de la Senne, s'est construit le premier castrum fortifié autour duquel sont venues s'agglutiner les premières maisons en bois, noyau de la cité primitive. De tout cela, bien sûr, rien ne subsiste, si ce n'est le lit de la rivière Senne, couverte au XIXᵉ s pour de bonnes raisons de salubrité et de moins bonnes raisons d'urbanisme (le percement des boulevards « à la Haussmann »). On peut encore en observer un tronçon à ciel ouvert en pénétrant (côté rue de la Grande-Île) dans la cour de l'ensemble de maisons anciennes joliment rénovées par la Ville de Bruxelles (grille d'accès fermée à la tombée du jour). Dans un décor un peu hors du temps, avec en arrière-plan le clocher du couvent des Riches-Claires, en contrebas d'un escalier de pierre, coule, ou plutôt stagne comme un triste marigot, la petite voie d'eau qui fit jadis la prospérité de Bruxelles.
– *Les halles Saint-Géry :* au milieu de la pl. Saint-Géry. ☎ 02-502-44-24. ● halles saintgery.be ● Tlj 10h-18h pour les expos. Entrée généralement gratuite. Le *Café des Halles* et sa terrasse sont ouv jusqu'à 2h l'été. Ensemble de brique, de fer et de verre construit en 1881 autour d'une fontaine pyramidale. Accueille des expos temporaires liées en majorité à l'architecture et à l'urbanisme. Petit film aussi sur l'histoire de Bruxelles, diffusé en permanence (20 mn). Souvent intéressant. L'animation, elle, est assurée par un sympathique bar dont les tables aux beaux jours débordent jusque sur les trottoirs.
– Ce quartier, qui a connu une véritable renaissance après des décennies d'abandon, regorge désormais de cafés, de restos et de petits commerces sympathiques. En témoigne l'émergence de la *rue Antoine-Dansaert* *(plan couleur II, C-D5)* comme centre d'une mode vestimentaire minimaliste, audacieuse et novatrice dont quelques labels sont devenus des légendes vivantes dans les milieux de la mode. À arpenter aussi, la *rue des Chartreux,* toute proche, siège de troquets accueillants. Au bout, la statue du Zinneke, le chien bâtard, lève allègrement la patte pour un petit besoin légitime.

AU NORD-OUEST DE L'ÎLOT SACRÉ, L'ANCIEN PORT ET LE BÉGUINAGE

Tout ce quartier nord-ouest du Pentagone se situait sur la route marchande qui menait des Flandres au Rhin. Les bateaux de commerce qui empruntaient l'important réseau de canaux déchargeaient ici. Le port étant devenu trop petit, on déplaça l'activité plus au nord. Puis l'on finit par recouvrir les canaux ou par les boucher tout simplement. Sous le quai au Bois-à-Brûler passe aujourd'hui... le métro. C'est moins romantique évidemment. Lorsqu'on voit les photos de l'époque, on ne peut que déplorer l'abandon d'une voie navigable qui donnait à ce coin de Bruxelles un cachet incomparable. Agréable et tranquille, plutôt ignoré des touristes, ce quartier propose encore malgré tout, au-delà de la place De Brouckère, son petit lot de curiosités.

On quitte la Grand-Place par la rue au Beurre, puis à droite la rue des Fripiers jusqu'à la place de la Monnaie.

🏃 **Le Théâtre royal de la Monnaie** *(plan couleur II, D-E5)* **:** *pl. de la Monnaie. Visite sept-juin, en se présentant le sam à 12h pour s'intégrer (sans résa) à une visite guidée trilingue. Durée : 1h30. Entrée : 8 € ; 5 € pour les moins de 26 ans.* Restructuré par Poelaert au milieu du XIXᵉ s (l'homme du palais de justice) puis une nouvelle fois récemment, l'ensemble n'a rien d'architecturalement folichon. Par contre, historiquement, il est le point de départ des célèbres « journées de septembre 1830 ». C'est lors d'une représentation de *La Muette de Portici*, opéra du compositeur français Daniel-François-Esprit Auber, que des spectateurs se révoltèrent, mus qu'ils étaient par les chants libérateurs du ténor : « Amour sacré de la patrie, rends-nous l'audace et la fierté ! À mon pays, je dois la vie, il me devra la liberté ! », chantait-il. Il n'en fallut pas moins pour que se gonflent les rangs des révolutionnaires belges, qui prirent le chemin de l'indépendance.
– De la place de la Monnaie par la rue Neuve, longue artère piétonne dédiée entièrement au commerce. Animée la journée, triste et désertée la nuit.

🏃 **La place De Brouckère** *(plan couleur II, D5)* **:** flanquée de hideuses tours de bureaux, elle est aujourd'hui aussi banale et désœuvrée qu'elle fut vivante et animée au début du XXᵉ s. Brel ne chantait-il pas « Place De Brouckère, on voyait des vitrines... » ? Quand on regarde les photos d'époque, on a du mal à en croire ses yeux. Quel gâchis ! Il ne subsiste désormais des ors d'antan que l'hôtel *Métropole* *(plan couleur II, D5, 117* ; voir plus haut « Où boire un verre et rencontrer des Bruxellois(es) ? ») – à la façade surmontée d'une statue de la Liberté – et son superbe café Belle Époque.

🏃 **L'église Sainte-Catherine** *(plan couleur II, D5, 148)* **:** on lui jette un œil désabusé en allant vers les anciens quais. C'est encore Joseph Poelaert, certainement l'architecte du palais de justice et le moins inspiré de son époque, qui commit cette église sans style et sans saveur, comme taillée au marteau-piqueur. Derrière l'église se trouve la tour Noire, vestige de la première enceinte du XIIIᵉ s, garnie d'un bout de rempart et intégrée à présent à un ensemble hôtelier.

🏃 **Les anciens bassins** *(plan couleur II, D4 et D5, 157)* **:** autrefois, un système de canaux permettait de circuler de ville en ville. Ils portaient les noms de leur commerce respectif : quai aux Briques, quai au Bois-à-Brûler et, un peu plus au nord, quai aux Pierres-de-Taille, quai au Foin... Comblés au début du XXᵉ s, ils ont évidemment perdu toute leur animation malgré les charmants bassins qui rappellent la vocation disons « aquatique » du site. Les quais sont bordés de restos de poisson (certains excellents) et le quartier en général a un cachet joliment conservé malgré le manque d'animation.

🏃 **La place Sainte-Catherine et autour** *(plan couleur II, D5)* **:** la place, la rue Sainte-Catherine, la rue du Vieux-Marché-aux-Grains et ses voisines proposent, pour les flâneurs sachant flâner, quelques pignons anciens harmonieux et variés, datant du XVIIᵉ au XIXᵉ s. Notamment, l'immeuble d'angle au bout du quai aux Briques, appelé le *Cheval marin,* joyau de la Renaissance flamande et autrefois capitainerie du port. Il se dégage de l'ensemble une certaine continuité, un esprit de mouvement doux dans le temps, loin des ruptures brutales de certains autres quartiers. Au bout des quais, côté marché aux Porcs, une étonnante statue rend hommage aux pigeons voyageurs qui étaient autrefois utilisés dans les transmissions des armées. Des colombes décorées pour faits d'armes, c'est un comble !
Sur le coin de la rue Melsens, dans un renfoncement **La Centrale électrique** *(plan couleur II, D5, 190)* est un espace muséal qui se destine à l'art contemporain, à la mode et au design à raison de quatre expos par an. Jetez un coup d'œil à la programmation, c'est souvent intéressant et même parfois complètement déjanté.
➢ Revenir place Sainte-Catherine pour faire une incursion dans la rue de Flandre, une des artères les plus anciennes de Bruxelles.

🎭 *La maison de la Bellone* (maison du Spectacle ; plan couleur II, C5) : rue de Flandre, 46. ☎ 02-513-33-33. • bellone.be • La cour est accessible lun-ven 10h-18h, sam 12h-18h. Fermé en juil. Nichée au fond d'un passage de cette rue populaire (et donc invisible de l'extérieur), l'une des plus belles façades de Bruxelles, due à Jean Cosyn, l'architecte de la Grand-Place ! Mélange splendide de classicisme français et de baroque flamand. Noter la façade opposée à celle baroque. Noire et discrète, elle lui répond de manière contemporaine et acoustique. Protégée par un toit translucide, la cour sert de décor rêvé à des lectures et parfois des expos, organisées par le centre culturel qu'est la maison de la Bellone. Celle-ci propose aussi de nombreuses performances de théâtre et de danse *in situ*, mais aussi ailleurs en ville. Donnant sur la rue, sur deux niveaux, le *Bellone Café*, agréable pour un verre.

🎭 Entre la place du Marché-aux-Porcs et la place du Nouveau-Marché-aux-Grains, un bout de quartier populaire où se côtoient le meilleur et le pire. Dans une section de la rue Rempart-des-Moines qui donne sur la rue de Flandre, l'*impasse de la Cigogne* (plan couleur II, C5), avec son porche baroque joliment ouvragé, est emblématique des très nombreuses impasses bruxelloises, chacune véritable microcosme social, parsemant le tissu urbain au XIXᵉ s.

🎭 *L'église Saint-Jean-Baptiste-du-Béguinage* (plan couleur II, D5, **149**) : pl. du Béguinage. Tlj sf lun 10h-17h (20h dim). Sur une place agréable et pavée, tranquille comme tout, vous voici face à la plus élégante et la plus pure église en baroque flamand du XVIIᵉ s de Bruxelles. L'église a été récemment victime d'un grave incendie, la toiture a disparu dans le sinistre. Façade pas provocante, bien équilibrée, composée de trois registres indépendants. Si l'extérieur est baroque, l'intérieur reste gothique, avec notamment les voûtes à nervures et son plan en croix latine. Ce mélange réussi entre les styles reste l'une des particularités de cette église.
– À proximité, l'*hospice Pachéco*, protégé par miracle de la pioche des démolisseurs, donne une touche paisible au décor par l'ordonnance toute classique de sa longue façade blanche. Les éclairages jaunes de la nuit apportent une note un peu fantastique à ce quartier peu fréquenté.

🎭 *Le Théâtre flamand* (plan couleur II, D4) : situé au bout du quai au Foin et du quai aux Pierres-de-Taille. Un bien curieux bâtiment. Hybride est presque un euphémisme pour qualifier cette structure « pagodisante », jouant à merveille des matériaux à la mode à la fin du XIXᵉ s, et surtout du fer. Sa façade reprend des éléments propres à la Renaissance, tandis que ses flancs, gonflés de balcons-terrasses de tailles décroissantes, évoquent presque une pyramide.

🎭 Dans la *rue de Laeken*, entre la rue du Pont-Neuf et la rue du Cirque, intéressante rénovation qui a heureusement tenu compte du modèle et des gabarits de la maison bruxelloise du XIXᵉ s. Beaucoup de magasins et d'appartements restent toutefois inoccupés. Au n° 79, petit *musée de la Franc-maçonnerie* (jeu 14h-17h ; entrée : 2 €).
Parallèlement à la rue de Laeken, le boulevard Émile-Jacqmain, qui était devenu l'un des symboles honteux d'un abandon total de fierté urbanistique, a été presque entièrement refait et accueille, près du boulevard de la petite ceinture, le nouveau *Théâtre national.*

🎭 Au-delà de la petite ceinture, dans le prolongement du boulevard Émile-Jacqmain, s'étend le boulevard du Roi-Albert-II. On y aperçoit les tours d'un quartier administratif qui se voulait (selon les projets des promoteurs des années 1960) un nouveau Manhattan organisé autour d'un *World Trade Center.* Ne vous y promenez pas la nuit, les trottoirs sont squattés par un escadron de tapineuses venues d'Afrique ou des pays de l'Est. Dans la journée, en revanche, ceux que cela intéresse pourront aller découvrir une quinzaine d'œuvres monumentales de sculpteurs belges, plutôt bien intégrées dans l'environnement futuriste de la tour *Belgacom* ou du complexe de communications de la gare du Nord. On distinguera entre autres la *Fontaine* de Pol Bury ou la *Légende* de Rombouts et Droste.

🦌 En revenant vers la place Rogier *(plan couleur II, E4)* qui évoque ce qui se fait de pire dans les villes américaines, parallèle au boulevard Adolphe-Max, on tombe, au beau milieu de la foule déambulant **rue Neuve,** près du complexe commercial **City 2,** sur le bloc de béton ravalé du grand magasin **Inno.** Cette construction sans grâce a remplacé l'ancien bâtiment construit par Victor Horta et dont l'incendie tragique fit 350 victimes en 1967. En face, esseulée dans une artère vouée aux néons, l'**église Notre-Dame-du-Finistère,** oasis baroque où il fait bon goûter un instant de répit. Dans la *rue Neuve,* direction place de la Monnaie, des rescapés d'une époque révolue, comme la large maison espagnole avec pignons à gradins qui héberge le vichy rose de l'enseigne *Tati,* le paquebot Art déco de l'ancien cinéma *Métropole,* masqué derrière la devanture d'une chaîne de vêtements, puis les cariatides et la haute verrière du **passage du Nord** vers la place De Brouckère, jadis haut lieu de l'élégance bourgeoise. La nuit, cette rue Neuve ressemble à un coupegorge.

🦌 **La place des Martyrs** *(plan couleur II, E5, 150) :* la bien nommée ! Martyrisée, ou plutôt abandonnée, elle le fut lors des décennies passées. Intérêt financier, spéculation immobilière ? Difficile de savoir pourquoi la plus belle place néoclassique de Bruxelles fut laissée si longtemps en état de décomposition avancée avant d'entamer sa réhabilitation en logements et bureaux. La technique choisie est celle du façadisme, technique très bruxelloise qui consiste à tout détruire sauf la façade et à reconstruire derrière selon les impératifs de fonctionnalité. Au centre, une crypte et un mémorial rendant hommage aux combattants de la révolution belge de 1830.

🦌🦌🦌 🚶 **Le Centre belge de la bande dessinée** *(CBBD ; plan couleur II, E5, 152) :* rue des Sables, 20, 1000. ☎ 02-219-19-80. • *comicscenter.net* • Ⓜ *De Brouc-kère. Tlj sf lun 10h-18h. Fermé à Noël et le Jour de l'an. Entrée : 7,50 € ; réduc. Avec le billet d'entrée, accès gratuit à la bibliothèque.*
Il est aussi familièrement appelé le « cébébédé ». Un lieu superbe et passionnant... du moins pour les passionnés, divisé en sections didactiques, rendant bien hommage à ce 9e art dont la Belgique a été le fer de lance, à défaut d'en être le berceau. Partie prenante de l'économie belge, *Tintin* et *Bob et Bobette* ont été respectivement vendus à plus de 100 millions d'exemplaires. Ça valait bien un musée. Mais avant de faire la visite, quelques mots sur l'édifice : c'est en 1905 que Victor Horta réalise, pour le compte d'un important grossiste en textile, ce superbe édifice Art nouveau. Les nouveaux magasins *Waucquez* étaient nés. La fonte, alliée au verre, permet des mariages architecturaux inouïs pour l'époque. Façade légèrement incurvée, vaste hall, omniprésence du verre, escalier monumental et balustrade aux ferronneries végétales. En 1970, *Waucquez* ferme ses portes, le bâtiment est abandonné et tombe en décrépitude. Il faudra attendre 1983 et un gros déploiement d'énergie pour réussir à sauver ce lieu et le transformer en ce magnifique temple de la bande dessinée. On note évidemment dès l'entrée, dans le hall, l'étonnant lampadaire central, la fusée d'Hergé, réalisée en bois par une classe de menuiserie et offerte au musée, le buste de Tintin et la 2 CV de Boule et Bill, qui fut offerte par l'éditeur à Roba pour la 1 000e page de ses histoires parues dans *Spirou.*
Ironie de l'histoire, la B.D. est née à peu près à la même époque que l'Art nouveau. En 1896 pour être précis, aux États-Unis, avec « The Yellow Kid », première association véritable de textes et d'images.
– *Au rez-de-chaussée :* la *boutique,* une *salle de lecture* avec 4 000 B.D. en accès direct et la *bibilothèque,* une des plus, voire LA plus fournie au monde, puisqu'elle recèle quelque 70 000 titres en une quinzaine de langues. La salle de lecture est accessible à tous pour 0,50 € par jour, sans obligation de visiter le musée. Pour la bibliothèque (fermée le dimanche en plus du lundi), il faut avoir au moins 16 ans et s'acquitter d'un droit d'entrée de 1,20 € par jour. Toutes deux ouvrent à 12h et ferment à 17h (18h vendredi et samedi). Au même niveau, l'*espace Horta* explique

l'histoire du bâtiment et accueille une petite expo sur l'Art nouveau, il est prolongé par une brasserie-restaurant.

– **L'escalier :** monumental, évidemment. Attention, en montant les marches (ou plutôt en les descendant), de ne pas tomber comme le fait Haddock dans *Les Bijoux de la Castafiore* car – l'avez-vous remarqué ? – une des marches est cassée, comme à Moulinsart... Cela n'a même pas été fait exprès mais on a conservé ce clin d'œil.

– **À l'entresol :** expo sur la naissance d'une B.D., où toutes les phases d'élaboration d'une B.D. sont minutieusement passées en revue. Scénario, colorisation, marketing, produits dérivés... Dans la salle Saint-Roch, on expose par roulement 200 des 6 000 planches originales d'artistes internationaux que possède le musée. On s'aperçoit notamment que la plupart des planches sont réalisées sur un grand format (voisin du A3) et qu'elles sont réduites seulement après, afin de conserver l'importance du détail. Petite salle où l'on projette un document en rapport avec l'expo temporaire du 1er étage.

– **Au 1ᵉʳ étage :** on y trouve, autour du puits de lumière, une expo temporaire sur un artiste et, plus loin, le *musée de l'Imaginaire*, dédié aux grands de la B.D., ceux qui ont commencé à être publiés en Belgique avant 1960. Chacun possède son petit univers recréé pour lui autour de son personnage phare. À tout seigneur... tout honneur, Hergé est servi en premier : éditions originales de *Tintin*, nombreux portraits du petit reporter, le capitaine Haddock dans tous ses

états, une réplique de la statue en bois de *L'Oreille cassée*... Concernant Tintin, quand on y réfléchit bien, on s'aperçoit que notre héros est un type assez lisse, plutôt neutre, sans défaut, sans travers... bref, assez ennuyeux. Certains disent que c'est cette neutralité qui le rendit universel. Tintin est une enveloppe dans laquelle tout le monde peut facilement se glisser, grâce à un dessin simplifié à l'extrême (à peine une bouche). Ceux qui l'entourent sont plus « vivants » que lui. Haddock, par exemple, hurle, jure, se met en colère, picole... Tournesol est un chercheur passionné et sourd, les Dupondt se rendent sympathiques par leurs maladresses et leurs limites... À l'entrée de cette section, voir aussi les portraits de ce qui n'était à l'époque que Totor. Tiens, une petite anecdote au passage sur la houppette de Tintin ! En relisant *Tintin au pays des Soviets* (son premier album), on s'aperçoit que la mèche relevée sur la tête n'arrive qu'après quelques pages. Hergé lui dessine d'abord une mèche qui tombe. Mais, au cours de l'histoire, notre héros chute au bout de quelques pages dans une voiture décapotable qui roule à vive allure. Sa mèche se relève naturellement, à cause de la vitesse. Ça plaît à Hergé... qui ne la fera jamais retomber.

D'autres sections nous font également découvrir Jijé, le père de *Spirou*, qui fit faire à Will, Morris et Franquin leurs premiers pas. Une planche du premier *Spirou* de 1938 présente la création du personnage, dans laquelle le dessinateur se met lui-même en scène en train de créer son petit groom avec beaucoup d'humour. Jijé sera sans doute le premier dessinateur à mettre en scène un héros noir avec Cirage, dans *Blondin et Cirage*. En plus, Cirage est intelligent, ce qui n'était pas très bien vu en 1939 ! Le personnage dut disparaître durant l'Occupation, sur ordre des Allemands. Un autre truc marrant : regardez de près la planche où Jijé se voit accusé par Hergé de plagier Tintin avec son personnage de Jojo. Il répond simplement en faisant trois dessins qu'il envoie à son accusateur. On vous laisse découvrir. Morris et Franquin, juste après la guerre, suivirent Jijé aux États-Unis, où ils dormaient dans son garage ! Ce qui n'empêchait pas Franquin de continuer à envoyer régulièrement des planches au *Journal de Spirou*... Tiens, à propos du

Journal de Spirou, saviez-vous que c'est parce que la B.D. américaine était interdite par les Allemands pendant la guerre que le fameux magazine recruta parmi les auteurs belges ? Et que cela expliquerait – en partie – l'essor du 9e art en Belgique... Bien sûr, il y a d'autres tentatives d'explication, notamment celle du phénomène Hergé ou encore celle selon laquelle le peuple belge, ne sachant plus à quelle langue se vouer suite au grand nombre d'occupations étrangères, se serait finalement rabattu sur le dessin, jugé plus efficace, pour exprimer ses idées... Ce qui est sûr, c'est que le pays compte aujourd'hui un dessinateur professionnel pour 30 000 habitants. Un record... probablement mondial.

Mais revenons à notre visite, avec Jacobs, créateur de *Blake et Mortimer,* ancien baryton qui faisait de la B.D. « en plus ». Dans la vitrine reconstituant son atelier, on voit la célèbre *marque jaune* peinte sur sa table de travail. Marc Sleen, recordman mondial de la B.D. avec quelque 180 albums écrits et dessinés par lui-même, qui mit en scène le célèbre *Nero.* Et encore Bob de Moor, collaborateur d'Hergé pendant plusieurs décennies. Franquin possède également son petit coin où l'on voit le célèbre Gaston Lagaffe, parfait antihéros, premier du genre dans la B.D. européenne. Personne ne croyait à son succès. Vandersteen, papa de *Bob et Bobette,* Jacques Martin, Tibet *(Ric Hochet),* Roba *(Boule et Bill)* et, bien sûr, Peyo, dont les mondialement célèbres petits êtres bleus ne furent, au départ, qu'une émanation passagère des aventures de Johan et Pirlouit. Les lecteurs en redemandèrent (voir la vitrine d'objets Schtroumpfs) ! Tiens, un petit mot sur Morris, qui, mauvais élève, caricaturait ses profs pendant les cours. Il conserva tous ses dessins d'enfant et les réutilisa dans *Lucky Luke* pour ses personnages... de croque-morts.

– *Au 2e étage :* la B.D. moderne. Présentation de l'évolution des grands courants esthétiques de la B.D. européenne. Évocation du journal *Pilote* (né en 1959), où Astérix apparut pour la première fois aux yeux du public. Vitrines sur les évolutions techniques, les couleurs, la nouvelle composition des pages avec inclusion de zoom. Retour au noir et blanc pour créer de nouvelles ambiances (le Paris mélancolique et glauque de Tardi). Évolutions thématiques également, où l'on n'hésite plus à raconter le simple quotidien. Apparition de l'érotisme (Manara, Giardino), naissance de personnages contraints par la vie à se confronter à l'aventure sans la rechercher, à l'instar de Thorgal ou de Jérôme K. Jérôme Bloche, personnage distrait et humain, qu'on voit dans sa banalité quotidienne. Plein de choses encore à découvrir, à dénicher. Vraiment passionnant, même si le musée, pour ceux qui le visitent souvent, ne se renouvelle pas toujours assez. À suivre...

|●| ❢ On peut grignoter un bout ou boire un verre à la *cafétéria Horta* du rez-de-chaussée.

LES FAÇADES B.D.

🖈 En complément à votre visite au Centre belge de la bande dessinée, nous vous proposons de vous faire découvrir les façades B.D. qui garnissent de plus en plus les murs de Bruxelles avec l'appui, bien sûr, du CBBD. Pas d'itinéraire suivi, parce que les façades en question sont très dispersées à l'intérieur du Pentagone et qu'il serait un peu idiot de vous faire parcourir des kilomètres rien que sur ce thème. En revanche, au cours de vos pérégrinations, vous repérerez aisément ces façades. La petite notice explicative ci-dessous, qui vous indique leur auteur et leurs personnages. Rien que sur le territoire de Bruxelles, on en compte aujourd'hui une bonne quarantaine puisque le circuit s'étend jusqu'aux communes de Laeken, Etterbeek, Uccle... Il est régulièrement mis à jour sur ● *brusselsbdtour.com* ● Treize nouvelles fresques ont été réalisées pour 2009, année de la B.D.

Depuis le retour triomphal de Tintin débarquant du pays des Soviets à la vieille gare du Nord, la B.D. belge s'est nourrie des paysages urbains bruxellois. De Quick et Flupke fuyant le courroux de l'agent 15 jusqu'aux architectures oniriques de François Schuiten, ce n'est qu'un juste retour des choses que celle-ci égaye à présent les rues, pour le plus grand plaisir de ses habitants. Un pictogramme en forme de bulle vous permet de les situer.

– *Le Passage* (plan couleur II, D6) : pignon latéral de François Schuiten. Rue du Marché-au-Charbon, en face du commissariat central. Hommage au « Brüsel » de la série des *Cités obscures*. (Casterman)

– *Broussaille* (plan couleur II, D6) : par Frank Pé. Rue du Marché-au-Charbon, à hauteur du *Plattesteen*. Une invitation au trekking urbain, presque une couverture du *Guide du routard* ! (Dupuis)

– *Victor Sackville* (plan couleur II, D6) : par Francis Carin. Rue du Marché-au-Charbon et bas de la rue du Lombard. Un personnage d'espion au service du roi d'Angleterre à la Belle Époque. (Le Lombard)

– *Ric Hochet* (plan couleur II, D6) : rue du Bon-Secours, entre la rue du Marché-au-Charbon et le boulevard Anspach. Le célèbre détective à l'imper mastic en train de se livrer à ses habituelles acrobaties sous les yeux du commissaire Bourdon et de sa nièce. Le dessinateur Tibet a vécu dans le quartier en débarquant de son Marseille natal. (Le Lombard)

– *Isabelle* (plan couleur III, G7) : par Will. À l'angle de la place Anneessens et de la rue de la Verdure. La très jolie magicienne Calendula nous fait entrevoir ses charmes et un monde à l'imaginaire foisonnant au-delà de la destruction des immeubles. (Dupuis)

– *Le Chat* (plan couleur III, G8) : par Philippe Geluck. Boulevard du Midi, à l'angle de la rue des Tanneurs. L'ineffable félin qui philosophe tous les samedis dans le supplément du *Soir* semble étonné de voir défiler tous les trains de la gare du Midi. (Casterman)

– *Tintin* (plan couleur II, D6) : d'Hergé. Rue de l'Étuve. Le plus célèbre reporter du monde sur des escaliers de secours, en compagnie de son inséparable petit chien blanc et du capitaine Haddock. (Casterman)

– *Lucky Luke* (plan couleur II, C6) : de Morris. Rue de la Buanderie. Le cow-boy le plus rapide de l'Ouest et les exploits criminels des incorrigibles frères Dalton. (Lucky Productions)

– *Astérix* (plan couleur II, C6) : de Goscinny et Uderzo. Un peu plus loin, dans la même rue. Le petit Gaulois, ou plutôt le village gaulois... en visite dans un camp retranché romain. (Albert-René)

– *L'Archange* (plan couleur II, C5-6) : d'Yslaire. Rue des Chartreux. Un ange veillera désormais sur ces Chartreux qui ne furent pas des chats. (Glénat et Delcourt)

– *Néron* (plan couleur II, C6) : de Marc Sleen. Place Saint-Géry. Le héros le plus populaire de la B.D. flamande, à la truculence bruxelloise pleine d'optimisme et de bon sens. (Standaard)

– *Cubitus* (plan couleur II, C5) : de Dupa. Rue de Flandre, 109. La grosse boule de poils du sympathique chien du loup de mer Sémaphore a trouvé naturellement un piédestal à sa condition canine. (Le Lombard)

– *Bob et Bobette* (plan couleur II, D4) : de Van der Steen. À l'angle de la rue de Laeken et de la rue du Canal. Toute la tribu chère au public flamand, à proximité, comme il se doit, du Théâtre flamand. (Standaard)

– *Gaston Lagaffe* (plan couleur II, E5) : d'André Franquin. Boulevard Pachéco. Le plus célèbre des antihéros en compagnie de sa mouette rieuse et de son pirate de chat, une sculpture en résine en trois dimensions cette fois. (Dupuis) Au bas des escaliers, le CBBD, pour retrouver tous ces héros. Également une fresque peinte pour les 50 ans de Gaston Lagaffe sur le côté de l'entrée d'un parking, rue de l'Écuyer, en face de la Monnaie

– *Olivier Rameau* (plan couleur II, D6) : de Dany. Rue du Chêne. À deux pas du Manneken-Pis, un hommage tonitruant et étoilé à l'univers disneyen du pays de Rêverose, à la demande du marchand de pyrotechnie voisin. (P&T Production)

– *Quick et Flupke* (plan couleur III, H8) : d'après Hergé. Rue Haute, au coin de la rue des Capucins. Les *ketjes* de Bruxelles aux prises avec l'agent 15 dans leur quartier d'élection : le cœur des Marolles. (Casterman)

– *Odilon Verjus* (plan couleur III, H8) : d'après Verron et Yann. Un peu plus bas, au n° 13 de la rue des Capucins. Un brave missionnaire qui a fort à faire pour ne pas perdre son latin quand le Vatican lui confie les tâches les plus ingrates, compliquées par les gaffes de son assistant, le jeune Père Laurent. (Le Lombard)

– **Boule et Bill** (plan couleur III, G8) : de Roba. Rue du Chevreuil. À deux pas du marché aux puces, une délicieuse évocation du foisonnement de la vie du quartier. Peut-être la plus réussie des façades B.D. (Dargaud)

– **Le petit Jojo** (plan couleur III, G8) : d'André Geerts. Rue Pieremans, 43. L'univers familial, tendre et drôle d'un petit garçon, de sa mamie et de Gros-Louis, son copain préféré. (Dupuis)

> ## LES ESPADRILLES DE LAGAFFE
>
> *Lorsqu'il devient employé au courrier du Journal de Spirou, Gaston porte un pull à col roulé vert trop court, un jeans et des espadrilles orange usées jusqu'à la corde. Franquin reçoit un jour une lettre de Mauléon-Licharre, petite ville des Pyrénées-Atlantiques connue pour être la capitale de l'espadrille. L'auteur de la lettre, estimant les espadrilles de Gaston en trop mauvais état, avait décidé de lui en fournir des neuves et, à cette fin, avait joint deux paires : une noire et une bleue. Franquin ayant choisit la bleue, Gaston ne les quittera plus.*

– **La patrouille des Castors** (plan couleur III, G8) : d'après Mitacq. Au coin de la rue Blaes et de la rue Pieremans (à proximité, donc, de la précédente). Poulain, Faucon, Mouche, Tapir et Chat, les cinq scouts éternellement jeunes et courageux qui firent le bonheur des lecteurs en culottes courtes du *Journal de Spirou* depuis les années 1950. (Dupuis)

– **Cori le Moussaillon** (plan couleur II, C6) : de Bob de Moor. Rue des Fabriques, 21. L'épopée des « gueux de mer » opposés à l'armada espagnole traitée par l'un des piliers de l'école belge. (Casterman)

– **Blondin et Cirage** (plan couleur III, G8) : d'après Jijé. Rue des Capucins, 15. Un duo humoristique et multiethnique où le plus futé n'est pas celui qu'on croit, créé dès 1939 par ce maître à dessiner que fut Joseph Gillain. (Dupuis)

– **Les Rêves de Nic** (plan couleur II, C6) : d'après Hermann. Rue des Fabriques, 40. Tout près de *Cori le Moussaillon* et de *Lucky Luke*. Une façade qui invite le passant à pénétrer dans le rêve de Nic, où l'aventure commence... (Dupuis)

– **Le Jeune Albert** (plan couleur III, H7) : d'Yves Chaland. Rue des Alexiens, 49. Non loin de la Fondation Jacques-Brel. Un tram et un cinéma, dans une rue plongée dans les années 1950. (Humanoïdes Associés)

– **Billy the Cat** (plan couleur II, C5) : de Colman et Desberg. Rue d'Ophem, 24. Billy, petit garçon changé en chat, se retrouve pirouettant avec un compagnon sur le pavé de Bruxelles... (Dupuis)

– **Le Scorpion** (plan couleur II, E6) : de Marini et Desberg. Rue Treurenberg, 14. Le fier bretteur italien à un jet de pierre de la cathédrale. (Dargaud)

– **Passe-moi l'ciel** (plan couleur III, H8) : de Stuf et Janry. Rue des Minimes, 91. Série humoristique qui traite du paradis et de l'enfer... des bons et des méchants (un clin d'œil au palais de justice, situé en contre-haut).

– **Monsieur Jean** (plan couleur III, H7) : d'après Dupuy et Berberian. Rue des Bogards, 28. M. Jean, le quidam de service, passe devant une brasserie typiquement... bruxelloise. Petit hommage rendu à la ville par deux auteurs parisiens.

– **Caroline Baldwin** (hors plan couleur II par C5-6) : d'après André Taymans. Place de Ninove, 10, dans le prolongement de la rue des Fabriques. Belle, intelligente, sportive et célibataire, Caroline Baldwin est chargée de résoudre les énigmes les plus difficiles qui mêlent souvent à la fiction de ses aventures un soupçon d'actualité. (Casterman)

– **La vache** : de Johan de Moor. Dans le hall de l'*Espace du Sleep-Well* (plan couleur II, E5, 13), une composition burlesque du fils de Bob de Moor sur le thème de la capitale avec ses symboles incontournables : Woltje, l'agent 15, le Chat, l'Atomium, Magritte et le tram n° 33, cher à Brel, qui emmène Madeleine manger des frites chez Eugène.

– *L'agent 15* *(plan couleur II, C4)* : d'après Hergé. Place Scaintelette. Une statue d'agent de police (sculptée par Frantzen) accrochée au pied par un voyou dans un égout. Au départ, rien à voir avec le personnage des *Aventures de Quick et Flupke*, mais une représentation de l'autorité que fait vaciller l'esprit rebelle aux abords d'un canal où s'affrontaient autrefois les bandes de Molenbeek venues narguer celles de Bruxelles.

– Également d'autres fresques dans quelques stations de métro : *Porte-de-Hal* (le *Passage Inconnu* de Schuiten), *Ribaucourt* et *Stockel*, cette dernière s'adressant tout particulièrement aux tintinophiles pour sa multitude de personnages d'Hergé (peints sur toute la longueur de la station).

– Pour finir en beauté avec le personnage le plus connu de la B.D. belge, *les gares* : d'abord le hall de la *gare du Midi*, où Tintin occupe tout un mur en s'accrochant à une loco tirée de sa première aventure *Au pays des Soviets*. Ensuite, pour commémorer ses 80 ans en 2009, la rénovation de la *gare de Luxembourg* *(plan I, B2)* a réservé une place de choix à une fresque en noir et blanc de Hergé datant de 1932 où, au milieu des personnages accueillant saint Nicolas, on peut apercevoir Quick et Flupke, les Dupond et Dupont (qui s'appelaient à l'époque X33 et X33 bis). La *gare de Luxembourg* sera le point de départ des visiteurs qui se rendront à Louvain-la-Neuve en train pour visiter le musée Hergé. En septembre 2009, la plus ancienne des représentations de Tintin dans la ville, l'enseigne lumineuse qui coiffe l'immeuble des éditions du Lombard (qui abrite aujourd'hui la Fondation Leblanc), s'est remise à tourner. L'emblème connu de tous les bédéphiles a été imaginé en 1958 par Raymond Leblanc, fondateur avec Hergé du *Journal de Tintin*.

➢ Pour revenir vers le centre, après la visite du Centre belge de la bande dessinée *(plan couleur II, E5, 152)*, on peut emprunter la rue du Marais, puis la rue Montagne-aux-Herbes-Potagères. À l'angle de la rue Fossé-aux-Loups, bel immeuble d'angle abritant la *Caisse Générale d'Épargne et de Retraite*, dont l'arrondi adoucit la dureté du placage de bronze qui le recouvre. Juste en face, un immeuble qui mérite un coup d'œil pour son style paquebot. À côté, l'hôtel *Radisson-SAS*, qui emprunte avec une certaine réussite le vocabulaire de l'architecture Art déco. Dans le vaste hall, un pan de l'enceinte médiévale de la ville, menacé par les pioches, a été finalement conservé. Curieux effet que ce choc des siècles en ce lieu. Mais qu'aurait-on dit si on l'avait détruit ?

Le choc des siècles est encore plus évident lorsque, en remontant la rue d'Assaut, on aperçoit la façade de la cathédrale.

🕯 *La cathédrale Saint-Michel-et-Sainte-Gudule* *(plan couleur II, E6)* : pl. Sainte-Gudule. Visite libre lun-ven 7h-18h, sam 8h30-18h, dim 8h30-18h (visites après 14h). Accès payant à la crypte, au trésor et aux vestiges archéologiques (besoin parfois de prendre rdv au ☎ 02-219-75-30).

Elle a été complètement remise à neuf après 20 ans de travaux ininterrompus. Anciennement Sainte-Gudule, la cathédrale fut à moitié débaptisée pour faire un peu de place à saint Michel. Pour rendre hommage à sainte Gudule, disons simplement qu'elle était une sainte carolingienne qui défia le diable et dont les reliques furent conservées dès le Xe s.

UNE TÉNÉBREUSE AFFAIRE

Nombre de vitraux et de peintures de la cathédrale évoquent des épisodes de la sinistre affaire du « miracle du Saint-Sacrement », où des juifs, au XIVe s, auraient dérobé et profané des hosties consacrées. C'était, comme chacun sait, leur passe-temps préféré, lorsqu'ils ne mangeaient pas des petits enfants chrétiens ! Mais voilà, de ces hosties, du sang se serait écoulé, constituant le « miracle ». Les juifs accusés furent condamnés au bûcher. Nous étions en pleine épidémie de peste et, comme toujours, les juifs trinquaient les premiers. Bien que le vol n'eût jamais été prouvé, cette légende donna l'occasion à différents artistes de narrer l'affaire sur vitraux, tapisseries et toiles.

Bien bel édifice, planté au sommet d'une colline et malheureusement flanqué aujourd'hui de bâtiments insipides, ce qui l'isole du cœur de la cité. Du fait de la durée de la construction, les styles se mélangent allégrement, sans trop se bousculer : roman, gothique primaire puis tardif, et même baroque. Les deux grandes tours du XVe s, très épurées, s'élancent en façade, bien symétriquement. On y retrouve les marques du gothique brabançon.

À l'intérieur, vaste nef élancée aux élégantes proportions, séparée des bas-côtés par de lourdes colonnes où s'adossent 12 apôtres baroques et massifs. Noter la différence de facture entre les piliers sud du XIVe s et ceux du nord réalisés un siècle plus tard. Les chapiteaux de ces colonnes massives sont ornés de feuilles de chou typiques du style brabançon. Parmi les autres chefs-d'œuvre, voir l'élégant triforium aux arcatures trilobées et la lourde chaire « baroque naturaliste », qui repose sur un *Adam et Ève*. La mort rôde sous la forme d'un élégant cadavre (noter le souple mouvement du pied). Le chœur, partie la plus ancienne, participe du style gothique primaire. Le chevet a conservé des éléments romans. La chapelle du Saint-Sacrement abrite un admirable autel de chêne sculpté de style gothique tardif très ouvragé.

Les autres chefs-d'œuvre auxquels il faudra jeter un œil sont les vitraux, pour la plupart du XVIe s, réalisés par un grand maître verrier de la cour de Marguerite d'Autriche. Parmi ceux-ci, les remarquables vitraux de la chapelle du Saint-Sacrement qui narrent l'histoire du vol des hosties et du « miracle » (voir encadré). En tournant le dos à l'autel, au-dessus de la tribune, un autre vitrail de toute beauté : *Le Jugement dernier,* avec ses beaux bleus, ses verts éclatants et son jaune lumineux. Ceux du transept sont également remarquables. Ils mettent en scène d'un côté Charles Quint et Isabelle de Portugal et, dans le bras sud, Louis II, roi de Hongrie. Le déambulatoire donne accès à la chapelle de la Vierge, baroque.

On peut également visiter, dans la crypte, les vestiges de l'église romane, sous la cathédrale. Caveau de Jean II, orné de calligraphies de l'époque de Philippe le Bon et graffitis remontant vraisemblablement au XIIe s.

Nombre des œuvres d'art furent offertes par Charles Quint au XVIe s. On célébra longtemps le miracle des hosties lors d'une procession annuelle dite du « Saint-Sacrement ». Après bien des tergiversations historico-religieuses, on décida en 1977 d'apposer une plaque remettant en cause la véracité de l'histoire et du miracle afin de « réparer » les dommages causés aux juifs de l'époque et pour qu'aujourd'hui les vitraux cessent de choquer la communauté juive et d'alimenter le ressentiment. On trouve cette plaque sur le mur de la chapelle du Saint-Sacrement.

À signaler pour les ornithologues : un couple de faucons pèlerins a élu domicile dans une des tours

➤ Retour vers la Grand-Place, par la rue de la Montagne.

VERS LE QUARTIER DU SABLON ET DU PALAIS ROYAL *(plan couleur II, D-E6 et plan couleur III, H-I7)*

🏃🏃 Pour gagner ce quartier depuis la Grand-Place, prendre la rue Charles-Buls entre l'Étoile et l'hôtel de ville. À l'angle de la rue des Brasseurs, une plaque rappelle le site où s'élevait l'hôtel dans lequel Verlaine blessa Rimbaud au poignet après avoir acheté son revolver dans les galeries royales Saint-Hubert. Ah ! l'amour...

Au-delà de la rue du Lombard, le petit bonhomme le plus célèbre du monde :

🏃🏃 **Le Manneken-Pis** *(plan couleur II, D6, 143)* : à l'angle de la rue de l'Étuve et de la rue du Chêne.

La carte postale la plus vendue de Belgique ! Eh oui ! Comme tout le monde, vous vous direz : « Oh, comme il est petit ! » 55,5 cm, pas un de plus, mais c'est un grand monument ! De plus, par rapport à la taille, la longueur du jet est infiniment respectable. Si la petite statue date du XVIIe s, il existait depuis le XIVe s une fontaine de pierre, la *fontaine du Petit-Julien,* où les femmes venaient puiser l'eau, tout simplement. On y adjoignit en 1619 ce petit bonhomme de bronze, sculpté par Jérôme Duquesnoy. Il symbolise l'irrévérence et une certaine indépendance d'esprit en faisant devant tout le monde ce que d'habitude l'on fait en cachette. En effet, c'est le seul « petit bonhomme » *(Manneken)* qu'on connaisse qui pisse dos au mur. Au rayon des anecdotes, avez-vous remarqué qu'il est gaucher ?

Depuis toujours, la tradition veut que les hôtes de la ville lui offrent un costume. Le premier fut Maximilien de Bavière en 1698. On rappelle que la plupart de ses panoplies sont visibles au musée de la Ville de Bruxelles, dans la maison du Roi, sur la Grand-Place.

Le Manneken possède une grâce et un sourire espiègle qui le rendent particulièrement sympathique. Bien sûr, sa vie fut mouvementée. L'original fut conservé intact jusqu'à ce que les armées de Louis XV l'amputent d'un bras (on ne sait pas si c'est la main qui tient son jésus ou l'autre). Pour s'excuser, Louis XV lui-même lui offrit un superbe costume de style... Louis XV. En 1817, il fut brisé par un ancien forçat qui voulait se venger des institutions. Celui-ci se retrouva au violon pour 20 ans et se fit marquer au fer rouge en place publique. Régulièrement chahuté par les étudiants, il fut même enlevé par des Anversois en 1963. Il continue vaillamment, depuis, son petit bonhomme de pipi et n'est jamais à court de liquide. Il faut dire qu'il possède une vraie nounou en la personne de son habilleur officiel, M. Ahime, qui le change régulièrement. Sur la droite de la fontaine, sa petite échelle.

Sachez encore que son débit est réglable et parfois, lors de certaines fêtes, il arrose jusqu'au milieu de la chaussée. De temps à autre, on lui fait même uriner de la bière. En 2007, il a aussi servi à une campagne de sensibilisation contre le cancer de la prostate : il ne pissait plus que goutte à goutte !

Et puis les nostalgiques et nos lecteurs aux cheveux blancs se rappelleront peut-être la chanson de Maurice Chevalier, *Manneken-Pis, petit homme de Bruxelles.*
Le petit garçon a aujourd'hui une petite compagne, *Jeanneke-Pis,* dans une impasse de la rue des Bouchers, de toutes pièces créée à des fins commerciales, et on leur a adjoint un petit chien leveur de patte : le *Zinneke-Pis,* du côté de la rue des Chartreux. Tout ça ne pisse pas bien loin !

➤ *Du Manneken-Pis à la place du Grand-Sablon (plans couleur II et III) :* remonter la rue du Chêne. Au n° 27, vénérable maison du XVIIe s. Au bout de la rue, charmante place ronde la Vieille-Halle-aux-Blés avec ses quelques façades romantiques et ses vieux pignons décrépis. Plutôt calme aujourd'hui, alors qu'un relais de poste l'animait autrefois. Du côté des toits, vers la rue du Lombard, on aperçoit la piscine de verre de l'hémicycle du Parlement de la région bruxelloise qui est venu coiffer le bâtiment classique de l'ancien Palais provincial. Une réussite architecturale incontestable, pour une fois... De la terrasse qui surplombe la rue, les élus bruxellois ont une vue imprenable sur les tours du paysage urbain. Certains d'entre eux se sont promis d'en faire raser les plus choquantes. Les temps changeraient-ils ?

🕯 *Les Éditions Jacques Brel (plan couleur III, H7, 159) : pl. de la Vieille-Halle-aux-Blés, 11, 1000.* ☎ 02-511-10-20. ● *jacquesbrel.be* ● Mar-dim 11h-17h *(dernière entrée).* Entrée : 8 € ; réduc. Un centre consacré au Grand Jacques, qui présente pendant au moins 1 an une expo sur un thème particulier : projections vidéo et images d'archives (témoignages, interviews, morceaux de chansons filmés lors de galas ou shows télé...). Des objets personnels, manuscrits, agendas et extraits de films viennent compléter l'expo. Également une salle où l'on reconstitue un morceau de vie de ce chanteur universel. Pour plus d'infos sur l'expo en cours, il sera utile de consulter le site internet avant de débourser les 8 € de l'entrée, ce qui est très cher pour ce qu'il y a à voir.

➢ De la Fondation Jacques-Brel, les trekkeurs urbains impénitents et amoureux d'histoire ancienne feront un crochet par la *rue de Villers* où s'élève un gros bout de muraille avec tour et vestiges de la première enceinte longue de 4 km qui ceinturait la ville au XIIIe s. À sa gauche, une belle maison rénovée qui se pare d'un porche au-dessus duquel est enchâssé l'un des boulets du bombardement de Bruxelles en 1695.

Plus haut, on aboutit à la *place de Dinant* où le charme du centre-ville est interrompu par le large boulevard de l'Empereur, curieuse saignée qui cache en fait le passage souterrain des voies de chemin de fer reliant la gare du Midi à la gare centrale. De l'autre côté du boulevard, voir la *tour Anneessens,* autre vestige de la première enceinte de la ville.

🕯 *L'église de la Chapelle (plan couleur III, H7, 144) : sur la pl. du même nom. Tlj 9h-19h (sf pdt les offices).* Postée à la frontière entre les Sablons et les Marolles, elle se situait en dehors de la première enceinte, et donc dans le faubourg. C'est un bel exemple de gothique brabançon, caractérisé par sa grosse tour-porche carrée. Au-dessus de la porte, une *Sainte-Trinité* de Constantin Meunier, sculpteur talentueux du XIXe s. Construite au XIe s et maintes fois remaniée, l'église abrite un mémorial dédié à Bruegel l'Ancien, situé dans la quatrième chapelle du collatéral de droite. Rappelons que Bruegel peignit essentiellement des scènes paysannes et qu'il fut un observateur précis des traditions populaires de son époque. Il vécut un temps aux Marolles, juste à côté, dans la rue Haute. À l'intérieur toujours, belle chaire baroque symbolisant Élie au désert, avec palmiers tenant le baldaquin et arbres exotiques. À gauche du porche, le sous-sol de la place triangulaire recèle un ancien cimetière médiéval. En sortant, passer derrière l'église pour en observer le chevet, parfaite transition entre le gothique et le roman, architecture rare en Belgique. Le dimanche matin, l'église est le rendez-vous de la très religieuse communauté polonaise de Bruxelles.

🕯🕯 *La rue de Rollebeek :* lit d'un ancien ruisseau qui dévalait vers la Senne. Charmante comme tout, pavée et piétonne, bordée de belles maisons occupées par des antiquaires et de petits restos, elle fait la jonction jusqu'à la place du Grand-Sablon. Au n° 7, deux adorables maisons siamoises, toutes de brique vêtues et surmontées de pignons à redans.

🕯🕯🕯 *La place du Grand-Sablon (plan couleur III, H-I7) :* cette jolie place bourgeoise de forme triangulaire, bordée de demeures anciennes, s'impose peu à peu comme l'un des symboles du charme et de l'art de vivre bruxellois. C'est le coin tranquille et chic de la ville, où se sont installés des boutiques d'antiquités, des restos et le célèbre **pâtissier Wittamer,** l'un des meilleurs fournisseurs de la Cour. Sans oublier le désormais incontournable **Pierre Marcolini,** le chocolatier « haute couture ».

Au départ, il y avait des marais sablonneux (d'où le nom de Sablon), puis un cimetière. Il fallut attendre le XVIIIe s pour que la bourgeoisie s'y installe. Aujourd'hui, c'est un centre animé où le samedi toute la journée et le dimanche matin se tient un marché aux antiquaires. Attention, il ne s'agit pas de brocante ni de puces mais d'antiquités, chères, voire fort chères.

Au centre, une fontaine offerte par un exilé écossais en remerciement de l'hospitalité qu'il reçut de la part de la ville au XVIIIe s.

🕯 *L'église Notre-Dame-du-Sablon (plan couleur III, I7-8, 145) : ouv en sem 9h-17h, sam 9h30-17h et dim 13h-17h.* Ancien oratoire qui se transforma en une église importante à cause d'une légende, au XIVe s. L'histoire met en scène Béatrice Soetkens, une sorte de Jeanne d'Arc

BRUXELLES

locale, qui entendit des voix lui imposant d'aller à Anvers pour voler la *Vierge à la branche* située dans la cathédrale. Elle vola donc la statue et fila en barque sur l'Escaut jusqu'à Bruxelles. Des arbalétriers, voyant la Vierge, protégèrent Béatrice et décidèrent de transformer l'oratoire en une vraie église capable d'accueillir des pèlerins. La statue fut détruite mais l'église fut conservée. De là naquit une procession annuelle menée par les arbalétriers, qui se transformera en Ommegang, impressionnant cortège historique qui se perpétue encore de nos jours et qui part toujours de cette église.

– *L'extérieur* : élégante façade de style gothique flamboyant avec sa rosace bien équilibrée. Ravalée, elle brille comme un sou neuf. Caractéristique du gothique brabançon, une tourelle à la croisée des transepts. C'est d'ailleurs à son sommet qu'on accrochait un perroquet lors du concours annuel du meilleur arbalétrier. En l'an 1615, l'archiduc Albert, souffrant de goutte, ne put y participer et c'est son épouse qui le remplaça. Et elle gagna le concours ! Nombreuses furent les corporations à vénérer leur saint patron dans cette église : arbalétriers bien sûr, mais aussi arquebusiers, archers, escrimeurs... Entrée par le transept sud.

– *L'intérieur* : il témoigne d'un beau style gothique brabançon, avec ses chapiteaux ornés de feuilles de chou frisé qui supportent 12 apôtres, comme à Saint-Michel. Beau triforium aveugle et voûte de la nef très marquée par ses croisées d'ogives. La chaire baroque (et un peu lourde) évoque les quatre évangélistes : Luc (le bœuf), Marc (le lion), Matthieu (l'ange) et Jean (l'aigle). Devant le chœur, côté gauche, une copie de la fameuse *Vierge à la branche* et, au-dessus de la porte sud, une sculpture évoquant la légende, où apparaît Béatrice dans sa barque, rapportant la Vierge d'Anvers. Dans le transept nord, la chapelle des Tour et Tassis, famille célèbre chargée par Charles Quint de mettre en place le service postal du pays. L'église était appréciée de Paul Claudel, alors ambassadeur de France à Bruxelles, qui venait y prier chaque matin. Près de la chaire baroque, une inscription rappelle sa dévotion.

– *Le chœur* : un vrai chef-d'œuvre avec ses fines colonnes, ses nervures très marquées et son ensemble de vitraux ravissants qui font penser à ceux de la Sainte-Chapelle à Paris.

🏛 *La place du Petit-Sablon* (plan couleur III, I8) : si la place du Grand-Sablon est en partie transformée en parking, celle du Petit-Sablon est un vrai jardin agréable, petit parc clos par une grille dont les colonnes sont surmontées de superbes statues de bronze rendant hommage à toutes les corporations du XVIe s. On y voit en vrac chaisier, chaudronnier, menuisier, forgeron... tous représentés avec leurs outils. Travail remarquable. Coquetterie suprême, chaque colonne est agrémentée d'un motif géométrique différent. De même, chaque portion de grille entre les colonnes propose un dessin original. Tout cela fut réalisé au XIXe s, pour rendre une sorte d'hommage au XVIe s, période particulièrement difficile de l'histoire. L'ensemble est très bien mis en valeur par un éclairage nocturne, contemporain et plutôt audacieux. Dans le haut du parc, au-dessus de la fontaine, les comtes d'Egmont et de Hornes, décapités en 1568 sur la Grand-Place. Tout autour, parmi les savants et humanistes du XVIe s sculptés dans la pierre, on reconnaît Henri de Brederode (portant la besace des gueux) ainsi que Gérard Mercator et Abraham Ortélius. Derrière, le palais de la famille d'Egmont, affecté aux réceptions du ministère des Affaires étrangères. Joli parc qui permet de rejoindre le boulevard de Waterloo, derrière le *Hilton*, et orangerie magnifiquement restaurée. La rue de la Régence, artère percée au XIXe s, mène au palais de justice.

🏛🏛 *Le palais de justice* (plan couleur III, H8) : pl. Poelaert. Le rêve délirant commandé par Léopold II. Il reçut rapidement le surnom mérité de « Mammouth », vu l'ampleur de l'édifice. C'est l'architecte Poelaert qui « commit » cette chose colossale, monstrueuse même à certains égards. Imaginez : 2,6 ha de surface ! Rappelons que Saint-Pierre de Rome ne couvre que 2,2 ha. C'est bien simple, c'est le plus grand édifice construit en Europe jusqu'à l'édification du palais de Ceausescu à Bucarest. Inauguré en 1883 en grande pompe, il devait symboliser la grandeur de

Bruxelles, que Léopold II voulait transformer en rivale de Paris. Résultat : une étrange mixture de styles, avec du néoclassique, du syro-babylonien, quelques références au gothique et bien d'autres influences indéfinissables. Le chantier a vu son budget dépasser les 50 millions de francs de l'époque (ce qui équivalait à une année entière de travaux publics dans le royaume) pour une estimation initiale de quatre millions à peine ! Cette démesure et la liberté laissée à l'architecte d'outrepasser presque toutes les règles initialement imposées,

> ## UN PALAIS RÊVÉ POUR LA B.D.
> *Le gigantisme du lieu et les symboles étranges qui se nichent un peu partout ont inspiré un dessinateur et son scénariste. Tout cela entretient le mystère et les légendes autour de cette construction singulière. Beaucoup de théories sur l'interprétation des symboles qui truffent le bâtiment coexistent. Il serait selon certains toujours le lieu de réunions de sociétés secrètes, directement liées à l'histoire du palais. D'ailleurs l'un des « passages » possibles mènerait vers la mythique Brüsel de Schuiten et Peeters.*

reste encore un grand mystère. Savoir aussi qu'il a fallu amputer le quartier des Marolles de plusieurs hectares pour édifier la bête ! D'ailleurs, si on l'appelle le Mammouth, c'est tout simplement parce que c'est à la même époque qu'on découvrit des iguanodons dans les mines de charbon du Sud du pays, à Bernissart. La comparaison s'effectua tout naturellement. Voyez ce porche démesuré qui s'élève à plus de 40 m, et puis cette coupole, bien plus haut, presque riquiqui par rapport à l'ensemble. Une pyramide devait coiffer l'ensemble, on préféra une coupole pour ne pas encore alourdir les frais. Tiens, puisqu'on parle de la coupole, les Allemands y mirent le feu à la Libération, mécontents qu'ils étaient de s'être fait piquer par les gens des Marolles des bouteilles de bon vin et de champagne qu'ils avaient entreposées dans les caves du palais. Toute la statuaire évoque évidemment la Justice sous toutes ses formes. On vous passe les détails, vous allez vous endormir. Pour finir, sachez qu'Orson Welles voulut y tourner *Le Procès* et qu'un de ses plus fervents admirateurs fut Hitler lui-même. Entre mégalos, on se comprend !

🐾 À la hauteur du palais de justice débute le *quartier de l'avenue Louise* (qui relie le centre au bois de la Cambre). Avec l'avenue de la Toison-d'Or, c'est le coin des commerces chic du haut de la ville. Plusieurs galeries commerçantes jusqu'à la porte de Namur. Depuis la place Poelaert, à droite du palais de justice, deux ascenseurs permettent de rejoindre le quartier des Marolles, en contrebas, à la hauteur de la rue de l'Épée. Une passerelle métallique offre un panorama de la ville assez spectaculaire. Mais faisons demi-tour pour revenir vers le parc de Bruxelles par la rue de la Régence et aborder le quartier des Musées.

🐾 *La place Royale* (plan couleur III, I7) : en haut de la « montagne Froide » (*Coudenberg*), aménagée dans un style parfaitement néoclassique – et à vrai dire un peu ennuyeux – à la fin du XVIIIe s, rappelant le style Louis XVI de la place Stanislas à Nancy et la place Royale de Reims. Ce sont d'ailleurs des architectes français qui la réalisèrent, menés par Guimard et Barré. Tout fut bâti à l'initiative de Charles de Lorraine, gouverneur des Pays-Bas sous les Autrichiens de 1749 à 1780. En son centre, une statue équestre de Godefroy de Bouillon, le célèbre croisé et premier roi de Jérusalem. Il remplaça la statue de Charles de Lorraine, descellée par les sans-culottes. Côté est l'église Saint-Jacques-sur-Coudenberg au style néogrec avec colonnades. C'est sur une estrade devant l'église que Léopold Ier prêta le serment constitutionnel le 21 juillet 1831.

Sous la place, des fouilles effectuées à partir des années 1990 ont dégagé le *site archéologique du Coudenberg* (voir plus loin), vestiges du palais des ducs de Bourgogne, incendié en 1731. Lorsqu'on voit les reproductions de ce que fut ce magnifique palais, on se plaît à rêver du visage qu'aurait présenté Bruxelles si ce drame ne s'était pas produit.

LES MUSÉES DU MONT DES ARTS

★★★ **Les musées royaux des Beaux-Arts** (plan couleur III, I7, **146**) : entrée par la rue de la Régence, 3, et par la pl. Royale, 1-2. ☎ 02-508-32-11. ● fine-arts-museum. be/site/fr ● Ⓜ Parc ou Gare-Centrale ; trams n°s 92 et 94 ; bus n°s 27, 38, 71 et 95. Tlj sf lun et j. fériés 10h-17h ; attention, une moitié des salles est fermée 12h-13h et l'autre moitié 13h-14h. Entrée : 5 € ; réduc ; gratuit pour les moins de 13 ans et pour ts le 1er mer du mois à partir de 13h. Expositions temporaires en supplément. Loc d'audioguides.

Avec 20 000 œuvres (mais « seulement » 2 000 exposées), c'est le grand musée de peinture du pays. Son fonds est remarquable mais, en raison d'importants aménagements dûs à l'installation du nouveau musée Magritte ouvert en juin 2009), une partie des collections des XIXe et XXe s n'est, pour l'instant, pas visible. La partie *Art ancien* (du XVe au XVIIIe s) n'est toutefois pas trop affectée (bien que l'accrochage soit assez chamboulé et pas toujours cohérent). Impossible donc de passer en revue chaque salle, on se contentera de mettre en avant les courants les plus importants et d'en dire quelques mots, à partir d'un artiste ou d'une toile.

Et puis le musée propose (et c'est sa grande fierté) toujours des expositions temporaires de grande envergure.

C'est un vrai dédale, demandez le plan à l'entrée, on y voit à peu près clairement où trouver chaque époque. Cafétéria et resto très chic (*Museum Brasserie* – voir plus haut « Où manger ? ») au rez-de-chaussée, ainsi qu'une belle boutique.

La partie Art ancien (XVe et XVIIe s)

Dans le grand hall tout d'abord, bel ensemble statuaire, reflet des goûts du XIXe et du début du XXe s. C'est de là qu'on accède aux étages consacrés à la peinture du XVe au XVIIIe s.

Les primitifs flamands sont évidemment à l'honneur. Leur travail se caractérise par un grand souci du détail mais aussi par la qualité même des huiles utilisées, qui ont permis aux couleurs de passer les siècles. On peut admirer entre autres :

– *L'Annonciation* du maître de Flémalle, où le cadre de vie est décrit avec précision. De Rogier Van der Weyden (XVe s), admirable *Pietà* où l'on retrouve tout l'amour de la mère et sa douleur ;

– un superbe diptyque de Dirk Bouts (XVe s), *La Justice de l'empereur Othon* (nuances des drapés, expression des visages... et réalisme du fer rouge) ;

– le *Martyre de saint Sébastien* de Hans Memling ;

– portraits de Philippe le Beau et de Jeanne la Folle, les parents de Charles Quint ;

– un triptyque de l'atelier Jérôme Bosch, *La Tentation de saint Antoine,* dont le dos est réalisé en « grisaille » (on refermait le tableau durant le carême). Les sujets où se mêlent monstres hybrides et humains furent souvent traités par Bosch, qui influença fortement Bruegel. À noter, toujours ce même souci du détail et la charge symbolique ;

– *Vénus et Amour* de Lucas Cranach, impudique, appartenant à l'école allemande. Ce type de tableau fut très critiqué par Luther ; c'est pourtant beau une aristo nue ;

– de l'école flamande du XVIe s, on notera *La Fillette à l'oiseau mort,* tableau poignant et révélateur du doute qui commençait à planer sur la question de la vie et de la mort, à laquelle l'Église n'apportait plus de réponses satisfaisantes comme jadis. Ce tableau anodin (et superbe) pose là un problème crucial pour l'époque ;

– une *Vierge à l'Enfant* de Quentin Metsys, reflétant avec beaucoup de douceur l'amour maternel ;

– de Peter Huys un *Jugement dernier* nettement inspiré de Jérôme Bosch ;

– la *Mine de cuivre* de Lucas Gassel, manifestement l'une des premières représentations de l'univers industriel ;

– plusieurs natures mortes, style qui prend de l'importance au XVe s, toujours avec ce souci de la lumière, des reflets, le rendu minutieux des matières... ;

– une salle est consacrée au maître des Flamands, Bruegel l'Ancien, ainsi qu'à son fils, Bruegel le Jeune. Voir *La Chute des anges rebelles,* du père, où l'influence de Bosch est particulièrement notable, avec une foison de monstres que les bons anges sont bien en peine de combattre. On peut s'amuser des heures à observer les monstruosités invoquées par le pinceau de l'artiste. Aujourd'hui encore, toute la symbolique utilisée ici n'a pas été décryptée. Le style en mouvement perpétuel annonce la venue du baroque. Dans la même salle, *Le Dénombrement de Bethléem,* toujours de Bruegel l'Ancien, frappe par son incongruité. Le peintre n'a pas hésité à déplacer cette scène biblique au cœur d'un village flamand, ce qui lui permet de pratiquer une sorte de réalisme social (paysans, enfants jouant à la luge dans des mâchoires de porc...). À quelques mètres, le même tableau réalisé par Bruegel le Jeune, qui copia son papa avec beaucoup moins de génie. Dans *La Chute d'Icare,* la symbolique peut se résumer ainsi : la charrue ne s'arrête pas pour l'homme qui meurt ! Icare se noie et tout le monde s'en fout. Pauvre humanité vaniteuse.

Les XVIIe et XVIIIe s

Le plan de circulation est encore plus difficile à comprendre. Pour en faire le tour, on passe et on repasse dans les mêmes salles. Difficile dès lors de vous proposer un sens de visite. Voici une petite sélection de ce que vous y verrez :
– les premières salles sont dédiées en grande partie à Rubens. Dans la première, les petits tableaux ; dans la deuxième, les grands retables. Parmi les petits tableaux, citons *Têtes de nègres,* qui tire toute sa puissance du mouvement. Nous sommes en plein baroque, caractérisé par l'action tournante dans la toile, les drapés qui s'enroulent et l'évocation des grands thèmes mythologiques. Dans la salle suivante (les grands retables), la célèbre *Montée au calvaire* et *L'Assomption,* avec ses anges tournoyants et cette lumière qui semble frapper la toile par endroits ;
– petite section d'art hollandais, avec des Van Ruysdael, des Hals et un Rembrandt ;
– un amusant paysage anthropomorphe de la fin du XVIe s ;
– vues panoramiques de villes belges. On remarquera surtout le vaste *Panorama de Bruxelles au XVIIIe siècle* de Jean-Baptiste Bonnecroy, daté d'avant le bombardement de 1695 puisqu'on y aperçoit, à côté de la tour de l'hôtel de ville, celle du beffroi abattu par les boulets et, plus loin, l'ensemble du palais des ducs de Bourgogne ravagé par un incendie en 1731 ;
– les dernières salles sont consacrées en partie à Van Dyck et à Jordaens, deux maîtres anversois.

Le musée d'Art moderne

Prolongement naturel du précédent, ce musée s'est ouvert dans les années 1980 et s'organise merveilleusement autour d'un vaste puits de lumière. Conséquence : les collections de cette époque ne sont plus visibles qu'aux niveaux - 5 et - 6 (et encore, en partie seulement), jadis dévolus à la peinture du XXe s qui, du coup, ne dispose plus que du niveau - 8, les niveaux - 3 et - 4 étant en outre, depuis, réservés aux expos temporaires... Bref, si c'est pour la peinture du XIXe et surtout du XXe s que vous êtes venu, vous risquez d'être un peu déçu.

➤ **Le XIXe s** *(niveaux - 5 et - 6)*
Ça commence avec les **paysages** de Vogels et d'Hippolyte Boulenger, l'un des seuls représentants d'une école paysagiste dite *de Tervueren* (voir *L'Allée des vieux charmes*).
Vient ensuite le **néoclassicisme,** illustré entre autres par Ingres, Delacroix et surtout David, qui vécut à Bruxelles en exil. Son *Marat* est une de ses œuvres majeures. Toute la lumière est concentrée sur le visage et le corps. Peu de sang, le visage est reposé, la plaie nette, profonde. Organisation incroyablement moderne de l'espace, couleur parfaitement maîtrisée. Une œuvre signée de manière ostensible par David, sur l'écritoire même de Marat. En Belgique, le mouvement était représenté par des artistes comme Van Brée *(Victimes destinées au Minotaure)* et Navez, qui fut l'élève de David.
L'**orientalisme** est également présent avec, par exemple, *Le Simoun, souvenir de Syrie* de Portaels, où une caravane est surprise par la tempête. Vision occidentale de l'Orient, magnifiée à l'extrême. Voir aussi les **portraits,** un mouvement qui gagna la Belgique dès 1883 avec la constitution du Groupe des XX puis de la Libre Esthétique. Théo Van Rysselberghe, déjà influencé par les orientalistes français, innove

avec son *Madame Charles Maus*. Noter du même, juste à côté, le *Portrait d'Octave Maus*, peint à 5 ans d'écart, au style fort différent. Sans oublier Navez, Gallait, De Winne et Evenepoel (*Henriette au grand chapeau*, où le manteau noir fait ressortir le visage pâle et plein de vie du modèle).

On passe alors à l'*art social* et à la *vie contemporaine.* Nées de la volonté de toucher la réalité de la vie du peuple, ces tendances sont particulièrement bien représentées en Belgique, où les mouvements ouvriers furent spécialement virulents à la fin du XIXᵉ s. Exemples : Eugène Laermans avec *Un soir de grève/Le Drapeau rouge* ou *Les Émigrants,* triste troupeau humain témoignant des grands déplacements dus à la crise. Ou encore Léon Frédéric, qui brosse un tableau déchirant de la pauvreté avec son monumental *Marchands de craie,* traité sous forme de triptyque, où la misère sociale est criante, tandis que le monde industriel est en marche (cheminées à l'arrière). Tiens, encore une toile touchante et terrible : *À l'aube,* de Charles Hermans, où le bourgeois aviné qui sort d'une nuit de fête, entouré de femmes légères, est confronté aux regards des petites gens. L'homme pauvre détourne le regard, de honte. La société à deux vitesses est brutalement dépeinte.

En continuant, on tombe sur de belles toiles *impressionnistes* et *luministes.* De Henri de Braekeleer, *L'Homme à la fenêtre.* Ce placement du personnage près d'une fenêtre fut souvent utilisé par les primitifs flamands afin de fournir de la perspective et de la lumière au tableau. Gauguin s'illustre avec une toile singulière : *Conversation dans les prés.* Quelques vues de villes aussi, avec Émile Claus, un des tenants du luminisme « dématérialisant » leur sujet grâce à la lumière comme dans *Le Pont de Waterloo.* Ce dernier, utilisant une palette ensoleillée et vigoureuse, magnifie aussi la nature en Flandre dans *Vaches traversant la Lys.*

Plus loin, le *symbolisme.* En Belgique, c'est un mouvement important qui s'oppose au modernisme bourgeois et tente d'exprimer l'élévation de l'âme en cherchant ce qu'il y a derrière l'apparence du sujet montré. Fernand Khnopff en est le chef de file. Ses joueuses de tennis de *Memories* semblent se mouvoir dans un monde crépusculaire étrange, à la limite du malaise d'un songe éveillé. En fait, il s'agit là de la sœur de l'artiste, peinte sous des angles différents. Aucun des personnages ne se regarde ni ne nous regarde. Le regard est intérieur. Voir aussi les *Paons,* où Degouve de Nuncques plonge dans l'onirisme et annonce le surréalisme.

Enfin, bel espace consacré à James Ensor, où une dizaine de toiles retracent l'évolution de son travail. Ensor est l'un des précurseurs de l'expressionnisme flamand. Il utilise une palette très vive et organise ses tableaux de manière très crue, comme s'il jetait sur la toile la violence de ses sentiments. *Les Masques scandalisés* où, par l'entremise d'un carnaval, il dénonce l'hypocrisie de la société en est un exemple fort. Dans *Les Masques singuliers,* certains pensent qu'il représente ses parents (la femme a un bâton, l'homme est ivre !). Noter, en revanche, que ses premières toiles sont plus académiques (*Le Lampiste, La Musique russe*).

➤ *Le XXᵉ s* (niveau - 8)

On retrouve tout d'abord Rick Wouters, avec notamment *Le Flûtiste* où l'influence de Cézanne est flagrante (fenêtre ouverte sur un paysage de toits, cerne coloré). Et puis, en vrac, des toiles *cubistes,* abstraites, avec Flouquet (*Composition nº 37*) et Servranckx, qui élaborèrent un langage simple et direct (à l'image du monde mathématique et scientifique), libre de toute représentation de la nature. L'*expressionnisme flamand* se défend bien, avec plusieurs œuvres de Constant Permeke dont *Le Mangeur de pommes de terre,* assourdissant de tristesse et de misère, où seules les dents du personnage semblent accrocher un peu de lumière. Ce peintre, particulièrement attaché aux traditions flamandes, produisit des œuvres très sombres, pour lesquelles il utilisait du noir de fumée. Les personnages sont simplifiés à l'extrême, sans souci du détail (pas d'yeux). *Les Fiancés,* terriblement tristes, donnent le contraire de l'image du bonheur. Inutile de nous inviter à leur mariage, on n'ira pas ! Plus loin, quelques œuvres de Chagall (*Clair de lune*), Matisse, Gustave De Smet et Frits Van den Berghe, qui peignit entre autres *Dimanche.* Cette dernière toile semble à cheval entre l'expressionnisme et le cubisme, avec sans doute quelque chose de Chagall dans la naïveté et l'organisation de l'espace. Voir aussi d'autres œuvres cubistes (déstructuration des volumes par leur mise à plat) et *Exaltation du machinisme* de Servranckx, qui s'annonce comme une dénonciation de l'industrialisation et de l'absence de l'homme dans les rouages modernes du monde.

Pour le *surréalisme*, il faudra en gros patienter jusqu'à l'ouverture du musée Magritte. En attendant, on peut quand même voir une ou deux toiles du maître (*Empire des lumières* et *Homme du large*), deux ou trois Paul Delvaux, comme le célèbre *Musée Spitzner* (où une femme nue est opposée au cadavre), *Train du soir* et le très fameux *Pygmalion*. Un remarquable Dalí aussi (*La Tentation de saint Antoine*), où les éléphants à jambes d'insectes trimbalent des symboles phalliques et des femmes se pelotant, auxquels saint Antoine tente de résister. Ernst (*L'Armée céleste*) et De Chirico (*Mélancolie d'une belle journée*, au traitement proche de Delvaux) viennent compléter la section.

S'ensuit l'évocation de l'éphémère groupe de la *Jeune Peinture belge,* qui développa un nouveau langage de formes et de couleurs conduisant de la figuration à l'abstraction. Dans la foulée, hommage au *mouvement CoBrA* créé par Christian Dotremont et Joseph Noiret en 1948. Le mot « Cobra » renvoie à la diversité des origines géographiques des artistes : Copenhague (Co), Bruxelles (Br), Amsterdam (A). Karel Appel et Asger Jorn mènent la barque. Quelques-unes de ses œuvres sont présentées, comme *Extase inquiétante* ou *Les Trois Sages.* Pierre Alechinsky étudie, quant à lui, le graphisme et la calligraphie. Voir son *Parfois c'est l'inverse* qui ne néglige pas la dimension humoristique.

Et, pour terminer, un peu d'*art contemporain.* Marcel Broodthaers, qui comme chacun sait s'exprimait surtout à travers les œufs et les moules, est évidemment de la partie (*Panneau avec œufs et tabouret, Panneaux de moules*)... De Flavin, une *série de néons.* Dans cette œuvre, l'artiste se contente d'organiser les objets (en l'occurrence d'aligner les néons), puis lui confère le titre d'œuvre d'art. Et comme critiques et collectionneurs suivent, son travail devient effectivement une œuvre d'art. Plusieurs travaux relevant de cette démarche sont présentés ici. On a beau être ouvert à tout, certaines œuvres nous laissent un peu sur le flanc. C'est ça aussi sans doute l'art. Enfin, ne pas louper, juste avant de prendre l'ascenseur pour remonter vers la sortie, le troublant *Pape aux hiboux* de Francis Bacon, violet sur fond noir, où l'immatérialité de la chaise, non achevée, concentre le visiteur sur le regard papal un peu fou.

🍽 *Museum Café :* ☎ 02-508-35-80. *Mêmes heures d'ouverture que le musée. Plats jusqu'à 15 €.* Belle grande salle design aux volumes généreux, avec une terrasse donnant sur le jardin des sculptures. Pas de carte mais une formule self-service où l'on fait son choix entre 2 plats du jour, 4 salades (qui changent régulièrement), des plats de pâtes (demi-portion possible), des sandwichs, des soupes, des quiches ou encore un cornet de frites maison. Rien à redire, on en a pour son argent, le service est sympa et, pour ceux qui visitent le musée, c'est indéniablement pratique.

➢ Au coin de la rue de la Régence et de la place Royale, dans le prolongement du musée des Beaux-Arts, jeter un coup d'œil sur l'entrée de l'hôtel *Gresham,* ancien siège d'une compagnie d'assurances britannique, remis récemment à neuf, qui abrite le *Museum Brasserie* et la boutique du musée des Beaux-Arts. La restauration a restitué magistralement le style Art nouveau de l'entrée du bâtiment avec mosaïques et cage d'ascenseur d'époque.

🐾🐾🐾 *MMM (Musée Magritte Museum ; plan couleur III, I7, 163) :* rue de la Régence, au coin de la place Royale et de la rue Ravenstein, dans l'hôtel Altenloh. ● *musee-magritte-museum.be* ● Ⓜ *Gare-Centrale ou Parc.* Trams nᵒˢ 92, 94 ; bus nᵒˢ 27, 29, 38, 71, 95. Tlj sf dim 10h-17h. (jeu 20h. Tarif 8 €, réduc.) Résas au ☎ 02-508-34-56. L'entrée pour ceux qui disposent d'un billet réservé se fait par le musée des Beaux-Arts. Audioguide recommandé 4 € pour profiter des explications sur un peintre et une œuvre qui ne sont pas aussi aisés à comprendre qu'il n'y paraît à première vue. Un atelier de création est à la disposition des enfants en haut du 3e étage.

Le tout nouveau musée consacré exclusivement au peintre belge a ouvert ses portes en juin 2009 et expose quelque 200 œuvres et archives du peintre sur 5 niveaux. Pendant les travaux d'aménagement, le bâtiment a été couvert d'une bâche peinte figurant un double rideau rouge s'ouvrant sur l'« Empire des lumières ». Beaucoup ont regretté qu'elle disparaisse. Ceux qui connaissaient les collections de la section Art moderne du musée des Beaux-Arts, ne découvriront qu'une petite proportion d'œuvres nouvelles, la plupart viennent du legs d'Hélène Scutenaire-Hamoir et bien sûr de celui de Georgette Magritte. Mais ce qui change et fait la valeur du musée c'est le travail qui a été accompli pour les mettre en valeur et éclairer une œuvre passablement complexe. Le partenariat avec le groupe Suez a permis de réussir ce pari technologique en utilisant des techniques d'éclairage de pointe.

Pour comprendre Magritte, il faut partir d'une évidence : Magritte est un peintre moyen, d'ailleurs il n'aimait pas trop peindre et encore moins la peinture des autres. Magritte est par contre un poète de génie et un théoricien de la pensée surréaliste qui pouvait tenir la dragée haute à André Breton. Magritte peignait en costume dans un coin de son salon, et remplaçait régulièrement son Loulou de Poméranie par un autre, blanc ou noir appelé invariablement Toutou. Il habitait une petite maison banlieusarde avec trois brins de gazon sur le devant et des géraniums en pot. Mais ce qu'il aimait par-dessus tout, c'était se retrouver toutes les semaines avec ses copains du mouvement surréaliste belge (créé en 1926 avec dans le désordre, Dotremont, Goemans, Scutenaire, Meesens, Servais, Lecomte, Mariën....) pour discuter des titres de ses dernières productions, mettre en scène des gags de potache et les filmer et brasser avec eux pour des revues confidentielles, mais ô combien subversives, les concepts les plus extravagants de l'après-dadaïsme et accessoirement résoudre des problèmes d'échecs.

On ne comprend rien à Magritte si on ne l'inscrit pas au sein de cette mouvance ancrée dans le paysage belge. Le groupe connut bien sûr ses dissensions et ses raccommodages mais resta toujours très indépendant du mouvement cornaqué avec autorité à Paris par Breton. Magritte était quasi le seul peintre du groupe et il est normal que c'est son œuvre qui ait été la plus diffusée. Elle a d'ailleurs influencé tous les mouvements d'avant-garde du pop art à l'art conceptuel en passant par l'hyperréalisme. Pas étonnant que l'Amérique l'ait plébiscité.

Magritte donne l'image d'un petit bonhomme tranquille et routinier, mais sous le chapeau melon s'est toujours trouvé un cerveau en ébullition. Avec lui les pommes dilatent les murs, les rochers défient la gravitation, les trombones prennent feu et le jour se confond avec la nuit. Magritte est un sémioticien de la peinture.

Les tableaux sont exposés par ordre chronologique et répartis sur 3 étages. Au niveau supérieur les premiers tableaux, illustrés par les principes qui ont fondé toute son œuvre. « Il est défendu sous peine d'imbécillité de rien prévoir....ce que je fais et je ferai dans tout les domaines est imprévisible tout autant que l'apparition d'une image poétique ». Beau credo qui ouvre l'exposition. Magritte n'a jamais cru à la spontanéité de l'inconscient, bien que certains événements de sa vie comme le suicide de sa mère aient joué un rôle important. Tout ce qu'il a produit a toujours été le résultat d'une longue réflexion. Dessinateur et peintre précoce, il s'essaie à divers genre avant d'éprouver le facteur déclencheur à la découverte d'un tableau de de Chirico. À cette époque Magritte, marié jeune à Georgette, doit faire bouillir la marmite. C'est l'époque de ses « travaux imbéciles » où il travaille comme publiciste à, notamment, dessiner des pochettes de disques avec son frère Paul. Il qualifie lui-même cette période aux tableaux de tonalités sombres de « fantomatique » ; il est vrai qu'il était fan de Fantomas.

Avec ses potes surréalistes, ce qui compte dans l'art c'est de faire passer une idée, peu importe le media : « être surréaliste c'est bannir de l'esprit, le *déjà vu* et rechercher le « pas encore vu ». Dès lors si vous cherchez à établir une corrélation entre l'image du tableau et son titre, vous allez vous casser les méninges, il n'y en a aucune et c'est voulu.

Le 2e étage lève le voile sur des thèmes moins connus : Magritte à Bruxelles, face à la guerre (il s'est exilé quelques mois à Carcassonne), Magritte et le communisme (il a pris trois fois sa carte et a dessiné pour les syndicats du textile), la période du surréalisme au soleil dès la Libération où il veut mettre de la dorure et du vichy à carreaux dans ses compositions néo-impressionnistes à la Renoir. Le public ne suit pas, il redouble de provocation avec la période vache où les

LA PIPE EN QUESTION

La peinture de Magritte joue sur le décalage entre un objet et sa représentation. Parmi les plus célèbres, l'image de la pipe sous laquelle figure le texte « Ceci n'est pas une pipe ». Il s'agit en fait de considérer l'objet comme une réalité concrète et non pas en fonction d'un terme à la fois abstrait et arbitraire. Pour expliquer ce qu'il a voulu représenter, Magritte a déclaré : « La fameuse pipe, que me l'a-t-on assez reprochée ! Et pourtant, pouvez-vous la bourrer, ma pipe ? Non, n'est-ce pas, elle n'est qu'une représentation. Donc, si j'avais écrit sous mon tableau "Ceci est une pipe", j'aurais menti ! » CQFD.

personnages peinturlurés manière criarde ressemblent aux Pieds Nickelés, où le lapin semble mû par une pile Duracell... Quel pied-de-nez, aux conventions, « on met les pieds dans le plat et on va leur en foutre plein la gueule » s'écrie Scutenaire, son vieux complice...les critiques sont déroutés, dégoûtés et hurlent à la provoc.

Magritte se marre, de son passé, il a fait table rase ; mais Georgette qui aspire à un peu de confort voudrait bien qu'il se remette à une production plus commerciale. Retour aux recettes qui font vendre et qui rapportent. Magritte se copie lui-même, multiplie les variations sur un même thème, décore les casinos et accepte une commande de la SABENA, le sublime « oiseau de ciel » dont on remarque à peine qu'il survole les pistes d'un aéroport. Suivent les années de succès, Magritte voyage, découvre le Texas, Israël et l'Italie, photographie, filme et perd quelques amis qui ne voient en lui qu'un commerçant madré qui ne rechigne pas à la production en série.

On termine par le premier niveau qui éclaire quelques temps forts de sa vie avec quelques-uns de ses plus grands chefs-d'œuvre : *L'Empire des lumières* avec deux versions, le *Vautour* ou les *Shéhérazade* dont il exploita 20 fois le thème. Son portrait d' Anne-Marie Gillion-Crowet (prêté par celle-ci pour trois ans) et éclairé d'une bougie sombre. Pour finir *La Page blanche* son dernier tableau à peine ébauché juste avant sa mort en 1967. Mais arrêtons là de bavasser et laissons-nous imbiber de la magie des images...

Au sous-sol, se trouvent encore un espace multimédia, une boutique et une librairie.

🏃🏃 *BIP Expo (plan couleur III, I7) :* rue Royale, 2-4, 1000 . Tlj 10h-18h, sf le 25 déc et le 1er janv. Située à l'étage du BIP, le bureau d'informations touristiques de la pl. Royale. Gratuit.

Cette petite expo vraiment amusante et interactive peut constituer une bonne introduction aux réalités de la capitale. Elle présente la Région de Bruxelles-Capitale sous toutes ses coutures. Comment et pourquoi la Région est née, quelle a été l'histoire de cette ville, quel est son mode de fonctionnement, comment elle assume son statut de ville internationale et de capitale de l'Europe, comment s'organise l'urbanisation bruxelloise, quelles sont les composantes du melting-pot bruxellois (jolie galerie de photos), qui y travaille, quelle est l'offre culturelle, quelles sont ses spécificités, ses coutumes, ses particularités, ses excentricités... ? Tout au long du parcours vous serez suivi, par écrans interposés, d'un personnage jovial qui vous fera découvrir les saveurs du parler bruxellois. Au dernier étage, grande maquette lumineuse en relief, pour se familiariser avec la topographie et les principaux centres d'intérêt.

Le musée BELvue (plan couleur III, I7, **153**) : pl. des Palais, 7. ☎ 02-545-08-00. ● belvue.be ● Ⓜ Gare-Centrale ou Parc. Bus nᵒˢ 71, 95 et 96 ; trams nᵒˢ 92 et 94. Tlj sf lun et j. fériés 10h-18h (17h oct-mai). Entrée : 3 € ; réduc. Ticket combiné avec le site archéologique du Coudenberg 8 € (voir plus loin).

Installé dans l'ancien hôtel Bellevue, l'aile droite du palais Royal, le musée a été rénové en 2005 pour les 175 ans d'indépendance du pays. Autrefois plus axé sur la dynastie belge que sur l'histoire de la Belgique, il retrace maintenant, par le menu, l'histoire moderne du pays tout en passant en revue les différents **souverains belges**, de Léopold Iᵉʳ jusqu'à Baudouin (Albert II n'a pas encore droit au chapitre car il est d'usage de ne jamais parler du règne en cours). Ce musée s'attache donc plus à l'histoire générale de la nation qu'à la vie de ses différents souverains. Et c'est tant mieux ! Une riche iconographie (vidéo, gravures, photos, documents sonores...) et une muséographie remarquable donnent vie à l'ensemble. Cela dit, pour bien situer chacun d'entre eux dans son contexte historique, il peut être bon, cher lecteur, de (re)lire l'excellente partie sur la dynastie belge dans la rubrique « Personnages » du chapitre « Hommes, culture et environnement » ; c'est le moment ou jamais !

L'exposition commence au 1ᵉʳ étage et comprend huit salles en tout. La 1ʳᵉ salle porte tout naturellement sur la naissance de l'État, avec pour pilote Léopold Iᵉʳ de Saxe-Cobourg-Gotha (c'est le nom de la famille royale), prince au chômage en 1830 mais au carnet d'adresses suffisamment étoffé pour se dégoter une couronne et garantir la neutralité du nouveau pays. Documents et images de la révolution belge face aux Hollandais. Salle 2 : l'industrialisation de la Belgique, qui, rappelons-le, fut le premier pays au monde à s'équiper d'un réseau de chemin de fer. À l'époque (1846), il fallait 2h pour relier en train Bruxelles et Anvers ! Évocation des charbonnages, hauts fourneaux et autres sites majeurs d'activité qui firent du jeune État une puissance industrielle de premier plan dans la seconde moitié du XIXᵉ s.

Vient ensuite la Belle Époque (dans la salle 3), avec Horta et l'Art nouveau, les grandes réalisations architecturales, les expositions universelles (sept avant la Première Guerre mondiale !), l'exportation des technologies du pays et le Congo, exploité jusqu'au trognon pour enrichir le royaume. Ne pas manquer, à ce sujet, l'article d'un journal américain dénonçant les sévices infligés aux populations noires, où l'on voit des Africains auxquels on a tranché les mains ! Dans la salle 4, naissance des grands mouvements sociaux, des syndicats, mais aussi de la lutte pour le suffrage universel.

Puis c'est l'invasion allemande de 1914, dans la salle 5. Nombreuses photos montrant l'exode de plus de 1 million de Belges vers les pays voisins, l'occupation, la pénurie et, surtout, la résistance, incarnée par Albert Iᵉʳ qui, avec son armée, se cramponne dans les plaines de l'Yser pour tenir un petit bout de sol national. La salle 6 est dédiée à l'entre-deux-guerres et la salle 7 à la période 1940-1945, de nouveau à travers moult photos et images filmées.

Dernière salle, la question royale, causée par l'attitude de Léopold III pendant la guerre et qui divisa le pays à la capitulation allemande. Le roi fut finalement écarté du pouvoir et la régence assurée par le prince Charles jusqu'en 1950, année où Baudouin Iᵉʳ reprit le flambeau, pour 43 ans. La visite se termine par la reconstruction du pays et son entrée de plain-pied dans la société de consommation, la naissance de l'Europe, l'adieu au Congo, les **golden sixties**, les premières autoroutes, la multiplication des postes de télévision et la revendication du droit à l'avortement, pour ne citer que ça. Un musée très bien fait, ludique, clair et agréable, bref, incontournable pour toute personne qui s'intéresse un tant soit peu à l'histoire belge et européenne. Le règne des différents souverains est également évoqué entre les salles par de nombreux portraits.

|●| Petite café' sur place.

Le site archéologique du Coudenberg (ancien palais de Bruxelles) : entrée par le musée BELvue (voir ci-dessus). ☎ 070-22-04-92. ● coudenberg.com ● Mar-ven 10h-17h, w-e 10h-18h (17h oct-mai). Visites guidées le lun à partir d'un groupe de 15 pers. Entrée : 5 € ; gratuit pour les moins de 18 ans accompagnés ; réduc. Ça n'en a pas l'air mais ce sont les vestiges de la première enceinte et, surtout, du palais des *ducs de Bourgogne*. Ce dernier fut édifié aux XVe et XVIe s à l'emplacement de l'ancien château des ducs de Brabant, puis fignolé sous le règne des Autrichiens. En 1731, un incendie le ravagea et il fallut attendre plus de 40 ans pour que les ruines soient rasées et le terrain remblayé pour créer une nouvelle place horizontale bordée d'immeubles néoclassiques (l'actuelle place Royale). Un petit film de 7 mn offre un bon aperçu général du site et de son histoire, et des panneaux explicatifs permettent de bien se repérer à l'intérieur. Le palais du Coudenberg était bordé d'imposants hôtels particuliers appartenant à des conseillers et des nobles de la Cour dont l'hôtel de Hoogstraeten qui sert d'entrée au musée. Ce bâtiment fut la résidence d'Antoine de Lalaing, qui était un des conseillers de Charles Quint et de sa tante, Marguerite d'Autriche. En 1515, il y fait construire une galerie de style gothique. Cette galerie, qui sert de promenoir, subsiste encore et a été entièrement restaurée. On voit les *caves du corps de logis,* les soubassements de la *chapelle palatine,* ainsi qu'un tronçon de l'*ancienne rue Isabelle* qui menait à la cathédrale (autrefois à l'air libre mais qui fut couverte au XVIIIe s). On peut aussi visiter ce qui reste de la *grande salle d'apparat du palais* (l'Aula Magna) construite sous Philippe le Bon, où Charles Quint abdiqua en 1550. Des travaux supplémentaires d'excavation se sont clôturés au printemps 2009, ce qui a permis de doubler la surface des salles.

🐾 Avec la place Royale, on aménagea la place des Palais, grande esplanade où se situe le *palais Royal* (plan couleur III, I-J7 ; *ouv au public fin juil-début sept, tlj 10h30-16h30),* toujours d'un style très, très classique (début du XXe s), et juste en face le beau parc de Bruxelles. D'avion, on s'aperçoit que les allées du parc et toute sa composition évoquent pour certains la panoplie quasi complète des outils maçonniques : équerre, compas, truelle. Mais comme vous n'avez pas d'avion... il ne vous reste qu'à jeter un coup d'œil à notre plan pour vous en rendre compte. Par ailleurs, au terme d'importants travaux de rénovation, il a retrouvé l'aspect qu'il avait au XVIIIe s.

Au fronton du palais Royal, un bas-relief symbolisant la Belgique avec les deux fleuves, la Meuse et l'Escaut. Visite du grand corridor, de la salle du Trône, de la salle Empire... Dorures, lustres énôôrmes et tutti quanti... Ennui et bâillements garantis, sauf quand on découvre la grande salle des glaces où le plasticien Jan Fabre a tapissé les plafonds et le grand lustre avec 1,4 million de carapaces de coléoptère... étonnant !

À l'opposé du palais Royal, de l'autre côté du parc, le palais de la Nation abritant le Parlement. À sa gauche, l'ex-siège de la Société Générale, vénérable vieille dame de l'économie belge qui se trouve désormais sous le contrôle du grand capital français (Suez-Générale des Eaux). Cet ensemble constitue en fait le premier chantier architectural de grande ampleur que connut la ville. Ensuite, les grands travaux succéderont aux grands travaux.

🐾🐾 De la place Royale *(plan couleur III, I7),* on redescend la rue de la Montagne-de-la-Cour. Sur la droite, au n° 2, il n'y a que les aveugles qui ne lèveront pas les yeux devant la magnifique structure de fer et de verre de l'ancien *magasin Old England,* chef-d'œuvre Art nouveau de l'architecte Paul Saintenoy, avec sa fière tourelle d'angle ajourée en encorbellement et ses larges baies vitrées. Il accueille depuis plusieurs années le musée des Instruments de musique, qui n'est autre que l'un des plus riches du genre au monde !

🐾🐾🐾 ⼈ *Le musée des Instruments de musique* (plan couleur III, I7, **158**) : rue Montagne-de-la-Cour, 2, 1000. ☎ 02-545-01-30. • *mim.fgov.be* • ● *Parc ou Gare-Centrale ; trams nos 92 et 94 ; bus nos 20, 38, 60, 71, 95 et 96. Mar-ven 9h30-17h, w-e 10h-17h (dernier billet 45 mn avt). Fermé lun et certains j. fériés. Entrée : 5 € ; réduc ; gratuit le 1er mer de chaque mois à partir de 13h.*

Le « MIM » s'est donc installé dans ce magnifique bâtiment (voir ci-dessus) conçu en 1899 comme une ode Modern Style à l'industrie métallurgique (il faut dire que le financier du projet n'était autre que le patron des forges de Clabecq !).

Sur 3 000 m² et quatre niveaux, il peut depuis exposer quelque 1 500 pièces rares, que le visiteur découvre avec surprise et ravissement à travers plusieurs parcours thématiques. Le plaisir n'est même pas seulement visuel puisque, grâce aux casques à infrarouge remis à l'entrée, les instruments se dévoilent aussi à travers leurs sonorités... donnant ainsi véritablement vie à la visite. Bref, on passe en sons et en images de l'Opéra de Pékin au carnaval de Binche, ou encore des gamelans indonésiens aux synthétiseurs chers à Jean-Michel Jarre. En gros, on retrouve les instruments populaires du monde entier au rez-de-chaussée, un circuit historique de l'Antiquité au XXe s au 1er niveau, les instruments à cordes et à clavier (étonnante collection !) au 2e, et les pièces mécaniques (carillons, boîtes à musique et orgues de Barbarie) au niveau - 1. Un regret cependant : aucune explication historique ou technique ne vient véritablement étayer la visite. Ce manque de pédagogie est un peu frustrant. On a parfois l'impression de passer à côté de l'essentiel, à savoir ce qui lie tous ces instruments entre eux. Reste l'opportunité de les voir ici tous rassemblés.

À signaler encore, de nombreux concerts, soit dans une salle de 200 places, soit au beau milieu des collections, pour mettre en valeur l'un ou l'autre instrument rare restauré ou reconstitué (un régal pour les mélomanes) et un superbe panorama de Bruxelles depuis la brasserie tout en haut, dont la déco de sycomore et de marbre blanc fait très Sécession viennoise. Demandez le ticket d'accès (gratuit) à l'accueil.

🎕 Sur la gauche, en face du MIM, surplombant le puits de lumière au musée d'Art moderne, l'élégante façade classique du **palais de Charles de Lorraine,** dont les appartements, rénovés et désormais visitables *(mar-sam 13h-17h),* abritent un ensemble décoratif élégant (mobilier, vaisselle, sculptures, tapisseries et gravures) représentatif du Siècle des lumières.

🎕 *L'hôtel Ravenstein (plan couleur III, I7, 156) :* dans la descente, à l'angle de la rue Ravenstein et du Coudenberg, c'est le seul vestige du XVe s, de la période des ducs de Bourgogne. Façade ouvragée en brique.

🎕 *Le palais des Beaux-Arts* (BOZAR ; plan couleur III, I7, 151) : *à l'angle des rues Ravenstein et Baron-Horta.* ☎ 02-507-82-00. • *bozar.be* • *Tlj sf lun 10h-18h (21h jeu). Visite du bâtiment dim à 12h. Entrée : 9 € ; réduc.* Horta réalisa là un édifice Art déco, style qu'il adopta après son voyage aux États-Unis. Œuvre tardive donc, qui abrite aujourd'hui un centre culturel : concerts, festivals, théâtre, films, conférences et expos temporaires de grande qualité. Accueille notamment tous les 2 ans l'expo « Europalia » (sur le thème de l'Europe comme son nom l'indique). Dans la grande salle de concert se déroule, tous les 2 ans, le concours musical *Reine Élisabeth.*

🎕🎕 *Cinematek : rue Baron-Horta, 9 ; à côté de l'entrée du palais des Beaux-Arts.* ☎ 02-551-19-19. • *cinematek.be* • *Ouv dès la 1re projection de films, normalement à partir de 17h (13h jeu et 15h sam-dim). Entrée : 3 €.* Un passage obligé pour les inconditionnels du 7e art. Avec quelque 110 000 copies en réserve, la cinémathèque de Bruxelles possède une collection de films à faire pâlir d'envie d'autres institutions du genre, et pas seulement les plus petites... Tous les jours, plusieurs films choisis autour d'un thème (qui dure 2 mois) sont projetés, dont certains muets, accompagnés au piano, comme au bon vieux temps ! Mais également des grands thèmes classiques (cinéma italien de l'après-guerre, science-fiction...). L'intérêt des projections, la qualité des copies et la modicité du prix d'entrée en font un lieu de référence. Voir aussi le petit musée, dans le hall d'entrée, qui présente non seulement l'histoire mais aussi la « préhistoire » du cinéma (salle *Wunderkammer*), à savoir toutes les tentatives et façons de montrer, avant l'invention de la caméra, des images en mouvement (des ombres chinoises aux lanternes magiques et thaumatropes, en passant par les feuilleteurs, les praxinoscopes et les boîtes optiques). En bref, un joli condensé d'innovations techniques que l'apparition du cinéma a totalement occultées, et donc à redécouvrir. Également dans le hall, quatre écrans liés à une partie du fonds de la cinémathèque (surtout des films historiques sur la Belgique), où l'on peut chercher, choisir et visionner le film de son choix sur écran individuel.

🚶 Ceux qui veulent vraiment tout visiter de ce secteur (les courageux) remonteront la volée d'escaliers qui mène à la rue Royale, et iront au-delà du parc de Bruxelles et de la rue de la Loi, jusqu'à la *place du Congrès* (plan couleur II, F5) où est érigée une haute colonne d'où un Léopold Ier, premier roi des Belges, admire la vue. Cette colonne rappelle la promulgation par le Congrès national en 1831 de la première Constitution belge, après l'indépendance. À l'arrière, la froide et désolante archi-tecture de la cité administrative, terrasse gigantesque et jardins suspendus quasi déserts et ouverts à tous les vents. Elle est en passe de devenir le plus grand chan-cre urbain de la capitale : du fait de la régionalisation, les fonctionnaires des minis-tères ont commencé à déserter ses hectares de bureaux. Ne vous y aventurez que muni d'un cache-nez, sous peine d'attraper la crève...

🚶 🚶 *Le musée du Jouet* (plan couleur II, F5, 161) : rue de l'Association, 24, 1000. ☎ 02-219-61-68. ● museedujouet.eu ● Ouv tte l'année, tlj 10h-12h, 14h-18h. Entrée : 5,50 € ; enfant : 4,50 €. Dans une maison de maître du nord-est du Penta-gone. Le mot d'ordre de ce musée : « s'a-musée ». Tout l'univers de l'enfance avant la vogue des consoles de jeux : poupées, magasins, automates, maquettes, trains électriques, jeux de société... à regarder avec les yeux du mioche qu'on a tous été et qu'on est parfois restés. On peut manipuler certains jouets, les autres sont sous vitrines. À noter en particulier pour les mômes : le tram grandeur nature, un bus, des voitures de pompiers, une fausse cuisine et un toboggan à billes. Également une ludothèque (ouv mar et jeu 12h-15h, mer 14h-18h, sam 14h-17h) et des expos tempo-raires à thème. Théâtre de marionnettes.

🚶 *Le Jardin botanique* (plan couleur II, F4) : tout au bout de la rue Royale, au niveau de la porte de Schaerbeek, les vastes serres du Jardin botanique sont deve-nues le Centre culturel de la communauté française de Belgique – théâtres, ciné-mas, expos, rencontres artistiques... Le jardin, quant à lui, a subi de plein fouet la restructuration imposée par le percement de la jonction Nord-Midi et en partie amputé. Illuminations nocturnes du plus bel effet sur fond de *skyline manhattanien* du quartier Nord. Toujours de beaux arbres et également d'intéressantes sculptu-res, notamment de Constantin Meunier et de Charles Van der Stappen.

RETOUR DE LA PLACE ROYALE À LA GRAND-PLACE

🚶 Tout ce quartier a subi bien des chamboulements (euphémisme !) lors des tra-vaux de la jonction ferroviaire entre les gares du Nord et du Midi. C'est après ces grands travaux, qui durèrent près d'un demi-siècle, qu'on édifia le *mont des Arts* (palais des Congrès en sous-sol, qui a rouvert en 2009 après transformations) dans les années 1960. *No comment !* Sous une arcade, une horloge monumentale avec carillons et automates. Toutes les 15 mn, elle chante alternativement en français et en néerlandais. Pas de jaloux ! On descend le jardin du Mont-des-Arts jusqu'à la place de l'Albertine, où se trouve le bunker mussolinien de la *Bibliothèque royale Albert-Ier*. On y a enclavé une belle chapelle gothique, seul vestige du château des Nassau (XVe s). *Musée du Livre et de l'Imprimerie*. De part et d'autre du boulevard de l'Empereur, Albert Ier (à cheval) et sa femme, la reine Élisabeth, servent de per-choirs aux pigeons. On n'est plus loin de la Grand-Place que l'on rejoint par la place Saint-Jean, fin de notre deuxième balade.

🚶 *La Maison de la bande dessinée* (plan couleur II, E6) : bd de l'Impératrice, 1, 1000. ☎ 02-502-94-68. ● jije.org ● Tlj sf lun 10h-18h. Entrée : 2 € ; réduc. Occupant un coin du bâtiment de la gare centrale, ce nouveau petit musée privé présente dans une salle des planches originales de Franquin, Morris, Roba, Peyo, Tilleux et d'autres de ces grands dessinateurs qui collaborèrent, sous la houlette de Jijé, au célèbre journal *Spirou*. On y trouve aussi une librairie et un salon de lecture.

LE QUARTIER DES MAROLLES *(plan couleur III, G-H8)*

Les Marolles constituent certainement le quartier où l'on retrouve le plus l'esprit populaire de Bruxelles, une certaine gouaille, un zeste de fronde. Ce n'est pas un « beau quartier », c'est plus. On le visite presque plus avec le nez et les oreilles qu'avec les yeux !

Un peu d'histoire

Au XIIIe s, le quartier se trouvait à l'extérieur de l'enceinte qui fermait la ville. Quand résonnait la cloche du soir, la population ne résidant pas à l'intérieur de celle-ci devait regagner les faubourgs. Le quar-

> ### LE MELTING-POT MAROLLIEN
>
> *Ce quartier a toujours été celui d'une population pauvre et étrangère (Espagnols, Marocains, Turcs), et l'on peut encore entendre des vieux Marolliens converser en dialecte brabançon, le* brusseleir, *parfois parsemé de mots wallons, espagnols et même yiddish. En attestent les plaques de rues : bilingues en bleu, mais aussi flanquées d'une plaque blanche en marollien pur jus ! Une initiative de la confrérie du* bloedpanch *pour imposer le trilinguisme français-flamand-marollien ! C'est aussi cela l'humour bruxellois.*

tier accueillait alors une population « marginale » de paysans qui montaient en ville. Les Marolles se développèrent autour de trois lieux : un lieu de culte (Notre-Dame-de-la-Chapelle), un lieu de soins (une léproserie) et un lieu de justice puisque, à l'emplacement du palais de justice actuel, se trouvait le « **Galgenberg** », le mont des Potences. C'est d'ailleurs sur ce site qu'on brûla vif de nombreux juifs, à la suite du vol d'hosties consacrées (voir les détails de cette histoire plus haut, dans l'encadré du texte relatif à la cathédrale Saint-Michel-et-Sainte-Gudule). Et ce n'est évidemment pas un hasard si, au milieu du XIXe s, c'est cet emplacement qui fut choisi pour installer l'imposant palais de justice. Les Marolliens n'avaient plus qu'à se tenir à carreau.

Du Moyen Âge au XIXe s

Mais revenons un peu en arrière, lorsque tisserands et tanneurs peuplent le quartier. Cette dernière activité, réputée sale, devait se tenir à l'écart. C'est au Moyen Âge que s'installent ici les Frères minimes. Ils choisissent ce quartier pour aller à la rencontre des plus pauvres. Grâce à la construction de la deuxième enceinte au XVe s, plus large que la première, les Marolles sont intégrées à la ville. Le niveau social s'améliore et la population demande qu'on installe des grilles au bas de certaines rues pour empêcher les prostituées de « déborder » dans tout le quartier. C'est à l'arrivée, au XVIIe s, des sœurs apostolines de la communauté Mariam Colentes que le quartier doit son nom. Mariam Colentes devint rapidement Mari-Cole pour finir en Marolles. Au XIXe s, la paupérisation du prolétariat rend le quartier insalubre et plus pauvre que jamais. On y compte jusqu'à 40 000 habitants (10 000 aujourd'hui). Malgré les loyers chers, les proprios laissent les familles s'entasser dans des appartements exigus.

En 1866 débute la construction de l'œuvre architecturale la plus mégalomaniaque commandée par l'État belge : le *palais de justice.* On mettra près de 20 ans à l'achever. Pour cela, on n'hésite pas à raser plusieurs hectares de logements des Marolles. Il faut remblayer des centaines de mètres cubes de terrain pour élever la chose qui, de fait, surplombe et écrase le quartier de sa masse. La rue Blaes est tracée. C'est à cette période que le Parti ouvrier belge fait construire, rue Joseph-Stevens, la *Maison du peuple* par Horta en 1899. Jean Jaurès assiste même à son inauguration. Elle sera malheureusement détruite en 1965 pour laisser la place à une tour de bureaux lamentable. Son absence fait encore mal.

L'« hygiénisme » et le XXe s

La naissance du XXe s voit le développement d'idées urbanistiques nouvelles : l'« hygiénisme » dicte de nouvelles normes de vie. En 1913, on édifie les premiers

« blocs » d'immeubles, ancêtres de nos cités, comme la *cité Pieremans (plan couleur II, G8-9),* au décor de *West Side Story* bruxellois. En hygiénisant, malheureusement, on déshumanise. Les blocs sont froids. Entre eux, c'est le royaume des courants d'air. Les relations entre citadins se meurent. Durant la guerre, les Marolles deviennent célèbres pour le marché noir. C'en est, de fait, le centre national. Les juifs viennent également s'y réfugier et les SS opèrent des rafles régulières. Dans les années 1950, l'influence de Le Corbusier et de sa Cité radieuse se fait sentir. Parallèlement, heureusement, des associations de quartier s'organisent. En 1969, ces associations s'allient contre un délirant projet d'agrandissement du palais de justice et créent le Comité général d'action des Marolles. Après meetings et manifs, le projet est finalement remis dans les cartons et fait place à plusieurs projets de réhabilitation du quartier, basés sur le respect de l'histoire et de l'architecture. C'est une vraie victoire des comités de quartier contre la destruction de l'habitat.

Les Marolles aujourd'hui

Mutation sociologique oblige, les Marolles possèdent désormais leur petit côté branché et la rue Blaes aligne en façade son lot de brocantes sympathiques, alternant avec restos ou bars à la mode. Pas de quoi déstructurer le coin, plutôt de quoi lui insuffler un petit coup de jeune. C'est un quartier qui vibre surtout le matin, en particulier le dimanche, au rythme, non pas de la messe, mais de son célèbre marché aux puces, authentique en diable, qui se tient tous les jours sans exception depuis plus d'un siècle de 6h à 14h.

Petit circuit marollien pour trekkeurs urbains...

Tout le quartier s'organise autour des rues parallèles, rue Haute et rue Blaes. Cette dernière mène à la place du *Jeu-de-Balle,* où l'on trouve le marché aux puces. Curieusement, en flamand, la place porte le nom de *Vossenplein,* la place des Renards.

Ce petit tour est surtout réservé aux amateurs d'insolite, de détails, de « petits pas grand-chose » qui font aimer une ville, et surtout un quartier. Les pressés ou ceux qui ne jurent que par les chefs-d'œuvre laisseront de côté notre parcours. Pour les autres, en avant ! *On indique les différentes haltes par des petits carrés (plan couleur III).*

Pas mal de façades B.D. jalonnent le parcours ; elles sont répertoriées sur notre plan. Reportez-vous plus haut à la rubrique « Les façades B.D. » pour en avoir le détail.

➢ Départ à l'angle de la *rue Haute* et de la rue des Renards. On trouve là, en fin de semaine, une marchande ambulante de *caricoles,* bulots cuits au court-bouillon et vendus en barquette, spécialité bruxelloise qui, malheureusement, a tendance à se perdre.

➢ Descendre la *rue des Renards,* qui a conservé son profil ancien et ses modestes petites maisons. Plusieurs brocanteurs, restos et troquets (voir « Où manger ? »).

➢ Sur la *place du Jeu-de-Balle* (sur la gauche), tous les matins, qu'il pleuve ou qu'il vente, que le soleil donne ou qu'il se terre, de 6h à 14h, le *marché aux puces* (appelé aussi *vieux marché* par les autochtones ; ● *marcheauxpuces.org* ●) répond présent. Bien sûr, c'est le dimanche que l'ambiance est à son comble. Un jour d'hiver rigoureux où il faisait un froid à congeler une frite, on n'a vu qu'un seul vendeur... mais c'est rare.

La place fut dessinée au milieu du XIXe s, en vue d'assainir le quartier. On devait originellement la destiner au jeu de balle-pelote mais, en 1873, on l'affecta au marché aux puces. Il s'agit d'un marché « au carreau », c'est-à-dire un marché où les marchandises sont exposées à même le sol et censées être de vraies occasions (marchandises neuves interdites). On y trouve ainsi toutes sortes de vieilleries, des ensembles d'objets hétéroclites et de valeurs très diverses. Un vrai poème à la Prévert : tableaux, chaises, bouquins, vieux téléphones, bibelots, petites cuillères... et relisez vos classiques : c'est ici que Tintin trouve la première maquette du navire, dans *Le Secret de la Licorne.* Descendez sur quelques mètres la rue des Renards pour ne pas rater la fresque B.D. consacrée à Boule et Bill, une des plus sympas de toutes les façades B.D. de la ville.

Côté rue Blaes, une ancienne caserne de pompiers a été transformée en logements. Le rez-de-chaussée est occupé par de nombreux brocanteurs.

Ⅰ Le dimanche, en fin de matinée, allez donc siffler une bière à notre santé à *La Brocante : rue Blaes, 170.* ☎ 02-512-13-43. *À l'angle de la place et de la rue des Renards. Tlj 5h-19h.* C'est ce jour-là que vous pourrez profiter de la prestation musicale de Bilo et Otelo, deux musiciens tsiganes respectivement violoniste et claviériste. Les poivrots invétérés comme les touristes égarés semblent apprécier, et nous aussi. Finissez votre bière, les amis, on repart.

➤ Remonter la *rue de la Rasière* sur la gauche. Tout au début de la rue, sur la droite, la première cité de logements sociaux du début du XXᵉ s. Rythmes de briques brunes et claires, avec des décrochements de la façade et un passage sous arcades qui relie les différents blocs.

➤ On reprend la rue Blaes et ses magasins de brocante, qu'on remonte un peu, puis on récupère à droite la *rue des Capucins.* À 50 m sur la gauche, école de style Art nouveau.

➤ On retrouve la rue Blaes puis, à gauche, on prend la rue Saint-Ghislain. Au n° 40, un *jardin d'enfants* qu'on doit à Horta. Du pur Art nouveau, avec un clocheton et plein de détails amusants si l'on observe bien.

➤ Prendre à droite la *rue de Nancy.* Au n° 18, petit immeuble à caractère social, avec au centre les termes « Hygiène-Sécurité » en sgraffite, de la fin du XIXᵉ s. Rappelons que le sgraffite est une ancienne technique décorative qui consiste à apposer plusieurs couches d'enduit, puis à gratter autour du motif qu'on veut réaliser. Avec cet édifice, c'est le début de l'« hygiénisme ». Au n° 6, l'ancienne demeure d'un médecin accuse un style Art nouveau mais avec moins de concessions aux courbes. La volonté de changer l'architecture, de la faire bouger, se traduit par l'asymétrie et la rupture des rythmes.

➤ Dans la rue des Tanneurs, juste en dessous, au n° 60, l'ancien *palais du Vin,* qui présente une longue façade digne d'intérêt, caractérisée par un large fronton surmonté d'une grappe. Chaque travée est ornée dans la partie supérieure du blason en sgraffite des différentes régions vinicoles de France et d'Europe en général.

➤ On reprend à droite la rue du Miroir puis à gauche la rue des Visitandines, où une barre des années 1960 témoigne violemment des catastrophes architecturales de l'époque. La petite *église des Brigittines* est un parfait exemple du baroque brabançon, alternance de brique et de pierre. C'est aujourd'hui un théâtre.

➤ Prendre à droite la *rue Notre-Seigneur.* Si c'est l'heure du petit creux, faites donc halte à *La Grande Porte (plan couleur III, H7, 89),* un classique des Marolles (voir « Où manger ? »). À côté, une porte baroque. Remonter et prendre à droite la *rue Haute.* Au n° 118, pignon ancien. Au n° 132 vécut le peintre Pieter Bruegel l'Ancien, dans cette maison en brique. Au n° 148, le café *Ploegman,* l'un des plus vieux troquets du coin. On y servait le faro au tonneau, et les enfants du quartier venaient y chanter le jour de l'Épiphanie. Au n° 164, maison dite « espagnole » parce qu'on l'édifia au temps des Pays-Bas espagnols. On peut remonter la rue de l'Épée et prendre l'ascenseur gratuit jusqu'à la place du palais de justice ou bien, à gauche, la rue des Minimes et regagner la place du Grand-Sablon.

➢ Ceux que ça intéresse pourront redescendre de l'autre côté, vers le sud et le bien nommé boulevard du Midi, jusqu'à la *porte de Hal,* vestige de la seconde enceinte de Bruxelles, datant du XIVe s mais en grande partie reconstruite selon le style néogothique au XIXe s.

🏃 *Le musée de la Porte de Hal (plan couleur III, G9) :* bd du Midi, 1000. ☎ 02-534-15-18. Ⓜ Porte-de-Hal. Mar-ven 9h30-17h, w-e 10h-17h. Entrée : 5 € ; réduc. Au travers de ce monument unique, les visiteurs découvrent sur quatre niveaux non seulement l'histoire du bâtiment mais également un aperçu de celle de la ville elle-même. Maquettes, reconstitutions virtuelles, matériel visuel et sélection d'œuvres d'art (peintures, colliers de gilde, armes...). On plonge dans le contexte historique de l'époque de sa construction à des fins défensives (mécanisme astucieux du pont-levis). Un étage complet du bâtiment est consacré aux expositions temporaires. Le grenier féerique, quant à lui, est réservé aux événements et aux animations pour enfants. Enfin, au sommet du bâtiment, une promenade sur le chemin de ronde offre un joli panorama sur Bruxelles et ses alentours.

QUELQUES BALADES INTÉRESSANTES HORS DU PENTAGONE

LA COMMUNE D'IXELLES (plan I, A-B2)

Située au sud-est du Pentagone, entre la place Louise et la porte de Namur, c'est une commune riche et vivante, bourgeoise et populaire, jeune et métissée (presque autant de nationalités répertoriées qu'à l'ONU) et qui possède sa propre vie, indépendante de celle du centre de Bruxelles. L'artère principale qui appartient, elle, à la ville de Bruxelles sur toute sa longueur et la plus fréquentée reste l'avenue Louise, bordée de demeures cossues et de boutiques de luxe. Près de la porte de Namur, autour de la chaussée de Wavre, et plus précisément dans la galerie d'Ixelles, s'est développé un secteur animé et coloré, une sorte de microsociété, appelé Matongé, du nom d'un quartier de Kinshasa au Congo. On y trouve une petite communauté congolaise bien vivante et pas trop mal intégrée. Le quartier Saint-Boniface autour de son église et de quelques maisons Art nouveau constitue un îlot de bonnes adresses culinaires.

La longue chaussée d'Ixelles, quant à elle, mène à la place Flagey, où l'on voit émerger l'*ancienne maison de la Radio,* un drôle d'immeuble des années 1930, vieux « paquebot » de style moderniste, avec sa tourelle à gradins en guise de cabine de pilotage. Après 20 ans de désaffection, le « navire » a été complètement rénové et constitue désormais un lieu culturel important à Bruxelles, en proposant au public non seulement des minifestivals de jazz et de musique (contemporaine ou traditionnelle), mais aussi toute une programmation cinématographique en rapport avec ceux-ci. *Rens :* ☎ 02-641-10-20. ● flagey.be ●

🍷 Au rez-de-chaussée, un grand café populaire : le *Café Belga* (voir plus haut « Où boire un verre et rencontrer des Bruxellois(es) ? »).

🏃🏃 *Le musée des Beaux-Arts d'Ixelles (plan I, B2-3, 170) :* rue Jean-Van-Volsem, 71. ☎ 02-515-64-21 ou 22. ● musee-ixelles.be ● Tram n° 81 ; bus n°s 71, 95, 96, 38, 54, 59 et 60. Mar-dim 11h30-17h. Fermé lun et j. fériés. Entrée : 7 € ; réduc. Installé dans un ancien abattoir, voici un excellent petit musée dynamique, principalement centré sur la peinture des XIXe et XXe s. Connu pour ses remarquables expos temporaires où, le dimanche, des historiens d'art accueillent les visiteurs pour répondre à leurs questions et leur faciliter la compréhension des œuvres. Cela étant, le fonds propre du musée possède aussi quelques raretés dignes d'intérêt. Par exemple, la collection complète d'affiches de Toulouse-Lautrec, visible une partie de l'année, ainsi qu'un ensemble de 1 000 lithos d'époque, dont de superbes affiches publicitaires, exposées par roulement. À voir encore, des toiles flamandes (*Le Carnaval à Anvers,* de De Bie) et des salles consacrées aux (néo)impressionnistes, comme Van Rysselberghe (*Le Thé au jardin*) et Jan Toorop (*La Dame à l'ombrelle*). Un peu de sculpture aussi, avec Rik Wouters (*La Vierge folle*), du fauvisme brabançon et de l'expressionnisme, avec des œuvres de Constant Permeke (*Éclaircie*) et de Gustave De Smet (*Parade*). Enfin, on signale que les amateurs de Magritte ne seront pas en reste. Le bâtiment abrite aussi quelques Delvaux et de nombreux artistes contemporains. Un musée à découvrir !

➤ Plus au sud, les ***étangs d'Ixelles,*** bucoliques et romantiques, bordés de maisons de rêve. Ces anciens déversoirs sont actuellement d'agréables buts de promenade et un lieu de pêche très prisé par les taquineurs de goujon du dimanche. Parmi les sept étangs qui s'égrenaient jadis le long de la vallée de Maelbeek, il n'en reste que deux. Pas si mal.

➤ Encore un peu plus loin, l'***abbaye de la Cambre*** dont il ne reste plus grand-chose d'origine. Le monastère fut détruit lors des guerres de Religion, puis reconstruit aux XVIIe et XVIIIe s : on y voit encore la cour d'honneur et le cloître.

Mais d'abord, qu'est-ce que l'Art nouveau ?

On désigne généralement par ce vocable le renouveau stylistique qui s'opère entre 1895 et 1905 (le tournant du XXe s) dans les domaines de l'architecture et des arts décoratifs et ce, dans l'Europe entière : « Liberty » en Italie, « Modern Style » en Grande-Bretagne, « Modernisme » ou « Arte Joven » en Espagne, « Jugendstil » en Allemagne et « Secessionstil » en Autriche. En Belgique, on qualifie le style de « ligne coup de fouet » en référence aux ara-

> ### UN ART QU'ON GRATTE
>
> *Une des particularités de l'Art nouveau bruxellois est l'usage quasi systématique du sgraffite sur les façades. Méthode bien connue des artistes de la Renaissance italienne, il s'agit d'un mortier artisanal dont on passe deux couches, une foncée, l'autre plus claire et plus fine. On gratte la plus fine quand c'est encore frais (sgraffite : gratter) pour laisser apparaître des formes.*

besques végétales (surtout la tige de la plante ou de la fleur) utilisées par Horta. Le trait commun de tous ces mouvements éclos simultanément aux quatre coins du vieux continent est de puiser leur inspiration dans une nature universelle et magnifiée (véritable ode à la féminité), tout autant que dans l'histoire, les cultures et les traditions nationales. Le tout dans un esprit de synthèse. Synthèse des styles, des arts... À Bruxelles, pourtant, on constate une volonté très nette de s'affranchir de l'éclectisme dominant du XIXe s. Basé sur une conception esthétique recherchant une cohésion entre la structure de l'habitation, sa décoration et son mobilier, l'Art nouveau amène les concepteurs à dessiner absolument tout, de la maçonnerie aux poignées de porte, en passant par les verrières et les carrelages. En parallèle, les objets usuels de la vie quotidienne se voient dotés, par la recherche de la qualité, d'une dignité nouvelle remise en cause par la mécanisation de la fabrication. Mais loin de rejeter le modernisme, l'Art nouveau utilise les possibilités techniques et plastiques des nouveaux matériaux : fer, verre ou ciment. Tentant d'intégrer dans une utopie esthétique la beauté de la nature à la vie quotidienne et de mettre cette conception à la portée de tous, l'Art nouveau reste un art éminemment bourgeois par ses exigences financières : qui donc pouvait s'offrir les bois précieux ou les services d'artisans spécialisés en verrerie ou en fer forgé ? L'Art nouveau correspond à l'émergence de cette ***bourgeoisie d'affaires conquérante,*** désireuse d'afficher sa réussite et de se démarquer de l'ancienne classe dominante des propriétaires fonciers. L'Art nouveau connaît, en Belgique, ses plus belles réussites avec l'architecte Victor Horta et ses disciples Hankar (qui affectionne les motifs géométriques), Strauven et Blérot. Henry Van de Velde s'attache à théoriser les acquis de cette nouvelle esthétique en transférant ses idéaux dans le domaine des

arts appliqués, allant jusqu'à dessiner des brocarts et des tapisseries. Gustave Serrurier-Bovy aborde, lui, le vitrail et le papier peint, et crée un mobilier sobre et fonctionnel à monter soi-même, révélant par là ses préoccupations sociales.
En se développant (en se pervertissant, diront certains), l'Art nouveau tombera dans l'affadissement, et le vocable peu glorieux de « style nouille » vaudra à ses plus belles réalisations de connaître trop facilement la pioche des démolisseurs... Après 1918, on verra naître l'Art déco.
Aux grands amateurs d'Art nouveau, on conseille le bouquin *Bruxelles Art nouveau*, éd. AAM. Très bien fichu.

Circuit Art nouveau *(plan IV)*

BRUXELLES

C'est à Ixelles qu'on trouve les plus belles réalisations et surtout la plus grande concentration d'**édifices Art nouveau.** Les édifices construits par Horta font désormais partie du Patrimoine mondial de l'Unesco. Pour les fans de ce style, voici un petit circuit original, à la recherche des plus belles façades.

Cette balade de 1h30 à 2h sine dans les petites rues d'Ixelles et du haut de Saint-Gilles à la recherche des plus belles façades Art nouveau. C'est dans ce quartier que Victor Horta définit le vocabulaire de ce nouveau style. Octave Van Rysselberghe, Paul Hankar et Henry Van de Velde mirent leurs pas sur le chemin tracé par le maître. Résultat : un joli bouquet de demeures de toute beauté dans ce quartier bien sympathique et plutôt résidentiel. Certaines, sans vraiment menacer ruine, avaient, il y a peu encore, fort mauvaise figure. Peu à peu, on constate une volonté fière de leur rendre leur lustre d'antan. Peu à peu, les façades sont frottées, les sgraffites restaurés et c'est toute la vie du quartier qui s'en ressent. Bistros, restos et terrasses accueillantes fleurissent à chaque coin de rue. On conseille de faire la promenade plutôt en fin de matinée ou dans l'après-midi car l'itinéraire se termine par la visite du musée Horta, ouvert uniquement de 14h à 17h30 (fermé les lundi et jours fériés).

➤ Notre promenade débute aux étangs d'Ixelles *(plan IV, M11-12)* ; **on indique les différentes haltes par des petits carrés.** Pour y aller, tram n° 38 depuis la place De Brouckère ou tram n° 71 depuis la porte de Namur (arrêt Flagey). Vous pouvez aussi arriver par l'avenue Louise toute proche grâce au tram n° 94, vers laquelle le circuit bifurque assez vite, et adapter votre itinéraire en fonction. En illustration à notre commentaire, vous pouvez vous procurer l'excellente brochure *Bruxelles, vivre l'Art nouveau* éditée par l'office de promotion du tourisme. Pas mal d'infos aussi sur le site de l'association consacrée à Ernest Blérot : • *ernestblerot.be* •

➤ **Au n° 36, avenue du Général-de-Gaulle :** la *Cascade,* construction Art déco, version paquebot. Juste à côté, deux maisons (jumelées) Art nouveau aux ferronneries végétales, signées Ernest Blérot, l'un des architectes emblématiques du quartier. Continuer sur l'avenue du Général-de-Gaulle qui borde les charmants étangs d'Ixelles, lieu de sérénité et de promenade. Puis tourner à droite, rue de Bellevue.

➤ **Rue de Bellevue :** joli alignement de cinq maisons presque identiques avec leur petit oriel. Trois d'entre elles sont du même Ernest Blérot. Remonter vers l'avenue Louise et tourner à droite, contourner le rond-point.

➤ **Au n° 346, avenue Louise :** cet hôtel de maître réalisé par Horta est une œuvre tardive, un peu rigide. Façade en fait assez banale. Prendre à droite la rue du Lac.

➤ **Au n° 6, rue du Lac :** maison d'habitation avec atelier d'artiste, construite par Léon Delune. Bow-window au 2e étage, porte à l'arrondi complet et décalé (règle de l'asymétrie), verrière à vitraux décorée de motifs végétaux. Tous les éléments de l'Art nouveau sont là. Tourner rue de la Vallée.

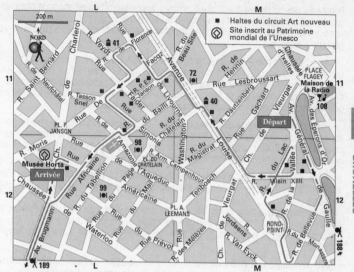

BRUXELLES-IXELLES – CIRCUIT ART NOUVEAU (PLAN IV)

🛏 **Où dormir ?**

    40 The White Hotel
    41 Louise Hôtel

|◉| **Où manger ?**

    72 Rouge Tomate
    98 Raconte-moi des Salades
    99 La Quincaillerie

🍸♪ **Où boire un verre et rencontrer des Bruxellois(es) ? Où sortir ?**

    108 Café Belga

🏹 **À voir**

    188 Musée des Enfants
    189 Hôtel Hannon, espace Contretype

➤ *Rue de la Vallée,* ensemble incroyablement homogène de petites maisonnées. Elles sont l'œuvre d'un seul et même architecte : Ernest Delune (le frère de Léon). Dans l'une d'elles vivent toujours les descendants de l'architecte. Sympathiques et intarissables, il n'est pas rare qu'ils sortent raconter l'histoire de leur grand-père aux visiteurs qui se montrent curieux ! La rue de la Vallée croise en son milieu la rue Vilain-XIIII.

➤ *Aux nᵒˢ 7, 9 et 11 de la rue Vilain-XIIII* (oui quatorze, vous avez bien lu, d'ailleurs vous n'avez qu'à vérifier la plaque de rue !), trois maisons très différentes les unes des autres mais toutes axées sur la verticalité. On regagne l'avenue Louise qu'on reprend sur la droite. Cette avenue a subi de plein fouet la bruxellisation, à savoir une destruction quasi systématique des anciens édifices pour faire du neuf. Jadis grande artère qui servait de lieu de promenade aux calèches et fiacres, bordée d'hôtels de maître, elle reliait le centre au bois de la Cambre, ce beau parc de plaisance, prélude esthétique et civilisé à la forêt de Soignes qui le prolonge. C'est à présent une enfilade de tunnels et de voies rapides.

➤ *Au nᵒ 224, avenue Louise : l'hôtel Solvay,* l'une des grandes réalisations d'Horta, considérée comme l'une des plus achevées du maître, bâtie pour le neveu du magnat de l'industrie chimique. D'une symétrie parfaite (ce qui n'est pas l'habitude de l'Art nouveau), elle est agrémentée de mille et un détails dans les finitions (extrémité des tubulures métalliques, arrondi discret des fenêtres, absence d'angles cassants...). Superbe. À noter la présence de trois balcons : qu'il devait faire bon jadis prendre l'air de l'avenue Louise du temps de son allée cavalière. Traverser et prendre à gauche.

➤ **Au n° 6 de la rue Paul-Janson : l'hôtel Tassel,** la maison manifeste du mouvement Art nouveau, édifiée par Horta en 1893, la toute première à combiner les nouveaux matériaux dans un dialogue aussi poussé : utilisation du fer dans la structure portante, mariage pierre-fer, bow-window surmontant une entrée centrale alors que les maisons bruxelloises possédaient une entrée latérale...

➤ Prendre à droite la **rue de Livourne.** Au n° 83, une maison sobre, demeure personnelle de l'architecte **Octave Van Rysselberghe,** dessinée par lui-même, typique de l'Art nouveau tardif. Elle conserve ses formes tout en rondeur mais s'est débarrassée de son ornementation végétale caractéristique.

➤ À l'angle des **rues de Livourne et Florence,** au n° 13, **l'hôtel Otlet,** encore une œuvre d'Octave Van Rysselberghe. Prendre la rue Veydt à gauche. Au bout, la rue Defacqz. Avant de poursuivre dans cette rue, un petit crochet s'impose par la **rue Faider,** à gauche ; jeter un œil sur les superbes sgraffites dorés de la maison du n° 83, à l'intersection de la rue Janson. Sa voisine, au n° 85, mérite aussi toute votre attention.

➤ Revenir vers la **rue Defacqz.** Au n° 48, une réalisation de **Paul Hankar,** caractérisée par ses sgraffites dans la partie supérieure et ses fenêtres arrondies. Un peu plus loin, au n° 71, la résidence personnelle de l'architecte, remarquable par la facture massive et quasi féodale de son soubassement de pierre, qui s'allège à mesure que le regard s'élève. Sgraffites à motifs végétaux et animaliers, un peu japonisants. Prendre à gauche la rue Simonis et à droite la **rue du Bailli.** À l'angle du parvis de l'église de la Trinité (façade baroque), noter la maison d'angle tout en arrondis, couverte de brique vernissée et d'hirondelles qui s'envolent (au rez-de-chaussée, une halte s'impose pour siroter un thé au **Passiflore**). Pour la petite histoire, cette église de la Sainte-Trinité a été déménagée du centre-ville (place De Brouckère) pour percer les grands boulevards. On contourne par la droite l'église pour gagner la rue Africaine.

➤ **Au n° 92, rue Africaine :** maison pur Art nouveau, d'inspiration Sécession viennoise, caractérisée par la rondeur des fenêtres d'où pendent des verticales de pierre et de ferronneries travaillées. Poursuivre tout droit la rue Africaine et prendre dans le prolongement l'avenue Brugmann.

➤ À l'angle de l'**avenue Brugmann** et de l'**avenue de la Jonction,** le clou, le joyau, le célèbre **hôtel Hannon** (plan I, A3 ou hors plan IV, par L12, **189**), l'une des plus belles réalisations Art nouveau. Il abrite l'espace photographique Contretype (☎ 02-538-42-20 ; • contretype.org • ; mer-ven 11h-18h, w-e 13h-18h ; entrée : 2,50 €, même pour jeter un rapide coup d'œil à l'intérieur). Cet espace expose le travail de photographes contemporains belges et étrangers. Et ce n'est pas un hasard car, de son vivant, M. Édouard Hannon, industriel de son état, était un photographe averti. Hannon fit appel en 1902 à l'architecte Jules Brunfaut, absolument pas spécialiste de l'Art nouveau mais qui en réalisa malgré tout l'un des fleurons. L'extérieur se caractérise par un jeu entre la brique et la pierre, et par un grand balcon d'angle qui semble s'ouvrir comme une fleur. Un petit jardin d'hiver en bow-window complète ce tableau harmonieux. Ceux qui voudront visiter l'intérieur auront l'occasion d'admirer le splendide escalier orné d'une fresque de Baudouin, peintre rouennais qui, ici, réalisa une allégorie sur le thème des joies de la vie. Superbe. Mosaïque végétale au sol et pièce d'angle couverte de fresques où s'illustrent de jolies femmes.
– On revient en arrière dans l'avenue Brugmann qui devient la chaussée de Charleroi. Puis à droite dans la rue Américaine, pour conclure la balade en beauté.

🏃🏃🏃 ⓢ *Le musée Horta* (plan IV, L12) : rue Américaine, 25. ☎ 02-543-04-90. • hortamuseum.be • Trams nᵒˢ 81, 92 et 97. Bus nᵒ 54. Tlj sf lun et j. fériés 14h-17h30. Entrée : 7 € ; réduc. On déconseille vraiment de venir le w-e, car il y a beau-coup de monde et l'attente est parfois longue.

Résidence et atelier du plus célèbre des architectes belges, cette double demeure est née de la volonté d'Horta de lier intimement sa vie privée et sa vie profession-nelle. Considéré comme un dingue du travail, il était surnommé « l'archisec », à cause de son caractère entier et cassant. Pour en savoir plus sur Horta, lire plus haut le paragraphe qui lui est consacré dans la rubrique « Personnages » du cha-pitre « Hommes, culture et environnement ».

L'extérieur est en avancée, orné d'une structure métallique, avec verrerie et fenê-tres arrondies. Ce n'est pas vraiment spectaculaire mais, une fois la porte franchie, c'est l'enchantement : harmonie, élégance, douceur des coloris, grâce des cour-bes... Toute la maison s'organise autour d'un escalier surmonté d'un puits de lumière couvert. À noter que ce qui frappe aussi ici, outre la beauté des décors dont Horta est le seul et unique responsable (des boutons de porte à la forme des gonds), c'est l'agencement des pièces les unes par rapport aux autres, comme ces quel-ques marches qui, chaque fois, les séparent, aérant ainsi les espaces.

Entre autres coquetteries (celles qui caractérisent les grands artistes), voir la rampe d'escalier, basse dans les parties inférieures mais qui va en s'élevant au fur et à mesure qu'on monte, protégeant ainsi l'utilisateur. De même, l'escalier se rétrécit au fil de l'ascension, libérant un espace conique qui permet d'accueillir plus de lumière. Encore un détail : la rampe d'escalier dans le salon (côté droit), qui donne naissance à l'accoudoir du canapé.

Dans la salle à manger, briques vernissées et mosaïque au sol qui, sous les pieds des convives, se mue en parquet, c'est plus chaleureux. Au 1ᵉʳ étage, la chambre d'Horta. Savez-vous de quel côté il dormait ? Côté jardin ! Car il s'y était fait amé-nager un petit placard avec un urinoir escamotable pour la petite commission. La chambre se prolonge par un dressing où, là encore, tout a été dessiné par Horta. Tout en haut de l'escalier, pour éclater l'espace, deux miroirs dialoguent à l'infini. Fin de la visite au sous-sol, qui lui servait d'atelier, et où l'on peut voir quelques maquettes de ses œuvres ainsi que des « fragments » de celles-ci sous vitrine.

🏃 🏃🏃 *Musée des Enfants* (plan I, B3 ou hors plan IV par M12, **188**) : rue du Bourg-mestre, 15, 1050. ☎ 02-640-01-07. • museedesenfants.be • Ouv slt mer, sam et dim 14h30-17h (tlj durant les vac belges). Entrée : 6,85 € ; réduc. Jusque fin 2010, ateliers sur le thème du « Rouge ». Sympathique musée interactif, où parents et enfants font de multiples découvertes sur un thème qui gravite toujours autour de la personne humaine (psychologie et physique). Les différentes salles de cette jolie maison du siècle dernier, aménagée de manière chaleureuse et intelligente, pré-sentent des ateliers variés, simples et pédagogiques, qui enchantent petits et grands. Animations régulières, à découvrir sur leur site.

Où manger ? Où boire un verre durant cette promenade ?

Comme on le disait précédemment, le quartier ne manque pas d'adresses sympas, un tantinet branchées, exotiques pour la plupart et dans toutes les gammes de prix. Pas mal sont fermées le soir et le week-end.

🍸 *Tea for Two* (plan IV, L12) : chaussée de Waterloo, 394, 1050. ☎ 02-538-38-96. • info@t42.be • À 100 m à peine du musée Horta. Tlj sf lun 11h (13h dim)-18h. Une halte s'impose dans ce déli-cieux salon aux parfums d'encens, pour découvrir une centaine de variétés de thés de toutes provenances, du Darjee-ling aux montagnes du Yunnan. Ter-rasse aux beaux jours. Petite restaura-tion à midi et douceurs pour le *teatime, of course* !

🍽 Sans oublier, bien sûr, nos autres bonnes adresses du quartier : *Raconte-*

moi des Salades, La Quincaillerie, Rouge Tomate ou même *Le Café des Spores,* bien que ce dernier se situe légèrement à l'écart du circuit (voir plus haut la rubrique « Où manger ? »).

LA COMMUNE DE SAINT-GILLES *(plan I, A3)*

La partie la plus intéressante du quartier se situe entre la porte de Hal et la place Louise, en remontant. C'est un réseau agréable de rues tranquilles, bourgeoises souvent, branchées de plus en plus. Atmosphère étudiante, saupoudrée de gens comme il faut et d'artistes. Autour de la *maison communale de Saint-Gilles (plan I, A3, 185),* quelques cafés populaires, anciens ou modernes, qui font bon ménage. Un vrai quartier populaire avec toutes sortes de gens, de commerces et de vibrations. La vie, quoi !

Pour les fans d'Art nouveau, il faut jeter un coup d'œil sur la portion de la rue Vander-Schrick *(plan couleur III, G9, 162),* entre l'avenue Jean-Volders et la chaussée de Waterloo. L'architecte Blérot y a bâti vers 1900 un ensemble remarquable (du n° 1 au n° 25). Parti d'un plan commun à toutes les maisons, il a réussi à les différencier par un jeu subtil d'éléments décoratifs distincts. Une vraie partition architecturale.

AU SUD DE BRUXELLES, LE BOIS DE LA CAMBRE *(plan I, B3)*

Accès : trams n°s 23 et 94.

Terminant majestueusement l'avenue Louise, c'est un « bois de plaisance » de 124 ha aménagé pour la promenade du dimanche : allées plantées de fleurs, bassins où faire de la barque, étangs de pêche, sentiers... Il constitue une excroissance de la forêt de Soignes, acquise au milieu du XIXe s par la Ville pour en faire ce que c'est devenu aujourd'hui. La forêt de Soignes, quant à elle, est une splendide forêt de hêtres de 4 000 ha (autrefois 12 000), ancien domaine des chasses royales, entretenue avec amour depuis Charles Quint. Des hêtres furent très régulièrement replantés pour lui conserver son aspect dense et cohérent. À l'orée du bois de la Cambre, on trouve la célèbre ULB *(Université libre de Bruxelles),* avec ses bâtiments néo-Renaissance brabançonne.

Un peu plus loin, au n° 67 de l'avenue Franklin-Roosevelt, la *villa Empain (hors plan I par B3* ; siège de la Fondation Boghossian) devrait accueillir en 2010 un nouveau musée et ainsi être enfin rouverte au public. Il s'agit d'une des plus belles maisons Art déco de Bruxelles construite en 1931. À l'époque, le jeune baron Empain avait fait appel à l'un des architectes les plus en vogue, le Suisse Michel Polak. Expos et conférences seront axées sur les cultures orientales et les liens qu'elles ont tissés ou tissent toujours avec l'Occident.

🍴 *Le musée Constantin-Meunier (plan I, B3, 172) :* rue de l'Abbaye, 59, à Ixelles. ☎ 02-648-44-49. Trams n°s 23 et 94 ; bus n°s 38 et 60. Tlj sf lun 10h-12h, 13h-17h, selon un calendrier plutôt compliqué ; mieux vaut téléphoner au ☎ 02-508-32-11. *Entrée gratuite.* Le musée est installé dans la maison-atelier du peintre-sculpteur. Constantin Meunier (1831-1905) est certainement l'un des artistes se retrouvant le mieux sous l'étiquette du « réalisme social ». À l'avènement de l'ère industrielle, Constantin avait du pain sur la planche. Et c'est avec beaucoup de talent qu'il sculpta, peignit et dessina les réalités ouvrières de son époque. On est frappé par la manière dont il cherche et parvient à rendre beau l'acte de travail. Il ne s'agissait nullement pour l'artiste d'endosser la cause du peuple (à la mode à cette époque), mais plus simplement de tenter d'élaborer un dialogue entre la condition de l'homme « laborieux » et l'expression artistique. Il y a quelque chose d'héroïque dans ses personnages. Certains sont si beaux qu'on dirait des dieux à l'élégance légèrement féminine. Beaucoup de sculptures et de peintures autour des mêmes thèmes. Voir l'élégant *Homme qui boit* ou le *Retour des mineurs.* Tout au fond, l'atelier de l'artiste, qui accueille les plus grosses pièces. Voir la beauté de ce *Débardeur,* puissant et fin. Admirer encore cette merveilleuse *Maternité,* d'une grande douceur, d'une simplicité parfaite, tout en force et en fierté. On aimerait être bercé sur ce sein-là. Et puis le beau *Semeur,* puissant lui aussi. Les visages semblent apaisés, comme bien au-delà de la tâche qu'ils accomplissent. C'est en cela qu'ils s'approchent des dieux. Et on aime. On peut aussi voir plusieurs réalisations de Constantin Meunier au Jardin botanique.

LA COMMUNE D'UCCLE

Une des communes les plus étendues de l'agglomération. Essentiellement résidentielle et tranquille, elle recèle de magnifiques artères bordées d'immeubles éclectiques, Art nouveau et Art déco, notamment le long des avenues Brugmann et Molière. Parcs, zones vertes et petits quartiers commerciaux du côté de *La Bascule* ou de la maison communale en font une commune très prisée.

🎨🎨 🏃 *Musée et jardins Van-Buuren* (plan I, A3, *178*) : av. Léo-Errera, 41, 1180. ☎ 02-343-48-51. ● museumvanbuuren.com ● Tram n° 23 ; bus n° 60, arrêt Churchill. Tlj sf mar 14h-17h30. Entrée : 10 € (7 € sur présentation de ce guide) ; réduc. Jardins seuls : 5 €. Prendre le livret explicatif à l'entrée. Cette superbe maison-musée de 1928, construite dans le style de l'école d'Amsterdam, est une des rares maisons Art déco (pur jus !) que l'on puisse voir telle qu'elle était à l'époque. Les amateurs apprécieront, forcément. Mais il faut ajouter qu'elle recèle une étonnante (par sa richesse, mais monsieur était banquier avant de devenir mécène) collection privée de toiles du XVIe au XXe s, ainsi que quelques petites merveilles décoratives : mobilier en sycomore et palissandre du Brésil, ébène de Macassar, tapis d'Aubusson, argenterie Wolfers, laques japonisantes, coussins de Sonia Delaunay et piano d'Éric Satie. Entre autres trésors artistiques, une des versions de la *Chute d'Icare* de Bruegel (la différence est qu'il n'y a pas de Dédale ailé dans la version du musée des Beaux-Arts de Bruxelles) et des toiles, d'époques diverses, de Fantin-Latour, Guardi, Ensor, Rik Wouters, Van Gogh, Permeke, Max Ernst, Van Dongen, Foujita, Signac et Van de Woestyne, ainsi que deux sculptures de Georges Minne. Magnifiques jardins, visitables tous les après-midi, où sont organisées des expos de sculpture (allez vous perdre dans le labyrinthe). Parcours enfants.

LE QUARTIER DE FOREST *(plan I, A3)*

Au sud-ouest de Bruxelles.

🎨 *Wiels* (plan I, A3, *183*) : av. Van-Volxem, 354, 1190. ☎ 02-347-30-33. ● wiels. org ● Ⓜ Gare-du-Midi ; tram : Wielemans (lignes n°s 82 et 97 – et 32 après 20h) ; bus n°s 49 et 50. Mer-sam 12h-19h (22h ven), dim 11h-17h. Entrée : 6 € ; réduc ; gratuit pour ts mer 17h-19h et le 1er dim de chaque mois. Visite guidée gratuite dim à 15h. Nouvel espace aménagé dans une ancienne brasserie, bel exemple d'architecture industrielle. Accueille des expos d'art contemporain. Consulter le site pour connaître le programme.

À L'EST DE BRUXELLES, LE QUARTIER DE L'EUROPE *(plan I, B2)*

On est bien obligé d'en parler puisqu'il existe. Au début des années 1960, ce quartier mixte d'habitations, de commerces et de bureaux comptait plus de 25 000 habitants ; il en reste moins de la moitié. Des comités de quartier se sont battus pour s'opposer au cannibalisme urbain des promoteurs. Ce ne fut pas un succès total mais cette résistance farouche a tout de même porté ses fruits. Le plan d'affectation du sol a tenu compte d'une indispensable mixité des fonctions. On peut dire que la cacophonie architecturale qui a présidé à la conception de ce quartier est un peu à l'image de la construction européenne : quelques réalisations méritent l'attention mais l'ensemble donne l'impression d'un empilage d'immeubles ajoutés les uns aux autres dans la précipitation. L'axe principal en est la *rue de la Loi,* qui aboutit au rond-point Robert-Schuman (Ⓜ Schuman). Cette rue « courant d'air », sinistre à mourir, est raide comme la loi. Ne vous y promenez pas un soir de déprime ou vous allez faire une bêtise. Son nouvel éclairage nocturne l'a déjà rendue un peu plus riante. De plus l'architecte Christian de Portzamparc a été chargé de lui concevoir un nouvel habillage qui devrait lui ôter son aspect de canyon urbain. Début des travaux en 2011.

L'édifice symbolisant l'Europe avec un grand « E » fut longtemps le « **Berlaymont** », surnommé le « Berlaymonstre », ancien siège de la Commission de l'Union européenne, en forme de croix, rénové à coup de milliards après désamiantage. Aujourd'hui, il est détrôné par le nouveau Parlement européen, qui a reçu le doux surnom de « Caprice des Dieux » à cause de sa forme rappelant un célèbre fromage et surtout de son coût. Tous les édifices du secteur abritent des institutions, principalement entre la rue de la Loi et la rue Belliard. C'est par là qu'on trouve le nouveau « Mammouth », le *Juste-Lipse,* bunker à Eurocrates flanqué d'un « petit frère » de 80 000 m² tout aussi imposant, le *Lex 2000.* De part et d'autre de la gare Bruxelles-Luxembourg (ex-quartier Léopold et bien rénovée), sont sortis de terre le *Paul-Henri Spaak* (qui abrite le grand hémicycle du Parlement) et l'*Altiero Spinelli,* du nom de deux fondateurs de la construction européenne. Au milieu de ce capharnaüm de béton on trouve quelques bâtiments préservés et presque incongrus comme la *bibliothèque Solvay,* dans le parc Léopold, le singulier *couvent* néogothique *Van Maerlandt,* reconverti en centre de documentation, et ce qui reste de *Résidence-Palace,* une merveille Art déco qu'avait conçue l'architecte suisse Michel Polak. Heureusement, à l'initiative de la région bruxelloise, la chaussée d'Etterbeek qui serpente au creux de la vallée du Maelbeek doit se doter dans les années à venir de logements et de commerces pour réinsuffler un peu de vie à ce no man's land impersonnel. Mais vraiment, tout cela ne respire pas la joie de vivre.

🥾 *Le Parlement européen* (plan I, B2, *181*) : rue Wiertz, 47 (entrée visiteurs). ☎ 02-284-34-57. Visite gratuite (avec audioguide) lun-jeu 10h et 15h, ven slt 10h. Durée : 40 mn. Attention, pas de visites les j. de séances plénières (il y en a 10/an et elles durent 2 j.) ; se renseigner à l'avance par téléphone pour ne pas se casser le nez.
Avant de le visiter, ne manquez pas d'aller jeter un coup d'œil à l'entrée de la gare (à droite du bâtiment d'origine) où une fresque d'Hergé en noir et blanc, datant de 1932 décrit avec pas mal d'humour l'arrivée par le train de saint Nicolas à Bruxelles. On peut y voir Quick et Flupke et un moustachu suspicieux qui préfigure les Dupont et Dupond.
Les jours de beau temps on pourrait dire que ce Caprice des Dieux a fière allure ! Les matins de pluie et de grand vent, ça ne donne pas envie d'être fonctionnaire européen !
« L'Europe, l'Europe ! », comme disait de Gaulle. Qu'est-ce que c'est au juste ? D'où ça vient et ça sert à quoi ? À ces difficiles et délicates questions, les Européens eux-mêmes sont souvent bien incapables de répondre. Oh, cette visite ne lèvera pas le voile sur tous les mystères mais c'est vrai que, lorsqu'on voit la salle où se réunissent les parlementaires (seule salle qu'on visite véritablement), on se dit que l'Europe n'est pas simplement une lourde machine qui pond des réglementations pour emm... les gens mais aussi l'œuvre d'hommes et de femmes qui s'efforcent de créer les conditions d'un développement commun.
Historique de la communauté, organisation des commissions, préparation des rapports, réunions de groupes, présentation en séances plénières, élection du président, débats sur la nouvelle constitution, l'audioguide présente (trop vite évidemment) tout ce qui fait l'Europe d'aujourd'hui. Qu'on soit partisan de l'Europe ou eurosceptique, il aidera peut-être le quidam à mettre quelque chose de concret sous ce mot, cette idée, ce concept.

On pourra sans doute approfondir bientôt la question puisqu'un *musée de l'Europe* devrait ouvrir ses portes sur le site de *Tour et Taxis* ou dans le quartier européen. Le projet est ambitieux puisqu'il s'agit pour le parcours permanent comme pour les expositions temporaires d'offrir « à tous les Européens (et à leurs hôtes) une histoire raisonnée de l'Union, entendue comme une civilisation diverse mais unique ». Affaire à suivre.

🚶🏃 *Le muséum des Sciences naturelles* (plan I, B2, **174**) : *rue Vautier, 29 ; dans le parc Léopold, en bordure du quartier européen.* ☎ 02-627-42-38. ● *sciencesnaturelles.be* ● Ⓜ *Maelbeek. Bus n°ˢ 34 et 80 (arrêt Muséum), 95 et 96. Mar-ven 9h30-16h45, sam-dim 10h-18h (pdt les vac scol belges, tlj sf lun 10h-18h). Fermé lun. Entrée : 7 € ; réduc ; gratuit le 1ᵉʳ mer de chaque mois à partir de 13h. Petit supplément pour les expos temporaires.*

Excellent musée d'Histoire naturelle, niché dans un bâtiment que garde un dinosaure en bois grandeur nature. D'importants travaux de rénovation viennent de s'achever et l'on peut de nouveau admirer ce qui fait depuis toujours la notoriété de ce musée, à savoir la plus grande galerie de dinosaures d'Europe. Celle-ci, tout en bénéficiant d'une scénographie contemporaine et interactive, a gardé tout son charme rétro avec ses galeries suspendues et ses escaliers en fer forgé. Une totale réussite ! Les innombrables fossiles et squelettes (authentiques pour la plupart) sont très bien mis en valeur et semblent encore plus impressionnants. Le clou de la collection, unique au monde, sont les charmants iguanodons, découverts à Bernissart, près de Mons, en 1883 par des mineurs. Pour la petite histoire, ceux-ci croyaient avoir touché un tas d'or. Ce ne fut finalement qu'un tas d'os, sauf pour les paléontologues de l'époque, pour qui ce type d'os valait bien de l'or. Rendez-vous compte, il s'agissait des tout premiers squelettes complets de dinosaures découverts sur notre planète ! Une reconstitution de ces fouilles historiques est visible au sous-sol et bon nombre de vitrines relatent l'épisode.

Dans une salle annexe à la galerie, les enfants peuvent s'initier tout en s'amusant à la géologie et à la paléontologie dans le tout nouveau *PaleoLAB (accès payant et sur rdv)*. De manière générale, le musée a beaucoup misé sur l'aspect ludique et pédagogique. Témoin, la toute nouvelle galerie de l'évolution qui fait parcourir en six étapes principales les milliards d'années de la vie sur la planète au moyen de 600 fossiles et 400 animaux naturalisés, depuis les premières manifestations du vivant jusqu'à aujourd'hui. L'évolution étant un processus permanent, une grande partie de la salle est consacrée au présent et à l'avenir. À quoi ressembleront les êtres vivants sur terre dans 50 millions d'années ? Peut-être à ces créatures bizarres que vous rencontrerez à la fin du parcours. Difficile de prêter crédit aux théories du créationnisme après une telle démonstration.

Les autres salles s'avèrent tout aussi passionnantes, même si la présentation date un peu. En plus des excellentes expositions temporaires proposées, on peut voir de belles collections d'insectes sans vie, de minéraux, de coquillages (voir la *pinna*, moule géante autrefois utilisée pour sa soie), un vivarium qui renferme des mygales aussi vivantes que poilues, des phasmes, une ruche (cherchez la reine !) et d'autres curieux invertébrés tel l'axolotl. L'étage consacré aux mammifères est tout aussi surprenant, avec un classement des espèces par famille. On y apprend contre toute attente que le yack est un cousin de l'antilope et non de la vache, et que le bœuf musqué appartient en réalité aux caprins ! Sans oublier la remarquable salle des baleines, qui compte pas moins de 18 squelettes de cétacés. On en redemande !

🚶 *Le musée Antoine-Wiertz* (plan I, B2, **173**) : *rue Vautier, 62 ; au cœur du quartier européen, presque à côté du muséum des Sciences naturelles.* ☎ 02-648-17-18. Ⓜ *Maelbeek. Bus n°ˢ 34, 38, 54, 59, 95 et 96. Tlj sf lun 10h-12h, 13h-17h ; en réalité, mieux vaut téléphoner au* ☎ *02-508-32-11. Entrée gratuite. Fermé pour travaux, possible réouverture fin 2009.*

Là, on a affaire à un artiste bien singulier. Ce cher Antoine, bien que né au début du XIXᵉ s, avait tendance à se prendre pour Rubens ou Michel-Ange. Mais il n'en avait pas, loin s'en faut, le génie. Certainement était-il conscient de ses limites puisqu'il négocia fort intelligemment avec le gouvernement belge pour que celui-ci lui offre sa villa-atelier (dans laquelle nous sommes) en échange d'un legs de sa production à sa mort. Plutôt que de compter sur son unique talent pour vivre et se faire connaître, il devint donc, à sa propre demande, un « artiste-fonctionnaire » payant son emprunt (sa maison) en tableaux. Curieuse manière d'envisager l'art, en se bordant de tous côtés... Cela dit, il serait injuste de ne pas lui reconnaître un trait original : celui d'avoir abordé tous les formats ! Du plus petit au carrément gigantesque. Vous comprendrez quand vous serez face à *La Révolte des enfers contre le ciel*, son œuvre la plus imposante. Presque cocasses aussi sont quelques-unes de ses toiles comme *L'Inhumation précipitée*, où le patient encore vif est mis en bière par des médecins pressés, ainsi que *Faim, folie et crime,* empreint d'un réalisme à la fois macabre et cynique.

S'il n'a pas dépassé les maîtres qui l'ont inspiré, Wiertz s'est tout de même montré visionnaire sur un point : il est probablement le tout premier à avoir envisagé Bruxelles comme future capitale de l'Europe... Et le plus drôle, c'est qu'il habitait non seulement à l'endroit même où allait naître l'actuel quartier européen, mais que le « Caprice des Dieux », ce très long bâtiment qui accueille les commissions parlementaires, se trouve rue... Wiertz !

LES MUSÉES DU PARC DU CINQUANTENAIRE
(plan I, B2)

Vaste parc situé à l'est du centre-ville, au-delà du quartier européen. Dessiné pour le cinquantenaire de l'indépendance de la Belgique en 1880, sur d'anciens champs de manœuvres, il s'étale sur 30 ha autour d'un *arc de triomphe* monumental édifié au début du XXᵉ s dans un style néoclassique par l'architecte français Girault. Celui-là (l'arc, pas l'architecte) se poursuit de chaque côté par de grandes colonnades en hémicycle, décorées de mosaïques en l'honneur du pays. Les deux vastes halles métalliques situées derrière furent construites pour accueillir les grandes expositions de 1888 et de 1897. Aujourd'hui, elles abritent les musées royaux d'Art et d'Histoire, le musée royal de l'Armée et l'Autoworld.

Tout le quartier aux abords du parc du Cinquantenaire est truffé de superbes demeures bourgeoises aux styles très variés, pour la plupart édifiées au début du XXᵉ s (voir, par exemple, l'étonnante *maison Cauchie,* au 5, rue des Francs). Dans le parc même, on pourra aller jeter un œil au *pavillon des Passions humaines (accès au public mar-ven 14h30-15h30 et sur rdv – rens à l'office de tourisme ; prix : 2 €),* première réalisation de Victor Horta en 1889, conçu pour abriter l'œuvre de Jef Lambeaux, un relief sur les *Passions humaines* qui fit couler beaucoup d'encre et rougir (d'envie ?) beaucoup de dames. Le bâtiment ne fut ouvert à la visite que quelques jours. Aujourd'hui encore, il s'agit du trou de serrure le plus regardé de la capitale.

🎭🎭 🎭 ***Les musées royaux d'Art et d'Histoire*** *(musée du Cinquantenaire ; plan I, B2, 167) :* parc du Cinquantenaire, 10. ☎ 02-741-72-11. ● mrah.be ● Ⓜ Merode. Trams et bus nᵒˢ 22, 27, 61, 80 et 81. Mar-ven 9h30-17h, w-e et j. fériés 10h-17h. Fermé lun. Entrée : 5 € ; réduc ; gratuit le 1ᵉʳ mer de chaque mois à partir de 13h (sf pour les expos temporaires). Audioguide (compris dans le prix).

Cet immense bâtiment du XIXᵉ s, qui occupe 4 ha et compte 140 salles visitables, regroupe les témoignages des différentes civilisations du monde (sauf l'Afrique noire, qui a son propre musée) dans la plupart des disciplines artistiques (excepté la peinture qui a aussi le sien et les instruments de musique, désormais exposés au MIM). Sa visite vous prendra une bonne demi-journée, et encore, avec des patins à roulettes !

Le musée est divisé en quatre grands blocs thématiques : l'archéologie nationale (préhistoire, Gallo-Romains, Mérovingiens), l'Antiquité (Égypte, Grèce, Proche-Orient et Iran, Rome), les arts décoratifs européens (un des plus gros morceaux

avec l'Art nouveau belge, la céramique, le circuit XVIIe-XVIIIe s, dinanderie et ferronnerie, le circuit gothique-Renaissance-baroque, etc.) et les civilisations non
européennes (un autre gros morceau : Amérique, art chrétien d'Orient, Asie du Sud-
Est, Chine-Corée-Japon, Inde-Pakistan-Afghanistan, ainsi que l'Art du monde islamique etc.). La visite peut tout à fait suivre une autre logique, d'autant plus que les
« départements » transcendent le plus souvent ce découpage thématique. Comme
il y a peu de chances que vous ayez le temps d'admirer les 650 000 pièces que
compte la collection (bien que, pour être honnête, une bonne part se trouve dans
les réserves), à vous de zapper et de concocter votre circuit en fonction de vos
goûts. Demandez à l'accueil le plan du musée, cela vous permettra de vous y
retrouver.

– *Les arts décoratifs :* tout un complexe de salles dédiées aux arts décoratifs
européens, du baroque au XXe s. Sans doute la plus belle partie du musée. L'un
des fleurons en est la reconstitution de la *bijouterie Wolfers* conçue par Horta.
À l'intérieur, il faut vraiment découvrir des sculptures chryséléphantines (mélange
d'ivoire et métaux précieux). Voir le splendide *Sphinx mystérieux* (1897), absolument remarquable. L'*Orchidée* est également une œuvre saisissante, où toute
la féminité est concentrée en un fragile objet. Non loin et dans un autre genre, on
peut admirer la *salle des carrosses,* ayant appartenu aux souverains belges du
XIXe s.

– *Le circuit gothique-Renaissance-baroque* se trouve de l'autre côté de l'accueil
mais appartient toujours à la section consacrée aux arts décoratifs. Remarquable
pour son exceptionnelle collection de retables et de tapisseries, et pour ses superbes cabinets d'apparat. Salle 15, un incroyable retable relate le *martyre de saint
Georges,* imperturbable malgré tous les supplices que ses bourreaux lui font subir.
D'une grande force et d'une grande naïveté tout à la fois. Splendide !

– *Océanie et île de Pâques :* au rez-de-chaussée, à gauche quand on entre dans
la salle d'accueil. Voici une collection d'une grande importance ethnographique
et archéologique, provenant de Polynésie et Micronésie, avec des pièces couvrant du XIVe au XIXe s. Quelques points forts à ne pas rater : une statue colossale
d'un *moai de l'île de Pâques,* « dieu des pêcheurs de thon », offerte par le Chili
et rapportée par une équipe de scientifiques franco-belges en 1935. Elle date du
XIVe s et pèse 6 t. Toujours de l'île de Pâques, en vitrine, la sculpture en bois d'un
homme squelettique. Il s'agit d'un *kawa-kawa* du XIVe s, très bien conservé (noter
les longues oreilles et les côtes apparentes). Autre pièce exceptionnelle : un cou-
vre-chef gigantesque, provenant des îles australes (XIXe s). Intéressantes cartes
de navigation des îles Marshall, particulièrement sommaires (et pourtant l'ancêtre du GPS).

– *L'Amérique :* une dizaine de salles donnent un aperçu assez complet des différentes civilisations du
continent américain, allant de
l'Alaska à la Terre de Feu. Du nord
au sud donc, on verra notamment
un très ancien *kayak inuit* (fin
XVIIe s), absolument splendide,
épuré, effilé, réduit à sa simple
expression pour pouvoir glisser
sur l'eau avec la plus grande
aisance. On s'aperçoit qu'on n'a
pas changé grand-chose à son
dessin depuis cette époque. Belle

HERGÉ AU MUSÉE

*Le créateur de Tintin s'est inspiré d'une
statuette précolombienne en bois,
appartenant aux collections des musées
royaux d'Art et d'Histoire de Bruxelles,
pour en faire le fétiche arumbaya tant
convoité dans* L'Oreille cassée. *La
momie de Racar Capac, elle, est à l'origine de l'effrayante apparition qui
hante les rêves de Tintin dans* Les Sept
Boules de cristal.

collection de pipes du début de notre ère, provenant de l'ethnie *Hopewell* (vivant
sur le territoire actuel des États-Unis). Du Mexique, noter cette grosse femme de la
région de Veracruz, en terre cuite, en position de scribe. On verra encore l'étonnante momie péruvienne de *Rascar Capac,* datant du XIe s. Remarquable collection de parures à plumes provenant pour la plupart de différentes ethnies d'Ama-

zonie. Observer notamment le manteau de plumes d'Amazonie, rapporté par les conquistadors et qui a plutôt pas mal traversé le temps. Têtes réduites (vraiment fort réduites !).

– *L'art du monde islamique :* récemment aménagée, cette longue salle, claire et équilibrée, présente un intéressant panorama de l'art du monde islamique. Particulièrement notables sont les collections de textiles couvrant tout le monde islamique, aussi bien géographique (de l'Afrique du Nord jusqu'en Iran, en passant par tout l'Empire ottoman) qu'à travers le temps, avec une production s'étalant du VIIᵉ au XIXᵉ s. Pièce maîtresse, un « *velours à motifs* » ottoman du XVᵉ s, représentant trois boules et des nuages. Voir le casque mamelouk du XIIIᵉ s, portant le nom du sultan Ibn Qalawun (acier incrusté d'or). Également une belle série de céramiques, de la verrerie, des armes et quelques enluminures provenant d'Inde (sous domination musulmane à l'époque). Beaux fragments de structures de bois sculptés, provenant d'une mosquée.

– *L'Asie :* au 2ᵉ étage, avec des choses étonnantes comme ce lit-alcôve chinois ou ce monumental métier à la tire. Ne pas négliger non plus le *bodhisattva,* statue en bois autrefois polychrome qui représente un personnage « parvenu au stade ultime de la perfection bouddhique » (noter son regard). Et puis bien d'autres sculptures indiennes et tibétaines, des tambours vietnamiens, des reproductions de maison batak (Sumatra), etc.

– *L'Antiquité :* dans cette partie, on trouve l'Égypte en haut (voir la *momie de la « brodeuse »,* qui a conservé ses ongles) et la Grèce et Rome en bas (belle maquette de la Ville Éternelle). Encore plus bas, ne surtout pas manquer l'immense mosaïque de chasse qui ornait, au Vᵉ ou VIᵉ s, la salle de réception du gouverneur romain d'Apamée, en Syrie.

– *Le département d'archéologie nationale :* superbement restauré il y a quelques années. Une salle avec des vitrines à demi cylindriques explique la vie des premiers Belges. Ne pas manquer non plus le *cimetière mérovingien,* qu'on découvre sous nos pieds à travers des dalles de verre. Tout au bout, une nouvelle salle présente des céramiques et objets en bronze de la civilisation d'El Argar (sud-est de l'Espagne), qui fleurit entre 2300 et 1600 av. J.-C.

– *La salle des arts romans et mosans (ou salle aux Trésors) :* on peut y admirer les plus beaux exemples d'art religieux roman et mosan, tels ce reliquaire d'ivoire en forme de basilique romane (la toute première pièce inventoriée du musée, sur le million, à peu près, que compte ce dernier !) ou le phylactère de Marie et la croix-reliquaire à double traverse, tous deux attribués à l'orfèvre *Hugo d'Oignies.* Remarquable aussi l'autel portatif de Stavelot (XIIᵉ s), représentant les martyres des différents apôtres. Mais la pièce la plus spectaculaire reste sans conteste le chef-reliquaire du pape Alexandre Iᵉʳ, où trône une tête de bronze antique sur un socle de laiton et argent doré orné de saints et de vertus et serti d'émaux, de cristal de roche et de pierres précieuses. Amusant, on vient de retrouver les reliques qu'il contenait dans l'église Saint-Jean-Baptiste de Herve !

|●| ● *Le Midi Cinquante (plan I, B2, 167) :* ☎ 02-735-87-54. Tlj sf lun 9h30-17h *(accès libre, indépendamment du musée).* Plat du jour 10 €, sinon plats 12-17 €. La cafétéria des musées royaux constitue un bon choix pour manger dans un quartier excentré, où les restos sont rares mais où il y a beaucoup à voir. Elle se trouve près de l'entrée, là où commence le parcours entre les quatre sections. Un lieu clair et plaisant, où le personnel reste affable malgré l'affluence. Cuisine soignée et savoureuse, ce qui est en soi une excellente surprise, rien de vraiment bon marché malheureusement. Belle terrasse donnant sur le parc aux beaux jours.

🐾🐾 *Le musée royal de l'Armée et de l'Histoire militaire (plan I, B2, 168) :* parc du Cinquantenaire, 3. ☎ 02-737-78-33. ● klm-mra.be ● Accès : voir « Les musées royaux d'Art et d'Histoire » plus haut. Tlj sf lun 9h-12h, 13h-16h45. Gratuit. Audioguide : 3 € ; 2 € pour les enfants.

Vieux et vaste musée répertoriant par le menu tout ce qui rappelle la guerre et les mille et une manières de combattre. Des épées du XVIIIe s aux blindés de la Seconde Guerre mondiale en passant par les avions de chasse, la panoplie est aussi complète que variée. Tout est encore présenté un peu en vrac mais l'ensemble des salles est progressivement rafraîchi et de nouveaux espaces sur l'histoire des grands conflits viennent de s'ouvrir.

Voici les différentes sections repérables : belle salle des *armes et armures* datant du VIIIe au XVIIIe s (épées, arbalètes, lances, hallebardes, arquebuses...). Les *Pays-Bas autrichiens* (illustrés par des dizaines de portraits), la *période française* (souvenirs de Waterloo), puis la *Belgique au XIXe s,* avec des tableaux, objets, documents... Amusant : les uniformes des soldats belges en service à l'étranger, très différents de ceux d'aujourd'hui car, à l'époque, le but de l'uniforme n'était pas de camoufler l'homme mais plutôt de le mettre en valeur ! Voir ensuite la grande salle consacrée à la *Première Guerre mondiale,* pleine de pièces d'artillerie souvent uniques car la Belgique, qui avait fait figure de martyr en 1914, bénéficia d'un nombre impressionnant de dons au sortir de la guerre. À côté, une cour rassemble *chars d'assaut* et *blindés.*

À l'étage, de nouvelles sections traitent de façon très interactive et pédagogique les conflits majeurs de la *période 1917-1944,* avec une insistance particulière sur la *Seconde Guerre mondiale.* Aucun des grands épisodes de celle-ci n'est laissé de côté, de la guerre en Méditerranée au *D-Day,* en passant par la bataille de l'Atlantique et la campagne de Russie. Ainsi par exemple, on peut voir, reconstitués ou non, la passerelle de commandant d'un navire de guerre britannique, la chambre d'écoute d'un sous-marin allemand, l'intérieur d'un bunker, la tourelle d'un bombardier Whitley, les obstacles de plage qui garnissaient le littoral français avant le débarquement de Normandie, un uniforme d'Eisenhower, en plus, bien sûr, d'une multitude de documents, cartes, schémas et images d'archives commentées. Sur la même mezzanine, une autre section couvre la *vie en Belgique sous l'Occupation.* Là encore, beaucoup de force dans l'évocation de la Résistance et de la déportation, parfois dans des décors plus vrais que nature : une boutique de cordonnier juif, une librairie collabo, une épicerie où l'on peut lire « ce jour à 16h30, vente de 100 citrons au prix de 1 F pièce ». Lettres de dénonciation ou de condamnés à leur famille... Vraiment poignant.

Enfin, dans l'immense halle de fer et de verre, le clou du musée : plus de *130 avions* retraçant l'histoire de l'aviation, depuis la montgolfière jusqu'aux avions à réaction. Collection unique, vraiment impressionnante. Premiers coucous de la guerre de 1914, superbes biplans à hélice en bois, nacelles de ballons, De Havilland Mosquito de 1945, Spitfire, célèbre Fairchild C 119, qui transportait jusqu'à 50 parachutistes... et puis des chasseurs américains, français, allemands, russes des années 1950-1960, un Mac Donnell F 4 utilisé pendant la guerre du Golfe... et même un avion de ligne de la Sabena. Assez incroyable de voir réuni un tel arsenal sous un même toit. À ne pas manquer, d'autant que c'est gratuit. Cette section doit faire l'objet de travaux de rénovation.

Pas loin de l'entrée, un ascenseur permet aussi d'accéder à deux salles situées dans la partie supérieure de l'arc de triomphe, où sont exposés des objets napoléoniens. À quelques pas de là, les terrasses surplombant les arcades sont accessibles et offrent une vue... moyenne sur l'avenue de Tervueren en direction de la forêt et, de l'autre côté, sur la rue de la Loi filant vers le centre-ville.

🦃🦃 *Autoworld* (plan I, B2, *169*) : toujours dans le parc du Cinquantenaire. ☎ 02-736-41-65. ● autoworld.be ● Tlj 10h-18h (17h l'hiver). Entrée : 6 € ; réduc. Un musée privé exceptionnel, qu'aucun amateur de voitures ne peut décemment manquer. Abrité sous la halle du Cinquantenaire, ce vaste espace présente, dans un état remarquable, des véhicules rares et superbes, depuis les débuts de l'automobile jusqu'aux années 2000. Une collection d'une grande diversité, absolument magistrale, et couvrant toutes les époques, de la voiturette de Léon Bollée de 1896 à la DS de Citroën en passant par le camion Opel de 1914, la Tatra tché-coslovaque de 1951, les Lincoln des années 1960, les véhicules de pompiers des années 1930 et même les voitures belges... Car il y en eut ! Et pas qu'une maigre poignée : ce fut même, avant la Seconde Guerre mondiale, un des fleurons de l'industrie du royaume, avec des marques comme *Minerva, Nagant, Imperia, FN* (voir le beau modèle en bois sculpté de 1930) et *Belga Rise,* jadis considérée comme la Rolls du plat pays ! Sinon, que dire du tricycle Aster de 1899, de la De Dion-Bouton de 1901 ou de l'Oldsmobile de 1904, avec son manche-guidon pour unique volant ? Un peu plus près de nous, une Packard de 1946, une BMW riquiqui de 1952 (dans laquelle on entrait en ouvrant l'avant du véhicule), une voiture Vespa (à trois roues) de 1959, une 2 CV ou encore le Toyota peint par Folon... Un musée passionnant, on le répète.

|●| Restaurant avec plat du jour.

🎥🎥 *La maison Cauchie* (plan I, B2, **179**) : rue des Francs, 5, 1040. ☎ 02-673-15-06. ● cauchie.be ● *En bordure du parc du Cinquantenaire. Visite guidée le 1er w-e de chaque mois 10h-13h, 14h-17h30 (dernière visite 1h avt). Entrée : 4 €.*
Si vous n'êtes pas là le week-end et que vous passiez devant cette maison, jetez-y au moins un œil ! C'est Paul Cauchie qui, en 1905, réalisa pour lui-même cette demeure, dans laquelle il installa son atelier. Cauchie est un des architectes emblématiques de l'Art nouveau bruxellois. Il excellait dans l'art du sgraffite. Sur la façade, véritable vitrine de son travail, il avait fait indiquer ses spécialités et avait inscrit la devise de cette maison *Par nous, pour nous.* Comme ça, les choses étaient claires.
La maison, menacée de destruction dans les années 1970, fut sauvée in extremis par l'actuel propriétaire, qui en était tombé passionnément amoureux. Des années de restauration furent nécessaires pour lui redonner toute sa splendeur et la remeubler (certaines parties du mobilier étaient tout bonnement cachées au fond de la cave !). Si vous faites la visite guidée (passionnante), vous vous apercevrez que Cauchie utilisa également le sgraffite à l'intérieur de sa maison, puisqu'il y recevait ses clients.
Il est curieux de voir à quel point Cauchie se démarque de l'univers d'Horta. À commencer par ses inspirations, ses influences qui le rapprochent beaucoup plus de l'Écossais *Charles-Rennie Mackintosh,* avec une priorité donnée à la verticalité, aux motifs dépouillés, géométriques, symétriques. Mais aussi par un esprit plus bohème, plus voluptueux, avec une omniprésence de la femme (à commencer par ses femmes-muses en façade) qui, là encore, s'apparente à l'école de Glasgow. On retrouve évidemment toutes sortes de motifs végétaux, sans lesquels l'Art nouveau ne serait pas tout à fait ce qu'il est, sans oublier certaines influences japonaises (utilisation du bois pour les colonnes du porche, importance du symbolisme, stylisme du balcon...).
La visite guidée se limite au séjour (compter au moins une heure malgré tout) mais le sous-sol accueille librement les visiteurs et propose une expo sur le couple Cauchie et la restauration de la maison...

🎥🎥 Pas loin du Cinquantenaire, au nord du rond-point Robert-Schuman, les *squares Marie-Louise et Ambiorix* (plan I, B2, **177**), chef belge du début de notre ère (et prétendu fils caché d'Assurancetourix avec la femme d'Abraracourcix), constituent les noyaux durs d'un secteur résidentiel de bon aloi, propice à la balade. L'ensemble respire le XIXe s cossu. Dans l'avenue Palmerston qui relie les deux squares, quelques œuvres notables d'Horta, surtout au n° 4, l'*hôtel Edmond Van Eetvelde.* Au n° 11, square Ambiorix, vous ne pourrez échapper à l'un des plus beaux édifices Art nouveau qui soit : l'*hôtel du peintre de Saint-Cyr,* réalisé en 1903 par Gustave Strauven. À tous les étages, on s'en met plein les mirettes mais le pompon reste la fenêtre circulaire du dernier étage, où le fer, le verre, le bois et la brique sont mis au service de la rondeur et des volutes. Superbe !

L'OUEST DE BRUXELLES *(plan I, A1)*

🏃🏃 *Le site de l'ancien entrepôt des douanes de Tour et Taxis (plan I, A1-2, 186) :* ● *tour-taxis.com* ● Ⓜ *Yser.* Sans doute l'un des plus ambitieux projets de rénovation urbaine à Bruxelles. L'origine du nom provient de la famille **Thurn und Tassis,** fondatrice, en 1501, du réseau postal de l'Empire germanique. En effet, Charles Quint souhaitait disposer d'un réseau de messageries rapides pour communiquer d'un bout à l'autre de son vaste empire et Bruxelles était un des lieux de carrefour de ce réseau de relais de poste. Mais le développement des Postes nationales mit un terme au monopole de la famille au milieu du XIXᵉ s. Ensuite, avec la prospérité économique de la Belgique, un ensemble de bâtiments industriels vit le jour sur le site, associant en un même lieu les fonctions complémentaires d'acheminement des marchandises, d'entrepôts et de services de douane. Mais la suppression des barrières douanières fit perdre progressivement au lieu sa raison d'être et, en 1987, il est mis en vente. Plusieurs projets de réhabilitation sont alors avancés (comme, aussi, sa démolition) pour sauver ce joyau d'architecture industrielle et, finalement, en 2001, grâce au travail d'associations comme *La Fonderie,* une société, Project T & T, se voit confier la rénovation du site en collaboration avec la Commission royale des Monuments. Depuis, on peut considérer que la réussite est au rendez-vous puisque d'ores et déjà des entreprises y ont installé leurs locaux et que des manifestations aussi prestigieuses que la Foire du Livre y ont trouvé un lieu idéal pour y accueillir des dizaines de milliers de visiteurs.
– Si vous en avez l'occasion, en passant dans le coin, n'hésitez pas à venir admirer les imposantes façades de brique et de pierre bleue, magnifiquement mises en valeur par l'éclairage de nuit. Pour une fois, Bruxelles aura été infidèle à sa mauvaise réputation !

🏃 *La basilique du Sacré-Cœur de Koekelberg (hors plan I par A1) :* à Koekelberg. Ⓜ *Simonis. Ouv tlj 8h-17h.* Surnommée ironiquement la « Koekelique de Baselberg ». Pas de malentendu : si on vous signale cet édifice religieux, c'est surtout pour la vue sur la ville qu'on a de la coupole, la plus intéressante, nous semble-t-il, de Bruxelles (3 € pour y accéder). Pour le reste, on se contentera de préciser que c'est un édifice néobyzantin assez indigeste, né de la volonté du grand bâtisseur Léopold II, à l'occasion du 75ᵉ anniversaire de l'Indépendance. Cependant, le projet initial ne vit jamais le jour et c'est en 1926 qu'on entama la réalisation du nouveau chantier, qui ne s'acheva qu'en... 1969. Enfin, pas grand-chose de remarquable donc, si ce n'est ses dimensions faramineuses (c'est le quatrième plus grand édifice chrétien au monde) et quelques vitraux modernes à l'intérieur.

🏃 *Le musée René-Magritte (plan I, A1, 180) :* rue Esseghem, 135, 1090. ☎ 02-428-26-26. ● *magrittemuseum.be* ● *À une bonne dizaine de mn à pied de la station de métro Belgica. Mer-dim 10h-18h. Entrée : 7 € ; réduc.*
Dans la commune de Jette, ce petit musée s'est ouvert en 1999, dans la maison même où a habité, de 1930 à 1954, le peintre René Magritte. Attention vous n'y verrez pas ses œuvres mais plutôt des objets qui évoquent son univers. À ne pas confondre donc avec le nouveau musée Magritte de la place Royale.
Au rez-de-chaussée de cette modeste maison de banlieue, reconstitution très fidèle de l'univers du peintre surréaliste. Rien de très spectaculaire au premier abord, si ce n'est un décor repeint dans les tons chers à l'artiste, une poignée d'originaux et des meubles que l'on retrouvera sur quelques-unes de ses plus célèbres toiles, comme le poêle à charbon, la cheminée, la baignoire et le piano. Au fond, la salle à manger-atelier où Magritte réalisa près de la moitié de ses tableaux. Aux 1ᵉʳ et 2ᵉ étages, quelques œuvres de ses copains surréalistes, ainsi que des documents et objets plutôt rares (près de 400), comme cette lettre de la Sabena assurant le peintre que son toutou Loulou serait traité avec les meilleurs égards à bord d'un de leurs avions ou encore ce télégramme de condoléances envoyé par Baudouin et Fabiola à sa veuve après son décès. Très beau catalogue du musée.

AU NORD DE BRUXELLES, LE DOMAINE ROYAL DE LAEKEN *(plan I, A-B1)*

Il s'agit d'un vaste parc, situé au nord du Pentagone, composé d'espaces verts, de petites forêts, de pièces d'eau, le tout soigneusement aménagé dans un style anglais.

🕊🕊 Au milieu du parc trône le ***château royal,*** œuvre de la fin du XVIIIᵉ s, ancienne résidence des gouverneurs autrichiens. Napoléon en fit même l'acquisition en 1804. Puis l'édifice devint château royal dès l'accession de Léopold Iᵉʳ au trône. Au début du XXᵉ s, il reçut de nombreux aménagements. Plus à l'ouest, un belvédère (beau pavillon du XVIIIᵉ s), un monument à Léopold Iᵉʳ en néogothique flamand et bien sûr les admirables ***serres royales*** *(plan I, A1, 164)* qu'on ne peut visiter que quelques jours par an *(de mi-avr à début mai ; pour infos : ☎ 02-513-89-40 ; trams nᵒˢ 19 et 23 ; entrée : 2 €).* De l'extérieur, par l'avenue du Parc-Royal, les serres sont déjà un ravissement. Il s'agit d'une série de dômes lumineux de tailles différentes, qui dialoguent entre eux comme des notes de musique. Cette remarquable structure est due à l'architecte Alphonse Balat, avec la participation d'un certain... Victor Horta. Chef-d'œuvre parmi les chefs-d'œuvre : la grande rotonde, aérienne, élégante et délicate. Si vous êtes à Bruxelles fin avril, ce serait une faute que de ne pas passer par là. On y fait alors la queue en rangs serrés pour se balader dans ces extraordinaires ensembles de végétation tropicale sous verre. En dehors de cette période, le domaine royal ne se visite pas.

🕊 Au sud du domaine, l'***église Notre-Dame de Laeken,*** réalisée à la demande de l'épouse de Léopold Iᵉʳ, la reine Louise-Marie, et dont le dessin fut confié à Joseph Poelaert, l'architecte du palais de justice. Encore une fois, il rata plutôt son affaire et mit le gothique à la sauce Poelaert, mixture bien lourde à digérer. On y trouve la crypte royale. Derrière, dans le cimetière, on peut encore voir le chœur de la première église du XIIIᵉ s et, non loin, un *Penseur* de Rodin, qui n'en pense pas moins.

🕊 **Les musées d'Extrême-Orient** *(plan I, A1, 165)* : tt au nord du domaine royal, av. Van-Praet, 44, 1020. ☎ 02-268-16-08. • kmkg-mrah.be • Tram nᵒ 23, arrêt Araucaria. Tlj sf lun 9h30 (10h w-e)-17h. Entrée : 4 € ; réduc ; gratuit le 1ᵉʳ mer de chaque mois à partir de 13h.
Votre esprit curieux et vos yeux fouineurs n'auront pas manqué de s'étonner de la présence, quasiment face à face, d'un « pavillon chinois » et d'une « tour japonaise ». Ces édifices furent réalisés sur ordre de Léopold II pour symboliser le début des relations commerciales (et amicales) entre la Belgique, le Japon et la Chine. Depuis peu, il y a aussi un très beau petit musée d'Art japonais, juste derrière le pavillon chinois.
– *Le pavillon chinois :* hormis les boiseries extérieures réalisées à Shanghai, c'est un Français qui créa ce pavillon. Amusant ! Les salles intérieures, aménagées en styles Louis XIV et Louis XVI avec force dorures et miroirs, recèlent de belles collections de porcelaines chinoises.
– *La tour japonaise :* dans un tout autre style que sa voisine d'en face mais conçue par le même architecte français que le pavillon chinois ! Seul le pavillon d'entrée, présenté à l'Expo internationale de Paris en 1900 et acheté par Léopold II, est de facture nippone. Là encore, l'intérieur n'a pas grand-chose d'oriental, mais vous y découvrirez de superbes vitraux représentant des scènes d'Orient ainsi que des objets d'art décoratif japonais.
– *Le musée d'Art japonais :* dans l'ancienne dépendance superbement rénovée du pavillon chinois. Il présente par rotation la très riche collection d'art japonais de l'époque Edo (1603-1868) que possède le musée du Cinquantenaire. Peintures, laques, textiles, porcelaines, estampes, sculptures et armures, les œuvres montrées constituent un ensemble très complet qui ravira vraiment les amateurs du genre.

LE QUARTIER DU HEYSEL (plan I, A1)

Le Heysel se situe à quelques kilomètres au nord du Pentagone, non loin du domaine de Laeken. Tristement rendu célèbre pour son stade qui, en mai 1985, lors d'une finale de Coupe d'Europe de football, fut le théâtre de bagarres suivies d'un mouvement de panique où la foule s'entassa contre les grilles. Une tragédie qui fit 40 victimes.

🕯 Le stade a été rénové et porte désormais le nom de *stade Roi-Baudouin : visite mar-sam 10h-17h30, mer-sam 10h-17h30. Entrée : 6 € ; réduc.*
Un parcours dans les coulisses du stade a été inauguré en 2005 avec la rétrospective des 70 ans d'existence d'un stade qui a connu son lot d'exploits mais aussi le drame que l'on sait. Il évoque les exploits du sport belge et en particulier ceux des « Diables Rouges », l'équipe nationale de football, l'ambiance fervente du Mémorial Van Damme, le meeting d'athlétisme et des aspects plus problématiques du monde sportif : le dopage, la violence des hooligans... sans oublier que le stade a servi d'écrin à des concerts mémorables : Johnny Hallyday, U2... En fin de parcours, des écrans vidéo sont là pour rappeler aussi la fonction du sport : un jeu qui doit épanouir ses pratiquants et réjouir ses spectateurs. Est-ce encore du domaine du possible ?
Le Heysel est un vaste espace culturo-sportivo-commercialo-industriel, comprenant un stade (ça, on l'savait), un grand parc des expositions, un complexe récréatif (Bruparck), le cinéma *Kinépolis,* un planétarium et évidemment le fameux Atomium. C'est surtout pour ce dernier, d'ailleurs, qu'on visite ce secteur.
Avant de découvrir l'Atomium, vous passerez sans doute devant le Grand Palais, vaste halle d'exposition réalisée en 1935 dans un pur style Art déco, surmontée de quatre statues monumentales. L'Atomium est à deux pas. Faudrait d'ailleurs être plutôt bigleux pour ne pas le remarquer.

🕯🕯🕯 *L'Atomium* (plan I, A1, 166) : sq. de l'Atomium, 1020. ☎ 02-475-47-75. ● *atomium.be* ● Ⓜ *Heysel. Tlj 10h-18h. Entrée : 9 € ; réduc ; gratuit pour les moins de 6 ans.* Vous êtes devant la maille élémentaire du fer (et non pas une molécule ou un atome) grossie 165 milliards de fois. Imaginez votre guide favori grossi à la même échelle : il mesurerait 33 millions de kilomètres ! Difficile de le glisser dans sa poche... La plus haute des neuf boules culmine à 102 m et la vue de là-haut est... panoramique, c'est le moins qu'on puisse dire (par beau temps, on aperçoit le beffroi de Malines). Cet édifice incroyable fut créé pour l'Exposition universelle de 1958. Comme tous les ouvrages du genre (la tour Eiffel, entre autres), il devait être détruit et ne le fut pas. On lui a même, en 2005, redonné son lustre d'antan en remplaçant l'aluminium des boules par de l'inox ! Avec la Grand-Place et le Manneken-Pis, il reste un symbole fort de la ville. Tout d'abord, un ascenseur vous projette en 23 secondes dans la boule supérieure pour embrasser une vue exceptionnelle (compter jusqu'à 40 mn d'attente le week-end !). Là, possibilité de manger (au resto, qui occupe la moitié supérieure de la boule) ou de redescendre tout en bas pour partir à la découverte d'autres parties de la « molécule », liées entre elles par des escalators. Petites expos – permanente et temporaire – dans deux des cinq autres boules accessibles mais, globalement, cette deuxième partie de la visite a moins d'intérêt. N'empêche, le monument, lui, mérite vraiment le détour, surtout lorsqu'il surgit de la nuit comme un vaisseau spatial clignotant, style « Rencontres du 3ᵉ type ».
– *Bruparck :* judicieusement installé au pied de l'Atomium, ce grand parc récréatif accueille plusieurs attractions, dont *Mini-Europe* et le complexe aquatique *Océade* (☎ 02-478-43-20), avec ses vertigineux toboggans. Droit d'accès à ce dernier assez cher mais ticket combiné avec *Mini-Europe.*

🕯🕯 🏊 *Mini-Europe* (plan I, A1, 187) : à côté de l'Atomium, donc dans le complexe multiloisirs de Brupark. ☎ 02-478-05-50. ● *minieurope.com* ● *De mi-mars à sept, tlj 9h30-18h (20h juil-août) ; oct-début janv, tlj 10h-18h. Fermé de début janv à mi-mars. Les sam de mi-juil à fin août, nocturne jusqu'à minuit et feu d'artifice musical à 22h30. Entrée : 12,90 € ; réduc enfants de moins de 12 ans et seniors. Sur présentation de ce guide, 2 € de réduc.*

Sur 2,5 ha, Mini-Europe regroupe quelque 300 maquettes de monuments évoquant plus de 75 villes ou sites d'Europe. D'une précision remarquable, la plupart de ces maquettes sont réalisées en polyester à l'échelle 1/25, ce qui donne, entre autres, une tour Eiffel de plus de 12 m. La tour de Pise, elle, est en vrai marbre et le château de Chenonceau en pierre de France. Véritable travail d'orfèvre, le coût moyen de ces maquettes avoisine les 75 000 € et certaines ont demandé l'équivalent du travail d'une personne pendant 13 ans ! Ainsi, l'arc de triomphe de l'Étoile répertorie, comme l'original, les noms des 600 généraux de l'épopée napoléonienne et des 150 lieux de bataille, excepté, bien sûr, Waterloo. L'illusion est aussi parfaite avec Big Ben, qui sonne à l'heure, le Vésuve, qui tremble lors des éruptions, les 6 000 spectateurs des arènes de Séville (tous peints à la main !) qui crient « Olé ! » comme dans une vraie corrida, les moulins à vent du Kinderdijk en Hollande, qui contribuent à assécher un mini-polder, ou encore *Ariane V*, qui décolle toutes les 7 mn dans un nuage de fumée artificielle... Le parc n'a pas négligé non plus les derniers pays à être entrés dans l'Union avec, entre autres, le manoir d'Artus de Gdansk (Pologne), le théâtre du Kourion à Chypre, le Mnajdra de Malte (considéré comme le plus vieux temple de pierre du monde !), l'université de Vilnius (Lituanie), l'horloge astronomique de Prague (République tchèque), l'église Bleue de Bratislava (Slovaquie), la Grosse Margareta de Tallinn (Estonie) ou encore les bains de Széchény à Budapest (Hongrie).

Enfin, Mini-Europe propose aussi un espace ludique et interactif *(Spirit of Europe)* dédié à l'histoire, aux objectifs, aux défis et au fonctionnement de l'Union européenne. Où ailleurs qu'à Bruxelles, décidément, pouvait-on espérer visiter une telle attraction ?

– À côté, le *Kinépolis* (☎ 02-474-26-00) est, avec ses 27 salles, l'un des plus grands complexes cinématographiques au monde. Nous, on préfère les petits cinémas de quartier... Cela dit, c'est le seul à Bruxelles à posséder un écran Imax, irremplaçable, comme on sait, pour la projection de certains films ou documentaires.

LA COMMUNE D'ANDERLECHT (plan I, A2)

Anderlecht, commune populaire de Bruxelles bien connue des amateurs de foot, était déjà habitée à l'époque romaine ; on y a trouvé les restes d'une villa du IVe s. Elle a longtemps eu une vocation industrielle avec des abattoirs renommés et de nombreuses manufactures. Son centre historique se concentre autour de l'église Saint-Guidon.

🍴 *La maison d'Érasme* (plan I, A2) : rue du Chapitre, 31, Anderlecht. ☎ 02-521-13-83. ● erasmushouse.museum ● Ⓜ Saint-Guidon. Tlj sf lun 10h-17h. Visite guidée sur rdv. Entrée : 1,25 €.

Ceux qui connaissent (ou ont lu) l'*Éloge de la folie* feront le détour par cette maison où Didier Érasme de Rotterdam séjourna 5 mois en 1521. La grosse bâtisse de brique rouge où il habita, jouxtée d'un jardin propice à la réflexion, date de 1515 (Marignan) et fut transformée en un petit musée agréable dans les années 1930. Quelques souvenirs de ce grand humaniste : dans son ex-bureau, un moulage de son crâne, une lettre à un pote écrite en latin et, dans la salle blanche au 1er étage, de nombreux livres « purifiés au marqueur » et papiers blancs collés par les censeurs. La maison, merveilleusement restaurée, abrite une collection de meubles, de livres, de gravures et de tableaux des XVe et XVIe s. Les pièces maîtresses de ce programme restent les deux gravures d'Albrecht Dürer, dans le cabinet de travail d'Érasme, et un triptyque de Jérôme Bosch de 1510 (*L'Adoration des Mages*). Sur le volet gauche de ce triptyque (quand il est fermé), on pourrait voir saint Jérôme, mais comme l'œuvre fut longtemps conservée dans la collégiale Saint-Pierre-et-Guidon, son curé a cru bon, 120 ans après le travail de Bosch, de transformer

Jérôme en Pierre, par l'adjonction d'une clé grossièrement plaquée devant le saint. Un coup de pinceau maladroit, et hop, ni vu ni connu, voilà mon saint Pierre gardien du Paradis (et à ce titre possesseur de clés, rappelons-le).

La visite peut se poursuivre au *Jardin philosophique,* situé derrière la maison. Cet îlot de verdure a été conçu pour permettre au visiteur de se laisser aller à des rêveries ou à des réflexions que doivent susciter, notamment, des adages inscrits sur les parterres en forme de feuilles et sélectionnés – par Érasme – dans la sagesse antique et le savoir populaire. À l'entrée de cet espace vert, arrêtez-vous un instant au « jardin des maladies », planté des différentes espèces botaniques qu'utilisaient les médecins de l'humaniste.

– Si vous avez le temps, à côté du musée, près de la collégiale, vous pourrez visiter le *béguinage* d'Anderlecht, charmant ensemble de maisons, dont une du XIIIe s, ordonné autour d'un puits et d'un jardin. Petit musée sur l'histoire d'Anderlecht. Horaires d'ouverture identiques à ceux de la maison d'Érasme.

🦐 *Le musée bruxellois de la Gueuze* (plan I, A2, *171*) : rue Gheude, 56, Anderlecht. ☎ 02-521-49-28. • cantillon.be • Ⓜ Gare-du-Midi ou Clemenceau. Trams n°s 55, 56, 81 et 82 ; bus n°s 20 et 47. Tlj sf dim et j. fériés 9h (10h sam)-17h. Entrée : 5 €, dégustation comprise ; réduc. Dans ce coin populaire en partie transformé en quartier de la fripe, on trouve la toute dernière brasserie familiale à fabriquer le lambic, et ce depuis plus de 100 ans. Comme au temps des Sumériens, ce sont les « ferments célestes », apportés par l'air, qui « inoculent » le moût : c'est la « fermentation spontanée ». Babylone comptait 150 brasseries et les Égyptiens, Romains et Gaulois connaissaient, sans l'expliquer, ce miracle de la bière. Aujourd'hui, tous les ferments sont préparés en laboratoire. Ici, non : on conserve la magie et on ne brasse que d'octobre à mars, quand le moût peut refroidir tout seul. Seul le lambic (2/3 d'orge, 1/3 de froment) est fabriqué de cette façon. À partir du lambic, on fait d'autres bières : la Gueuze (jeune et vieux lambic), la Kriek (avec griottes), la Framboise (avec framboise) et le Faro (avec sucre candi). Une visite unique en son genre donc, où une bonne partie du matériel utilisé date encore du XIXe s. La bière Cantillon y est brassée depuis quatre générations. La visite est libre mais un document vous permettra de comprendre les différentes phases de l'élaboration du breuvage. On rend visite à la cuve de cuisson et, dans le grenier, au grand bassin de 7 500 l, en cuivre rouge, tout plat, entièrement riveté, où se produit l'inoculation. La salle de futaille rappelle les caves à vins, pleine de tonneaux et de pipes (650 l) remplis à ras bord et laissés ouverts durant 3 jours pour permettre les débordements. La dégustation vient clore la visite de cet univers, à mille lieues de la brasserie industrielle.

LA COMMUNE DE SCHAERBEEK *(plan I, B2)*

Au nord-est du Pentagone, avec 110 000 habitants, Schaerbeek (prononcez Skarbék) est la cinquième commune la plus peuplée de Belgique. Ses quartiers très différenciés sont à la fois très populaires et cosmopolites mais aussi résidentiels. Autrefois, elle était considérée comme la commune des artistes, qui occupaient de nombreux ateliers. Elle compte quelques sites remarquables, comme le parc Josaphat, l'église néobyzantine Sainte-Marie, les Halles, ainsi que de nombreuses maisons Art nouveau et Art déco particulièrement bien préservées. Sa *maison communale,* place Colignon, entourée de maisons éclectiques de la fin du XIXe s, est un magnifique édifice néo-Renaissance.

🦐🦐 *La maison Autrique* (plan I, B2, *184*) : chaussée de Haecht, 266, 1030. ☎ 02-215-66-00. • autrique.be • Tram n° 92. Mer-dim 12h-18h (dernière admission à 17h30). Entrée : 6 € ; réduc. Visite contée sur résa certains dim et mer 10 €. Dans ce quartier, qui fut autour des années 1900 un des faubourgs les plus huppés de Bruxelles et où proliféraient les ateliers d'artistes, la maison de l'ingénieur Autrique fut une des premières réalisations (1893) d'un jeune architecte de 32 ans nommé

Victor Horta. Pour se convaincre du caractère monumental de ce quartier, vous ne manquerez pas de jeter un coup d'œil sur la majestueuse perspective de l'avenue Louis-Bertrand, se glissant dans une belle courbe descendante vers le parc Josaphat. Cette maison Autrique, délaissée depuis 1986, avait attiré l'attention du dessinateur François Schuiten et de son compère scénariste Benoît Peeters. Après 7 années d'efforts et après que l'architecte Francis Metzger avait reçu la mission de « faire parler » la maison pour en retrouver le caractère originel (au travers des matériaux notamment), tel que l'avait conçu Horta, elle est à présent offerte à l'admiration des visiteurs comme une sorte de voyage dans le temps qui restituerait la vie de la bourgeoisie de la Belle Époque. La maison, tel un organisme vivant, revit littéralement à l'aide de la scénographie imaginée par les deux complices. Ses habitants vous apparaissent au détour de la salle de bains, dans la cuisine on s'apprête à servir le repas du soir, les draps sèchent dans la buanderie, des cartes postales du vieux Schaerbeek s'échappent d'un meuble... Dans la bibliothèque, un film muet évoque les transformations architecturales de Bruxelles. On découvre également le cabinet de travail de l'ingénieur, avec ses innombrables cartes, et l'atelier d'un peintre français, Augustin Desombres, qui aurait travaillé pendant ses dernières années à Schaerbeek. Le grenier se révèle être la caverne d'Ali Baba d'un personnage curieux : Axel Wappendorf, dont on nous dit qu'il fut l'inventeur méconnu de prototypes de moyens de transport insolites... Bref, on navigue, comme souvent à Bruxelles, entre rêve et réalité sans toujours bien discerner la frontière entre les deux mondes parallèles et c'est là le grand mérite de cette recréation de la maison Autrique : entraîner le visiteur là où il ne s'imaginait pas pouvoir être mené...

🍴 **Le Clockarium** (plan I, B2, **182**) : bd Reyers, 163, 1030. ☎ 02-732-08-28. ● clockarium.com ● Tram n° 23, arrêt Diamant ; bus n°s 21 et 28. Visite (guidée) le dim slt à 15h05 (résa conseillée, arriver 30 mn à l'avance). Coût : 6 € ; réduc. Après 12 années de fréquentation assidue des marchés aux puces, Jacques de Selliers nous livre le fruit de ses efforts dans une petite maison Art déco de Schaerbeek. Son butin ? Facile : quelque 3 000 horloges de cheminée en faïence, de formes, factures et couleurs très diverses. Seul un bon millier est exposé mais qu'importe, leur variété est suffisante pour nous balader à travers cette époque où, l'industrialisation aidant, l'heure se fit jour dans les foyers belges et du nord de la France... Une visite plutôt originale donc, qui nous révèle les goûts esthétiques de nos arrière-grands-parents et, parfois même, l'évolution de la société en ce temps-là.

VERS L'EST, LES COMMUNES DE WOLUWE-SAINT-LAMBERT ET WOLUWE-SAINT-PIERRE (hors plan I par B2)

Communes résidentielles, encore rurales il n'y a pas si longtemps, elles s'étendent au-delà du square Montgomery dans un environnement vallonné (la vallée de la Woluwe) traversé de part et d'autre par l'avenue de Tervueren voulue par Léopold II et qui conduit à la forêt de Soignes. L'avenue longe le parc de Woluwe, doté de magnifiques étangs. C'est un endroit de promenade très apprécié des Bruxellois.

◎ 🍴🚶 **Le Palais Stoclet** (hors plan I par B2, **175**) : av. de Tervueren, 281, Woluwe-Saint-Pierre 1150. Ⓜ Montgomery. Trams n°s 39 et 44. Bien qu'il soit fermé à la visite, on peut voir de l'extérieur une partie de cet incroyable édifice, symbole de l'Art nouveau viennois mais déjà préfigurant l'Art déco, réalisé en 1910 par l'Autrichien **Josef Hoffmann.** Il rompait définitivement avec les canons habituels de l'Art nouveau. Emblématique du concept de l'« œuvre d'art totale », le bâtiment ainsi que sa décoration intérieure et extérieure, son mobilier, sa vaisselle et ses jardins ont été classés en 2006. Conception anguleuse, très saccadée, terminée par une tour à gradins encadrée de fières sculptures de bronze. À l'intérieur (qu'on ne peut visiter), une salle à manger est décorée entièrement de fresques de Klimt.

L'UNESCO l'a classé au Patrimoine de l'humanité en juin 2009. Espérons que cette consécration permette bientôt une ouverture au public.

🚶🏃 *Le musée du Transport urbain bruxellois* (hors plan I par B2, *176*) : av. de Tervueren, 364, Woluwe-Saint-Pierre 1150. ☎ 02-515-31-08. ● *trammuseumbrus sels.be* ● *Trams n^{os}* 39 et 44. Ouv 1er w-e d'avr-1er w-e d'oct, les sam, dim et j. fériés 13h30-19h. Entrée : 2 € ou 5 € avec l'aller-retour en tram jusqu'à Tervueren (voir plus loin) ; réduc ; gratuit jusqu'à 12 ans.

Le grand intérêt de ce musée, en plus des collections présentées, est que l'on peut vraiment faire un trajet dans un vieux tram de la ville du début du XXe s. Deux trajets possibles : entre le musée et le parc du Cinquantenaire ou du musée vers la forêt de Soignes. On conseille ce second itinéraire, qui permet de s'arrêter au *musée royal de l'Afrique centrale*, de le visiter et de revenir, toujours en vieux tram. Vraiment sympa. Départ toutes les heures environ le samedi et toutes les 40 mn le dimanche. Trajet en 25 mn environ. Il suffit de descendre et de s'enquérir des horaires pour prendre le tram retour depuis Tervueren.

Le musée est en fait un vaste dépôt encore en exploitation pour partie. Il rassemble une étonnante collection de tramways et d'autobus de toutes sortes, ayant tous servi au transport dans l'agglomération de Bruxelles. « Omnibus de pavé », puis tramways hippomobiles, sympathiquement appelés « moteurs à crottin », utilisés avant l'ère électrique. Intéressants tramways vicinaux (à vapeur). Puis une sélection de bus urbains, dont le premier fut mis en service en 1923. Nombreux trams de 1900 à 1950 permettant d'analyser l'évolution pas à pas de ce beau moyen de transport. Les premiers sont charmants comme tout, avec leurs plates-formes ouvertes, leurs jolies banquettes et leurs formes si esthétiques... Puis le tram évolue, devient plus confortable, moins beau aussi, bien que le « standard » soit entré dans l'imagerie populaire de Bruxelles.

Voir encore quelques réalisations impressionnantes, comme cette « balayeuse de neige » américaine de 1904, cette motrice « Chocolat » de la même époque ou cette « baladeuse » (wagon ouvert pour l'été). Beaucoup de références historiques, des bijoux de trams donc, un coin-cafétéria au fond de la halle et, pour finir, une balade à ne pas manquer, avec le personnel en costume d'époque.

Shopping

Mode

Ça bouge à Bruxelles, même si cela ne paraît pas aussi évident qu'à Anvers. La boutique *Mais il est où le Soleil ?* se cache sur la place du Châtelain, à Ixelles. Pour le reste, petits et grands créateurs se concentrent tout autour de la rue Dansaert et de la place Saint-Géry : Olivier Strelli, Stijl (seule boutique où l'on retrouvera à Bruxelles les créateurs anversois), Christophe Coppens, Sandrine Fasoli, Aznif Afsar, Y-Dress... L'office de tourisme édite une brochure qui recense toutes les boutiques. À vous de faire votre circuit en fonction de votre temps, de vos goûts et... de votre budget !

Déco

Eh oui, la Belgique a la cote en matière de déco. Il suffit de feuilleter les magazines pour s'en rendre compte. Profitez donc de votre passage à Bruxelles pour visiter ces deux boutiques pas comme les autres. Et sinon, rendez-vous rue Haute et rue Blaes, les deux rues qui relient les Sablons aux Marolles. Vous y trouverez beaucoup de « brocanteurs » spécialisés dans le style industriel. Beaucoup de merveilles, avec pas mal de rééditions « patinées » (attention, les prix ne sont pas censés être les mêmes !).

✍ *Émery & Co* (plan couleur III, H7) : rue de l'Hôpital, 25-29, 1000. ☎ 02- | 513-58-92. ● *emeryetcie.com* ● *Tlj sf dim 11h-19h.* On ne présente plus

Agnès Émery, la nouvelle fée de la déco belge. Cet espace, aménagé dans 3 sublimes hôtels particuliers en enfilade, est à son image : onirique, baroque, orientaliste, naturaliste et excentrique. On vient se perdre dans ce dédale de salles et d'escaliers, et l'on découvre émerveillé cet univers si particulier : zelliges opalescents, ciments Art nouveau, lustres en fer forgé, verres soufflés, lins brodés, miroirs de sorcière, grotesques et chimères, chaises algue

ou fougère. La magie opère...

⚜ **Flamant – Home Interiors** (plan couleur III, H7) : pl. du Grand-Sablon, 1000. ☎ 02-514-47-07. ● flamant. com ● Ouv tlj. Tout pour décorer sa maison et lui donner une irrésistible touche belge. Pour un intérieur sobre, élégant et intemporel. Un concept qui a fait tout le succès de la maison, et ce dans le monde entier. Le showroom de la place des Sablons est un lieu assez enchanteur. Jeter un œil ne coûte rien !

Fêtes et manifestations culturelles

Le site ● agenda.be ● est le plus complet en ce qui concerne les événements culturels.
Vous pourrez ainsi trouver un calendrier détaillé sur le site ● routard.com ● à la rubrique « Destinations » : Bruxelles.
– **Janvier :** Salon de l'automobile, les années paires ; foire des Antiquaires.
– **Février :** festival du Dessin animé ; Ballon Day Parade avec les personnages de B.D.
– **Mars :** foire du Livre ; Ars Musica (festival de musique contemporaine).
– **Avril :** festival international du Film fantastique et de Science-fiction de Bruxelles. Ouverture fin avril-début mai des serres royales de Laeken.
– **Mai et juin :** les 9 et 10, fête de l'Iris, emblème de la région de Bruxelles – Capitale ; Kunsten Festival des Arts (théâtre, concerts et événements...) ; concours musical international Reine Élisabeth ; jazz-marathon (le dernier week-end de mai) : 3 jours et 2 nuits de folie où Bruxelles swingue autour des nombreux podiums installés dans la ville ; festival Couleur-Café, tous les sons de la world music sur le site de Tour et Taxis.
– **Juillet :** ciné drive-in sur écran géant (de début juillet jusqu'à fin août, les soirs de week-end) ; l'Ommegang (début juillet), cortège historique important, clou de l'été ; festival de Musique classique (gratuit tous les midis) ; fête nationale (le 21), concerts de musique classique et de jazz au bois de la Cambre ; Brosella Folk et Jazz Festival (au Heysel, le 2e week-end de juillet) ; « Bruxelles-les-Bains » (de mi-juillet à mi-août), une plage urbaine le long du canal, place Sainctelette.
– **Août :** plantation du Meyboom (fête folklorique commémorant la victoire des Bruxellois sur les Louvanistes en 1311) ; tapis de fleurs sur la Grand-Place (uniquement les années paires) ; foire du Midi ; Brussels Summer Festival, 120 concerts dans la ville (à 80 % gratuit).
– **Septembre :** festival de Flandre et de Wallonie (musique classique) ; fêtes de l'Îlot sacré et fêtes bruegeliennes.
– **Octobre :** la Biennale d'Art nouveau. Tous les 2 ans, les week-ends d'octobre (5e édition en 2009). Brocantes, salons d'antiquités, visites guidées, conférences, etc. Surtout, des sites habituellement fermés sont ouverts à la visite (☎ 02-219-33-45 ; ● voiretdirebruxelles.be ●).
– **Novembre :** Jazz Festival.
– **Décembre :** marché européen de Noël et patinoire du côté de la place Sainte-Catherine.

Principales brocantes

– **Commune de Bruxelles :** pl. du Jeu-de-Balle, tlj 7h-14h, et pl. du Grand-Sablon, sam tte la journée et dim mat.

– *Commune d'Auderghem* (☎ 02-676-48-80) *:* cette commune organise chaque dimanche (7h-13h) une brocante qui change d'endroit. *Le 1ᵉʳ dim du mois, pl. Pinoy ; le 2ᵉ, bd du Souverain, devant le centre culturel ; le 3ᵉ, bd du Souverain/ Carrefour d'Auderghem ; et le 4ᵉ, viaduc Herrmann-Debroux.*
– *Commune de Forest :* pl. Saint-Denis, dim 6h-13h.
– *Commune de Schaerbeek :* pl. Dailly, le 1ᵉʳ sam de chaque mois, tte la journée.
– *Commune de Woluwe-Saint-Lambert :* pl. Saint-Lambert, le 1ᵉʳ dim mat du mois.
– *Commune d'Anderlecht :* bd S.-Dupuis, au Westland Shopping Centre, *dim 8h-13h.*
– *Commune de Koekelberg :* pl. Simonis, le 2ᵉ sam mat de chaque mois.
– *Marché du Midi :* le dim mat, autour de la gare du Midi. Vaste marché de denrées exotiques où l'Afrique du Nord côtoie la Sicile et l'Anatolie sur fond de raï et de flamenco.

➤ *DANS LES ENVIRONS DE BRUXELLES*

TERVUEREN (3080)

À un petit bouquet de kilomètres au sud-est du centre de Bruxelles, situé en Brabant flamand, Tervueren est accessible depuis le parc du Cinquantenaire en suivant tout simplement l'avenue de Tervueren, longue artère percée au XIXᵉ s. Elle mène au musée qui a rendu Tervueren célèbre : le musée royal de l'Afrique centrale. Agréable parcours qu'on réalise soit en voiture, soit en transports en commun. Dans un cas comme dans l'autre, on vous conseille de vous arrêter avant le musée royal, au musée du Transport urbain bruxellois (voir plus haut). Si vous êtes en voiture, faites donc halte quelques minutes sur l'avenue de Tervueren.

🍴🏛 *Le musée royal de l'Afrique centrale :* Leuvensesteenweg, 13. ☎ 02-769-52-11. ● africamuseum.be ● *Tram nº 44, terminus après un parcours dans la forêt de Soignes. Tlj sf lun 10h-17h (18h w-e). Entrée : 4 € ; réduc ; gratuit jusqu'à 12 ans.*

Ce musée imposant, posé au milieu d'un vaste parc, fut conçu à la fin du XIXᵉ s par l'architecte français du Petit Palais à Paris, Charles Girault, à la taille de l'imagination de Léopold II pour accueillir le musée du Congo. Rappelons au passage que « l'État libre » du Congo était la propriété privée du roi, rien que ça ! Les historiens s'accordent à présent à penser que 10 millions d'habitants de cet État du Congo périrent à la suite de cette phase de la colonisation des territoires et de l'exploitation de ses immenses richesses. Le souverain légua son domaine à sa mort, en 1909, à son pays d'origine mais il ne verra jamais son musée, terminé 1 an plus tard. Outre la grande richesse de ses collections (1 600 objets exposés

SANGLANTE COLONISATION

Réponse de Patrice Lumumba, Premier ministre du Congo indépendant, au discours de Baudouin Iᵉʳ, le 30 juin 1960 : « Nous avons connu le travail harassant exigé en échange de salaires qui ne nous permettaient ni de manger à notre faim, ni de nous vêtir ou de nous loger décemment, ni d'élever nos enfants comme des êtres chers. Nous avons connu les ironies, les insultes, les coups que nous devions subir matin, midi et soir, parce que nous étions des nègres... Nous avons connu nos terres spoliées au nom de textes prétendument légaux, qui ne faisaient que reconnaître le droit du plus fort, nous avons connu que la loi n'était jamais la même, selon qu'il s'agissait d'un Blanc ou d'un Noir... »

en permanence, mais plus de 200 000 en réserve, montrés lors d'expos temporaires), l'intérêt du musée réside dans son côté pluridisciplinaire : y sont traitées tant l'ethnologie, l'archéologie et l'histoire coloniale que la zoologie... Ainsi par exem-

BRUXELLES

ple, salle 4, on peut voir de superbes masques du Congo (et même provenant d'autres pays africains), dont un masque *mbangu* étrangement similaire au visage d'une des demoiselles d'Avignon de Picasso ! Les salles 7 et 9, refaites il y a peu, retracent l'histoire de l'Afrique centrale et, surtout, de la colonisation par la Belgique certes empreinte de paternalisme, mais non entachée d'erreurs (les bons pères formaient des catéchumènes et non des cadres moyens ou supérieurs) et de ségrégation. Le Congo acquit son indépendance en 1960 dans un climat chaotique. Plus loin, de nombreux animaux naturalisés, de l'éléphant au paon du Congo en passant par le crocodile du Nil et le cœlacanthe, véritable fossile vivant, dans la salle 16, la seule à être restée telle qu'en 1910. Également une impressionnante pirogue de 22 m de long, des peintures coloniales belges et la tombe du Kisalieh, un squelette encore doté, dans sa tombe, de toutes ses parures.

Certes, le musée est encore vieillot et manque parfois de notes explicatives, mais il permet de bien replacer dans son contexte l'histoire commune de la Belgique et de l'Afrique, notamment par l'entremise d'un roi passionné d'aventures mais surtout avide d'argent. Une refonte complète de l'exposition est prévue dans les 2-3 années à venir.

|●| Possibilité de manger un morceau à la petite **cafétéria** du musée (bon sandwich chaud *simba* au *saka-saka,* servi dans une sorte d'écuelle en bois).

– On peut poursuivre l'excursion vers La Hulpe et Waterloo (voir « La province du Brabant wallon »).

QUITTER BRUXELLES

En train

🚆 Il existe *4 gares* à Bruxelles : *du Nord (plan I, A2),* **centrale** *(plan I, A2),* *du Midi (plan I, A2)* et **Bruxelles-Luxembourg** *(plan I, B2).* Sachez que, grâce à la jonction Nord-Midi, vous pouvez rejoindre la gare qui vous intéresse en montant dans n'importe quel train sur cet axe. Exemple : pour prendre le train à destination de Paris qui part de la gare du Midi, il est possible de monter dans un train à la gare du Nord ou à la gare centrale, puis de descendre au Midi pour changer de quai. Le billet est à acheter au guichet de la gare.

Où prendre votre train pour sortir de Bruxelles ?
➢ *Pour Paris :* uniquement à la gare du Midi.
➢ *Pour Anvers et Amsterdam :* gare du Midi, centrale ou du Nord.
➢ *Pour Gand, Bruges et Ostende :* gare du Nord, centrale ou du Midi.
➢ *Pour Liège et Cologne :* gare du Midi, centrale ou du Nord.
➢ *Pour Namur et Dinant :* gare du Midi, centrale, du Nord ou Bruxelles-Luxembourg.
➢ *Pour Mons :* gare du Nord, centrale ou du Midi.
➢ *Pour Nivelles et Charleroi :* gare du Nord, centrale ou du Midi.
➢ *Pour Namur et Luxembourg :* gare du Midi, centrale, du Nord ou Bruxelles-Luxembourg.

En bus

➢ *Pour Paris :* Eurolines assure jusqu'à 8 liaisons/j. (voir le chapitre « Comment y aller ? » en début de guide).

■ *Eurolines à Bruxelles : Coach Station CCN, gare du Nord.* ☎ *02-274-13-50.* ● *eurolines.be* ● *Tlj 5h45-23h. Un* autre bureau à la gare du Midi : pl. de la Constitution, 10. ☎ 02-538-20-49. Lun-ven 9h30-17h30, sam 9h15-14h15.

➢ *Pour circuler dans le Brabant wallon :* *TEC*, ☎ 010-23-53-53.
➢ *Pour circuler dans le Brabant flamand :* *De Lijn*, ☎ 016-31-37-11.

En avion

Pas vraiment une bonne solution au nord de la Loire, étant donné la rapidité du train. De plus, *Air France* a supprimé sa liaison Paris-Bruxelles, donc on n'en parle plus. En revanche, *Brussels Airlines* a gardé les liaisons de la Sabena.

LA RÉGION FLAMANDE

LA PROVINCE DU BRABANT FLAMAND (VLAAMS BRABANT)

En 1995, la Belgique, qui comptait neuf provinces depuis 1830, s'en est dotée d'une dixième : le Brabant – flamand ou wallon, peu importe, puisqu'il s'agit de la scission de l'ancien Brabant, seule province bilingue du pays. Son chef-lieu de toujours, Bruxelles, est devenu une région à part entière mais limitée aux 19 communes de son agglomération. Il a donc fallu recourir une fois de plus au partage du patrimoine commun : Louvain est devenu chef-lieu du Brabant flamand (à l'intérieur duquel Bruxelles est géographiquement enclavée) et Wavre a été choisi pour le Brabant wallon. La frontière entre les deux nouvelles entités, respectant la « frontière linguistique » née des accords de 1963, est scellée pour l'éternité. Cette province inclut également les six communes « à facilités » de la périphérie de Bruxelles, incorporées administrativement dans le fameux arrondissement de Bruxelles-Hal-Vilvorde (BHV) et qui constituent une pomme de discorde à la peau particulièrement coriace dans le conflit communautaire.

Cette décision de scission politique fait peu de cas de l'histoire et des réalités géographiques : aucune frontière naturelle n'existe dans ce découpage transversal, la ligne de démarcation passe entre deux villages que rien ne distinguera jamais. L'histoire retiendra que ce Brabant fut en son temps un duché parmi les plus puissants des Pays-Bas et que son territoire s'étendait jusqu'en Hollande en englobant Breda, Anvers, Malines, Bruxelles et Louvain.

LA FORÊT DE SOIGNES (ZONIËNWOUD)

Magnifiée par les souvenirs d'Auguste Rodin, poumon vert de Bruxelles, ceinturée de charmants villages et à cheval sur les trois régions, la forêt de Soignes couvre à présent 4 300 ha. C'est la présence massive du hêtre qui lui donne cet aspect majestueux de cathédrale végétale. Le domaine actuel est tout ce qu'il reste de la grande forêt charbonnière qui, au temps de Charlemagne, s'étendait de Louvain à Halle et jusqu'aux confins de la Sambre.

Réservée à la chasse pour le bon plaisir des souverains successifs, elle était aussi exploitée pour fournir le bois de chauffage, le charbon de bois et aussi du minerai de fer. Elle apparaît souvent comme décor au XVIᵉ s des tapisseries de chasse dites « maximiliennes ». Assez tardivement, des abbayes, des ermitages et des châteaux de villégiature entamèrent son caractère forestier exclusif. Sous les Autrichiens au XVIIIᵉ s, le reboisement intensif de hêtres en futaies lui donna son aspect actuel. Pour permettre aux dames de suivre les chasses, Charles de Lorraine fit tracer ces grandes allées rectilignes qui portent le nom de « drèves ». Au début du XIXᵉ s, la Société générale, qui avait acquis 11 000 ha de forêts, procéda à des ventes successives qui accélérèrent le déboisement au profit de l'agriculture. Depuis, malgré les saignées autoroutières et les appétits des promoteurs, les organisations de protection de l'environnement s'emploient à lui conserver son intégrité de sanctuaire naturel aux portes de la capitale. De récentes tempêtes ont abattu nombre de hêtres plus que centenaires et le renouvellement des parcelles se fait avec des essences plus diversifiées, notamment le chêne.

La forêt de Soignes est habitée par de nombreuses espèces sauvages : daims, chevreuils, renards, blaireaux, faucons crécerelles et éperviers.

À voir. À faire

Quelques lieux remarquables en bordure de la forêt :

🐾🐾 À l'extrémité ouest, aux abords de Tervueren, l'*arboretum* (libre accès) inclus dans le *bois des Capucins* rassemble les espèces forestières des climats tempérés. On peut y voir des spécimens des hautes tiges de la côte pacifique, tels le pin de Douglas et le séquoia.

🐾 *L'église Notre-Dame-au-Bois* (Jesus-Eik) : au départ de l'E 411. Halte obligée des promeneurs du dimanche pour déguster, en contemplant la façade baroque de l'église, une tartine de *plattekees* (fromage blanc) arrosée de Rodenbach mousseuse.

🐾 *Le prieuré du Rouge-Cloître :* encore sur le territoire d'Auderghem, donc en région bruxelloise, un chapelet d'étangs borde les bâtiments du couvent augustinien du XIVe s qui accueillit le peintre Hugo Van der Goes. C'est le point de départ de nombreux sentiers de promenade. *Centre d'information de la forêt :* ☎ 02-660-64-17.

🐾 *La Hulpe et le parc Solvay :* voir plus loin dans « La province du Brabant wallon », « Dans les environs de Genval ».

LE CHÂTEAU DE BEERSEL

Étonnant château fort édifié au début du XVIe s et qui a subi des modifications à la fin du siècle suivant, après une destruction partielle. C'est aujourd'hui l'un des derniers vestiges de l'architecture militaire de la fin du Moyen Âge. Entouré d'eau et autrefois de marécages, c'était un poste de défense avancé qui protégeait Bruxelles. Ce qui le caractérise, c'est son étonnante conception, avec trois tours joufflues reliées entre elles par un chemin de ronde. La partie intérieure des tours est curieusement toute plate et ornée d'un pignon à redans. Plus tard, au XVIIIe s, on a ajouté les toits pointus, en ardoise. Le château perdit alors sa fière allure de forteresse. Toute la panoplie défensive est encore bien lisible : créneaux, archères, pont-levis, mâchicoulis, échauguettes.

Infos utiles

➤ À une dizaine de km au sud de Bruxelles. Prendre l'E 19 direction Mons, sortie Beersel ; bien indiqué.

– ☎ 02-331-00-24. De mars à mi-nov, tlj sf lun 10h-12h, 14h-18h ; de mi-nov à fév, slt le w-e. Fermé en janv. Entrée : 2,50 €. Visite libre. Dans un cadre bucolique et mignon, petite aire de jeu avec poules et canards.

La visite

Les salles du château sont vides, et d'ailleurs celui-ci est peu entretenu. N'empê-che, il a du charme. On déambule sans déplaisir de tour en tour, découvrant ici la fente qui laissait choir la herse, là une belle charpente... Noter comme le château se compose en fait de trois parties distinctes, autonomes. Les pièces, assez exiguës, se superposent curieusement. Dans la troisième tour, voir les voûtes et, au rez-de-chaussée, la salle de justice. On y découvre un étrange cachot grillagé, fiché dans le mur, absolument minuscule, et un sympathique instrument de torture. On allon-geait le supplicié sur cette croix pour mieux lui casser les jambes. Ah ! le raffine-ment du XVIe s !

LE CHÂTEAU DE GAASBEEK

Gaasbeek se trouve au cœur d'une petite région appelée Pajottenland. Ce nom fut proprement inventé par un avocat un peu farfelu du milieu du XIXe s, qui décrivit ce coin sous cette appellation. Au fil du temps, le terme trouva sa place dans le langage courant jusqu'à gagner le langage officiel. Bruegel l'Ancien vint souvent peindre la verte campagne et les villages environnants. Cet énorme château, dont les origines remontent au XIIIe s, présente aujourd'hui les allures massives d'une néoforteresse du XIXe s, époque à laquelle il fut complètement reconstruit après avoir subi les assauts classiques des siè-cles : incendies, guerres, abandon et inversement... Au XIVe s, l'édifice appar-tenait au seigneur de Gaasbeek qui fit assassiner Evrard 't Serclaes, person-nage célèbre (voir à Bruxelles dans la rubrique « À voir », « La Grand-Place. Les plus belles façades de la Grand-Place »). Les Bruxellois, pour le venger, vinrent faire le siège du château et le détruisirent. C'est ici également que le célèbre comte d'Egmont vécut à la fin de sa vie, avant d'aller perdre la tête à Bruxelles.

Infos utiles

➢ *Situé au sud-ouest de Bruxelles, à une petite quinzaine de km. Accès possible en bus De Lijn,* ligne LK, *au départ de la gare du Midi à Bruxelles.*
– ☎ 02-531-01-30. Avr à mi-nov, tlj sf lun 10h-18h. Parc ouv jusqu'à 20h (18h en hiver). Entrée : 6 € ; réduc.

Où manger ? Où boire un verre ?

|●| 🍸 *Auberge Oud Gaasbeek :* Kas-teelstraat, 37, Lennik 1750. ☎ 02-569-84-19. À proximité du parking. Fermette blanche traditionnelle qui propose, de mars à octobre, l'incon-tournable tartine de pain cuit sur bois garnie de fromage blanc, radis et petits oignons. Arrosée de Kriek, cela s'entend.

La visite

Si le château a un petit côté pâtisserie d'opérette, il est merveilleusement situé dans un parc de 40 ha dont une partie aménagée en jardins à la française. Les collections qu'il abrite sont d'une grande valeur ; elles furent offertes par la mar-quise d'Arconati, la dernière châtelaine, à sa mort.

Visite accompagnée toutes les 20 mn (durée : 45 mn). Accompagnée, ça veut dire muette. Les gardiens se contentent de surveiller que vous ne volez rien, fripons que vous êtes. D'ailleurs, ils sont fort peu avenants. Pas question de leur demander une précision.

Pour visiter les 16 salles aménagées en musée, les malins achèteront la brochure vendue à l'entrée. Les autres devront se contenter de passer en revue l'admirable mobilier, les tableaux, les tapisseries qui ornent les murs, le tout étant compris entre les XVe et XVIIIe s.

On ne va pas vous ennuyer avec une description fastidieuse et exhaustive de chaque pièce mais voici les plus belles : dans les deux premières chambres, mobilier Renaissance flamande. Salle des chevaliers néogothique. Dans la bibliothèque, au-dessus de la cheminée, portrait d'Érasme. La salle des archives abrite quatre tapisseries admirables, clou de la visite, réalisées à Bruxelles au XVIe s. Elles évoquent l'histoire de Tobie. Dans une vitrine, voir le contrat de mariage de Rubens ainsi que son testament. Suivent plusieurs chambres. Dans celle d'Egmont, sculptures des XVe et XVIe s, accusant un beau style flamand. La salle de la galerie regorge d'objets d'art, coffre gothique, cheminée néo-Renaissance, lits de justice avec trône gothique, panneaux polychromes... Plusieurs salles encore avant d'atteindre les cuisines. Au-dessus de la cheminée, la devise de la famille : *Tout à temps*. Ça doit être en crypté parce que nous, on n'a pas compris. Dans les dernières chambres, quelques belles toiles, notamment une *tour de Babel* et un tableau grisaille du comte de Hornes présentant sa thèse. Dans celle de l'Infante... tableau de l'infante Isabelle.

Ouf ! Après cela, balade digestive quasi obligatoire dans l'immense parc.

LE JARDIN BOTANIQUE NATIONAL (NATIONALE PLANTENTUIN) DE MEISE

Infos utiles

➤ *Le Nationale Plantentuin, à 3 km du village de Meise, est facilement accessible de Bruxelles, dont il est distant d'une quinzaine de km vers le nord. En voiture, prendre le ring, puis l'A 12 direction Anvers, sortie Meise. Ensuite, c'est fléché. En bus, avec la compagnie SNCV (☎ 02-269-39-05), ligne L au départ de la gare ferroviaire du Nord ; arrêt Nationale-Plantentuin, à Meise.*
– *Tlj 9h30-18h30 (17h oct-mars). Le Palais des plantes et les expositions ferment plus tôt que le reste du jardin. Infos : ☎ 02-260-09-70. Entrée : 5 € ; réduc. Si vous pouvez venir un j. d'ouverture des serres, c'est préférable évidemment. Demander le plan à l'entrée.*

La visite

Le Jardin botanique national, une petite merveille, a élu domicile dans le domaine de Bouchout, parc de 93 ha superbement entretenu. Les amoureux de jardins fleuris, de plantes exotiques et d'arbres séculaires trouveront ici de quoi se régaler. C'est l'un des jardins botaniques les plus riches d'Europe. Les Bruxellois y viennent en famille pour une balade dominicale. Le château de Bouchout, d'allure médiévale trône au milieu du domaine. L'Impératrice Charlotte, sœur du roi Léopold II et veuve de Maximilien d'Autriche, empereur du Mexique, fut la dernière habitante du château ; elle y résida de 1881 à 1927 en proie à la démence après la fin tragique de son mari.

Le Jardin botanique est non seulement un site enchanteur mais surtout un lieu de recherche scientifique, qui abrite un nombre impressionnant d'espèces rares. On y trouve une orangerie, un château, un herbier (collection de plantes ligneuses) et évidemment les admirables serres (Palais des plantes), complexes de plantations des cinq continents sur plus d'un hectare. Une serre est consacrée à la végétation des zones désertiques. Toutes les plantes tropicales et subtropicales. Une belle promenade en perspective.

|●| Petite *cafétéria* avec terrasse près du château, pour un en-cas après la visite.

LOUVAIN (LEUVEN) (3000) 88 000 hab.

À une vingtaine de kilomètres à l'est de Bruxelles, Louvain a l'allure d'un bourg important qui fleure bon l'aisance flamande et a su se préserver des outrages immobilo-spéculatifs de la toute proche capitale. À chaque rentrée académique, des hordes d'étudiants lui imposent leur rythme et envahissent les terrasses de l'Oude Markt. Malgré cela, Louvain est une ville posée, qui entend le demeurer. C'est d'ailleurs probablement pour ne pas briser cette harmonie flamande que la prestigieuse Université catholique de Louvain a été scindée en deux, à la suite des troubles linguistiques qui ont agité les années 1960. Les étudiants francophones ont alors trouvé refuge à Louvain-la-Neuve, créée *ex nihilo* en Brabant wallon pour les accueillir.

Mais retour à Louvain, où l'on appréciera sans nul doute l'animation contrôlée des cafés, le cours tranquille de la rivière Dyle, le flamboyant hôtel de ville et la cohérence architecturale de la cité, qui a le mérite de ne pas ressembler à un musée géant et de brasser la Stella Artois.

UNE BIÈRE ÉTOILÉE

Étroitement liée au passé de la ville, la brasserie Artois fait véritablement partie du patrimoine de Louvain. L'histoire de la brasserie remonte à la taverne Den Horen *(la Corne), qui brassait de la bière depuis 1366. En 1717, le maître brasseur Sébastien Artois reprend cette entreprise, la plus florissante de la ville. Pendant plus d'un siècle, la tradition de brassage sera transmise de père en fils. En 1926, à Noël, une nouvelle bière est baptisée* Stella, *signifiant* Étoile. *Depuis, son nom brille au firmament des brasseries belges.*

UN PEU D'HISTOIRE

Même si les Normands y ont établi une forteresse au IXe s, Louvain ne connaît pas d'essor avant que Lambert Ier le Barbu n'y installe son château, au XIe s. Il faut attendre les deux siècles suivants pour que la ville devienne un centre important, remparé et riche, grâce aux cultures céréalières et à la manufacture de draps. La prospérité ne dure que ce que durent les roses et, suite à de sanglantes émeutes au XIVe s, Louvain perd son statut au profit de Bruxelles, nouvelle capitale du Brabant. Le second âge d'or vient de la culture des esprits. Sous l'impulsion des Bourguignons au XVe s, Louvain se pare, entre autres, de son hôtel de ville et devient une ville universitaire qui rayonne dans l'Europe entière. Érasme lui-même y enseigne. Cette spécificité académique demeure de nos jours, malgré la séparation en 1968 des néerlandophones et des francophones.

Louvain l'ancienne continue son petit étudiant de chemin à travers les siècles sans trop d'encombre. L'incendie bouté par les Allemands en 1914, qui ravage la bibliothèque de l'université, et les terribles bombardements de 1944 n'ont pas raison de sa physionomie. À chaque destruction, de respectueux copieurs reconstruisent les bâtiments détruits selon les plans d'origine ou presque.

Où se garer ?

Attention, tout le centre de Louvain est désormais zone bleue, du lundi au samedi jusqu'à... 21h. Il faut donc se procurer un disque bleu (dans les bureaux de tabac) mais, même comme ça, on ne peut pas stationner plus de 2h au même endroit. Alternative, les parkings payants (mais c'est cher) ou alors essayez de trouver de la place sur le côté extérieur du boulevard qui ceinture le centre (là, c'est gratuit).

Adresses utiles

🛈 **In & Uit Leuven** (office de tourisme ; plan B2) : Naamsestraat, 1. ☎ 016-20-30-20. • leuven.be • Sur le côté droit de l'hôtel de ville. Tlj sf dim et j. fériés nov-fév 10h-17h. Plan gratuit. Vend aussi (pour 1 €) un guide touristique très complet de la ville.

✉ **Poste** (plan B2) : Jan Stasstraat, 12. Lun-ven 9h-18h, sam 9h-12h30.

🚉 **Gare NMBS** (hors plan par B2) : Martelarenplein. Infos horaires : ☎ 02-528-

28-28. À 10 mn à pied du centre. Au moins 2 trains/h pour Bruxelles.

▣ **Internet :** ceux qui ont leur ordinateur portable seront heureux d'apprendre que tout le centre de Louvain est wifi. Pour les autres, possibilité de se connecter çà et là, notamment au 66, Naamsestraat (plan B2) et au café L'Apéro (plan B2), sur l'Oude Markt, où l'accès est gratuit si on consomme.

LA PROVINCE DU BRABANT FLAMAND

Où dormir ?

Bon marché

🛏 **Auberge de jeunesse De Blauwput** (hors plan par B2) : Martelarenlaan, 11 A, 3010. ☎ 016-63-90-62. • leuven@vjh.be • vjh.be • Derrière la gare. Fermé 11h-15h (pour nettoyage) et de mi-déc à mi-janv. Nuitée 17,50-21,80 €, petit déj inclus. Parking à vélos. Internet gratuit. Une AJ assez récente, construite,

comme toutes les AJ d'aujourd'hui, en béton, en verre et en alu. Déco même un poil futuriste, avec des sièges en mousse synthétique aux formes bizarroïdes. Chambres de 2, 4 ou 6 lits, avec sanitaires privés. Bar, baby-foot. Pas de cuisine pour les hôtes.

Prix modérés

🛏 **Bed & Breakfast Dewerf** (plan B2, 1) : Hogeschoolplein, 5. 📱 0476-96-42-41. • dewerf@chello.be • dewerf-leuven.be • Fermé fin déc-début fév. Compter 50 € pour 2 pers. Petit déj complet (œufs, charcuterie...) 5 €. Internet gratuit. Café ou thé offert sur présentation de ce guide. Dans une maison ancienne située sur une charmante place, l'un des endroits les moins chers de la ville. 3 chambres twin, sans équipement particulier mais agréables et bien tenues. Toilettes et douche sur le palier. Accueil bon enfant et atmosphère presque familiale. Ne pas négligez non plus le café-resto (voir « Où manger ? »).

🛏 **Hôtel Industrie** (hors plan par B1-2, 2) : Martelarenplein, 7. ☎ 016-22-13-49. • info@industriehotel.be • industriehotel.be • En face de la gare. Doubles 60-65 €, avec petit déj. Café offert sur

présentation de ce guide. Petit hôtel rénové de 16 chambres avec sanitaires plus ou moins complets. Pas un charme fou mais propre et pas cher. On prend le petit déj dans la grande salle de resto, au rez-de-chaussée. Bon accueil.

🛏 **Park Bed & Breakfast** (hors plan par B3, 3) : Abdijstraat, 56. ☎ 016-40-53-83. • park@skynet.be • parkbedandbreakfast.net • À 2 km au sud-est du centre. De la Park Poort, prendre vers Everlee puis, après l'abbaye du Parc, la 1re rue à gauche (c'est fléché) ; c'est env 200 m plus loin, sur la droite. Env 65-75 € pour 2 pers, petit déj compris. CB refusées. Dans une rue derrière l'abbaye du Parc, une maison moderne abritant 3 chambres « rouge », « noire » et « bleue », pas énormes mais impeccables, avec mobilier moderne, TV à écran plat, bons lits et sanitaires rutilants. Une bonne affaire ! De plus, petit salon avec cheminée au rez-de-chaussée pour les hôtes et très long jardin avec petite piscine.

Où manger ?

Ce ne sont pas les restos qui manquent à Louvain. Oh non ! De la petite cuisine familiale italienne au restaurant de poisson huppé, en passant par les spécialités culinaires de l'Inde ou du Tibet, on peut avoir du mal à faire son choix. Si vous êtes un peu serré côté finances, sachez aussi que de nombreux cafés, dont certains très sympas, proposent une restauration simple mais tout à fait correcte.

Bon marché

|●| **Dewerf** (plan B2, **1**) : voir « Où dormir ? ». Tlj sf dim. Ouv midi et soir. Fermé 20 déc-18 janv. Plats 7-13 €. Dewerf, en plus de proposer une poignée de chambres, est un café-resto très chaleureux, avec poutres et murs décrépis. C'est plein tous les midis, on s'y presse pour les grosses salades, les plats de pâtes fumantes et autres fricassées de poulet bien roboratives, servies dans des miches de pain... Mais on peut aussi y venir l'après-midi pour leur excellent chocolat chaud ou jus de pomme (chaud aussi) à la cannelle... À fréquenter sans hésitation !
|●| **De Blauwe Schuit** (plan A-B1, **11**) : Vismarkt, 16. ☎ 016-22-05-70. Tlj sf dim oct-mars 11h-2h. Restauration légère ne dépassant pas 9 €. Au fond de la place du marché au poisson, impossible de rater cette bâtisse de couleur jaune. À l'intérieur, murs gris et plancher, pile de valises dans un coin, cartes géographiques et objets ayant trait au voyage. Dès le premier rayon de soleil, cela dit, on fonce sur l'immense terrasse à l'arrière, l'une des plus agréables de la ville, arborée et où coule une fontaine. Pour manger, la carte fait surtout dans le froid l'été et le chaud l'hiver mais propose toasts, croques, omelettes et plats du jour toute l'année... Pas cher et plutôt bon.

Prix moyens

|●| **De Wiering** (plan A2, **12**) : Wieringstraat, 2. ☎ 016-29-15-45. ● info@dewiering.be ● Tlj 12h-23h. Plats 10-20 €. Apéro offert sur présentation de ce guide. Vieille maison en bordure d'un bras du canal qui traverse le centre. C'est l'un des restos les plus populaires de Louvain, et l'incendie qui l'a ravagé il y a quelques années n'y a rien changé ! Dans les assiettes, bonne cuisine belge, qui ne lésine pas sur la quantité. La carte affiche des plats à la bière comme le poulet à la Stella ou le poisson à la Hoegaarden mais la spécialité, ce sont les ribs (pas moins de 10 sortes), servis sur planche de bois. Également des pâtes et des salades. Côté cadre, c'est toujours agréable mais un peu moins rustique (moins de bois) depuis l'épisode des flammes...

■ **Adresses utiles**
  🛈 In & Uit Leuven
  ✉ Poste
  🚊 Gare NMBS

🛏 **Où dormir ?**
  1 Bed & Breakfast Dewerf
  2 Hôtel Industrie
  3 Park Bed & Breakfast

|●| **Où manger ?**
  1 Dewerf

10 House of Lalibela
11 De Blauwe Schuit
12 De Wiering
13 De Nachtuil
14 De Klimop

🍷 **Où boire un verre ?**
  20 Herberg Huisbrouwerij Domus
  21 De Blauwe Kater
  22 Thomas Stapleton

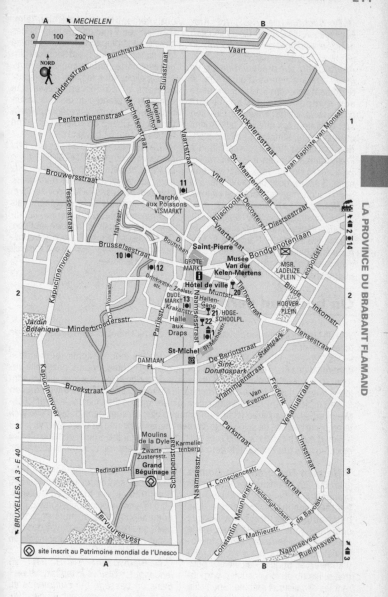

A · MECHELEN · B

0   100   200 m

NORD

Vaart

Burchtstraat

Riddersstraat

Penitentienenstraat

Minckelersstraat

St. Maartensstraat

Jean Baptiste van Monsstr.

Brouwersstraat

Mechelsestraat

Suissstraat

Kleine Begijnhof

Vaartstraat

Vital

Rijschoolstr. Decosterstr.

Vaartstraat

Diestsestraat

Bondgenotenlaan

Tessenstraat

Halvestr.

11

Marché aux Poissons VISMARKT

D. Bourslaan

Saint-Pierre

Musée Van der Kelen-Mertens

MGR. LADEUZE PLEIN

Leopoldstr.

Brusselsestraat

10

12

GROTE MARKT

Hôtel de ville

Muntstr.

20

Blijde Inkomstr.

Kapucijnenvoer

Drinkwater str. Zeelstr.

OUDE MARKT 13

Krakenstr.

Hallen-Gang

HOOVER-PLEIN

Jardin Botanique

Minderbroedersstr.

Parijsstr.

Naamsestraat

Halle aux Draps

21

22

HOGE-SCHOOLPL.

St-Michelstr.

Tiensestraat

Kapucijnenvoer

DAMIAAN PL

St-Michel

De Beriotstraat

Sint Donatuspark

Stadspark

Tiensestraat

Broekstraat

Vlamingenstraat

Van Evenstr.

Frederik

Vesaliusstraat

BRUXELLES, A 3 - E 40

Moulins de la Dyle

Zwarte Zusterstr.

Karmelie-tenberg

Parkstraat

Linsstraat

Parkstraat

Redingenstr.

Grand Béguinage

Schapenstraat

Naamsestraat

H. Consciencestr.

Weidadigheidstr.

F. de Bayostr.

Tervuursevest

Constantin Meunierstr.

E. Mathieustr.

Naamsevest

Ruelensvest

site inscrit au Patrimoine mondial de l'Unesco

A · B

LOUVAIN (LEUVEN)

|●| *De Nachtuil* *(plan A-B2, **13**) :* Krakenstraat, 8. ☎ 016-22-02-59. ● *nach tuil.leuven@skynet.be* ● *Tlj sf lun 18h-3h (4h w-e). Fermé en juil. Plats 25-30 €. Apéro offert sur présentation de ce guide.* De ses heures d'ouverture, le resto tient son nom (« le hibou ») et de son sympathique patron, la tête d'oiseau de nuit de l'enseigne. On y sert aux noctambules affamés une bonne cuisine belge, simple et fraîche. Viandes fondantes, waterzoi, cabillaud à l'ostendaise et lapin à la Westmalle. Également un ou deux plats végétariens. 3 salles, dont une à l'étage, à la déco banale mais agréables et intimes.

|●| *House of Lalibela* *(plan A2, **10**) :* Brusselsestraat, 59. ☎ 016-23-38-80. ● *houseoflalibela.be* ● *Ouv mar-dim, slt le soir. Plats 9-16 €.* Peut-être le seul resto éthiopien de Belgique. Petite salle informelle et colorée. Les patrons, éthiopiens eux aussi, sont charmants et ont vraiment le souci de bien faire. Résultat : on y mange très bien, et des plats pour la plupart inconnus, comme le *minchet abish* (du bœuf haché au gingembre et à la cardamome) ou le *yemiser kik alicha*, des lentilles rouges aux oignons et épices spéciales. On conseille de prendre un de leurs assortiments, c'est la meilleure façon de goûter à tout. Quand on vous disait qu'on trouve de tout à Louvain !

|●| *De Klimop* *(hors plan par B2, **14**) :* Martelarenplein, 5. ☎ 016-22-86-21. ● *in fo@deklimopleuven.be* ● *En face de la gare, au rez-de-chaussée d'un hôtel. Lun-sam midi et soir. Plats env 15-25 €.* Accueil agréable. Déco soignée mais pas renversante. En revanche, la cuisine est copieuse et fort bien inspirée. Carte saisonnière mais vous y trouverez toujours l'*américain* (steak tartare). Bon vin à la ficelle.

Où boire un verre ?

Ville de la bière et ville estudiantine, Louvain a de quoi meubler quelques soirées de folles libations.

– Dès 22h-23h, l'Oude Markt (surnommé « le plus long comptoir du monde ») déborde d'une foule bourgeonnante qui, au gré des volutes sonores, passe allègrement d'un bar à l'autre. Entourant la place, les enseignes les plus fréquentées sont (dans le sens des aiguilles d'une montre) le *Rector* (DJ dès 23h), le *Seven Eleven* (ouvert de 19h à 11h), le *Bierkelder* (cave à bière remplie d'étudiants), le *Giraf* (clientèle alternative), le *Farao* (statue de pharaon bien en vue), sans oublier l'*Oase* (le fameux bar des fins de soirée) ni le *Komeet* (tapas dans une ambiance jazzy).

– Bien d'autres cafés dans les rues qui partent de la Grand-Place, certains d'entre eux d'un style très différent de ceux cités plus haut, dont voici une petite sélection.

♟ *Herberg Huisbrouwerij Domus* *(plan B2, **20**) :* Tiensestraat, 8. ● *info@ domusleuven.be* ● *Tlj sf lun 9h-1h.* Véritable institution louvaniste. Les bâtiments de la brasserie *Domus* occupent tout un angle avec ruelle pavée et cour-terrasse. Décor folklo-touristique presque bavarois ; on peut y admirer les briques, les vieilles poutres et les objets originaux en parcourant les escaliers et recoins. Spécialité recommandable au cœur d'une carte qui tient de l'encyclopédie : la terrible Chouffe à 8° (servie en grande bouteille). Restauration possible avec quelques suggestions.

♟ *Café Gambrinus* *(plan B2) :* Grote Markt, 13. Tlj sf dim. Fermé 15 j. en sept. L'incontournable grand café de Louvain, pour son décor estampillé 1896 d'origine, style pré-Art nouveau. Miroirs, vitraux aux motifs floraux, fresques allégoriques et murs en papier peint gaufré et doré. Le travail des boiseries murales et du comptoir mérite un coup d'œil attentif.

♟ *De Blauwe Kater* *(plan B2, **21**) :* Hallengang, 1. ● *blauwe.kater@skynet.be* ● *Dans un passage qui commence au n° 15 de la Naamsestraat. Tlj dès 19h.* Dans cet enfumé « Matou Bleu », tapi au fond d'une impasse, des petites formations de jazz et de blues se donnent en spectacle 1 lundi sur 2. Le reste du temps, *De Blauwe Kater* est un bar intime, éclairé à la bougie, pour bavarder en écoutant des standards.

♈ **Thomas Stapleton** *(plan B2, 22) : Standonckstraat, 4. ● info@thomassta pleton.be ● Tlj de 16 h à tard. Live music la plupart des sam soir et brunch dim 12h-16h.* L'*Irish pub* de Louvain, avec sa bonne ambiance feutrée, ses panneaux en bois vitrés, ses barriques, ses tubes de U2 et sa clientèle bien dans la trentaine. Pour info, Thomas Stapleton est un théologien anglais mort à Louvain en 1598.

À voir

🔏 **Grote Markt** *(Grand-Place ; plan B2) :* à la différence des autres grand-places du pays, celle de Louvain ne possède pas de dégagement important. Coincés entre l'hôtel de ville et la collégiale Saint-Pierre, que bordaient des maisons jusqu'aux années 1940, les cafés de la place paraissent un peu engoncés et l'on manque de recul pour bien observer la flamboyante façade de l'hôtel de ville. À sa gauche, la Table Ronde, bâtisse gothique, a été reconstruite à l'identique en 1921. Grâce à cela, la place, avec ses maisons à pignon, a conservé une certaine cohérence.

🔏🔏 **La collégiale Saint-Pierre** *(plan B2) : Grote Markt. Lun-ven 10h-16h45, sam 10h-16h15, dim 14h-16h45. Fermé lun de mi-oct à mi-mars et w-e du 15 août. Entrée : 2,50 € ; réduc. Concert de carillon : ven 12h-12h45, sam 15h-16h.*
Sa construction débuta au XVᵉ s, sur l'emplacement d'une église romane. *Mathieu de Layens* prit évidemment part aux travaux, qui s'étalèrent sur plusieurs dizaines d'années. Au XVIIᵉ s, après plusieurs effondrements dus à un terrain trop meuble, on renonça à élever la tour centrale qui devait culminer à 170 m. Si l'extérieur manque d'élévation, l'intérieur en revanche impressionne par l'élégance de ses proportions et la hauteur de sa voûte. Des panneaux masquent une partie de la somptueuse nef de ce chef-d'œuvre du gothique brabançon. Dans le chœur, une « Sedes Sapientiae » du XVᵉ s, copie d'une plus ancienne du XIIᵉ, emblème de l'université. On a ainsi accès au triptyque *Edel Heren,* réalisé pour la famille du même nom par *Van der Weyden,* et surtout aux deux triptyques de *Dirk Bouts.* Dirk (ou Thierry) Bouts, peintre primitif flamand né à Haarlem, formé à l'école de Van der Weyden à Bruxelles, devient en 1468 peintre officiel de la ville de Louvain, où il meurt 7 ans plus tard. Le chef-d'œuvre de Bouts, *La Cène,* exécuté de 1464 à 1468, est exposé ici. Dans le panneau central, à droite du Christ rayonnant, Bouts s'est représenté debout coiffé d'un bonnet rouge. Son autre triptyque représente le martyre de saint Érasme qui, impavide, regarde ses bourreaux enrouler ses viscères autour d'un treuil. Ne quittez pas l'église sans jeter un coup d'œil aux impressionnants fonts baptismaux et à leur couvercle en ferronnerie, au jubé du XVᵉ s et à l'exubérante chaire baroque dédiée à saint Norbert tombant foudroyé de son cheval. Ce rocher de bois, d'où une végétation flamboyante dégouline sur des personnages et des animaux, est dû au ciseau fantasque de Jacques Berger, qui le réalisa au XVIIIᵉ s.

🔏🔏🔏 **Stadhuis** *(hôtel de ville ; plan B2) : Grote Markt. Visites (guidées slt et en flamand, mais on vous remettra une feuille en français) : avr-sept, lun-ven à 11h et 15h, sam-dim à 15h ; oct-mars, tlj à 15h. Durée : 35 mn. Rdv à l'office de tourisme. Entrée : 2 €.*
C'est principalement pour la façade du chef-d'œuvre de *Mathieu de Layens* qu'on vient à Louvain. Édifié au milieu du XVᵉ s sous le duc de Bourgogne Philippe le Bon, l'édifice flamboie sous ses six tourelles octogonales. Les lignes verticales, à peine rompues par une abondance de niches, montent vers un toit troué par trois étages de fenêtres en chiens-assis. Au XIXᵉ s, sur les conseils de Victor Hugo, visiteur assidu de la Belgique, on décida d'installer une statue dans chaque niche. Plus de 200 notables de pierre prirent ainsi place sur la façade. Un beffroi aurait dû coiffer l'hôtel de ville mais la fragilité du sous-sol interdit, là aussi, sa construction.
La visite commence par la salle des Pas-Perdus. Plusieurs œuvres sculptées par *Constantin Meunier* et *Jef Lambeaux,* et une statue de *Marguerite.* Personnage mythique de Louvain dont le corps repose dans la collégiale, Marguerite flotta mira-

culeusement sur la Dyle jusqu'à la ville, après que des brigands l'eurent violée et assassinée (une œuvre contemporaine rappelle également sa légende, sur Tiensestraat). On visite ensuite successivement des salles de styles Louis XIV, Louis XV et Louis XVI. À l'étage, beau plafond en chêne et toiles de Hennebicq.

🏃 *La Naamsesstraat (plan B2-3) :* cette longue rue qui part vers le sud à droite de l'hôtel de ville mène au Grand Béguinage. Les nombreux bâtiments qui la bordent proposent un résumé des styles et de l'histoire de la ville.
Côté gauche, commençons par le baroque *doyenné des Drapiers,* construit en 1680, presque en face de leur ancienne halle offerte à l'université. La halle gothique en question, de la fin du XIVᵉ s, fut reconstruite après l'incendie de 1914.
Un peu plus loin, trottoir de gauche, l'*église Saint-Michel,* dont seule la façade baroque résista aux bombardements de 1944.
On prendra ensuite la première rue à gauche, R. de Berriotstraat, qui longe le *Sint-Donatus Park* où demeurent quelques vestiges des remparts du XIIᵉ s.
Retour vers la Naamsesstraat. Au nº 59, le *collège du Roi* ; au nº 61, la façade rococo du *collège des Prémontrés* ; au nº 63, le *collège d'Arras.* Tous trois datent du XVIIIᵉ s. Au nº 69, façade gothique en brique avec pignon décoré de l'*hôtel Vant Sestich* (XVᵉ s) et, en face, le *collège Van Dale* de style Renaissance (XVIᵉ s). Avant l'*église Saint-Quentin,* construite entre les XIIIᵉ et XVᵉ s, prenez à droite Karmelietenberg, devant le *Collège américain* de style néogothique (ceux qui le désirent pourront aller voir l'église). Cette rue conduit au Grand Béguinage.

🏃🏃🏃 ⊚ *Groot Begijnhof* (Grand Béguinage ; *plan A3) :* les origines du béguinage, le plus grand de Belgique, remontent au XIIIᵉ s. Les 72 maisons à colombages ordonnées autour de l'église Saint-Jean-Baptiste datent toutefois des XVIIᵉ et XVIIIᵉ s. Baignées par deux bras de la Dyle, elles forment un ensemble romantique et calme, où il fait bon flâner dans les ruelles pavées, croiser un puits ou une fontaine, admirer les statues qui décorent les niches des façades, regarder la ronde des moineaux sifflotant au-dessus des pelouses ou même échanger un baiser sur un petit pont. Car ce pieux quartier a perdu de son ascèse initiale. Aujourd'hui, le Grand Béguinage est un lieu de résidence plutôt huppé. Les maisons abritent cadres universitaires et étudiants-fils-de-cadres (quoique aussi des boursiers) en quête de quiétude. Ce qui, soit dit en passant, ne l'empêche pas d'être classé au Patrimoine mondial de l'Unesco.

🏃 Enfin, toujours si vous avez du temps, vous pourrez encore aller voir le *Petit Béguinage (plan A1),* dans la rue du même nom. Cette rue, élue plus belle de Flandre, démarre à l'église gothique Sainte-Gertrude, que borde un charmant bras de la Dyle. Un coup d'œil à la bibliothèque universitaire sur Mg. Ladeuzeplein *(plan B2),* construite en 1920 avec des fonds américains, ainsi qu'à la curieuse montgolfière de bronze de la place et vous aurez fait un honorable tour de ville.

Festivals

– *BeLEUVENissen :* ven en juil, 20h-23h. Concerts en plein air dans le centre, d'un style différent chaque semaine.
– *Marktrock :* mi-août. Festival de rock.

DIEST   (3290)   22 000 hab.

À l'écart des circuits touristiques, sur la route du Limbourg, Diest est une petite ville peu connue qui mérite pourtant qu'on y passe quelques heures. On y est en 20 mn en partant de Louvain par l'A 2. La ville est enserrée dans une boucle du Démer. En plus de quelques monuments intéressants, c'est aussi la patrie de la délicieuse et suave blonde *Gildenbier* (on vous parle de bière, bien sûr !).

UN PEU D'HISTOIRE

En 1229, la cité reçoit sa charte des libertés des mains du duc Henri Ier de Brabant. Le commerce du drap la rend prospère, surtout au XVe s. C'est à cette époque une possession de la famille d'*Orange,* au même titre que Breda aux Pays-Bas, Dillenburg en Allemagne et Orange en France. Le représentant le plus fameux de cette lignée est Guillaume de Nassau, connu sous le nom de *Guillaume le Taciturne,* qui, au XVIe s, prend la tête de la révolte contre les Espagnols. Son fils aîné est enterré dans l'église Saint-Sulpice. Par cet attachement, l'actuelle reine Beatrix des Pays-Bas est *Vrouw van Diest* (Dame de Diest).

Des combats s'y déroulent en 1830, à la naissance de la jeune nation belge, opposant Belges et Hollandais. Place forte, Diest a été entourée d'une ceinture de forts, ce qui empêcha son expansion.

Adresses utiles

🏢 *Office de tourisme :* Felix Moonstraat, 2A. ☎ 013-35-32-74. • toerisme diest.be • *Dans une rue piétonne du centre, près de la Grand-Place. Tlj 10h-12h, 13h-17h. Fermé dim oct-fév.*
🚉 *Gare NMBS :* à 1 km de la Grand-Place, au nord de la ville. Trains pour Bruxelles (via Louvain), Hasselt, Anvers et Liège.
🚲 *Location de vélos :* domaine provincial Halve Maan Leopoldvest. ☎ 013-31-15-28. Loc tte l'année. Compter 6 €/j.

Où dormir ?

Peu probable que vous choisissiez de passer la nuit à Diest mais, si d'aventure vous décidiez de prolonger la soirée après un bon repas, cela peut s'arranger...

Assez chic

🏨 *Hôtel De Franse Kroon :* Leuvensestraat, 26-28. ☎ 013-31-45-40. • hotel@defranschecroon.be • defransche croon.be • *Dans la 1re rue à droite en quittant la Grand-Place, dos à l'hôtel de ville. Doubles 85-95 €, petit déj inclus.* Il s'agit d'une maison classée, ancien relais de diligence du XIXe s, fidèle à sa tradition d'hospitalité et de détente. On vous recommande les chambres mansardées, avec de vieilles poutres, elles ont plus de caractère. Beau mobilier aussi dans la salle du petit déj. Et bon accueil.

🏨 *B & B De Augustijnse Rust :* Guido Gezellestraat, 20. ☎ 013-33-52-33. 📱 0479-99-38-26. • riawillems@hotmail. com • deaugustijnserust.be • *À deux pas de la Grand-Place. Compter 90 € pour 2 pers, petit déj inclus.* Une maison d'hôtes dotée d'une superbe façade rénovée. En fait, il n'y a ici qu'une seule chambre, avec un grand lit, mais elle est tellement ravissante (et confortable, pour le prix !) qu'on n'a pas pu résister à l'envie de vous la signaler. Tout est dit, pas vrai ?

Où manger ?

Plusieurs tavernes-restos bordent la Grand-Place, mais cuisine sans grand relief.

Prix modérés

🍴 *Gasthof 1618 :* Kerkstraat, 18, dans le béguinage (au bout de l'allée principale). ☎ 013-67-77-80. Tlj 11h-23h. Fermé lun oct-mai. Menus 12,50-

18,50 €. Très belle taverne à l'ancienne, avec grosse cheminée, épaisses tables en bois et fresques aux murs. L'intérêt du lieu ne se borne pas à ça : bonne cuisine aussi, proposant des plats plutôt classiques, avec 1 ou 2 spécialités régionales (lapin à la diestoise notamment), des salades et des petits plats plus simples (moins chers aussi) comme les bouchées à la reine. Bien également pour une pause-goûter car on y sert aussi des crêpes et des glaces.

Où boire un verre ?

Quelques cafés du centre restituent l'ambiance locale.

Bij de Sigaret : Graanmarkt, 9, à quelques mn à pied de la Grand-Place. Fermé lun. Un troquet en activité depuis 1923 et encore plébiscité par les habitants de Diest. Et ça continuera sans doute encore un bon bout de temps !

't Puur Genot : Kaai, 4. À deux pas du Markt. Typique lui aussi, avec ses boiseries et murs de stuc couverts de cadres. L'un des rares à servir la Loterbol, bière locale encore brassée artisanalement.

À voir

➢ Toute visite de Diest commence par le **Grote Markt,** bordé de maisons des XVIIe et XVIIIe s. Deux édifices s'imposent d'emblée :

Stadhuis (hôtel de ville) **et Erfgoed Huis De Hoofdstad** (musée de la Ville) : pour les horaires et tarifs, se renseigner à l'office de tourisme. Une façade néoclassique qui abrite, dans ses anciennes caves (gothiques et romanes), le musée de la Ville. On peut y voir des armures, des statues de saints qui ornaient le béguinage, des pièces d'orfèvrerie ayant appartenu aux gildes (colliers), des porcelaines, du mobilier sculpté, des blasons et un puits qui indique que le lieu fut en son temps une brasserie (outils de brasseur). La pièce maîtresse du musée est l'œuvre d'un anonyme du XVe s, peinte sur bois : Le Jugement dernier. Les damnés, comme de coutume, n'en mènent pas large !

L'église Saint-Sulpice : de mi-mai à mi-sept, tlj sf lun 14h-17h. Droit d'entrée de 1 € pour le chœur et le trésor. Construite de 1321 à 1533 en deux matériaux juxtaposés : le grès brun ferrugineux et la pierre blanche de France, dans un style qualifié de « gothique de la vallée du Démer » (Brabançon). L'abside et la tour sont restées inachevées. Un carillon de 43 cloches est installé dans un clocheton vénéré par les Diestois, qui l'ont surnommé le « pot de moutarde ». Dans le chœur, stalles du XVe s ornées de miséricordes satiriques illustrant les sept péchés capitaux. Le trésor contient de très belles pièces d'orfèvrerie.

En contournant Saint-Sulpice, on se retrouve devant la **Lakenhalle** (halle aux draps ; actuellement salle des fêtes), construite dans cette même pierre couleur rouille du pays (en fait, des bancs de sable durcis, preuve de la présence de la mer il y a 7 millions d'années). La bombarde du XVe s s'appelle Holle Griet – « Margot l'Enragée ».

Le béguinage de Diest (à 10 mn à pied du Markt) est l'un des mieux conservés des anciens Pays-Bas et figure au Patrimoine mondial de l'Unesco. Il fut fondé en 1253 mais date, sous sa forme actuelle, des XVIIe et XVIIIe s ; on y entre par un magnifique portail baroque où l'on peut lire (traduit du vieux néerlandais) : « Viens dans mon jardin, ma sœur fiancée. » Les fiancées du Christ, qui furent jusqu'à 400, n'habitent plus les lieux depuis 1932 ; ceux-ci appartiennent à l'Assistance publique, qui y a aménagé des espaces à usage culturel. Quant aux maisons, occupées jusqu'à il y a peu par des familles nécessiteuses, elles sont aujourd'hui habitées par des Diestois à revenus moyens, qui ont dû les retaper avant d'y emménager. Certaines sont aussi des ateliers d'artistes et, tous les dimanches, ils ouvrent leur porte au public pour montrer leur production (bijoux et antiquités surtout).

Au milieu de l'ensemble, l'*église Sainte-Catherine* témoigne de la modestie des béguines. Le matériau est pauvre et l'architecture sobre. Ouvert de mai à septembre, 14h-17h ; le reste de l'année, vous n'aurez d'autre choix que de vous faufiler parmi les fidèles aux heures de messe...

Pour finir, signalons, au n° 5 de l'Infirmeriestraat, la *Maison de la dentelle Monica* (*ouv en principe le w-e 14h30-18h*), qui permet de voir les dentellières au travail, ainsi que, sur Heilige Geest Straat, un jardin de plantes aromatiques.

Le béguinage est illuminé aux chandelles le 1er dimanche de septembre dès 19h.

LÉAU (ZOUTLEEUW)   (3340)   8 000 hab.

On y parvient par la grand-route qui va de Tienen (Tirlemont) à Sint-Truiden (Saint-Trond). Ce qui n'est plus à l'heure actuelle qu'un gros village assoupi fut, il y a 500 ans, une cité florissante (une des sept villes franches du Brabant) vivant du commerce du drap. Les traces de cette prospérité ont miraculeusement traversé les siècles, raison pour laquelle Léau mérite une halte de 1h ou 2h.

UN PEU D'HISTOIRE

Située sur une rivière (la petite Gette) accessible aux petits bateaux, ville frontière du duché de Brabant, Léau battait monnaie et vit se construire huit couvents et trois remparts. Elle fut partie prenante dans les vicissitudes que connut la région, voyant défiler toutes les armées sous ses murailles. À l'époque des guerres de Religion, ses habitants furent avertis à temps de l'arrivée des hordes d'iconoclastes. Les murs de la ville suffirent à décourager les assaillants, qui partirent un peu plus loin se livrer à leurs passe-temps favoris : le pillage et la destruction des trésors religieux. Raison pour laquelle l'église Saint-Léonard conserva son contenu intact. Place forte, elle fut prise par Louis XIV, puis sombra dans l'oubli. À l'arrivée des armées de la Révolution française, six chanoines eurent le bon goût de faire allégeance au pouvoir républicain, ce qui sauva une nouvelle fois l'église et nous permet aujourd'hui d'avoir une idée de ce qui pouvait orner une riche église au Moyen Âge (c'est le seul cas connu en Belgique).

Adresses utiles

🏛 Office de tourisme : Grote Markt. ☎ 011-78-12-88. ● zoutleeuw.be ● Dans la halle aux draps, à droite de l'hôtel de ville. Avr-sept, tlj sf lun 10h-12h, 13h-16h (17h le w-e) ; horaires plus limités hors saison. Documenta-

tion en français.

■ Location de vélos : domaine provincial Het Vinne (un peu au nord de Léau), Ossenwegstraat, 70. ☎ 011-78-18-19. Vente de brochures détaillant les itinéraires à suivre dans la région.

Où dormir ? Où manger ?

🛏 Boyenhov : Louis Claeslaan, 4. ☎ 011-78-21-31. 📱 0475-93-72-82.

● boyenhov@skynet.be ● boyenhov. be ● À 2 km de la Grand-Place en allant *vers Saint-Trond. Fermé nov-déc. Compter 95 € pour 2 pers, petit déj compris ; supplément si on ne reste que 1 nuit.* Ferme restaurée de 1905 située en rase campagne, à la croisée de nombreux sentiers et pistes cyclables. La maison prête des vélos. Vous y trouverez trois chambres et un studio, tous mansardés, décorés un peu à l'ancienne mais avec des matériaux modernes. Impeccable, et en plus, ici, les grandes tailles n'ont rien à craindre car le proprio, grand lui-même, a prévu des lits de 2,20 m ! On prend le petit déj dans une agréable véranda. Magnifique jardin à l'arrière aussi, avec haies et pelouses rehaussées de sculptures.

|●| 3 ou 4 *tavernes* bordent la Grand-Place si, sur les 2h que vous passerez à Léau, votre estomac ne tient plus. On sert des crêpes et des gaufres au *Grand Café de Pintelier.*

À voir

🏛🏛 *Sint-Leonarduskerk* : *Pâques-sept, mar-dim 14h-17h. Fermé oct-mars. Entrée : 2 €.*
Dédiée à Léonard, un saint guérisseur à qui sont adressés les ex-voto. Mi-romane, mi-gothique, l'église fut édifiée du XIIIᵉ au XVᵉ s. Nef surmontée d'un clocher tarabiscoté qui abrite un carillon de 49 cloches. Tendez l'oreille tous les quarts d'heure ! Véritable musée d'art religieux, Saint-Léonard vous surprendra : ce qu'on y voit n'est pas courant. Dès l'entrée, on aperçoit suspendu au plafond le *Marianum* (1533), représentation biface polychrome de la Vierge (qui a l'air de bien s'amuser, mais seulement d'un côté !). Elle tient l'Enfant Jésus et un rosaire, et écrase un dragon tout droit sorti de la statuaire népalaise. Des anges en robe lui tressent une couronne de fleurs.
Dans le côté gauche du transept s'élève une époustouflante tour tabernacle, véritable dentelle en pierre sculptée. Elle fut commandée en 1551 par un couple de mécènes locaux à l'Anversois *Cornélis « Floris » de Vriendt,* qui la réalisa dans son atelier et la fit acheminer par bateau jusqu'à Léau. Cette « tour du Saint-Sacrement », haute de 18 m, ne comporte pas moins de 200 statuettes de personnages qui se répartissent sur neuf étages. La facture de l'ensemble relève de l'élan gothique, mais Floris avait séjourné longtemps à Rome et il y introduisit l'influence de la Renaissance italienne. Toutes les scènes interprètent des épisodes de la Bible (s'il est en verve, le curé qui garde l'entrée se fera un plaisir de vous donner des détails mais n'oubliez pas le tronc « pour la restauration »). Tout en haut du dernier étage, un pélican s'ouvre la poitrine pour nourrir ses petits ; c'est une représentation peu habituelle du Christ !
À l'entrée du déambulatoire (quand on passe derrière le chœur), le « deuxième plus grand chandelier pascal d'Europe » (1483), le premier étant à Durham (Angleterre). Il comporte six branches en cuivre et pèse 950 kg. La partie supérieure représente Marie-Madeleine et Jean au pied du calvaire.
L'église Saint-Léonard recèle encore bien des richesses, notamment la peinture des *Trois femmes éplorées* (1504), une *pietà* du XVᵉ s, une fresque du Jugement dernier (1490), un superbe lutrin en forme d'aigle (le fondeur a fait un nœud dans la queue du dragon) et les objets contenus dans la chapelle du trésor.

🏛 *Stadhuis* (hôtel de ville) : construit à l'époque de Charles Quint, structure gothique, décoration Renaissance. Un fort beau perron aux armes de Bourgogne et du Saint-Empire. Grande peinture murale Art nouveau dans les locaux et grande salle du conseil lambrissée, avec cheminée monumentale à l'étage.

🏛 *Lakenhalle* (halle aux draps) : jouxte l'hôtel de ville. Du XIVᵉ s, elle s'adosse à une section des anciens remparts.

LA PROVINCE DU LIMBOURG (PROVINCIE LIMBURG)

La province du Limbourg est peut-être la moins connue des provinces belges. Aucune grande ville n'y draine les foules mais, lorsqu'on se donne la peine de la visiter, on s'aperçoit que le chemin est jalonné de quelques bonnes surprises... Il faut dire que la zone a connu un boom économique car, si le développement s'est fait dans un premier temps grâce à l'industrie houillère, le Limbourg est devenu la terre d'élection des PME. Au carrefour de l'Europe occidentale, entre Pays-Bas, Ruhr, Rhin et bassin liégeois, cet espace économique est au cœur d'une très importante zone d'échanges, une situation privilégiée qui n'est pas sans incidence sur le niveau de vie. Et, en effet, cela respire la prospérité !

Historiquement, la province doit son nom à l'ancien comté, puis duché du Limbourg, dont le territoire englobait la partie méridionale des actuels Pays-Bas, située autour de l'axe sud-nord de la basse Meuse (Maastricht). L'indépendance belge scella le partage de cet ensemble mais les liens historiques avec les habitants du Limbourg hollandais font des Limbourgeois une population un peu à part en Flandre, comme d'ailleurs l'atteste leur parler, difficilement compréhensible pour un habitant de la côte.

Les atouts de la province ? Quelques villes moyennes aux attraits historiques indéniables, une nature plus ou moins préservée (les bruyères de la Campine) et une hospitalité naturelle alliée à un vrai sens de la fête. Sans compter les statistiques de la météo, qui en font la partie la plus ensoleillée de Belgique !

HASSELT   (3500)   70 000 hab.

Par sa position centrale, Hasselt peut servir de base logistique pour visiter la région. Chef-lieu de la province, la ville séduit plus par son animation que par ses beautés architecturales. De son appartenance à la principauté de Liège, elle a conservé un perron, symbole des libertés. Remarque générale : les boutiques de fringues y pullulent et la mode est très présente. Restos et cafés suivent le mouvement et font preuve de beaucoup d'inventivité et d'originalité. Des façades se sont dotées de « fresques B.D. », comme à Bruxelles. Dommage que le centre administratif soit en béton raté. Quelques milliers d'étudiants animent aussi la vie nocturne en période scolaire. Par ailleurs, Hasselt innove en matière urbanistique : le boulevard circulaire, ancienne voie express pour automobilistes pressés, a été complètement refait et dispose d'une promenade piétonne de 8 m de large, plantée d'arbres.

Adresses et infos utiles

Si vous êtes en voiture, garez-vous dans un des parkings situés en bordure du centre et rejoignez celui-ci à pied. Bon à savoir aussi, des vélos sont mis gratuitement à la disposition des visiteurs, sur la petite place derrière la maison communale *(Stadhuis)*, du lundi au samedi. Un grand bravo pour ces initiatives intelligentes ! À leur origine, un bourgmestre dynamique, Steve Stevaert, ancien cafetier devenu ministre flamand des Transports.

🛈 *In & Uit Hasselt* (office de tourisme) : Stadhuis, Lombardstraat, 3. ☎ 011-23- | 95-40. ● toerisme@hasselt.be ● hasselt. be ● À 200 m du Grote Markt. Lun-ven

9h-17h, sam 10h-17h ; avr-oct, plus dim 10h-14h. Brochure de la ville gratuite. Vous pouvez aussi y acheter la brochure *Promenade historique,* ainsi qu'un ticket combiné pour plusieurs musées.

🛈 *Office de tourisme de la province :*

Willekensmolenstraat, 140. ☎ *011-23-74-50. Lun-ven 8h30-16h.*

🚈 *Gare NMBS :* *un peu en dehors du centre, côté ouest.* ☎ *011-29-60-00.* Trains fréquents pour Liège, Anvers et Bruxelles.

Où dormir ?

Prix moyens

🛏 |●| **The Century Hotel :** Leopoldplein, 1. ☎ 011-22-47-99. ● info@thecentury.be ● thecentury.be ● Sur le boulevard périphérique (côté sud), à l'entrée du quartier piéton. Double 90 €, petit déj inclus. Lunch 12 € à la brasserie. Parking gratuit. 3 nuits au prix de 2 si arrivée le ven sur présentation de ce guide. À l'étage d'une brasserie animée, une dizaine de chambres rénovées du sol au plafond, à la déco design, avec TV écran plat et superbe salle de bains aux murs en pierre grise. Une affaire !

🛏 |●| **Guesthouse Dusart :** Congosstraat, 9. 📱 475-32-54-29. ● info@gues thousedusart.be ● guesthousedusart. be ● Juste à l'extérieur du centre, côté est. Resto ouv jeu-dim, le soir slt. Double avec sanitaires 66 € (moins cher pour 2 nuits le w-e) ; petit déj 7 €. Pour ceux qui cherchent un hébergement un peu plus personnalisé que l'hôtel, belle maison proposant 4 chambres réalisées dans de jolis tons, avec parquet et mobilier en bois. Également, au rez-de-chaussée, un petit resto sympa *(ouv jeu-dim le soir slt)* prolongé d'une jolie courette. C'est la patronne qui cuisine, des plats plutôt scandinaves car elle a vécu en Suède.

Très chic

🛏 **Le Fabuleux Destin :** Kempische Kaai, 68. 📱 0476-23-29-41. ● info@cham bresbhotes.be ● chambresbhotes.be ● Compter 200 € pour 2 pers, petit déj inclus. Promos sur Internet. Heu... oui, c'est très cher mais il faut voir l'endroit : une péniche de 1964 entièrement remise à neuf pour accueillir, outre les propriétaires (qui y vivent), 4 chambres d'hôtes design d'un confort absolu, avec lits à sommier hydraulique, TV à écran plat et douche à faisceaux lumineux et jets... multiples. À l'arrivée, Jan et Hilde, qui parlent très bien le français, vous offriront un petit verre dans leur salon. Le matin, petit déj (gastronomique !) servi en poupe et, à toute heure du jour, baignade possible dans la piscine chauffée (avec contre-courant) du bateau. Moralité : pas donné, certes, mais unique et follement original !

Où manger ?

Comme dans toutes les villes flamandes un peu importantes, le choix de restaurants est large à Hasselt. Gare toutefois au coup de bambou, surtout dans les endroits branchés à la déco un peu folle... La rue la plus riche en restos de toutes tendances est le Zuivelmarkt (marché aux Laitages), qui part de la cathédrale Saint-Quintus et va vers le béguinage.

Prix moyens

|●| **Brasserie De Groene Hendrickx :** Zuivelmarkt, 25. ☎ 011-24-33-39. ● in fo@lodge-hotels.be ● Cuisine ouv tlj 11h-23h. Plat du jour 8,50 € ; à la carte,

plats 10-17,50 €. Ancien bâtiment de brique superbement aménagé sur 600 m^2, avec entrée cochère, cour pavée et terrasse. À l'intérieur, fresque de Thomas Edison et comptoir de 15 m. Carte abondante où figurent, comme il se doit, petite restauration (fort appétissante), salades, pâtes et des plats plus ou moins classiques, comme les *loempia* aux légumes de saison et coulis de gingembre. Les suggestions du jour, plus chères, sont affichées en salle. Faut-il ajouter qu'on y croise de fort jolies Limbourgeoises ? Trop tard, c'est fait ! Cour-jardin pour les beaux jours.

|●| *Cafèlatino :* Zuivelmarkt, 12. ☎ 011-22-34-82. ● cafe.latino@pandora.be ● Tlj à partir de 18h. Plats 12,50-20 €. Pour manger latino dans une ambiance tonitruante, rien de mieux, à Hasselt, et probablement dans tout le Limbourg, que le *Cafèlatino*. Cadre tendance néocoloniale très agréable, avec du mobilier en bois coloré et plein de lumières tamisées partout. Au menu : tapas, *carne tampiqueña,* salade *Cancun, zarzuela* et une succulente lasagne mexicaine au poulet, pour ne citer qu'elle. De plus, c'est copieux et le vin au verre est vraiment bon. Accueil sympa.

|●| *De Geletterde Mens :* Kolonel Dusartplein, 48. ☎ 011-35-28-52. ● in fo@degeletterdemens.be ● *Sur le boulevard périphérique, à deux pas du Zuivelmarkt. Tlj à partir de 10h. Pâtes, salades et woks 12-16 €, viandes et poissons 15-20 €. Fait aussi de la petite restauration. Café-resto dont la déco s'articule très agréablement autour de l'imprimerie, du livre et des écrivains. En allant au petit coin, on tombe même sur des machines à écrire. Grand choix de plats soignés et belles portions dans les assiettes. On peut aussi n'y prendre qu'un verre. On a aimé.

Où boire un verre ?

🍸 *Café De Egel :* Zuivelmarkt, 64. ● in fo@kaffee-de-egel.be ● Tlj sf dim jusqu'à 1h. On y entre par un porche orné d'un hérisson. Petit café chaleureux à l'ambiance irlandaise.

🍸 *L'Export :* Kolonel Dusartplein, 44. ● info@cafe-export.be ● À côté du resto De Geletterde Mens. *Fermé lun.* L'un des cafés les plus fréquentés d'Hasselt, surtout le week-end. Terrasse l'été. Soirées DJ les jeudi, vendredi et samedi dès 23h. Installez-vous dans la salle du fond, à l'éclairage tamisé, vraiment superbe.

À voir

Au fil de votre promenade, vous verrez que la ville est agrémentée de statues marrantes. Heureuse initiative. À commencer par ce couple de jeunes gens assis sur un banc en plein milieu du Grote Markt. C'est d'un réalisme saisissant. À l'arrière-plan, une pharmacie occupe le rez-de-chaussée d'une maison Renaissance à colombages : *het Sweert.*

🕯 *L'église Saint-Quintus et la basilique Virga Jesse :* ce sont les deux églises principales.

– *L'église Saint-Quintus,* élevée au rang de cathédrale (!), ne laissera pas les amateurs d'art béats d'admiration. Néanmoins, des gargouilles de jolie facture égaient les côtés extérieurs et l'intérieur s'orne de quelques intéressantes statues polychromes du XVIe s. Le clocher de Saint-Quintus a un petit air de trompette renversée ; il abrite un carillon (petits concerts l'été), doublé d'un petit *musée (ouv slt sam ap-m en saison).*

– *La basilique Virga Jesse :* Kappellestraat. Elle a le privilège d'abriter... la Virga Jesse, que l'on fait défiler en procession tous les 7 ans. Cette fête, d'une grande importance pour la ville, commémore le miracle de l'hostie de Herkenrode, qui se serait mise à saigner pour avoir été touchée par une main sacrilège en 1317. Les prochaines fêtes de la Virga Jesse auront lieu en août 2010.

🦌 *Le béguinage :* au bout du Zuivelmarkt. *Mar-sam 9h-18h, dim 14h-17h.* Il a subi quelques dommages pendant la dernière guerre et sert de centre d'expositions d'art contemporain.

🦌🦌 *Nationaal Jenevermuseum :* Guido Gezellestraat, 2. ☎ 011-23-98-90. *Derrière le béguinage. Contourner celui-ci par la gauche en prenant la cheminée comme point de repère. Mar-dim 10h (13h le w-e nov-mars)-17h. Entrée : 3,50 € (dégustation comprise) ; réduc. Pour vous repérer dans le musée, demandez le petit descriptif des différentes salles en français.*
Le musée du Genièvre est installé dans une authentique distillerie, où l'on peut suivre le processus de fabrication depuis le grain jusqu'à la goutte. Le genièvre est un vin de malt à base d'orge et de seigle. Une salle de distillation à vapeur fonctionne pour les besoins du musée.
Outre la *table aux arômes,* où l'on peut sentir les herbes et essences utilisées dans les différents types de genièvre, la partie la plus intéressante (enfin, la moins technique) porte sur la commercialisation du produit au début du XXe s. On y voit des flacons, des verres, des étiquettes de marques et des slogans vantant les vertus du genièvre. Amusant aussi : les affiches contre la loi Vandervelde qui tentait de limiter la consommation du genièvre en en taxant l'achat et en l'interdisant dans les lieux publics.
À la sortie, dans l'estaminet, n'oubliez pas de siroter le petit blanc local (il titre à 40°). En plus doux, il y a la petite goutte de Saint-Lambert, à base d'herbes et de cassis, qui ne fait que 22°.
Et puis sachez que les *fêtes du Genièvre* se déroulent tous les ans vers la mi-octobre. D'une durée de 2 jours, elles permettent de voir les garçons de café se livrer à une course d'adresse.

🦌 *Modemuseum :* Gasthuisstraat, 11. ☎ 011-23-96-21. ● modemuseumhasselt. be ● *Tlj sf lun 10h (13h le w-e nov-mars)-17h. Fermé en janv. Entrée : 5 € ; réduc.* Le musée municipal de la Mode permet de voir l'évolution des tendances vestimentaires depuis le XVIIIe s, au travers de costumes, accessoires d'origine et illustrations de mode. Des stylistes y exposent également leurs créations dans le cadre d'expos temporaires.

🦌 *Het Stadsmus* (Musée communal) *:* Maastrichterstraat, 85. ☎ 011-24-10-70. *Tlj sf lun 10h (13h le w-e nov-mars)-17h. Fermé en janv. Gratuit.* Collections sur l'histoire de la ville d'Hasselt et de l'ancien comté de Loon. Belle muséographie moderne, sur trois niveaux, mais il est dommage que les explications ne soient qu'en néerlandais. On peut y voir le plus vieil ostensoir du monde (1286). Intéressante série de céramiques Art nouveau.
|●| Cafétéria pour déguster les bières limbourgeoises et le *speculoos* local.

🦌 *Japanse Tuin* (Jardin japonais) *:* Kapermolenpark, Gouverneur Verwilghensingel. ☎ 011-23-52-00. *Au nord-est de la ville, entre boulevard de ceinture et grand ring. Ouv avr-oct, mar-ven 10h-17h, w-e 14h-18h. Entrée : 5 € ; réduc.* La ville est jumelée avec celle d'Itami au Japon. Si les Nippons ont l'occasion de profiter des joies d'un beau carillon offert par Hasselt, ils ont pour leur part implanté un magnifique jardin de 2,5 ha sur la base des préceptes millénaires du *saku-ki.* C'est un vrai ravissement de subtilité, où d'infimes variations de relief s'harmonisent avec les pièces d'eau et les sentiers bordés de rochers posés là, comme par hasard. Les cerisiers sont bien sûr en fleur au printemps et un millier d'iris s'y épanouissent pour le seul plaisir de vos yeux. Une maison de thé et une maison de cérémonies complètent l'estampe.

Festival

– *Festival Pukkelpop :* le 3e w-e d'août, jeu-sam. Rock alternatif et avant-gardes musicales.

➤ *DANS LES ENVIRONS D'HASSELT*

LE DOMAINE PROVINCIAL DE BOKRIJK

*Au nord-est d'Hasselt, sur le territoire de la commune de Genk (importantes indus-
tries automobiles). Bokrijklaan, 1. ☎ 011-26-53-00.*

Comment y aller ?

➤ *En voiture :* d'Hasselt, traverser le canal Albert au nord de la ville et prendre la
N 75, directement à droite ; l'entrée du parc est à 5-6 km. D'ailleurs en Belgique,
prendre l'E 314, sortie Park Midden Limburg.
➤ *En train :* IC de Bruxelles à Hasselt ou Genk, puis train jusqu'à la gare de Bokrijk,
située à 500 m du musée.

Où dormir près du domaine ?

Bon marché

🛏 *Auberge de jeunesse De Roer-
domp :* Broekrakelaan, 30, Genk 3600.
☎ 089-35-62-20. ● bokrijk@vjh.be ● vjh.
be ● À 5 km de la gare de Bokrijk (bus
n° 46 puis encore 3 km à pied). Ouv
mars-début nov. Nuitée 15,40 €, petit déj compris. Au total, 105 lits, principalement en chambres de 6 lits. Égale-
ment 3 studios pour familles. Tout près
du domaine, dans un superbe environnement boisé. Reçoit surtout des groupes.

Prix moyens

🛏 *Bokrijks Gasthof :* Hasseltweg, 475,
Genk 3600. ☎ 011-22-95-56. ● bokrijks-
gasthof@pandora.be ● bokrijks-gasthof.
be ● À 6 km d'Hasselt, par la N 75. Dou- ble 68 €, petit déj compris. En bordure
du domaine, petit hôtel-resto propo-
sant 13 chambres plutôt plaisantes et
bien équipées.

À voir. À faire

🚶🏃 *Bokrijk :* 550 ha de bois, d'étangs et de bruyères, ayant appartenu à
l'abbaye d'Herkenrode. C'est l'un des sites les plus fréquentés de l'Est de la Belgique, et à juste titre. Il faut distinguer deux parties à ce vaste ensemble.
– *Le parc récréatif :* gratuit, avec plaine de jeux gigantesque (la plus grande de
Belgique !), roseraie, réserve naturelle, étangs, superbe arboretum et un petit train
qui fait le tour du domaine. Rançon du succès : ça grouille de familles à glacière le
week-end !
– *Le musée en plein air :* ouv tlj avr-sept. Entrée : 10 € dim et en juil-août ; 7 € les
autres j. ; réduc. C'est ici que le domaine de Bokrijk vaut le coup. Sur 90 ha, ce
musée restitue magistralement l'habitat rural des provinces de la Flandre (trois sections), ainsi qu'un noyau urbain du XVIᵉ s. On plonge dans la vie quotidienne des
siècles passés en se baladant de ferme en hameau, de grange en école rurale, du
moulin à vent à la forge du maréchal-ferrant et de chapelle en auberge (un bel hommage, que tout cela, aux tableaux de Bruegel). On marche beaucoup car tout est
très clairsemé. Les moutons broutent, les vaches ruminent, la basse-cour piaille, le
meunier moud, les artisans bossent en costume d'époque et l'on peut prendre une
Gueuze et manger une tartine de fromage blanc attablé sur la place du village, où
un pilori emprisonne les voleurs de poules.

Une forme de tourisme intelligent, très en vogue dans les pays nordiques, même si de temps en temps l'une ou l'autre animation un peu lourde altère légèrement l'authenticité du cadre. Comme c'est vaste, prévoyez quelques heures pour tout parcourir.

LA HESBAYE LIMBOURGEOISE

(HASPENGOUW)

Cette partie sud de la province du Limbourg s'étale d'ouest en est entre Saint-Trond (Sint-Truiden) et la rive gauche de la Meuse, en face de Maastricht. Tongres (Tongeren) en est le principal centre touristique. Essentiellement agricole, la région est le verger de la Belgique : pommes, poires, cerises et fraises y sont cultivées de façon intensive.

Adresse utile

Office de tourisme de la région Haspengouw : *Begijnhof, 8, à Saint-Trond.* ☎ *011-69-58-59.* ● *haspengouw.be* ●

TONGRES (TONGEREN)　　　(3700)　　　30 000 hab.

Avec Tournai, Tongres est la ville la plus ancienne de Belgique, carrefour de chaussées romaines, premier évêché du pays et, actuellement, grosse bourgade possédant quelques atouts touristiques de premier ordre dont un beau Musée gallo-romain, une majestueuse basilique Notre-Dame et des remparts romains. Tous les dimanches matin, sur le Leopoldwal et le Veemarkt, a lieu le plus grand marché aux antiquités du Benelux.

UN PEU D'HISTOIRE

En 57 av. J.-C., *Ambiorix* règne entre Meuse et Rhin sur les Éburons, une peuplade gauloise. César libère la tribu du joug des Aduatiques mais, en – 54, la tension s'installe entre les *Éburons* et les Romains. Les *Trévires,* une tribu de la vallée de la Moselle, lancent une grande révolte gauloise. Ambiorix est chargé d'une diversion. Il attaque de nuit le quartier d'hiver de la 14e légion romaine. À première vue, l'assaut échoue. Les chefs romains demandent à Ambiorix les raisons de son attitude. L'Éburon ruse, prétextant l'obligation pour lui de collaborer au projet d'offensive. Les Romains le remercient et lèvent le camp. En chemin, dans une vallée étroite, Ambiorix les attire dans un piège. Il leur inflige la plus grande défaite de toute la guerre des Gaules. Jules César rêve de se venger des *Belgae,* ces tribus celtiques du nord de la Gaule. Sa vengeance est sanglante, des historiens parlent même de génocide. Le pays est dévasté : femmes et enfants sont emmenés comme butin de guerre. L'un des rares à s'échapper est Ambiorix, qui traverse le Rhin et se réfugie parmi les Germains.
Malgré tout, Tongres devient une cité romaine. En bordure de la fameuse chaussée Bavay-Cologne, une double enceinte ceinturait la ville (en subsistent des vestiges). Elle se dota d'un évêque, avant que les Francs saliens ne la saccagent, bientôt suivis d'Attila et des Vikings qui achevèrent le boulot. Dès lors, son destin se lia à la principauté de Liège. Louis XIV la démolit à nouveau. En 1815, elle intégra le Limbourg.

Adresses utiles

🛈 *Office de tourisme* : Stadhuisplein, 9. ☎ 012-39-02-55. ● tongeren.be ● Lun-ven 8h30-12h, 13h-17h ; w-e 9h30-17h (10h-16h oct-mars). On y vend le guide *La Route d'Ambiorix*, une promenade à la rencontre des vestiges romains et médiévaux de la ville.

🚂 *Gare NMBS* : à l'extérieur du boulevard de ceinture, à l'est de la ville. Liaisons avec Liège et Hasselt.

Où manger ?

De bon marché à prix moyens

🍴 *Herberg De Pelgrim* : Brouwersstraat, 9. ☎ 012-23-83-22. ● pelgrims2@pandora.be ● Dans le béguinage. Cuisine jusqu'à 23h mais café ouv jusqu'à 1h. Fermé lun-mar. Petite restauration, salades et pâtes 5-12,50 €, viandes 8,50-19,50 €. Maisonnette ancienne à l'intérieur chaleureux, avec tables en bois. Également une terrasse équipée de fauteuils d'osier. On y mange un peu de tout, à prix raisonnables. Essayez la savoureuse *boerenomlet* (omelette paysanne), les *spare-ribs*, les tartines garnies ou la tarte aux pommes. Toilettes rustiques !

🍴 *Bazilik* : Kloosterstraat, 1-3. ☎ 012-21-33-24. ● info@bazilik.com ● À côté de la basilique. Tlj dès 10h. La salle, vaste, aux tons couleur café, est agréable avec son grand escalier menant à une mezzanine. Restauration pour tous les goûts et toutes les bourses. Il y a même des petits déj, pour ceux qui seraient le matin à Tongres. Intéressants plats au wok, notamment celui de poisson, avec des scampi géants et d'énormes moules. On en a vraiment pour son blé !

À voir

🏛 Celui à qui les Belges doivent leur réputation de « peuple le plus brave de la Gaule », *Ambiorix*, se trouve fièrement campé sur un dolmen au milieu du Grote Markt. Son regard fixe la magnifique tour de la basilique Notre-Dame. Pour découvrir les principaux monuments, empruntez le sentier de promenade à son nom (guide en vente à l'office de tourisme), que l'on suit grâce à un balisage au sol fait de clous de bronze, le tout rythmé par des panneaux explicatifs.

🏛 *Onze Lieve-Vrouwe basiliek* (basilique Notre-Dame) : Grote Markt. Tlj 9h-17h. Elle frappe immédiatement par ses proportions équilibrées. C'est l'un des plus beaux monuments gothiques de Belgique. On n'a même pas besoin d'ajouter un clocher à la tour, c'est parfait comme ça.
L'histoire de cet édifice religieux n'est pas banale. Allant chercher ses origines au IVe s, ce fut la première basilique de pierre à voir le jour au nord des Alpes. Saint Servais, en charge du siège épiscopal, en aurait organisé la construction et, de fait, les fondations les plus anciennes reposent sur une maçonnerie romaine. Une église romane du XIIe s aurait fait suite au sanctuaire primitif avec une enceinte et quatre tours d'angle.
Après un incendie en 1213, commencèrent les travaux de la basilique actuelle. Il fallut trois siècles pour en venir à bout et on peut observer l'évolution des différents styles gothiques en suivant les phases de la construction : chœur, nef, transept, chapelles latérales, portail puis tour. Restaurée à la fin du XVIIe s, après un incendie dû au passage des armées du Roi-Soleil (merci Louis), elle fut embellie de décorations extérieures. L'intérieur n'est pas en reste. Une sobriété pleine de majesté, sans ajout inutile. Des travaux, visibles dans une plate-forme, sont en cours pour mettre au jour les parties souterraines de l'édifice, notamment les tombeaux mérovingiens et l'hypocauste (système de chauffage) romain.

– *La statue de Notre-Dame de Tongres* (XVᵉ s), dans la chapelle de la tour, jouit d'une réputation internationale. Tous les 7 ans, pour commémorer son couronnement, des fêtes grandioses sont organisées (prochain rendez-vous en 2016 !). Un cortège de 3 000 participants parcourt à cette occasion la ville, décorée en l'honneur de Marie. Un « jeu marial » a lieu en soirée. Un demi-million de visiteurs y participent ! Derrière l'autel sont conservés les liens qui retenaient, selon la légende, deux habitants de Tongres prisonniers en Terre sainte. Ils auraient tant et si bien invoqué la Vierge dans leurs prières qu'ils se seraient réveillés un beau matin « téléportés » au milieu de la basilique depuis la Palestine. Pas mal !

– *Le trésor :* avr-sept, tlj sf lun mat 10h-12h, 13h30-17h ; le reste de l'année, sur demande. Entrée : 2,50 €. C'est l'un des plus riches du pays, avec plus de 100 pièces au catalogue. En vedette, une agrafe mérovingienne en or (VIᵉ s) sertie de pierres et d'émaux, un évangéliaire garni d'ivoire (IXᵉ s) et, surtout, une tête de Christ en bois (roman du XIᵉ s), dont Malraux a dit dans son *Musée imaginaire* que le sculpteur avait réussi à matérialiser, dans le regard du Christ, le moment indicible où la vie fait place à la mort.

– Il faut encore mentionner l'élégant *cloître* en U, d'une simplicité émouvante et qui serait ce qu'il reste d'un ancien monastère. Pierres tombales dressées contre les murs.

– Et en contrebas de la basilique, sur la droite, un chantier de fouilles a dégagé ce qui serait, 3 m plus bas, des vestiges de la *ville romaine* des IIᵉ et IIIᵉ s, ainsi qu'une partie de l'enceinte du IVᵉ s.

🚶 *Stadhuis* (hôtel de ville) : modèle réduit de celui de Liège. Exemple du classicisme du XVIIIᵉ s. Il abrite l'office de tourisme.

🚶🚶 *Le Musée gallo-romain :* Wijngaardstraat, 65. ☎ 012-67-03-32. ● galloromeins museum.be ● C'est le curieux bâtiment sombre et moderne à l'arrière droit de la basilique. Mar-ven 9h-17h, w-e 10h-18h. Entrée : 7 € ; réduc. Audioguide en français. Rénové après 4 ans de travaux, ce musée, déjà très intéressant dans sa précédente configuration, propose un parcours flambant neuf sur l'histoire humaine dans la région depuis la préhistoire jusqu'au Moyen Âge. Le bâtiment lui-même a été repensé, l'espace d'exposition agrandi avec une muséographie du dernier cri, très réaliste, alliant images, textes, cartes et installations évocatrices du passé, visant à plonger le visiteur dans la réalité des différentes époques traitées. Une grande expo sur Ambiorix et les Éburons s'y déroulera de décembre 2009 à juin 2010.

🚶 ⊗ *Le béguinage :* bel ensemble de petites maisons joliment restaurées, certaines en attente d'un meilleur sort, avec église gothique du XIIIᵉ s. Promenade dans un univers tranquille, agrémenté d'innombrables statues de la Vierge et de roucoulades des pigeons. Visite possible de l'église Sainte-Catherine, lorsque celle-ci accueille des expositions.

🚶 *Les murs romains :* à l'ouest de la ville, au-delà du boulevard périphérique. Ils faisaient 4,5 km de circonférence sous Trajan, au IIᵉ s. Il en subsiste tout de même encore plus de 1 km. Ils mesurent à certains endroits près de 4 m de haut.

Fêtes et manifestations

– Chaque année *(mai-juil)*, la basilique sert de cadre au programme *Basilica* du festival des Flandres (concerts symphoniques). Rens : Basilica Concerten, ☎ 012-23-57-19. ● festival.be ●

– *Fête de Notre-Dame-de-Tongres :* ts les 7 ans (prochaine en 2016). Lire plus haut dans « À voir ».

– *Artuatuca :* en juil-août. Manifestations théâtrale, musicale et artistique dans les lieux historiques de la ville.

LA PROVINCE D'ANVERS (PROVINCIE ANTWERPEN)

Anvers... La métropole se taille la part du lion dans sa province, bien sûr. Mais Malines, archevêché et ancienne capitale bourguignonne, est une ville à l'histoire chargée. Lierre, Hoogstraten, Turnhout, Herentals et Geel sont des petites villes qui rompent la monotonie des vastes étendues campinoises.

ANVERS (ANTWERPEN)   472 000 hab.

> « Anvers doit l'Escaut à la Providence,
> et tout le reste à l'Escaut. »
>
> Un poète néerlandais.

Jusque dans son nom – comme le reflet d'un endroit –, cette ville est un mythe. Elle se dit capitale de province. Elle est bien plus. Son arrière-pays, c'est toute la Belgique. La France du Nord, Aix-la-Chapelle... Cologne et la vallée du Rhin. Les mille facettes de l'océan. Avec moins d'un demi-million d'âmes (plus si l'on prend toute l'agglomération), Anvers est une cité cosmopolite qui parle toutes les langues du monde. Aujourd'hui, c'est le deuxième port d'Europe après Rotterdam. Voici la corne d'abondance des grands armateurs, des capitaines d'industrie, des négociants cossus. Mais aussi une des plus vieilles villes libres d'Europe, qui attire depuis toujours artistes et intellectuels. Marins en escale dans des auberges aux pignons baroques, courtiers en diamants, chefs-d'œuvre de Rubens et fruits du Congo : Anvers est née de l'Escaut qui la relie à la mer et au monde. Il y a là de quoi être secoué comme un vulgaire ballot débarqué sur les quais : Anvers n'est-elle pas cousue d'or ? Comme Marseille, cette ville semble être chouchoutée par Mercure, le dieu antique des voyageurs et du commerce.
Ici, la Flandre a oublié la farce pour arborer le masque du génie. Anvers abrita Christophe Plantin – le Gutenberg des Flandres – et le grand Rubens, à la fois artiste, humaniste et diplomate. Ces deux personnages résument à eux seuls l'esprit qui souffle à Anvers. Ainsi s'épanouirent toutes les avant-gardes. Et aujourd'hui ? Trop dynamique pour se confiner dans la nostalgie, la ville n'est pas non plus du genre à dilapider son héritage. Anvers ne cesse de bichonner ses trésors. Aménageant, restaurant, ouvrant des musées, lançant des expositions ou de nouveaux lieux prestigieux comme ce palais de justice dont le toit rappelle la mâture des bateaux à voile. Et protégeant ce qui fait son âme : places, jardins, églises baroques et sanctuaires des gildes. Vieux cafés à vitraux où l'on sirote son genièvre sur des tables en marbre. Asperges à la flamande et bières d'abbaye. Une chaleur de tous les instants, portée par une qualité de vie que peu d'autres ports voisins approchent. Quel est le souverain qui n'a pas rêvé de contrôler ces bouches de l'Escaut ?
– N.B. : on dit Anvers comme dans « averse ».

LA VILLE DE RUBENS

Pierre Paul Rubens naît en 1577 près de Cologne, où sa famille s'était réfugiée. Il ne gagne Anvers qu'à l'âge de 12 ans. Sa précoce attirance pour l'art et pour l'Antiquité va orienter sa destinée. Rubens fait ses classes chez divers maîtres, dont le plus connu est Otto Venius. À l'instar d'autres artistes, il abreuve son jeune talent aux sources de l'Antiquité lors de son séjour en Italie. Cette influence ne se démentira plus. Elle inspire son œuvre, et jusqu'à l'architecture de sa demeure. Pour percer les secrets des anciens maîtres, Rubens s'astreint toujours et toujours à reproduire leurs travaux. En 1598, il devient le Maître de la Gilde de Saint-Luc, le patron des peintres. Rubens vit ses meilleures années sous le règne des archiducs Albert et Isabelle. En 1609, il est nommé peintre

ARISTOCRATIE LOCALE

Un sinjoor, c'est un señor. Dans le sens ancien et honorifique du terme. Les Anversois l'ont emprunté aux Espagnols du XVIIᵉ s qui étaient venus les mettre au pas. À l'instar de l'hidalgo castillan, ombrageux mais rapiécé et bon à rien, le sinjoor se veut un businessman prodigue et enjoué. Ne rêvez pas. Pour intégrer le club, il faut être anversois, fils d'Anversois et, même, né dans la vieille ville.

à la cour de Bruxelles et il devient le représentant de sa ville et l'ambassadeur des souverains. À son retour d'Italie vers 1615, Rubens s'installe dans une vaste maison en plein centre d'Anvers (aujourd'hui la maison Rubens). Son atelier atteint une réputation internationale. Dès 1622, cet artiste, prospère et pétri d'humanisme, sillonne les routes d'Europe comme ambassadeur pour tâcher d'apaiser les protagonistes de la guerre de Trente Ans. Il meurt à Anvers en 1640 et on l'enterre dans l'église Saint-Jacques. À défaut de l'égaler, ses élèves se feront un nom dans la peinture : Bruegel de Velours, Jordaens, Van Dyck...
Rubens réconcilia la peinture italienne et le génie flamand. Les Anversois l'aiment comme un père. Certains s'en proclament même les descendants.

MENUS PLAISIRS

Anvers est un port, et un port flamand. Deux bonnes raisons de faire la fête. Apprêtez-vous à y retrouver, à peine modernisées, les bambochades de Bruegel. Vous ne serez pas les seuls. Chaque week-end, les Hollandais passent en masse la frontière pour faire la noce dans les rues d'Anvers. Ici, on n'aime pas trop ces immigrés de fin de semaine. Et de toute façon, les Hollandais n'ont jamais eu bonne presse. Des bars ? Des boîtes ? Sans doute. Mais la fête, c'est aussi, pour les vieilles dames, tenir leurs assises dans les pâtisseries en chipotant des *wafels* (gaufres) et, pour les employés de bureau, renouer, dès la pause, avec leur bistrot préféré (on dit *stampcafé*).

SPÉCIALITÉS

– *Antwerpse handen,* des biscuits au beurre ou au chocolat, avec ou sans massepain, en forme de main.
– *Le gâteau anversois,* une fine pâtisserie entre biscuit et cake, garnie d'amandes, de confiture d'abricot et de sucre glacé.
– *Le semini,* un biscuit léger garni de graines de sésame et d'une figurine en massepain représentant Semini, symbole de la fertilité.
– *Les pains à la saucisse* et *les chaussons aux pommes* sont très appréciés des *sinjoren,* tout comme le *roggeverdommeke,* un délicieux pain gris bourré de raisins secs.
– La bière elle aussi a été élevée au rang d'art de vivre à Anvers. La brasserie *De Koninck* est célèbre pour sa savoureuse *Bolleke* aux reflets ambrés, sa noble cuvée, la blonde *Antoon* (créée en 1999 à l'occasion de l'année Van Dyck), et la bière de saison *Winterkoninck.* La *Ganzenbier* (la « bière des oies ») de Lillo, blonde ou brune, servie dans des bocks en pierre, rend quant à elle hommage au folklore du polder.
– Pour finir, l'*Élixir d'Anvers* est une liqueur aux vertus digestives, à base de 32 plantes et épices, préparée de manière traditionnelle depuis 1863.

LES ANVERSOIS CÉLÈBRES

– *Christophe Plantin :* né près de Tours en 1514 dans une famille modeste. Il s'établit comme relieur à Anvers en 1549 et devient imprimeur à la suite d'une blessure. Il est élevé à la dignité de bourgeois de cette ville en 1550. Il imprime son premier livre en 1555. Son atelier d'imprimerie De Gulden Passer (le Compas d'or) acquiert une renommée justifiée. Nommé architypographe par le roi Philippe II en 1570, il se hisse au premier rang des imprimeurs européens de son temps. Il publie en 34 ans plus de 1 200 ouvrages, essentiellement religieux. Il décède à Anvers le 1er juillet 1589. À sa mort, son gendre *Balthasar Moretus* hérite de l'imprimerie et la développe. Elle restera dans la famille jusqu'en 1871 : un record de transmission familiale. Les descendants de Christophe, les Plantin-Moretus, vivent toujours à Anvers.
– *Piet Pot :* un bourgeois hollandais d'autrefois qui faisait distribuer aux condamnés des pains aux raisins. On ignore s'il y avait une lime à l'intérieur... En tout cas, la ville célèbre toujours ce brave homme. Des rues ont pris son nom. Et dans la Korte Gasthuisstraat, une boulangerie se targue de fabriquer les mêmes pains aux raisins qu'alors.
– *Lange Wapper :* sa statue se trouve au Steen. Ce lutin à métamorphoses se fait tour à tour minuscule ou gigantesque. Il s'infiltre partout pour punir les méchants. Les ivrognes, il se contente de les taquiner lorsqu'ils rentrent chez eux : du coup, ces braves gens s'en retournent boire...
– *Hendrik Conscience* (1812-1883) : le plus renommé des auteurs flamands de la période romantique est le fils de Pierre Conscience, un menuisier de Besançon venu à Anvers sous Napoléon, et de Cornelia Balieu, une jeune Campinoise. Il est connu pour avoir écrit *Le Lion des Flandres,* récit de la bataille des Éperons d'or en 1302 devenu le texte de référence du mouvement nationaliste flamand.
– *Les statuettes de la Vierge :* nichées à tous les coins de rue. Les premières furent disposées en 1585 par les jésuites, lors de la chute d'Anvers. Les mauvaises langues disent que c'était par souci d'économie : leur présence exemptait la rue des taxes alors perçues pour l'éclairage...

UN PEU D'HISTOIRE

Un point stratégique

Aux IVe et Ve s, bien avant d'arriver en France, les Francs s'étaient établis sur l'Escaut. Au Xe s, le marquisat d'Anvers intégrait le Saint Empire germanique. Un siècle plus tard, le Castellum et l'église Sainte-Walburge surgissaient du limon. Au XIIe s, on retrouve la ville annexée au duché de Brabant. Son importance va grandir avec l'essor de l'industrie du drap.

LANCER LA MAIN

Autrefois, un géant nommé Druon Antigoon taxe lourdement les bateaux qui doublent la courbe de l'Escaut. À ceux qui renâclent à payer, il tranche la main. Silvius Brabo, un soldat romain, décide de mettre fin à ce racket. Il tue le géant, lui coupe la main et la jette dans l'Escaut. D'ailleurs, en flamand, « jeter la main » se dit « hand werpen ». Du coup, le sculpteur Jef Lambeaux a statufié le valeureux légionnaire sur la Grand-Place. Rabat-joie, les linguistes ont une autre étymologie : « aanwerp », c'est-à-dire « l'avancée de terre ou la jetée ». À vous de choisir entre science et légende.

L'âge d'or

Le XVe s. On peut dire que, dès lors, Anvers est le centre économique et commercial de l'Europe. Les marchands de tous les pays se font un devoir d'y ouvrir une succursale. Les bateaux ingurgitent et régurgitent à tour de bras poissons, grains, sel. Anvers détrône alors Bruges et déploie ses fastes au cours du XVIe s. Sa population bondit de 40 000 à 100 000 habitants. La ville sur l'Escaut redistribue les trésors – soies, diamants, verre et faïences – d'un Extrême-Orient tout juste découvert. Pas étonnant si sa prospérité attire les meilleurs artistes de l'époque.

Anvers est saisie par la fièvre culturelle. On y voit du beau monde : **Quentin Metsys, Mercator, Bruegel, Juste Lipse, Plantin,** le bourgmestre (maire) **Marnix de Saint-Aldegonde...** En 1559, l'église Notre-Dame est élevée au rang de cathédrale. Pour exhiber la bonne santé des affaires, on s'offre une Bourse, une maison des Bouchers... C'est sous la protection de Charles Quint, Sa Majesté très catholique, qu'Anvers exporte ses retables.

Les guerres de Religion

Dans la seconde moitié du XVIe s, s'amorce le déclin. Philippe II, le fils de Charles Quint, est un souverain moins flamand qu'espagnol : c'est-à-dire absolutiste et catholique. Il est bien décidé à remettre de l'ordre dans ses possessions du Nord. Or les protestants sont nombreux à Anvers. En 1566, un parti d'iconoclastes s'acharne sur la cathédrale, détruisant statues et tableaux. Entre catholiques et réformés, la guerre civile fait rage. En 1576, le roi d'Espagne envoie ses armées. Cette « furie espagnole » est restée fameuse. Un an plus tard, Anvers se soulève. Un an plus tard, elle est reprise. Le siège de 1 an, en 1585, aura un retentissement européen. L'homme de Philippe II, **Alexandre Farnèse,** ferme l'Escaut et donne 4 ans aux non-catholiques pour quitter la ville. Pour le grand port, c'est l'isolement et la ruine. Amsterdam recevra les fugitifs... et les marchands. Il faudra attendre 1795, en effet, pour que l'Escaut soit rouvert à la navigation.

1804-1814 : Anvers dans l'Empire français

Quand le Premier consul Bonaparte arrive à Anvers en 1803, dans le sillage des conquêtes de la Révolution, son premier soin est de construire de nouveaux docks et des bassins plus vastes. Par sa position géographique, Anvers sera « un pistolet braqué sur l'Angleterre ». En 1810, Napoléon, devenu empereur, inaugure sur une galère d'apparat le petit Bassin, nommé aujourd'hui Bonaparte Dok. Il pense bâtir une ville nouvelle, sur la rive gauche de l'Escaut : la **Cité Marie-Louise.** Curieusement, cette cité ne verra pas le jour mais l'idée ne quittera pas l'esprit des édiles anversois jusqu'à l'urbanisation de la rive gauche dans les années 1950-1960. En 1814, **Lazare Carnot,** gouverneur de la ville, défend vigoureusement celle-ci contre les Alliés.

La paix revenue après la bataille de Waterloo, les Pays-Bas sont à nouveau réunis, pour la plus grande prospérité d'Anvers. En 1830, l'indépendance apporte d'autres soucis. Pour condition de leur départ, en effet, les Hollandais ont instauré une lourde taxe sur l'Escaut qui ne disparaîtra qu'en 1863 ! Après quoi, entre 1877 et 1885, la ville utilise les grands moyens pour rectifier les quais. De vieux quartiers en font les frais. Néanmoins, la ville captive les artistes de passage : **Victor Hugo,** puis **Théophile Gautier** qui, en 1846, apprécie la propreté de la ville mais s'insurge contre le plâtrage des façades anciennes. Sa nouvelle *La Toison d'or* se passe à Anvers.

Les XIXe et XXe s

L'époque moderne ramène le dynamisme économique et culturel. On croise à Anvers le peintre **De Braekeleer,** le sculpteur **Lambeaux,** l'écrivain **Hendrik Conscience,** les gloires de la Belgique. La ville, on s'en doute, profite à plein de la révolution industrielle. Elle va même s'en faire un drapeau. Des bâtiments bâtis en verre et en fer y proclament la modernité. Deux Expositions universelles ajoutent au rayonnement international de même que les Jeux olympiques de 1920. Malgré les épreuves des deux guerres mondiales et les bombardements, en 1944, de V1 et V2 qui éventrent plusieurs quartiers, Anvers va reprendre son souffle grâce aux investissements américains après 1945.

Avec plus de 150 millions de tonnes de marchandises et 15 000 navires qui y transitent chaque année, son activité portuaire se classe au quatrième rang mondial, derrière Hong Kong, Singapour et Rotterdam, et son industrie pétrochimique en deuxième place dans le monde, après Houston.

Une réputation sulfureuse

Plus d'un demi-siècle après la guerre, aux élections communales de 2000, un électeur sur trois vote pour le Vlaams Blok, l'extrême droite flamande. Mais les deux autres tiers des Anversois votent encore pour la démocratie. Au printemps 2003, ce « cordon sanitaire » autour dudit parti (aujourd'hui le Vlaams Belang) a failli se désagréger à la suite de la démission collective du collège de la Ville (le conseil municipal). Les élections municipales de l'automne 2006 ont heureusement changé la donne et les partis démocrates ont réussi à regagner la confiance des électeurs. Le Vlaams Belang, qui espérait investir la mairie, a dû renoncer à son objectif de conquête. Son recul s'est confirmé lors des élections régionales de juin 2009.

Arriver – Quitter

En train

Attention, ne confondez pas les deux gares principales d'Anvers ! Pour toute info sur le trafic et les tarifs, il faut désormais téléphoner à Bruxelles au ☎ 02-528-28-28 (6h-22h). ● nmbs.be ●

🚂 *Gare d'Antwerpen Centraal* *(Anvers Central ; plan I, D3) : Koningin Astridplein, 27 (Pelikaanstraat). Dans le centre, comme son nom l'indique, mais à 15-20 mn à pied du cœur historique.* Depuis fin 2007, c'est la gare qui accueille les 6 à 8 *Thalys* quotidiens en provenance de France, mais aussi de

Bruxelles, d'Amsterdam... Quelques trains nationaux s'y arrêtent encore.
🚂 *Gare de Berchem : à 2 km au sud de la précédente (à peine quelques mn en train).* Bien vérifier votre billet, car, mis à part les *Thalys,* de nombreux trains internationaux et nationaux s'arrêtent ici.

➤ *De Bruxelles :* départs des gares du Nord, centrale et du Midi. Trains très fréquents (ttes les 20 à 30 mn), directs (parfois avec changement à Lierre) pour Anvers Central. Compter env 50 mn de trajet. Trains également pour Anvers Berchem ; compter alors 35 mn ; il faudra faire une petite correspondance pour Anvers Central.
➤ *De Paris :* au moins 6 Thalys/j. via Bruxelles. Durée du trajet : 2h10 env.

En bus

■ *Eurolines (plan I, D3, 4) : Van Stralenstraat, 8.* ☎ 03-233-86-62. ● eurolines.be ● Lun-ven 9h-18h, sam 9h-15h30.

Adresses et infos utiles

Codes postaux : 2000, 2018, 2050.

Informations touristiques

🛈 *Tourisme Anvers (plan I, A2) : Grote Markt (Grand-Place), 15.* ☎ 03-232-01-03. ● antwerpen.be ● *Tlj 9h-17h45 (16h45 dim). Fermé 1er janv et 25 déc.* Guide d'information général, comprenant un bon plan de la ville, pour 1 €. Vend aussi, outre des cartes de transports et des tickets de musée, toutes

sortes d'autres brochures et petits guides pour découvrir tel ou tel aspect ou quartier de la ville *(Route portuaire, Guide de la mode...).* Enfin, l'office de tourisme peut se charger (et sans commission !) de vous réserver un logement.
🛈 Vous trouverez un *autre bureau d'informations* à la gare centrale

(plan I, D3), ouvert aux mêmes heures que l'office de tourisme principal.

🛈 *Boutique de la Ville* (Stadswinkel ; *plan I, A2*) : Grote Markt, 11. ☎ 03-220-81-80. À côté de l'office de tourisme. *Mar-sam 11h-17h30*. Sorte de centre d'orientation pour ceux qui s'installent à Anvers, donc pas vraiment pour le visiteur de passage mais passez-y pour contempler (le mot n'est pas trop fort) la spectaculaire photo aérienne de la ville, prise à 3 950 m d'altitude.

Argent, banques, change

Pour nos amis suisses ou canadiens qui auraient besoin de changer des devises, il y a un *bureau Travelex* (ouv tlj) en face de la gare centrale. Pour les autres, il y a des *distributeurs automatiques* acceptant les principales cartes de paiement (Visa, Maestro...) un peu partout en ville.

Poste, téléphone, Internet

✉ *Bureau de poste* (plan I, A-B3) : Groenplaats, 43. Lun-ven 9h-17h, sam 9h-12h.

■ *Téléphone :* possibilité de téléphoner avec des pièces à la sortie de la gare centrale, côté Pelikaanstraat. Sinon, vous trouverez des petites boutiques téléphoniques, où l'on peut généralement aussi surfer sur Internet, le long de Carnotstraat et Gemeentestraat (plan I, D3).

@ *Internet :* sur Gemeentestraat, notamment au *Central Internet* (plan I, D3, 1 ; ouv tlj 7h-2h). Dans le centre historique, mais plus cher (1,10 € le quart d'heure), il y a aussi le cybercafé *2Zones* (plan I, B2, 2 ; Wolstraat, 15 ; tlj 11h-minuit). Déco polaire « intersidérale » !

Se déplacer dans Anvers

En voiture

Pas facile de rouler dans le centre d'Anvers car le trafic est dense et les rues plutôt étroites. On se facilitera grandement la vie en laissant sa voiture dans l'un des nombreux parkings du centre-ville... pour continuer à pied, voire en transports publics (bus et tram). Exemple : le parking de Groenplaats *(plan I, A-B3)*, pratique, central et ouvert 24h/24. Ou encore celui d'Ernest-Van-Dijckkaai, face au château du Steen *(plan I, A2)*. En revanche, évitez le parking Outdaan *(plan I, B3-4)*, plus cher que les autres.

Transports en commun

Les trams et les bus sont ceux de la société *De Lijn*. En tout, il y a 34 lignes. Des plans du réseau peuvent s'obtenir à la *station de tram souterraine* de Groenplaats *(plan I, A-B3, 3 ; tlj sf dim 8h-18h – 16h sam)*, ainsi qu'au *guichet De Lijn* situé Franklin Rooseveltplaats *(plan I, D3 ; lun-ven 7h-19h, sam 8h-16h)*.
– Les billets simples ou les cartes de 1 jour peuvent s'acheter dans les bus ou les trams. Compter 1,50 € pour les premiers et 6 € pour les secondes. Mais acheter son billet avant de monter à bord coûte moins cher : 1,20 € un billet simple et 5 € pour la carte de 1 jour. Autre possibilité : la carte de 10 voyages, à 8 €, mais attention, celle-ci ne s'obtient qu'aux machines des stations de tram souterraines ou aux endroits cités plus haut.

À vélo

Les loueurs de vélos ne courent pas les rues mais voici quand même quatre adresses :

■ *Antwerp Bikes* (plan I, B2) : Lijnwaadmarkt, 6. ☎ 03-290-49-62. ● rent@antwerpbikes.be ● Tlj 9h-18h. Le plus central et l'un des moins

■ **Adresses utiles**

- 🛈 Tourisme Anvers et boutique de la Ville
- ✉ Bureau de poste
- 🚆 Gare d'Antwerpen Centraal
- 📶 1 Central Internet
- 📶 2 2Zones
- 3 Station de tram souterraine de Groenplaats
- 4 Eurolines

🛏 **Où dormir ?**

- 20 Scoutel
- 21 Internationaal Zeemanshuis
- 23 Hôtel Julien
- 24 Hôtel Cammerpoorte
- 25 Hôtel Antigone
- 26 Hôtel Rubenshof
- 28 Hôtel Terminus
- 29 Tourist Hotel
- 30 Colombus Hotel
- 31 Molenaars Droom
- 32 't Sandt
- 33 Melkhuis, Chez Hendrik Roelandt et Anne Salomez
- 35 Hôtel Scheldezicht
- 37 Heksen Ketel Youth Hostel
- 38 Boomerang Youth Hostel
- 39 Mabuhay Lodgings

🍽 **Où manger ?**

- 50 Zeppo's
- 51 Le Pain Quotidien
- 52 Hoffy's
- 53 Chez Fred
- 54 Mata Mata et Pili-Pili
- 55 Grancafé Horta
- 57 De Pottekijker
- 58 Wagamama
- 60 Berlin
- 61 Restaurant Gistelein
- 62 Sjalot en Schanul
- 63 Le Zoute Zoen
- 65 Ulcke Van Zurich
- 66 Pasta et Rooden Hoed
- 68 Bien Soigné
- 69 Amadeus
- 70 Dock's Café
- 74 La Salle
- 77 Neuze-Neuze
- 78 Lux
- 81 Piétrain

🍽 **Où déguster une irrésistible pâtisserie ?**

- 107 Gunther Watté
- 64 Goossens
- 76 Del Rey

🍷 **Où boire un verre ?**

- 37 Heksen Ketel
- 90 Via Via
- 91 De Foyer
- 93 't Elfde Gebod
- 95 Bier Kulminator
- 96 De Vagant
- 97 Pelgrom
- 98 Beveren Café et De Negen Vaten
- 99 Den Engel
- 100 De Groote Witte Arend
- 101 De Faam
- 104 Café au lait

🎵 **Où écouter du jazz ?**

- 94 De Muze

🎵 **Où danser ?**

- 103 Café d'Anvers

🎭 **À voir**

- 120 Grote Markt et Stadhuis (Grand-Place et hôtel de ville)
- 121 Onze-Lieve-Vrouwkathedraal (cathédrale) et puits de Quentin Metsys
- 122 Museum Plantin-Moretus
- 123 Maagdenhuis
- 124 Museum Mayer-Van-den-Bergh
- 125 Vleeshuis (maison des Bouchers)
- 126 Steen
- 129 Vlaeykensgang
- 130 Sint-Pauluskerk
- 133 Rubenshuis
- 134 Sint-Jacobskerk
- 135 Rockoxhuis
- 136 Sint-Carolus-Borromeuskerk
- 137 Handelsbeurs (Bourse du commerce)
- 138 Boerentoren
- 139 Jardin zoologique
- 140 Diamantmuseum
- 141 Aquatopia
- 142 Hessenhuis
- 143 Begijnhof
- 148 Ascenseur pour passer sous l'Escaut
- 149 Diamondland
- 150 ModeMuseum

🛍 **Shopping**

- 151 Fish & Chips
- 153 Sussies
- 154 Episode
- 157 Verso
- 158 Emery & Cie

ANVERS

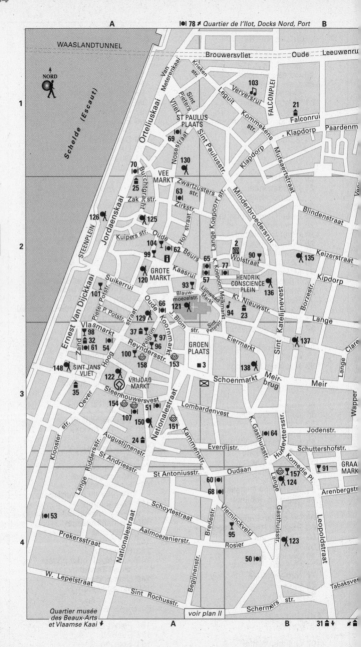

ANVERS

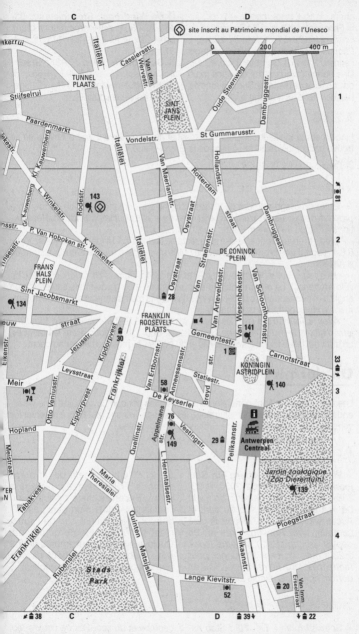

ANVERS (ANTWERPEN) – PLAN D'ENSEMBLE (PLAN I)

chers : 8,50 € la journée.
■ *Freewieler* (plan I, A2) : Steenplein, 1. ☎ 03-213-22-51. ● *info@v-zit.be* ● *Pâques-début nov, tlj 9h-19h ; le reste de l'année, 10h-17h. Compter 3 €/h, 12 €/j. Une bonne cinquantaine de vélos mais on conseille de réserver. Suggestions de balades dans (et hors de) la ville.

■ *De Windroos* : Steenplein. ☎ 03-480-93-88. ● *dewindroos@touristram. be* ● *Ouv tlj 9h-19h (10h-17h 1er oct-31 mars).*
■ *De Ligfiets* (plan I, A3) : Steenhouwervest, 25. ☎ 03-293-74-56. ● *info@ligfiets.be* ● *Mer-sam 11h-18h.* Spécialité de vélos couchés.

À pied

Finalement la meilleure solution. L'essentiel de ce qu'il y a à voir à Anvers ne se trouve pas à plus de 20 mn à pied de la Grand-Place.

■ *Taxis :* ☎ 03-238-38-38.

Visites guidées de la ville

➢ Outre un grand nombre de visites à thème sur demande, l'office de tourisme propose deux *balades guidées* régulières de la ville pour les individuels. Réservations à l'office de tourisme donc, au ☎ 03-232-01-03.
– À pied : tlj en juil-août et le w-e slt le reste de l'année, à 11h (pour le français). Prix : 6 €. Il s'agit d'une promenade avec un guide municipal à travers le cœur historique d'Anvers.
– À vélo : slt en juil-août, dim-lun, mer et ven à 14h. Durée : 2h. Coût : 10 € (loc du vélo comprise). Là encore, balade en compagnie d'un guide (mais seulement en anglais et néerlandais), à la découverte d'endroits moins connus d'Anvers, notamment le vieux port et le béguinage.
➢ *Avec le Touristram :* ttes les heures, avr-fin sept 11h-17h ; oct-fin déc 13h-16h ; janv-mars, le w-e slt. Départ de Groenplaats. Coût : 4 € ; réduc. Pour les fatigués, un tram qui fait le tour de la vieille ville et du port en 35 mn. Pas cher et amusant.

Où dormir ?

Les tarifs hôteliers sont généralement les mêmes pendant la semaine et le week-end. Ils ne varient guère non plus selon les saisons. Pensez toutefois à réserver les vendredi et samedi, à cause de l'affluence néerlandaise.

Auberge de jeunesse

🏠 *Vlaamse Jeugdherberg Op Sinjoorke :* Éric Sasselaan, 2, 2020. ☎ 03-238-02-73. ● *antwerpen@vjh.be* ● *vjh.be* ● À env 4 km au sud du centre. Accès par le bus n° 27 depuis la gare centrale, arrêt Antwerp Expo (n° 25 depuis Groenplaats). L'auberge ferme à 23h, mais on peut s'arranger pour rentrer plus tard. Fermé en déc. Nuit en dortoir 15,40 €, en single 29 €, en double 21,80 €/pers ; petit déj et draps compris. CB acceptées. Garage à vélos. Excentré mais donnant sur l'agréable verdure d'un parc ; enfin... d'un côté seulement car, de l'autre, c'est plutôt l'autoroute qu'on voit. Quelque 130 lits en chambres de 2 à 8 lits. Mobilier vieillot et déco passée. Repas à petits prix bons et copieux.

Hôtels pour jeunes

🏠 *Scoutel* (plan I, D4, **20**) : Stoomstraat, 3-7, 2018. ☎ 03-226-46-06. ● *scoutel@hopper.be* ● *scoutel.be* et *hopper.be* ● À 5 mn à pied de la gare centrale et du zoo. Pas de couvre-feu, on vous prête une clé. 2 sortes de prix (moins et plus de 25 ans). Compter 28,80-32,20 € pour 1 pers, 46,20-

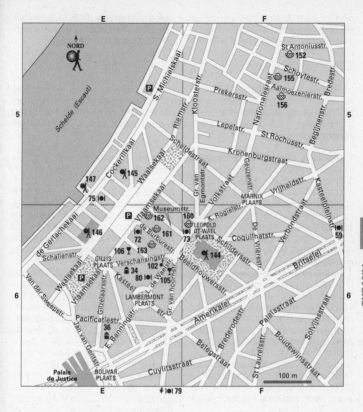

ANVERS (ANTWERPEN) – SUD-OUEST (PLAN II)

ANVERS

🛏 **Où dormir ?**

34 Bed and Breakfast
36 Hôtel Industrie

🍽 **Où manger ?**

59 De Broers Van Julienne
72 L'Entrepôt du Congo
73 Den Artist
75 Velvet Lounge
79 Walrus
80 O Tagine

🍷 **Où boire un verre ?**

105 Le Chaleroi
106 Zar

🎵 **Où écouter du jazz ?**

102 Café Hopper

🎭 **À voir**

144 Koninklijk Museum voor
Schone Kunsten
145 Muhka
146 FotoMuseum
147 Anvers en miniature

🛍 **Shopping**

152 Walter
155 Jutka & Riska
156 Labels INC
160 Ann Demeulemeester
161 Clinic
162 Mais il est où le soleil ?
163 Hospital

52,40 € pour 2 pers, petit déj inclus. Repas 10 €. Environ 24 chambres de 1 à 3 personnes, avec douche et w-c, cer- taines rénovées en 2005. Cuisine équipée, petit salon et grande salle à manger. Atmosphère un peu froide.

Chambres d'hôtes

La formule des chambres d'hôtes se développe beaucoup dans les Flandres. Anvers ne faisant pas exception, voici quelques bonnes adresses. On vous rappelle que les maisons d'hôtes ne prennent pas les cartes de paiement. Pour la liste complète des B & B anversois, vous pouvez aussi cliquer sur • bedandbreakfast-antwerp.com •

🛏 **Melkhuis, Chez Hendrik Roelandt et Anne Salomez** (hors plan I par D3, **33**) : Groenstraat, 25. ☎ 03-272-55-39. • rosa_melkhuis@hotmail.com • bedandbreakfastmelkhuis.be • De la gare centrale, sortie Astridplein-Zoo ; à l'autre bout de la place, prendre la rue à droite (Carnotstraat), puis la 5e rue à gauche (Kerkstraat) et, enfin, la 4e rue à droite (Groenstraat). Compter 45 € pour 1 pers, 65-70 € pour 2 pers ; petit déj 5 €. Dans un quartier tranquille où il est facile de se garer. Jeune couple jovial vivant avec leurs trois filles dans une maison à l'architecture moderne. Intérieur lumineux mêlant harmonieusement le bois et le métal. Petites chambres réalisées dans les tons bruns, très nettes et très agréables, avec parquet. Douche et w-c privés. Agréable jardin. Un endroit remarquable à tous points de vue : décor, accueil et rapport qualité-prix. Vélos à louer.

🛏 **Molenaars Droom** (hors plan I par B4, **31**) : Molenstraat, 35, 2018. ☎ 03-259-15-90. • greta.stevens@tele net.be • bedandbreakfastdream.com • Dans une rue entre Britselei et Mechelsesteenweg. Fermé en juil. Suivant confort et moment dans la sem 60-75/ pers, doubles 70-110 € si vous restez min 2 nuits ; sinon, c'est 10 € en plus ; petit déj 10 €. Paiement cash demandé à l'arrivée. Parking aisé dans la rue. Chambres-studio de caractère, bien équipées (TV, salle de bains...) et meublées avec beaucoup de goût, dans une grande maison de maître aussi ancienne que la Belgique... Idéal, vraiment, pour ceux qui abhorrent l'hébergement standardisé des hôtels de chaîne ! Au rez-de-chaussée, la Patio Suite avec salle à manger et chambre donnant directement sur le patio. Au 1er étage, Balcony Suite avec plaisant coin salon et au 2e, belle Loft Suite. Petit déj très soigné, servi dans les studios. La proprio est avenante et parle très bien le français. Adresse non-fumeurs.

🛏 **Bed and Breakfast** (plan II, E6, **34**) : Verschansingstraat, 55. ☎ 03-248-02-48. • ann55paul@skynet.be • bedandbreakfast.webb.be • Dans une rue débouchant sur le musée des Beaux-Arts d'un côté et le musée de la Photographie de l'autre. Compter 70 € pour 2 pers (90 € pour 3) ; petit déj en plus. Belle maison 1900 avec 2 chambres mansardées. La 1re, pour 2 ou 3 personnes, est charmante ; l'autre est plus ordinaire. Salle de bains commune très soignée. Kitchenette à disposition. Grand jardin et terrasse. Ceux qui recherchent la simplicité et une bonne qualité d'accueil trouveront là une adresse chez l'habitant, authentiquement conviviale et sympathique. Ann, l'épouse de Paul, dispense quotidiennement des cours de yoga. Deux studios à louer avec coin cuisine.

Dans le quartier du port et de la Grand-Place

Au cœur de la vieille ville.

Bon marché

🛏 **Heksen Ketel Youth Hostel** (plan I, A3, **37**) : Pelgrimsstraat, 22. ☎ 03-283- 5673. • denheksenketel@hotmail.com • heksenketel.org • Réception 9h-21h.

Compter 17 €/pers, petit déj compris. L'AJ privée la plus centrale, à deux pas de la cathédrale. De plus, est partie prenante d'un troquet musical, l'un des plus sympas de la ville (voir chapitre « Où boire un verre ? »). Une quinzaine de lits sur 3 chambres. Simples, basiques, mais propres et surtout atmo-sphère folk extra. D'ailleurs, le patron, une figure connue du milieu musical, n'a pas ouvert l'AJ pour faire du profit, mais comme un service pour les musiciens et les fans de folk music ! Vu le petit nombre de lits, très conseillé de réserver l'été.

Prix moyens

▣ **Internationaal Zeemanshuis** (plan I, B1, **21**) : Falconrui, 21. ☎ 03-227-54-33. • keuken@zeemanshuis.be • zeemanshuis.be • Attention, assez souvent complet ; résa conseillée. Single 46,50 €. Double avec sdb 71 €, petit déj compris. Repas à partir de 7,60 €. Parking gratuit. Située en bordure du quartier chaud d'Anvers (prostituées en vitrine), cette « Maison internationale des marins » (un grand bâtiment sans charme) date de 1954. Elle s'adresse aux marins, bien sûr (qui y bénéficient de tarifs avantageux), mais aussi à vous, si vous voulez. Chambres propres avec TV. Les repas (rien de bien fabuleux) sont servis même à ceux qui ne font pas partie de la grande confrérie de la mer. Accueil souriant. En outre, c'est ouvert toute la nuit (on est marin ou on ne l'est pas !).

▣ **Hôtel Cammerpoorte** (plan I, A3, **24**) : Nationalestraat, 38-40. ☎ 03-231-97-36. • info@hotelcammerpoorte.be • hotelcammerpoorte.be • Double 80 €, triple 110 €, petit déj-buffet (bien garni) compris. Parking privé payant. Réduc de 10 % sur le prix de la chambre, sur présentation de ce guide. Une quarantaine de chambres. Au cœur de la vieille ville, un hôtel moderne à la façade peu engageante, aux chambres basiques, mais globalement bien tenues et de bon confort. Cependant, déco pas très joyeuse et insonorisation parfois insuffisante. En demander une qui donne sur l'arrière (un peu de bruit côté rue). Bon accueil (plutôt anglophone).

▣ **Hôtel Scheldezicht** (plan I, A3, **35**) : St. Jansvliet, 10-12. ☎ 03-231-66-02. • info@hotelscheldezicht.be • hotelscheldezicht.be • Doubles 70-95 €, petit déj (très frugal) inclus. Réduc de 10 % sur le prix de la chambre, sur présentation de ce guide. Petit hôtel très bien situé, à deux pas de l'Escaut et du centre historique. Le couple de propriétaires reçoit dans une salle arrangée avec soin. Une vingtaine de chambres. Accès aux étages plutôt raide (normal, c'est la configuration des anciennes demeures et... leur charme aussi). Récemment rénovées, chambres plaisantes, avec double vitrage, mobilier de caractère (certains lits par exemple), salle de bains carrelée. Adresse non-fumeurs et les chambres. 3 d'entre elles (les moins chères) avec salle de bains commune mais joliment meublées. Réception particulièrement sympa.

▣ **Hôtel Antigone** (plan I, A2, **25**) : Jordaenskaai, 11-12. ☎ 03-231-66-77. • info@antigonehotel.be • antigonehotel.be • Doubles 85-95 €, triple 115 €, petit déj inclus. Parking. Réduc de 10 % sur le prix de la chambre, sur présentation de ce guide. Proche de la maison des Bouchers (Vleeshuis), cet hôtel classique offre une jolie vue sur l'Escaut et sa rive gauche. Beau lobby au mobilier d'époque et agréable salle de petit déj. Chambres plutôt correctes, elles aussi, et bien tenues, mais les plus tranquilles sont à l'arrière. Possibilité de louer des vélos.

Plus chic

▣ **Hotel Julien** (plan I, B2, **23**) : Korte Nieuwstraat, 24. ☎ 03-229-06-00. • info@hotel-julien.com • hotel-julien.com • Compter 165-225 € pour 2 pers, petit déj inclus. En juil-août, 10 % sur le prix de la chambre, sur présentation de ce guide. Cher mais vraiment superbe ! Il s'agit d'un petit hôtel de grand charme niché dans 2 maisons restaurées du XVIe s. Tout y est soigné à l'extrême, aménagé magnifiquement dans un esprit zen, plutôt contemporain. 11 chambres en tout, dotées, cela va sans dire, de tout le confort (wifi, TV, lecteur de CD et de DVD, clim', minibar...). Les 2 suites donnent sur la cathédrale. Vraiment le bon endroit où vider son portefeuille.

🛏 't Sandt (plan I, A3, 32) : Zand, 13-19. ☎ 03-232-93-90. ● reservations@hotel-sandt.be ● hotel-sandt.be ● Double

standard 200 € (170 € le w-e), petit déj compris ; suites 250-300 € (190-260 € le w-e). Parking 16 €/nuit. Drôle d'histoire que celle de cet hôtel de charme qui servit tour à tour de bureau des douanes et d'entrepôt pour agrumes. C'est aujourd'hui une belle maison de maître de style néorococo, classée Monument historique. L'ensemble a été entièrement rénové au goût du jour, alliant confort et élégance. Sur l'arrière, jardin à l'italienne où est servi le petit déj aux beaux jours.

Quartier au sud du Stadspark

🛏 Boomerang Youth Hostel (hors plan I par C4, 38) : Lange Leemstraat, 95. ☎ 03-238-47-82. ● boomerangho stel@hotmail.com ● boomeranghostel. be ● Depuis la gare, tram n° 15 (direction Mortsel) ou n° 2 (direction Hoboken). 2e arrêt après le tunnel du métro. Compter 12 € en dortoir et 30 € en chambre privée. Petit déj et draps en

sus (2,50 €). Très central. Installé dans un bel immeuble, mais l'intérieur est plus de style baba cool. Une centaine de lits. Un des logements les moins chers de la ville, souvent plein de bonne heure. Confort basique, mais c'est bien tenu et bonne atmosphère. Jardin. Cuisine équipée.

Dans le quartier du musée des Beaux-Arts et du Vlaamse Kaai

De prix modérés à prix moyens

🛏 Hôtel Rubenshof (hors plan I par B4, 26) : Amerikalei, 115-117. ☎ 03-237-07-89. ● hotel@rubenshof.be ● rubens hof.be ● Accès : tram n° 24 d'Astrid-plein, à côté de la gare centrale. Parking aisé dans le quartier. Ts les prix suivant taille et confort. Singles 33 € (avec lavabo)-55 €. Doubles sans ou avec sanitaires 52-76 €, petit déj compris. Également des chambres pour 3 ou 4. 22 chambres. Gentil 1-étoile, installé dans les murs d'une étonnante ex-rési-

dence de cardinal à la façade jaune de 1860. Mobilier cossu, stucs, lourdes tentures... Bonne atmosphère générale, chambres un peu vieillottes, mais fort bien tenues. Les patrons, un couple de Hollandais accueillants, feront leur possible pour parler le français. Copieux petit déj, servi dans une magnifique salle Art nouveau (boiseries et vitraux remarquables) sur fond de musique classique.

Un peu plus chic

🛏 Hôtel Industrie (plan II, E6, 36) : Emiel-Banningstraat, 52. ☎ 03-238-66-00 et 86-88. ● sleep@hotelindustrie. be ● hotelindustrie.be ● Près de la Lambermontplaats. Doubles avec douche ou bains 69-87 € selon période, petit déj inclus. Parking privé payant (7 €). Dans

une petite maison de brique, à l'escalier plutôt raide, 13 chambres confortables et bien finies. Petit déj-buffet. Ensemble très cosy. Une bonne adresse dans sa catégorie. Bon accueil de la patronne et excellents renseignements sur le quartier.

Dans le quartier de la gare centrale et du zoo

De prix moyens à un peu plus chic

🛏 **Hôtel-Terminus** (plan I, D2, **28**) : Franklin Rooseveltplaats, 9. ☎ 03-231-47-95. • hotelterminus@skynet.be • ho telterminus.be • Juste à côté du terminal d'autobus. Double avec sdb 68 € (99 € pour 4), petit déj-buffet inclus. Grande bâtisse fonctionnelle. Chambres bien tenues, avec même un petit effort du côté de la décoration. Si vous voulez dormir avec la fenêtre ouverte, demandez-en une qui donne sur l'arrière. Également des appartements pour 2 personnes (avec kitchenette), louables à la semaine. Resto et taverne de nuit.

🛏 **Tourist Hotel** (plan I, D3, **29**) : Peli- kaanstraat, 20-22. ☎ 03-232-58-70. • antwerptouristhotel.com • Près de la gare centrale, au cœur du quartier des diamantaires. Doubles avec sanitaires complets 60-104 € selon période. Pas le mieux situé à Anvers (sauf pour ceux qui ont un train le lendemain matin). Hôtel un peu vieillot mais dans un processus de rénovation. Les chambres rénovées, nettes et confortables, sont surtout destinées à une clientèle d'affaires. Copieux petit déj. Prix quand même très surestimés en période de « pointe » (salons, etc.) mais réductions substantielles en cas de réservation sur Internet.

Plus chic

🛏 **Colombus Hotel** (plan I, C3, **30**) : Frankrijklei, 4. ☎ 03-233-03-90. • colom bushotel@skynet.be • colombushotel. com • Doubles standardisées mais très cosy 90-110 €, avec douche ou bains, petit déj-buffet compris, à prendre dans un décor style Art nouveau. Parking payant à proximité, mais fermé 19h-7h.

10 % de réduc à partir de 2 j. sur présentation de ce guide. Face à l'opéra, hôtel confortable et chaleureux. Son principal atout, et non des moindres : une petite piscine couverte (et donc accessible toute l'année), doublée d'une salle de fitness. Accueil très pro et souriant.

Dans le quartier de Zurenborg

🛏 **Mabuhay Lodgings** (hors plan I par D4, **39**) : Draakstraat, 32. ☎ 0290-88-15 📱 0495-84-29-53. • info@mabu hay.be • mabuhay.be • 2 chambres 45 € (1 pers) et 55 € (2 pers) ; belle sdb commune ; petit déj compris. Petite réduc à partir de 2 nuits (obligatoires le w-e). Un

petit B & B tout simple et bien tenu pour ceux qui souhaiteraient résider dans cet intéressant quartier de Zurenborg. Un poil en dehors des sentiers battus, mais facilement accessible du centre par tram direct (8 mn de la gare avec le n° 11). Accueil très sympa.

À la périphérie

Camping

🏕 **Camping de Molen** : Jachtha venweg, Sint-Annastrand, Thonetlaan. ☎ 03-259-23-65 ou 219-81-79. • marc. croes@stad.antwerpen • Accès pour les piétons par le Waaslandtunnel. Depuis Anvers (par l'E 19), suivre la direction de Gand, sortir vers Linkeroever (rive gauche). De l'autre côté de l'Escaut, avec une belle vue sur la cathé- drale. Ouv 16 mars-15 oct. Compter 7,50 € pour 2 pers avec 1 tente, 9 € avec l'électricité. Tarif familial 10,50 €. 4 chalets à louer. CB refusées. Le camping (municipal) le plus proche du centre-ville est aussi le plus sympa. Petite plage à proximité, donnant sur l'Escaut. L'endroit est plutôt prisé des jeunes routards. Bonne ambiance.

Où manger ?

Vaste question. Il n'y a que l'embarras du choix. Restos à touristes des environs de la gare centrale, près de la cathédrale ou le long de l'Escaut ; cuisine exotique, dans des lieux à la déco complètement déjantée, du côté du Zuid ; ou encore restaurants à thème, très en vogue à Anvers. Ces derniers prennent toutes les formes : restaurant métallurgique, à chicons (endives), XVIIIe s, *lounge*, ecclésiastique et on en passe.

Dans le quartier de la gare centrale

De prix moyens à plus chic

I●I *Wagamama (plan I, D3, 58) :* De Keyserlei, 15. ☎ 03-234-99-80. ●antwer pen@wagamama.be ● Tlj 12h-22h. Soupes et nouilles 7,50-13 €. Les bonnes adresses dans le quartier de la gare ne sont pas légion, il peut pourtant être utile de manger vite fait, bien fait avant ou après un train. Cette cantine japonaise appartenant à la célèbre chaîne anglo-saxonne s'avère une excellente solution de secours. Sushi-bar au rez-de-chaussée.

I●I *Hoffy's (plan I, D4, 52) :* Lange Kie- vitstraat, 52. ☎ 03-234-35-35. ●hoffys@ pandora.be ● Tlj sf ven soir (après 16h) et sam 11h-22h. Compter 6-12 € pour un plat à emporter, min 25 € si vous *mangez au resto.* Un traiteur juif au cœur du quartier des diamantaires, qui sert une cuisine casher chère mais d'excellente tenue, variée et copieuse, comme à Tel-Aviv ou à New York. Service aimable et efficace. Salle à la déco fonctionnelle, donc pas vraiment pour un tête-à-tête en amoureux.

Entre la gare et le centre

De prix moyens à plus chic

I●I *Grandcafé Horta (plan I, B3, 55) :* Hopland, 2. ☎ 03-232-28-15. ● info@ grandcafehorta.be ● Ouv tlj à partir de 9h ; cuisine ouv 11h-23h (minuit w-e). Salades 15-22,50 € et pâtes 12-16,50 €, Aberdeen beef *et* cassoulet 22,50 €. Menu 35 €. Un des plus spectaculaires décors de restaurant d'Anvers, qui porte le nom de son architecte : Horta. Des éléments de la Maison du peuple détruite dans les années 1950 à Bruxel- les ont été réemployés pour réaliser, sur plusieurs niveaux, ce mélange très design de poutrelles métalliques et de planchers en bois. La splendide salle Art nouveau est malheureusement réservée aux groupes. Cuisine fine et élaborée dans un cadre spacieux et lumineux, où l'on trouve aussi un coin bar (au niveau bas) plus cosy et plus intime. Terrasse tranquille. Beaucoup de monde le week-end.

Dans le quartier de la Grand-Place et vers l'Escaut

Prix modérés

I●I *Zeppo's (plan I, B4, 50) :* Vlemincks- veld, 78. ☎ 03-231-1789. Tlj, petit déj jusqu'à 12h, puis omelette ou croq' ; soir 18h-21h30 (22h le w-e). Sympathique bar-resto de quartier où jeunes et étudiants sont assurés de trouver une cuisine, simple, bonne, généreuse à prix abordable. Salle toute en longueur, plancher et tables usées jusqu'à la moelle. Quelques banquettes conviviales et on partage sans façon sa table avec les nouveaux venus. Bande-son éclectique, rock cool des années 1970 ou balades accordéon... Au menu, soupes, copieuses salades, *fish burger*, viande hachée ou *veggie* enroulé dans une grosse crêpe, steak... Bières pas chères.

🍴 **Le Pain Quotidien** *(plan I, A3, 51)* : Steenhouwersvest, 48. ☎ 03-226-76-13. *Lun-sam 7h-18h30, dim 8h-17h. Petit déj jusqu'à 12h sur la longue table commune.* Une formule, toujours la même, mais qui, de Bruxelles à Paris, en passant par Rome et New York, a fait ses preuves. D'abord, une ancienne boulangerie haute de plafond et son traditionnel comptoir de marbre. Des petits pains tout frais, des viennoiseries croustillantes, de bons gâteaux, des pâtes à tartiner (dont le célèbre sirop de Liège), des tartines salées, quelques salades et une grande table d'hôtes pour grignoter dès potron-minet tout en lisant le journal. Très bien aussi pour une pause-déjeuner entre deux musées ou

deux séances de shopping, sur fond de musique classique... Au tableau noir, les snacks du jour.

🍴 **Restaurant Gistelein** *(plan I, A3, 61)* : Zand, 25-27. ☎ 03-233-13-66. *Jeu-ven à partir de 17h, sam-dim à partir de 12h. Plats 10-18 €.* Vénérable demeure de brique. Petite salle très chaleureuse et *gezellig* (confortable) à deux pas de l'Escaut. Bon vieux piano au milieu. On y mange notamment de bonnes salades composées.

🍴 **Sjalot en Schanul** *(plan I, A2, 62)* : Oude Beurs, 12. ☎ 03-233-88-75. •ma rina_avermaete@hotmail.com • *Tlj sf mar-mer 12h-15h, 17h30-22h. Fermé 3 sem en sept. Compter 16 € pour un repas. Café offert sur présentation de ce guide.* Les végétariens apprécieront les potages, tartines et salades, fraîches et savoureuses, qu'on sert dans ce petit resto au cadre mignonnet (chaises de guinguette et murs orange couverts de photos).

Prix moyens

🍴 **Chez Fred** *(Eten & Drinken ; plan I, A4, 53)* : Kloosterstraat, 83. ☎ 03-257-14-71. *Tlj 10h-minuit (cuisine en continu jusqu'à 22h et 23h le w-e).* Petit resto de quartier à la chaleureuse atmosphère et délivrant sa classique cuisine de qualité régulière. Généreuses portions. Grande variété de salades, gambas *a la plancha*, pasta de 9 à 16 €, viandes tendres de 16 € (le tartare) à 19 € (l'entrecôte)... Bons produits, légumes tout juste saisis, frites bien croustillantes. Bar également, si l'on veut juste étancher une vieille soif. Arriver de bonne heure, pas trop de tables. Terrasse l'été.

🍴 **Ulcke Van Zurich** *(plan I, B2, 65)* : Oude Beurs, 50. ☎ 03-234-04-94. •ulc ke_van_zurich@hotmail.com • *Tlj sf mar à partir de 18h. Résa conseillée le w-e. Plat env 16 €. Pousse-café offert sur présentation de ce guide.* Excellente adresse mais recettes classiques. Mme Ulcke, qui jadis occupait les lieux, avait, dit-on, un cœur plus grand que sa vertu. Qu'importe : aujourd'hui, c'est surtout pour les grillades et la côte à l'os qu'on vient, préparées et servies dans un cadre de boiseries très chaleureux, avec de grandes baies vitrées à l'ancienne donnant sur la rue.

🍴 **Pasta** *(plan I, A2, 66)* : Oude Koornmarkt, 32. ☎ 03-213-16-86. *Tlj sf dim midi. Formule déj sf w-e 11 €. Menu 33 € pour 2. Plats 10-20 €.* Un décor qui change des gondoles vénitiennes et des fiasques de chianti. Plusieurs étages, mais notre préféré, quoique plutôt pour les groupes, est le 4e étage, pour sa saisissante contre-plongée sur la cathédrale. Au menu, une vingtaine de sortes de pâtes, végétariennes, à la viande ou au poisson. Quelques fleurons de la carte : les pâtes fraîches aux anchois ou aux filets de rouget, cannellonis au saumon, gratin d'épinards au roquefort... Exquis.

🍴 **Mata Mata et Pili-Pili** *(plan I, A3, 54)* : Hoogstraat, 44. ☎ 03-213-19-28. *Tlj 18h-22h30. Plats 13-19 €. Apéro offert sur présentation de ce guide.* Pour changer complètement de registre, cuisine africaine ! À la carte : *mafe* sénégalais et malien, *moambe*, poulet *yassa*, *kuku nanasi* (plat tanzanien), *boboti* (sud-africain), *djege* (capitaine façon ivoirienne), *tilapia* au curry vert, brochette de scampi, etc. C'est bon et il y a du passage, ce qui rassure toujours sur la fraîcheur des produits. Cadre et déco sympas. Bons cocktails.

|●| *Berlin* (plan I, B4, 60) : Kleine-Markt, 1-3. ☎ 03-227-11-01. Ouv tlj de 8h30 (10h sam-dim) jusque tard. Compter 20-25 €. Occupant un vaste volume, un café-resto branchouillé (tendance 25-35 ans) où l'on cultive le mythe de Kennedy « ich bin ein Berliner ». Cadre rustique sans chichis où d'énormes tuyaux courent le long du plafond, grosses tables de bois et long comptoir en U au milieu. Petite cuisine de brasserie tout à fait correcte et à prix abordables. Longue liste de cocktails, vins au verre à partir de 3 € et petite liste de bières. Snacks dans la journée. Le soir, carte plus étoffée : excellent *thai curry wok* scampi, cheeseburger, « croque van camembert », steak à toutes les sauces, *tataki*, etc.

|●| *De Pottekijker* (plan I, B2, 57) : Kaasrui, 5. ☎ 0477-29-32-96. ● potterkijker@skynet.be ● Pas loin de l'office de tourisme, dans une rue qui donne sur le Grote Markt. Ouv slt le soir à partir de 18h (17h le w-e). Plats 14-19 € ; carte 32 €. Belle demeure du XVIe s. Déco de boiseries sombres et marionnettes birmanes, avec des miroirs, des lustres baroques et une sympathique mezzanine. La carte affiche diverses salades (de 2 tailles), de juteuses grillades et des poissons, dont un succulent bar en papillote. Accueil souriant. Agréable pour un tête-à-tête.

Un peu plus chic

|●| *Bien Soigné* (plan I, B4, 68) : Kleine Markt, 9. ☎ 03-293-63-18. ● bien-soigne.be ● Lun-ven 12h-14h, 18h-22h. Résa très conseillée. Menu le midi 19 € et slt la carte le soir (compter 40 €). Un resto au concept un peu particulier : l'élitisme bon teint un poil tendance... Pas de menu affiché dehors ! Eh oui, on table sur le bouche à oreille. Avec raison, c'est à l'évidence la meilleure pub et surtout, le nombre de tables est limité. 2 associés, l'un au piano, l'autre en salle qui se fait un devoir et un plaisir de décrypter le menu en flamand. Et dans ce cadre contemporain à l'élégante sobriété, on déguste une cuisine française aux accents italiens et plus largement méditerranéens... Cuisine moderne et goûteuse tout à la fois, aux produits bien choisis et pleine d'inspiration dans les sauces et les saveurs nouvelles. Comme ces noix de Saint-Jacques crème de topinambour ou ce thon grillé au lard, caviar d'aubergine et chou chinois... Accueil affable, atmosphère feutrée. Très bien pour une entreprise de séduction !

|●| *Le Zoute Zoen* (plan I, A2, 63) : Zirkstraat, 15-17. ☎ 03-226-92-20. ● lezoutezoen@telenet.be ● Tlj sf sam midi et lun. Résa conseillée. Menus 17,50 € le midi, 28-45 €. Digestif offert sur présentation de ce guide. Viviane Verheyen a été élue « femme chef de l'année 2006 ». Une vraie consécration ! Cette adresse semble faire l'unanimité et elle fait d'ailleurs le plein. Les chauds partisans de la tradition y retrouvent les tenants de la modernité et tous se régalent dans un cadre original, chaleureux et pas guindé du tout. Dans l'une des salles (la romantique), on adore l'alliance de tous ces tons de rouge, livres et vénérables objets. Croquettes et carbonades version « améliorée », mais aussi plats d'inspiration française, italienne et japonaise. Viandes et poissons sont cuits à la perfection et très joliment servis...

|●| *Rooden Hoed* (plan I, A2, 66) : Oude Koornmarkt, 25. ☎ 03-233-28-44. ● info@roodenhoed.be ● Ouv tlj jusqu'à 22h. Résa conseillée. Pour le lunch, formule 22 € et plat du jour 12 €. Menus homard 34-54 €, plats 15-28 €. À deux pas de la cathédrale, voici l'un des plus vieux restos d'Anvers, puisque l'on en trouve déjà trace en 1750. Belle salle, élégante et chaleureuse avec ses boiseries anciennes, sa cheminée et son mobilier contemporain. Croquettes, moules (une demi-douzaine de variétés) et frites sont remarquables mais vous ne manquerez pas de choix à la carte. Spécialité de *stoofpotje* (pot-au-feu de rognons). L'adresse est très prisée des Anversois et, malgré les horaires de service plutôt larges, on vous conseille de réserver. Terrasse.

|●| ♟ *La Salle* (plan I, C3, 74) : Meir, 78. ☎ 03-226-60-11. Tlj sf dim 9h-20h (service en continu). Installé dans le Stadfeest, l'un des plus importants centres commerciaux du centre-ville. Après

avoir admiré la superbe et monumentale entrée, on pénètre dans un hall immense, surmonté d'une verrière et croulant sous les stucs dorés. Dans cet espace aéré, on trouve ce café-resto à « ciel ouvert » et offrant de confortables fauteuils et des tables bien séparées pour une excellente cuisine de brasserie, à prix encore raisonnables. Carte

d'un éclectisme de bon goût allant du club sandwich et aux spaghettis bolognaises, au *gado-gado* indonésien et aux tagliatelles scampi en passant par un *iberico burger* (au *pata negra*). À signaler, pour les amateurs, un sashimi d'une belle fraîcheur pour seulement 19 € ! Petite carte des vins servis au verre également.

Très chic

I●I **Neuze-Neuze** *(plan I, B2, 77)* : *Wijngaardstraat, 19/21.* ☎ *03-232-27-97. Ouv midi et soir, sf mer midi et sam midi. Lunch découverte 28 €. Menu dégustation 56 € (sans la boisson). À la carte, min 70-80 €.* Au cœur des ruelles du vieux centre, c'est d'abord un superbe cadre. Imaginez, 4 demeures médiévales unissant leur charme des XVIe-XVIIe s en un treillis de petites salles, arcades et recoins. Mon tout décoré de tableaux de Sanja Camilovic, une peintre de talent (les assiettes aussi sont

d'elle). Super pour dîner en amoureux. Cuisine franco-belge d'un grand raffinement, à base de très beaux produits, où le chef fait montre d'une inspiration très personnelle. Quelques vedettes de la carte : les cannellonis de saumon fumé farcis de fromage de chèvre ardennais aux fines herbes, les noix de Saint-Jacques et chicons caramélisés, lardons et sauce à la bière ou encore la ballottine de coucou de Malines, risotto aux girolles... Très belle carte des vins.

Dans le quartier du vieux port et du Waasland Tunnel

Prix moyens

I●I **Amadeus** *(plan I, A1, 69)* : *Sint Paulusplaats, 20.* ☎ *03-232-25-87. Tlj 18h-22h30 (23h30 w-e). Repas 15-25 €. Café offert sur présentation de ce guide.* Vaste salle de style années 1920, devanture ancienne en bois, avec vitraux colorés, glaces biseautées et nappes à carreaux rouges. On y vient

surtout en groupes s'empiffrer de *spare ribs* à volonté pour un prix fixe étudié. La cuisine traditionnelle de grand-mère plaira aussi aux fans des carbonades. Le tout arrosé d'un gros rouge qui tache et égayé par la proximité des demoiselles en vitrine du quartier rouge. Pour les accros, même maison à Gand !

Plus chic

I●I **Dock's Café** *(plan I, A1, 70)* : *Jordaenskaai, 7.* ☎ *03-226-63-30.* ● *info@ docks.be* ● *Tlj sf sam midi et dim soir (fermé dim en été) ; service jusqu'à 23h (minuit w-e). Résa vivement conseillée le w-e. Lunch 15 €. Menus 24,50-39,50 €, plats 13-30 €.* Pas loin du Steenplein, brasserie branchée au décor impressionnant alliant harmonieusement la fonte, le marbre, le bronze et le bois. Personnel efficace et empressé à servir sur deux étages les

mets sophistiqués – à base de viande et de poisson – de la carte ou encore de gros plateaux de fruits de mer et crustacés. Spécialité d'huîtres (Colchester, Gillardeau...). Plats vedettes : veau de lait, poulet de Bresse, agneau des Pyrénées rôti au romarin, sole de la mer du Nord, rien que des bons produits. Coup d'œil aux toilettes, étonnantes comme le reste. Menu en français.
I●I **Lux** *(hors plan I par A-B1, 78)* : *Sint Aldegondiskaai, 20.* ☎ *03-233-30-30.*

● *info@luxantwerp* ● *Tlj 12h-14h30, 18h-22h30.* Business lunch 20-25 € ; *menus à partir de 29 €.* Installé dans un ancien entrepôt d'un quartier en pleine évolution (devant le futur grand musée de la ville). Cadre intérieur d'un luxe et d'une élégance étonnants (mais c'était la vitrine de l'entreprise !). Rien n'a changé, seuls l'atrium et l'ascenseur sont nouveaux. Immense volume, énormes colonnes et cheminée ouvragée en serpentine (marbre vert), lambris de chêne ciselé, plancher en bois... Tables bien séparées, parfois longues banquettes de moleskine. Cuisine sérieuse avec une touche personnelle. Fine alliance des petits légumes aux goûts souvent venus d'ailleurs. Plats joliment présentés. Quelques fleurons de la carte : le cochon de lait AOC Ardennes, chartreuse de choux vert, le gigot d'agneau des Pyrénées, Label rouge et le poussin braisé gaufre de choux de Bruxelles. L'été, agréable terrasse face au bassin.

Dans le quartier du musée des Beaux-Arts (le Zuid)

Prix modérés

|●| Pour les fauchés, plusieurs petits restos turcs autour de la Gillisplaats. Cuisine et prix identiques.

|●| *Walrus* (hors plan II, par E6, 79) : Jan van Beersstraat, 2 (Troonplaats). ☎ 03-238-39-93. *Tlj 12h-22h ; sam-dim, brunch à 11h.* Cadre de resto de quartier sans chichis dont la vieille clientèle locale s'est vue renforcée des néobobos. Ça donne une atmosphère déliée et animée réjouissante. Accueil gentil comme tout et cuisine classique bien troussée et généreuse. Quelques spécialités : le tournedos de cheval (*paard*), le *stoofvlees* (genre de bourguignon), les boulettes-tomates, lasagne et de belles salades, steak, tartare... Vin au verre pas cher.

|●| *Den Artist* (plan II, F6, 73) : Museumstraat, 45. ☎ 03-238-09-95. ● *brasserie.denartist@skynet.be* ● En face du musée des Beaux-Arts. *Ouv tlj, service à tte heure. Menus 14-22 €.* Au milieu d'une carte de brasserie assez éclectique (croques, salades, soupes, pâtes...), une bonne dizaine de spécialités belges (comme un délicieux *stampot*), servies avec le sourire. Joli et chaleureux cadre Art nouveau. Idéal pour déjeuner en sortant du musée. Carte traduite en français.

|●| *De Broers Van Julienne* (plan II, F6, 59) : Kasteelpleinstraat, 45-47. ☎ 03-232-02-03. ● *broersvanjulienne@skynet.be* ● *Lun-sam 12h-22h, dim 18h-21h.* Plat du jour 9,70 € (12h-17h), salades 8-14 €, repas autour de 25 €. Cuisine naturelle, volontiers végétarienne. Spécialité de quiches dans une chouette salle bordée d'étagères pleines de bouteilles et de boîtes métalliques, au rez-de-chaussée d'une maison de maître. On n'a qu'à faire son choix à la vitrine, où reposent toutes les quiches (essayez celle au potiron et seitan !). Sinon, il y a des plats plus élaborés, tels la lasagne de quorn, les pâtes aux algues, le tajine de daurade et on en passe. Délicieux thés exotiques. Une halte très recommandée !

|●| *L'Entrepôt du Congo* (plan II, E6, 72) : Vlaamse Kaai, 42. ☎ 03-238-92-32. ● *info@entrepotducongo.com* ● *Tlj à partir de 8h ; cuisine jusqu'à 22h30.* Plats 9-12 €. Autrefois, cet entrepôt tout proche de l'Escaut stockait les marchandises pour les colonies. C'est aujourd'hui un café-resto à la déco rétro, évoquant, avec ses carrelages, ses colonnes et ses dessus de table en marbre, les cafés littéraires viennois. Idéal pour faire une pause, à deux pas des musées des Beaux-Arts et de la Photographie. Steaks, salades et pâtes à la carte tout à fait corrects. Excellent *scampi inferno* à 14 € (et bien servi !). Attention, le service peut être parfois un peu longuet (voire dépassé !).

|●| *O Tagine* (plan II, E6, 80) : Leopold De Waelstraat, 20. ☎ 03-237-06-19. *Tlj 17h30-23h. Tajines 15-18,50 €.* Cadre chaleureux et tamisé, accueil qui l'est tout autant pour les amateurs de cuisine marocaine (tendance Tétouan, une

ville peu connue mais séduisante). Spécialité de tajines abondamment déclinés comme celle aux filets d'anchois frais et sauce tomate, le *kammama* (agneau ou poulet échalotes, sésame, amandes grillées), etc. Bien sûr, les traditionnels pastilla, salade *mechoula* et couscous sont à l'affiche aussi. Méchoui pour 4 personnes.

De prix moyens à plus chic

|●| **Velvet Lounge** (plan II, E5, **75**) : Luikstraat, 6. ☎ 03-237-39-78. ● info@velvetlounge.be ● Tlj 18h-23h. Pâtes env 11 €, plats 19-25 €. Un ancien entrepôt en brique abritant un grand resto chic et tendance, dans un décor éclatant. Tout, ou presque, est rouge : le grand bar, les lampes-tuyaux suspendues, les tables, les fauteuils. Petits compartiments confortables pour repas à plusieurs. Cuisine anversoise nouvelle génération. Addition en rapport avec l'ensemble. Attention, atmosphère particulièrement *trendy,* pas routarde pour deux sous (d'ailleurs, les gros bras lourdingues à l'entrée donnent le ton et le service à l'intérieur n'est pas plus aimable !).

Dans le quartier des anciens abattoirs (hors plan I par D1)

Prix moyens

Les abattoirs ont déménagé, mais il subsiste sur *Lobroekstraat,* quelques grossistes, des fournisseurs de matériel de cuisine et, bien entendu, les anciens restos spécialisés à l'époque dans la bonne viande. Et pour de bonnes bières, de vieux troquets de quartier comme au n° 39, au n° 77, le *café Commercial* ou le *Den Draver,* au coin de la rue Mouturu. Pour digérer, à quelques centaines de mètres, la *rue De Marbaix,* une rue résidentielle présentant d'intéressantes façades Art nouveau ou éclectiques.

|●| **Piétrain** (hors plan I par D2, **81**) : Lange Lobroekstraat, 25. ☎ 03-236-51-62. De la gare, tram n° 11. Ouv 12h-14h30, 18h-21h30 (12h-18h sam). Fermé dim. Compter 30-40 € (avec un verre de vin). Pour les aventuriers urbains gastronomes, amateurs de viande, une valeur sûre. Certes, un poil excentrée, mais vaut le coup. Des photos nostalgiques rappellent le bon temps des abattoirs et des boucheries. Tout est inévitablement un peu modernisé, mais on a conservé les lambris et les banquettes de moleskine. Et puis c'est un bien sympathique resto de femmes. Le service, très pro, est mené tambour battant et la chef vient s'enquérir à la fin de l'avis du client. D'ailleurs, pas de risques, il se régale depuis 1955 de viandes tendres et bien servies. Spécialité de poney goûteux et fondant (à commander bleu bien sûr !), servi avec une délicieuse purée de choux et pommes de terre. Sinon, entrecôte, goulasch, fricassée de veau...

Où déguster une irrésistible pâtisserie ?
Où acheter d'excellents chocolats ?

|●| ⊛ **Günther Watté** (plan I, A3, **107**) : Steenhouwersvest, 30. ☎ 03-293-58-94. Ouv tlj 10h30-18h30 (13h-18h dim). C'est un « Chocolade Café » dans un cadre contemporain sophistiqué pour déguster un succulent chocolat chaud ou faire emplette de café de qualité, de ganache au thé, de praliné amandes et miel, de fourré de chocolat blanc aux fraises ou de pâtes de fruits de saison

ANVERS

(ah, les citrons confits enrobés de chocolat noir !)... Noyés dans de profonds fauteuils baroques, sous de beaux lustres, on atteint là une plénitude totale... En prime, une sélection de beaux desserts.

|●| *Del Rey* (plan I, D3, 76) : Appelmansstraat, 5. ☎ 03-470-28-61. ●info@delrey.be ● Salon de thé ouv tlj sf dim 10h-18h. Fermé 2 sem en août. Plat env 14 €. Décor plutôt sobre mais douceurs sophistiquées avec des pâtisseries et des gâteaux à se damner. Petite restauration aussi (plutôt chère) pour le lunch, servi à toute heure. À côté se trouve la pâtisserie-chocolaterie, où l'on entrera rien que pour l'odeur.

|●| *Goossens* (plan I, B3, 64) : Korte Gasthuisstraat, 31. ☎ 03-226-07-91. Tlj sf dim-lun 7h-19h. Cette boulangerie-pâtisserie à l'ancienne existe depuis 1864. La vieille pendule marque définitivement onze heures moins le quart. À voir la queue, le succès semble ne s'être jamais démenti. Et pour cause, ici, rien que du traditionnel : brioche, cramique et autres pains et feuilletés aux amandes, qui feront à jamais le délice des gourmands.

☻ *Chocolatier Burie* (plan I, B3) : Korte Gasthuisstraat, 3. ☎ 03-232-36-88. Chocolats faits maison, de manière artisanale. Possibilité de prendre rendez-vous pour une visite guidée de la chocolaterie.

Où boire un verre ?

Pas d'inquiétude, en été, les fins de semaine sont chaudes à Anvers. Les alentours de la cathédrale, de l'hôtel de ville, du Vlaamse Kaai et du port ne forment plus qu'une seule et immense fête. Alors, composez votre circuit : il y a des cafés littéraires, des bars à bière, des bars à genièvre, des cafés bruns séculaires, des bars à thème, à la déco ultradesign et branchée, en bref des bars à tout et à rien. La plupart servent aussi à manger, à grignoter tout au moins.

Dans le quartier de la Grand-Place et vers le Zuid

🍷 *Via Via* (plan I, B2, 90) : Wolstraat, 43. ☎ 03-226-47-49. ●antwerpen.belgium@viaviacafe.com ● Tlj à partir de 11h30 (cuisine ferme à 22h). Plats 8-15 €. L'un des meilleurs endroits où croiser des routards puisqu'il s'agit d'un café-resto sur le thème du voyage, qui possède des succursales dans le monde entier (Tanzanie, Honduras, Mali, Nicaragua, Népal, Argentine...). On y écoute de la world music dans une grande salle à plusieurs niveaux ornée d'une immense planisphère. Petits plats et boissons des quatre coins du globe. Petite bibliothèque et, tout au fond, un panneau avec des annonces en tous genres.

🍷 *Heksen Ketel* (plan I, A3, 37) : Pelgrimstraat, 22. ☎ 03-283-5673. ● den heksenketel@hotmail.com ● Ouv tlj jusque tard le soir. À deux pas de la cathédrale, un troquet musical, l'un des plus sympas de la ville. Cadre vieillot hyper chaleureux où se réunissent tous les amoureux de folk music (surtout irlandaise). Régulièrement, il s'y déroule des sessions d'enfer, dans une atmosphère réjouissante de convivialité. D'ailleurs, c'est un café associatif et beaucoup de ceux qui y travaillent sont quasi bénévoles. Bières pas chères ça va de soi ! À l'étage, une petite AJ privée (voir « Où dormir ? »).

🍷 *De Foyer* (plan I, B3-4, 91) : Komedieplaats, 18. ☎ 03-233-55-17. ●info@defoyer.be ● Tlj 11h-18h (plus tard en cas de représentation). Brunch 11h-13h et afternoon tea 14h-18h. Fermé en juil. Le somptueux cadre du théâtre Bourla a été réaménagé. On mange sous la coupole de la rotonde, de style néoclassique. Non content de se désaltérer à l'entracte, on peut encore grignoter à toute heure. L'ambiance et le décor se dégustent en même temps qu'un choix de vins de toutes provenances. Brunch et buffet de desserts le dimanche après-midi, avec petite musique d'accompagnement.

🍷 *'t Elfde Gebod* (plan I, A2, 93) : Torfbrug, 10. ☎ 03-289-34-65 ou 66. ● elf degebod@telenet.be ● À deux pas de la cathédrale. Tlj jusqu'à minuit (2h le w-e). Façade recouverte de lierre. Le « Onzième Commandement » évoqué par l'enseigne consisterait à bien boire et bien manger. Tout est prévu ici pour l'honorer : carte de bières, spécialités belges... dans un décor étonnant de bric-à-brac rempli d'innombrables statues religieuses. Bière de messe coulant à flots et on y écluse vraiment religieusement. Grandes tables rondes pour les joyeuses bandes de saint-sulpiciens en goguette. Bien sûr, possibilité de se restaurer à la sainte table (hosties changeant chaque jour !). Vraiment, une de nos adresses préférées pour le cadre !

De Negen Vaten (plan I, A3, 98) : Zand, 1. ☎ 03-293-91-91. ● denegenvaten@pandora.be ● Dans un passage à côté du Beveren Café (voir plus bas). Tlj dès 18h (15h le w-e). De Negen Vaten, ce sont « Les Neuf Tonneaux » (porto, fino, sangria...) qui ornent cette bodega, nichée au fond d'une cour ravissante, à la terrasse chauffée. Ambiance sympa et carte de tapas, paella et zarzuela.

De Vagant (plan I, A3, 96) : Reyndersstraat, 25. ☎ 03-233-15-38. ● info@devagant.be ● Tt près de la maison de Jordaens. Ouv tlj à partir de 11h (12h dim). Vieux troquet qui est aussi un centre de promotion du genièvre belge. Cadre ancien vraiment resté dans son jus. Très vaste choix de genièvres donc (plus de 200 !) qui se propose d'ouvrir les appétits ou de faciliter la digestion. En face, la boutique dépendant du café, où des dizaines de genièvres sont vendus à emporter. Resto (ouv slt le soir ven-sam à partir de 18h) assez chic à l'étage.

Bierhuis Kulminator (plan I, B4, 95) : Vleminckveld, 32-34. ☎ 03-232-45-38. Tlj sf dim et j. fériés 11h (17h sam, 20h lun)-minuit. Petite principauté (voire royaume, mais c'est tout petit et intime) de la bière. Probablement, le troquet qui en propose le plus de Belgique ! Un vrai gisement. La « carte des bières », c'est en fait un livre avec des trésors, des bières rares, certaines millésimées, d'autres de micro-brasseries inconnues produisant des merveilles... Cadre vieillot et chaleureux idéal pour déguster lentement,

lentement ces divines cervoises...

Pelgrom (plan I, A3, 97) : Pelgrimstraat, 15. ☎ 03-234-08-09. ● pelgrom.be ● Tlj 12h-23h. Une ribambelle de superbes caves du XVIe s éclairées à la bougie. Après quelques verres, on s'attend à y voir surgir la cagoule rouge du bourreau ou la robe noire de l'inquisiteur. On peut aussi y manger. Ambiance de kermesse assurée autour des grandes tables, mais aussi petits recoins pour les roucoulades amoureuses. Possibilité de manger une cuisine de brasserie classique (steak, croque-monsieur, scampi, risotto, pasta al pesto, etc.). Il existe un petit musée que l'on peut visiter les samedi et dimanche (en principe de 11h à 19h) ou sur demande. En annexe, De Grotte Ganz, un resto médiéval avec serveurs en costume et tout le tralala pour attirer les gogos.

Beveren Café (plan I, A3, 98) : Vlasmarkt, 2. ☎ 03-231-22-25. Tlj sf mar-mer à partir de 13h. Célèbre pour son orgue de cape, voici incontestablement une bonne adresse pour prendre le pouls de la ville. Ici, les Anversois ne rechignent pas à se mélanger avec les touristes et les marins. Il faut dire que certains soirs, en été, le bastringue fait des étincelles (en semaine, l'hiver, quand même beaucoup plus calme !)... Et ça continue sur les tables, dans la rue même... Ça, c'est Anvers !

Den Engel (plan I, A2, 99) : Grote Markt, 3. ☎ 03-233-12-52. Tlj dès 9h. Une institution ! Qui, passant par la Grand-Place, ne s'est jamais arrêté au Den Engel ? Ce vénérable café, très bruyant, très enfumé et éclairé aux néons, pourrait n'être qu'un lieu de passage mais il a ses habitués. Nous on l'aime beaucoup pour son côté authentiquement populaire, ses dures banquettes en bois et ses tables de marbre, ses glaces craquelées, sa vieille pendule qui s'obstine à rester sur midi moins cinq et sa collection de casquettes au-dessus du bar... Pourvou que ça doure !

Café au lait (plan I, A2, 104) : Oude Beurs, 8. ☎ 03-225-19-81. Ouv tlj dès 18h (20h dim), mais ne s'anime vraiment qu'à partir de 23h. Bar de nuit à la clientèle variée et multiculturelle. Pas mal de cocktails, le plus apprécié étant le strawberry daiquiri, à base de fraises fraîches. Sinon, il y a le mélange – 3 couches – de liqueur de café, Grand Marnier et Bailey's, à boire cul sec à la paille et puis encore la caïpiroska (vodka, citron et sucre de canne) ! Bondé le week-end, surtout après l'arrivée du DJ.

🍷 **De Groote Witte Arend** (plan I, A3, **100**) : *Reyndersstraat, 18.* ☎ 03-233-50-33. • *degrootewittearend.be* • *Tlj sf mar-mer (et lun en hiver) 11h30-1h (plus tard le w-e).* Snacks 11h-18h. Menus 25-35 €. Chapelle privée et cour retirée loin de la foule déchaînée. Anciennement occupée par les filles de la Charité-de-Saint-Vincent-de-Paul. Un havre de paix, avec musique classique, où déguster un flacon de vin. Belle terrasse en été bordée de colonnes et arcades, avec de longues tables. Possibilité de se restaurer.

🍷 **De Faam** (plan I, A2, **101**) : *Grote Pieter Potstraat, 12.* ☎ 03-234-05-78. *Ouv tlj dès 16h.* Café centenaire, indémodable, ancien repaire de l'écrivain Hendrik Conscience, où il fait toujours bon se presser autour du comptoir pour engager la conversation avec d'éventuels compagnons de virée. Cette rue recèle une profusion de lieux nocturnes. Les atmosphères changent d'un soir à l'autre. À l'angle de Grote Pieter Potstraat et de Haarstaat, au *Chill-li*, certaines soirées sont chaudes (surtout les fêtes étudiantes). Au *Chartreux Bar*, belle ambiance aussi, ainsi qu'à la *Casa Bella*, dans le même coin...

🍷 Le triangle Vleminckveld-Gasthuisstraat *(plan I, B4)* concentre quelques sympathiques refuges pour oiseaux de nuit. D'abord, le **Zeppo's** (voir « Où manger ? »). En face, serrés les uns contre les autres, le **Bar 219**, le **Bato batu**, l'**Hypothalamus**, le **Pallieter**... Tous vaguement bohèmes, tamisés et fermant tard...

Du côté du port

🍷 **Het Pomphuis** (hors plan I par A-B1) : *Siberiastraat.* ☎ 03-770-86-25. • *info@hetpomphuis.be* • *Tlj 12h-15h, 18h-22h30 (23h ven-sam).* Spectaculaire décor Art nouveau à 2 km au nord du centre, dans les docks. Il s'agit d'un bâtiment abritant de gigantesques pompes qui servaient autrefois à vider l'eau du bassin n° 7 pour mettre les navires en cale sèche. Assez spectaculaire de se restaurer dans ce décor. Aujourd'hui, c'est avant tout un restaurant... chic, mais on peut aussi juste y boire un verre, ce qu'on vous conseille vivement de faire.

Dans le quartier des Beaux-Arts

🍷 **Le Chaleroi** (plan II, E6, **105**) : *coin G.-Van-Horn et Leopold-De-Wael. Situé en face du* Hopper. *Ouv tlj jusque tard.* Endroit chaleureux et patiné, quelques cadres dorés donnent une touche élégante à l'ensemble. Dès le milieu de semaine, plein comme un œuf. Une clientèle 25-35 ans s'y abreuve bruyamment et « chatte » sur de rugueuses tables de bois. Ici, d'ailleurs, pas de mal à « chatter », le chat y est roi...

🍷 **Zar** (plan II, E6, **106**) : *Pourbusstraat, 8.* ☎ 0497-72-28-52. *Ferme à 2h tlj.* Typique de la nouvelle génération de cafés tendance au décor assez sophistiqué. Mélange savant d'éléments kitsch et destroy, de mobilier et d'éclairages originaux, dans une mise en scène quasi théâtrale... Superbe bar pour un grand choix de cocktails (dont au moins 10 recettes de *mojito*)...

Où écouter du jazz ?

🎵 **De Muze** (plan I, B2, **94**) : *Melkmarkt, 15.* ☎ 03-226-01-26. *Ouv tlj à partir de 11h.* Ce café jazz est le repaire des rescapés du *flower power*. À croire qu'ils ne l'ont pas quitté depuis les années 1960... Ambiance hyper cool

ANVERS

dans un cadre étonnant. Cadre bois et brique sur plusieurs niveaux. Dans une atmosphère bruyante, fiévreuse, tamisée et enfumée, on s'écroule dans des fauteuils en osier ou sur des banquettes de tram. Bon choix de bières, ça va de soi ! On y écoute encore John Lee Hooker, Memphis Slim et Johnny Griffin, c'est tout dire ! Concerts (le plus souvent gratuits) tous les jours à 22h, ainsi que le dimanche à 15h.

♪ *Café Hopper* (plan II, E6, *102*) : Léopold-De-Waelstraat, 2. ☎ 03-248-49-33. ● hopper@telenet.com ● hopperjazz. org ● *Ouv tlj dès 10h30.* Maison d'angle, avec carrelage et murs de stuc. Concerts (généralement gratuits) de septembre à mai, le dimanche après-midi et le lundi, mardi ou mercredi soir. Bonne ambiance, enfumée, sous le portrait du regretté Chet Baker...

Où danser ?

♪ *Café d'Anvers* (plan I, B1, *103*) : Verversrui, 15. ☎ 03-226-38-70. ● cafedanvers.com ● *En plein quartier rouge, dans la rue des dames en vitrine. Entrée : env 10 €.* Bourré de monde les vendredi et samedi de 23h à 7h30. Le plus drôle, c'est que cette discothèque, la plus

ancienne boîte *house* du Benelux, se situe dans une ancienne église ! On peut d'ailleurs en voir les restes, joliment intégrés dans le décor. Se paie les meilleurs DJs (inter)nationaux pour faire danser la jeunesse. Soirées thématiques fréquentes.

À voir

Afin de rationaliser vos promenades, nous avons choisi de regrouper les monuments et musées par quartier. On vous rappelle aussi que l'office de tourisme vend des itinéraires de promenades à thème, à commencer par un circuit « Rubens » (« Redécouvrez P.P. Rubens à Anvers »). Il faut dire que l'on ne peut pas rêver meilleur guide que lui. Il fut avec son ami Rockox l'artisan de la transformation d'Anvers. À eux deux, ils changèrent la physionomie de la ville gothique pour en faire une splendide métropole baroque. À notre tour de vous proposer un petit itinéraire « Rubens », qui ne vous éloignera jamais beaucoup de la vieille ville et peut se faire dans la journée.

Sur les pas de Rubens

➢ On vous conseille de commencer la visite de la ville par celle de la *maison de Rockox* (voir plus bas « Entre la cathédrale et la gare centrale »). La vidéo est une excellente introduction... Vous serez sûr ainsi de ne rater aucun détail d'architecture et de ne passer à côté d'aucune peinture. Quant à la maison, elle est très représentative d'un intérieur anversois du XVIIᵉ s. Ensuite, vous n'aurez plus qu'à filer à l'église Saint-Charles-Borromée, située à deux pas, histoire de mettre à profit tout ce que vous viendrez d'apprendre. La façade a été dessinée par Rubens lui-même, de même que la décoration intérieure. Puis direction la cathédrale et ses retables. Ensuite, en fonction de l'heure et de votre appétit (au sens propre comme au figuré), vous pourrez vous diriger vers la maison Rubens que vous compléterez éventuellement par le musée des Beaux-Arts ou le musée Plantin-Moretus (Rockox et Rubens étaient aussi liés aux imprimeurs Moretus).

Dans le quartier de la Grand-Place

🔱 *Grote Markt* (Grand-Place) *et ses maisons des gildes* (plan I, A2, *120*) : au centre, une fontaine monumentale de Jef Lambeaux où un Brabo de bronze lance vers le fleuve la main du géant Antigoon. Le triangle de la Grand-Place est entouré par les maisons Renaissance des gildes. Au n° 5, la maison qui abrite le café *Den Bengel* était le siège des tonneliers : on y distingue, au sommet, la statue de leur patron, saint Matthieu. Le n° 7, qui porte une statue de saint Georges, hébergeait les réunions des arbalétriers. Le n° 38 accueillait la corporation des drapiers. Et quant au n° 40, la maison Roodenborgh, elle passa des mains des tanneurs et des cordonniers à celles des charpentiers. On comprend leur convoitise : la façade baroque est la plus belle de la place.

🍴 **Stadhuis** (hôtel de ville ; plan I, A2, **120**) : *Grote Markt.* Date de 1564. Le style en fut Renaissance. Ou à peu près... Ainsi, la partie centrale est plutôt très flamande. Incendié par les Espagnols en 1576, il fut aussitôt rebâti. Trois niches surplombent l'hôtel. L'une abrite la Vierge – qui en a délogé Brabo vers la fin du XVIᵉ s. Dans les autres, notez – c'est toujours utile – les deux vertus indispensables à qui veut gouverner : la Justice et la Prudence. Vous verrez aussi trois blasons : celui du duché de Brabant à gauche, celui de Philippe II au milieu et celui du marquisat d'Anvers sur la droite. L'aigle regarde en direction d'Aix-la-Chapelle (la Mecque du Saint Empire romain).

🍴🍴🍴 **Onze-Lieve-Vrouwekathedraal** (cathédrale ; plan I, A2, **121**) : ● dekathe draal.be ● Lun-ven 10h-17h, sam 10h-15h, dim et j. fériés 13h-16h. Interdit d'y circuler pdt les offices. Entrée : 4 €. À l'entrée, vous verrez annoncé l'horaire de la visite guidée et gratuite en français (en général, lun-sam à 11h et 14h15, dim à 14h15 ; quelques visites supplémentaires en juil-août). À signaler : le remarquable site internet, en français !

Symbole d'Anvers, ce merveilleux édifice qui s'étend sur 1 ha est la plus grande église gothique des anciens Pays-Bas. Sa construction (1352-1521) prit quasiment deux siècles. Rien n'était trop beau pour afficher la prospérité de la cité. Comme toutes ses consœurs, elle a connu des hauts et des bas. Parmi les bas, le grand incendie de 1517, les raids iconoclastes des protestants (entre 1566 et 1581), la « sollicitude » de l'occupant français révolutionnaire. Le bon côté de ces désagréments fut que chaque destruction fut réparée par un embellissement inédit. Plusieurs architectes s'y sont donc succédé. Et les plus récents n'ont pas été les plus malhabiles. De 1973 à 1993, l'édifice a été nettoyé du sol au clocher, restauré, consolidé. On a fouillé ses sous-sols, mis en valeur ses trésors. Bref, un lifting aussi complet que réussi.

Commencez par admirer la tour : 123 m de haut s'il vous plaît, avec un carillon de 47 cloches. Du même coup, vous remarquerez sans doute, au sommet de la croisée du transept, une coupole à bulbe, plutôt incongrue...

Si vous ne suivez pas de visite guidée, procurez-vous le fascicule distribué à l'entrée : tous les chefs-d'œuvre y sont indiqués... Ainsi donc, la cathédrale comprend 7 nefs et 125 piliers. En plein centre, difficile de manquer la splendide chaire de Vérité, véritable chef-d'œuvre de la sculpture flamande de style baroque naturaliste, à la limite du rococo. Toutes aussi impressionnantes, les très belles stalles néogothiques. Parmi les innombrables statues et tableaux, Rubens impose quatre merveilles, d'un réalisme qui frôle le baroque. *L'Érection de la croix* (1610), *La Résurrection du Christ* (1612), *La Descente de croix* (même année) et *L'Assomption de la Sainte Vierge* (1625-1626). Le tableau *La Descente de croix* est très admiré par les touristes japonais qui apprennent à l'école une histoire intitulée « Nello et son chien Patrasche », dont le dénouement pathétique s'achève au pied de cette peinture. Rubens aurait élaboré sa fameuse couleur rouge avec du sang de pigeon. Si *La Résurrection* lui a été commandée par Moretus, gendre de l'imprimeur Plantin, d'autres auraient été réalisées pour des corporations. Vous verrez encore deux magnifiques retables, *Notre-Dame de la Paix* et *La Légende de sainte Barbe*, ainsi que le remarquable gisant d'Isabelle de Bourbon. Avant de partir, n'oubliez pas de jeter un œil à la maquette, installée dans le transept gauche.

🍴 **Le puits de Quentin Metsys** (plan I, A2, **121**) : *devant l'entrée de la cathédrale, juste à droite en sortant.* L'histoire raconte que le jeune Metsys était forgeron. Il s'éprit de la fille d'un peintre mais ce dernier s'opposait à tout mariage. Dès qu'il terminait une toile, le peintre s'octroyait une petite fête en ville... en laissant sa fille seule. Profitant d'un de ces soirs, la jeune fille ouvrit la porte à Quentin Metsys. Le forgeron peignit une mouche sur le tableau que le peintre venait d'achever. À son retour, le père s'efforça de chasser la mouche tant elle était plus vraie que nature ! Beau joueur, il reconnut le talent de Metsys et l'accepta pour gendre. Ainsi est-il inscrit sur le puits : « De smidt die uit liefde schilder werd », autrement dit « Le forgeron qui devint peintre par amour ». On attribue l'élégante grille en fer forgé à Quentin Metsys issu d'une famille de forgerons de Louvain, qui s'initia à la peinture avec Dirk Bouts.

🏃🏃🏃 ⊘ *Museum Plantin-Moretus* (plan I, A3, **122**) : Vrijdagmarkt, 22. ☎ 03-221-14-50. Rens pour les visites guidées : ☎ 03-203-95-30. ● http://museum.antwer pen.be/plantin_moretus ● Tlj sf lun et certains j. fériés 10h-17h. Entrée : 6 €, audio-guide inclus ; réduc ; gratuit le dernier mer du mois.

Une merveille ! Une machine à remonter le temps. L'Unesco l'a d'ailleurs classé au Patrimoine mondial en 2005. Cette façade du XVIIIe s cache une belle demeure patricienne, doublée d'un lieu historique. C'est ici que, dans les années 1549, l'imprimeur tourangeau Christophe Plantin établit son imprimerie. Moretus, son gendre, poursuivit son œuvre, imité en cela par ses descendants, qui perpétuèrent cette activité de père en fils jusqu'en 1876, date à laquelle l'imprimerie fut vendue à l'État. C'est ainsi que, trois siècles durant, la même famille imprima et exporta à tour de bras atlas, bibles, bréviaires et missels. La maison ayant été transformée en musée remarquable, pas une salle qui n'apporte quelque élément essentiel à l'histoire de l'imprimerie. La question que tout visiteur se posera : comment un tel patrimoine (un héritage familial et professionnel vieux de trois siècles) a-t-il pu traverser les turpitudes de l'Histoire sans être dispersé et arriver intact jusqu'à nous ?

Et puis vous serez sensible à l'atmosphère, un peu austère comme il se doit dans un bel intérieur flamand : les murs couverts de cuir de Malines, les tapisseries d'Audenarde et de Bruxelles, les tables laquées incrustées d'ivoire, les parquets qui craquent, les cheminées en carreaux de Delft, le tintement du carillon dans le lointain... On se croirait entré comme par effraction dans un tableau intimiste du XVIIe-XVIIIe s.

Rez-de-chaussée

– *Salle 1 :* c'est le *Petit Salon* construit en 1620. Décoré de superbes tapisseries de Bruxelles du XVIe s aux thèmes mythologiques. Les corbeaux supportant les poutres sont ornés des deux symboles de la famille : l'étoile des Moretus et le compas des Plantin. Au-dessus de la belle cheminée en céramique et montants de bois sculpté, copie ancienne d'une *Chasse au lion* de Rubens (aujourd'hui à Munich). Bible 1578 et les *Heures de Notre-Dame* en français.

– *Salle 2 :* le *Grand Salon* avec la galerie des portraits de famille par Rubens et des cabinets d'art, dont un extraordinaire meuble soutenu par quatre esclaves, débauche de bois précieux, dorures et délicates scénettes.

– *Salle 3 :* là encore de magnifiques bibles latines, dont plusieurs richement enluminées. Et un chef-d'œuvre : les *Chroniques de Jean Froissart.*

– *Salle 4 :* la librairie, qui avait son propre accès sur la rue. Superbe ! Au mur, un index de 1569 recensant les livres interdits par l'Église... À propos, les livres étaient seulement vendus en feuilles. Si on souhaitait les relier, nécessité de s'adresser ensuite à un relieur, une autre corporation. Noter les balances destinées à donner la valeur exacte de pièces d'or et d'argent. La boutique serait quasiment opérationnelle aujourd'hui !

– *Salle 6 :* tapisseries aux fraîches couleurs (des « verdures » tissées à Audernade) et un magnifique encadrement de porte intérieure donnant sur cour et ciselé style Renaissance.

– *Salle 8 :* vieux ouvrages et buste de Moretus.

– *Salle 9 :* la salle des correcteurs et une incroyable table de travail posée contre la fenêtre pour profiter un maximum de la lumière. Très large aussi pour pouvoir y poser les grandes feuilles d'impression. Beaux meubles sculptés et buste de *Kilianus*, l'un des plus célèbres correcteurs de Plantin et qui participa au premier vrai dictionnaire franco-néerlandais-latin (40 000 entrées !). L'une des pièces du musée possédant le plus grand pouvoir d'évocation !

– *Salle 10 :* le bureau de l'homme d'affaires Plantin, aux murs entièrement tapissés de cuir doré de Malines, autant signe d'opulence que pratique puisqu'il conservait la chaleur. C'est ici qu'on gardait les liquidités, d'où les grilles aux fenêtres.

ET L'IRONIE... TOUJOURS AU DÉTOUR DES PAGES !

L'index des livres interdits avait été établi par le duc d'Albe et devait être placardé dans toutes les librairies des Pays-Bas espagnols. C'est Plantin qui l'imprima. Il comprenait trois colonnes par ordre alphabétique : les auteurs dont toutes les œuvres étaient interdites, ceux dont certains textes seulement l'étaient, enfin les livres d'auteurs anonymes. L'ironie de l'histoire, c'est que certains ouvrages imprimés par Plantin lui-même y figuraient en bonne place (dont bien sûr ceux d'Érasme !).

– *Salle 11 :* la *chambre de Juste Lipse.* Une des plus émouvantes. Revêtue de cuir de Cordoue d'origine (1659). Les motifs en arabesque indiquent bien entendu une influence maure. On y trouve une copie ancienne du tableau de Rubens *Lipse et ses élèves,* le plus célèbre humaniste après Érasme (noter Rubens en spectateur devant le rideau rouge).

– *Salles 13 et 14 :* deux salles étonnantes, d'abord la salle des caractères *(salle 13).* Grandes casses où l'on rangeait les lettres. Dans la *salle 14,* l'imprimerie. Dès 1580, le cœur de l'entreprise. Elle abrite des presses en bois des XVIe et XVIIe s, qui sont les plus anciennes du monde. Cinq d'entre elles sont encore en état de fonctionner. Deux autres datant de 1600 connurent Plantin et Moretus. Un trésor très bien conservé, où l'on peut voir les caractères anciens (qui se retrouvent également dans la fonderie). Quatre-vingts ouvriers y travaillaient à l'époque. Ce fut la plus grande entreprise typographique du monde.

– *La cour intérieure :* un chef-d'œuvre de la Renaissance flamande. Festival de lignes horizontales, brique alternant avec le grès, fenêtres à meneaux, galeries à arcades. Curieusement, alors que le baroque était très tendance à l'époque, Moretus perpétua le style Renaissance afin d'homogénéiser la cour avec le style des parties anciennes. Jardin scrupuleusement dessiné comme à l'époque.

1er *étage*

– *Salles 15 et 16 :* quelques pièces comme le premier volume de *l'Orlando furioso* de l'Arioste en français. Cabinet de lecture du XVIIIe s.

– *Salles 17 et 18 :* autres salles admirables. Différentes bibliothèques où l'on trouve une partie de la fameuse bible polyglotte (1568-1573), c'est-à-dire traduite en cinq langues (hébreu, grec, latin, syriaque et araméen). Plantin y travailla sous la direction directe du confesseur du roi Philippe II et ce dernier finança l'entreprise. Dessin de 1588, qui n'est autre que la plus ancienne représentation connue d'un plant de pomme de terre !

– *Salle 19 :* salle consacrée à Rubens. Il fit notamment deux illustrations pour un missel (1613). Il réalisa également de nombreux frontispices pour son grand ami d'enfance Balthasar Ier Moretus.

– *Salle 20 :* on y trouve de précieux incunables (tout ce qui fut imprimé avant 1500), notamment des exemples de la production des 10 imprimeurs anversois de l'époque (de 1482 à 1500). Entre autres, *Mathias van der Goes* (1482, la première impression réalisée aux Pays-Bas : 8 ans à peine après l'introduction de l'imprimerie). Sur les 900 ouvrages imprimés sur cette période, 395 le furent à Anvers.

– *Salle 21 :* c'est le salon des XVIIe et XVIIIe s. Atmosphère authentique de l'époque avec ses collections de porcelaines de Chine et du Japon, la vénérable horloge et le grand clavecin épinette peint comme une toile.

– *Salle 22 :* présentation des manuscrits et enluminures de la plus haute rareté dans cette chambre des Archives. Plusieurs archives classées par l'Unesco au

Patrimoine mondial de l'humanité en 2001 comme « mémoire du monde ». En effet, ce sont les seules archives sur l'histoire et le fonctionnement de l'imprimerie depuis Gutenberg jusqu'au-delà du XVIIe s (journaux comptables, inventaires, lettres commerciales, testaments, affaires de famille, etc.). On peut ainsi suivre l'évolution d'une entreprise quasiment au jour le jour sur plusieurs siècles ! Parmi les documents : un livre des ouvriers de 1580, un registre des réclamations de 1713 et l'une des plus vieilles polices d'assurance, qui date de 1682.

– *Salle 23 :* c'est la salle de Géographie, où est présenté le *Premier atlas moderne,* d'Abraham Ortelius. Publié en 1591 à Anvers, ce livre de cartes planétaires portait pour la première fois le nom d'atlas. Il connut un grand succès (46 rééditions !). Avant d'être dépossédé par Amsterdam, Anvers fut la capitale mondiale de la production de cartes et ouvrages géographiques (dont bien sûr Plantin est l'un des piliers). Une carte des Flandres du XVIe s, œuvre du célèbre *Mercator,* montre la plus grande extension du comté de Flandre englobant Dunkerque, Gravelines, Douai et Lille. Remarquer cette carte planétaire de 1587 où l'on possédait déjà une sacrée vision de la forme des continents (sauf l'Amérique du Sud qui a encore celle d'une patate).

– *Salle 24 :* l'une des plus fascinantes avec toutes les productions étrangères à la même époque, classées par périodes et par pays. Impossible de citer toutes les merveilles qui s'étalent sous les vitrines. Émouvant, le dico latin-français de Robert Estienne (1549), la première édition du premier tome de l'*Encyclopédie ou Dictionnaire raisonné des sciences, des arts et des métiers* de Diderot et d'Alembert (1751), une bible en hébreu de Venise juste après l'arrivée des premiers juifs chassés d'Espagne et tant d'autres.

– *Salles 25 et 26 :* petit salon et chambre à coucher tendus de cuir de Malines. Beau lit clos Renaissance.

– *Salle 27 :* toute l'illustration des livres, de la gravure sur bois (impression en relief) à la gravure sur cuivre (impression en creux). Superbes exemples de décors en imprimerie, notamment bords et culs-de-lampe. Noter au mur la richesse de l'alphabet romain, avec ses motifs bibliques, de la pomme d'Ève à la Crucifixion.

– *Salles 29 et 30 :* les ateliers de fonderie. On y voit encore les établis, les seaux à plomb et les outils utilisés pour fondre les caractères d'imprimerie. Du sur-mesure ! Vous saurez tout sur la création des caractères (poinçonner, marteler, fondre). Pièces uniques : les poinçons de *Claude Garamond* et *Robert Granjon,* les plus grands créateurs de caractères du monde (d'ailleurs le « garamond » est un caractère encore largement utilisé aujourd'hui). Dans une vitrine, les matrices pour fondre les lettres.

– *Salles 31 et 32 :* la grande et la petite bibliothèque. Une des rares bibliothèques privées qui nous soit arrivée quasi intacte. Une atmosphère magique qui redonnerait l'envie de lire à n'importe quel drogué de la télé... À propos, la valeur de l'ouvrage déterminait la reliure en parchemin blanc ou en cuir brun. Sur les lutrins destinés à la lecture, série de superbes bustes de saints ou de papes en tilleul. La splendide *Crucifixion* du XVIIe s est de Peter Thijs. Elle rappelle que la bibliothèque, même si l'autel a disparu, servit aussi de chapelle privée.

– *Salle 33 :* c'est la *salle Max Horn.* Quel bonheur de clore la visite ici. Max Horn, bibliophile anversois dont on voit le portrait, légua en 1953 une collection unique de 1 447 ouvrages du XVIe au XVIIIe s. On découvre ici tout le travail de la reliure du XIIIe au XVIIIe s. En 1240, un prêtre anversois réalise d'ailleurs la plus ancienne reliure estampée à froid au monde. On peut en admirer ici parmi les plus anciennes, dont le frottis d'une plaque de la seconde moitié du XIVe s. Vers 1550 apparaît la technique de la reliure à décor doré importé d'Orient. Mais le chef-d'œuvre de cette pièce reste cette gravure sur bois, imprimée sur 24 feuilles de parchemin et entièrement coloriée à la main. C'est *L'Entrée triomphale de Charles Quint et du pape Clément VII dans Bologne,* le 24 février 1530. L'artiste liégeois Robert Péril fait véritablement œuvre ici de photographe couvrant un grand événement. Richesse des détails, précision du dessin, magnificence des costumes et des couleurs, c'est un enchantement !

– **Salle 34 :** souvenirs et témoignages sur le grand auteur flamand francophone Émile Verhaeren (1855-1916).

🎨🎨 **Vleeshuis** (maison des Bouchers ; plan I, A2, **125**) : Vleeshouwersstraat, 38-40. ☎ 03-233-64-04. ● http://museum.antwerpen.be/vleeshuis ● Tlj sf lun et certains j. fériés (ouv lundis de Pâques et de Pentecôte) 10h-17h. Entrée : 5 € ; réduc.

Encore nommée, pour que ce soit plus clair, « Vieille Boucherie » ou

> ## RIEN NE VAUT L'ŒIL DU MAÎTRE !
>
> *Au sujet de la présence de bustes d'auteurs et de grands hommes dans les bibliothèques, le grand humaniste Juste Lipse, ami de Plantin, disait : « C'est d'abord une manière raffinée de la décorer. Ensuite, en plaçant des bustes de grands auteurs à côté de leurs ouvrages, il suffit de lever les yeux d'un livre et on rencontre le regard de son auteur. C'est délicieusement stimulant ! »*

« Halle aux Viandes ». Impressionnante dans tous les cas. La gilde des bouchers l'occupa de 1503 à 1795. L'architecture de style gothique tardif, conçue en 1500, est typique des dernières années du Moyen Âge. Elle mélange pierre et brique sur le mode dit *speklagen* (couches de lard). La maison des Bouchers fut édifiée dans un but hygiénique : le quartier s'était lassé de s'imbiber du sang des bêtes (on le surnommait *bloedberg*, la « montagne au sang »). Jusqu'à l'ère napoléonienne, les bouchers de la gilde se mariaient entre eux pour garder le pouvoir : le bâtiment comprenait même une salle des mariages. Dans leur cas on pouvait vraiment parler de consanguinité !

Un musée a été aménagé au rez-de-chaussée et au sous-sol. Il accueille une *collection d'instruments de musique* dont les fameux *clavecins* des XVIe et XVIIe s, fabriqués par la famille Ruckiers. La visite ne s'adressait jusqu'à présent guère qu'aux mélomanes et aux amateurs d'instruments anciens car l'audioguide n'était qu'en néerlandais. Pour la fin 2009-début 2010, on promet un audioguide en français qui bénéficiera en outre des toutes dernières techniques. Ainsi on pourra, en plus de la vision et de l'explication sur l'instrument, l'entendre aussi jouer et régler les vibrations sonores (vraiment révolutionnaire !). Visite fort intéressante donc à travers tous ces instruments de musique et leur histoire. Muséographie vraiment extra. Ne pas rater, au fond de la grande salle, dans une douce pénombre, la fascinante galerie sur les livres de musique : fragments de partition de chants grégoriens du XIIe s, livres des cantiques des XIVe et XVe s. Le plus ancien livre de musique présenté ici date de 1528. Premier livre de chansons de 1544. Précieux clavecin avec couvercle peint du XVIIe s. On trouve même des instruments en porcelaine. Peintures, estampes, gravures, sculptures diverses accompagnent ces présentations.

– *Le sous-sol :* possède toujours son pavé médiéval d'origine. Intéressantes sections sur la fabrication des cloches, les musiques militaires et les harmonies du XIXe s. Reconstitution d'un célèbre atelier de fabrication et de réparation d'instruments en cuivre : établis, tours, presses... Section colorée sur la musique comme art populaire : vidéos rigolotes, extraits de vieux films en noir et blanc, cartes postales... Affiches anciennes, vénérables instruments comme ce *polyphon* de 1900, ce « piano-orchestrion », les orgues de Barbarie...

🎨🎨 **Le Steen** (plan I, A2, **126**) : Steenplein, le long de l'Escaut. L'histoire du château du Steen se confond avec celle d'Anvers. C'est ici que vivaient les premiers agriculteurs à l'époque romaine. Le *castrum* (château) ne serait apparu qu'au IXe s et ses remparts (côté place), au XIIIe s. À cette époque, le Steen faisait office de prison : le crucifix de l'entrée servait aux dernières prières. Mais le Steen eut également une vocation militaire. Planté sur le bord de l'Escaut, ce château stratégique gardait en quelque sorte la frontière entre les terres françaises et celles de l'Empire. C'est pourquoi Charles Quint, dont la devise *Plus Oultre* (« Toujours plus ») flotte au-dessus de la porte, le fortifia considérablement.

ANVERS

– À côté, le *parc maritime* (ouv Pâques-fin oct, tlj 10h-16h45) permet d'admirer et de visiter des bateaux grandeur nature. Fermé pour rénovation.

– Les collections du musée de la Marine qui étaient hébergées dans le Steen seront rassemblées dans un nouveau musée en construction sur la Bonapartedock, à 10 mn de là. Le *bateau-phare West-Hinder* (visite tlj sf lun 10h-16h) qui était le dernier en fonction dans la mer du Nord, jusqu'en 1994 s'y trouve déjà.

🥾 *Vlaeykensgang* (plan I, A2, *129) :* on le rejoint en partant du n° 16 de l'Oude Koornmarkt. Dans ces ruelles pimpantes s'alignent

d'étroites maisonnettes blanches à volets verts. Elles passent pour avoir abrité, au XVIe s, les cordonniers et les sonneurs de cloches. Le Vlaeykensgang reste un lieu de rêve pour écouter les concerts de carillon.

➢ *Balade autour de la Grand-Place :* toutes les ruelles voisines regorgent de maisons de corporations qui sont autant de trésors. Par exemple la *Suikerrui* (rue au Sucre), qui relie l'ancien hôtel de ville au Steen : cette rue fut jadis un canal. On y apportait les cargaisons de mélasse de sucre venues des îles Canaries. Le n° 5 abrite la *maison des Hanses,* qui fut l'un des premiers immeubles de bureaux. Sur sa façade, Jef Lambeaux a sculpté les figures allégoriques des grands fleuves d'Allemagne. Sur le côté, la belle dame reproduite dans le style opulent de Rubens n'est autre que la muse du sculpteur : comme son atelier se trouvait dans la rue voisine, il la voyait beaucoup.

Entre la cathédrale et la gare centrale

🏛🏛🏛 *Rubenshuis* (maison de Rubens ; plan I, B3, *133) :* Wapper, 9-11. ☎ 03-201-15-55. ● rubenshuis@stad.antwerpen.be ● rubenshuis.be ● Tlj sf lun et certains j. fériés 10h-17h (tickets 16h30). Entrée : 6 € (7 € en cas de grande expo temporaire), le billet donnant droit à la visite du musée Mayer-Van-den-Berghe (sf pdt les expos) ; réduc ; gratuit pour les moins de 19 ans et les seniors, et pour ts le dernier mer du mois. Audioguide (en français) compris.

Plus qu'une révélation esthétique, la maison de Rubens propose un voyage dans la vie d'un homme.

Rubens chez lui

En 1608, à son retour d'Italie, Rubens a 38 ans. Il est déjà père de deux enfants. Peintre de la Cour, représentant officiel d'Anvers, il est aussi un artiste riche et reconnu, ainsi qu'un diplomate chevronné. Propriétaire de cette maison du Wapper, il l'agrandit et l'embellit. Il fait construire une musée très spécial inspiré du Panthéon de Rome. Sous une coupole de verre, il expose sa collection de sculptures antiques. Il fait construire un portique intérieur aux allures d'arc de triomphe romain qui donne à la demeure un petit côté *palazzo* italien. La maison de Rubens, moderne pour l'époque, devient ainsi la première demeure baroque d'Anvers. Il y vit et y travaille. Comme diplomate, il y reçoit les grands de ce monde : Ladislas de Pologne, Marie de Médicis, la reine mère de France et le duc de Buckingham. Comment vivait Rubens au quotidien ? D'après une correspondance, on sait qu'il se levait tôt (5h), qu'il pratiquait l'équitation sur les remparts et qu'il assistait à la messe avant de se mettre au travail. On sait aussi que, pendant qu'il travaillait, on lui faisait la lecture d'œuvres de l'Antiquité. Après un déjeuner léger, il travaillait jusqu'à 5h ou 6h du soir. Sa tâche quotidienne terminée, il rédigeait son courrier. Il a laissé une importante correspondance. Il dînait ensuite, parfois en compagnie d'hôtes de marque, remplissant ses obligations de diplomate devant cultiver ses relations.

Cette vie sévère et réglée n'était-elle pas à l'image de la devise qui orne le portail de la maison : *Prions pour une âme saine dans un corps sain* ? Pourtant, les conditions de vie dans la maison étaient loin d'être faciles. À la cuisine, pas de four ni de fourneau. Il faisait très froid en hiver, bien que les murs fussent tapissés de cuir mordoré de Malines (à la façon de Cordoue, un très bon isolant).

Travailleur infatigable et aussi homme d'affaires avisé, l'artiste produisit ainsi 2 500 œuvres tout au long de sa vie. On ne restait pas inactif, à l'époque baroque. Cette maison fut la maison des joies et des peines de Rubens : en 1618 son fils Nicolas y naît, en 1623 sa fille Clara y meurt et en 1626 son épouse Isabelle Brandt la suit dans la tombe, sans doute frappée par la peste. À 53 ans, Rubens se remarie avec Hélène Fourment, une jeune beauté de 16 ans. Le portrait de ce second mariage (1630) a été réalisé dans le jardin de la maison. De cette union naissent cinq enfants. Souffrant d'arthrite, Rubens meurt le 30 mai 1640 dans cette maison qui fut à l'image de son génie.

La maison renferme aussi de nombreux souvenirs de son séjour en Italie. Trompe-l'œil, bustes de la Renaissance, maison de Mantegna, de Vasari... À l'image de la noblesse des Flandres, Rubens fut un collectionneur avisé. En témoigne la richesse de son cabinet d'art, au rez-de-chaussée, envisagé comme un temple dédié à l'art : antiquités, instruments et livres scientifiques...

Visite de la maison

> **Rez-de-chaussée**

– *Dans la première pièce :* murs en cuir doré de Malines. Tableau représentant l'une des propriétés de Rubens. C'est du Watteau avant l'heure.

– *La cuisine :* vaste âtre et pots en majolique peinte de couleurs vives. Dans la pièce attenante, *Femme au raisin* de Jacob Jordaens, plein de références à l'amour (le perroquet, symbole de volupté et le panier de fruits, la fécondité !).

– *La salle à manger :* noter le superbe linteau en bois sculpté de la cheminée, ainsi que le buffet ciselé de style Renaissance.

– *Le cabinet d'art :* on y trouve quatre esquisses importantes, car les tableaux disparurent. Petit cabinet de curiosités peint d'angelots.

> **1er étage**

– *La grande chambre à coucher :* avec encore une large cheminée, un lit de bois sculpté, un joli coffret marqueté d'ivoire et le collier d'Hélène Fourment.

– *La lingerie :* mobilier de qualité dont une « presse à linge » abondamment ciselée et un buffet marqueté de style Renaissance.

– Dans la pièce suivante, portrait de Van Dyck par Rubens. Intéressante répartition de la lumière et ce regard un poil insolent !

– *Living-room :* c'était effectivement la pièce à vivre. Collier de guilde, entouré des portraits de ses grands-parents paternels.

> **Retour au rez-de-chaussée**

– Dans la pièce précédent l'atelier, on découvre plusieurs œuvres majeures : *Silenus qui dort* en bronze doré et lapis-lazulis du sculpteur bruxellois Frans Duquesnoy. Le livre que Rubens écrivit sur les palais où il démontrait également sa profonde connaissance de l'architecture italienne, un *Portrait de sainte Agnès* (on reconnaît à l'arrière-plan le portique de la maison de Rubens) et une vue de la demeure de l'artiste par un inconnu.

– *Le grand atelier :* de la tribune, les visiteurs étaient autorisés à admirer le maître au travail. Nos coups de cœur : deux œuvres qui tout oppose. D'abord *Adam et Ève*, une production pré-italienne (une des rares avant 1600), reconnaissable au style classique presque rigide, aux tons assez ternes. En fait, ce sont presque des statues. Il trouvera sa voie et la liberté à Rome. Ainsi, dans l'*Annonciation*, au retour de la Ville Éternelle, les couleurs sont éblouissantes, les corps déliés, personnages en mouvement, ornés d'élégants drapés... Une curiosité : *Henri IV à la bataille d'Ivry* (commandé par Marie de Médicis), un tableau inachevé qui permet de comprendre la technique de Rubens. Il travaille les grandes lignes à grands coups de pinceau. Au centre, par exemple, un soldat casqué possède trois bras et deux armes. Rubens n'a pas encore choisi la bonne position du corps...

Lors d'une commande, Rubens préparait une esquisse adaptée au budget du donateur, la faisait réaliser par son atelier – ou l'effectuait lui-même, le cas échéant – et se réservait souvent les finitions. L'atelier de Rubens fonctionnait comme une entreprise artistique. Les esquisses de Rubens ornent en grand nombre les musées européens.

🚶🚶 *Sint-Jacobskerk (église Saint-Jacques ; plan I, C2, 134)* : Lange Nieuwstraat, 73-75. ☎ 03-225-04-14. *1er avr-31 oct, tlj sf mar 14h-17h. Ne se visite pas pdt les offices. Entrée : 2 €.* Cette église de style gothique flamboyant (XVe et XVIe s) fut la paroisse de Rubens. C'est là qu'il se remaria, c'est là qu'on l'enterra. Il avait lui-même choisi l'œuvre qui décore sa chapelle funéraire : *Notre-Dame entourée des saints* (1634). Une photo de famille en somme, Rubens étant saint Georges. En plus de la profusion luxuriante des marbres et des 23 autels, admirez au passage le *Saint Charles Borromée soignant les pestiférés* (1655), de Jacob Jordaens.

🚶🚶 *Rockoxhuis (maison de Rockox ; plan I, B2, 135)* : Keizerstraat, 12. ☎ 03-201-92-50. ● rockoxhuis.be ● *Tlj sf lun 10h-17h. Entrée : 2,50 € ; gratuit pour les moins de 19 ans et les seniors, et pour ts le dernier mer du mois. Audioguide en français compris.*

Une petite mise en bouche qu'on ne saurait trop vous conseiller avant de partir à la découverte d'Anvers, ne serait-ce que pour le documentaire audiovisuel. Il existe une version en français qui donne des informations précieuses sur la ville au temps de Rubens.

Rockox, humaniste, mécène et bienfaiteur des Arts, était l'ami, le protecteur de Rubens. Un ami haut placé qui plus est : neuf fois bourgmestre entre 1603 et 1625 (son oncle l'avait été sept fois avant lui !) et ardent négociateur pour la réouverture de l'Escaut, fermé par les Hollandais. Il vivait dans un hôtel de maître séduisant. Le voici, dans son jus, devenu une sorte de musée de l'Art et de l'Habitat au XVIIe s avec, au premier chef, l'une des toiles que cet amateur d'art commanda à son ami Rubens : *La Vierge à l'Enfant,* où figurent sa femme et son fils. Au fil des pièces, le notable d'Anvers dévoile son existence et ses goûts. Il aimait aussi le beau mobilier comme vous allez le voir.

– *Première salle :* la *Multiplication des pains* de Lambert Lombard se révèle une fort belle composition, addition harmonieuse de mini-scènes. Légère influence orientale comme le montrent le tissu qui habille l'un des trois personnages centraux et le pied peint au henné de la jeune femme à droite. Curieusement, sans raison, à gauche, une autre femme exhibe ses adorables petits seins ! Très gracieuse *Vierge à l'Enfant* de Quentin Metsys, une de ses œuvres les plus anciennes, transition du style gothique vers la Renaissance. Cheveux très longs, car c'était (avec la taille fine) l'un des grands critères de la beauté féminine à l'époque.

– *Deuxième salle :* on trouve deux études pour une toile de Van Dyck (1618) réalisée à l'âge de 19 ans. Son immense talent éclate déjà dans l'expression du clair-obscur. Puis une *Marie en adoration.* C'est en fait la première femme de Rubens et le message est clair : « bonheur conjugal et dévotion »... De David II Teniers, une *Fête de village* ou la vision d'un bourgeois sur ce qu'était la vie à la campagne. À gauche de la cheminée, esquisse de Rubens pour une Crucifixion.

– *Troisième salle :* magnifiques meubles sculptés dont un cabinet incrusté d'ivoire montrant Adam et Ève chassés du paradis, sur un remarquable fond d'oiseaux.

– *Quatrième salle :* l'*Allégorie du Droit* de Maarten de Vos et un chef-d'œuvre anversois : un cabinet tout en broderie de soie rehaussé de fil d'or. Suivent un *Saint Jérôme,* une intéressante tapisserie et un joli clavecin.

– *Cinquième salle* : un admirable Frans Snijders : le *Marché aux poissons d'Anvers*. Ces derniers semblent vivants, mais sont largement fantasmés. Il semble impossible que sur un marché il y ait autant de variétés et de formes aussi riches. Et toujours ce petit chat dans un coin, symbolisant souvent à l'époque la fourberie, la duperie, dans cette fausse abondance (Anvers était en paix depuis 12 ans). Au centre de la demeure, jardin des simples.

– *Sixième salle* : *Fête au village* dont Peter Bruegel le Jeune (1560). Il a réalisé ici une remarquable copie de l'œuvre de son père. Chaque personnage de cette toile possède un rôle. On dit qu'elle contient 100 proverbes ou dictons. En bas à gauche, l'homme qui se cogne la tête contre un mur démontre, dit-on, l'absurdité de nombreuses activités humaines. En haut à gauche, dans la lucarne, un couple illégitime (le balai symbolisait alors les gens qui vivaient « à la colle »). On a bien là une sorte de critique des mœurs, une peinture moralisatrice pleine d'humour. Cabinet avec des peintures sur cuivre car destiné à l'exportation (il ne risquait pas de s'abîmer à cause de l'humidité et des différences de température).

– *Dernière salle* : encore une jolie nature morte de Snijders, un Frans Francken et une intéressante *Kermesse* de Hans Bol. Quand on la détaille, on note les différences de classes et les diverses activités sociales : les gens du peuple sont personnifiés par ceux qui relèvent un personnage ivre. La noblesse, les riches négociants sont en bas à gauche. Ils ne viennent que pour se faire admirer. Au fond, une procession sort de l'église, tandis que des paysans traversent la foire avec leurs produits. Tous les acteurs de la société sont bien en place.

🏃🏃 *Sint-Carolus-Borromeuskerk* (église Saint-Charles-Borromée ; plan I, B2, **136**) : Hendrik Conscienceplein, 12. ☎ 03-231-37-51. Lun-sam 10h-12h30, 14h-17h. Fermé dim sf pour le culte (à 10h et 11h30 mais « circulation » interdite). Entrée gratuite.

C'est l'un des joyaux du baroque dans le monde occidental. C'est aussi l'église de Rubens par excellence. Il en dessina même la façade. Évidemment, l'église comptait plusieurs œuvres du maître.

Les jésuites ont édifié l'église de 1615 à 1621. L'intérieur est un modèle de légèreté dans ses volumes et d'équilibre entre ses ors baroques, ses murs blancs et ses boiseries sombres, le tout rythmé par d'élégantes arcades. Remarquez les confessionnaux, ô combien gracieux et originaux. L'ensemble jouit d'une grande clarté. À l'étage, une belle loggia rappelle les églises latines du Sud. Avant d'être rendue au culte, l'église a servi de temple de la Loi, et même d'hôpital. Dans le chœur, un ingénieux système de poulie permet de remplacer le tableau central par un autre. La chapelle de Marie abrite les peintures religieuses de Rubens. Selon la brochure de l'église, « celui qui ne quitte pas ce lieu plein de joie doit être un endurci ».

– En programmant votre visite de l'église, n'oubliez pas, si vous êtes là un mercredi, de vous réserver l'accès au *musée de la Dentelle* (1,50 €).

– À côté de l'église se dresse la riche *bibliothèque* publique de la ville. Tout cela fait de la place Conscience l'un des lieux les plus romantiques d'Anvers.

– Petite curiosité : au n° 37 de la Wolstraat, poussez la porte, c'est ouvert ; vous vous trouvez dans une charmante courette au centre d'un pâté de maisons. Cela s'appelle *Bontwerkersplaats* et faisait partie d'un ensemble architectural de maisons ouvrières.

🏃 *Handelsbeurs* (Bourse du commerce ; plan I, B3, **137**) : Twaalfmaandenstraat. Construit au XVIe s, ce bâtiment a essentiellement servi aux activités boursières. Après l'incendie de 1858, on l'a rebâti au croisement de quatre rues. L'édifice vaut pour ses arcades gothico-Renaissance vaguement mâtinées d'influence mauresque. Longtemps réservée aux opérations financières, la Bourse s'est un temps changé les idées en accueillant des manifestations plus culturelles mais a récemment cessé toute activité. Gros projets : agora couverte, grand café, hôtel 5 étoiles...

🏃 *Le Boerentoren* (plan I, B3, **138**) : Schoenmarkt. Construit de 1929 à 1932, le Boerentoren, siège de la banque *KBC,* serait le plus vieux gratte-ciel d'Europe. Art déco s'il vous plaît... L'édifice avait pour vocation d'abriter la première banque d'épargne destinée aux paysans. On ne peut pas le rater : il domine tout Anvers (93,75 m).

🎭 **Museum Mayer-Van-den-Bergh** (plan I, B4, **124**) : Lange Gasthuisstraat, 19. ☎ 03-232-42-37. ● *http://museum.antwerpen.be/mayervandenbergh* ● *Accès : trams nᵒˢ 7 et 8 ou bus nᵒ 9 ; arrêt Lange Gasthuisstraat. Tlj sf lun et certains j. fériés (ouv lundis de Pâques et de Pentecôte) 10h-17h. Entrée : 4 € ; réduc ; gratuit le dernier mer du mois. Ticket combiné avec la maison de Rubens : 6 €.*

Vous voici dans le cénacle d'un grand collectionneur, Fritz Mayer Van den Bergh (1858-1901). L'homme menait une triple vie : d'un côté, il cumulait les fonctions officielles ; de l'autre, il passait son temps à collectionner les œuvres d'art avec une certaine prédilection pour le gothique et la Renaissance (tableaux, sculptures, faïences, porcelaines...) ; enfin, il enquêtait longuement pour déterminer l'histoire de chaque objet. Quelle énergie ! De fait, son époque le tenait pour un grand expert d'art. En outre, avec un goût très sûr, il acquérait des œuvres d'artistes beaucoup moins connus, mais dont il devinait et appréciait le talent. Il rêvait de rassembler ses collections dans un musée, allant jusqu'à noter la mention « Musée » sur son catalogue personnel, pour chaque achat qu'il jugeait digne d'y figurer. Il avait déjà acquis les manteaux de cheminée dont il comptait décorer l'endroit, quand la mort le surprit, encore jeune. Sa mère reprit le flambeau. Non contente de créer le musée, elle s'en institua même – chose incroyable pour l'époque – la conservatrice.

En tout, les collections comprennent 3 000 objets d'art et quelque 2 000 médailles et monnaies, mais seule une petite partie en est exposée. Impossible de tout citer, voici nos grands coups de cœur.

Rez-de-chaussée

Nombreux jolis petits maîtres, *Faune* de l'atelier de Rubens, mais surtout la fantastique *Fête paysanne* de Pieter Bout où le soleil, très inconstant, crée tout un jeu d'ombres sur la fête... Merveilleux triptyques *salle 4,* dont l'horrible *Martyre d'Erasmus* et la *Vierge allaitante* de Roger Van Weyden. À côté, les visages empreints de douceur de Marie, Catherine et Barbe du Maître de la légende de Madeleine. Mais le must, c'est ce *Calvaire* de Quentin Metsys, encadré des deux donateurs (à propos, à droite, que fait là Ève, plus haute que trois pommes ?). La palme de l'insolite revient à la *Dormition de la Vierge* du Maître d'Amiens où tous les personnages sont horribles et d'une pâleur cadavérique hallucinante.

1ᵉʳ étage

– *Francesco de Medici* par A. Allori (super rendu du métal de la cuirasse), belle tapisserie de Bruxelles et une *Catherine et Barbe* de Lucas Cranach pleines de charme où l'on retrouve les critères de beauté de l'époque : les cheveux très longs et la taille de guêpe. *Déposition* de van Orley plein de mouvement en une composition équilibrée.

– *Salle 5 :* des natures mortes et de jolis vitraux peints des XVᵉ au XVIIᵉ s. Salle suivante, un étonnant *Jésus et saint Jean reposant sur sa poitrine* du Maître Heinrich de Constance, plein d'une tendre intimité (vers 1300). Puis encore des ivoires ciselés, un adorable petit retable de poche sculpté du XIIIᵉ s et le plus ancien vitrail du pays (une *Annonciation* du XIIIᵉ s).

– Grande salle tapissée de cuir de Malines, c'est la bibliothèque. Grands portraits, enluminures, bijoux, superbe mobilier. Dans la petite salle attenante, *Fête de village* de Martin Van Cleef, mais surtout l'extraordinaire *Dulle Griet* (Margot l'Enragée) de Pieter Bruegel Iᵉʳ, impressionnante dénonciation de la guerre et de ses méfaits, magistrale allégorie de la Folie, du Vice et de la Bêtise et, surtout dénonciation des horreurs de l'Inquisition. On reste proprement fasciné par l'avalanche de signes, messages, métaphores contenus dans ce tableau.

En plus, on peut admirer ses *Douze Proverbes* peints sur des assiettes de bois, et, en prime, le *Recensement à Béthléem* de Bruegel le Jeune (une copie d'une œuvre de son père), ainsi que l'*Arrivée des Rois mages* de Jan Bruegel (un vrai boulot de miniaturiste).

– *Salle des sculptures religieuses* (salle 8) : d'abord, on admire la *Marie-Madeleine* de Jan Gossaert, dit Mabuse : richesse du rendu du vêtement et de la coiffure sans égal, velouté et toucher de la peau exceptionnels... elle semble défendre fermement son bol à onguent !

– *Le salon* : on finit par un exquis *Portrait de Dame* par Nicolas de Largillière, un autoportrait de Van Loo, de prestigieux objets d'art.

🍴 *Maagdenhuis* (ancien orphelinat ; plan I, B4, **123**) : Lange Gasthuisstraat, 33. ☎ 03-223-56-20. Tlj sf mar 10h (13h le w-e)-17h. *Entrée : 3 € ; réduc.* Des siècles durant, ce bâtiment logea les orphelines. Fort logiquement, il

> ## UN FLAIR INCROYABLE !
>
> *Ce* Dulle Griet *fut repéré dans une vente aux enchères publiques par Fritz Meyer Van den Bergh en 1894. Tableau même pas connu des marchands d'art présents. On se disait bien que c'était peut-être un Bruegel, mais le peintre à l'époque était assez méprisé et d'aucuns trouvaient ses sujets peu nobles, voire grossiers. Fritz Mayer, qui possédait une solide connaissance des peintres de cette époque, flaira le gros coup et n'eut aucun mal à arracher la vente, pour dit-on, une somme dérisoire. Rentré chez lui, il eut les preuves que c'était bien le* Dulle Griet *qui avait disparu depuis qu'un historien l'avait répertorié au* XVIIe s. *Depuis, ce tableau est considéré comme l'une des plus grandes œuvres de Bruegel l'Ancien !*

sert aujourd'hui de local au Centre public d'aide sociale. On ne visite que le rez-de-chaussée. Et d'abord le musée. Dans un décor superbement carrelé où reposent des armoires en chêne, vous admirerez quelques beaux tableaux. *Une orpheline au travail*, signée Cornelius De Vos. Et deux majestueux *Saint Jérôme*, l'un d'Antoon Van Dijck et l'autre de Maarten De Vos, tous deux datés de la fin du XVIe s. La collection de bols en céramique d'Anvers, présentée dans la chapelle, est de la même époque.

🍴🍴 Ⓜ *Begijnhof* (le béguinage ; plan I, C2, **143**) : *entrée par la Rodestraat, laquelle donne dans l'Ossenmarkt. Tlj 9h-17h. Entrée gratuite.* On situe l'arrivée des béguines en 1544. En plus de leurs habituelles maisonnettes, ces dames de grande vertu construisirent un hôpital. Quand elles ne s'occupaient pas des malades, elles priaient ou faisaient de la dentelle. Des courettes charmantes précèdent les maisons aux noms évocateurs de Saint-Joseph, de Sainte-Bernadette-Soubirous ou du Saint-Esprit. Un conseil, venez tôt le matin (de toute façon, c'est le seul site ouvert à cette heure). La rue pavée, la vieille église, presque toujours fermée, baignent d'une paix sereine ces lieux délicieux. Allez savoir pourquoi les béguines ont disparu...

Dans le quartier de la gare centrale

Quartier en pleine mutation, où le chic côtoie la déglingue. Forte présence de l'Asie, avec des karaokés coréens et des épiceries chinoises.

🍴🍴🚶 *Le Jardin zoologique* (plan I, D4, **139**) : Koningin Astridplein. ☎ 03-202-45-40. ● zooantwerpen.be ● *Sur la droite en sortant de la gare. Ouv tlj tte l'année : 10h-19h en juil-août ; jusqu'à 18h en mars-juin et sept ; 17h30 en mars-avr et oct ; 16h45 le reste de l'année. Entrée : 18,50 € ; 13,50 € pour les 3-11 ans.* Créé en 1843, le zoo d'Anvers est l'un des plus vieux au monde. Tout commença par une collection d'oiseaux empaillés car les concepteurs du lieu avaient en tête de promouvoir l'étude des sciences naturelles. Aujourd'hui, le zoo regroupe quelque 750 espèces et plusieurs milliers d'animaux, dont certains très menacés, comme l'*okapi* ou le *paon du Congo*. Outre les grands mammifères communs à tous les zoos, vous pourrez voir, toutes les heures, les crocos prendre une douche dans le bâtiment des reptiles, assister à l'alimentation des oisillons dans la maternité du bâtiment des oiseaux ou encore profiter des spectacles d'otaries à l'*aquaforum*. Dernières créations en date : le *Vriesland,* où évoluent manchots et loutres de mer, et, surtout, le biotope *hippotopia,* qui héberge des hippos bien sûr mais aussi des tapirs de Malaisie. On notera aussi le *temple égyptien,* pour les girafes, mais ça, c'est vieux de 150 ans... Son auteur, C. Servais, devait être encore sous le coup de l'égyptomanie mise à la mode par l'équipée de Bonaparte en visite chez les Mamelouks.

Le zoo d'Anvers occupe plus de 10 ha en plein centre-ville. C'est beaucoup. Et comme les Belges sont amateurs d'étrange, il court pas mal d'histoires – parfois véridiques – à propos d'animaux en fuite dans la ville. Le zoo a sa succursale près de Malines, à Muizen : c'est le parc zoologique de *Planckendael,* une vaste réserve où la nature est en beauté. On dit que les animaux du zoo d'Anvers y vont en vacances, quand ils sont las des gesticulations des humains...

🚶🏃 *Aquatopia* (plan I, D3, *141*) : Koningin Astridplein, 7. ☎ 03-205-07-40.
● *aquatopia.be* ● *Dans les bâtiments de l'hôtel* Astrid Park Plaza. *Tlj (sf j. de Noël) 10h-18h (dernier billet 1h avt). Entrée : 13,95 € ; réduc et forfaits famille.*
Pour les amateurs de faune aquatique, un tout nouvel aquarium d'un million de litres, 16 km de tuyaux et 10 000 poissons. Divisé en une dizaine de sections (la forêt et les mers tropicales, la mangrove, les merveilles de l'océan, les lits des rivières australiennes...), il renferme une multitude d'espèces aux noms hilarants, comme les dollars d'argent, poissons-porcs, souffleurs épineux, chirurgiens olivâtres, cœurs saignants, demoiselles à queue dorée, oursins-crayons ou « chelmons à bec médiocre » !
Bien sûr, vous passerez dans le traditionnel tunnel à requins, où se meut aussi un poisson Napoléon, et pourrez admirer raies, murènes et poissons-pierres. Les curieux apprendront également, grâce aux bornes interactives, que les piranhas ne sont en fait guère dangereux pour l'homme... et que les poissons-clowns femelles sont tous d'anciens mâles auxquels une supériorité physique sur leurs congénères a imposé un changement de sexe !

🎣 *La gare d'Antwerpen Centraal* (plan I, D3) : construite entre 1895 et 1905 par l'architecte L.-J.-J. de La Censerie, elle a subi d'importants travaux pour accueillir, depuis 2007, les *Thalys* en provenance de France. Son style néobaroque vaut le coup d'œil. Une gigantesque verrière et un magnifique dôme coiffent l'ensemble. Les matériaux (fer et verre) autorisent tous les éclectismes (mélanges de styles, pour ceux qui auraient oublié). Ce grand urbaniste qu'était le roi Léopold II fut le plus ferme soutien de cette « cathédrale du chemin de fer ». Il y a même des touristes qui la prennent pour une église ! Jeter un coup d'œil au buffet du 1er étage, qui a été restauré.

Le quartier des diamantaires

En regardant la façade de la gare ferroviaire, prendre sur la droite. On s'enfonce alors au cœur du quartier juif. La *Pelikaanstraat* et les rues alentour *(plan I, D4)* sont bordées par des dizaines d'entreprises de bijouterie qui ont souvent leur boutique sous les voies du chemin de fer. Ici, les juifs hassidim (ce sont des religieux qui suivent les préceptes talmudiques de manière stricte), rejoints par des Indiens, des Libanais et des Arméniens, forment une communauté de quelque 20 000 âmes. Très pratiquants, ces juifs portent une tenue austère et simple : un manteau noir, un chapeau ou bien la traditionnelle kippa. Selon la tradition, ils ont de longues mèches en papillote roulées autour des oreilles. Ceux qui connaissent le quartier de Mea Sharim à Jérusalem ou de Williamsburg à New York ne seront pas dépaysés.
Jusqu'à présent, beaucoup de ces juifs pratiquants travaillaient dans l'industrie et le commerce du diamant (aujourd'hui, de plus en plus d'Indiens). Clin d'œil linguistique : le mot anglais *jew* n'est-il pas contenu dans le mot *jewel* ? Le quartier des diamantaires d'Anvers joue depuis le XVe s un rôle essentiel dans l'économie de la

ville. Les juifs étaient déjà à Anvers au XIIᵉ s. C'est aujourd'hui le ***plus grand centre diamantaire au monde.*** Voilà un espace urbain qui ne mesure pas 1 km² mais dont le chiffre d'affaires dépasse les 20 milliards d'euros par an. Ce petit quartier assure à lui tout seul pas loin de 7 % (en valeur) des exportations annuelles de la Belgique !

Savez-vous que quatre des 28 Bourses du diamant que compte la planète se situent à Anvers ? On trouve dans ce quartier 1 500 sièges de sociétés diamantaires. Côté diamants bruts, c'est près de 85 % de la production mondiale et 50 % des diamants taillés qui passent par Anvers. Selon des rites immuables au sein de la profession, les transactions orales y sont la règle. Et on est forcément entre gens de parole : celui qui ne respecterait pas la sienne verrait sa tête mise à prix dans le monde entier. Cela dit, le marché est de plus en plus entre les mains de négociants jaïns du Nord de l'Inde, qui réalisent déjà 65 % des transactions. Le succès de ces Indiens, qui pratiquent une religion non violente où dominent le végétarisme et le respect des êtres vivants, provient de leur capacité à délocaliser leurs ateliers de taille dans leurs entreprises familiales de Bombay et du Gujarat. Mais ils ont réussi surtout par leur rigueur morale à s'assurer la confiance et le respect des hassidim. Ce n'est d'ailleurs pas pour rien qu'ils ont bénéficié de dons considérables des organisations caritatives juives à la suite du tremblement de terre qui a dévasté le Gujarat en 2001. Début 2007, le hold-up particulièrement audacieux qui a vu un malfrat vider les coffres d'une banque en toute impunité a défrayé la chronique.

🦿 ***Diamondland*** (plan I, D3, **149**) : *Appelmansstraat, 33 A.* ☎ 03-229-29-90. • *dia mondland.be* • *Lun-sam 9h30-17h30, dim (sf en hiver) 10h-17h30. On vous conseille la visite guidée (20 mn) lun-ven à 11h. Entrée gratuite.* On peut y voir les tailleurs de diamants au travail et suivre les étapes de ce délicat processus : le marquage, le clivage, le débrutage, la taille (facettage et polissage). Pour qu'un diamant soit beau, il doit réunir quatre qualités, les « Four C » en anglais : *Carat, Clarity, Color and Cut,* c'est-à-dire le carat, la clarté, la couleur et la coupe. Bien sûr, rien ne vous empêche d'acheter.

🦿🦿 ***Diamantmuseum*** (musée du Diamant ; plan I, D3, **140**) : *Koningin Astridplein, 19-23.* ☎ 03-202-48-90. • *diamantmuseum.be/* • *Tlj sf mer et j. fériés 10h-17h30. Fermé en janv. Entrée : 6 € ; réduc. Visite avec audioguide. Démonstration de taille de diamants (lun-ven).*

Une visite à ne pas manquer, c'est le plus grand musée au monde consacré au diamant. Présentation ultramoderne et interactive grâce aux écrans tactiles et à la haute technologie. On y découvre la captivante histoire de cette pierre mystérieuse et unique, depuis la mine jusqu'à la vente en bijouterie en passant par les différentes étapes de sa mise en valeur : la fouille, la taille, l'industrie. Si l'or est inaltérable, le diamant reste la pierre la plus dure de la création. Elle a une dimension presque mystique et sacrée. Ce n'est pas un hasard si le diamant est associé aux sentiments humains les plus forts : la passion, l'amour. On l'offre ainsi aux grands moments de la vie, les fiançailles ou le mariage.

Au fil de cette visite passionnante, on découvre que la taille dite « brillant » présente 57 facettes. Parmi les plus célèbres diamants du monde : le *Cullinan* pèse 530 carats soit 106 g (1 carat = 1/5 de gramme) ; il est actuellement conservé à la tour de Londres. Le diamant *Taylor-Burton* (69,5 carats) offert par l'acteur Richard Burton à Liz Taylor (quel geste d'amour !) avait la forme d'une poire (quelle bonne poire !) et il serait actuellement en Arabie Saoudite, au pays de l'or noir !

Dans le quartier du vieux port

🦿 ***Hessenhuis*** (plan I, B1, **142**) : *Falconrui, 53.* Cette majestueuse demeure du XVIᵉ s hébergeait les armateurs allemands. L'extérieur vaut le coup d'œil mais l'intérieur ne se visite pas, sauf s'il y a une exposition (se renseigner à l'office de tourisme ou au restaurant d'en dessous).

🗡 *Sint-Pauluskerk* (église Saint-Paul ; plan I, A1, **130**) : Veemarkt, 14, au nord de la Grand-Place. ☎ 03-232-32-67. Entrée par la Nosestraat, au Veemarkt (marché au bétail). Ouv 1er mai-30 sept tlj 14h-17h ; le reste de l'année, ouv pour la messe (mar-ven à 18h et dim à 11h) mais la visite est interdite pdt l'office. Rens par téléphone conseillé. Entrée gratuite (mais 1 € pour le trésor). L'incendie qui ravagea l'édifice dans les années 1960 semble avoir encore accentué son mystère (bien que tout ait été reconstruit). Le baroque du XVIIIe s imprègne particulièrement les stalles, élégantes autant que majestueuses, ainsi que les confessionnaux richement ouvragés. Rubens a laissé ici plusieurs œuvres majeures : *La Dispute du saint sacrement* (1609), *L'Adoration du berger* et surtout *La Flagellation* (1617), qui font partie des 15 panneaux du *Mystère du rosaire*. L'église Saint-Paul passe pour être le seul lieu au monde où un Rubens, un Van Dyck et un Jordaens sont encore accrochés à leur place initiale. Le dernier miracle se déroula lors du grand incendie de 1967 : ce sont les prostituées du quartier qui ont sauvé du feu les Rubens ! Vous apprécierez également le jardin et la cour de l'église – entre autres –, le calvaire, aux figures richement sculptées, surtout aux abords de la nuit, lorsqu'une lumière hitchcockienne enveloppe l'église.

– Entre l'église Saint-Paul et le vieux port se trouve le *quartier chaud* d'Anvers. Impossible de vous tromper : les néons rouges et roses forment une auréole cosmétique autour des corps féminins, réunis ici sans distinction d'âge ou de race. Pour « lourdement touristique » que soit cette exposition de chair fraîche, il faut souligner qu'à la différence d'Amsterdam, où la prostitution est réglementée et surveillée par les autorités et « autogérée » par les filles elles-mêmes, le quartier chaud d'Anvers est livré sans réel contrôle aux proxénètes des mafias russe et albanaise, qui y exploitent presque impunément des cargaisons de pauvres filles poussées hors de leur pays par la misère.

Plus au Nord : het Eilandje

Het Eilandje, c'est la partie la plus ancienne du port. Dans la longue courbe qu'effectue l'Escaut (au niveau de Montevideostraat) s'amarraient jadis les paquebots transatlantiques de la célèbre Red Star Line pour embarquer les énormes contingents d'émigrants à destination des Amériques... Aujourd'hui, il ne subsiste plus, au coude à coude, que de hautes grues désœuvrées et des quais déserts, propices à de romantiques promenades au soleil couchant... L'itinéraire démarre au dock Bonaparte où s'élève désormais le tout nouveau musée consacré à l'histoire maritime d'Anvers. À partir de là, vers le nord, ce ne sont que succession d'entrepôts abandonnés, de bassins délaissés, au long de rues et de quais dont les noms sont autant d'invitations au voyage ! Bataviastraat, Braziliestraat, Limastraat, Madrasstraat, Indiestraat... Balade qui permet de saisir d'insolites architectures (comme le néogothique immeuble du pilotage), de vénérables enseignes coloniales délavées, d'antiques écluses désormais classées (Kattendijkhuis sur Limastraat), d'agences maritimes au chômage... Tout cela baigne dans une atmosphère d'une âpre nostalgie, dans l'attente du nouveau plan de développement. Quelques restos et cafés branchés n'ont pas attendu et commencent à animer Bordeauxstraat et Napoleonkaai. Tout en haut déjà, sur Siberiatstraat, les anciennes pompes servant à vider l'eau des bassins abritent un beau restaurant à la mode (Het Pomphuis, voir chapitre « Où boire un verre ? »)... Ne pas manquer de se procurer l'excellente brochure « Het Eilandje » (éditée par le bureau de tourisme) avec ses itinéraires fort bien détaillés, révélant toutes les richesses architecturales du port et son émouvante histoire à travers nombre de passionnantes anecdotes.

Au sud : le quartier du musée de la Mode et du musée des Beaux-Arts

L'ouverture du musée de la Mode en 2002 a donné un nouvel essor à ce quartier et à son artère principale, la Nationalestraat *(plan I, A3)*. Entraînés par le vent du renouveau, des créateurs et des stylistes, tels que Dries Van Noten ou Walter Van Beirendonck, y ont installé leur atelier ou leur magasin (voir plus loin la rubrique « Shopping »). Le quartier, animé le soir, voit aussi fleurir les restos et cafés branchés. Les anciens entrepôts sont réhabilités et transformés en lofts à l'architecture d'avant-garde. Voilà un périmètre en pleine renaissance donc, et si différent des quartiers historiques autour de la cathédrale. Depuis le musée de la Mode jusqu'aux quais de l'Escaut, des édifices contemporains s'intègrent désormais aux

> ## UNE VILLE D'ART, DE DESIGN ET DE MODE
>
> *Depuis la fin des années 1980, Anvers s'est confectionné une réputation dans le domaine de la mode avec un style « minimaliste » très caractéristique. On connaît des routardes branchées qui font le déplacement à Anvers rien que pour faire les soldes ou découvrir les dernières créations du groupe des « Six d'Anvers ». Dans le quartier du Vlaamse Kaai, on peut visiter leurs showrooms, où se combinent, dans un mélange détonnant, mode décoiffante et art contemporain.*

maisons populaires, encore peuplées d'immigrés turcs. L'un des symboles de ce renouveau est la *Kloosterstraat,* quasiment dévolue aujourd'hui aux antiquaires. Au n° 15 (à côté du resto *Hecker*), on remarque une noble façade à pignon et fenêtres à meneaux. C'est la *maison Mercator Ortelius,* superbe demeure patricienne des XVIe-XVIIe s. Cour intérieure avec façades de brique surmontées de pignons à la flamande sur trois côtés. Aile du fond plus tardive ornée de deux statues du XVIIIe s (Vénus et Bacchus). Le bâtiment abrite aujourd'hui un service archéologique de la ville. Entre Klooster et Nationalstraat s'étend un sympathique quartier résidentiel. Élégante rue bobo, la *Rijke Beukelaerstraat.* Les riverains ont installé des bancs devant eux et fait pousser buissons et fleurs. Au n° 4, une élégante demeure de 1651 en brique avec porche baroque en grès.
Plus au sud, dans le quartier du *Zuid,* le musée d'Art contemporain se réclame de cette nouvelle ligne architecturale, qualifiée d'« architecture navale ». À l'angle du Sint Michielskaai, voici les zébrures noires et blanches de l'immeuble de Bob Van Reeth, architecte contemporain très controversé.

🧵 *ModeMuseum (musée de la Mode ; plan I, A3, 150) :* Nationalestraat, 28. ☎ 03-470-27-70. ● momu.be ● *Depuis la gare centrale, Tram nos 2, 3 et 15, arrêt Groenplaats. Ouv slt pdt les expos, tlj sf lun 10h-18h (21h le 1er jeu du mois). Entrée : 6 €.* Les Anversois le surnomment le MoMu. Dans un immeuble réaménagé, le musée de la Mode n'abrite que des expositions temporaires à thème. On y trouve aussi l'académie d'Anvers, sa célèbre école, et le *Flanders Fashion Institute* (institut de la mode des Flandres) imprégné de l'esprit de la « Bande des six » constituée à la fin des années 1980 : Marina Yee, Ann Demeulemeester, Dries Van Noten, Martin Margiela, Walter Van Beirendonck et Dirk Bikkembergs.

🧵🧵🧵 *Koninklijk Museum voor Schone Kunsten (musée des Beaux-Arts ; plan II, F6, 144) :* Leopold De Waelplaats. ☎ 03-238-78-09. ● kmska.be ● *Accès : trams nos 4, 8, 12 et 24 ; bus nos 1 et 23. Tlj sf lun et certains j. fériés 10h-17h (18h dim). Entrée (audioguide compris) : 6 € (8 € avec l'expo temporaire) ; gratuit pour les moins de 19 ans et pour ts le dernier mer du mois.*
Ordonnance des salles parfois chamboulée lors des grandes expos temporaires. De plus, le musée a recueilli de nombreuses œuvres du Rijksmuseum, le temps que durent les travaux. Leur retour à Amsterdam, vers 2012, viendra bien évidemment bouleverser une nouvelle fois l'accrochage.
ATTENTION, LE MUSÉE SERA FERMÉ POUR RÉNOVATION, À PARTIR DE L'ÉTÉ 2010. Les œuvres majeures seront placées provisoirement au nouveau musée d'Art construit au nord de la ville, dont le dock Bonaparte.
Cette énorme bâtisse néoclassique a été construite en 1884 pour remplacer l'ancien musée devenu trop petit. Résultat : ce musée grandiose est devenu le pôle du quar-

tier. Il renferme des milliers d'œuvres d'art. En un même parcours, on couvre tout simplement sept siècles, passant du gothique au pop art. Nous ne citerons que les incontournables, ainsi que les œuvres qui ont pris Anvers pour thème.

La visite commence par l'art ancien, au 1er étage. L'escalier monumental du musée a été entièrement aménagé autour des 39 tableaux du cycle de Nicaise De Keyser. Les trois grandes toiles de ce cycle illustrent les principales figures de l'école artistique anversoise dans un grandiose portrait de groupe imaginaire de 137 artistes.
Salle Q

La peinture flamande du XVe s, les « Primitifs ». De Jan Van Eyck, *Sainte Barbe* (1437) et *Vierge à la fontaine* (1439). Jan Van Eyck est l'archétype du *pictor doctus* de la Renaissance aux Pays-Bas, l'artiste savant, familiarisé avec l'étude de la nature, l'anatomie, la perspective, la science et la littérature.
Salle T

Salle de restauration du tableau de Hans Memling, *Christus met Zingende,* du XVe s.
Salle S

De Jean Fouquet, la « surréaliste » *Marie et Jésus entourés de séraphins et de chérubins*. En France, Jean Fouquet est mentionné comme « peintre du roy » en 1475. Sur ce panneau, Marie a les traits d'Agnès Sorel, la maîtresse de Charles VII. Les couleurs bleu et rouge et l'expression ambiguë des angelots font de cette peinture une énigme. Beau portrait signé Hans Memling.
Salle R

La peinture flamande au XVIe s. Plusieurs artistes restent fidèles à la tradition du XVe s. D'autres cherchent à se rapprocher de la Renaissance italienne et de l'humanisme européen.

Le triptyque monumental de Quentin Metsys, *La Déploration du Christ,* est une fusion de la tradition du XVe s et des nouvelles conceptions artistiques. On y retrouve la précision des détails, le paysage comme décor et des personnages stéréotypés. Les volets latéraux représentent des épisodes de la vie de Jean l'Évangéliste et de Jean le Baptiste, saints protecteurs de la corporation des menuisiers, commanditaire de l'œuvre en 1508.

Les maniéristes anversois forment un groupe de peintres restés anonymes. Tous travaillent à Anvers au cours de la première moitié du XVIe s. Leur production part d'une démarche purement commerciale et consiste pour une grande partie en *Adoration* et *Crucifixion* pleines de stéréotypes et de répétitions, dans un style affecté qui mélange de façon aléatoire des éléments de la Renaissance et des réminiscences du gothique.

Du Maître de Francfort, *Portrait de l'artiste et de sa femme*. Il est ainsi nommé parce que deux de ses œuvres principales ont été réalisées pour des commanditaires de Francfort. C'est un des premiers doubles portraits des Pays-Bas du Sud, au XVe s.
Salle K

Salle dédiée à Pieter Bruegel l'Ancien. Quelques toiles célèbres mais peintes par ses fils pour la plupart.
Salle L

Quelques sublimes nus de Lucas Cranach, mais aussi quelques œuvres de la Renaissance allemande comme une jolie *Ève* ou encore un tableau du Vénitien Titien, la première œuvre étrangère acquise par le musée.
Salle M

– Les précurseurs de Rubens. Frans Floris introduit aux Pays-Bas les thèmes mythologiques et allégoriques s'inspirant de la culture antique. Au milieu du XVIe s, il est le principal représentant de l'italianisme à Anvers. Son style est monumental et la plastique de ses personnages est très prononcée, à l'exemple de Michel-Ange. Frans Floris ouvre la voie pour ce que Rubens va réaliser au XVIIe s.

– Dans l'ombre de Rubens. L'influence de Rubens à Anvers a été considérable. L'artiste a été un stimulateur important pour le renouveau d'une ville qui, au XVIe s, avait perdu la plus grande partie de son opulence et de sa population. Les portraits de Cornelis De Vos sont parmi les plus beaux du XVIIe s.

Salle D

De Jan Bruegel, une *Fleur dans un vase*. Il s'agit de l'un des fils de Pieter Bruegel. On l'appelait aussi Bruegel de Velours. À la différence de son frère, qui passa sa vie à copier les œuvres du père, il réussit à imposer son style et à lancer une mode, celle des compositions florales sur fond noir, impressionnantes par leur technique et par la richesse du détail.

Salle I

Pierre Paul Rubens. C'est le plus polyvalent et le surdoué des peintres du baroque flamand. Avec Jacob Jordaens, Anton Van Dyck et de nombreux autres maîtres, qu'il éclipse tous, il contribue à la renommée artistique d'Anvers au XVIIe s. Il peint des scènes religieuses, historiques, mythologiques et allégoriques, des paysages et des portraits. En plus de cela, il est également dessinateur et créateur d'éléments architecturaux, de tapisseries et de décorations de livres. Le musée possède 21 tableaux et croquis à l'huile de Rubens.

ASTRONOMIE PICTURALE

Les éclipses sont parfois présentes dans les arts. C'est le cas du fameux tableau de Pierre Paul Rubens, le Coup de lance, *qui dépeint l'instant où le Christ mort, cloué sur la croix, est percé d'une lance. On peut voir une éclipse partielle de Soleil dans le coin supérieur gauche du tableau. Le peintre s'est inspiré des Évangiles, mais des calculs astronomiques ont prouvé qu'une éclipse ne pouvait avoir eu lieu ce jour-là.*

Salle H

Elle est consacrée à **Jordaens** et à **Van Dyck** dont on remarquera la *Vénus grelottante*. Encore quelques **Rubens.**

➤ On redescend au rez-de-chaussée pour attaquer le parcours de l'**art moderne,** qui ne connaît (pour l'heure en tout cas) aucune logique, ni chronologique ni thématique.

Salle 18

Une salle essentiellement dédiée à **l'art après 1945.** On y trouve surtout Pierre Alechinsky, membre du mouvement CoBrA, qui se dressait contre toutes les tendances courantes. Ça fleurait bon l'indépendance baba à cette époque !

Salle 19

L'expressionnisme. Après la Première Guerre mondiale, l'expressionnisme occupe le premier plan. Les expressionnistes flamands sont très bien représentés dans la collection du musée. Une petite sélection permet de voir comment chaque artiste, à sa manière, a assimilé les influences du cubisme, de l'expressionnisme allemand et de la sculpture africaine.

Salle 21

Rik Wouters peintre s'inspire surtout de Cézanne. Rik Wouters sculpteur cherche son inspiration chez Auguste Rodin, célèbre à ce moment pour sa technique dite impressionniste et sa composition expressive, deux concepts dans la sculpture qui étaient alors encore entièrement avant la lettre. Vincent Van Gogh lui tient compagnie.

Salle 24

Au travers de nombreuses toiles, **James Ensor** donne un aperçu convaincant de son incroyable palette chromatique et de l'immense variété de ses thèmes.

Salle 27

On termine avec **René Magritte** et **Paul Delvaux,** déjà croisé salle 25. De ce dernier, un *Ecce Homo* à la vision plutôt pessimiste.

🎨🏛 **Muhka** (*musée d'Art contemporain ; plan II, E5, 145*) **:** Leuvenstraat, 32. ☎ 03-260-99-99. ● muhka.be ● Bus n° 23, arrêt Zuid. Tlj sf lun et certains j. fériés 10h-17h. Entrée : 6 € ; réduc. L'architecture de cet ancien silo à céréales brille par sa sobriété fonctionnelle. À l'extérieur, façade abricot dans un environnement délabré. À l'intérieur, vastes salles blanc de blanc. Elles accueillent des expositions à thème ou des rétrospectives d'artistes contemporains. Un musée bien plus expérimental que son cousin de Gand. Espaces immenses : parfois une œuvre seule dans une salle de 100 m². Le Muhka (pour les intimes) veut questionner le réel et notre quotidien de la façon la plus artistique qui soit. C'est réussi ! Une œuvre étonnante par exemple n'est accessible qu'en prenant l'ascenseur. Si les collections du musée (de 1970 à nos jours) vous intéressent plus que ses expositions, il faudra venir pendant la période creuse, c'est-à-dire en été. Mais les expos tournantes sauront certainement retenir votre attention.

|●| Agréables terrasse et cafétéria.

🏃🎞 *FotoMuseum* (musée de la Photo ; plan II, E6, **146**) : Waalse Kaai, 47. ☎ 03-242-93-00. ● fotomuseum.be ● Bus n° 23. Tlj sf lun 10h-18h. Entrée : 6 € ; réduc. Ce musée exceptionnel est l'un des grands musées de la photo. À voir surtout pour ses expos temporaires mais aussi, au 2e étage, pour sa collection permanente, exposée par roulement : August Sander, Man Ray *(Les Galets)*, Berenice Abbott *(Lyric Theater 100 Third Avenue Manhattan)*, Doisneau *(Femmes de ménage au marché)*, Cartier-Bresson *(Valence 1933)*, William Klein (le célèbre *Bikini*, photographié dans le Moscou de 1959), Brassaï, Izis, Boubat...

Attention, ce n'est pas un musée de l'histoire de la photo. Vous ne trouverez que quelques appareils, à commencer par ceux, à silhouette, du XVIIIe s. Les visiteurs s'extasieront cependant devant le gros truc circulaire en bois pour visionner des photos à l'aide de jumelles. Quelques agrandisseurs aussi de-ci de-là. Voir encore les « caméras de voyage », qui rappellent qu'on voyageait alors avec de grandes malles. Chemin faisant, on découvre que la Belgique avait tôt succombé à la mode parisienne des cartes de visite-portraits. Que des bourses d'échange existaient déjà. Qu'on s'échangeait les photographies des célébrités pour les coller dans des albums. Plus « gadget », les ancêtres des appareils de James Bond : appareils camouflés dans des revolvers, des cannes, des montres à gousset, des chapeaux, des paquets de cigarettes...

🏃 *Anvers en miniature* (plan II, E5, **147**) : Hangar, 15A. ☎ 03-237-03-29. ● miniatuurstad.be ● À la hauteur du quai Cockerill. Mer et sam-dim 10h-17h. Entrée : 8,50 € ; réduc. Comme son nom l'indique, Anvers à l'échelle réduite. Un peu cher pour ce qu'on voit mais nul doute que les amateurs de maquettes y trouveront leur compte. Particulièrement réussis sont l'hôtel de ville et le Steen. L'apothéose, si l'on peut dire, est le son et lumière sur la maquette générale de la ville.

🏃 *Palais van Justicie* (palais de justice ; plan II, E6) : architecture étonnante, d'apparence à la fois majestueuse et délicate, surplombant cette entrée sud de la ville. Un grand souci écologique a présidé à sa construction. Curieux toit en forme de crêtes de vague ou d'écailles dorsales de dinosaure. Au choix ! C'est l'architecte Richard Rogers qui l'a conçu (il avait déjà travaillé avec Renzo Piano pour le centre Beaubourg à Paris).

Shopping

La réputation de l'école d'Anvers n'est plus à faire : coupes déstructurées parfaites, finitions impeccables et détail loufoque qui compense le style parfois austère. Mais attention, prix astronomiques ! Heureusement, on vous a déniché quelques marques et créateurs nettement plus accessibles, sans oublier quelques boutiques spécialisées dans le *vintage*. Si vous souhaitez suivre les traces des *fashion victims*, procurez-vous (par exemple à l'office de tourisme) le petit livre rouge *(Fashion Walk)* édité par le *Flanders Fashion Institute*. Et puis, n'oubliez pas, les soldes démarrent le 1er janvier et le 1er juillet, avec des rabais de 30 à 70 % !

Stylistes et créateurs

Huidevettersstraat, Komedieplaats et Schuttershof sont de jolies rues élégantes et huppées où se concentrent pas mal de boutiques de luxe, aux enseignes bien connues. Les créateurs belges ont, quant à eux, plutôt investi le quartier de la Nationalestraat, suivant l'exemple de la star incontestée de la mode anversoise, Dries Van Noten (au n° 16). Toujours aussi incontournable, on ne le présente plus (mais on adore toujours !). Le *Fashion Walk* recense l'ensemble des marques et des jeunes créateurs, voici déjà quelques adresses qui font parler d'elles à Anvers.

☸ **Walter** (plan II, F5, **152**) : Sint Antoniusstraat, 10. ☎ 03-213-26-44. ● walterstore@skynet.be ● Tlj sf dim 11h (13h lun)-18h30. Dans un ancien garage, un espace hallucinant où se côtoient du mobilier design et les dernières créations de stylistes plutôt déjantés, à commencer par celles du maître des lieux, Walter Van Beirendonck, le tout sobrement exposé sur des portiques. Prix plutôt indécents et fringues pas toujours « mettables ». En tout cas, vaut le coup d'œil !

☸ **Ann Demeulemeester** (plan II, F6, **160**) : Leopold de Waelplaats. ☎ 03-216-01-33. ● adshop@skynet.be ● Tlj 10h30-18h30. Encore un bel exemple de boutique de mode qui se visite comme l'on visite une galerie d'art. Là encore, on frise la provocation, tant par les formes et les matières que par les prix... Les Japonais adorent ! L'espace est splendide en tout cas.

☸ ♟ **Verso** (plan I, B4, **157**) : Lange Gasthuisstraat, 9-11. ☎ 03-226-92-92. ● info@verso.be ● Tlj sf dim 10h-18h. Le nouveau temple du luxe a trouvé ici un écrin magistral. Sous la verrière Art déco de l'ancienne *Deutsche Bank,* près de 2 000 m² entièrement dévolus à la mode, homme et femme. On y trouve les plus grandes marques internationales (Armani, Dior, Dolce & Gabbana, Fendi, Alexander Mc Queen, Gucci, Paul Smith, etc.) mais aussi quelques créateurs belges. Rien de bon marché, on s'en doute. Passez au moins admirer les lieux... Vous pouvez aussi boire un verre sur place, dans un décor design très *trendy.* D'un côté, le *Verso Café,* aux murs tout noirs et aux cheminées monumentales, avec, juste en face, le *Martini bar,* tout blanc, quant à lui... Très belle déco mais l'endroit, très conceptuel, manque singulièrement d'âme. Dommage...

Fripe et vintage

☸ **Sussies** (plan I, A3, **153**) : Oude Koornarkt, 69. ● sussieswinkel@hotmail.com ● Tlj sf dim 11h (13h lun)-18h. Boutique spécialisée dans le vintage seventies : fourrures, chemises à fleurs, robes « chasuble » ou à volants. Pas vraiment de griffes mais de tout petits prix.

☸ **Épisode** (plan I, A3, **154**) : Steenhouwersverst, 34a. ☎ 03-234-34-14. ● episode.eu ● Genre de hangar immense où l'on trouve des fripes de tous les genres : du neuf, du vintage à tous les prix... Petites robes rétro, sacs à main, blousons, liquettes originales, T-shirts, chaussures, chapeaux et même des masques à gaz ! Extra pour chiner.

☸ **Labels INC** (plan II, F5, **156**) : Aalmoezenierstraat, 4. ☎ 03-232-60-56. ● info@labelsinc.be ● Tlj sf dim 11h (14h mer)-18h. Vêtements griffés d'occasion. Pas vraiment du vintage, les modèles datent pour la plupart des dernières saisons. Peu de choix mais de véritables affaires à faire.

☸ **Jutka & Riska** (plan II, F5, **155**) : Nationalestraat, 87. ☎ 0473-52-82-52. ● riska@skynet.be ● Tlj sf dim 10h-18h30. Encore du vintage ! On y trouve de tout, de la paire de Moon Boots argentés à la petite robe Dior, en passant par des tenues très « Yvette Horner »... Grand choix de sacs à main et de pochettes. Dominante eighties.

Une mode urbaine plus abordable (ou presque)

☸ **Mais il est où le soleil ?** (plan II, E6, **162**) : Museumstraat, 2. ☎ 03-238-33-60. ● antwerpen@ousoleil.com ● Tlj sf dim mat et lun 10h30-18h. Fermé dim en

août. Belles coupes déstructurées, jolies matières. Ultra-féminine, originale et intemporelle, cette petite marque belge à peine distribuée en France a pignon sur rue à Anvers. Esprit créateur à prix plutôt abordables, voilà qui change.

◈ *Fish & Chips* (plan I, A3, **151**) : Kammenstraat, 36-38. ☎ 03-227-08-24. ● info@fishandchips.be ● Lun-sam 10h-18h30. Le rendez-vous des ados branchés et des adeptes du *street wear*, dans une rue plutôt vouée au gothique et au piercing... On y trouve de tout, y compris à boire et à manger ! Et pour ceux et celles qui aiment faire leur shop-ping en musique, DJ sur place !

◈ *Clinic* (plan II, E6, **161**) : De Burburestraat, 5. ☎ 03-248-69-11. ● info@clinicantwerpen.com ● Tlj sf dim mat et lun 10h-18h30. Un *concept store*, un peu comme le *Colette* parisien mais en moins sélect. Jeans et baskets édités en séries limitées s'arrachent littéralement. Un des cadres les plus tendance. Si vous voulez être dans le coup, c'est là qu'il faut aller !

Pas abordable du tout mais si tendance !

◈ *Hospital* (plan II, E6, **163**) : De Burburestraat, 4. ☎ 03-311-89-80. ● hospitalantwerp.com ● Là encore un ancien entrepôt aménagé, sur plusieurs niveaux. Mélange astucieux de décor ancien et moderne, utilisant toutes sortes de matériaux totalement éclectiques... Au milieu, un coupé Mercedes. À voir surtout pour le décor, car les vêtements très tendance sont à des prix exorbitants. Apparemment, la crise ne frappe pas tout le monde à Anvers !

Déco

◈ *Emery & Cie* (plan I, A3, **158**) : Reyndersstraat, 20. ☎ 03-231-30-84. ● emeryetcie.com ● Mar-ven 10h30-18h30, sam 13h-18h. La célèbre décoratrice bruxelloise a ouvert un superbe showroom à Anvers. C'est l'occasion de découvrir son univers si riche, si poétique et si personnel. Céramiques artisanales, carreaux de ciment, zelliges, mobilier en fer forgé, etc. Ici, les couleurs s'appellent Cœur d'artichaut, Vert tranquille ou Rose pas sage...

Manifestations

– **Marché aux Oiseaux :** dim 8h-13h, sur Oudevaartplaats (Theaterplein, près du théâtre Bourla ; café De Foyer) et de la maison de Rubens. Beaucoup de plantes et pas mal de brocante.
– **Marché du Vendredi** (Vrijdagmarkt) **:** chaque ven mat sur la place devant la maison de Plantin. Ventes publiques de brocante et de fonds de greniers.
– **Concerts de carillon :** à la cathédrale, tte l'année, lun, mer et ven 12h-13h ; 1er mai-30 sept, 15h-16h ; juin-sept, également lun soir 20h-21h.
– **Grande foire d'Anvers :** à partir de la Pentecôte et pdt 6 sem, au Waalse Kaai et au Vlaamse Kaai.
– **Fashion Show :** en juin. Rens au ☎ 03-226-14-47. ● ffi.be/ ● Défilés de mode permettant de voir les créations des étudiants de l'Académie royale des Beaux-Arts. Très populaire.
– **Marché de Rubens :** le 15 août, sur la Grand-Place. Vendeurs en costumes de l'époque de Rubens.

➤ DANS LES ENVIRONS D'ANVERS

🎋 *Cogels Osylei :* non loin de la gare ferroviaire de Berchem (elle-même à 2 km au sud du centre). On peut s'y rendre en train depuis Antwerpen Centraal. Ou en passant sous le pont de la Guldenvliesstraat : c'est là que commence la Cogels Osylei. La gare de Berchem est également desservie par les bus nos 6, 9 et 34, venant du centre, ainsi que par les trams nos 8 et 16. Acheter à l'office de tourisme la « Promenade Zurenborg » ou suivre la promenade no 10, décrite dans les « 12 Adventu-

ANVERS

res in Antwerp ». Ce quartier a surgi vers la fin du XIXe s dans le quartier Zurenborg, lequel n'était alors qu'une exploitation agricole. Édouard Osy et John Cogels, descendants du banquier baron Jean Osy, décidèrent d'y bâtir une gare ferroviaire marchande afin d'y créer une zone industrielle le long de la voie ferrée Anvers-Bruxelles. Observant, vers 1880, l'accroissement de la population anversoise, ils changèrent leur fusil d'épaule et construisirent des habitations. L'opération immobilière se révéla aussitôt juteuse. Toute la bourgeoisie catholique et dorée rêvait d'une belle villa sur ces terres que l'on surnomma, du coup, le « quartier des Calotins » (Kalottenwijk). Le style est typique du *Jugendstil* (Art nouveau), on ne peut plus éclectique et pourtant très homogène. Chacune de ces villas, qu'elle soit néo-grecque, néogothique, néo-Renaissance, néobaroque ou encore Arts & Craft, est un modèle du genre, dans un pur esprit Belle Époque. Quelques très beaux exemples de pur *Jugendstil*, aux influences végétales et florales, fortement inspirées de l'architecte bruxellois Victor Horta. Détail : le Neuilly anversois vaut pour ses façades car l'intérieur en serait, prétend-on, plus banal. Pour les *sinjoren*, le look primait sur tout. Mais ne boudez pas votre plaisir, 170 de ces maisons sont classées Monuments historiques, signées, qui plus est, par de grands architectes, tels que Jos Bascourt, un élève de Horta. Les amateurs d'ambiance et d'architecture seront comblés et ne regretteront pas cette petite virée à l'écart du centre-ville.

🏃 **Linkeroever** *(rive gauche de l'Escaut) : pour y aller en voiture, emprunter l'un des tunnels qui passent sous l'Escaut : soit le Waaslandtunnel (il part non loin de l'Italielei), soit – plus au sud – le tunnel Kennedy. En empruntant l'un des trams qui passent sous l'Escaut (le n° 2 ou le n° 15), descendre à l'arrêt Frederik-Van-Eeden. À pied, à vélo ou à moto : emprunter le tunnel Sainte-Anne, que vous trouverez tt au bout d'une longue descente, en arrivant des escalators (ou du grand ascenseur) du Sint Jans Vliet (plan I, A3, 148). Ce tunnel est long de 572 m, pour 4,74 m de diamètre, le tt à près de 32 m de profondeur ! Malgré ces petits frissons, ça vaut vraiment le coup : la rive gauche offre un panorama exceptionnel sur la ville.* Dans ce **quartier** baptisé **Sint-Anna** – comme le tunnel et la plage voisine –, n'attendez pas trop d'extases architecturales. Et cela en dépit du concours, organisé en 1933, visant à y construire une ville nouvelle capable de loger 50 000 habitants. Le Corbusier y a même participé mais son projet, trop ambitieux, n'a pas été retenu. Un mot, enfin, de la plage Sainte-Anne : ses cafés et ses restaurants, campés devant le panorama mentionné plus haut, forment un îlot de détente apprécié des Anversois.

🏃🏃 **Openluchtmuseum voor Beeldhouwkunst Middelheim** *(musée de Sculptures en plein air du Middelheim) : parc du Middelheim, Middelheimlaan, 61.* ☎ 03-827-15-34. ● http://museum.antwerpen.be/Middelheimopenluchtmuseum/ ● Bus n°s 17, 27 et 32. Tlj sf lun et certains j. fériés 10h-17h (21h juin-juil, 20h mai et août, 19h sept et avr). Entrée gratuite sf s'il y a une expo temporaire. Avant tout, procurez-vous un plan du parc et de ses sculptures au guichet qui se trouve à l'entrée du bois, en face du château (vu la circulation, prudence en traversant la Middelheimlaan). Ce musée est né en 1950 d'une idée qui a germé à l'occasion d'une exposition de sculptures. Sur 12 ha, le parc montre des statues dans tous les coins – il en a 300, un vrai jeu de piste ! – et vous offre, en prime, un joli château. Tâchez de reconnaître le *Monument à Balzac* (1892-1897) de Rodin, *Le Chien* (1958) de Calder – on le voit mieux de loin que de près –, *Orpheus* (1956) de Zadkine, l'amusant *Prophète* (1933) de Gargallo, les très expressifs *Roi et reine* (1952-1953) de Henry Moore et encore Maillol, Henri Laurens, Rik Wouters... Plus les œuvres prêtées pour des expositions ponctuelles. Au fond du parc, un pavillon abrite les statues les plus fragiles.

LE PORT D'ANVERS

🏃🏃 Anvers est à 88 km de la mer, via l'Escaut. Ça ne l'empêche pas d'être le deuxième port d'Europe (après Rotterdam). Napoléon l'y a bien aidé... Deux mille ouvriers ont œuvré à la construction des bassins (Bonapartedok et Willemdok) de sa base navale. Deux siècles ont passé... Aux Invalides à Paris, la mention de ces travaux figure toujours sur le tombeau de l'Empereur. Mais, à présent, l'activité a déserté le vieux port pour se concentrer dans les nouvelles zones portuaires. Inutile d'y chercher les parfums du Congo qu'exhalaient autrefois les marchandises débarquées sur le Steen...

Poumon de l'économie nationale, le port d'Anvers a généré un important pôle industriel. Celui-ci s'agrandit constamment : vers le nord, en direction de la frontière hollandaise, en amont et vers la mer. Des écluses géantes sont nées pour accueillir des navires toujours plus gros. La Berendrecht est la plus vaste au monde : 500 m de long, 68 m de large et 19,5 m de profondeur. Les esthètes regretteront pourtant que les docks et les tours des centrales atomiques aient évincé les polders et englouti tant de villages superbes pour pousser leur extension...

Entre le secteur industriel et les activités strictement portuaires, le port emploie plus de 70 000 personnes. Ce monstre aligne, tenez-vous bien, 127 km de débarcadères et 2 100 ha de docks. 110 millions de tonnes de marchandises y sont transbordées chaque année, au fil de 16 000 accostages. Ajoutez-y les raffineries, la pétrochimie, la chimie (une des plus grosses concentrations au monde) et des installations industrielles qui portent des noms célèbres : Monsanto, Solvay, Total Fina, Exxon-Mobil, BASF, Bayer, Air Liquide, Esso...

➤ **En voiture :** muni d'une bonne carte (*Havenroute*, en vente à l'office de tourisme), tracez votre itinéraire au fil des panneaux indiquant les villages ou industries. On a vu plus facile... Mais pas question de s'abstenir. Ce port géant a quelque chose de surréaliste, avec ses grues immenses égarées au milieu des raffineries, ses ponts levants qui trouent souvent votre route jusqu'au village de *Lillo* et sa petite église en pleine nature qui rappelle que, au bon vieux temps, la campagne des polders s'étendait à perte de vue. ● *portofantwerp.be* ● (en anglais).

➤ **En bateau :** la compagnie *Flandria* (Steenplein ; plan I, A2 ; infos au : ☎ 03-231-31-00 ; ● *flandriaboat.com* ●) propose plusieurs types d'excursions.

– *Excursion de 50 mn* : mai-fin sept ; départ du quai voisin du château du Steen, 13h-16h (ttes les heures). Les billets (7,50 € ; réduc) s'achètent au moment du départ (en hte saison, venir un peu plus tôt). Vous découvrirez le panorama de la ville, sa respiration architecturale et ses écluses de légende. Propose aussi un forfait à la journée comprenant la croisière et la visite d'Aquatopia (16 €).

– *Excursion de 3h* : 1 départ/j. à 14h30 mai-fin sept et ven-dim oct-nov. Compter 12 €. Le bateau part du Londenbrugkaai, à 1 km au nord du Steen (suivre les flèches « Flandria » postées sur les quais).

– *Excursion aux chandelles* : sur résa sam soir mai-fin sept, ainsi que le 3ᵉ sam du mois nov-avr. Croisière nocturne de 3h avec repas à bord. Cher (65 €) et plutôt ringard.

– *Excursion d'une journée* : juil-août, 1 à 2 fois/sem. Jusqu'en Hollande (Vlissingen, Middelburg, Veere Goes).

LA PROVINCE D'ANVERS

LIERRE (LIER)

(2500)   33 000 hab.

Souvent surnommée « la Petite Bruges » ou « Lierke Plezierke » (« Lierre Petit Plaisir »). C'est un détour obligé lorsqu'on quitte Anvers. Si ses canaux et son béguinage rappellent le Grand Port, sa Grand-Place et sa curieuse tour Zimmer ont un charme bien à elles. Faites-vous plaisir en croquant les *Lierse Vlaaikens*, exquises tartelettes dont personne ne voudra vous confier la recette... mais, légères, onctueuses et savoureuses, vous comprendrez rapidement pourquoi ! Leur goût épicé rappelle celui du *speculoos*. Un label protège la recette originale.

UN PEU D'HISTOIRE

La première mention de Lierre date du VIIᵉ s. La légende dit que *saint Gommaire* en aimait les cours d'eau et qu'il y installa son ermitage. Lierre attendit 1212 pour prendre rang de ville. Depuis, sa prospérité ne s'est jamais démentie. La ville a enfanté quelques grands noms des Flandres : le peintre Opsomer, l'écrivain Felix Timmermans, l'horloger Zimmer... Les gens de Lierre, on peut le dire, ont la tête près du bonnet. Ayant eu à choisir entre une université et un marché au bétail, ils se décidèrent pour le second. Et gagnèrent le surnom flatteur de « Têtes de mouton » *(Schapenkoppen).*

Arriver – Quitter

➢ *En train :* d'Anvers Central, départ ttes les heures ; de Bruxelles Centrale, ttes les 30 mn. Changer à Malines.
➢ *En voiture :* à 17 km d'Anvers. Quitter Anvers par l'E 19 en direction de Malines (Mechelen)-Bruxelles, prendre la sortie Duffel n° 8, ensuite c'est tout droit jusqu'à Lierre. Ou encore par l'autoroute de Liège (Luik)-Hasselt (E 313), prendre la sortie Massenhoven n° 19 et suivre les panneaux indiquant Lier. Au *Centrum,* garez-vous au parking payant de l'hôtel de ville (Grote Markt). Sinon, parking gratuit au sud de la ville (10 mn à pied ou navette gratuite pour gagner la Grand-Place).
➢ *À vélo :* mais oui ! On peut venir d'Anvers ou de Malines en suivant les chemins de halage, à travers la campagne. Demandez dans les offices de tourisme concernés les différents circuits *(Fietsvriendelijke Horecazaken),* fort bien faits et parfaitement balisés. Beaucoup de ces pistes cyclables sont en site propre et c'est tout plat ! Compter 5 € par topoguide, 15 € les quatre. En plus de la carte et de l'itinéraire, vous y trouverez la liste (en néerlandais) des étapes pour manger, dormir, récupérer ou réparer le vélo, etc.

Adresses utiles

🏢 *Office de tourisme* (plan A1-2) : hôtel de ville (Stadhuis), Grote Markt. ☎ 03-800-05-55. • toerismelier.be • 1ᵉʳ avr-31 oct, tlj 9h-12h30, 13h30-17h.

Fermé le w-e en hiver. Liste de B & B.
■ *Location de vélos* (hors plan par A1) : à la gare ferroviaire NMBS, Leopoldplein, 32. ☎ 03-480-02-36.

Où dormir ?

Chambres d'hôtes

🛏 *Chambres Bosch-Marain :* Lispersteenweg, 14. ☎ 03-488-71-76. • gwendolyn.marain@belgacom.net • Au nord de la ville, près du stade de foot. Ouv slt

en août. Double avec sdb commune 55 €, petit déj inclus. Simple, propre, familial et économique. Accueille des étudiants le reste de l'année.

Plus chic

🛏 *Hôtel Hof Van Aragon* (plan B1, **10**) : Mosdijk, 6. ☎ 03-491-08-00. • info@hofvanaragon.be • hofvanaragon.be • Doubles 87-119 € selon taille, petit déj compris. C'est le seul hôtel de la ville. Bien situé le long d'un petit canal.

Chambres modernes et spacieuses, dans les tons bleu roi et blanc. Parfaitement intégrées dans une déco de pierre brune, elles sont très confortables. Salles de bains soignées. Loue aussi des vélos.

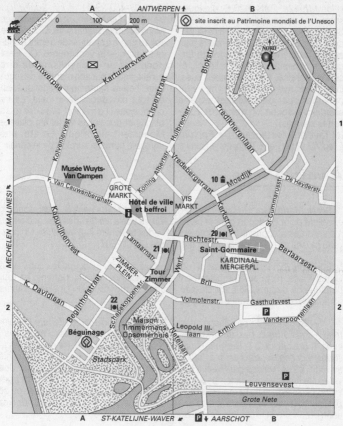

site inscrit au Patrimoine mondial de l'Unesco

NORD

Kartuizersvest

Antwerpse

Blokstr.

Lisperstraat

Predikherenlaan

Hulbrechtstr.

De Heyderstr.

Kolveniervest

Straat

Koning Albertstr.

Vredebergstraat

10 Mosdijk

St.-Gummarusstr.

Musée Wuyts-Van Campen

F. Van Cauwenberghstr.

GROTE MARKT

Hôtel de ville et beffroi

VIS MARKT

Kerkstraat

Kapucijnenvest

Lantaarnstr.

21

Rechtestr.

20

Saint-Gommaire

Berlaarsestr.

MECHELEN (MALINES)

K. Davidlaan

ZIMMER-PLEIN

Tour Zimmer

Werk

KARDINAAL MERCIERPL.

Begijnhofstraat

Bril

Voilmolenstr.

Gasthuisvest

Schapenkoppenstr.

22

Béguinage

Maison Timmermans-Opsomerhuis

Leopold III-laan

Vanderpoortenlaan

Arthur

Stadspark

Leuvensevest

Grote Nete

LA PROVINCE D'ANVERS

ST-KATELIJNE-WAVER ↙   ↓ AARSCHOT

LIERRE (LIER)

■ **Adresses utiles**

🛈 Office de tourisme
✉ Poste
🚂 Gare NMBS

🛏 **Où dormir ?**

10 Hôtel Hof Van Aragon

🍴 **Où manger ?**

20 Van Ouytsels Koffiehoekje
21 Taverne-restaurant De Fortuin
22 Zuster Agnes

Où manger ?

🍴 **Van Ouytsels Koffiehoekje** (plan B2, **20**) : Rechtestraat, 27. ☎ 03-480-29-17. ● ludovano@skynet.be ● Sur le côté gauche de la rue principale, qui va de la Grand-Place à l'église Saint-Gommaire. Tlj sf lun 9h (12h dim)-18h.

Plat env 10 €. Petite restauration dans une vieille « maison de café » qui torréfie encore elle-même.

🍴 **Zuster Agnes** (plan A2, **22**) : Schapenkoppenstraat, 16. ☎ 03-288-94-73. ● info@zusteragnes.be ● Service tlj *sf lun 11h-22h. Plats 9-20 € ; quelques snacks et tapas encore moins chers.* Situé à l'orée du béguinage, à deux pas de la tour Zimmer, voici le resto le plus sympa de Lierre, avec une vaste terrasse aux beaux jours. La salle, plutôt contemporaine, est très chaleureuse. On s'y retrouve volontiers à l'heure du déjeuner pour des croquettes, une salade, une soupe, un wok ou des crevettes sautées.

|●| *Taverne-restaurant De Fortuin (plan A2, 21) : Felix Timmermansplein,* 7. ☎ 03-480-29-51. ● *info@defortuin. be* ● *Ouv tlj en saison, slt le w-e en hiver. Menu 32,50 € ; plats 16-48 €.* L'adresse est du genre à changer de gérant à chaque fois que le vent tourne. Ce n'est donc pas un euphémisme de dire qu'elle pèche par son manque de régularité. Le lieu, hautement touristique, est en tout cas adorable et cela, ça ne change pas ! La maison, avec des murs blancs et des volets verts, est classée Monument historique. En été, une agréable terrasse surplombe le canal.

À voir. À faire

🏃 *Grote Markt (Grand-Place ; plan A1) :* on ne peut plus central, c'est donc un excellent point de départ pour la balade. Admirez déjà les façades des anciennes maisons des corporations, notamment celle des bouchers (la *Vleeshuis*). Un nouveau musée de la Poupée a ouvert ses portes début 2007.

🏃 *Stadhuis (hôtel de ville ; plan A1-2) :* de style rococo, il occupe le centre de la Grand-Place, juste sur l'emplacement d'une ancienne halle aux grains. La tour gothique du beffroi (1369) est classée Patrimoine mondial par l'Unesco, comme 53 autres beffrois en France et Belgique.

🏃🏃 ⊚ *Begijnhof (le béguinage ; plan A2) :* sur la Grand-Place. Prendre l'Eikelstraat jusqu'au bout, passer devant la Gevangenenpoort (porte des Prisonniers), enfin, tt droit jusqu'à la Begijnhofstraat (rue du Béguinage). Ouv tte l'année (visite libre). Pour l'église, s'adresser à l'office de tourisme. Construit au XIIIe s et remanié au XVIIe, c'est l'un des plus beaux béguinages du pays classé par l'Unesco. Une vraie cité miniature, où le temps semble s'être arrêté. Délicieux ! Commencez par visiter l'église de style baroque flamand, puis flânez dans les ruelles voisines où de pittoresques vieilles maisons rappellent le rayonnement du béguinage. Admirez enfin le calvaire et le chemin de croix.

🏃 *Zimmertoren (tour Zimmer ; plan A2) :* Zimmerplein, entre la Grand-Place et le béguinage. ● *zimmertoren.com* ● *Tlj sf lun 9h-12h, 13h30-17h30. Entrée : 2,50 € ; réduc.* La fameuse tour date du XIIIe s, c'est un vestige des anciens remparts. L'horloge, quant à elle, date de 1930. Elle fut offerte à la ville par Louis Zimmer à l'occasion du centenaire de la Belgique. Onze cadrans ornent la façade, portant des représentations de la Terre et de la Lune. Sur le côté droit de la tour, les personnalités les plus marquantes de l'histoire belge défilent chaque jour à midi pile. Voir à l'intérieur le « studio astronomique » et le planétarium. Commentaires sonores en français. Le bâtiment voisin abrite l'atelier de Zimmer, ainsi qu'une autre horloge astronomique. Le tout est amusant et aussi bien intrigant, dans le genre casse-tête scientifique.

🏃 *Le musée Wuyts-Van Campen (plan A1) :* Florent Van Cauwenberghstraat, 14. ☎ 03-800-03-96. *Tlj sf lun et certains j. fériés 10h-12h, 13h-17h. Entrée : 1 € ; réduc (1,50 € si vous voulez enchaîner avec le musée Timmermans-Opsomerhuis, au 1er étage).* Admirez avant toute chose *Les Proverbes flamands* (1607) d'après Bruegel l'Ancien. Dans cette seule œuvre, il avait réussi à représenter 85 proverbes. Il s'agit ici d'une belle copie, réalisée par son fils Pieter Bruegel le Jeune. Plus intimites, un tout petit Rubens, *Les Paysans se chamaillant (Vechtende boeren)* de Jan Steen ou encore *Les Pèlerins* de Constant Permeke, typiques de l'art flamand.

Signalons encore Tytgat, Maurice de Vlaminck, Henri de Braekeleer... Mobilier et objets gracieux, dignes d'un bon musée de province. Et pour finir, de belles vues de Lierre au XVIIe s.

🦅 *La collégiale Saint-Gommaire* (plan B2) : sur la Grand-Place, prendre la Rechtestraat (rue Droite) pour arriver à la collégiale. Ouv Pâques-nov, tlj 10h-12h, 14h-17h. Entrée : 1,25 €. Cette église (1378-1625) de style gothique flamboyant brabançon vaut pour son jubé d'une extrême finesse, véritable dentelle de grès blanc. Coup d'œil au chemin de croix et aux vitraux, bien conservés pour certains.

➤ *Promenade en barque* : mai-oct, sam 14h30-15h30, dim 14h-18h. Rens à la taverne 't Schaeckbert ou à l'office de tourisme. Compter 2,50 €/pers ; réduc. On peut embarquer pour une balade en barque, le long de la Nèthe. En 40 mn environ, on découvre les principales curiosités de la ville (le béguinage, la tour Zimmer, etc.).

Fête et manifestation

– *Marché aux Pigeons* : Grote Markt ; dim 6h-12h. De réputation internationale : des clients viennent du Japon et de Chine.
– *Procession de Saint-Gommaire* : en général le 2e dim d'oct. Enfermées dans une châsse d'argent, les reliques du saint sont portées en défilé dans la ville.

MALINES (MECHELEN)　　　　(2800)　　　　78 000 hab.

Malines a été une capitale des Pays-Bas bourguignons. On ne sera pas surpris d'y voir tant de monuments classés, ainsi qu'un carillon célèbre dans le monde entier. Mais sa réputation tient aussi à ses cuirs dorés et à mille autres choses : des meubles, des tapisseries et des spécialités gastronomiques, comme les asperges blanches (en saison), les « coucous » de Malines (une race de poulet, à la chair extrêmement fine et moelleuse, traditionnellement cuit dans l'argile) et les choux-fleurs, sans oublier la Gouden Carolus, reine des bières brunes. Aujourd'hui, il y a 75 000 habitants, dont le primat

HALLUCINATION LUNAIRE

Question à cent sous : pourquoi les Malinois sont-ils affublés du sobriquet d'« extincteurs de lune » (maneblusser) ? En 1684, un homme qui rentrait chez lui après avoir visité pas mal d'estaminets croit voir, dans le brouillard, la tour de l'église Saint-Rombaut en feu. À ses cris, toute la ville accourt avec des seaux d'eau et commence à faire la chaîne dans les escaliers de la tour. Et voilà que la brume se dissipe et que la lune apparaît dans sa totalité : chacun réalise alors que l'incendie en question n'est autre que l'astre rougeâtre, dont le flamboiement s'encadrait dans le sommet de la tour...

de Belgique (le cardinal Daneels). Bref, prévoyez du temps. Dommage qu'à chaque élection Malines se laisse un peu plus contaminer par la fièvre brune anversoise. Aux élections communales de l'automne 2006, plus de 30 % de ses habitants ont voté pour le Vlaams Belang, un parti antidémocratique.

UN PEU D'HISTOIRE

Avez-vous remarqué que l'hôtel de ville est une ancienne halle aux draps du XIVe s ? Malines est née du drap. Ça lui a réussi... À la fin du Moyen Âge, elle était la capitale des Pays-Bas. En 1473, Charles le Téméraire choisit Malines pour y installer sa

Cour des comptes. En 1503, la ville est désignée siège du Grand Conseil, le tribunal qui rendait la justice sur les 17 provinces des Pays-Bas espagnols. Au début du XVIe s, *Marguerite d'Autriche* eut le bon sens politique d'y établir son palais. Toutes les bonnes choses ont une fin. *Marie de Hongrie* ayant déménagé la Cour à Bruxelles, la gloire de Malines se fana. La ville ne s'en remit jamais, d'autant qu'au XVIe s les Espagnols y occasionnèrent de fameux ravages.

Pendant la Première Guerre mondiale, la ville souffrit beaucoup des bombardements mais la zone détruite fut heureusement reconstruite à l'identique. Malines est aussi tristement célèbre pour avoir servi de lieu de regroupement des juifs en partance pour Auschwitz. Un épisode peu glorieux que relate le magnifique musée juif de la Résistance et de la Déportation.

De nos jours, sa position idéale entre Bruxelles et Anvers attire une nouvelle population, jeune et active, faisant de Malines une petite ville vivante et agréable.

Arriver – Quitter

➢ *En train :* d'Anvers, train ttes les 30 mn par le TGV Amsterdam-Bruxelles-Charleroi... De Bruxelles : par la même ligne, voire ttes les 15 mn par le train *Corail*. ● b-rail.be ●
➢ *En voiture :* par l'E 19 qui relie Anvers à Bruxelles. Les sorties Mechelen Noord ou Zuid aboutissent à la rocade.

Adresses utiles

🏛 *In & Uit* (office de tourisme ; plan B1-2) : Hallestraat, 4 ; sur le Grote Markt. ☎ 070-22-28-00. ● inenuitmechelen.be ● 1er avr-30 sept, lun 9h30-19h, mar-ven 9h30-17h30, w-e et j. fériés 10h-16h30 ; le reste de l'année, lun-ven 9h30-16h30, w-e et j. fériés 10h30-15h30. De Pâques à fin septembre, le week-end, visites guidées thématiques et historiques (durée 2h) en différentes langues (tous les jours en juillet-août).

Liste d'une dizaine de chambres d'hôtes.
✉ *Poste* (plan A1) : Grote Markt. Ouv tlj sf dim 8h-18h.
🚲 *Location de vélos De Nekker* (hors plan par B1, *1*) : Nekkerspoel, Borcht 19. ☎ 015-55-70-05. Dans le parc de sport de Nekker, direction N 15.
💻 *Internet* (plan A-B2) : Onze Lieve Vrouwstraat, 78. Tlj 11h-21h. Compter 0,50 € pour 20 mn.

Où dormir ?

À Malines, peu d'hôtels bon marché. On s'arrange avec les chambres d'hôtes. L'office de tourisme vous en fournira la liste. Cela dit, Bruxelles n'est qu'à 25 km.

Prix moyens

🏠 *Fran Van Buggenhout* (plan A1, *10*) : Straatje Zonder Einde, 3. ☎ 015-20-97-21. 📱 0476-26-45-92. ● fran.ronny@skynet.be ● Dans une ruelle en face de Saint-Rombaut. Doubles 60-70 € avec petit déj. Apéro offert sur présentation de ce guide. Un peu à l'écart du centre, dans une rue calme, une maison d'hôtes avec un jardin. Dans celui-ci, une petite maison abritant des studios cosy, modernes et lumineux. Bien pour passer quelques nuits à Malines. Endroit idéal pour profiter des concerts de carillon. Très bon accueil.

🏠 *Muske Pitter* (plan B2, *11*) : Hanswijkstraat, 70. ☎ 015-43-63-03. ● muske pitter@skynet.be ● muskepitter.be ● Fermé les 15 premiers j. d'août. Café-resto fermé lun. Double env 68 €, petit déj compris. Taverne-hôtel situé face à l'église Notre-Dame d'Hanswijk, non

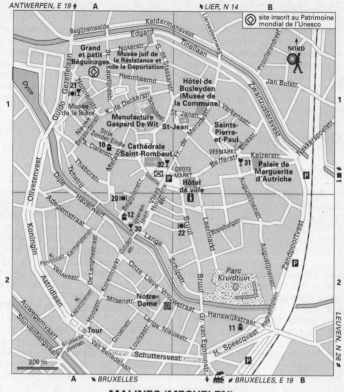

ANTWERPEN, E 19 ↑ A ↖ LIER, N 14 B

site inscrit au Patrimoine mondial de l'Unesco

MALINES (MECHELEN)

LA PROVINCE D'ANVERS

LEUVEN, N 26 ↗

↘ BRUXELLES ↓ 🚂 ↗ BRUXELLES, E 19 B

■ **Adresses utiles**

🛈 In & Uit
✉ Poste
🚉 Gare ferroviaire
@ Internet
1 Location de vélos De Nekker

🛏 **Où dormir ?**

10 Fran Van Buggenhout
11 Muske Pitter

12 Hotel Vé

|◉| **Où manger ?**

20 Graspoort Eetcafé
21 Brasserie Het Anker
22 De Margriet

🍷 **Où boire un verre ?**

30 De Gouden Vis
31 Hanekeef
32 Borrel Babbel

loin d'un grand parking (non payant). On entre par le café-resto au rez-de-chaussée. Patron jovial. Chambres sans prétention mais bien tenues, avec douche et w-c.

🛏 **Hobbit** (hors plan par A2) : Battelses-teenweg, 455 F. ☎ 015-27-20-27. ● mechelen@hobbithotels.be ● hobbithotels.

be ● *Double 70 € ; petit déj 9,50 €. Stationnement facile.* Dans une petite zone industrielle, un hôtel de bon confort à prix économiques. Pas beaucoup de charme mais fonctionnel. Surtout, permet de gagner le centre de Bruxelles ou d'Anvers en 30 mn à peine ! Bicyclettes à louer.

Plus chic

🛏 *Hotel Vé* (plan A2, **12**) : Vismarkt, 14. ☎ 015-20-07-55. • info@hotelve.com • hotelve.com • Doubles 118-220 € selon catégorie, période et vue. Promos le w-e. Sur la place du marché aux poissons, une ancienne fumerie à poissons aujourd'hui réhabilitée, transformée en hôtel de charme... On accède aux chambres par l'ancienne cheminée et tout le reste est à l'avenant. L'architecture réserve bien des surprises. L'ensemble est une totale réussite. Les chambres privilégient les matériaux contemporains et offrent tout le confort moderne. Certaines ont vue sur le marché et le canal.

Où manger ?

Prix moyens

|●| *Graspoort Eetcafé* (plan A2, **20**) : Begijnenstraat, 28. ☎ 015-21-97-10. Petite impasse à droite. Tlj à partir de 11h30 (15h dim). Plats 9-16,50 €. Café-taverne qui attire une clientèle assez jeune (mais pas seulement) ravie de trouver, à prix sages, suggestions du jour, pâtes, woks, scampi, viandes grillées et autres plats végétariens. Terrasse idéale pour écouter le carillon le lundi soir.

|●| 🍷 *Brasserie Het Anker* (plan A1, **21**) : Guido Gezellelaan, 49. ☎ 015-28-71-47. • het.anker@telenet.be • Non loin des béguinages. Tlj sf lun 11h30-1h. Plats et menus variés 5-36 €. Cette brasserie produit les bières qui ont fait la renommée de la ville : la Gouden Carolus... inégalable depuis Charles Quint ! En saison, ne ratez pas la bière de Noël, une pure merveille, un régal ! Et pour accompagner toutes ces Gouden Carolus, déclinées en blonde, brune, ambrée, triple, etc., rien de mieux que de bonnes spécialités locales. Et ça tombe bien car la brasserie fait aussi restaurant. Dans une grande taverne, donnant pour partie sur la fabrique et l'embouteillage, on se régale en toute simplicité, en toute convivialité. C'est aussi l'occasion de goûter le fameux coucou de Malines cuisiné... à la bière, bien sûr. Excellent accueil et prix vraiment raisonnables. Un coup de cœur ! Il existe également un musée de la Bière qui a rouvert en mars 2009.

|●| *De Margriet* (plan B2, **22**) : Bruul, 52. ☎ 015-21-00-17. • info@demargriet. be • En plein centre. Service non-stop tlj 10h-22h. Plats 8-24 €. Dans un beau bâtiment qui n'est autre qu'un ancien couvent, a été aménagé ce joli resto, salon de thé à ses heures. Une carte brasserie permet de se sustenter à moindre prix mais l'on peut décider de craquer pour un plat plus copieux comme du gibier (en saison) ou du coucou de Malines. Et pourquoi ne pas revenir à l'heure du goûter pour une gaufre maison ? Idéal pour un déjeuner rapide et gourmand. Terrasse aux beaux jours.

Où boire un verre ?

🍷 *De Gouden Vis* (plan A2, **30**) : Nauwstraat, 7. ☎ 015-20-72-06. Près du Vismarkt. Difficile d'imaginer que ce beau café rétro, avec sa devanture Art nouveau, ses éclairages étudiés, son comptoir à miroirs biseautés et ses grandes affiches publicitaires, était autrefois une poissonnerie. À l'arrière, jardinet et terrasse sous verrière, surplombant la Dyle.

🍷 *Hanekeef* (plan B1, **31**) : Ketzersstraat, 8. Tlj à partir de 9h. Petit bar de quartier éminemment sympathique. Dans la journée, on y voit défiler avocats et magistrats (le palais de justice est à deux pas) tandis que le soir, à l'heure de l'apéro, ce sont plutôt les intellos et les philosophes qui se retrouvent pour lire, discuter et parfois s'enflammer.

🍷 *Borrel Babbel* (plan A1, **32**) : Sint Romboutshof. Sur une petite place der-

rière la cathédrale. Tlj sf lun à partir de 17h (15h sam). Le plus petit café de Malines. Spécialité de genièvre. On lui est reconnaissant de nous attabler sur cette petite place, si vivante le soir avec ses tavernes et ses terrasses.

À voir. À faire

Malines n'est sans doute pas Bruges. Mais avec 350 bâtiments classés et pas moins de quatre monuments inscrits au Patrimoine mondial (ses deux beffrois, son grand béguinage et ses géants ; un record pour une si petite ville !), la ville réserve bien des surprises et distille un charme bien à elle. Sans compter quelques beaux musées à découvrir loin des hordes de touristes. Bref, Malines, on adore !

୯୯୯ *Grote Markt (Grand-Place ; plan A-B1) :* départ d'une visite pleine d'intérêt. Les façades de la Grand-Place appartiennent à plusieurs styles différents. Une bonne raison : pour éviter la propagation du feu lors des incendies, la ville avait décidé de subventionner le remplacement des maisons en bois par des maisons en pierre. Ces rénovations se sont étalées sur plusieurs siècles, enrichissant l'architecture urbaine de toute la succession des styles depuis le gothique, facilement reconnaissable à ses pignons à redans. Quant aux bâtisses baroques, elles se reconnaissent à leurs volutes. La maison échevinale et l'actuelle poste sont les deux plus vieilles maisons de la ville.
– *Stadhuis (hôtel de ville) :* cette ancienne halle aux draps du XIVᵉ s a sa grande sœur à Bruges : les Malinois avaient envoyé des gens la copier ! Malheureusement, avec la crise du textile (eh oui, déjà !), le beffroi ne fut jamais achevé, faute de moyens. L'intérieur est intéressant mais ne se visite qu'en groupe guidé. Les superbes stalles en bois rappellent que Malines a été la ville du meuble. Accolé et ne faisant plus qu'un, le palais du Grand Conseil, du pur néogothique. Très réussi ! Il fut achevé en 1911, d'après les plans de 1526.
– Au sud du Grote Markt, le *Schepenhuis (maison échevinale ; mar-dim 10h-17h ; entrée : 2 €), steen* du XIVᵉ s. Retapée, elle accueille un musée communal. Entre de nombreuses sculptures médiévales, n'oubliez pas de jeter un œil aux poupées de Malines, que confectionnaient les béguines. À voir surtout : les 16 panneaux de la légende de saint Victor.
– *L'Ijzerenleen et les bailles de fer :* au-delà, la place allongée bordée de belles façades bourgeoises, l'*Ijzerleen,* est le résultat du comblement d'un canal. Les balustrades de fer datant de 1531 sont les vestiges de l'ancien marché aux poissons. À l'époque, elles empêchaient les badauds de tomber à l'eau.
– *La statue de Marguerite d'Autriche :* il faut revenir sur ses pas, elle occupe le centre de la Grand-Place.

୯୯୯ *Sint-Romboutskathedraal (plan A1) :* également sur la Grand-Place. Tlj sf lun 13h-17h (16h nov-mars). Visite guidée avec montée à la tour à 14h15 le w-e Pâques-fin sept (tlj juil-août), mais aussi lun à 19h juin-fin sept. Chapeau bas : voici la merveille du gothique brabançon. La tour est d'ailleurs inachevée : c'est qu'on avait voulu, vers 1452, en faire la plus haute au monde. Sur les plans d'origine : 167 m. Mais les Malinois n'eurent pas les moyens de leur orgueil : moins d'un siècle après le début des travaux, le manque d'argent fige l'ascension de la tour à une hauteur de 97 m. Viennent les guerres de Religion : l'église se découvre alors d'autres soucis que le prestige. Au vu des projections réalisées par les architectes modernes, il paraît que la tour est mieux ainsi. Vous pouvez vous faire une opinion en comparant avec la maquette où la tour est élevée à 167 m. Notez qu'au début des guerres de Religion le gardien logeait dans la balustrade supérieure. C'est là qu'il claironnait en cas d'attaque ou de départ de feu. Enfin, cette tour est la seule au monde à comprendre deux jeux de 49 cloches. Les notes de ses carillons descendent baigner toute la ville d'une merveilleuse pluie sonore... L'intérieur n'est pas en reste. On y trouve une splendide chaire de Vérité, un pur chef-d'œuvre d'ébénisterie baroque, qui semble faire corps avec la colonne de pierre. Prodigieux ! Côté œuvres d'art, vous pouvez vous extasier devant les *Martyres de saint Sébastien* ou *de saint George* de **Michel Coxie.**

– Pas loin de Saint-Rombaut, près du Wollenmarkt, une jolie perspective s'offre depuis un pont sur le refuge de l'abbaye de Saint-Trond. Vieilles pierres couvertes de lierre se mirant dans l'eau du canal : une vraie vision de carte postale.

🐾 *L'école de Carillon* (plan B1) : Frederik de Merodestraat, 63. ☎ 015-20-47-92. Accès malheureusement réservé aux groupes ou à l'occasion de quelques rares visites guidées (s'adresser à l'office de tourisme). Cela dit, quand les élèves sont là, en répétition, rien ne vous empêche de demander gentiment à entrer. Avec un peu de chance, vous aurez droit à un petit concert... *La Marche turque,* par exemple, plutôt que *Let It Be...*

Cette école unique au monde, sise dans un charmant bâtiment dans le goût rococo, accueille les étudiants pour 6 ans d'études. Croyez-le ou non, il y a chaque année une soixantaine d'inscrits. Les élèves, donc, s'entraînent sur les carillons de l'école, sur ceux du musée et sur ceux de Saint-Rombaut : impossible de ne pas entendre les répétitions.

C'est à Malines qu'est née l'habitude d'assister aux concerts de carillon. En 1930, les concerts du lundi soir réunissaient près de 30 000 auditeurs, dont le Tout-Paris, venu exprès par train spécial.

– On peut les entendre carillonner le samedi à 11h30, le dimanche à 15h et le lundi à 11h30. Pour mieux en profiter, concerts tous les lundis à 20h30, de juin à fin septembre (voir aussi la rubrique « Manifestations et attractions »).

🐾🐾 *Le palais de Marguerite d'Autriche* (plan B1) : Keizerstraat, 20. Le palais de celle qui exerça la régence après 1507 n'ouvre pas son intérieur aux visites. Reste la cour intérieure gothique tardif, superbe et accessible aux heures de bureau (et souvent même le week-end). La façade frontale (en brique), de style Renaissance, serait antérieure aux châteaux de la Loire. Les appartements de la régente occupaient le 1er étage, au-dessus des colonnes. La salle du Trône (à droite, quand on entre par la rue) abrite aujourd'hui le palais de justice.

🐾 *Sint Peter en Pauluskerk* (église Saints-Pierre-et-Paul ; plan B1) : Veemarkt. Ouv, comme ttes les églises de la ville, tlj sf lun 13h-17h (16h 1er nov-31 mars).

> **UNE GRANDE DAME**
>
> *Fille de Maximilien et de Marie de Bourgogne, Marguerite naît en 1480 à Bruxelles. Promise à l'âge de 3 ans, elle est répudiée par son époux Charles VIII, fils de Louis XI, qui épouse Anne de Bretagne. Remariée à Don Juan de Castille, elle se retrouve veuve en 1497. Son père la marie alors à Philibert le Beau de Savoie, région stratégique par excellence. À 21 ans, la duchesse est enfin heureuse et amoureuse. Malheureusement, Philibert meurt prématurément en 1504. Marguerite reste seule pour administrer Savoie et Bresse. Régente des Pays-Bas, elle élève ses neveux, dont le futur Charles Quint. On lui doit l'église de Brou (près de Bourg-en-Bresse) destinée à abriter ses restes, ceux de son époux et de sa belle-mère.*

En 1670, les jésuites ont dédié cette église à l'un des leurs, saint François-Xavier. Difficile d'imaginer plus baroque. Admirez la chaire en chêne qui représente un globe avec les quatre continents de l'époque, symbolisés chacun par un personnage et un animal fétiche. Accolé à l'église, l'ancien palais de **Marguerite d'York,** l'arrière-grand-mère de Charles Quint (qui y séjourna de 1500 à 1503). Superbement restauré, il abrite aujourd'hui le théâtre municipal.

🐾 *Sint Janskerk* (église Saint-Jean ; plan B1) : Sint Jansstraat. Mêmes horaires que pour l'église Saints-Pierre-et-Paul. Belle église à l'architecture gothique mais à la décoration baroque. À voir : l'*Adoration des mages* de Rubens, triptyque où sa femme, Isabelle Brandt, a posé pour le visage de la Vierge.

🏃🏃 ⓧ *Groot en Klein Begijnhof* (*grand et petit béguinages ; plan A1*) : de part et d'autre de la Sint Katelijnestraat, la rue qui mène à Saint-Rombaut. Promenade agréable en suivant le circuit fléché, avec halte aux jolies maisons des Schrijns-traat, Twaalf Apostelenstraat et Krommestraat.

🏃🏃 *Haverwerf* (*quai aux Avoines ; plan A1-2*) : n'y manquez pas les trois maisons. Celle de l'angle, dite *du Paradis*, est un bâtiment du XVIᵉ s, typique du gothique brabançon, affichant sur un bas-relief la fuite d'Adam et Ève, honteusement chas-sés du paradis après l'affaire de la pomme. La maison suivante, à gauche, est de style Renaissance : on l'appelle *Les Diablotins*. La troisième, la rouge, est baroque. Datée de 1669, elle porte le nom de *Saint-Joseph*.

🏃🏃 *Stedelijk Museum Hof Van Busleyden* (*musée de la Commune ; plan B1*) : Frederik de Merodestraat, 65-67. ☎ 015-29-40-30. ● mechelen.be/stedelijkmu sea ● Tlj sf lun 10h-17h. Entrée 2 €. Vous trouverez dans ce splendide hôtel parti-culier, construit vers 1500 sous le règne de Charles Quint, d'intéressants tableaux touchant l'histoire de la ville, ainsi que, dans la salle 10, une mappemonde en bois datée de 1630. Vaut surtout le détour pour sa magnifique collection de cuirs dorés de Malines. Ces cuirs martelés, vernis savamment jusqu'à prendre l'apparence du métal précieux, ornaient les murs des riches demeures bourgeoises et firent la for-tune de la ville au XVIIᵉ s. Quelques jolies dentelles également.
– Juste à côté mais rarement ouvert aux individuels, le *Beiaardmuseum* (*musée du Carillon*) présente le carillon sous toutes ses formes (clochettes à chèvre, carillons d'églises de toutes provenances, grelots, claviers de travail avec leurs mécanismes...). Tout le matériel du parfait petit carillonneur !

🏃 À la porte de Louvain, l'*église* baroque *Notre-Dame-d'Hanswijck* (*plan A2*), au dôme lumineux.

🏃 *Koninglijke Manufactum van Wandttapijten* (*manufacture royale des tapisse-ries Gaspard De Wit ; plan A1*) : Schoutetstraat, 7. ☎ 015-20-29-05. ● dewit.be ● À 5 mn à pied de la Grand-Place et de Saint-Rombaut. Lun-ven 10h-12h, 13h-17h. Visite sam à 10h (sf en juil et entre Noël et le Nouvel An). Entrée : 6 €. C'est ici que vous apprendrez à distinguer les tapisseries d'Amiens de celles de Bruxelles ou des Flandres, à deviner leur époque de fabrication et même les ateliers où elles sont nées. Les matériaux vont de la soie à la laine, en passant par le fil d'or ou d'argent. Et, de siècle en siècle, bien sûr, les coloris et la taille des figures évoluent. Pour illustrer ces spéculations passionnantes, voici des tapisseries d'exception : *L'Allégorie du temps* (XVIᵉ s, Tournai ou nord de la France) illustre une sage maxime : « Si tu prétends aux honneurs, vois le passé et le présent, et prévois l'avenir. » ; *L'Offrande d'Isaac*, d'après Simon Vouet, date probablement de 1640 et provient d'Amiens. La visite s'achève au 2ᵉ étage sur des œuvres contemporaines.

🏃🏃 🏃 *Speelgoed Museum* (*musée du Jouet ; hors plan par B2*) : Nekkerspoels-traat, 21. ☎ 015-55-70-75. ● speelgoedmuseum.be ● Sortir de Malines direction Heist op den Berg, passer sous le chemin de fer ; le musée se trouve à côté de la gare ferroviaire de Nekkerspoel. Tlj sf lun et certains j. fériés 10h-17h. Entrée : 7 € ; réduc. Tous les jouets d'antan qui font rêver les enfants d'aujourd'hui et les collectionneurs. Poupées, peluches, jouets mécaniques, marionnettes, Meccca-nos, puzzles, crypto-jeux de l'oie, jeux optiques et sonores... Et même une repro-duction en 3D d'un tableau de Bruegel. On fera la révérence au vélo d'enfant du roi Léopold III. Également des expos temporaires, un coin à jouer et des ateliers pour les enfants.

🏃🏃 *Joods Museum von Deportatie en Verzet* (*musée juif de la Résistance et de la Déportation ; plan A1*) : Stassartstraat, 153. ☎ 015-29-06-60. ● cicb.be ● Tlj sf sam 10h-17h (13h ven). Entrée gratuite. Toute la chronologie de la déportation et de l'extermination des juifs de Belgique, présentée « in situ », dans une ancienne caserne qui servit de lieu de rassemblement et de transit pour la sinistre besogne des nazis. Vingt-huit convois partirent d'ici, emportant 25 264 détenus jusqu'à

Auschwitz. Il n'y eut que 1 218 survivants. La partie consacrée à la Résistance apporte une petite note d'optimisme, une petite lueur d'espoir en quelque sorte, comme cette attaque manquée du 20ᵉ convoi. Manquée mais c'était bien essayé ! Remarquez aussi cet appel à la désobéissance civile, lancé à la population belge, demandant expressément de soutenir les juifs dans la tourmente. Muséographie sobre mais efficace. Poignant.

➢ **Balade en bateau :** avr.-fin sept. Rens à l'office de tourisme ou au point de départ, sur le Grootbrug (grand pont). Aller-retour : 5 €. Un moyen très original pour découvrir Malines. Empruntez l'un des bateaux qui sillonnent la Dyle et laissez-vous mener.

Manifestations et attractions

– **Procession d'Hanswijck :** en mai, le dim qui précède l'Ascension. Cette procession historico-religieuse est une des plus anciennes de Belgique.
– **Concerts de carillon :** juin-sept, lun 20h30. Voir le paragraphe consacré à l'école de Carillon. La petite rue Strije Zonder Einde ou encore le Minderbroedersgang (à droite devant la tour de Saint-Rombaut) offrent la meilleure acoustique pour écouter les carillons.
– **Park Pop :** chaque jeu soir, en juil-août. Concerts de musique des années 1960-1970 dans le parc Kruidtuin.
– **Maan Rock :** le dernier w-e d'août. Gratuit. Concerts de rock sur la Grand-Place avec des groupes belges et néerlandais.

➤ *DANS LES ENVIRONS DE MALINES*

🦌🚶 **Dierenpark Planckendael** (parc animalier de Planckendael) : Leuvensesteenweg, 582, **Muizen** 2812. ☎ 015-41-49-21. ● planckendael.be ● À 4 km au sud-est de Malines. Accès en bus ou, mieux, en bateau (depuis Malines, du Colomabrug, près de la gare ferroviaire : départ ttes les 30 mn 9h30-17h30 en saison). Tlj 10h-17h30 (19h juil-août). Fermeture des caisses 1h avt. Entrée : 18,50 € ; 13,50 € pour les 3-11 ans. Billet combiné avec le zoo d'Anvers : 30 € ; 20 € pour les enfants. C'est une sorte de lieu de repos des animaux du zoo d'Anvers dans un grand parc avec plaine de jeux.

LA PROVINCE DE FLANDRE ORIENTALE (OOST-VLAANDEREN)

C'est la Flandre de l'intérieur, enchâssée entre sa consœur occidentale qui a fenêtre sur mer à l'ouest, les collines du Hainaut au sud, le Brabant à l'est, une frontière naturelle, l'Escaut, au nord-est, qui ferme son espace avec la province d'Anvers, et pour finir une frontière hollandaise qui verrouille au nord l'accès à l'estuaire de l'Escaut. En plus de Gand, son chef-lieu, « capitale spirituelle » de la Flandre, et de ses environs, quatre régions assez différentes sont à distinguer : le *pays de Waas,* axe économique essentiel entre Gand et Anvers, fortement peuplé ; le *pays de l'Escaut et de la Dendre,* région d'habitation de nombreux Flamands qui travaillent à Bruxelles (avec Termonde, Alost et Grammont) ; les *Ardennes flamandes,* pays vallonné qui tourne autour d'Audenarde ; et le *Meetjesland,* très agricole avec Eeklo.

GAND (GENT)   (9000)   230 000 hab.

« Une des plus belles villes historiques d'Europe », déclarait François Mitterrand en 1983. Si elle est fière de son passé, elle n'a pas été confinée dans un rôle de ville-musée (à la différence de Bruges). L'essor industriel, au XIXᵉ s, a laissé sa marque dans l'urbanisme, mais au lieu de procéder à des ablations massives, les Gantois se sont livrés à un lent travail de réhabilitation des quartiers historiques du centre sans oublier les quartiers plus délaissés. Il se dégage de cet ensemble un indéfinissable pouvoir d'attraction. Voilà une ville qui est un savant mélange de splendides constructions vieilles de plusieurs siècles, aux façades de brique patinées par le temps avec leurs extraordinaires pignons dentelés, signes d'un art flamand riche et sûr de lui, et de modernité bien intégrée.

Le centre ancien se découvre à pied (surtout pas en voiture !) au fil des rues commerçantes bordées d'hôtels particuliers et d'imposantes constructions civiles et religieuses. Bref : l'histoire de Gand, c'est aussi celle de l'Europe occidentale dont elle fut l'un des cœurs actifs. Les Gantois et les Gantoises ont gardé à la fois le goût du faste et du décor, ainsi qu'une approche très simple et chaleureuse des rapports humains, héritage des traditions corporatistes et ouvrières. C'est leur génie.

VISITER GAND

Gand peut se découvrir en une journée de visite mais en galopant. Mieux vaut y passer une nuit pour profiter de la vie nocturne. Et des éclairages ! En effet, chaque soir, à la nuit tombée, la ville se pare de mille lumières, mettant en valeur les façades, soulignant chaque détail architectural, modifiant les perspectives, restructurant l'espace... Le tout se reflétant sur les eaux de la Lys. Gand brille de mille feux et c'est féerique.

Outre l'hiver, calme et empreint de mystère, la meilleure époque pour venir se situe pendant les *Gentse Feesten,* les fêtes locales (entre le week-end précédant le 21 juillet et le week-end qui suit). Durant cette période, réjouissances, bals et braderies donnent le tourbillon à la ville de Charles Quint ; l'affluence, à cette période, vous posera cependant quelques problèmes de circulation, de réservation et de prix !

UN PEU D'HISTOIRE

Les débuts connus de Gand sont bien modestes. Au confluent de la Lys et de l'Escaut, se trouvait un noyau d'habitations, *Ganda* (nom celtique). Au VIIᵉ s, arrive saint Amand (vers 630), qui s'établit sur le mont Blandin. Il y érige une petite chapelle qui n'est pas encore l'abbaye Saint-Pierre. Il entame sa mission d'évangélisation et se concentre surtout sur le secteur du confluent des deux cours d'eau. Il y fonde un deuxième centre religieux, modeste au départ, qui s'appelle aussi Ganda. Une agglomération se développe au fil des ans. Au VIIIᵉ s, Charlemagne y fait construire un port pour sa flotte, ce qui n'empêche pas, au IXᵉ s, les Normands de venir passer les moines au fil de l'épée. C'est la raison pour laquelle on choisit de construire une forteresse : le futur château des Comtes.

Le traité de Verdun en 843

Au traité de Verdun (843), l'empire de Charlemagne est divisé par ses héritiers en trois royaumes indépendants. La Flandre est attribuée au roi de France, **Charles le Chauve.** Gand en fait partie et devient ainsi une ville frontière entre France et Germanie, l'Escaut faisant office de ligne de démarcation. La prospérité arrive avec l'industrie de transformation de la laine anglaise en drap « flamand ». Les draps sont vendus dans l'Europe entière, notamment sur les marchés de Champagne. Dès cette époque, une oligarchie de patriciens drapiers tient les rênes du pouvoir au nom du *comte de Flandre* mais souvent en opposition avec lui et surtout en conflit avec les métiers issus de la paysannerie pauvre, venus gonfler les effectifs de l'industrie textile. Les conditions d'existence de ces foulons et teinturiers sont particulièrement misérables. L'exploitation capitaliste est organisée au seul profit de cette caste marchande, dont l'intérêt est de maintenir des relations avec la source d'approvisionnement des matières premières, l'Angleterre. Or un conflit éclate au sujet de l'Angleterre, opposant *Gui de Dampierre,* comte de Flandre, à son suzerain *Philippe le Bel.* Le conseil des patriciens (rassemblés sous l'emblème du lys : *Leliaerts*) prend le parti du roi contre le comte et les métiers (sous la bannière des griffes : *Klauwaerts*). La bataille des Éperons d'or (1302), où les Français se font dérouiller, entérine la défaite de leurs partisans à Gand et le prolétariat a droit à sa part de gâteau dans la gestion de la ville. Gand la révoltée a engrangé une première victoire « socialiste » et ce fait marquera son histoire.

La liberté, le commerce et l'essor économique

Ville emblématique des libertés communales où, pour la première fois en Occident, le peuple a son mot à dire dans les affaires de sa cité par le biais de ses élus, elle connaît le déclin par la perversion de son système « démocratique ». La situation économique se dégrade du fait de la guerre de Cent Ans. Gand, deuxième ville d'Europe après Paris au XIVᵉ s par sa population, multiplie les mesures protectionnistes vis-à-vis de ses voisins tout proches et se débarrasse de celui qui la défendait magistralement sur la scène internationale : *Jacques Van Artevelde,* leader des tisserands, tué à la suite de sordides querelles corporatistes. Partisan du rapprochement avec l'Angleterre au nom des intérêts économiques de la Flandre, il était parvenu à maintenir celle-ci à l'écart du conflit et à obtenir la levée du blocus anglais. Fils du peuple, il traitait d'égal à égal avec les rois, le peuple a eu sa peau !

La ville natale de Charles Quint

Le XVᵉ s marque la fin des libertés. Les princes s'attellent à rogner ce que leurs prédécesseurs avaient concédé. Les ducs de Bourgogne répriment les dernières révoltes dans le sang. C'est un Gantois de naissance, *Charles Quint,* qui finit d'asservir la ville, lorsque, en 1539, ses habitants se révoltent contre une nouvelle levée d'impôts. Matés par sa main de fer, ils perdent tous leurs privilèges.

Gand est encore au centre du conflit pendant les guerres de Religion. Lorsque l'absolutisme espagnol impose sa loi, Gand est républicaine et calviniste. On signe dans ses murs le traité de

UNE MAIN DE FER DANS UN GANT DE VELOURS

Quoique natif de Gand, Charles Quint prend des mesures brutales pour réprimer en 1539 la révolte de Gand, en exigeant des notables de la ville qu'ils défilent pieds nus avec une corde autour du cou. Depuis cette époque, les Gantois sont surnommés Stroppendragers (les « garrotés »). La congrégation de Saint-Bavon est dissoute, son monastère rasé et remplacé par une caserne. Seuls quelques édifices de l'ancienne abbaye échappent à la démolition. L'empereur était cependant fier de sa cité : il se faisait fort de « mettre Paris dans son Gant ».

Pacification, qui doit coaliser les catholiques et les réformés des Pays-Bas contre le pouvoir de *Philippe II* d'Espagne. Un siège très dur mené par le duc de Farnèse l'oblige en 1584 à ouvrir ses portes aux troupes espagnoles. Les exactions, l'exil, les famines font passer sa population de 60 000 à 30 000 habitants et la ville entre en léthargie pour deux siècles. Mais le catholicisme est rétabli dans les Pays-Bas du Sud après la prise d'Anvers.

Une relation particulière avec la France

Au cours des XVIIe et XVIIIe s, Gand est occupée à trois reprises par les Français. Mais Gand ne change pas : la ville reste antifrançaise, de Louis XIV jusqu'à Napoléon. La permanence de la fermeture de l'Escaut maintient l'asphyxie malgré la bienveillante parenthèse autrichienne. À la Révolution, après la victoire de *Jemmapes*, Gand est annexée comme le reste de la Belgique. Encouragé par Napoléon, *Liévin Bauwens* importe clandestinement d'Angleterre une machine à filer à vapeur, qui va révolutionner l'industrie textile. Du 20 mars au 22 juin 1815, Gand sert de capitale provisoire au roi *Louis XVIII* et au gouvernement français de la Restauration en exil : cet épisode des Cent-Jours est raconté par Chateaubriand dans les *Mémoires d'outre-tombe*.

Ville d'histoire, d'art et de commerce

La création du royaume de Belgique en 1830 va permettre à Gand de renouer avec la prospérité. L'université (francophone) forme les cadres de la bourgeoisie industrielle et la ville connaît un essor intellectuel remarquable avec l'éclosion des talents de ses artistes et écrivains (francophones).

Au XIXe s, l'industrialisation fait de Gand le bastion du socialisme flamand ; le mouvement *Vooruit* en est le fer de lance. Édouard Anseele sera le premier député socialiste flamand. En réaction contre une bourgeoisie « libérale » francophone, le mouvement flamand obtient la flamandisation de l'université dans les années 1930. Avec l'élargissement du canal Gand-Terneuzen et la construction du port, Gand se dote d'une ceinture industrielle qui en fait l'une des villes les plus actives du pays. La ville connaît également une renommée internationale en matière de... fleurs (la région de Lochristi, toute proche, est le centre d'une industrie florale) et, tous les 5 ans, les *Floralies* attirent des dizaines de milliers d'amateurs. Prochaine édition du 17 au 25 avril 2010.

Arriver – Quitter

En bus

■ *Eurolines :* Koningin Elisabethlaan, 73. ☎ 09-220-90-24. À proximité de la gare ferroviaire. En sem 9h-12h30, 13h30-18h ; sam 9h-12h30. Durée du trajet depuis Paris : un peu plus de 4h.

En train

🚆 *Gare Saint-Pierre* (Gent Sint-Pieters-Station ; hors plan par B3) : Kon. Maria Hendrikaplein. Infos horaires et billets au ☎ 02-528-28-28 (à Bruxelles). Située à 30 mn à pied du centre historique. Pour rejoindre le centre historique, prendre les trams n°s 1, 21 ou 22 (à la sortie). Bâtiment de style néogothique construit pour l'Exposition universelle de 1913.

➤ *De/vers Bruxelles :* 3 trains directs/h en sem, 2 le w-e. Durée : env 30 mn.
➤ *De/vers Lille :* 1 train direct ttes les heures. Durée : 57 mn.
➤ *De/vers Paris :* 1 à 2 *Thalys*/h relient directement (via Bruxelles) Paris à Gand en 2h05. Mais il est plus probable que vous preniez un *Thalys* pour Bruxelles puis, de là, un train pour Gand.

En voiture

Gand est au carrefour de deux axes autoroutiers, l'E 40 *Bruxelles-Ostende* et l'E 17 *Lille-Anvers*. Une fois dans le centre, il va de soi que la voiture doit être laissée au parking. Celui du Vrijdagmarkt, souterrain, a l'avantage de permettre d'emblée la visite du centre.

Comment se déplacer dans Gand ?

Les zones à visiter sont suffisamment concentrées pour permettre les déplacements à pied. De toute façon, il est très difficile de rouler dans le centre... et encore plus de s'y arrêter ! Moralité : si vous êtes en voiture, cherchez-vous un parking tranquille ou, mieux, garez-vous dans une rue juste en dehors du centre. Là, en poussant sur le bouton jaune de l'horodateur, vous pourrez stationner 10h pour à peine 3 € ! Seuls le quartier universitaire, celui du musée des Beaux-Arts et celui de la gare ferroviaire sont un peu excentrés (20 à 30 mn de marche depuis Saint-Bavon). Sinon, il est toujours possible de louer un vélo à la gare ou dans le centre (voir plus loin « Adresses utiles »)... et faire comme la moitié des Gantois. Si le temps n'est pas favorable, le tram vous rendra service, de 6h à 23h (ou minuit).

Où se garer ?

▣ Outre le tuyau donné plus haut (se garer juste en dehors du centre), les *parkings P1* (*Vrijdagmarkt ; plan C1*) et *P7* (*près de l'église Saint-Michel ; plan B2*) sont centraux et municipaux (donc pas trop chers).

Adresses utiles

🛈 *Office de tourisme gantois* (*plan B2*) : Raadskelder, Botermarkt, 17 A. ☎ 09-266-56-60. • visitgent.be • Sous la halle aux draps, à côté du beffroi. Tlj 9h30-18h30 (16h30 nov-mars). Fermé Noël et Jour de l'an. Demandez la brochure sur la ville, qui contient un plan. Peut aussi se charger de vous réserver un hébergement (sans commission) et organise des visites guidées du centre historique, tous les jours à 14h30 (mai-octobre). Enfin, vous pouvez y acheter, pour 20 €, une carte donnant accès à 14 musées et monuments de la ville, valable 3 jours. En outre, elle donne accès aux trams et bus de la zone urbaine.

🛈 *Office de tourisme provincial :* Sint-Niklaasstraat, 2. ☎ 09-269-26-00. • tov.be • Lun-ven 9h-12h, 13h15-16h45.

✉ *Poste centrale* (*plan C2*) : Lange Kruisstraat.

▣ *Internet :* au *Coffee Lounge Chocolat Bar* (*plan C2, 1*), Botermarkt, 6. ☎ 09-329-39-11. • coffelounge@gand.be • Tlj sf dim 10h-22h (19h sam). 4 postes à 0,05 €/mn, dans un petit café chaleureux où l'on peut consommer un morceau de tarte avec, par exemple, un chocolat chaud à l'orange.

■ *Taxistop* (*hors plan par B3*) : Koningin Maria Hendrikaplein, 65 B (sur la place de la gare). ☎ 070-222-292. • taxistop.be •

■ *Location de vélos :* à la gare Saint-Pierre, Kon. Maria Hendrikaplein. ☎ 09-241-22-24. Ouv tlj 7h-20h. Compter 10 €/j. Autre adresse, plus centrale : *Biker* (*plan C1, 2*), Steendam, 16. ☎ 09-224-29-03. Tlj sf dim 9h-12h30, 13h30-18h (17h sam). Mêmes tarifs, à peu près, qu'à la gare. Également, *Max Mobiel*, Voskenslaan, 27. ☎ 09-242-80-46. Lun-ven 7h15-18h45.

Où dormir ?

Gand possède un joli bouquet de *Bed & Breakfast* (près de 70 !), dont vous pourrez vous procurer le dépliant, très bien fait et muni d'un plan, à l'office de tourisme. Comme partout, il est plus prudent de réserver, surtout si vous voulez y loger un week-end.

Camping

⚐ *Camping Blaarmeersen* (*hors plan par A3*) : Zuiderlaan, 12. ☎ 09-266-81- 60. • camping.blaarmeersen@gent.be • gent.be/blaarmeersen • Un peu excentré, à l'ouest de la ville en direction de Drongen, dans un complexe de loisirs sportifs doublé d'une réserve naturelle. Par l'autoroute de Bruxelles, sortie n° 13 ; ou bus n°s 38 et 39 depuis le centre. Ouv 1er mars-15 oct. Pour 2 pers, 1 tente et la voiture, prévoir 13-16 €. 8 chalets à prix modérés.

■ **Adresses utiles**

- 🛈 Office de tourisme gantois
- ✉ Poste centrale
- 🚂 Gare Saint-Pierre
- 🅿 Parkings
- 📶 1 Coffee Lounge Chocolat Bar
- 2 Biker

🛏 **Où dormir ?**

- 10 Homes universitaires
- 11 Auberge de jeunesse De Draecke
- 12 Hôtel Flandria Centrum
- 13 Brooderie
- 14 Limited.co Hotel
- 15 Hôtel Erasmus
- 16 Verzameld Werk
- 17 Chambres Stefan Baeten
- 18 Artigand
- 19 Chambres Anne Gourhant-Steyaert
- 20 La Maison de Claudine
- 21 Chambre Plus, chez Mia Ackaert
- 22 Poort Ackere Monasterium Hotel
- 23 The Boatel
- 24 Be Our Guest
- 25 Hotel Harmony
- 26 Ghent River Hotel
- 27 B & B Studio Inns Inn
- 28 Aanaajaanaa B & B
- 29 Gent Belfort
- 60 B3-Bed-Breakfast-Boat

🍴 **Où manger ?**

- 13 Brooderie
- 21 Amatsu
- 30 Uit Steppe & Oase
- 31 Café Théâtre
- 32 Le Progrès
- 33 't Vosken
- 34 Belga Queen
- 35 Le Ban Thaï
- 36 Avalon
- 37 De Foyer
- 38 Lepelblad
- 39 De Gekroonde Hoofden
- 40 Brasserie Café des Arts
- 41 Amadeus
- 42 House of Eliott
- 43 Cœur d'Artichaut
- 44 De 3 Biggetjes
- 45 Bij den Wijzen en den Zot
- 47 Vier Tafels
- 48 Brasserie Pakhuis

🍸 **Où boire un verre ?**

- 33 't Vosken
- 61 Lazy River Jazz Club
- 62 Den Turk
- 63 Damberd
- 64 Het Galgenhuisje
- 65 Het Waterhuis aan de Bierkant et 't Dreupelkot
- 66 Rococo
- 67 't Velootje
- 68 Herberg Dulle Griet
- 69 De Trollekelder Bier café et Trefpunt
- 70 Raj
- 71 Pink Flamingo's
- 72 Bar-Bistro 't Zuiden van Europa

♪ **Où sortir ? Où écouter de la musique ?**

- 80 Vooruit

🎭 **À voir**

- 39 De Gekroonde Hoofden
- 80 Vooruit
- 90 Sintbaafskathedraal (cathédrale Saint-Bavon)
- 91 Lakenhalle et Belfort (halle aux draps et beffroi)
- 92 Stadhuis (hôtel de ville)
- 94 Sint Niklaaskerk
- 95 Sint Michielsbrug (pont Saint-Michel)
- 96 Graslei (quai aux Herbes)
- 97 Korenlei (quai au Blé)
- 98 Design Museum
- 99 Gravensteen (château des Comtes)
- 100 Het Huis Van Alijn
- 101 Bij Sint Jacobs
- 102 Vrijdagmarkt
- 103 Kouter
- 104 Museum Arnold Vander Haeghen
- 105 Museum voor Industriële Archeologie en Textiel
- 106 Het Pand
- 107 Oud begijnhof (vieux béguinage)
- 108 Rabot
- 109 Geraard de Duivelsteen
- 110 Klein begijnhof (petit béguinage)

🛍 **Achats**

- 50 Vve Tierenteyn-Verlent
- 52 Sjapoo
- 53 Temmerman

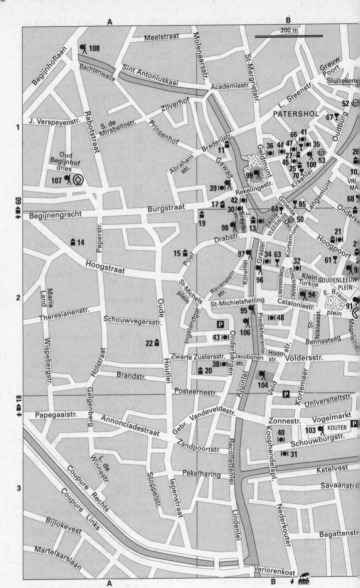

4 étoiles, très bien équipé pour les campeurs, même si les caravanes y sont légion. Pas franchement convivial mais bon confort. Sanitaires chauffés. Épice-rie et cafétéria. Baignades, piscine, squash, tennis, ping-pong, pétanque et beach-volley.

Chambres d'hôtes

Gand compte pas mal de *Bed & Breakfast* de charme ! De plus, c'est le meilleur moyen d'aller à la rencontre des Gantois. Tâchez toutefois de réserver à l'avance car le nombre de chambres y est évidemment limité (en principe pas plus de trois). On vous rappelle que l'office de tourisme donne un dépliant qui en dresse l'inventaire. Sinon, il existe aussi un site Internet : ● *bedandbreakfast-gent.be* ● Attention, beaucoup refusent les cartes de paiement.

🛏 *Artigand* (hors plan par A3, *18*) : Rozemarijnstraat, 27. ☎ 09-233-49-68. 🖥 0485-14-16-31. ● *artigand@pandora. be* ● *users.pandora.be/artigand* ● À 10 bonnes mn à pied du centre, dans le prolongement de Papegaaistraat, après Coupure Links. Fermé 2 sem en oct. Compter 70 € pour 2 pers, petit déj compris. Réduc de 10 % à partir de 3 nuits sur présentation de ce guide. 3 chambres à la charmante simplicité chez un couple chaleureux qui parle bien le français. Celle dite « des roses » possède une frise avec toutes les roses que l'on trouve en Belgique. L'« Art déco », quant à elle, est la plus spacieuse, et la « japonaise », la plus exotique. Petit déj avec confitures maison. Il faut dire que Pierre et Margareta adorent aussi cuisiner, tant et si bien, d'ailleurs, qu'ils font table d'hôtes sur demande (30 € par personne). Une bien, bien bonne adresse !

🛏 *Chambre Anne Gourhant-Steyaert* (plan B2, *19*) : Burgstraat, 25. ☎ 09-234-19-15. 🖥 0475-42-76-20. ● *annegou rhant@hotmail.com* ● *Double 60 € ; réduc à partir de la 4ᵉ nuit.* Tenu par Anne, une sympathique Française qui connaît très bien la ville. Vous n'y trouverez qu'une seule chambre, mais celle-ci est très agréable, en retrait de la rue, avec un plafond en pente traversé de poutres, grand lit, TV et petite table pour le petit déj. Petite précision toutefois : aucune séparation entre la salle de bains et la chambre.

🛏 *La Maison de Claudine* (plan B2, *20*) : Pussemierstraat, 20. ☎ 09-225-75-08. 🖥 0495-44-31-30. ● *maison.clau dine@telenet.be* ● *Doubles 80-100 €, avec petit déj. Pour la plus grande pièce, 25 €/pers supplémentaire.* Attention, ici, on reste min 2 nuits. Wifi gratuit. Claudine habite cet ancien cloître du XVIIᵉ s, qui abrite 3 grandes chambres, dont 2 « suites » fort sympathiques, au mobilier dépareillé, équipées d'un coin cuisine. L'une, vraiment immense, se trouve sous les toits (vue imprenable sur les tours de Gand) et possède 2 salles de bains (le genre à plaire à un écrivain rédigeant ses mémoires ou à une petite famille). Enfin, la dernière se trouve dans une maisonnette attenante avec entrée indépendante. Petit déj dans le salon près des adorables chats et de la cheminée. Excellent accueil de l'hôtesse. Une adresse rare, pour romantiques et nostalgiques des maisons d'autrefois, pleines d'objets familiers et d'atmosphères suaves...

🛏 *Chambre Plus, chez Mia Ackaert* (plan B2, *21*) : Hoogpoort, 31. ☎ 09-225-37-75. 🖥 0496-74-81-29. ● *cham breplus@telenet.be* ● *chambreplus. be* ● *Doubles 90-110 €, petit déj compris ; une suite avec Jacuzzi 150-165 €. Min 2 nuits le w-e.* Apéro offert sur présentation de ce guide. Ordi avec Internet à dispo. En plein centre, dans une maison du XVIIᵉ s rénovée. Encore une maison parmi des plus grandes louanges ! 2 chambres tout confort, la « Congo » et la « Sultan », dont les noms parlent d'eux-mêmes, et une suite en duplex, exceptionnelle, dans une maisonnette située à l'arrière. Petit déj servi sous une verrière et, là on pèse nos mots, l'un des plus fastueux de Flandre... Que des produits frais et de qualité, absolument savoureux ! La proprio, qui est professeur de cuisine, fait elle-même les croissants et les gâteaux. Au sous-sol, un superbe atelier culinaire. Chambres non-fumeurs. Un des

B & B les plus séduisants qu'on connaisse. Ça commence à se savoir, penser à réserver.

B3-Bed-Breakfast-Boat *(hors plan par A1-2, 60)* : Zuidkaai, 43. ☎ 09-324-49-50. ▯ 0477-54-00-03. • info@bnbtripleb.be • bnbtripleb.be • Tram n° 3. 1 pers 80 €, 2 pers 100 €, petit déj compris. 5 € de plus si on ne prend que 1 nuit le w-e. Dormir sur une péniche, pourquoi pas ? Surtout lorsqu'elle est amarrée sur un canal d'un calme total (à part les coin-coin des canards peut-être !) à quelques minutes du centre en tram (et à 10 mn à peine à pied). Longue péniche donc, qui après avoir livré du sable dans toute la Belgique pendant 40 ans, a pris une retraite méritée. Ses proprios, une adorable jeune petite famille, l'ont joliment aménagée en péniche à vivre. 2 chambres fort plaisantes, celle du « Capitaine » et celle du « Matelot » (avec un lit rond) au confort égal, mais de personnalité différente. Toutes deux avec salle de bain et entrée indépendante. Copieux petit déjeuner. Possibilité de Jacuzzi et sauna. Accueil très sympa. Un hébergement particulièrement original !

Verzameld Werk *(plan B1-2, 16)* : Onderstraat, 23 A. ☎ 09-224-27-12. ▯ 0497-55-09-10. • info@verzameldwerk.be • verzameldwerk.be • Doubles 95-130 €, petit déj compris. Prix dégressifs à partir de 3 nuits. Dans l'ancienne demeure de la famille Maeterlinck (Maurice, reçut le prix Nobel de littérature en 1911). Un peu plus cher que les autres mais originalité garantie ! En fait, le couple de propriétaires tient aussi, à côté, une galerie d'art design avec les objets les plus fous qui soient... Du coup, les chambres sont, elles aussi, déjantées, garnies et meublées avec des œuvres de la galerie. La plus grande, qui fait environ 80 m², possède une cheminée en état de marche. Les 2 autres sont des duplex. Toutes ont une cuisinette, aux couleurs pétantes, pour le petit déj déposé la veille dans le frigo...

Brooderie *(plan B2, 13)* : Jan Breydelstraat, 8. ☎ 09-225-06-23. • brooderie@pandora.be • brooderie.be • Attention, s'arranger au préalable si vous arrivez un lun, j. de fermeture de la boutique. Compter 50 € pour 1 pers,

70-75 € pour 2 pers ; petit déj 5,50-25 €. Dans une jolie demeure traditionnelle, dans un coin de charme. Au-dessus d'une boulangerie-restaurant, qui vend du pain bio (même maison). 3 chambres à la déco simple, grandes et claires, mais sanitaires communs sur le palier. Avantage : vous êtes quand même au cœur du vieux Gand, au bord de la Lys. De plus, c'est un excellent petit restaurant, qui fait surtout dans le végétarien (voir la rubrique « Où manger ? »). Adresse non-fumeurs.

Chambres Stefan Baeten *(plan B1, 17)* : Burgstraat, 11. ☎ 09-223-06-17. • baetenbnb@skynet.be • baetenbnbgent.be • Doubles 70-85 €, petit déj compris. À l'arrière d'une boutique de brocante tenue par Stefan (francophone), une dépendance abrite 2 chambres calmes et très bien tenues. On préfère un peu la moins chère mais l'autre a une belle salle de bains avec baignoire à l'ancienne. Pas d'animaux et adresse non-fumeurs. Au passage, admirer dans le magasin le superbe escalier intérieur.

Be Our Guest *(plan C2, 24)* : Houtbriel, 18. ☎ 09-224-29-04. ▯ 0474-807-795. • be-our-guest.be • Double 85 € (75 € dès la 2e nuit) ; petit déj 5 €. Rue très tranquille. Une maison de caractère avec, à l'entrée, un piano et un petit ange en pierre. La propriétaire est photographe et on retrouve ses œuvres un peu partout dans la maison (remarquables photos en noir et blanc). Déco plutôt épurée dans les chambres, avec une pointe de baroque... Petite véranda pour le petit déj. Accueil vraiment affable.

B & B Studio Inns Inn *(plan B1, 27)* : Corduwaniersstraat, 11. ☎ 09-225-1705. • insinn@telenet.be • Au cœur du quartier du Patershol. Double 80 €. Dommage, une seule chambre, au rez-de-chaussée. Plaisante et de bon confort. Petit coin cuisine.

Aanaajaanaa B & B *(plan B2, 28)* : Hoogpoort, 25. ▯ 0476-755-255. • aanaajaanaa.be • Doubles 80-100 €, triples 110-130 €, petit déj compris. Réduc à partir de 5 j. Un B & B chargé d'histoire (cave du XIIIe s, auberge au XVIe s, puis imprimerie pendant 150 ans, enfin presbytère). Adresse totalement écolo : peinture non toxique sur les murs, lits aux composants naturels, nourriture organique... Chambres de bon confort, fraîches et colorées. Ce curieux nom signifie « venir, partir » en langue hindi.

Bon marché

🏠 *Auberge de jeunesse De Draecke* (plan B1, 11) : Sint Widostraat, 11. ☎ 09-233-70-50. ● gent@vjh.be ● vjh.be ● À proximité du château des Comtes. Accueil 7h30-23h. Nuitée en dortoir 17,50 €, single 31 €, double 43,60 € ; petit déj et draps inclus. Supplément de 3 € pour les non-membres. Lunch 6,50 € et dîner 9,10 €. Internet. Neuf, central, propre et fonctionnel. Que vouloir d'autre ? Une bonne adresse, donc, pour les petits budgets. Dommage que l'ambiance y fasse un peu défaut (au moins, c'est calme !). Dortoirs de 3 à 6 lits, avec douche et w-c.

Au 3ᵉ étage, vue sur les 3 tours de Gand. Consigne, téléphone et laverie (à proximité).

🏠 *Homes universitaires* (hors plan par C3, 10) : dans le quartier étudiant. Rens au Home Vermeylen, Stalhof, 6. ☎ 09-264-71-12. Fax : 09-264-72-96. Ouv 15 juil-20 sept slt. Compter env 27 € pour 1 nuit en chambre simple, avec lavabo (douches à l'étage). 2 nuits min. Sur 8 étages, environ 460 chambres. Peut être intéressant pour ceux qui n'ont pas trouvé de place à l'AJ. À noter que le *home* ne prend de réservation que pour les groupes.

Prix modérés

🏠 *Hôtel Flandria Centrum* (plan C2, 12) : Barrestraat, 3. ☎ 09-223-06-26. ● gent@flandria-centrum.be ● flandria-centrum.be ● Derrière Saint-Bavon. Doubles avec ou sans sdb 50-65 €, triple 98 € et pour 4 125 €, petit déj buffet compris. 23 chambres, certaines pouvant accueillir jusqu'à 4 pers. Internet gratuit. Sympathique et convivial, ce petit hôtel niché dans une rue calme, est un lieu de rencontre des routards du monde entier. Ils trouvent ici un hébergement simple mais bien tenu. On s'y croise dans le salon, tapissé de cartes géographiques, ou dans l'agréable salle de petit déj. Propose aussi en haute saison une annexe, plus sommaire.

Prix moyens

🏠 *Limited.co Hotel* (plan A2, 14) : Hoogstraat, 58-60. ☎ 09-225-14-95. ● info@limited-co.be ● limited-co.be ● Singles 50-65 €, doubles 65-95 €, petit déj inclus. Loft avec cuisine 95 € pour 2 pers (125 € pour 4). Parking à proximité. Café offert. Sans doute la plus routarde de nos adresses gantoises, inaugurée en 2005. Jeune, fraîche et modulable ! Les chambres au mobilier ludique et coloré offrent un confort plus que convenable pour le prix. Les plus grandes peuvent accueillir jusqu'à 4 personnes. Toutes donnent sur un petit jardin bien agréable les soirs d'été. Petit bar-resto (soupes, salades, pâtes ; fermé le dimanche) au rez-de-chaussée. Accueil extra. Ambiance familiale.

🏠 *Intercity Hotel* : Voskenslaan, 34. ☎ 09-220-48-40. ● info@intercityhotel.be ● intercityhotel.be ● Derrière la gare Saint-Pierre. Doubles 65-80 €, petit déj non compris. Parking gratuit. L'un des meilleurs, sinon le meilleur, rapports qualité-prix de Gand. Dans un petit hôtel très soigné, une vingtaine de chambres confortables et chaleureuses avec baignoire-Jacuzzi, du jamais vu dans cette gamme de prix ! En prime, un jardin d'hiver, très agréable, pour le petit déj-buffet. Réservez sans tarder !

🏠 *Hôtel Trianon* : Sint Denijslaan, 203. ☎ 09-221-39-44. ● info@hoteltrianon.be ● hoteltrianon.be ● À un jet de pierre du précédent (c'est la même direction). Doubles 62-70 €, petit déj inclus. Internet. Chambres cosy et soignées (avec clim'). Les plus chères ont elles aussi été équipées de bains à remous et de lit à baldaquin. Une autre bonne affaire en somme ! Attention, la proximité de la gare peut causer des problèmes de sommeil.

Plus chic

🏠 *Hotel Harmony* (plan B1, **25**) : Kraanlei, 37. ☎ 09-324-26-80. ● info@hotel-harmony.be ● hotel-harmony.be ● Doubles 145-210 € selon catégorie, junior suites 220-280 €, petit déj compris. Parking payant (12 €). Verre de bienvenue offert. Une merveille d'hôtel. Déco très soignée, au goût du jour, et plein de petites attentions qui font toute la différence et tout le charme des hôtels de luxe : belles matières, coin salon, baldaquin, cheminée, superbe rampe d'escalier sculptée... 4 catégories. Les chambres les plus chères sont équipées de Jacuzzi et bénéficient d'une terrasse, voire d'une vue sur le canal. Chose rare pour un 4-étoiles, l'atmosphère a su rester simple et familiale. Le petit déj est tout bonnement exceptionnel avec œufs et gaufres à la demande, salade de fruits frais, charcuterie, poissons fumés... Il y a même une piscine sur le toit ! Un excellent rapport qualité-prix quand on en a les moyens. Vélos à louer.

🏠 *Ghent River Hotel* (plan B1, **26**) : Waaistraat, 5. ☎ 09-266-10-10. ● info@ghent-river-hotel.be ● ghent-river-hotel.be ● Au bord de la Lys. Doubles 180-225 € selon confort et saison (suite 300 €) ; petit déj 20 €. Promo le w-e : 165 € (et 3e nuit gratuite en hiver !). Parking à 50 m. Réduc de 10 % sur le prix de la chambre sur présentation de ce guide. Accessible par voie d'eau ! Cette ancienne filature de coton, transformée en entrepôt par la suite, est aujourd'hui devenue un bien bel hôtel. 77 chambres en tout, d'excellent confort. L'architecture offre de beaux volumes et la déco mêle des matériaux bruts, comme le bois et la brique, à des meubles contemporains et design. L'ensemble est plutôt réussi. Voir la grande cave médiévale avec ses colonnes ciselées. Sauna et salle de fitness.

🏠 |●| *Poort Ackere Monasterium Hotel* (plan A2, **22**) : Oude Houtlei, 56. ☎ 09-269-22-10. ● info@monasterium.be ● monasterium.be ● Chambres doubles 115-165 € ; petit déj 15 €. Menus 30-50 € le soir ven-sam. Parking privé 10 €. Original mais tout de même pas donné, surtout en ce qui concerne les chambres du cloître, sortes de cellules de moine à la déco austère et au confort très rudimentaire. L'ensemble du lieu, cela dit, est très bien tenu et le cadre général fort agréable puisqu'il s'agit d'un ancien monastère néogothique. En 1998, il n'y avait plus que 6 religieuses pour un si colossal bâtiment et elles durent partir. Vue sur jardin ou cour. Restaurant dans l'ancienne salle capitulaire. Au menu, des recettes flamandes (parfois moyenâgeuses !), accompagnées de bières.

🏠 *The Boatel* (plan D2, **23**) : Voorhoutkaai, 44. ☎ 09-267-10-30. ● info@theboatel.com ● theboatel.com ● Fermé 1er-7 janv. Résa conseillée. Doubles 115-135 €, petit déj compris. Parking privé payant. 5 chambres standard et 2 deluxe. Un bateau-hôtel, comme son nom l'indique, amarré dans l'un des deux nouveaux ports de plaisance de Gand. Une grosse péniche fluviale en fait, qui abrite 7 chambres très bien aménagées et calmes. Vraiment impeccable. De plus, elles sont très confortables. Petit déj avec œufs, assortiment de pains et jus d'orange pressée. Pour les jeunes mariés, une demie de champagne offerte.

🏠 *Hôtel Erasmus* (plan A2, **15**) : Poel, 25. ☎ 09-224-21-95. ● info@erasmushotel.be ● erasmushotel.be ● Fermé 23 déc-10 janv. Doubles 99-150 €, petit déj compris. En plein centre, un petit hôtel agencé à l'ancienne par un antiquaire collectionneur, dans une vénérable maison du XVIe s à double pignon à la flamande. Très bon accueil. Les plus grandes (et les plus chères) sont aussi les plus belles. On aime beaucoup celle donnant sur la rue, avec sa belle hauteur sous plafond, sa cheminée et ses fenêtres à meneaux. Quelques-unes donnent sur le jardin à l'arrière. Les moins chères n'ont pas toujours le même cachet, mais restent très correctes. Au sous-sol, minuscule chapelle, près de la cave.

⛺ *Gent Belfort* (plan B2, 29) : Hoogpoort, 63. ☎ 09-233-33-31. • nhgentbelfort@nh-hotels.com • nh-hotels.com • Doubles 103 € (standard)-163 € (junior suite). Parking payant (15 €). On ne peut guère plus central (face à la superbe façade gothique de l'hôtel de ville). Un poil en retrait de la rue. Architecture plaisante, hôtel fonctionnel, agréable et offrant de très confortables chambres. Réception pro. Copieux petit déjeuner-buffet.

Où manger ?

L'embarras du choix ! Voici quelques bonnes adresses, testées pour vous, mais il est certain que vous en trouverez d'autres, tant l'offre est large. Repérez plutôt les restos aux abords desquels des vélos sont garés. C'est là que mangent les Gantois ! Profitez de votre passage à Gand pour essayer le fameux waterzoi gantois : bouillon crémeux de légumes (carottes, poireaux, céleri) et de pommes de terre, mijoté avec soit du poulet, soit du poisson. Bien préparé, c'est un régal ! À noter que plusieurs adresses citées dans la rubrique « Où boire un verre ? » proposent également une petite restauration peu chère.
Contrairement à beaucoup de villes historiques, les restaurants des abords immédiats des grands monuments ne sont pas synonymes d'attrape-touristes.

De bon marché à prix moyens

|●| *Lepelblad* (plan B2, 38) : Onderbergen, 40. ☎ 09-324-02-44. • info@lepelblad.be • Service non-stop, mar-ven 11h-19h30, sam 11h-17h. Formule du jour 11,70 €. À la carte, restauration légère ou plus consistante : 4-24 €. Plats du jour env 10 €. CB refusées. Voici un endroit où l'on se sent tout de suite bien. D'abord, il y a le cadre, clair et sympa, avec plancher, tables en bois, art contemporain aux murs et sièges design très confortables ; puis, la carte, alléchante, où figurent soupes, sandwichs (chauds et froids), toasts, pâtes, salades et divers autres plats chauds comme l'omelette aux crevettes, parmesan et coriandre ; et enfin, le contenu de l'assiette, tout simplement réjouissant (et copieux !). Bons légumes de saison. Même le pain maison est délectable. Bon accueil, qui plus est. Petite terrasse en été. En un mot, une adresse en or pour le midi ! Carte en français.

|●| *Le Progrès* (plan B2, 32) : Korenmarkt, 10. ☎ 09-225-17-16. Ouv midi et soir jusqu'à 21h30 (puis jusqu'à 22h, pas d'entrées, on ne peut commander qu'un plat chaud). Fermé lun-mer. On met rarement dans nos guides les adresses trop évidentes. Vu l'emplacement en plein centre touristique, on pourrait croire y trouver une cuisine de brasserie un peu passe-partout. Eh bien pas du tout, ici c'est du bon, du sérieux, de l'élaboré. Décor de boiseries et glaces biseautées, clientèle locale et populaire. Fameuses croquettes de crevettes, viandes tendres (excellent filet à l'argentine), sans oublier le rumsteck, les poissons (saumon, truite, tilapia...), pâtes et salades diverses. Mon tout servi copieusement. Accueil gentil comme tout.

|●| *Brooderie* (plan B2, 13) : Jan Breydelstraat, 8. ☎ 09-225-06-23. • hilde@brooderie.be • Tlj sf lun 8h-18h (22h ven-sam). Brunch 16-25 €. CB refusées. Au cœur du vieux Gand, une jolie maison ancienne avec pignon cranté. Boulangerie-restaurant-maison d'hôtes (voir aussi la rubrique « Où dormir ? ») qui sert, en semaine, un superbe plat du jour végétarien autour de 10 €. Cadre vieillot et patiné, tables rugueuses en bois. Uniquement produits bio. Sinon, il y a des salades, soupes maison, quiches, lasagne saumon-épinards, fromage de chèvre chaud au miel et pâtes à la carte. Pains aux céréales, aux olives, noix et raisins, etc. Salle agréable.

|●| *Avalon* (plan B1, 36) : Geldmunt, 32. ☎ 09-224-37-24. • info@restaurantavalon.be • Derrière le château des Comtes. Lun-sam 11h30-14h30, plus 18h-21h ven-sam. Fermé 2 sem en août. Menu du jour 13,80 €, sinon compter

9,80-15 € pour une salade, une quiche ou des pâtes. Café offert sur présentation de ce guide. Un resto végétarien là encore, pour les fanas de produits macrobiotiques et de cuisine organique, dans un décor composé de carreaux de faïence, tables en bois et même un poêle. Jolie fenêtre Art nouveau côté rue. Prix plancher ! Petite terrasse aux beaux jours.

|●| **Uit Steppe & Oase** *(plan B1-2, 30) : Jan Breydelstraat, 21.* ☎ *09-224-07-36. Ouv slt le w-e mai-oct et à l'heure de midi... sf s'il pleut. Plat max 10 €.* Traverser la galerie des antiquités, jusqu'au jardin de thé, îlot de verdure aménagé par Tanya, une archéologue voyageuse. On y sert des petits plats orientaux et des boissons. Cadre superbe. Les grandes arches en bois du jardin proviennent d'une vieille mosquée du nord du Pakistan.

|●| **Brasserie Café des Arts** *(plan B3, 40) : Schouwburgstraat, 12.* ☎ *09-225-79-06. Tlj sf lun soir 10h-22h (23h le w-e). Fermé 2 sem début août. Plat du jour 8 €, salades, soupes 5-8 €, compter 20-30 € à la carte.* Taverne un peu sombre. Glaces, lambris et banquettes de bois, houblon séché au mur pour une restauration sans façon mais copieuse :

Prix moyens

|●| **'t Vosken** *(plan C2, 33) : Sint Baafsplein, 19.* ☎ *09-225-73-61.* ● *brasserie@ tvosken.be* ● *Tlj 9h-minuit. Plats 10-20 € ; quelques snacks moins chers.* Certains Gantois doivent regretter la vieille déco et les fresques qui ornaient les murs et qui contaient les aventures de Renard le goupil. Si Renard est toujours là, avec quelques gravures accrochées, la vieille salle à manger a subi un sérieux lifting. Lustres à pampilles, papiers peints à impression noir et blanc, mobilier design et esprit baroque donnent un coup de jeune à la brasserie. Bons snacks et sandwichs. Dans l'assiette, heureusement, rien n'a changé et, si l'on trouve à la carte toutes sortes de pâtes, salades et grillades, les classiques flamands tiennent la place d'honneur : délicieux lapin à la bière, waterzooi, *spare ribs*, lasagne, tagliatelles aux scampi... Petite sélection de vins à partir de 16 €. Terrasse au

pâtes, lasagne, scampi *des Arts*, quiches, salades, *spare ribs, hochepot,* carbonades flamandes. Les Gantois y viennent pour un en-cas rapide à midi ou un godet vite bu après le boulot.

|●| **Amadeus** *(plan B1, 41) : Plotersgracht, 8/10.* ☎ *0497-43-85-71. Dans le quartier de Patershol. Tlj sf lun et sam midi 18h30-23h (18h w-e), ouv dim midi. Menu env 20 €, plats à partir de 13 €. Café offert sur présentation de ce guide.* Une des adresses préférées des Gantois et surtout des touristes, pour l'atmosphère qui y règne. Boiseries, vitraux Art nouveau et musique des années 1920. Ici, les *spare ribs* se mangent avec les doigts et sont servis à volonté. Pas de carte, les quelques plats sont présentés sur un buffet. Certes, quand même pas d'une grande finesse, les gens y vont presque autant pour le *fun* ! Adresse à fréquenter en groupe. Vin au centimètre.

– Preuve de ce succès, un **Amadeus II** a ouvert ses portes sur le Gouden Leeuwplein, 7 *(tlj 18h-minuit),* non loin de l'hôtel de ville, dans une demeure historique du XVIe s, avec une belle terrasse aux beaux jours et vue sur le beffroi et la cathédrale.

pied de la cathédrale.

|●| **De Gekroonde Hoofden** *(plan B1, 39) : Burgstraat, 4.* ☎ *09-233-37-74.* ● *info@degekroondehoofden.be* ● *Tlj 18h-minuit (23h dim). Fermé Noël-Jour de l'an. Grande affluence en permanence, résa conseillée. Menus 23-38 €, plats 11-17,50 € (belle entrecôte de 400 g).* D'abord, la façade, où ont été sculptées les têtes des comtes de Flandre, mérite un coup d'œil appuyé. Intérieur particulièrement agréable avec poutres, grande cheminée et lustre monumental. On y sert également des *spare ribs* à volonté pour 16 € (endroit plus classe qu'*Amadeus*). Salades, grillades, *scampi picobello* et belle carte de vins. C'est toujours succulent.

|●| **Vier Tafels** *(plan B1, 47) : Plotersgracht, 6.* ☎ *09-225-05-25.* ● *info@vier tafels.be* ● *Dans le quartier de Patershol. Fermé lun et fin août. Menu 25 €,*

plats 12-30 €. L'un des rares restos gantois qui ne servent pas de frites ! Et pour cause : la cuisine, ici, est un audacieux pot-pourri de produits et ingrédients originaires des quatre coins du globe. Avant, on y servait même des pattes de rat musqué à la Gueuze. Aujourd'hui, le patron a gagné en simplicité, proposant des mets comme le kangourou sauce échalotes, le renne finlandais aux chicons, le soupikadi (plat sénégalais), le crocodile façon thaïe (ou au lait de coco), l'autruche aux airelles au porto ou encore la moqueca de peixe brésilienne ou tout simplement le thon à la coriandre. Patron très accueillant. Rou-

tards du monde entier, à vos fourchettes !

|●| **De Foyer** (plan C2, **37**) : Sint-Baafsplein, 17. ☎ 09-234-13-54. ●info@ foyerntgent.be ● Tlj sf lun-mar 12h-14h, 18h30-22h. Lunch 12 €, compter 25 € à la carte. Café offert à nos lecteurs qui prendront un repas. C'est le foyer du théâtre, à l'étage du Koninglijke Nederlandse Schouwburg. Il accueille, entre autres, les troupes de comédiens. Il faut dire que le cadre est plaisant (plafond à caissons) et la vue sur la cathédrale (depuis le balcon-terrasse), imprenable. On peut aussi y venir à midi, bouloter une salade ou un gratin de poisson.

De prix moyens à plus chic

|●| **Belga Queen** (plan B2, **34**) : Graslei, 10. ☎ 09-280-01-00. ●info.gent@belga queen.be ● Service tlj 12h-14h30, 19h-minuit (23h30 dim). Formule lunch 15 €, entrées 11-22 €, plats 19-44 €. Menus 30-42 €. Notre coup de cœur à Gand, tout simplement ! Aménagé dans la plus vieille maison du Graslei (un ancien entrepôt à grains), ce resto, ouvert à l'instigation d'Antoine Pinto (une star de la gastronomie belge), vaut le détour, qu'on se le dise. La mise en espace ultracontemporaine, avec des passerelles métalliques suspendues, contraste fortement avec les solides murs du XIIIe s. Cela permet surtout de préserver l'intégrité de l'architecture d'origine, évidemment classée. Mais tout est pensé pour rendre le meilleur effet : fauteuils en cuir pour un esprit lounge, vaisselle design, etc., jusqu'aux tabliers des serveurs et au cornet de frites artistiquement présenté ! On pourrait craindre que cela ne soit que de la frime. Eh bien non, qu'on se rassure, le même soin a été porté au choix des produits et à la qualité des mets. Le chef revisite toutes les recettes traditionnelles et n'utilise que des produits locaux : feuilleté de crevettes ostendaises, joues de lotte frites, jambon séché de la Sûre, petits-gris de Namur, pot-au-feu de veau et ses ris, anguilles au vert ou encore coucou de Malines servi rôti sur pain d'épice ou en waterzoi. Et pour le dessert, pourquoi ne pas se laisser tenter par le pain perdu ou l'assiette « tout cuberdon » ? La carte

des bières (ou des vins) n'est évidemment pas en reste (avec les meilleurs vins belges !). Carte en français. Terrasse aux beaux jours. Fumoir au dernier étage pour les amateurs de cigares.

|●| **Le Ban Thaï** (plan B1, **35**) : Corduwanierstraat, 57 (Patershol). ☎ 09-233-21-41. Tlj sf lun, ouv le soir slt 18h30-22h (dim 12h-14h en plus). Plats 12-16 €. Menu découverte « La Promenade siamoise » 30 € (min 2 pers). Au fond d'une courette. Décor tout blanc agrémenté de beaux objets asiatiques. Délicieuse cuisine thaïe à prix modérés. Carte assez étendue où l'on trouve un soufflé de poulet au curry rouge, une dorade royale frite au poivre et ail et un calamar farci au porc et curry vert... Plats végétariens. Ceux épicés sont bien indiqués.

|●| **Bij den Wijzen en den Zot** (plan B1, **45**) : Hertogstraat, 42. ☎ 09-223-42-30. ▯0475-66-62-39. ●bijdenwijzenen denzot@telenet.be ● Tlj sf dim lun 12h-14h, 18h30-22h. Résa hautement recommandée, surtout le w-e, car les 3 petites salles sont vite remplies. Plats 20-30 € env. Cette jolie maison du XVe s du Patershol est un des hauts lieux du waterzoi gantois. Assurément l'un des meilleurs de la ville (sinon le meilleur !). Pas de secret, madame (car c'est une femme qui officie en cuisine) n'utilise que des poissons nobles, ne trahissant, en cela, la recette que pour la bonne cause !

|●| **Café Théâtre** (plan B3, **31**) :

Schouwburgstraat, 5-7. ☎ 09-265-05-50. ● info@cafetheatre.be ● Tlj sf sam midi 12h-14h, 19h (18h dim)-23h (minuit le w-e). Bar ouv à 10h. Brunch dim jusqu'à 15h. Fermé de mi-juil. à mi-août. Formule lunch 15,70 €, plats 19-26 €. Près de la place du Kouter, un bar-restaurant pour les jeunes urbains branchés et les employés du quartier. Salle aux couleurs rouge, brun et noir et à la sobre élégance, avec mezzanine et toilettes de style maghrébo-design. Ambiance chaleureuse, service rapide assuré par une ribambelle de jeunes et jolies serveuses. Cuisine de brasserie nouvelle génération, aux senteurs provençales et aux influences exotiques (wok de légumes aux scampi, pavé de thon graines de sésame, taboulé de chou-fleur aux crevettes grises, belles salades etc.) à bon rapport qualité-prix. La partie lounge (apéritif, musique et petite restauration soignée) est plus cosy que la partie resto.

|●| **Brasserie Pakhuis** (plan B2, **48**) : Schuurkenstraat, 4. ☎ 09-223-55-55. ● info@pakhuis.be ● Dans une ruelle derrière le McDo du Korenmarkt. Tlj sf dim 12h-14h30, 18h30-23h (minuit w-e). Fermé 15-26 juil. Résa vivement conseillée le soir. Formule lunch 13,80 €, menus 23,50-40 €. Dans le style Quincaillerie à Bruxelles et Pomphuis à Anvers, la brasserie branchée de Gand. Entrepôt monumental en fer forgé surmonté d'une grande verrière. Bar à huîtres et bar tout court dans la galerie en contre-haut. On pourrait croire que ça serait l'usine avec une cuisine de brasserie passe-partout, mais pas du tout, c'est une cuisine tout à fait sérieuse. En outre, service jeune et impeccable. Viandes savoureuses et bien servies, accompagnées de petits légumes frais et bien choisis. Excellent contre-filet a la plancha. Ne pas manquer les croquettes de crevettes.

|●| **Cœur d'Artichaut** (plan B2, **43**) : Onderbergen, 6. ☎ 09-225-33-18. ● info@artichaut.be ● Tlj sf dim-lun 12h-14h30, 19h-23h30. Plats 16-25 €, le midi 10 €. À la carte, compter 40 €. Brasserie à la déco contemporaine, très agréable, au rez-de-chaussée d'une maison de maître. On y sert une cuisine savoureuse et variée, aux accents thaïs. Feu de cheminée l'hiver, terrasse-jardin l'été. Carte en français.

|●| **Café Parti** (hors plan par B3) : Koningin Maria Hendrikaplein, 65 A. ☎ 09-242-32-91. ● resto@cafeparti.be ● Mar-ven 12h-22h ; sam 12h-14h30, 18h-23h ; dim 11h-15h30 (pour le brunch). Résa conseillée le w-e. Formule du jour 13,90 €, plats 12-24 €. Brasserie rugissante sur la place de la gare. Pratique si vous devez prendre le train. Grande salle aux tables spacieuses avec banquettes rouges surplombées de photos panoramiques en noir et blanc. Cuisine dans l'air du temps, sans grande surprise mais plutôt réussie. On viendra davantage pour l'ambiance.

Plus chic

|●| **The House of Eliott** (plan B1-2, **42**) : Jan Breydelstraat, 36. ☎ 09-225-21-28. ● thehouseofeliott.be ● Ouv tlj sf dim et mer, midi et soir jusqu'à 22h. Repas min 40 €. Cadre délicieux, plein de charme. Décor de mannequins portant de belles robes vintage, poupées, beaux objets, bibelots, photos anciennes, cadres argentés, miroirs, miniatures, mobilier cossu... Tout concourt ici à créer une atmosphère cosy, intime et chaleureuse, teintée de préciosité. L'idéal pour un dîner en tête à tête et de grandes déclarations d'amour. Cuisine au diapason, fine, raffinée, aux sauces délicates. Poisson cuit à la perfection. Spécialité de homard, décliné de nombreuses façons. Service parfois un peu longuet, mais tout est fait à la demande. Et puis ce temps qui s'écoule paisiblement...

|●| **De 3 Biggetjes** (plan B1, **44**) : Zeugsteeg, 7 (Patershol). ☎ 09-224-46-48. Tlj sf mer, sam midi et dim 12h-14h, 18h30-21h30. Lunch en sem 17 €. Menu 30 €. À la carte, compter 45-50 €. Dans une belle demeure médiévale, deux petites salles tranquilles et cosy pour une cuisine française raffinée. Beaux produits suivant marché et saisons. Délicieux desserts. Menu d'un remarquable rapport qualité-prix. Une de nos plus belles adresses.

Très chic

|●| *Amatsu* (plan B2, **21**) : *Hoogport, 29.* ☎ 09-224-47-06. ● *info@amatsu.be* ● *Tlj sf dim-lun 18h-22h. Min 40-50 € à la carte. Menu végétarien 34 €. Menu dégustation 99 €. Plats 23,50-28,50 €.* Cadre zen contemporain pour une cuisine japonaise de haute volée (et chère). Rien à voir avec les pseudo-nippons qu'on connaît (souvent d'anciens restos chinois reconvertis). Ici, on atteint la quintessence de la gastronomie au pays du Soleil-Levant. Si vous êtes seul et que vous avez commandé le sashimi, apportez votre *Mishima* en poche pour passer le temps. Il faut savoir que le diplôme de découpeur de sashimi demande jusqu'à 5 à 7 ans d'études et de pratique et que ça se révèle quasi une cérémonie. Mais l'attente sera récompensée (pour les connaisseurs bien sûr) par une fraîcheur et une délicatesse absolue. Même chose pour le *tempura* (beignets de légumes ou de crevettes) et le *tontsaku* (viande de porc doucement panée). Quelques spécialités : les sushis bien sûr toujours préparés à la demande, le poulet *terryyaki* et l'*unadon*, délicieuse anguille grillée.

Où boire un verre ?

On pourrait aisément consacrer un volume entier aux cafés gantois : *bruin cafés, kroegen,* caves, estaminets, rock-cafés, temples de la bière ou du genièvre... vous n'épuiserez jamais le sujet. Les 55 000 étudiants que compte la ville se chargent d'animer tous ces troquets. Comme la nuit vous baladera de comptoir en terrasse et qu'au fil des heures vous risquez de perdre un peu votre sens de l'orientation, nous avons regroupé tous ces endroits par quartier, afin d'éviter que vous ne vous retrouviez barbotant dans un canal.

Autour de Saint-Bavon et du beffroi

Endroits sages pour se reposer dans la journée ou pour se donner rendez-vous.

🍸 Pas mal de terrasses, dont celle du **'t Vosken** (plan C2, **33**) sur le Sint Baafsplein, 19. Elles voient défiler des milliers de visiteurs tous les jours, assoiffés par leur visite à Saint-Bavon ou s'offrant un break avant d'affronter la montée au beffroi.

Autour du Botermarkt

🍸 *Lazy River Jazz Club* (plan B2, **61**) : *Stadhuissteeg, 5.* ☎ 09-230-41-39 et 09-225-18-58. ● *lazyriverclubgent.be* ● *Derrière l'hôtel de ville. Ouv 2 ou 3 ven/ mois dès 21h.* Permet de finir la soirée en douceur dans un club où la qualité des concerts de jazz ne s'est pas démenti depuis plus de 20 ans.

🍸 *Den Turk* (plan C2, **62**) : *Botermarkt, 3.* ☎ 09-233-01-97. Il est écrit que la maison date de 1228. Par son nom, ce café évoque les Turcs, peuple avec lequel commerçait Gand à son âge d'or. On peut y boire un verre dans un décor gantois traditionnel marron et blanc crème et, de temps en temps, écouter de la musique (jazz, blues). Atmosphère chaleureuse et animée, surtout le week-end. Bonne sélection de bières.

À Korenmarkt et Klein Turkije

Au cœur de la « Cuve », l'animation est dense tant de jour que de nuit. Vous pouvez choisir l'une des nombreuses terrasses du Korenmarkt.

🍸 *Damberd* (plan B2, **63**) : *Korenmarkt, 19.* ☎ 09-329-53-37. ● *damberd@pandora.be* ● *damberd.be* ● Sa terrasse est le meilleur endroit pour faire connaissance, à condition de trouver une chaise entre les tables et les vélos joyeusement dispersés. Si personne ne vient prendre votre commande, allez vous servir au comptoir et observez une partie d'échecs en cours. À l'intérieur, sur les murs, vues de Gand en marqueterie, assez fantastiques. Concerts occasionnels de jazz d'octobre à mars.

Vers le Groentenmarkt

Het Galgenhuisje (La Potence ; plan B1-2, **64**) : Groetenmarkt, 5. À l'extrémité de la Grande Boucherie (Groot Vleeshuis). Tlj 11h-5h. Le « plus petit estaminet de Gand » (plus historique, tu meurs !). Petite salle, petite terrasse, petite cave (hyper touristique), carreaux de Delft et vestige d'un ancien pilori où l'on attachait, c'est selon, les mauvais payeurs ou les « femmes de mauvaise vie ». Les condamnés à la pendaison y prenaient leur dernier repas. On s'y entasse aujourd'hui pour une bonne bière (brune) maison.

Het Waterhuis aan de Bierkant (plan B1, **65**) : Groentenmarkt, 9. ☎ 09-225-06-80. ● waterhuis.aan.de.bier kant@skynet.be ● À côté du pont qui relie le Groentenmarkt au quartier de Patershol. Tlj 11h-2h (min). Fermé 24-25 déc et 1er janv. Difficile à louper, avec sa terrasse privilégiée en bord de Lys. Véritable académie de la bière : plus de 150 bières belges disponibles (dont 14 au fût), quelques-unes assez rares, toutes détaillées et expliquées sur la carte que vous ne manquerez pas de lire attentivement. Toutes servies à tem-

La Klein Turkije est la rue qui court sur le flanc gauche de l'église Saint-Nicolas et qui débouche sur le Korenmarkt ; on y trouve plusieurs *muziek cafés*, dont **De Platte Beurs** (plan B2) au n° 20, un *kroeg* (bistrot) néogothique, à la clientèle mélangée.

pérature idéale. Les commentaires sont différents selon la langue utilisée ! On peut même lire du « gensch », le patois gantois très savoureux. Si vous vous sentez d'attaque, essayez une Bush (rien à voir avec G.W. !), après avoir noté soigneusement l'adresse de votre hôtel et le numéro de votre chambre !

't Dreupelkot (plan B1, **65**) : sur le même quai que le précédent, dont il partage d'ailleurs la terrasse, vu que c'est le même propriétaire (une personnalité !). ☎ 09-224-21-20. ● dreupelkot@ skynet.be ● Ferme 3 j. après les fêtes de Gand (faut bien ça pour se remettre !). Complément obligatoire du bar à bière, le bar à genièvre (évitez, si possible, de mélanger les deux : les eaux de la Lys sont déjà assez peu engageantes comme ça). Ici, on boit debout, au comptoir ou autour des tonneaux, et cela se justifie. Assis, on n'est pas sûr de pouvoir se relever. Au coude à coude, on sirote, comme il se doit, l'alcool de grain dans de petits verres givrés, remplis à ras bord, et les tournées avec les Gantois se succèdent facilement...

Dans le quartier de Patershol (plan B1)

Dans le triangle Kraanlei-Oudburg, Lange Steenstraat et Geldmunt, le *Patershol* est un vieux quartier idéal pour sortir le soir. On y trouve une trentaine de restos et quelques lieux nocturnes inoubliables. En hiver comme en été, on s'y sent bien mais à la mi-août les rues grouillent de monde pour les fêtes du Patershol. Ce fut un quartier bourgeois aux XVIIe et XVIIIe s, puis au XIXe s un quartier ouvrier avec l'implantation des industries textiles. Quasi à l'abandon, peuplé de familles immigrées, il fut sauvé de la démolition

LA BELGIQUE, C'EST DÉFINITIVEMENT LE PAYS DE LA BIÈRE !

Une preuve de plus ! Une curiosité... Là, au-dessus du comptoir du Dulle Griet (et de quelques autres bars à bière)... noter ces dizaines de verres de toutes les formes. Normal, chaque bière possède quasiment son propre verre, bref sa forme idéale pour conserver toutes ses qualités. En effet, pour certains buveurs, ce serait une hérésie de boire sa bière favorite dans un tout autre contenant ; elle n'aurait tout simplement pas le même goût !

par la volonté des Gantois de préserver cet ensemble unique de structure urbaine de type médiéval. Il est aujourd'hui habité par des jeunes qui aménagent tantôt des lofts, tantôt des appartements au design recherché.

Raj *(plan B1, 70)* : Kraanlei, 43 A. ☎ 09-234-34-59. • resto@raj.be • Tlj sf mar à partir de 18h (12h le w-e). Décor indien traditionnel, certainement l'un des plus exotiques de Gand ! L'atmosphère y est douce, on vient ici pour s'installer sur des coussins, derrière une tenture rouge, et déguster un *badamka sherbet* (lait aux amandes, safran et cardamome) ou une « canette » de thé (indien, bien sûr). En bref, pour savourer un moment de tranquillité et repartir serein. Fait aussi sauna (voir plus loin) et resto (assez banal).

Rococo *(plan B1, 66)* : Corduwanierstraat, 57. ☎ 09-224-30-35. Tlj dès 22h. Au cœur du quartier. Beau plafond mouluré bruni par les cierges et la fumée des cigarettes. Oasis de chaleur, de douceur et d'intimité, refuge des artistes dont Betty la Blonde est la muse. Le feu de l'âtre et des candélabres se reflète dans ses yeux... qui pétillent de toute façon. Atmosphère tournage aux chandelles façon *Barry Lyndon*. Presque toujours quelqu'un pour jouer du piano. On remplit les tables au fur et à mesure, bonne occasion de rencontre et de discussion. Un super café de nuit !

't Velootje *(plan B1, 67)* : Kalversteeg, 2. Dans une ruelle perpendiculaire à l'Oudburg, c'est la façade de briques jaunes et blanches. Tlj à partir de 19h (en fait, suivant l'humeur du patron). Ferme jusque tard, dépendant du moment. Un des endroits les plus surprenants de la ville. Sur 40 m², un incroyable bric-à-brac, sorte de remise où s'entassent vieilles fringues et vélos suspendus, là où on peut encore planter un clou. Liéven est l'ermite qui habite cet antre, moitié réparateur de bécanes, moitié fripier. Il est assez farouche et, si vous n'êtes pas assis, vous ne serez pas servi. Une pancarte interdit formellement de danser ! Il faut dire que, dans un tel espace, cela tiendrait de l'exploit. Une anecdote court au sujet de Liéven : il possède un vélo des régiments cyclistes de Napoléon III, qu'un fils de baron gantois, junkie, lui aurait vendu pour se procurer des substances illicites. Le musée du Louvre le convoiterait mais Liéven refuse de s'en défaire ! En tout cas, certains clients souhaitent son inscription au Patrimoine de l'humanité de l'Unesco... Des projets d'extension aussi... Espérons que cela n'altérera pas l'âme du lieu !

Dans le quartier du Vrijdagmarkt

L'âme populaire de Gand se perçoit sur le Vrijdagmarkt : le personnage de la statue centrale, le tribun Jacques Van Artevelde, y haranguait les foules. Il en est resté une habitude qui fait de cette place un lieu permanent de rassemblement. Tavernes nombreuses et terrasses souvent noires de monde. Marché le vendredi bien sûr.

Herberg Dulle Griet *(plan B1, 68)* : Vrijdagmarkt, 50. ☎ 224-24-55. Tlj 12h (16h30 lun)-1h (19h30 dim). Dulle Griet (« Margot l'Enragée ») est cette créature du tableau de Pieter Bruegel personnifiant la Guerre, et c'est ici un autre haut lieu gantois de la bière. Quelques exclusivités au fût, dont la Dulle Griet. Autre spécialité : le Max, un verre de 1,2 l. Attention, on vous demandera de laisser en gage une chaussure, qu'on mettra dans un panier au plafond et on ne vous la restituera que si vous rendez le verre en bon état ! À propos, la Max est uniquement brassée pour ce café

qui offre d'ailleurs pas moins de 250 sortes de bières. Sinon, plusieurs petites salles vieillottes en enfilade et l'endroit se visite comme un musée, avec ses bouteilles aux étiquettes délavées en fond de comptoir... et ses plaques publicitaires émaillées. Citons-en une entre toutes : celle de la Delirium Tremens, qui a pour emblème... un éléphant rose.

Bar-Bistro 't Zuiden van Europa *(plan C1, 72)* : Vrijdagmarkt, 30. ☎ 09-225-62-15. Tlj sf lun-mar 11h30-21h. Rien de particulier, juste un chaleureux et convivial bistrot de quartier. Patron accueillant. On peut aussi y caler une petite faim avec une soupe ou un plat de spaghettis tout simple.

♟ **Pink Flamingo's** (plan B2, **71**) : Onderstraat, 55. ☎ 09-233-47-18. • in fo@pinkflamingos.be • Lun-mer 12h-minuit, jeu-ven 12h-3h, sam 14h-3h, dim 14h-minuit. Fermé 2 sem début août après les fêtes de Gand (pour cause d'épuisement). Bar au décor assez délirant, un vrai repaire du kitsch. Hormis les toiles cirées à fleurs, les lustres de poupées Barbie, les statues religieuses, les trophées de chasse et les photos de stars hollywoodiennes, le décor change tous les 3 ou 4 mois. Musique pop et eighties. Accessoirement, plats de petite restauration.

Autour de Sint Jacobskerk

♟ **De Trollekelder Bier café** (plan C2, **69**) : Bij Sint Jacobs, 17. ☎ 09-223-76-96. • info@trollekelder.be • Tlj 17h (16h w-e)-2h (voire 3h). Fermé en août. Attention, des créatures grimaçantes vous entourent : les trolls des légendes germaniques ! Ils ne sont nullement menaçants et, si vous leur ouvrez votre bourse, ils vous régaleront de fromage, bière, saucisson ou de quelque autre mixture mitonnée dans la marmite du chef. Grande salle au sous-sol, avec un bon feu qui crépite dans l'âtre. La musique classique est leur mélopée préférée. Quelques bières rares parmi les 150 proposées.

♟ **Trefpunt** (plan C2, **69**) : Bij Sint Jacobs, 18. ☎ 09-233-58-48 et 225-36-76. • ginfo@trefpuntvzw.be • tref puntvzw.be • Ouv tlj à partir de 17h. Fermé 1er-15 août. « Point de rencontre pour la promotion de l'art dans la rue », Trefpunt est le lieu où se prépare l'animation d'une partie des Gentse Feesten. C'est aussi, et avant tout, un bruin café qui reçoit, tous les lundis, de fort bons musiciens. Excellente animation la plupart du temps, car c'est l'un des populaires rendos des musicos et de la bohème locale.

Au-delà de la Belfortstraat, le Vlasmarkt rassemble quelques cafés « jeunes » un peu destroy. À grands coups de décibels. Le spectacle est autant dans la rue que dans les salles enfumées.

Où sortir ? Où écouter de la musique ?

La vie nocturne est aussi très intense au sud de la ville historique, dans le quartier de l'université : le long de Sint Pietersnieuwstraat et, surtout, d'Overpoortstraat, jusqu'au Citadelpark, où se trouvent les musées des Beaux-Arts et d'Art contemporain ; là, s'égrène une kyrielle de cafés d'étudiants, parmi lesquels l'**Abu Simbel,** connu pour ses concerts, la **Décadanse,** un bar où l'on guinche jusque très tard. Ambiance « guindaille », beuveries bruyantes et chansons paillardes garanties... sauf les week-ends et pendant les vacances scolaires (les étudiants sont de retour chez papa-maman).

♪ **Kunstencentrum Vooruit VZW** (plan C3, **80**) : St-Pietersnieuwstraat, 23. ☎ 09-267-28-28. • vooruit.be • Mar-sam 11h30-2h (3h ven-sam), dim 16h-1h. Fermé lun. Immense salle pour boire, manger (plat du jour bon marché) et écouter de la musique. C'est le grand rendez-vous des jeunes, des étudiants, des artistes de Gand, de ceux qui sortent le soir. Spectacle presque tous les jours (dans une autre salle prévue à cet effet) et concerts (gratuits) tous les jeudis. Inutile de dire qu'il y a de l'ambiance.

Les clubs et les boîtes jeunes

♫ Sur Oude Beestenmarkt (plan C2), entre St-Jacobsnieuwstraat et Nieuw- brugkaai, se succèdent quelques hauts lieux incontournables de la nuit gan-

toise. On y trouve côte à côte le *Bardot,* | Les soirs de fin de semaine en été, ils
le *Club 69,* le *Club Atlantic* et le *Video.* | sont noirs de monde. Musique et danse.

– Le quartier Afrikalaan, près de la gare Dampoort, est un autre lieu branché de la
nuit avec, en vedette, le *Culture Club.*

À voir

On vous rappelle l'existence d'un *pass* (20 € pour 3 jours) que vous pouvez vous
procurez à l'office de tourisme mais aussi dans chacun des sites et musées concernés. Elle offre la gratuité dans les principaux musées (expos temporaires comprises), ainsi que dans les bus et trains urbains « De Lijn »...

La Cuve et le centre

Le tour de Gand commence inévitablement par la Sint Baafsplein, au centre de
l'espace piéton où toute circulation automobile est désormais interdite. Les terrasses ou les petits bancs permettent de s'y préparer, *Guide du routard* et plan de ville
en main (disponible à l'office de tourisme, sous la halle aux draps toute proche).
Avec le plan, vous comprendrez bien ce que l'on nomme « la Cuve », il s'agit de la
boucle comprise entre la Lys et l'Escaut, qui correspond aux origines de la ville. Un
projet vise, d'ici à 2012, à remettre le canal en eau (entre le Brabantdam, le Oude
Beestenmarkt et le Nieuwbrugkaai), dans le but de créer une grande piste cyclable
et une voie navigable qui ferait, comme autrefois, le tour de la ville.

🏛🏛🏛 *Sintbaafskathedraal* (cathédrale Saint-Bavon ; plan C2, **90**) : Sint Baafs-
plein. ● *sintbaafskathedraal-gent.be* ● *Tlj 8h30-18h (17h nov-fin mars). Fermé pour
les offices religieux (dim mat et j. fériés). Entrée gratuite. Tour de la cathédrale accessible slt au moment des fêtes de Gand (4ᵉ sem de juil 11h-18h).*
Avec le beffroi et sa halle, Saint-Bavon est l'orgueil des Gantois. Si le style dominant est gothique, la construction, échelonnée sur plusieurs siècles, est partie de
l'église primitive dédiée à saint Jean-Baptiste, première paroisse de la ville. Charles
Quint y fut baptisé et elle prit le nom de Saint-Bavon à la suite de la démolition de
l'abbaye du même nom. Philippe II en fit une cathédrale et la confia au premier
évêque de Gand. Elle subit des transformations tout au long des siècles : la crypte
est romane, le chœur gothique rayonnant, la tour, la nef et le transept art gothique
tardif. La tour de 82 m fut même dotée d'une flèche qui brûla en 1603. Pour se
repérer, il suffit de savoir que l'on utilisa tout d'abord la pierre grise de Tournai par
facilité, puis la pierre blanche du pays d'Alost, du temps de sa splendeur, et que
l'on dut se rabattre sur la brique après le XVIᵉ s, faute d'argent...
Saint-Bavon est un grand musée, son statut de cathédrale ayant incité tous les
nantis de la ville à y construire l'un une chapelle, l'autre un tombeau, ou à doter
l'intérieur de mobilier et de peintures monumentales. Remarquez le dessin des voûtes, plutôt compliqué. Sans entrer dans les détails, on devine immédiatement
l'apport du baroque, par un jubé monumental en marbre orné de grisailles. Voir la
chaire de vérité, réalisée par Laurent Delvaux, prototype du style rococo, avec le
mélange de bois et de marbre (les arbres en marbre !).
– *Le chœur :* superbes stalles et candélabres aux armes de la couronne d'Angleterre. Il est fermé pour travaux jusqu'en 2012.
– *Le déambulatoire :* avec autour ses chapelles commanditées par les grandes
familles (l'une d'elles abritait l'*Agneau mystique*). Dans la première à droite du
chœur, *Jésus au milieu des docteurs,* de Pourbus : Charles Quint, Philippe II et le
duc d'Albe y sont représentés. À voir, tout autour, les mausolées d'évêques. Celui
de Mgr Triest, dont l'expression semble porter tout le poids de la condition humaine
(d'où son nom ?). Et encore les portes richement ouvragées et les tableaux, dont
un Rubens, dans la chapelle de Saint-Pierre-et-Saint-Paul, la dernière, dans le
déambulatoire (n° 25 sur le dépliant en français).

– Aux murs, dans le chœur et le transept, votre attention sera attirée par **les blasons** portant les armes des grandes familles des Pays-Bas bourguignons et espagnols. Le 23e et dernier chapitre (réunion) des chevaliers de la Toison d'or se tint à Gand en 1559 et on peut remarquer la présence des armoiries des comtes d'Egmont et de Hornes, membres de l'ordre, décapités à Bruxelles en 1568 sur ordre d'un autre membre, le duc d'Albe. Scandale chez les nobles car, même en ces temps troublés, on avait des principes.

– **La crypte :** *mêmes horaires que la cathédrale. Accès gratuit.* L'une des plus grandes cryptes romanes de Belgique, elle remonte aux années 1150 et contient un trésor religieux constitué d'objets du culte, d'une châsse (saint Macaire), de reliquaires, d'évangéliaires et de pierres tombales. Une peinture remarquable : *Triptyque du Calvaire* de Juste de Gand, un artiste flamand qui poursuivit sa carrière en Italie auprès de Piero Della Francesca. L'architecture du lieu est particulièrement intéressante. La crypte fut agrandie pour permettre l'adjonction d'un chœur et de chapelles. Colonnes romanes ornées de fresques du XVe s.

– **Le fac-similé de l'Agneau mystique :** dans une chapelle latérale (celle des donateurs). Que vous alliez ou non voir l'original, on vous encourage à passer voir cette « copie » admirable. Tout d'abord parce qu'il a retrouvé l'exacte place qu'occupait le polyptyque. Regardez l'éclairage et les ombres sur le tableau... Ils correspondent exactement à la lumière naturelle provenant de la fenêtre de la chapelle (regardez comme les vitraux se reflètent encore dans la broche qui ferme le manteau de l'ange chanteur, au premier plan). Ensuite parce qu'on peut s'approcher, le contourner, l'ouvrir, le fermer. Ce qui évite quelques frustrations pour la suite !

– **Le polyptyque de l'Adoration de l'Agneau mystique :** *à gauche après l'entrée, dans l'ancienne chapelle baptismale. Avr-fin oct, lun-sam 9h30-17h, dim 13h-17h ; le reste de l'année, lun-sam 10h30-16h, dim 13h-16h. Attention, dernière entrée 30 mn avt. Entrée : 3 €, audioguide compris.*

À ne manquer sous aucun prétexte ! Un des plus importants chefs-d'œuvre de l'histoire de la peinture. Une littérature considérable lui est consacrée, concernant ses origines, sa facture, son histoire au long des siècles et les déboires qu'il connut. Depuis toujours, le retable se trouvait dans la sixième chapelle (où se trouve aujourd'hui le fac-similé). Au grand dam des partisans de la tradition, les responsables de l'œuvre ont opté pour son déménagement afin de le protéger d'un vandalisme criminel et pour lui assurer des conditions de conservation optimales. On peut donc à présent l'admirer dans une cage de verre à l'épreuve des balles mais, à notre

> ## QUI A PEINT LE POLYPTYQUE ?
>
> *Une inscription en latin sur le cadre du retable indique qu'Hubert Van Eyck commença cette œuvre, en vantant les talents du peintre, « le plus grand qui fut ». Le problème est que l'on ne connaît aucune autre œuvre de sa main, ce qui a amené certains à douter de l'existence même d'Hubert Van Eyck. Le quatrain dit aussi que son frère Jan, « le deuxième dans l'Art », acheva le tableau. Il a d'ailleurs signé neuf panneaux. Il existe toutefois une pierre tombale d'Hubert Van Eyck qui lui attribue la réalisation de l'Agneau mystique. La science et les techniques nouvelles ne donnent pas encore de réponse formelle.*

avis, l'éclairage est loin d'être idéal. On vous recommande, même si ce n'est pas facile, d'éviter les heures de grande affluence pour vous imprégner du réalisme mystique de cet extraordinaire ensemble.

La meilleure façon de l'aborder est d'en faire le tour, pour voir les panneaux qui apparaissent lorsqu'il est fermé. C'est ainsi qu'il était présenté aux fidèles, en dehors des jours de fête : car il était conçu comme une mise en scène du mystère divin, dont le retable extérieur était le prologue. On y voit, dans leurs vêtements d'apparat, les commanditaires : le riche magistrat Joost Vijdt et sa femme Isabelle Borluut. L'un, empreint d'une dignité dévote, l'autre, pas très heureuse d'avoir été obligée de poser ! Leur piété s'adresse aux statues des deux saints Jean, dans leurs niches (le Baptiste et l'Évangéliste). La partie médiane montre l'annonce à la Vierge dans une pièce basse de plafond (par où est donc passé l'archange Gabriel ?), dont les fenêtres nous laissent voir un décor urbain (si vous regardez bien, vous verrez des gens dans la rue !). Curieusement, les « paroles » sortant de la bouche de Marie sont à l'envers, symbolisant ainsi qu'elle s'adresse à Dieu, au monde céleste et non au commun des mortels. Les personnages du haut sont les sibylles de Cumes et d'Érythrée (selon les exégètes chrétiens, ces oracles avaient annoncé la venue du Christ), et les prophètes Michée et Zacharie.

Revenez ensuite devant le retable pour recevoir de face le choc de la révélation du mystère de l'Agneau. Dieu, le Père (ou le Fils ?), préside la scène de toute la magnificence de sa parure (regardez la transparence cristalline de son sceptre, on peut y voir la déviation de la lumière : Van Eyck maîtrisait les lois de l'optique). Que dire aussi de la fabuleuse précision du rendu des étoffes et des bijoux ? La couronne à ses pieds est sans doute celle des ducs de Bourgogne. En se tordant un peu le cou et à la loupe, on peut lire le texte du livre que tient saint Jean-Baptiste (en vert) ; chaque pierre de la couronne de la Vierge reflète la lumière censée venir de la droite. Les cheveux ont été peints un à un ! C'est tout bonnement prodigieux de précision et de maîtrise technique. De part et d'autre, la bande son est assurée par les anges chanteurs et musiciens. Nul besoin d'attirer votre attention sur la somptuosité des brocarts et la complexité du pavement.

L'orgue a été reconstitué de nos jours sur la base de la représentation que l'on voit ici et il fonctionne parfaitement : ce qui donne à réfléchir sur le savoir-faire musical au début du XVe s (le Moyen Âge !). Adam et Ève, émouvants de sincérité (surmontés de « grisailles » représentant Caïn et Abel), sont les premières représentations « naturalistes » du corps humain de la peinture occidentale. C'était révolutionnaire à l'époque (on peut même compter les poils des mollets d'Adam) et cela choqua l'empereur d'Autriche Joseph II qui, en 1781, les trouva indécents et les fit remplacer par des personnages « habillés ». On peut les voir à l'entrée de la cathédrale (oh blasphème, on les surnomme, à Gand, « Jane et Tarzan » !). Faites la comparaison ! Ève semble enceinte, en fait c'était le modèle de représentation féminine à l'époque. Le pied droit d'Adam a l'air de sortir de son cadre.

Pour bien comprendre l'œuvre, il ne faut pas perdre de vue l'importance de la symbolique dans la religion et dans l'art médiéval. Chaque détail a une signification propre. Là où nous voyons aujourd'hui un élément décoratif, fruit du hasard ou de la fantaisie du peintre, il faut y voir un message, un langage qui, à l'époque, parlait à tous.

La partie inférieure du retable nous montre l'accomplissement du mystère : l'Agneau de la Rédemption est la clé pour la compréhension du sentiment mystique au Moyen Âge. Le salut vient du sacrifice du sang versé pour le rachat du péché originel : le sang jaillit du flanc de l'agneau et irrigue la terre via la fontaine de Vie (avec 12 jets comme les 12 apôtres). Le cortège des élus et des vierges sort des bocages et converge vers l'autel entouré d'anges. Le tableau s'articule de trois octogones, symbole de perfection : la fontaine, tout d'abord, puis les anges faisant « cercle » autour de l'agneau, le tout inclus dans un troisième octogone, délimité par les quatre groupes de personnages. On sent bien aussi la transition, le passage du Moyen Âge à la Renaissance et les influences italiennes. Les perspectives et les proportions sont justes en ce qui concerne les paysages mais les personnages ont encore une attitude hiératique et ultraréaliste.

À l'avant-plan à gauche, les prophètes et les patriarches de l'Ancien Testament (parmi eux, Virgile !) et, à droite, les apôtres et confesseurs du Nouveau Testament. Chacun d'entre eux peut être identifié par ses attributs.

À l'arrière-plan, dans la lumière irradiante de l'Esprit saint, la Jérusalem céleste, ville idéale où l'on a pu identifier plusieurs clochers : ceux de Mayence, Cologne, Utrecht et Bruges, notamment. L'environnement végétal est d'une précision encyclopédique. Des botanistes armés de loupes y auraient identifié 42 espèces de plantes, qui sont autant de symboles de pureté, d'humilité, de fidélité... Parmi elles, des figuiers, des grenadiers, des lauriers, des vignes et des palmiers peu connus sous les latitudes septentrionales ! (Jan Van Eyck aurait séjourné au Portugal et en aurait rapporté des croquis.)

Les panneaux latéraux complètent le cortège, en illustrant les quatre vertus cardinales : à droite, les ermites (la Tempérance) sortant d'un ravin, saint Antoine à leur tête ; derrière eux, guidés par le géant saint Christophe, les pèlerins (la Prudence) ; repérez la coquille Saint-Jacques sur le capuchon du pèlerin de Compostelle ; et, en queue de peloton, un curieux personnage hilare (ce qui ne peut que choquer dans le contexte) en qui certains voient le diable ! À gauche, les chevaliers du Christ (la Force) avec, successivement, saint Georges, saint Michel et saint Sébastien dans leur équipement somptueux et, sortant du défilé rocheux, à leur suite, les très fameux Juges intègres (la Justice).

Le panneau de gauche n'est qu'une copie puisque l'original fut volé en 1934 par un inconnu, qui restitua le verso (saint Jean Baptiste) pour attester qu'il était bien le voleur. À l'heure actuelle, ce vol reste l'un des grands mystères non résolus de l'histoire policière du pays. L'enquête mit en évidence que le coupable ne pouvait être qu'un familier des lieux et que le panneau pourrait bien se trouver caché... dans la cathédrale ou dans le caveau funéraire du roi Albert Ier à Laeken ! Avis aux émules d'Hercule Poirot ! L'artiste qui fut chargé de la copie termina son travail en 1941, à grand-peine, découragé de ne pas pouvoir arriver au même degré de perfection que Jan Van Eyck. Tout méritoire que soit le résultat, on ne peut s'empêcher de remarquer la différence de luminosité du ciel et le manque de « piqué » des détails. Jan ou/et Hubert détenaient des secrets de technique picturale inégalés.

Pour achever la saga du polyptyque, sachez encore qu'en plus du vol des Juges intègres, il suscita bien des convoitises. Philippe II voulut l'emporter en Espagne, les iconoclastes protestants le brûler, les sans-culottes ne se gênèrent pas pour le transférer au Louvre, d'où il revint après la chute de Napoléon. En l'absence de l'évêque de Gand, six volets furent vendus et aboutirent dans la collection d'un amateur anglais, puis ils furent rachetés par le roi de Prusse qui les exposa au musée de Berlin. Adam et Ève (« les indécents ») furent achetés par le musée de Bruxelles. Les panneaux berlinois revinrent à Gand en 1920, au titre de remboursement des dommages de guerre dus par les Allemands après 1914-1918. Transféré à Pau en 1940 (on était devenu méfiant), il fut volé par les services spécialisés en pillage de Goering, pour échouer en 1945 dans une mine de sel de Styrie en compagnie d'une grande partie du butin nazi. De là, l'ensemble fut rendu à la Belgique et placé à Saint-Bavon sans connaître de nouvelles péripéties. Ouf !

🎥🎥 *Lakenhalle et Belfort* (halle aux draps et beffroi ; plan B2, **91**) : Staafsplein. Pile en face du porche de Saint-Bavon.

– ⊗ *Le beffroi :* on accède à la tour et à son carillon ainsi qu'à son musée des Cloches par le double escalier de côté. Ouv de mi-mars à mi-nov, tlj 10h-18h. Entrée : 3 € ; réduc. Visites guidées gratuites 1er mai-fin oct : 14h10, 15h10 et 16h10. Le beffroi est le fier symbole du pouvoir civil, en opposition au pouvoir religieux. Il domine de ses 91 m la halle et le Botermarkt, dégagés à présent du tissu urbain qui les enserrait. Le beffroi connut pas mal de modifications au fil du temps. Au sommet de l'édifice, un dragon-girouette en cuivre doré.

On monte à pied (ou en ascenseur), en passant par la salle où sont conservés les vestiges des dragons anciens et des statues de chevaliers. La *salle du Secret* contenait les coffres où étaient conservées jalousement les chartes des libertés. Un ascenseur permet d'accéder à la galerie à ciel ouvert où patrouillait la garde chargée de prévenir les incendies (fléau redoutable pour les maisons, construites essentiellement en bois). La contemplation de la ville est déconseillée à ceux qui souffrent de vertige ! Le beffroi abrite un carillon de 53 cloches (la Rolls des carillons, au dire des spécialistes). On vous conseille d'attendre l'heure ou la demi-heure pour voir fonctionner l'ensemble des mécanismes qui l'actionnent, ainsi que le bourdon de 6 t. Comme tous ses cousins flamands, le beffroi de Gand est classé au Patrimoine mondial de l'Unesco.

– *La halle aux draps :* elle servait au XVᵉ s de centre d'affaires et de cour d'arbitrage pour le négoce du drap. C'est là que l'on accordait ou non, sous forme d'un sceau, la « Pucelle de Gand », label et gage de qualité, ancêtre de nos AOC ! Puis elle perdit sa fonction pour servir de salle d'entraînement à la confrérie des escrimeurs.

– À la sortie, vous verrez, dans l'angle de la halle et du beffroi, le bâtiment qui servait de prison et qui est surmonté d'un bien curieux fronton, le *Mammelokker,* réalisé d'après une légende romaine : le vieux Cimon emprisonné et édenté était condamné à mourir de faim mais sa fille le sauva en lui donnant le sein à travers les barreaux !

🕴 *Stadhuis* (hôtel de ville ; plan B2, *92*) : *Botermarkt. L'hôtel de ville n'est accessible que dans le cadre des visites guidées du centre historique organisées par l'office de tourisme (mai-nov, lun-jeu 14h30).* Du Botermarkt, on remarque facilement, en contre-haut, l'ensemble hétéroclite de l'hôtel de ville. Les Gantois ont commis le péché d'orgueil en entamant sa construction. Ils voulaient bâtir le plus grand hôtel de ville d'Europe. Sa surface actuelle ne représente que 20 % de celle prévue par les plans d'origine, et comme il leur a fallu beaucoup de temps pour en venir à bout (400 ans), ils se sont retrouvés avec une bâtisse hybride : la mode architecturale avait changé entre-temps. Il fut entamé en 1518, sur le mode gothique fleuri (la maison des Échevins de la Keure), interrompu au moment des troubles religieux, poursuivi sous l'administration calviniste en style Renaissance (la maison « des Parchons ») avec des matériaux de réemploi (les protestants s'empressèrent de choisir ce style, catalogué « Réforme », en réaction contre le gothique, connoté « papiste »), complété par une aile en baroque flamand (la grande conciergerie) et parachevé par une chambre des Pauvres. Les statues de la façade gothique datent du XIXᵉ s. Les factions catholique et protestante y signèrent en 1576 la « Pacification de Gand », qui devait mettre fin au sanglant conflit religieux qui ravageait les Pays-Bas espagnols. Ses effets ne durèrent que quelques mois et le pays se retrouva à nouveau à feu et à sang, pour de longues années encore...

🕴 *Sint Niklaaskerk* (église Saint-Nicolas ; plan B2, *94*) : *Korenmarkt. Accès par le côté gauche quand on l'aborde par l'arrière. Tlj 10h-17h (ouv 14h lun). Fermé pdt les offices.* De style gothique scaldien, sa masse de pierre impose le respect. Elle fut l'église de la chambre de rhétorique et de plusieurs corporations. Elle connut pas mal de déboires, au point de servir d'écuries pendant la Révolution française. Il fallut un long travail de restauration pour lui rendre son cachet actuel. Presque vide de mobilier, elle n'en est pas moins impressionnante. On y trouve le plus bel orgue de la ville, signé Cavaillé, l'un des plus grands facteurs d'orgues de l'époque. La nef accueille depuis 2008 de grandes expos temporaires.

🕴 *Sint Michielsbrug* (pont Saint-Michel ; plan B2, *95*) : délaissant provisoirement le Korenmarkt et ses cafés sur la droite, le consciencieux lecteur du *Guide du routard* se dirige vers le pont Saint-Michel à gauche du bâtiment de l'ancienne poste, le franchit mais pas tout à fait... parce que, arrivé là où se trouve la colonne surmontée d'un saint Michel, il effectue (comme des millions de visiteurs de Gand avant lui) un demi-tour-droite qui lui permet, ô merveille, d'admirer la célèbre enfilade des tours de Gand, connue dans le monde entier. De ce point de vue, à votre droite le *Predikherenlei* et la façade massive de la *Grande Bâtisse (Het Pand),* ancien couvent des dominicains, et, collée à cette dernière, l'*église Saint-Michel,* dont la tour, qui devait être la plus haute de Belgique, est restée inachevée. Elle contient un *Christ en croix* de Van Dyck.

Depuis le pont Saint-Michel, vous admirez un des plus beaux paysages urbains de Belgique : le quai au Blé (Korenlei) et le quai aux Herbes (Graslei) : leurs façades se reflètent dans la Lys, avec le château des Comtes au fond. Un escalier descendant du pont vous mène au premier et, de là, le regard embrasse d'un seul coup dix siècles d'architecture ! On vous signale quand même que notre point de vue favori, tout aussi impressionnant mais beaucoup plus intime, se situe sur l'autre petit pont, *Grasbrug.*

🐾🐾🐾 *Graslei* (quai aux Herbes ; plan B2, 96) *:* ancien port de Gand, on peut voir la haute silhouette de *l'ancienne poste,* de style néogothique. C'est maintenant un centre commercial *(Post Plaza).*

– *La maison des Bateliers francs* (1531) *:* gothique tardif aux pignons à volutes qui annonce déjà les fantaisies du baroque. Joli bateau de la Baltique en décoration.

– *La maison des Mesureurs de grains* (1698) *:* sur fond de brique, le style Renaissance flamande agrémenté de quelques ornementations baroques.

– *La petite maison du Tonlieu* (1682) *:* où officiait le receveur des taxes (en nature) au profit de la ville. Café bien placé, avec terrasse en été.

– *L'imposante maison de l'Étape du blé* (Het Spijker, 1200) *:* construction romane, une des plus anciennes que l'on connaisse en Europe. Maison fonctionnelle, destinée à l'entreposage du grain, hissé à l'intérieur par des échelles. Elle abrite aujourd'hui le *Belga Queen,* notre resto préféré à Gand (voir « Où manger ? »).

– *La première maison des Mesureurs de grains* (1435) *:* de style Renaissance flamande.

– *La maison des Maçons* (1527) *:* haute et élégante façade gothique aux pignons surmontés de pinacles. Juste à côté, presque cachée, la plus petite maison de la ville.

➤ Du Graslei partent, en saison, des *excursions en bateau* qui vous font découvrir en 40 mn les rives d'un bout de la Lys et de la Lieve sous un angle inhabituel mais le commentaire est soporifique et inintéressant. Celui de son concurrent qui part du Korenlei, en face, est bien plus sympathique. *Tarif :* 6 € *pour une balade de 40 mn. Sur demande, il est possible de faire le tour des fortifications (90 mn).*

🐾🐾 *Korenlei* (quai au Blé ; plan B2, 97) *:* présente un visage plus récent, avec des constructions baroques et classiques, dont la mignonne *maison des Bateliers non francs,* peinte en ocre et blanc et surmontée d'une girouette en forme de caravelle. À remarquer la *fontaine à trois étages* permettant d'abreuver les chevaux, les humains et les oiseaux.

➤ On quitte les quais pour prendre la Jan Breydelstraat où, au confluent de la Lys et du canal Lieve, on a une première perspective sur la masse du château des Comtes. Au n° 5 de la rue se trouve, dans un hôtel du XVIIIe s, le musée du Design. De là, on aperçoit l'arrière de l'ancien marché aux poissons, d'où l'on jetait, il y a peu encore, les déchets directement dans l'eau. En 1913 se tint à Gand une grande expo universelle et l'on craignait que cela ne donne une image peu flatteuse de la ville. On camoufla donc élégamment ce cloaque avec cette jolie construction surplombant l'eau. L'un des endroits les plus photogéniques aujourd'hui !

🐾🐾 *Design Museum* (musée du Design ; plan B2, 98) *:* Jan Breydelstraat, 5. ☎ 09-267-99-99. ● designmuseumgent.be ● *Tlj sf lun et certains j. fériés 10h-18h. Entrée :* 5 € ; *réduc. Supplément pour les grandes expos.* Autour d'une belle cour intérieure où s'élève un vase en polyester de 9 m, des salles qui restituent le mobilier, la décoration, la vaisselle et les bibelots de la bourgeoisie gantoise des XVIIIe et XIXe s. Grand portrait de Louis XVIII qui y vécut en exil forcé lors de l'épopée napoléonienne des Cent-Jours. La majeure partie (la plus belle aussi) est consacrée au mobilier contemporain, à l'Art nouveau et déco, avec des pièces d'Horta, Hankar, Van de Velde, Serrurier-Bovy et des bijoux de Wolfers. Après, on passe au design des années 1960 à nos jours.

🐾 Au bout de la Jan Breydelstraat, à l'angle de la Burgstraat, le resto *De Gekroonde Hoofden* (plan B1, 39), où l'on voit, sculptées en médaillon, les têtes de tous les comtes de Flandre jusqu'au dernier, Philippe II. Vous remarquerez qu'il manque les trois comtesses ; un peu misogynes les Gantois !

🐾 À droite, toujours dans la Jan Breydelstraat, en franchissant la Lieve, on jette un œil sur la dernière maison de bois de Gand (resto *Le Tête-à-Tête*) et on débouche sur la *Sint Veerleplein* (place Saint-Pharaïlde), lieu des exécutions capitales et ancien marché aux poissons dont le portique baroque met en scène Neptune, la

Lys et l'Escaut. Celui-ci fait l'objet d'un projet de réhabilitation et devrait à terme (2010 ?) accueillir l'office de tourisme et une galerie marchande. À gauche, l'entrée du château des Comtes.

🎭🎭 **Gravensteen** (le château des Comtes ; plan B1, **99**) : Sint Veerleplein. ☎ 09-225-93-06. ● gent.be/gravensteen ● Tlj 9h-18h (17h oct-fin mars). Dernière entrée 1h avt. Entrée : 8 € (ciné-guide inclus) ; réduc ; gratuit pour les moins de 18 ans (mais ils payent le ciné-guide 3 €). Le ciné-guide permet de suivre 14 saynètes retraçant in situ la vie de Philippe d'Alsace et de Mathilde du Portugal.
Superbe exemple d'une forteresse médiévale, inspirée du krak des Chevaliers en Syrie. Mais ne rêvons pas, il fut fortement restauré par la ville de Gand au début du XXᵉ s (on distingue la partie restaurée, du reste, à la différence de coloration de la pierre). Au XIXᵉ s, le château était occupé par une filature, dans des conditions de travail que l'on devine. Des masures d'ouvriers étaient bâties dans la cour !
C'est Philippe d'Alsace, en 1180, qui l'éleva en remplacement d'un premier château. Il fut pendant 300 ans la résidence des comtes de Flandres qui utilisèrent ses formidables défenses à des fins essentiellement internes car les Gantois étaient souvent en révolte contre leur seigneur. En 1353, fatigués de grelotter dans leur peu confortable donjon, les comtes s'établirent en périphérie, au Prinsenhof, aujourd'hui disparu. C'est dans ce dernier que naquit Charles Quint. Le château servit de prison et de lieu où l'on battait monnaie.
La visite du château vous permettra de vous promener sur les remparts, de visiter les salles monumentales, de frissonner à l'évocation de ce qui pouvait se passer dans l'inévitable salle des tortures et de vous représenter sans trop d'effort d'imagination les joyeusetés de la vie médiévale. Salle d'armes avec armures pour finir.

➤ Retour à présent au bord de la Lys, où vous apercevez, là où le tram franchit le pont, le célèbre café Het Waterhuis aan de Bierkant (voir « Où boire un verre ? Vers le Groentenmarkt » ; plan B1, **65**). Halte recommandée. En face, le long bâtiment sombre de la Grande Boucherie, du XVᵉ s. Impressionnant ! Sa taille gigantesque témoigne de l'importance de la ville au Moyen Âge. Entrez pour y admirer la charpente (on y trouve désormais une cafétéria et une boutique destinées à promouvoir les produits du terroir de la Flandre orientale). Quant aux avancées à l'extérieur, elles accueillaient autrefois les marchands de tripes et de volailles qui n'avaient pas le droit de pénétrer dans la halle, réservée à la viande. Le bâtiment annonce l'entrée du marché aux légumes (Groentenmarkt). Tous les ingrédients d'un waterzoi complet !

🎭🎭 👣 **Le quartier de Patershol** (plan B1) : sur la rive gauche de la Lys, par le quai de la Grue (Kraanlei), ce vieux quartier est un foyer d'attraction pour noctambules et gastronomes (voir « Où manger ? » et « Où boire un verre ? »). Au n° 65, l'ancien hospice des enfants Alijn qui abrite un musée. À la mi-août, fêtes du quartier.

🎭🎭 👣 **Het Huis Van Alijn** (maison Alijn ; plan B1, **100**) : Kraanlei, 65. ☎ 09-269-23-50. ● huisvanalijn.be ● Tlj sf lun 11h (10h dim)-17h. Fermé 25 déc et 1ᵉʳ janv. Entrée : 5 € ; réduc ; gratuit pour les moins de 18 ans.
Charmant ensemble d'une vingtaine de maisonnettes communiquant entre elles et formant un carré autour d'un jardin. La visite ne vous prendra qu'une petite heure mais nous vous la recommandons chaudement. La vie quotidienne au XIXᵉ s et au début du XXᵉ s y est évoquée avec beaucoup de détails touchants. Les cycles de la vie quotidienne, les intérieurs bourgeois et les ateliers des artisans, les métiers révolus, la vie associative, les boutiques vieillottes, tout cela contribue à faire de la visite un voyage dans un temps dont nos grands-parents nous ont parlé... lorsque, assis sur leurs genoux, nous écoutions leurs belles histoires.

1ᵉʳ étage
Les rituels de la naissance et de la mort. Photos, voilettes, couronnes, faire-part, vêtement de veuves. Un incroyable reliquaire dans la troisième pièce sous forme de tableau... Plus, des talismans, un herbier, des ex-voto en cire ou en argent. Tout sur la vie religieuse, assez impressionnant.

Salle à manger traditionnelle, objets domestiques, poêle original. Émouvante estampe sur la misère. Petite section sur les jouets et vêtements d'enfants.

Rez-de-chaussée

Objets de tous les jours : robes, éventails, chapeaux et chaussures. Souvenirs divers : scolaires, militaires, communion solennelle. Traditions du mariage, costumes et gadgets en tout genre. De l'autre côté, reconstitution de boutiques traditionnelles dont une pittoresque échoppe d'apothicaire, puis celle du coiffeur, du droguiste, de l'épicier... Également, reconstitution d'intérieurs domestiques par décennies (années 1950-1960-1970-1980...). Ça évoque beaucoup de choses et des remarques amusantes chez les visiteurs.

Retour au 1ᵉʳ étage (autre côté de la cour)

Fêtes et fanfares, jeux de société, loisirs à travers photos étonnantes et affiches. Le tout ponctué d'intéressantes vidéos. Jeux d'estaminets, dont la fameuse grenouille. Expo sur la musique et les vieux appareils photo. Puis la technique au service de la nostalgie dans un long couloir de vidéos et de films en noir et blanc sur un riche passé. C'est là qu'on s'aperçoit que la visite se révèle fascinante et sûrement plus longue qu'une heure ! Pour finir en beauté et parce que l'émotion donne nécessairement soif, ne pas manquer d'aller rendre visite au charmant vieil estaminet au fond de la cour. Boutique intéressante également.

🍴🍴 *Kraanlei* (plan B1) : il doit son nom à la grue qui y était installée. Arrimée à une petite maison, celle-ci permettait de décharger des pièces lourdes comme les fûts, les meubles ou les canons. Pour actionner son treuil, deux roues de part et d'autre entraînées par... des enfants orphelins qui avaient obtenu le privilège exclusif de faire fonctionner l'engin. On connaît la forme de ces grues grâce à plusieurs tableaux de l'école des primitifs où elles se trouvent reproduites, le décor urbain en arrière-plan (par exemple dans le triptyque de Memling, *Le Mariage mystique de sainte Catherine*, à l'hôpital Saint-Jean à Bruges).

🍴 À la hauteur du pont qui franchit la Lys, deux *maisons* baroques, dont l'une est décorée des *Sept Miséricordes*. Autrement dit les sept œuvres de charité : enterrer les morts, délivrer les prisonniers, visiter les malades, nourrir les affamés, désaltérer les assoiffés, habiller les dévêtus et accueillir les étrangers... Ce septième commandement est implicite car il s'agissait autrefois d'une auberge.

🍴🍴 *Vrijdagmarkt* (marché du Vendredi ; plan B1, 102) : centre politique et névralgique de la ville. Cette place a vu se dérouler tournois, prestations de serment et harangues de la maison des Tanneurs avec sa tour d'angle (toreken), où des luttes fratricides entre foulons et tisserands coûtèrent la vie au fier Jacques Van Artevelde, dont la statue continue de hanter la place. À l'un des angles, la façade vaguement Art nouveau de l'*Ons Huis*, la Maison du peuple, du tout-puissant parti socialiste gantois. Dans la Baudeloostraat, une enfilade étonnante de maisons Art nouveau, de style néo-Renaisssance.

🍴 *Bij Sint Jacobs* (église Saint-Jacques ; plan C1, 101) : en traversant en diagonale, on se retrouve sur le parvis et devant le portail roman (bien noir !) de cette église commencée en 1200. Le chantier s'étala sur cinq siècles et elle fut restaurée en néogothique. C'est là que se tient le marché aux puces.

➤ Le retour vers le centre peut se faire par la Belfortstraat mais il sera plus agréable de rejoindre le Korenmarkt par les Serpentstraat, Onderstraat et Lange Munt pour déboucher à nouveau sur le *Groentenmarkt* (plan B1-2), où vous ne manquerez pas d'entrer dans l'adorable boutique *Veuve Tierenteyn-Verlent* (voir « Achats »), qui fabrique, dans un grand tonneau, une moutarde artisanale dont la recette (secrète) fut donnée par des grognards de Napoléon, originaires de Dijon. Autre spécialité gantoise à rapporter à votre grand-tante à héritage : les *gentse mokken*, petits biscuits secs parfumés à l'anis. Le *Korenmarkt* (plan B2) et ses tavernes vous attendent à présent pour reposer vos pieds fatigués et arroser vos gosiers desséchés.

Le quartier sud (Université)

On peut partir du **Botermarkt** en prenant l'enfilade des rues commerçantes qui débutent par Mageleinstraat. Elles sont piétonnes et très agréables à parcourir, bordées de quelques hôtels de maîtres baroques et néoclassiques. Ravissante placette, agrémentée de bancs et de fontaines à la hauteur de Kalandestraat. Puis, par la Koestraat, on aborde le quartier de l'Université après avoir croisé les rails du tram.

🚶 **Vooruit** *(plan C3, 80)* **:** au début de Sint Pieternieuwstraat, cette façade imposante est celle du Vooruit, qui hébergea le mouvement socialiste gantois. La grande salle des fêtes, décorée de fresques allégoriques Art nouveau, rappelle, par son alignement de petites tables en bois, les réunions syndicales qui s'y déroulaient naguère. Aujourd'hui, les étudiants viennent y réviser leurs cours, manger un morceau ou boire un verre (voir « Où sortir ? Où écouter de la musique ? »). Le Vooruit est aussi une très grande salle de spectacles au programme très varié.

🚶 Dans le même courant de pensée, on repère sur la droite, 100 m plus loin, une façade style « constructivisme soviétique » des années 1920 : c'était l'imprimerie du journal *Vooruit,* disparu à présent. Le verre et l'acier auraient besoin d'un coup de nettoyant pour figurer dignement au catalogue d'une architecture révolue.

🚶 L'architecture contemporaine est encore présente dans ce quartier, avec la **tour de la bibliothèque de l'Université.** Elle est l'œuvre d'Henry Van de Velde et mélange élégamment le modernisme et l'Art déco.

🚶 En poursuivant vers le sud, au milieu des nombreux cafés d'étudiants, on débouche sur une vaste esplanade, Sint Pietersplein. On y découvre la majestueuse façade baroque et le dôme de l'*église de l'abbaye Saint-Pierre.*

🚶 **Abdij Sint-Pieters** *(centre d'art de l'abbaye Saint-Pierre ; hors plan par C3) :* Sint Pietersplein, 9. ☎ 09-243-97-30. ● gent.be/spa ● Tlj sf lun et certains j. fériés 10h-18h (dernière entrée 16h30). Entrée pour l'abbaye seule : 5 € ; ajouter 3 € pour le moviguide ; réduc ; gratuit pour les moins de 18 ans.
Les bâtiments actuels datent des XVIIe et XVIIIe s. Inspirée du classicisme romain, l'église abbatiale fut le fer de lance de la Contre-Réforme à Gand. Le terrain est en déclivité et, à l'arrière de l'abbaye, vers l'Escaut, on cultive encore la vigne sur un coteau, suivant la tradition des moines. Le lieu accueille des *expositions temporaires* de grande envergure (droit d'entrée séparé) sur les civilisations et l'art en général, mais vous pouvez n'y venir que pour visiter l'abbaye.
Alison – Le Secret des Anges déchus est un parcours de 70 mn à effectuer à l'aide d'un *moviguide* (audioguide muni d'un écran, une première mondiale !) où l'on suit le moine Alison tout au long d'une intrigue historico-policière. Un nouveau scénario est déjà en préparation.
– Dans l'aile de l'abbaye Saint-Pierre *(Sint Pietersplein, 14),* petit musée scolaire (géologie, minéraux, pierres, sciences naturelles).

🚶🚶🚶 **Museum voor Schone Kunsten** *(musée des Beaux-Arts ; hors plan par C3) :* Nicolas de Liemaeckereplein, 3 (Citadel Park). ☎ 09-240-07-00. ● mskgent.be ● À 15 mn à pied de la gare Saint-Pierre et à 20 mn du centre. Tlj sf lun 10h-18h. Entrée : 5 € ; réduc ; gratuit pour les moins de 18 ans.
Il figure parmi les plus anciens musées du pays. Le bâtiment qui l'abrite fut construit en 1902 par Charles Van Rysselberghe, frère du peintre Théo. De style éclectique mais de dimension humaine, il se trouve dans le parc de la Citadelle au sud du centre-ville en face du *SMAK,* le musée municipal d'Art contemporain, et a subi une transformation totale.
Depuis 2007, avec un nouvel agencement aéré et didactique, l'accent est mis sur la confrontation de l'art flamand avec d'autres courants artistiques en Europe. Au

milieu du bâtiment, la salle des statues autour de laquelle on peut voir une collection d'estampes et deux œuvres importantes de James Ensor, faisant partie de la série des *Auréoles du Christ,* des dessins monumentaux qui constituent l'apogée du dessin symboliste.

Le musée possède deux chefs-d'œuvre d'Ensor, reconnu comme précurseur de l'expressionnisme moderne, aux côtés de Munch et de Van Gogh : *Vieille dame aux masques* et *Squelette regardant des chinoiseries* (salle P).

La visite chronologique commence par la droite.

➤ *Salles 1 à 3 : les primitifs flamands et hollandais (XVᵉ et XVIᵉ s)*

– *Salle 1 :* trinité du XVᵉ s en albâtre, divers triptyques dont celui de la famille de sainte Anne (ou l'apologie de la lecture)

– *Salle 2 :* voir cette prédelle de retable du XVᵉ s (le reste a disparu) représentant la *Prise de Jérusalem.* Scènes sanglantes et cruauté des soldats. Les blasons et fanions germaniques sont probablement une métaphore de la prise de Gand. Tortures infligées aux prisonniers, exécutions, vraiment les détails qui tuent... *Crucifixion* de Jan Provost. Étonnante disproportion des têtes. L'une d'entre elles cache celle du larron de droite. Noter aussi comme l'artiste « bouche les trous et les vides » avec des têtes pour créer la multitude ! Richesse des costumes, merveilleux désordre de personnages...

Le *Saint Jérôme* de Jérôme Bosch est une œuvre de jeunesse sur le thème de l'opposition du Bien et du Mal : le saint en prière est entouré de paysages contrastés, l'un effrayant à l'avant et l'autre paisible à l'arrière. Le hibou symbolise le mal guettant l'oiseau. Dans toute la toile, lutte de la lumière et de l'obscurité, du bien et du mal... Dans la *Madone et Enfant* de Roger Van der Weyden se dégage plein de tendresse. L'œillet rouge symbolise tout à la fois l'amour et la future souffrance du Christ. Peinture intime invitant à la méditation. Dans l'extraordinaire composition de Bach du *Portement de croix*, les visages sereins du Christ et de sainte Véronique (les yeux clos, elle vient d'essuyer le visage du Christ) avoisinent une galerie de visages tordus par la vulgarité et la méchanceté. En bas, à droite, un des larrons affronte le regard de ses bourreaux.

– *Salle 3 :* *Vierge à l'Enfant* du Maître de Francfort entre deux anges. Beau drapé. *Adoration des Mages* avec premiers effets de perspective (ruines, personnages, paysages).

➤ *Salles 4 à 8, 13 et 16 : Renaissance et baroque (XVIᵉ et XVIIᵉ s)*

Maarten Van Heemskerck, Maarten de Vos et Michel Coxie sont représentatifs du courant maniériste.

– *Salle 4 :* immenses triptyques dont celui à 16 panneaux de Frans Iᵉʳ Francken. Virtuosité dans le drapé, bel exemple de maniérisme triomphant en cette fin de XVIᵉ s. *Mise au tombeau* du Maître de sainte Madeleine. Perfection de la composition, équilibres des lumières et des couleurs s'inscrivant probablement dans le nombre d'or. Dans *L'Homme des douleurs* de Marteen Van Heemskerck, remarquer l'impressionnante musculature. Un détail insolite et probablement gag quasi subliminal de l'artiste : le pagne semble tourner très discrètement autour du sexe du Christ. À côté, du même artiste, une monumentale *Crucifixion.* Foisonnement des corps tordus et musculeux (fesses superbement « sculptées »). Vierge grise et livide et le soldat à droite porte curieusement comme un sparadrap sur la tête (il a dû se cogner sur la croix !).

Jugement dernier de Michel Coxie pour un tribunal de Gand (dans l'hôtel de ville jusqu'en 1825). Dans les nuages, les prophètes, les saints, les martyrs. Clin d'œil à Michel-Ange avec les personnages à gauche. Noter le tumulte des corps disgracieux des damnés emportés en enfer par les diables et les serpents à tête de chien. *Sainte Famille* et *Sainte Anne* de Maartin de Vos. Juste avant Rubens, ce fut le peintre le plus en vogue. Des bébés partout, symbolisant plusieurs états de la vie de Jésus. Belles couleurs, déjà les influences italiennes.

Les toiles exposées dans les salles plus petites sont groupées par thème : la peinture de genre (Pieter Bruegel le Jeune), les paysages (Roelant Savery) et les portraits (Frans Hals, le Tintoret). L'époque baroque est illustrée magistralement par

Rubens : *Flagellation* et *Saint François recevant les stigmates,* mais aussi par Jordaens, Van Dyck, Philippe de Champaigne et Gaspar de Crayer.

– *Salle 5* : dans *François d'Assise recevant les stigmates* de Rubens (peint 5 ans avant sa mort), vive expression du désarroi et de la douleur. *Couronnement de sainte Rosalie* de Gaspar de Crayer (1644), l'un des héritiers de Rubens. Cependant le style s'est affadi, peinture « statique », couleurs peu dynamiques, comme si le successeur n'avait rien à apporter de plus !

– *Salle 6* : encore Jordaens, Crayer, Cornelis de Vos...

– *Salle 7* : *Flagellation* de Rubens. C'est une esquisse pour un commanditaire, mais même une esquisse est un chef-d'œuvre ! Plein de dynamisme déjà.

– *Salle 8* : l'*Avocat du village* de Pieter Bruegel le Jeune. Quel désordre dans l'étude, le classement des dossiers (les paysans payent en nature). *Portement de croix* miniaturisé dans un beau paysage d'un certain « Monogramist DR » ! Noter les soldats qui repoussent la foule, tandis que d'autres semblent amener quelqu'un vers le cavalier... Ce serait une métaphore des pratiques de l'Inquisition.

– *Salle 13* : belle *Bataille de Lépante*, victoire décisive sur la flotte ottomane (remarquable rendu dramatique de la tempête). Sur le bateau, la devise « Que Dieu soit avec nous » (encore un message de la Contre-Réforme : seul le catholicisme peut sauver les hommes du naufrage !). Pittoresque *Étalage de poissonnier* d'Adrian Van Utrecht. Quasiment de l'hyperréalisme, et ça apparaît même largement fantasmé, car on n'a jamais vu tant de variétés de poissons sur un même étal. Sûrement un éloge à la diversité de la nature. En même temps, contraste entre l'attitude figée du personnage et le sentiment presque de répulsion à la vue de ces poissons trop sensuels (métaphore du sexe peut-être : le sexe *beurk*, c'est pas bien !). À propos, noter le petit voleur à gauche.

– *Le grand hémicycle (salle 14)* abrite *le néoclassicisme belge* (seconde moitié du XVIIe, première moitié du XIXe s), avec entre autres Joseph Suvée et François Navez, élèves de David. Avant de pénétrer dans la section des maîtres modernes, un crochet par la *salle 16* dédiée aux tapisseries bruxelloises du XVIIIe s.

– *Salle 15* : les *petits maîtres flamands*. Scènes campagnardes, fêtes de village... *Portrait de femme* de Frans Hals. Elle a 53 ans, aucune complaisance de la part de l'artiste, regardez les mains usées par le temps... Portrait de *Giovanni Paolo Cornaro* du Tintoret. Éclairage sur les mains et ce visage très humaniste. Très curieux *Trompe-l'œil* de Cornelis Gijsbrechts (1664) qui permettait de démontrer son talent et sa virtuosité technique. Toile pleine de symboles : ciseau, verre brisé, sablier, pistolet, almanach... symboles du temps qui passe et de la précarité de l'existence.

– *Salle 17* : Gustave Doré *(Incendie de Rome)*, J.-F. Millet, Chassériau, Daumier, Fromentin... Et l'on découvre l'un des chefs-d'œuvre de Géricault : le *Portrait d'un kleptomane*. Il a peint une dizaine de portraits de malades mentaux dont celui-ci. Le personnage semble surpris, Géricault lui rend une certaine dignité dans l'expression.

– *Salle 18* : détailler *La Chauve-souris* de Ferdinand, St Braeckeleer. Certes la manière est académique, mais scène amusante avec tous ces braves gens apeurés agissant chacun différemment. Quant à la *Vierge en prière* de Théophile Lybaert, c'est un exemple rare de peinture néogothique au XIXe s plutôt réussi. À l'époque, on l'avait surnommé le « Hans Memling du XIXe s ». Finesse du visage, remarquable technique du drapé.

– *Salle 19* : panorama de la peinture du XIXe s. Des paysages, mais surtout un joli petit Corot, *La Carrière de Chaise-Marie*. Peindre en plein air était assez rare à l'époque... surtout sur papier. Puis, l'école de Barbizon (Th. Rousseau, d'Aubigny...).

– Vers la fin du XIXe s, la Belgique connaît une vie artistique florissante où l'impressionnisme français tient le haut du pavé. Pour preuve, les toiles d'Émile Claus, d'Henri Evenepoel (*L'Espagnol à Paris*) et de Théo Van Rysselberghe, à qui l'on doit *La Lecture*. Avec une technique pointilliste éprouvée, il nous brosse une composition de groupe autour du poète Émile Verhaeren. On y identifie des personnages franco-belges en vue au tournant des XIXᵉ et XXᵉ s : le critique Le Dantec, le philo-sophe Vielé-Griffin, André Gide, le poète et dramaturge Maeterlinck et, vu de dos, le peintre Cross.

Tant en littérature (Maeterlinck) que dans les arts plastiques, le symbolisme a été particulièrement prolifique en Belgique. Plusieurs symbolistes comme Fernand Khnopff, Léon Frédéric, William Degouve de Nuncques et Léon Spilliaert sont bien mis en valeur.

Le Gantois George Minne est à l'honneur dans la section sculptures *(salle O),* en compagnie de Rodin et Bourdelle. Le musée possède un modèle en plâtre de son œuvre phare, la *Fontaine des agenouillés,* exposée à la Sécession à Vienne en 1900. Vient ensuite la *salle N* monumentale en hémicycle, dominée par un relief gigantes-que du sculpteur anversois Jef Lambeaux, *Les Passions humaines.*

Pour le XXᵉ s émergent deux courants où les artistes gantois ont joué un rôle impor-tant : le symbolisme rural de l'école de Laethem-Saint-Martin avec Gustave Van de Woestyne et Valerius de Saedeleer, et surtout l'expressionnisme flamand.

Après la Première Guerre mondiale, ce mouvement influencé par le cubisme fran-çais et l'expressionnisme allemand a tenté de faire converger plusieurs tendances vers un expressionnisme populaire et figuratif. En fer de lance, Constant Permeke *(Paysan allongé),* Frits Van den Berghe, Gustave de Smet, Edgard Tytgat et Jean Brusselmans. Quelques exemples intéressants d'expressionnisme européen avec Heckel, Kirchner, et Rouault. De Kokoschka, *Portrait de Ludwig Adler.* Peinture dense et brutale (influence certaine de Freud).

– *Salle S :* la peinture moderne avec notamment Rik Wouters et *Perspective II, Le Balcon de Manet* par Magritte. Retour au rayon surréalisme : René Magritte, le pein-tre belge le plus connu de ce courant, avec une œuvre tout à la fois inquiétante, ironique et poétique. Magritte s'amusait à dérouter avec force paradoxes, boucu-lant sans cesse la manière occidentale de représenter les choses. Dans *Le Balcon de Manet,* il remplace les personnages de la peinture de Manet par des cercueils... Au milieu, intéressantes vitrines avec les revues expressionnistes. Plus un petit Zadkine *(Vue de village),* G. Grosz, Fernand Léger, Blaise Cendrars, des revues critiques d'art...

– *Salle Q :* une *Sainte Face* de Rouault et des œuvres de Gustave Van de Woestyne, ainsi qu'*Intérieur* de Léon de Smet, dans un intéressant style impressionniste et une composition fort bien équilibrée.

– *Salle P :* James Ensor et son célèbre *Squelette regardant des chinoiseries* ou le thème obsédant de la mort chez l'artiste. Belle lumière sur la scène. À côté, *Pierrot et squelette en robe jaune...*

– *Salle R :* l'*Entrée du Christ à Jérusalem* toujours d'Ensor. Un vrai tumulte pré-surréaliste ! D'Alfred Stevens, une fascinante *Marie-Madeleine* aux longs cheveux, avec beaucoup de sensualité dans le coup de pinceau et une certaine théâtralité (tête de mort rappelant le côté éphémère de la vie). Superbe travail sur la lumière. Quant au symboliste Fernand Khnopff, il peint de belles choses, essentiellement pour échapper à la laideur du monde industriel. Il visait avant tout un monde idéal et harmonieux. Dessin vraiment magistral.

– *Salle O et N :* nombreuses sculptures.

– *Salles J-K-L :* paysages industriels et vie quotidienne à la fin du XIXᵉ s. Notam-ment œuvres de Den Duyts et Pierre Paulus.

– *Salles 10-11-12 :* Edgar Tytgat, Jean Brusselmans, Constant Permeke.

– *Salle I :* Anders Zorn, Émile Claus. Intéressant, mais les jambes en fin de parcours ne portent plus...

Stedelijk Museum voor Actuele Kunst *(dit le SMAK ; musée municipal d'Art contemporain ; hors plan par C3) : Citadelpark.* ☎ 09-221-17-03. ● smak.be ● *En face du musée des Beaux-Arts. Tlj sf lun 10h-18h. Entrée : 6 € ; réduc ; gratuit pour les moins de 12 ans.* L'art contemporain depuis 1945. Le musée abrite toujours au moins une expo temporaire conjointement à l'exposition – tournante – d'œuvres de la collection permanente. Impossible, donc, de citer des œuvres en particulier mais vous êtes presque assuré d'y voir sous une forme ou une autre des artistes tels que Panamarenko, Bacon, Schütte, Hammons, Beuys, Broodthaers et Juan Muños. Tout est présenté sur deux niveaux, dans de larges espaces servis par une luminosité unique.

🎨 *Oudheidkundig Museum Van de Bijloke* (musée de la Bijloke ; hors plan par B3) : Godshuizenlaan, 2. ☎ 09-225-11-06. Musée fermé pour travaux jusqu'en 2010. Il rouvrira ses portes en tant que musée de la Ville (le STAM).

🎨 *La place du Kouter* (plan B3, *103*) : grand quadrilatère bordé de constructions classiques. L'*opéra* et le *palais de justice* sont à côté et précèdent l'entrée de la *Veldstraat*, la rue commerçante la plus populaire de Gand. Au n° 45, dans un immeuble occupé par un grand magasin de confection, des diplomates anglais et américains signèrent en 1814 le traité mettant fin à l'état de guerre qui existait entre eux, à la suite de l'indépendance américaine.

🎨 *Museum Arnold Vander Haeghen* (plan B2, *104*) : Veldstraat, 82 (sonner à « Culturele zaken onthaal »). ☎ 09-269-84-60. Lun-ven 9h30-12h, 14h-16h30. Entrée gratuite.
Derrière cette belle façade vert pâle, la bibliothèque du lauréat du prix Nobel de littérature 1911, Maurice Maeterlinck (mort anobli en 1949), dont l'œuvre symboliste (en français) connut en son temps un retentissement considérable. Il fut qualifié de « nouveau Shakespeare » par un Octave Mirbeau enthousiaste. Debussy tira un opéra de son *Pelléas et Mélisande* mais, curieusement, ce sont ses ouvrages à vocation scientifique, comme *La Vie des abeilles, La Vie des termites* et *La Vie des fourmis*, qui sont le plus souvent réédités de nos jours.
Sous le même toit, le cabinet des illustrateurs et graphistes Doudelet et Stuyvaert, proches de Maeterlinck, et une petite merveille des arts décoratifs : le salon chinois, aux murs tendus de soie peinte au XVIIIe s. Voir aussi sur le mur arrière, donnant sur le canal, le poème « Serre d'ennui » visible depuis le quai Ajuinlei.

À voir encore, si vous avez du temps

Gand compte encore une demi-douzaine de musées plus spécialisés et quelques sites périphériques qui peuvent occuper utilement quelques heures. Voici notre choix :

🎨 *Museum voor Industriële Archeologie en Textiel* (musée d'Archéologie industrielle et du Textile ; MIAT ; plan C1, *105*) : Minnemeers, 9. ☎ 09-269-42-00. • miat. gent.be • Tlj sf lun 10h-18h. Entrée : 5 € ; 1 € pour les 19-25 ans ; réduc enfants. Dans une ancienne manufacture en brique, expos temporaires et permanente sur le passé industriel de la région. On peut y voir toutes sortes de machines des première et seconde révolutions industrielles, notamment la Mule Jenny, la fameuse machine à filer que Liéven Bauwens rapporta clandestinement en pièces détachées de Manchester, alors que l'Angleterre avait instauré le blocus du continent. Plusieurs générations de fillettes s'y abîmèrent définitivement les mains mais le progrès industriel n'avait cure de ce genre de considérations ! Panorama des tours de Gand depuis le 5e étage.

🎨 *Het Pand* (plan B2, *106*) : Onderbergen, la « Grande Bâtisse ». On la reconnaît à son immense toit d'ardoises, sur le quai de la Lys, à côté de l'église Saint-Nicolas. Ancien couvent des dominicains, elle appartient aujourd'hui à l'université et est utilisée comme centre culturel, resto et foyer étudiant, mais on y trouve aussi le *musée des Vitraux* (visite sur demande). Le jardin est une réalisation de Jacques Wirtz, architecte du jardin des Tuileries à Paris.

Vers le nord-ouest

🎨 ⚪ *Oud begijnhof* (vieux béguinage Sainte-Élisabeth ; plan A1, *107*) : on y parvient en partant du pont Saint-Michel et en poursuivant la Hoogstraat jusqu'au Begi-

jnhoflaan et à droite. Au XVe s, il n'était constitué que de huttes de paille. Un grand travail de restauration des maisons de brique a eu lieu. On peut y voir l'église baroque et, à droite, un monument à la gloire de Georges Rodenbach (dû au ciseau de Georges Minne), qui n'était pas un brasseur, comme le reste de sa famille (il existe une bière de ce nom), mais un poète symboliste, condisciple de Maeterlinck, qui fut attiré par ces lieux de rêverie et de mélancolie nostalgique.

🍴 **Le Rabot** *(plan A1, 108) : prendre, au départ du béguinage, la Rabotstraat sur 100 m.* C'est une ancienne écluse fortifiée qui gardait l'entrée de la Lieve dans la ville. Ces deux grosses tours rondes, coiffées d'un petit cône, sont caractéristiques de l'architecture militaire du XVe s.

🍴 **Museum Dr Guislain** : *J. Guislainstraat, 43.* ☎ *09-216-35-95.* ● *museumdrguis lain.be* ● *À 2 km au nord-ouest du centre. Pour s'y rendre, tram n° 1 de la gare Saint-Pierre ou du Korenmarkt ; arrêt juste devant le musée. Tlj sf lun et certains j. fériés 9h (13h w-e)-17h. Fermé 24, 25 et 31 déc, et 1er janv. Entrée : 6 € ; réduc.* L'histoire du traitement réservé aux troubles mentaux, de l'Antiquité à nos jours, dans un centre psychiatrique du XIXe s. C'est en effet à cette époque qu'apparurent les premiers soins psychiatriques, lorsque la « science » – incarnée par des praticiens comme le docteur Guislain – commença à s'intéresser aux désordres de l'âme. On y voit des scènes de trépanation (qui, rappelons-le, avait pour but de libérer l'esprit malin qui habitait celui du fou), les châtiments infligés aux prétendues sorcières, les premières camisoles de force, des appareils destinés à produire des chocs chez les malades, des « lits-boîtes », baignoires thérapeutiques, une machine à couper le cerveau et toute la pharmacopée moderne. Globalement édifiant, même si l'ensemble manque parfois un peu d'explications. Petite section d'art brut aussi et belles expos temporaires.

Vers le sud-est

🍴 **Geraard de Duivelsteen** *(château de Gérard le Diable ; plan C2, 109) :* ☎ *09-225-13-38. Derrière la cathédrale Saint-Bavon, au bord d'une portion de l'Escaut qui n'est pas voûtée.* Ici se trouvait, au Moyen Âge, la frontière entre France et Saint Empire germanique. Gérard le Diable était seigneur de Gand en 1216 et son château est aussi sombre que l'était sa peau (d'où son surnom). On ne le visite plus, le château servant de lieu de stockage des archives de l'État. Ce quartier a été rénové et transformé par la construction d'un port de plaisance : le *Portus Ganda.*

🍴 ⊘ En poursuivant par les Sint Annaplein et Lange Violettenstraat, on aboutit au **klein begijnhof** *(petit béguinage Notre-Dame ten Hove ; plan D3, 110),* fondé vers 1234 par Jeanne de Constantinople (reconstruit vers 1600). Oasis de paix, comme il se doit, où l'on peut profiter de la grande pelouse pour rêver à cette époque lointaine où les hommes partaient de longues années en croisade, pendant que leurs femmes, telle Pénélope, attendaient leur retour en vivant de piété, de charité et de la solidarité entre épouses délaissées... Les béguines furent probablement, à l'origine, des épouses solitaires. En réalité, par ce fait, elles prirent les habitudes des nonnes. Dans leur monde clos et pieux, elles eurent au fil des siècles le statut de chanoinesses, suivant une règle monastique ascétique basée sur la prière, le travail manuel et les œuvres caritatives. Le petit béguinage subit actuellement des travaux de rénovation.

À faire

Saunas exceptionnels

■ **Sauna Aqua Azul** : *Drongenhof, 2.* ☎ *09-225-09-57.* ● *aqua-azul.be* ● *Oct-* | *avr, tlj 13h-23h ; le reste de l'année, tlj sf dim 17h-23h. Fermé 15 juil-15 août.*

Réservé aux femmes mar 12h-15h. Compter 16,50 € l'entrée ; ajouter 8,50 € pour le peignoir et 2 serviettes. Intérieur superbe, de style Art nouveau, estampillé 1911.

■ *Sauna Hammam Raj* : Corduwanierstraat, 4. ☎ 09-223-37-32. • sauna@raj.be • raj.be • Tlj sf dim et mar 14h (13h l'hiver)-23h. Lun réservé aux femmes. Un peu plus cher que le précédent : 18,50 € (27 € avec serviette et peignoir) pour 3h, boisson comprise. Un sauna d'une rare beauté, dans le style des palais indiens du Rajasthan. Raffinement extrême et bon accueil. Possibilité aussi de massages ayurvédiques.

Achats

⊛ *Temmerman* (plan B1, **53**) : Kraanlei, 79. ☎ 092-24-00-41. Tlj sf lun. Adorable et minuscule échoppe à l'ancienne, située dans l'une des plus jolies demeures du Patershol et spécialisée pour le plus grand bonheur des gourmands dans la (re)création de bonbons traditionnels. Entre autres spécialités, les *cuberdons* (ou *neuskes*), petits cônes violets fourrés à la framboise, mais aussi les *mokken* à l'anis et toutes sortes de guimauves, de pains d'épice et de *speculoos*.

– Juste en face, ne manquez pas (bien que cela n'ait aucun rapport !) la *boutique de papiers peints*. À fleurs ou totalement psyché, il y a de quoi se dire que les Belges ont un train de retard en matière de déco... Que nenni ! La boutique, célèbre dans le monde entier, fournit le théâtre et le cinéma en motifs originaux et s'est spécialisée dans les années 1950-1960... La vitrine, assurément, vaut le coup d'œil !

⊛ *Vve Tierenteyn-Verlent* (plan B2, **50**) : Groentenmarkt, 3. ☎ 09-225-83-36. Tlj sf dim 8h30-18h30. Cette belle boutique à l'ancienne est celle d'un célèbre moutardier gantois. Comme le décor, la recette est restée la même, sans conservateurs, à base de grains noirs et vendue à la louche. Pour amateurs de goûts vrais et de sensations fortes !

⊛ *Sjapoo* (plan B1, **52**) : Sluizeken, 29. ☎ 09-225-75-35. Mar-ven 10h-13h, 14h-18h ; sam 11h-18h30. Ria de Wilde est une jeune modiste qui crée de ses petites mains de splendides chapeaux, très structurés. N'utilisant que des feutres ou des pailles de première qualité, ses créations ont une classe folle. Prix tout à fait abordables. Compter quand même une centaine d'euros pour un modèle unique.

Marchés

– *Marché aux antiquités et aux puces :* le mat ven-dim. Marché mixte qui se tient sur la pl. Beverhoutplein, près de l'église Saint-Jacques (Bij Sint Jacob).
– *Marché aux fleurs :* le dim mat, sur la fameuse pl. du Kouter.
– *Marché aux oiseaux :* le dim mat, sur le Vrijdagmarkt.
– *Marché aux oiseaux de basse-cour :* le dim mat, sur l'Oude Beestenmarkt.
– *Marché au poisson et marchandise neuve :* le ven mat, sur le Vrijdagmarkt.

DANS LES ENVIRONS DE GAND :
LA RÉGION DE LA LYS (LEIE)

Avant de se jeter dans l'Escaut, la Lys se traîne paresseusement dans la plaine flamande et ses berges aux méandres alanguis constituent un environnement rural particulièrement bucolique. Cela attira, au tournant du XXe s, une colonie de peintres et de sculpteurs qui firent des villages de Deurle et

Laethem-Saint-Martin un centre artistique réputé, sortes de Barbizon ou de Pont-Aven flamands. L'art ayant besoin de commanditaires, ils furent suivis de la bourgeoisie gantoise aisée. Les bois et les prairies cachent derrière leurs haies et leurs clôtures de splendides résidences à moins de 6 km du beffroi de Gand. Voilà certainement de quoi meubler une petite journée d'excursion.

➤ *Croisière sur la Lys :* rens à l'office de tourisme de Gand : ☎ 09-266-56-60. Puisqu'il n'y a pas de route longeant la Lys, le meilleur moyen d'en apprécier les charmes en été (en dehors du vélo) est de s'embarquer pour une de ces minicroisières qui partent de Recollettenlei *(plan Gand, B3),* au sud du centre. Plusieurs compagnies proposent des formules similaires mais sachez que l'aller-retour peut prendre de 4 à 5h et, souvent, on vous débarque, comme par hasard, devant une brasserie où l'on vous laisse tout le temps pour consommer... À vous de juger.

➤ *Circuit des villages de la Lys à vélo :* la meilleure façon de découvrir en individuel ces très jolis coins. En vous rappelant qu'il est possible de vous procurer des vélos pour la journée à la gare Saint-Pierre de Gand. *Résas :* ☎ 09-241-22-24. Tarif préférentiel si vous voyagez en train. Le point de départ idéal se situe aux abords du Waterspoortbaan de Gand (le bassin des compétitions d'aviron). Avant de vous mettre en selle, procurez-vous, à l'office de tourisme, la carte de promenade *Leiestreekroute, Fietsen tussen Gent en Deinze.* L'itinéraire balisé vous fait parcourir 55 km d'un environnement de marécages, de boqueteaux, de sous-bois jusqu'aux villages d'Afsnee, Laethem, Deurle, Bachte-Maria-Leerne (château d'Ooidonk) et Deinze. Un ravissement sans trop d'efforts. Les villas cossues avec leur embarcadère et hangar à bateaux, le golf, les haras, les pelouses taillées aux ciseaux à ongles, les voitures haut de gamme dans les garages, tout cela a un petit air de Palm Beach, palmiers en moins, et fleure bon la réussite de la Flandre prospère.

🎨 *Les musées des Artistes de l'école de Laethem-Saint-Martin* (dans trois localités assez proches les unes des autres) *:* deux mouvements distincts se sont succédé. Le premier sous l'impulsion du sculpteur Georges Minne, de 1899 à 1907, avec Gustave Van de Woestijne, Albijn Van den Abeele et Valerius De Saedeleer. Ce dernier était en quête d'une inspiration proche de la nature et teintée de mysticisme, en réaction contre ce qu'ils appelaient un « impressionnisme superflu ». La poésie symboliste leur fut une source inspiratrice. La deuxième vague, après 1918, radicalisa la démarche en passant du luminisme à la Émile Claus à l'expressionnisme influencé par les recherches de Constant Permeke. Frits Van den Berghe, Albert Servaes et Gustave de Smet furent les membres principaux de ce courant.

DEURLE (9831)

🎨 *Museum Mevrouw-J.-Dhondt-Dhaenens :* Museumlaan, 14. ☎ 09-282-51-23. ● museummdd.be ● Tlj sf lun 11h-17h. Fermé entre chaque expo. Entrée : 3 € ; réduc ; gratuit pour les étudiants. Expositions temporaires de peinture flamande du XXᵉ s. On peut aussi y voir, selon l'importance de l'expo en cours, une partie de la collection permanente du musée, à savoir des œuvres de Spillaert, Ensor, Evenepoel, Laermans, Tytgat, Brusselmans et... des peintres cités plus haut. Un musée à voir pour se rendre compte de l'évolution de l'art flamand.

🎨 Les frères *Léon et Gustave de Smet* ont habité Deurle. On peut, si l'on est accro, visiter leurs deux *maisons,* où sont surtout rassemblés des souvenirs personnels. *Rens :* Gemeentehuis, Dorp, 3.

LAETHEM-SAINT-MARTIN

🎨 *Museum Gevaert-Minne :* Kapitteldreef, 45. ☎ 09-281-10-22. Mer-dim 10h-12h, 14h-17h. Les œuvres exposées dans cette maison un peu monacale sont cel-

GAND ET SES ENVIRONS

les de Georges Minne, qui fut dans ses jeunes années le sculpteur emblématique de l'Art nouveau mais qui rejoignit plus tard les rangs du naturalisme. Edgard Gevaert était peintre et gendre de Georges Minne.

DEINZE (9800)

Adresse utile

🛈 **Office de tourisme :** Markt, 46. ☎ 09-380-46-01. • vvvleiestreek.be • Tlj en sem 10h-12h, 14h-16h.

Où camper ?

⊠ **Camping Groeneveld :** Groeneveld-dreef, Bachte-Maria-Leerne, Deinze 9800. ☎ 09-380-10-14. • info@campin ggroeneveld.be • campinggroeneveld. be • Ouv de mi-mars à mi-nov. Pour 2 pers et 1 tente, compter 17-20 € selon période. Environnement boisé pas loin d'Ooidonk. 5 cabanes équipées (trek-kershutten).

À voir

🎬🎬 **Museum van Deinze en Leiestreek** (musée de Deinze et de la région de la Lys) : L. Matthyslaan, 3-5. ☎ 09-381-96-70. • museumdeinze.be • Mar-ven 14h-17h30 ; w-e 10h-12h, 14h-17h. Entrée : 2,75 € ; réduc. Attachant musée, situé dans un bâtiment blanc et moderne, lui-même sis dans la bourgade de Deinze, ville principale de la région, au bord de la Lys, et connue pour son marché à la volaille. Deux sections distinctes : les peintres et sculpteurs de la Lys, avec de superbes compositions post-impressionnistes d'Émile Claus (La Récolte des betteraves !) et de Van Rysselberghe, les œuvres très nombreuses des artistes cités plus haut et une découverte : la sculpture de Jozef Cantré. C'est également un musée de la vie quotidienne en ville, avec des objets se rapportant aux métiers, aux commerces (un comptoir à épices), etc. Une idée à relever : pour certaines collections d'objets, on vous montre sur un lutrin une reproduction picturale en rapport avec les objets exposés. Par exemple, une scène d'arrachage de dents de Jan Steen pour les instruments de dentisterie. Bravo !

LE CHÂTEAU D'OOIDONK

🎬🎬 Accessible par le village de **Bachte-Maria-Leerne,** au bout d'une allée de tilleuls. ☎ 09-282-35-70. • ooidonk.be • Pâques-15 sept, dim et j. fériés 14h-17h30 ; juil-août, ouv sam également. Parc ouv tlj sf lun. L'entrée du château est assez chère : 7 € ; celle du parc seul beaucoup moins : 1 €. Une brasserie à gauche de l'entrée permet de se restaurer. Les Belges appellent Ooidonk le « Petit Chambord », et c'est vrai que cette résidence princière de style Renaissance flamande a beaucoup d'allure. Les deux corps de logis en brique, les douves, le pont-levis, les toits d'ardoise et les tours d'angle surmontées d'élégants clochers à bulbe lui donnent un air à la fois austère et tarabiscoté. Il est encore habité et l'aménagement intérieur est riche de mobilier Louis XV et Louis XVI, de portraits imposants, dont celui de Philippe de Montmorency, comte de Hornes. Le bras mort de la Lys, les jardins à la française, les prés et les plantations boisées donnent à l'ensemble un cachet classieux.

LE CHÂTEAU DE LAARNE

🎬 À 13 km de Gand, accès par la R 4 autour de Gand, sortie n° 5. ☎ 09-230-91-55. Mai-sept, dim 14h-17h30 ; juil-août, dim et jeu ap-m. Entrée : 7 € ; réduc. Un des châteaux de défense de Gand datant du XIIe s, entouré de douves. Grosses tours d'angle au toit pointu. L'entrée et la loggia sont évidemment postérieures. On pénètre par un pont de pierre. La partie centrale du château a été aménagée récemment pour abriter un très beau mobilier anversois, ainsi que des tapisseries, des peintures et une magnifique collection d'orfèvrerie et d'argenterie.

LES ARDENNES FLAMANDES

Le sud de la province est une région de collines ondulantes où, venant de Tournai, l'Escaut se faufile paresseusement dans un paysage verdoyant, parsemé de villages anciens et de routes sinueuses. Ici, le plat pays prend du relief : pensez, le mont de l'Enclus, près de Renaix, culmine à 150 m ! C'est presque dans les nuages !

AUDENARDE (OUDENAARDE)   (9700)   28 000 hab.

La « capitale » de la région est une ville à taille humaine située au bord de l'Escaut, à la frontière historique du Saint Empire romain germanique et du royaume de France. Cette position stratégique explique beaucoup d'événements de son histoire. La tapisserie permit à Audenarde de connaître la richesse et la prospérité au XVIe s. Autour de l'immense rectangle de sa Grand-Place, l'hôtel de ville gothique et les quelques maisons à pignon témoignent aujourd'hui de cette splendeur passée. On y cultive deux activités multiséculaires : le brassage et la tapisserie. Le jeudi, jour de marché, est le jour le plus animé.

UN PEU D'HISTOIRE

Après une implantation d'origine située un peu plus au nord et la construction d'une abbaye Saint-Sauveur à Ename, Audenarde se développa autour d'un petit port au bord du fleuve. On ceintura le tout de remparts, la situation de ville frontière entre France et Saint Empire germanique n'étant pas des plus confortable. En 1521, Charles Quint, venu guerroyer dans le Tournaisis (alors français), séjourne six semaines à Audenarde et s'éprend d'une servante locale, Jeanne Van der Ginst de Nukerke. Au moment des guerres de Religion entre catholiques et protestants, 40 % des tisserands protestants d'Audenarde s'exilent aux Pays-Bas ou dans le Nord de la France. C'est le cas de Franz der Planken, licier (tapissier) d'Audenarde, qui émigre en France où il francise son nom : de la Planche. Le roi Henri IV lui demande de développer son activité dans son royaume. Ses descendants fonderont plus tard, à l'initiative de Colbert, la manufacture des Gobelins à Paris.
Au XVIIe s, la tapisserie donne du boulot à 20 000 habitants ! Hélas, comme partout en Flandre, les guerres portent un coup fatal à cette belle prospérité : les Français viennent trois fois sous ses murs avant de se faire tanner par un certain duc de Marlborough en 1708. Reprise en 1745, la ville est démantelée.

Une bâtarde au destin glorieux

Née à Audenarde des amours de Charles Quint avec la fille d'un tapissier, Marguerite de Parme, élevée comme une princesse de sang, épouse à 14 ans le duc de Florence, Alexandre de Médicis. Restée veuve après l'assassinat de son mari par Lorenzaccio, son cousin, elle épouse Octave Farnèse âgé de 13 ans. De ce mariage naissent en 1545 des jumeaux, dont un seul survit : il deviendra le condottiere

Alexandre Farnèse. En 1559, devenue entre-temps duchesse de Parme, son demi-frère, le roi Philippe II, la nomme régente des Pays-Bas sous la tutelle d'une *Consulta*, un triumvirat qui prend directement ses ordres à Madrid. Elle réussit à tempérer la politique anticalviniste de Philippe II, dans l'espoir de se concilier les éléments les plus modérés de la société flamande. Mais, en raison des troubles, le roi demande au duc d'Albe de mener une expédition punitive dans les Flandres. Il entre en 1567 à Bruxelles à la tête d'une armée de 40 000 soldats. Marguerite demande à être relevée de ses fonctions et se retire dans le royaume de Naples. À nouveau sollicitée par Philippe II pour reprendre le gouvernement des Flandres en 1579, elle doit faire face aux ambitions de son fils, Alexandre. C'est finalement lui qui devient gouverneur des Pays-Bas avec les pleins pouvoirs. Marguerite retourne en Italie où elle meurt la même année que son époux.

Arriver – Quitter

➤ *En train :* une ligne relie Bruges à Bruxelles en passant par Courtrai, Audenarde et Zottegem.
➤ *En bus :* Audenarde est sur la ligne de bus Gand-Renaix du réseau *De Lijn*.
➤ *En voiture :* venant de Gand, par la N 60 (28 km). Venant du sud, par Tournai et Renaix (Ronse).

Adresse utile

🄸 *Office de tourisme (plan A2) :* hôtel de ville (Stadhuis), Grote Markt. ☎ 055-31-72-51. ● oudenaarde.be ● 1er avr-31 oct, tlj 9h (10h w-e)-17h30 ; hors saison, lun-ven 9h30-16h, sam 14h-17h. Demandez le dépliant *Oudenaarde, ville d'art* (1 €) ou, mieux, la brochure *Promenade dans la ville* (1,50 €).

Où dormir ?

🛏 *Hôtel César (plan A2, 1) :* Grote Markt, 6. ☎ 055-30-13-81. ● info@hotel-cesar.be ● hotel-cesar.be ● Chambres situées au-dessus de la brasserie-salon de thé du même nom. Compter 105 € pour 2 pers, petit déj inclus. Une vieille maison rénovée donnant sur la place centrale, pour une déco plutôt chaleureuse : moquette épaisse et literie prête à accueillir vos plus beaux rêves. Salles de bains fonctionnelles et ultra-propres. Système de ventilation dans certaines chambres. Préférez celles avec vue sur le Grote Markt. Fait aussi restaurant (voir « Où manger ? Où boire un verre ? »).

🛏 *Hôtel-restaurant De Zalm (plan A2, 2) :* Hoogstraat, 4. ☎ 055-31-13-14. ● info@hoteldezalm.be ● hoteldezalm.be ● Resto fermé lun. Fermé en juil. Double 90 €. Grande façade du XIXe s et resto classique au rez-de-chaussée. 9 chambres fonctionnelles et confortables, à la déco un peu froide. Parfaitement situé, à deux pas du Grote Markt, en face de l'hôtel de ville. Location de vélos.

Où manger ? Où boire un verre ?

Pas mal de terrasses et restos autour du Grote Markt, en tout cas de quoi caler tous les appétits ; s'il fait beau, vous serez sans doute tenté de choisir la mieux exposée.

🍴 *Brasserie César (plan A2, 1) :* Grote Markt, 6. ☎ 055-30-13-81. ● info@hotel-cesar.be ● Tlj sf dim-lun. Menu du jour 11 € ou plats à la carte à partir de 10 €. Quelques snacks un peu moins chers. C'est le resto-salon de thé de l'hôtel repris plus haut. Cadre assez classique mais plaisant. Surtout, on y

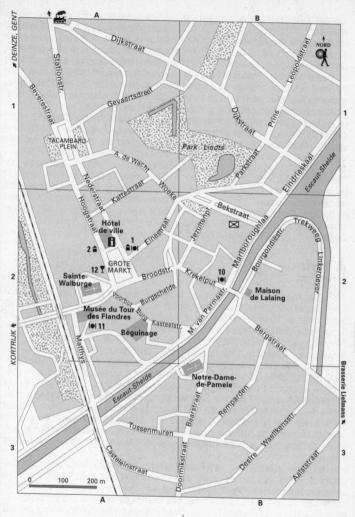

AUDENARDE (OUDENAARDE)

Adresses utiles

- **i** Office de tourisme
- ✉ Poste
- 🚂 Gare ferroviaire

🏠 **Où dormir ?**

1 Hôtel César

2 Hôtel-restaurant De Zalm

|●| ▼ **Où manger ? Où boire un verre ?**

1 Brasserie César
10 Bistrot L'Escaut
11 Brasserie De Mouterij
12 Café De Carillon

sert des plats pas trop chers et très bien réalisés.

|●| **Brasserie De Mouterij** (plan A2, **11**) : Grote Markt, 42. ☎ 055-30-48-10. Derrière le musée du Tour des Flandres. Tlj sf sam. Salades et pâtes 6-9 €, plats 11-15 €. Endroit original que cette ancienne malterie, bâtiment industriel réaménagé avec beaucoup d'à-propos en resto-grill. Beau décor, sol carrelé, voûtes de brique, bouquets de houblon séché, banquettes de cuir clouté, plaques publicitaires émaillées, instruments de brassage et photos rappellent l'activité passée. Spécialité de brochettes et de spare ribs. Large choix de bières. Prix raisonnables.

|●| **Bistrot L'Escaut** (plan B2, **10**) : Tussenbruggen, 20. ☎ 055-45-77-75. Tlj sf lun-mar 11h30-22h30. Plats 7-20 €.

Situé au bord de l'Escaut. Joli bistrot avec une déco à l'ancienne (boiseries, papier peint à fleurs, lampes-clochettes, rideaux à mi-verrière et grosse tenture brune à l'entrée) mais un esprit résolument contemporain. Cuisine dans le même ton : salades, pâtes, carbonade et potée de poissons. Bon rapport qualité-prix.

♈ **Café De Carillon** (plan A2, **12**) : Grote Markt, 49. ☎ 055-31-14-09. Tlj sf lun. À l'ombre de l'église Sainte-Walburge, cette croquignolette maison aménagée en café se remarque à ses deux mignons petits pignons jumeaux en brique jaune. Intérieur rustique, idéal pour prendre le pouls de la ville. Possibilité aussi d'y bouloter un plat simple, à prix correct.

À voir

🏃🏃🏃 **Stadhuis en Lakenhalle** (hôtel de ville et halle aux draps ; plan A2) : Grote Markt (accès par l'office de tourisme). Visites guidées de l'hôtel de ville début avr-fin oct, en sem à 11h et 15h et les w-e et j. fériés à 14h et 16h. Entrée : 5 € ; réduc. Sinon, visite libre de la halle aux draps (tapisseries) : 1er avr-31 oct, tlj 9h (10h w-e)-17h ; hors saison, lun-ven 9h30-12h, 13h30-16h, sam 14h-17h. Entrée : 2 €.

À lui seul ce splendide hôtel de ville justifie une visite d'Audenarde. Voilà une construction du plus beau gothique brabançon, achevée en 1537 (règne de Charles Quint) et ciselée comme une pièce d'orfèvrerie. La tour-beffroi centrale porte, comme émergeant d'un bouquet (la couronne impériale), la statue dorée de Hanske de Krijger (petit Jean-le-Guerrier, le protecteur de la cité). Vous remarquerez les deux aigles bicéphales des Habsbourg. Le coût de la construction a représenté à l'époque l'équivalent de celui de 35 maisons bourgeoises. Le matériau utilisé fut la pierre de Balegem mais celle-ci, trop poreuse, subit au XXe s la corrosion de l'oxyde de carbone. Chaque pierre abîmée a été remplacée par du grès français.

– Au cours de la visite, vous verrez aussi la halle aux draps du rez-de-chaussée, datant du XIIIe s. Elle sert de salle d'exposition à une douzaine de panneaux des fameuses tapisseries d'Audenarde, appelées « verdures » (à cause de la dominante bleu-jaune-vert de leurs coloris). Les thèmes sont pour la plupart bibliques, mythologiques ou paysagers. Il fallait entre 4 et 5 ans pour en tisser une, sur la base d'un projet appelé carton. Si vous voulez épater votre copain (ou copine), voici un petit truc pour les reconnaître infailliblement : un chardon atteste le made in Audenarde. Cherchez-le ! On ne peut que regretter l'éclairage triste et blafard, indigne d'un tel trésor.

– Au 1er étage, une autre halle aux draps (accessible uniquement dans le cadre de la visite guidée de l'hôtel de ville) présente une superbe charpente en forme de drakkar retourné. Les marchands y montaient par un grand escalier. Après la tapisserie, l'autre richesse était le drap. Celui d'Audenarde, réputé dans toute l'Europe, était exporté jusqu'à Venise. Dans un coin de la salle des Échevins, un tambour de porte en bois sculpté du XVIe s et un portrait équestre de Louis XIV, à qui l'on devait bien cela puisqu'il avait payé la fontaine aux dauphins qui se trouve devant l'hôtel de ville. Dans cette même salle (dite aussi salle des mariages), portrait de Charles Quint barbu (il n'a pas l'air commode le Carlos Quinto).

– Dans le musée de la Ville, au 2e étage, on peut voir une *collection de 12 pots en étain* à couvercle (les *simarts*), offerts autrefois aux hôtes de marque. Aucune autre ville de Belgique n'a conservé la douzaine complète. Vous pourrez aussi y admirer une collection unique d'*objets en argent,* offerts à la ville par Ernest de Boever, un riche commerçant d'Audenarde. Les pintes à bière sculptées, la théière de 1702, le cerf, la tortue qui servait à cacher de la poudre à canon : toutes ces pièces sont dignes des plus grands musées.

🚶 *Le gigantesque Grote Markt (plan A2) :* au milieu duquel trône majestueusement le bel hôtel de ville. La place est également ceinturée par quelques belles maisons Renaissance. La plus remarquable, la maison de Marguerite de Parme, s'est refait une beauté récemment et mérite plus qu'un coup d'œil. Elle abrite un très bon resto, pas donné. En revanche, l'église Sainte-Walburge a toujours l'air d'un éléphant sur la route du cimetière. L'ensemble manque malgré tout d'harmonie, avec toutes ses enseignes criardes et son immense parking.

🚶 *Sint Walburgakerk* (collégiale Sainte-Walburge ; *plan A2) :* juste à côté du Grote Markt. En saison, ouv slt mar, jeu et sam 14h30-16h30 ; ainsi que jeu 10h-11h, tte l'année. La construction a dû être un peu chaotique car de l'extérieur on dirait deux églises mises dos à dos. N'empêche qu'au pied de son portail, la vue de sa tour de 90 m couronnée d'un petit chapeau baroque donne le vertige. Abrite un splendide *trésor* d'église.

🚶 *Centrum Ronde Van Vlaanderen* (musée du Tour des Flandres ; *plan A2) :* entre le Markt et Sainte-Walburge. ☎ 055-33-99-33. • crvv.be • *Tlj sf lun (et mar en hiver) 10h-18h ; dernière entrée 1h avt. Entrée : 7 € ; réduc.* Évocation détaillée de l'épopée du cyclisme belge à travers sa course la plus célèbre, le Tour des Flandres. Elle commence par un petit film tâchant de restituer l'atmosphère dudit tour (qui, rappelons-le, a lieu chaque 1er dimanche d'avril, au départ de Bruges) ; ensuite, on passe dans une salle pleine de bruit et d'écrans pour tout savoir sur la course, ses embûches (les fameux chemins pavés des Ardennes flamandes !), l'évolution de son itinéraire et l'importance qu'elle revêt par ici. Grâce à une carte codée remise à l'entrée, on peut aussi suivre les stratégies et les habitudes de l'un des 12 cyclistes à avoir remporté le tour au moins 2 fois. Bien sûr, Merckx figure parmi eux.

🚶 Exilée sur l'autre berge, la silhouette un peu lugubre de l'*OLV van Pamelekerk* (église Notre-Dame-de-Pamele ; *plan B2-3 ; pour les individuels, visites slt Pâques-fin sept, sam 14h-16h30).* On doit cette église à un certain Arnulf. C'est un pur exemple du gothique scaldien du XIIIe s. Les gisants des seigneurs de Pamele s'y trouvent. Chœur très coloré.

🚶 *La maison de Lalaing (plan B2) :* Bourgondiëstraat, 9. Sur la même rive que Notre-Dame-de-Pamele, de l'autre côté du pont. Mar-ven 9h-12h, 13h30-16h. Fermé pdt vac de Noël. Entrée : 1,25 €. La belle façade Renaissance de cette maison du XVIIe s abrite un centre qui fait office de « clinique de la tapisserie ». On peut assister au travail de restauration et un espace éducatif à base de photos permet d'en comprendre le processus. Intéressant. Sur le même palier, au sein de l'atelier VASA, on crée de nouvelles œuvres, selon les mêmes techniques qu'au Moyen Âge (à savoir 1 m² par an). C'est aussi un centre d'apprentissage du métier de tapissier. En sortant, on peut se reposer dans le joli jardin où pousse un ginkgo biloba vieux de plus de 150 ans.

🚶 Une visite d'Audenarde ne pourrait être complète si l'on oubliait la bière qu'on y fabrique, une brune rousse aigre-douce sortie de la *brasserie Liefmans* (hors plan par B3 ; Aalststraat, 200 ; ☎ 03-860-94-00 ; • info@liefmans.be •). Elle se trouve à environ 2 km du centre, sur la rive droite. Une visite s'impose pour déguster une Kriek ou une bière à la framboise, et éventuellement parcourir les installations, sur rendez-vous préalable.

Manifestation

– *Fête de la Bière :* *le dernier w-e de juin.* On l'appelle aussi la fête Adrien Brouwer (peintre de l'époque de Rubens) car, apparemment, c'est lui qui en est à l'origine.

➤ *DANS LES ENVIRONS D'AUDENARDE*

🚶 *Ename :* à 2 km à l'est d'Audenarde, ce bourg paisible au pied d'une colline servit autrefois de frontière entre la France et le Saint Empire romain germanique. Des moines bénédictins y fondèrent une abbaye au bord de l'Escaut, qui fut détruite à la Révolution (française). Ename possède son musée :
– 🚶 *Ename 974 :* Lijnwaadmarkt, 20. ☎ 055-30-90-40. ● ename974.org ● Bus n° 41 depuis Audenarde. *Tlj sf lun 9h30-17h (10h30-18h sam-dim 1er avr-31 oct). Entrée : 2,50 € ; réduc.* Petit mais très intéressant et conçu avec les moyens les plus modernes. Les visiteurs ont à leur disposition des audioguides multilingues. Le thème du musée est la mémoire collective d'Ename à travers les histoires locales, les souvenirs familiaux, les photos du passé, de 974 à aujourd'hui. Des écrans tactiles permettent de remonter dans le temps et de reconstituer avec des images de synthèse le site de l'abbaye (c'est incroyable pour un si petit musée !). Le clou de la visite : le son et lumière, reconstitution réaliste d'un banquet villageois avec des personnages en résine, style musée Grévin, vêtus de costumes anciens. On se croirait dans un tableau de Bruegel.
– La visite du musée inclut aussi celle de l'église et du jardin, très agréable en été. Construite en 974 avec des éléments datant d'Othon, l'église a été rénovée et abrite une peinture murale de style byzantin.

LA PROVINCE DE FLANDRE OCCIDENTALE (WEST-VLAANDEREN)

« Le pays où un canal s'est perdu. » Personne n'a pu mieux que Brel décrire les paysages de la Flandre côtière. Immense platitude arrachée à la mer au cours des siècles, où le ciel, l'eau et la terre se rejoignent et se fondent dans les brumes maritimes. Les polders, terres âpres, aux habitations abritées des vents, où les hommes se livrent peu. Plaines inondées où des hommes venus de loin se sont entre-tués, pendant 4 ans, dans un carnage aussi effroyable qu'absurde, ne laissant que ruines et cimetières pathétiques. Dunes où le béton du tourisme sauvage a créé un nouveau mur de l'Atlantique. Dunes et prés-salés préservés où viennent encore nicher des oiseaux rares.
Et Bruges. Bruges la Morte, oubliée de l'histoire, il y a 100 ans, Bruges la Belle de ses trésors admirablement restaurés, Bruges la Riche de ses visiteurs innombrables et Bruges la Secrète de ses quartiers méconnus et de son mysticisme hors du temps.

BRUGES (BRUGGE) (8000) 117 000 hab.

⊙ Ville n° 1 du tourisme en Belgique, Bruges est un miracle de l'histoire. Tombée en léthargie pendant quatre siècles, elle n'a pas connu d'industrialisation et ses magnifiques bâtiments ont été judicieusement retapés lors de la vague néogothique du XIXe s. Ce qui lui vaut, pour son centre historique, un classement au Patrimoine mondial de l'humanité de l'Unesco. En la visitant, même si tout n'est pas vraiment d'origine, vous aurez d'une part l'impression de faire un voyage dans le temps à l'époque des splendeurs des ducs de Bourgogne, mais vous découvrirez aussi, un peu plus secrètes, les facettes romantiques et mystiques de l'âme flamande.

UN PEU D'HISTOIRE

L'existence de Bruges est liée aux sables : il y a 1 000 ans, la côte de la mer du Nord ne présentait pas la même configuration qu'aujourd'hui. À cette époque, des marées d'équinoxe rompent régulièrement la frêle barrière des dunes et la mer envahit les basses terres, en y laissant plus tard des bandes sablonneuses et des chenaux naturels. Sur ces terres pauvres vivent tant bien que mal des peuplades à peine christianisées, descendantes des tribus de Morins et de Ménapiens que César n'avait même pas pris la peine de civiliser.

Sur l'une de ces jetées naturelles *(brygghia),* un peu moins précaire que les autres, s'installent des **paysans libres** qui entreprennent de fortifier le lieu pour se garder des raids des Normands. Un certain **comte Baudouin Bras-de-Fer,** soudard notoire, obtient en dot ces terres incultes du roi Charles le Chauve dont il avait kidnappé la fille. Cette « Flandre » vient s'ajouter à ses possessions de l'Artois et du Cambrésis. Voilà comment la Flandre et la France ont lié leur destin.

Le miracle de la mer

Le site est fortifié et des échanges commerciaux se développent avec les ports du Nord. Une enceinte est construite et, en 1134, les éléments se déchaînent : la mer ouvre largement le chenal qui mène à elle. L'estuaire du Zwin s'est formé et assure à Bruges trois siècles de prospérité, à condition d'assurer un drainage permanent pour éviter l'ensablement. Lorsqu'en 1150 **Philippe d'Alsace,** comte de Flandre, accorde des privilèges à la cité, Bruges se trouve à la tête du commerce avec l'Angleterre et la Baltique. Elle est administrée par des marchands prospères qui organisent leur propre justice.

En 1180 déjà, **Damme** est fondée pour servir d'avant-port d'où les marchandises sont transbordées dans des embarcations plus petites. La situation géographique, entre Angleterre, foires de Champagne et Lombardie, entre sud-ouest de la France et Baltique, entre bassin du Rhin et Bretagne, fait de Bruges le plus grand centre de transit du Moyen Âge. Les comtes de Flandre touchent les dividendes de ce florissant commerce et s'efforcent en retour d'en préserver la sécurité.

Le **libre-échange** et le **capitalisme** naissent dans cette cité avec la fondation du **premier marché des changes.** L'établissement libre de « comptoirs commerciaux » de toutes les nations voit affluer des marchands des quatre coins de l'Europe. L'import-export est leur apanage, les Brugeois se réservant la vente de détail et la transformation du drap anglais, avec l'embauche d'une main-d'œuvre paysanne sévèrement contrôlée.

Au XIVe s, les Flamands affrontent la France

À l'avènement du XIVe s, des difficultés surgissent : par le jeu des successions comtales, le roi de France Philippe le Bel fait main basse sur la Flandre et favorise le parti des notables (les **Leliaerts,** à l'emblème de la fleur de lys). Les métiers se révoltent, à la fois contre leur condition d'exploités et contre le pouvoir en place inféodé aux Français. Le parti des **Klauwaerts** (les griffes du lion héraldique des Flandres), le matin du 18 mai 1302, prend les armes et passe au fil de l'épée tous ceux qui, au saut du lit, sont incapables de prononcer, avec l'accent guttural requis, les mots : *schild en vriend* (« bouclier et ami », mais plus vraisemblablement : *'s gilden vriend,* « ami des gildes »).

Les écoliers belges retiennent cet épisode de l'histoire sous le titre de « Matines brugeoises » (qu'ils confondent aussitôt avec celles de *Frère Jacques*). Les Français et les francophiles sont donc massacrés, ce qui provoque l'ire légitime de Philippe le Bel, qui s'empresse d'expédier la fine fleur de sa chevalerie pour mater les bouseux.

11 juillet 1302 : la bataille des Éperons d'or

Le combat se déroule sous les murs de *Courtrai le 11 juillet 1302* et la piétaille flamande n'a pas trop de mal à dérouiller les chevaliers français embourbés dans la gadoue avec armures pesantes et chevaux caparaçonnés. Aucun combattant n'est fait prisonnier et on ramène les éperons en guise de trophées. Ils resteront longtemps suspendus dans la cathédrale en souvenir de la victoire des petits sur les grands.

D'autres batailles, aussi cruelles et aussi importantes militairement, se dérouleront sur le sol flamand mais c'est celle-là que le mouvement flamand, au XIXe s, choisira comme emblème de la lutte du peuple contre l'oppression de ses notables. C'est connu, l'histoire vient toujours au secours des desseins politiques.

L'âge d'or du commerce et des arts

En 1369, le mariage de l'héritière du comté de Flandre, Marguerite de Maele, avec Philippe le Hardi, duc de Bourgogne, marque le début de l'âge d'or de Bruges mais aussi l'amorce de son déclin. Le Zwin commence à s'ensabler, il lui reste encore un siècle de fastes à vivre. Sur le plan artistique, Bruges rivalise avec Florence. Ses peintres *Memling, Van Eyck, Van der Goes* et *Gérard David* réalisent les chefs-d'œuvre de l'école flamande du XVe s.

Des navires vénitiens, catalans, russes, génois, biscayens, bretons, hanséatiques et portugais débarquent tous les jours des marchandises. On en compte jusqu'à 150 à la fois dans le bassin du Minnewater. Ils débarquent du vin, des tapis, des oranges, des fourrures, de l'huile, des cuirs, des soies, des métaux, des épices, de la laine, des animaux exotiques et même de l'ivoire et des diamants.

1429 : une ville courtisée par toute l'Europe

En 1429, *Philippe le Bon* installe sa cour au Prinsenhof et, lors de son mariage avec *Isabelle de Portugal*, donne des fêtes d'un luxe inouï. Bruges est tapissée de draperies vermeilles. Quelque 800 marchands en tenue d'apparat accueillent la fiancée. Le repas de noce se déroule dans un faste invraisemblable : vaisselle d'or, draperies de brocart tissé d'or et banquet monumental. On continue le lendemain avec joutes et réceptions dans un décorum tel que les échotiers de l'époque en parlent comme d'un événement inégalé en Occident. Pour couronner le tout, Philippe le Bon en profite pour s'introniser, ainsi que 23 seigneurs de sa suite, dans un nouvel ordre de chevalerie qui suscitera toutes les jalousies : *l'ordre de la Toison d'or.*

UN ORDRE CATHOLIQUE

L'ordre de la Toison d'or exalte l'esprit chevaleresque ; son but est la gloire de Dieu et la défense de la religion chrétienne, comme le rappelle l'inscription sur le tombeau du duc de Bourgogne à Dijon. Il passe ensuite aux Habsbourg autrichiens et espagnols en conservant le caractère religieux et aristocratique que lui avait donné Philippe le Bon. Son rituel d'admission demeure toujours, avec adoubement par l'épée et serment en français. Il existe aujourd'hui deux ordres de la Toison d'or, chacun contestant la légitimité de l'autre. L'Ordre espagnol a pour grand maître le roi d'Espagne, et l'autrichien l'archiduc Otto de Habsbourg. Albert II de Belgique est le seul souverain à porter les deux.

Bruges, la Bourgogne et les Habsbourg

En 1468, on remet le couvert pour le mariage de **Charles le Téméraire** et de **Marguerite d'York.** Mais le nouveau duc de Bourgogne est moins apprécié. Il lève des impôts pour financer ses campagnes, entre autres contre les Liégeois et les Dinantais. En tombant, en 1477, au siège de Nancy, il laisse à sa fille Marie (l'idole des Brugeois) l'héritage bourguignon qui est transmis aux **Habsbourg** par le mariage de celle-ci avec **Maximilien d'Autriche.**

Marie meurt au cours d'un accident de chasse et Maximilien se rend impopulaire au point de se faire séquestrer par les Brugeois. Son principal conseiller, **Pieter Lanchals** (Long-Cou en flamand), se fait décapiter devant ses yeux et l'archiduc, en proie à une frayeur légitime, concède n'importe quoi aux Brugeois pour recouvrer sa liberté mais obtient de ceux-ci (dit la belle légende) d'entretenir à tout jamais des cygnes (au long cou) en souvenir du supplicié. Promesse tenue !

XVIᵉ s : le déclin

En 1500, la ville totalise 100 000 habitants. C'est la cité la plus riche d'Europe du Nord mais le Zwin, la voie économique vitale, s'ensable définitivement et les Brugeois dépendent de plus en plus de leurs avant-ports, Damme et Sluis. Ils multiplient les mesures protectionnistes et les contrôles vexatoires. Leur drap n'est plus compétitif, l'Angleterre a appris à le tisser et n'a plus besoin de la Flandre pour l'écouler. Quant à Maximilien d'Autriche, rancunier, il favorise l'installation des marchands à Anvers, la place commerciale montante. Anvers, port sur l'Escaut, devient la rivale de Bruges et finit par la supplanter.

Au début du XVIᵉ s, les étrangers ont quitté Bruges et plus de 5 000 maisons sont vides. En 1520, deux galères vénitiennes jettent l'ancre à Sluis. La Sérénissime République, elle aussi en déclin, vient pour la dernière fois saluer sa consœur du Nord. Les guerres de Religion entre protestants et catholiques accélèrent ce déclin, beaucoup de Brugeois aisés préférant, aux persécutions de l'Inquisition, l'exil vers la Hollande.

Du XVIIᵉ au XXᵉ s : trois siècles de sommeil

Au cours de ces trois siècles, Bruges vivote dans l'espoir cent fois remis au lendemain d'un canal qui la relierait à la mer. Hélas, les flux commerciaux empruntent à présent d'autres routes. Et, avec la liaison Gand-Bruges, la ville se maintient au rang de port régional. Elle entretient une industrie locale de dentelle qui parvient à peine à nourrir une partie de la population. Le petit peuple vit de charité. Les propriétaires rentiers organisent le système d'assistance des maisons-Dieu et des hospices.

À l'intérieur de l'enceinte des remparts, on trouve la place pour cultiver des champs ! L'indépendance belge de 1830 en fait un chef-lieu de province et, en 1848, **une famine** pousse les habitants à l'émeute. On ressort des cartons un projet de canal vers la mer qui, grâce aux efforts de Léopold II, voit le jour en 1907, entre Blankenberghe et Heist, mais est détruit par la guerre de 1914-1918.

Le réveil de la Belle Endormie

Curieusement, Bruges doit son renouveau à son passé. Dans la seconde moitié du XIXᵉ s, des écrivains et artistes anglais romantiques, en visite sur le continent, se prennent de passion pour cette ville qui personnifie leur engouement pour la redécouverte du Moyen Âge. Ils sont rejoints par d'autres Britanniques qui choisissent de s'établir à Bruges pour des raisons bien plus terre à terre. Ce sont des officiers britanniques de l'armée des Indes à la retraite, qui ne peuvent, avec leur modeste pension, mener le même train de vie qu'au Bengale ou au Pendjab.

Ils achètent à Bruges, à quelques encablures de leurs blanches falaises, de superbes maisons pour une bouchée de pain et trouvent un personnel de maison prêt à travailler pour de modestes gages. Tout ce beau monde forme une petite colonie, qui reçoit des visites de parents et amis et, bientôt, un collège de petits Anglais en casquette et uniforme voit le jour. Bruges lentement sort de sa torpeur et se met à restaurer son patrimoine monumental, assainit ses canaux. On construit de nouveaux bâtiments, à l'imitation du Moyen Âge. Des hôtels s'ouvrent, des restaurants également, et la suite est connue. Voilà pourquoi vous lisez ces lignes...

En 1949, en reconnaissance de son passé de cité internationale, Bruges a le privilège d'être choisie pour former, dans *le Collège de l'Europe,* les futures élites de la Communauté européenne. C'est José Manuel Barroso, le président de la Commission, qui en a à présent la charge.

Une curiosité : le joueur de basket franco-américain Tony Parker est natif de Bruges.

Conseils pour visiter Bruges

Pour aborder cette ville dans les meilleures conditions, nous vous ferons une triple recommandation.

– *Primo :* Bruges est une ville au romantisme incomparable, alors venez-y, si possible, en couple. Vous vous forgerez des souvenirs pour la vie en vous baladant enlacés, le long des canaux, même sous la pluie. Les petits restos intimes et les cafés chaleureux, perdus dans la nuit, abriteront vos roucoulades.

– *Deuzio :* la haute saison (en particulier mai, juin et septembre) n'est pas le meilleur moment pour en profiter. La ville est submergée de visiteurs. De plus, vous payerez plus cher pour votre chambre d'hôtel. Essayez plutôt le début du *printemps,* lorsque les jonquilles tapissent les pelouses du béguinage, ou quand vient *l'automne* et que l'on peut flâner à l'aise sur les quais des brocanteurs et se repaître à satiété des trésors de la peinture flamande. Les week-ends sont aussi, en général, plus chargés que la semaine.

– *Tertio :* et c'est une injonction ! la ville n'est *pas faite pour la voiture,* et les meilleures surprises, vous les aurez en la parcourant à pied ou à bicyclette. Vous vous perdrez dans les ruelles et c'est la meilleure chose qui puisse vous arriver. Au détour d'un pont ou d'un canal, vous tomberez sur une église ignorée des foules, sur un vieil estaminet où le temps s'est arrêté ou sur la très digne confrérie des arbalétriers en train de s'exercer au tir. Les seules déclivités sont les dos d'âne des petits ponts de pierre. De même, pédaler la nuit dans la ville endormie, au hasard des pavés, s'avère une véritable plongée dans un univers de formes fantasmagoriques.

Arriver – Quitter

➢ *En train :* de et vers Lille, 4 trains directs/j. Sinon, nombreuses liaisons entre Lille et Courtrai *(Kortrijk),* puis Courtrai et Bruges. De Bruxelles, liaison ttes les 30 mn. Enfin, de Paris, 2 à 3 *Thalys* directs/j. (compter env 2h30 de trajet).

➢ *En voiture :* Bruges se trouve en bordure de l'E 40 Bruxelles-Ostende, à 90 km de la capitale. On peut aussi la rejoindre de Paris (320 km) par l'autoroute du Nord et Lille, ensuite par Courtrai *(Kortrijk)* et l'A 17.

Où se garer ?

La ville compte plusieurs parkings, notamment dans le centre (cinq parkings souterrains), et trois parkings périphériques gratuits, mais le plus grand (1 600 places), le plus pratique (ouvert tous les jours 24h/24) et le moins cher (2,50 € par jour !) se trouve à côté de la gare. Inutile donc, à notre avis, d'en chercher un autre, d'autant qu'il n'est qu'à 15 mn à pied du centre et qu'il est même possible, avec le ticket de ce parking, de rejoindre gratuitement le Markt en bus. On précise aussi, pour ceux

■ **Adresses utiles**

- 🛈 Office de tourisme « In & Uit » *(plan I)*
- 🛈 Bureau de tourisme de la gare *(plan I)*
- ✉ Bureau de poste *(plan I)*
- 🚆 Gare *(plan I)*
- 1 Location de vélos Koffieboontje *(plan II)*
- 2 Location de vélos Éric Popelier *(plan II)*
- 🖼 3 Téléboutique *(plan II)*
- 11 Bauhaus Bike Rental *(plan I)*

🛏 **Où dormir ?**

- 10 Auberge de jeunesse Europa *(plan I)*
- 11 Bauhaus International Youth Hostel et Bauhaus Budget Hotel *(plan I)*
- 12 De Passage et De Passage Hotel *(plan II)*
- 13 Snuffel Backpacker Hostel *(plan I)*
- 14 Marie-Rose Debruyne et Ronny D'Hespeel *(plan I)*
- 15 Dieltiens Koen & Annemie *(plan II)*
- 16 Art Hostel *(hors plan I)*
- 17 't Geerwijn, M. et Mme De Loof *(plan II)*
- 18 Marjan Degraeve *(plan I)*
- 19 Baert Bed & Breakfast *(plan I)*
- 20 Chambres Rita Riemaker *(hors plan I)*
- 21 Chambres d'hôtes Yvonne de Vriese *(plan II)*
- 22 Hôtel Lybeer *(plan II)*
- 23 Charlie Rockets *(plan II)*
- 24 Hôtel Van Eyck *(plan II)*
- 25 Hôtel Groeninghe *(plan II)*
- 26 Waterside B & B *(plan II)*
- 27 Absoluut Verhulst *(plan I)*
- 28 Hôtel Fevery *(plan I)*
- 29 Hôtel Cavalier *(plan II)*
- 30 Hôtel De Goezeput *(plan II)*
- 31 Hôtel De Pauw *(plan I)*
- 32 Hôtel Impérial *(plan II)*
- 33 Hôtel Lucca *(plan I)*
- 34 Hôtel Jacobs *(plan I)*
- 35 Hôtel Botaniek *(plan II)*
- 36 Hôtel Malleberg *(plan II)*
- 37 Hôtel Cordoeanier *(plan II)*
- 38 Hôtel Adornès *(plan I)*
- 39 Asinello B & B *(plan I)*
- 40 Hôtel Karel De Stoute *(plan II)*
- 41 Hôtel Boterhuis *(plan II)*
- 43 Hôtel Ter Duinen *(plan I)*
- 44 The Pand Hotel *(plan II)*
- 45 Hôtel Die Swaene *(plan II)*
- 46 Relais Oud Huis Amsterdam *(plan II)*
- 47 Number 11 *(plan II)*
- 48 Bed and Breakfast Royal Stewart *(plan II)*
- 49 Contrast Bed & Breakfast *(plan II)*

🍽 🍜 **Où manger ?**

- 60 Salade Folle *(plan I)*
- 61 Tea-room La Baguette Sandwich *(plan I)*
- 62 Trium Trattoria Snack *(plan II)*
- 63 Taverne The Hobbit *(plan II)*
- 64 Gran Kaffee De Passage *(plan II)*
- 65 Terrastje *(plan II)*
- 66 't Dreveken *(plan II)*
- 67 Kok au Vin *(plan II)*
- 68 Malesherbes *(plan II)*
- 69 Breydel-De Coninc *(plan II)*
- 70 Rock Fort *(plan II)*
- 71 De Pepermolen *(plan II)*
- 72 Bistro De Schaar *(plan II)*
- 74 Passion for Food et 't Brugs Pitahuis *(plan II)*
- 75 De Koetse *(plan II)*
- 76 De Stove *(plan II)*
- 77 Het Dagelijkse Brood *(plan II)*
- 78 Den Dyver *(plan II)*
- 79 De Bottelier *(plan II)*
- 80 Restaurant Patrick Devos *(plan II)*
- 81 't Klein Genoegen *(plan II)*
- 82 De Torre *(plan II)*
- 83 Ganzespel *(plan II)*
- 84 De Verbeelding *(plan II)*
- 86 't Gulden Vlies Stedelijk *(plan II)*
- 87 Restaurant Sint-Barbe *(plan II)*
- 88 Bistro de Nisse *(plan II)*
- 89 De Stoepa *(plan II)*
- 90 De Pottekijker *(plan II)*

🍽 🍷 🍰 **Où goûter ? Où prendre un café ou un chocolat chaud ? Où acheter de bons chocolats ?**

- 102 Tea-room De Proeverie *(plan I)*
- 103 Chocolats Dumon *(plan I)*
- 104 The Chocolate Line *(plan II)*
- 106 Bar Choc *(plan II)*
- 107 Depla Pol *(plan II)*

🍷 🎵 **Où boire un verre ? Où sortir ?**

- 23 Charlie Rockets *(plan I)*
- 90 Staminee De Garre *(plan II)*
- 91 Vlissinghe *(plan II)*
- 92 Craenenburg *(plan II)*
- 93 Wijnbar Est *(plan II)*
- 94 't Brugs Beertje *(plan II)*
- 95 Vino Vino blues & bar à tapas *(plan II)*
- 97 De Kluiver *(plan II)*
- 98 L'Estaminet *(plan II)*
- 99 Cafe De Republiek *(plan II)*
- 100 De Versteende Nacht *(plan II)*
- 101 Ma Rica Rokk *(plan II)*
- 108 De Kelk *(plan II)*
- 109 The Car Crash *(plan II)*

🍴 **À voir**

- 120 Burg *(plan II)*
- 121 Stadhuis *(plan II)*
- 122 Markt *(plan II)*
- 123 Belfort et Halles *(plan II)*
- 124 Heiligbloed Basiliek *(plan II)*
- 125 Groeninge Museum *(plan II)*
- 126 Museum Arentshuis *(plan II)*
- 127 Gruuthuse museum *(plan II)*
- 128 Onze Lieve-Vrouwe-kerk *(plan II)*
- 129 Memling in Sint Jan *(plan II)*
- 130 Godshuizen *(plan I)*
- 131 Brouwerij De Halve Maan *(plan I)*
- 132 Diamond House *(plan II)*
- 133 Prinselijk Begijnhof ten Wijngaarde *(plan I)*
- 134 Minnewater *(plan I)*
- 135 Sint Salvatorkathedraal *(plan II)*
- 136 Sint Walburgaskerk *(plan II)*
- 137 Sint Annakerk *(plan II)*
- 138 Stedelijk Museum voor Volkskunde *(plan I)*
- 139 Église de Jérusalem *(plan I)*
- 140 Sint Jorisgilde *(plan I)*
- 141 Windmolen *(plan I)*
- 143 Sint Sebastiaansgilde *(plan I)*
- 144 Engels Klooster *(plan I)*
- 145 Onze Lieve Vrouw ter Potterie *(plan I)*
- 146 Sint Gilliskerk *(plan I)*
- 147 Oude Tolhuis *(plan I)*
- 148 Huis ter Beurze *(plan I)*
- 149 Bladelijn Hof *(plan II)*
- 150 Sint Jacobskerk *(plan I)*
- 151 Choco-Story et Lumina Domestica *(plan II)*
- 152 Musée de la Frite *(plan II)*

A ← A 10, OOSTENDE, A 17, KORTRIJK

site inscrit au Patrimoine mondial de l'Unesco

BRUGES (BRUGGE) – PLAN D'ENSEMBLE (PLAN I)

qui voudraient découvrir la ville avec la petite reine, qu'on peut louer des vélos à la gare. Autre raison supplémentaire de laisser votre voiture au parking, une nouvelle réglementation assez contraignante régit désormais le stationnement dans le centre-ville. Dans les rues principales, le stationnement est payant tous les jours entre 9h et 19h, avec une durée maximale de 2h. Dans les autres rues, le stationnement est en zone bleue et vous devez donc mettre un disque de stationnement obligatoire (maximum 4h), sauf les dimanche et jours fériés, entre 9h et 19h, sous peine d'une amende de 30 € par jour. Enfin, dans certaines parties du quartier West-Brugge, le stationnement est uniquement réservé aux riverains, et là vous risquez carrément la fourrière si vous ne respectez pas l'interdiction.

Comment circuler ?

Le cœur historique de Bruges est un ovale de 2 à 3 km de diamètre, c'est dire que tout peut se visiter *à pied* ou *à vélo*. L'organisation des sens uniques est délibérément faite pour empoisonner la vie des automobilistes et la vitesse est limitée à 30 km/h. En revanche, les vélos peuvent emprunter les rues dans les deux sens (pas toutes, attention !).
À la sortie de la gare ferroviaire, un bureau d'information de *De Lijn* vend des billets pour les *autobus* (1 €), qui passent presque tous par le Markt (« Centrum »). Pour vous repérer à l'intérieur de la ville, levez le nez, vous apercevrez toujours l'une des trois tours principales. Vous apprendrez vite à les reconnaître !

Adresses utiles

🏛 **« In & Uit »** *(office de tourisme ; plan I, A2) : Concertgebouw, 't Zand, 34 ; dans la salle de concerts de Bruges.* ☎ 050-44-46-46. ● toerisme@brugge.be ● brugge.be ● *Tlj 10h-18h.* 3 écrans de consultation sont à la disposition du public. L'office de tourisme propose différentes formules et documents intéressants pour visiter Bruges et ses environs : vente d'un billet combiné pour 5 musées municipaux à 15 € (valable 3 jours) ou bien, un billet combiné comprenant l'entrée de 3 musées municipaux. Vente également de la « Brugge City Card » valable 48h ou 72h au prix de 35 et 45 € donnant droit à l'entrée gratuite dans 23 musées, balade en bateau ou en bus et des réductions sur les spectacles. On peut s'y procurer également le mensuel gratuit *Events@brugge* qui détaille le calendrier des manifestations culturelles en ville. En juillet-août (et les weekends de juin et septembre), départ à 14h30 d'une visite guidée de la ville. Prix par personne : 5 € ; réduction familles. Enfin, une borne interactive informe en permanence de l'état de disponibilité du logement à Bruges et dans les environs. Pratique !

🏛 **Bureau du tourisme de la gare** *(plan I, A3) : dans la gare, à gauche en entrant. Lun-ven 10h-17h, sam-dim 10h-14h.* On peut y acheter un plan de la ville pour 0,50 €.
✉ **Bureau de poste** *(plan II, B2) : Markt, 5.* ☎ 050-33-14-11.
■ **Argent et change :** vous trouverez des distributeurs *Bancontact/ MisterCash* (ceux-ci permettent des retraits avec les cartes *Visa* ou *MasterCard*) sur le Markt, sur Simon Stevin Plein *(plan II, B2)*, ainsi que sur Vlamingstraat *(plan II, B1-2)*. Prenez vos précautions, surtout le week-end.
@ **Téléboutique** *(plan II, C2, 3) : Perdikherenstraat, 48. Tlj 10h (10h30 dim)-21h.* Compter 0,50 € pour 15 mn. Une dizaine de PC. On y parle le français (et on y boit le thé à la menthe !).
🚉 **Gare** *(plan I, A3) : Stationsplein, à env 15 mn à pied du centre.* ☎ 050-30-24-24. Outre un bureau du tourisme, on y trouve également des consignes.
🚌 **Transports publics :** *De Lijn,* ☎ 059-56-53-53. Le billet d'un trajet en bus coûte 1 €. Billet pour une journée : 3 €.
■ **Location de vélos :** ATTENTION, devant la recrudescence des vols,

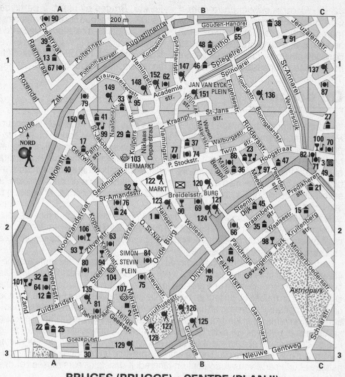

BRUGES (BRUGGE) – CENTRE (PLAN II)

beaucoup de loueurs se montrent réticents à laisser leurs vélos passer la nuit dehors. Si vous voulez louer un vélo plus de 1 jour et le garder le soir, il vous faudra vérifier auprès de votre hôtel (et prouver à votre loueur) que votre monture pourra dormir tranquillement, à l'abri. Par ailleurs, on vous rappelle que certains hôtels mettent des vélos à votre disposition.

– À la gare ferroviaire (plan I, A3) : ☎ 050-30-23-29. Le service de loc (tlj 6h30-19h30) se trouve près de la bagagerie. Compter 6,50 € la ½-journée et 9,50 €/j. Il est arrivé qu'ils exigent le billet du train. On signale d'ailleurs au passage que vous pouvez acheter, avant d'entamer votre voyage, un forfait train/vélos dans de nombreuses gares belges.

– Koffieboontje (plan II, B2, **1**) : Hallestraat, 4. ☎ 050-33-80-27. Tlj 9h-22h. Compter 4 €/h, 8 €/4h, 12 €/j. et 38 €/

sem. Tarif préférentiel pour étudiants. Possibilité de louer un tandem ou un VTT.

– De Ketting (plan I, B-C3) : Gentpoortstraat, 23. ☎ 050-34-41-96. Le moins cher de la ville : 5 €/j.

– Éric Popelier (plan II, B2, **2**) : Mariastraat, 26. ☎ 050-34-32-62. Tlj sf lun en hiver 10h-18h. Compter 10 €/j. Loue également tandems, scooters et vélos électriques.

– Bauhaus Bike Rental (plan I, C1, **11**) : 135, Langestraat, à la Bauhaus International Youth Hostel (voir « Où dormir ? »). ☎ 050-34-10-93. Slt au printemps et en été : 3 €/h ; 6 €/3h ; 10 € la journée.

– E-kar (plan II, B2) : Vlamingstraat, 44. ☎ 050-33-00-34. Tlj 9h30-12h30, 13h-18h. Compter 3 € pour 1h et 10 € pour 24h. Loue des vélos adaptés pour les personnes handicapées.

– Quasimundo : rens et résas au ☎ 050-

33-07-75 ou • quasimundo.com • Compter 24 €/pers ; 20 € pour les moins de 26 ans. Tours guidés (en anglais) à vélo dans Bruges mais aussi dans les environs, jusqu'à la frontière hollandaise (en passant par Damme).

En été, *Bruges by night*, à partir de 19h30. Ciré, casque et eau fournis, ainsi qu'un pot dans un café local. Départ du Burg.

■ *Taxis :* Markt, ☎ 050-33-44-44. Stationsplein, ☎ 050-38-46-60.

Où dormir ?

La bonne surprise du voyage ! Bruges compte plus de 100 hôtels et, la concurrence aidant, les prix sont restés majoritairement raisonnables pour la qualité proposée. Beaucoup d'adresses de charme sont dispersées dans la ville et faire un choix peut s'avérer embarrassant tant sont dignes d'éloges le sens de l'hospitalité et le savoir-faire des hôteliers brugeois. Parler le français ne leur pose aucun problème. À noter tout de même que les tarifs sont plus élevés en haute saison, à savoir, en gros, de mai à octobre, ainsi que, d'une façon générale, le week-end. Janvier et février sont les mois creux.

– *Réservations :* directement auprès de l'hôtel. Possible aussi à l'office de tourisme, mais uniquement pour le jour même (compter 2,50 € de frais). Inutile de préciser qu'en période de grande affluence il est vivement conseillé de réserver sa chambre le plus à l'avance possible.

– *Réductions :* toute l'année, de nombreux hôteliers proposent des formules spéciales, tant pour la semaine que pour le week-end. Outre une ou deux nuitées, elles comprennent généralement une prestation supplémentaire, comme un repas, une entrée dans un musée ou un tour en bateau. De début novembre à fin mars, dans le cadre de l'opération « Bruges en hiver », la troisième nuit d'hôtel est offerte (à condition d'arriver dimanche, lundi ou mardi). Consulter le site internet de l'hôtel pour en savoir plus et réserver. De plus, beaucoup d'entre eux ont passé un accord avec l'office de tourisme et accordent un accueil « privilégié » à chacun de leur client. À votre arrivée, vous aurez souvent à votre disposition un plan, une pochette touristique et une carte vous accordant un tarif réduit dans plusieurs musées et des ristournes dans certaines boutiques.

CAMPING

⛺ *Memling* (hors plan I par C1) : Veltemweg, 109, Brugge-Sint Kruis 8310. ☎ 050-35-58-45. • info@camping-memling.be • camping-memling.be • À 4 km vers l'est. Bus n° 11 ou 58A qui passe à la gare ferroviaire. Arrêt Carrefour sur la Maalsesteenweg. Résa conseillée. Compter 11,80-14 € pour 1 tente et 2 pers, et 20-25 € pour 1 caravane. 5 € supplémentaires pour 1 seule nuit (juilaoût). Sous les arbres mais banal, bien équipé, douches gratuites. Quelques

cabanes en bois *(trekkershutten)* à 37 € (1 à 4 personnes) et même quelques roulottes et caravanes (2 chambres, cuisine équipée) à 90 € en juillet-août (et Pentecôte) et 63 € le reste de l'année (4 personnes ou famille de 5) ! Resto au camping. Vélos à louer. Supermarché et piscine couverte et toboggan à 300 m. Le camping n'étant pas très grand, pensez à réserver suffisamment à l'avance sauf si vous arrivez avant 13h.

AUBERGES DE JEUNESSE À BRUGES ET DANS LES ENVIRONS

🏠 *Auberge de jeunesse Europa* (plan I, B3, 10) : Baron Ruzettelaan, 143, Assebroek 8310. ☎ 050-35-26-79. • brugge@vjh.be • vjh.be • À la sortie de la ville, direction Oostkamp. De la

gare ferroviaire, bus n°s 2 et 20, direction Assebroek, arrêt Wantestraat. À pied, compter 20 mn (1,5 km). Attention, réception fermée 10h30-13h30 (17h dim) : on nettoie ! Pas de couvre-feu. Fermé 3 sem après Noël. Résa conseillée. Compter 15,40-17,50 €/pers (en chambre de 4 à 6), draps et petit déj compris (1 € de plus pour plus de 26 ans). Compter 3 € supplémentaires si vous ne possédez pas votre carte de membre de la FUAJ. Repas à 18h30 pour 9,10 € et paniers-repas pour la journée 6,10 €. La plus grande AJ du pays : 208 lits, 42 chambres dont 22 familiales et 4 doubles avec douche et w-c privés, bâtiments en brique, ultramoderne avec de grandes baies vitrées, donnant sur un grand jardin. Laverie toute proche. Distribue une bonne carte de la ville mais pas de location de vélos. Beaucoup de groupes.

â Bauhaus International Youth Hostel (plan I, C1, **11**) : Langestraat, 133-137. ☎ 050-34-10-93. ● info@bauhaus. be ● bauhaus.be ● Dans la partie est du centre. Bus n°s 6 ou 16 de la gare ferroviaire. Pas de couvre-feu. Bar-resto ouv 8h-minuit (resto 12h-14h, 18h-22h30). Compter 14-17 € pour une place en dortoir de 3 à 8 lits, doubles 18-21 €/pers (avec douche) ; draps et petit déj inclus. Salades, steaks, pizzas et plats végétariens env 6-8 €. Café ou bière offert au resto sur présentation de ce guide. L'auberge abrite quelque 150 lits sur plusieurs étages. Lavabos dans toutes les chambres. Spacieux et plus ou moins propre, cela dépend de l'époque et de l'affluence. Chambres parfois humides. Douches en commun, sauf pour 2 ou 3 chambres. Le grand bar-resto du rez-de-chaussée, le *Sacré-Cœur*, assez animé, vous permettra peut-être de faire des rencontres. Déco rigolote avec vieilles et vénérables images religieuses. Laverie pas très loin, location de vélos (9 € par jour) et salle Internet (1h pour 3 €). *Bauhaus* est membre de l'association *Europe Famous 5 Hostels*, qui regroupe 130 AJ indépendantes en Europe. Une bonne adresse routard, parfois un peu bruyante (surtout les chambres au-dessus du bar). Ne prenez pas le petit déj trop tard sous peine de ne plus trouver de beurre et de confiture !

â Bauhaus Budget Hotel (plan I, C1, **11**) : Langestraat, 133. Annexe du Bauhaus Youth Hostel, située dans un bâtiment historique juste à côté. Une vingtaine de petites chambres doubles,

triples ou quadruples avec douche pour 18-20 €/pers, petit déj inclus. Possibilité aussi de réserver des studios et appartements pour familles et groupes (2 à 12 pers), à partir d'un w-e. Réduc en basse saison. Bière régionale offerte en guise de bienvenue. De l'avis de certains lecteurs, certaines chambres, au confort basique et assez bruyantes (l'ensemble est bruyant d'ailleurs) ne conviendront pas aux sommeils légers. Pour la petite différence de prix, vaut mieux taper alors dans nos chambres d'hôtes les moins chères.

â De Passage (plan II, A2, **12**) : Dweersstraat, 26-28. ☎ 050-34-02-32. ● info@passagebruges.com ● passagebruges.com ● Bus de la gare ferroviaire vers le Markt, arrêt Sint Salvatorkerk. Parking payant dans la même rue. Fermé en janv. Compter 16 €/pers la nuit, draps et couette compris ; petit déj 5 €. Chambres doubles et dortoirs de 4, 6 ou 7 lits superposés. Douches et toilettes à l'étage. À la fois café-resto (voir « Où manger ? ») et hôtel « jeunes », bien situé. Ambiance « auberge de jeunesse ». À côté, le *De Passage Hotel* propose des chambres simples mais un peu plus chères (voir plus loin « Hôtels »).

â Charlie Rockets (plan II, B2, **23**) : Hoogstraat, 19-21. ☎ 050-33-06-60. ● info@charlierockets.com ● charlierockets.com ● Compter 16 € (1 € de plus le w-e) la nuit en chambre de 4 ou 6 (19 € avec le petit déj). Double 50 €, petit déj inclus. Parking payant. Internet gratuit. Bien tenu. Central, simple, et pas cher du tout. Adresse originale, l'archétype de l'AJ contemporaine, bien dans l'ère du temps, aménagée dans un ancien cinéma aux couloirs tortueux et pleins d'escaliers. Bar au rez-de-chaussée (voir « Où boire un verre ? Où sortir ? »), bonne ambiance, jeune et plutôt internationale. Sympa mais bien sûr ne conviendra pas à ceux qui cherchent avant tout la tranquillité ! Service laverie, *lockers*, consigne à bagages. Billards. Bonne pizzeria sur place (*Carlito's*).

â Snuffel Backpacker Hostel (plan II, A1, **13**) : Ezelstraat, 47-49. ☎ 050-33-31-33. ● info@snuffel.be ● snuffel.be ● Bus n°s 3 et 13 de la gare ferroviaire, arrêt Snuffel. Une soixantaine de lits répartis en chambres de 4 (17 €/pers) ou 6 lits (16 €/pers) à 8-12 lits (15 €/pers), avec petit déj. Possibilité de louer une chambre de 4 pour un couple (18 €/pers). Internet gratuit. Toutes les chambres ont une bonne literie en bois clair, un lavabo et certaines bénéficient d'une douche. Armoires de sécurité. Ici, la propreté est prise en charge par les occupants des chambres. Facilités pour cuisiner. Café ambiance rock. Carte forfait pour essayer 5 bières (le patron en propose 25 dont la Snuffel, fabriquée sur place !). Tenancier très sympa et atmosphère assez baba. Location de vélos possible (6 € par jour) mais à condition de ne pas le sortir le soir ! Concerts gratuits à 21h tous les 1er et 3e samedis du mois (sauf juillet-août, autre programme). Tour de ville à pied gratuit de 2h vers 19h (s'inscrire au bar). Une de nos adresses préférées.

🛏 **Art Hostel** (hors plan I par B1, **16**) : Havenstraat, 2. ☎ 050-67-82-78. ● in fo@arthostel.be ● arthostel.be ● À la périphérie de la ville (mais ce n'est pas encore l'exil !). À 15-20 mn à pied du Markt (très agréable le long du canal). Du centre, bus n° 14, arrêt Haven. De la gare, bus nos 14, 41 et 42. Après 22h, bus n° 91 (Avondlijn Noord). Env 48 lits 14-18 €/pers. Parking gratuit à côté de l'hostel. Coffre disponible. Internet, lockers et consigne gratuits. Un grand édifice en brique au coin du boulevard circulaire (facilement repérable) offrant des dortoirs bien tenus et de bon confort. Quelques éléments de décor africain (notamment en bas de la rampe, superbe !). Pas mal de groupes dans l'année (scolaires et autres), mais bien sûr ouvert aux individuels. Quelques chambres pour filles seules. Une bonne solution si tout est complet ailleurs ou si vous possédez un vélo. Annexe de l'autre côté de la rue, avec un café en dessous. Accueil sympa. Un rade sympa à deux pas : Du Phare (voir « Où boire un verre ? »).

🛏 **Auberge de jeunesse Herdersbrug** : Louis Coiseaukaai, 46, Brugge-Dudzele 8380. ☎ 050-59-93-21. ● brug ge.dudzele@vjh.be ● jeugdherbergbrug ge.com ● Au bord du canal Bruges-Zeebrugge, à 5 km au nord de la ville. Bus n° 41 (Knokke) ou 42 (Breskens) de la gare ferroviaire, arrêt Dudzele Dorp, puis 15 mn à pied. Fermé 15 déc-15 janv. Pour 1 nuit, prévoir 20 €/pers, petit déj compris, 3 € de plus pour les non-encartés. Dîner 12 € et lunch 6,80 €. Parking gratuit. AJ moderne et horizontale. Entièrement rénovée l'hiver 2007. 21 chambres, dont 1 double seulement et 4 familiales. Location de vélos. Resto et terrasse. Court de tennis, aviron, kayak.

🛏 **Auberge de jeunesse Die Loyale** : Gentse Steenweg, 124, Maldegem 9990. ☎ 050-71-31-21. ● maldegem@ vjh.be ● vjh.be ● À une dizaine de km à l'est de Bruges. Dans la jolie campagne du Meetjesland. Liaisons en bus De Lijn pour Bruges, Damme et Gand (ligne n° 58A). Arrêt devant l'AJ. Fermé 15 nov-15 fév. Nuitée 17,50-21,80 €, petit déj et draps compris. Supplément plus de 26 ans et non-membres. Dîner 9,90 € et lunch 6,10 €. Dans une belle villa au milieu d'un grand jardin, une AJ de 74 lits, comprenant 11 doubles et 7 familiales. Certaines chambres sont situées dans d'agréables petits bâtiments modernes, (composés de 4 lits), lumineux et bien équipés. Toutes avec salle de bains. Un endroit vraiment recommandé pour les amateurs de vélo.

CHAMBRES D'HÔTES

On vous recommande tout particulièrement les agréables et économiques formules des chambres d'hôtes (Bed & Breakfast) à Bruges. Certaines de ces adresses sont de véritables petits trésors de convivialité et de charme, qui vous procureront les meilleurs souvenirs de votre séjour et, qui sait, créeront peut-être des amitiés durables. De très nombreuses possibilités (on en compte 129 officielles, dont 70 reprises par la liste de l'office) : on ne peut évidemment les citer toutes) de chambres doubles ou triples à consulter dans la Logiesbrochure disponible à l'office de tourisme (parfois de longues files d'attente au comptoir des réservations). Attention, la plupart n'accepte pas les cartes de paiement.

Un site intéressant pour aller au-delà de notre sélection : ● weekendhotel.nl/ hotels/brugge/1/fr ●

De bon marché à prix moyens

🛏 **Marie-Rose Debruyne et Ronny D'Hespeel** (plan I, B1, **14**) : Lange Raamstraat, 18. ☎ 050-34-76-06. ● miet jedebruyne@yahoo.co.uk ● bedandbreakfastbruges.com ● Depuis la gare, bus nos 14 ou 4. Double 65 € et triple 80 €, petit déj compris. Attention : pour 1 seule nuit, frais de résa supplémentaires 10 €. Garage privé 8 € ou place de parking autorisée 5 €/nuit. Dans ce qui fut il y a un siècle une petite brasserie, une maison directement sortie d'une B.D. futuriste : sas d'ouverture cosmique, salle de bains en inox, aux courbes arrondies et dessinée par Ronny, architecte de métier. 3 chambres (2 au rez-de-chaussée avec bains et 1 au 1er avec douche) avec mobilier design (certains meubles dessinés par Philippe Starck). Les lits sont bien moelleux et les couettes duveteuses à souhait. Observez, dans la salle du petit déj, le comptoir réaménagé avec goût et, dans le jardin, la petite maison du XVIIe s. Au passage, appréciez la toiture plutôt avant-gardiste pour cette ville de pierre. Accueil particulièrement prévenant et chaleureux.

🛏 **Dieltiens Koen & Annemie** (plan II, B-C2, **15**) : Waalsestraat, 40. ☎ 050-33-42-94. ● dieltiens@bedandbreakfastbruges.be ● bedandbreakfastbruges.be ● Doubles 60-90 €. Compter 10 € de plus pour 1 seule nuit. Une maison du XIXe s, dans la plus pure tradition brugeoise, avec des pièces lumineuses et charmantes, et des objets anciens. Accueil jovial et souriant chez un couple de musiciens (Koen est flûtiste). 3 chambres avec tout le confort (TV, cafetière, frigo, etc.). Elles donnent sur une petite rue calme. Petit déj copieux pris dans la salle à manger commune. En option également : location à la semaine, en milieu de semaine ou pour le week-end d'un studio et d'un appartement dans une jolie demeure ancienne. Adresse non-fumeurs. Possibilité de stationner les vélos et de louer un garage à deux pas.

🛏 **Absoluut Verhulst** (plan II, C2, **27**) : Verbrand Nieuwland, 1. ☎ 050-33-45-

15. ● b-b.verhulst@telenet.be ● b-bverhulst.com ● Compter 90 € pour 2 pers, petit déj compris ; 10 € de supplément pour 1 seule nuit et le w-e, 2 nuits obligatoires. Dans une maison de 1650, à la pimpante façade rouge, une adresse de charme. 2 chambres confortables au 1er dont la plus grande possède une salle de bains très design. Sous les toits, un petit appart très agréable pour 4 personnes (2 chambres et une pièce commune). Les propriétaires, Frieda et Benno, sont vraiment très sympathiques. Petit jardin fort agréable avec bassin. C'est là qu'on prend le copieux petit déj quand il fait beau. Sinon, c'est dans la chaleureuse salle à manger aux tons bleus et décorée avec personnalité. Vélos à disposition.

🛏 **Baert Bed & Breakfast** (plan I, A3, **19**) : Westmeers, 28. ☎ 050-33-05-30. 📱 0477-33-31-46. ● info@bedandbreakfastbrugge.be ● bedandbreakfastbrugge.be ● Double 80 €, mais 70 € pour 2 nuits et ensuite dégressif jusqu'à 6 nuits. 20 % de réduc 15 nov-28 fév (sf sem Noël-Jour de l'an). Pour 1 pers, 10 € de moins. Dans un adorable quartier (un vrai village) proche de tout et néanmoins très tranquille, découvrez cette chambre d'hôtes toute cosy et colorée. Ancienne maison datant du XVIIe s, au bord d'un gentil ruisseau (pompeusement appelé canal des Capucins), dans un environnement verdoyant. Accueil particulièrement affable des hôtes qui se mettront en quatre pour vous. Ce sont aussi des artistes et leurs œuvres égayent encore plus la demeure. 2 chambres fort plaisantes (la jaune et la rose) avec chacune salle de bains privée (mais à côté de la chambre). Copieux petit déjeuner à partir de bonnes choses maison, pris dans la chaleureuse salle commune (dites bonjour pour nous aux poissons roses). Petite terrasse pour regarder le temps s'écouler au fil de l'eau. Une adresse définitivement pour romantiques, poètes et voyage de noces...

🛏 **Contrast Bed & Breakfast** (plan II, C2, **49**) : Predikherenrei, 5. ☎ 050-33-

46-67. • info@contrastbrugge.be • contrastbrugge.be • Bus n⁰ˢ 16 et 6. Doubles 70-90 €, triples 110-120 €, petit déj compris ; 10 € de supplément pour 1 seule nuit. Possibilité de garage fermé payant. En bord de canal, quartier sympa et calme, très proche du centre. Dries et Cathy proposent 3 chambres d'hôtes dans un bâtiment restauré dans un style résolument géométrique et contemporain. Les chambres au design très étudié intègrent chacune une salle de bains en rond et bénéficient d'une mezzanine dotée d'un lit supplémentaire. Elles donnent toutes sur le jardin et sont reliées à la maison d'habitation par une verrière particulièrement originale, elle aussi. L'ensemble est vraiment très réussi et ne manquera pas de séduire nos lecteurs amateurs de modernité.

🛏 **Het Wit Beertje, M. Defour** (hors plan I par A3) : Witte Beerstraat, 4. ☎ 050-45-08-88. • info@hetwitbeertje. be • hetwitbeertje.be • À 200 m après le chemin de fer au bout de la Smedenstraat. Fermé janv. Doubles 60-70 €, petit déj compris. CB refusées. Petite maison simple, un peu en dehors du centre historique mais à proximité de la gare ferroviaire et de la Smedenpoort (ancienne porte de ville). Beaucoup de gentillesse chez ce couple masculin de Brugeois qui proposent 3 chambres un peu kitsch avec TV, douche et w-c privés à prix vraiment bon marché. Petit déj varié, servi dans un charmant jardin ou dans la chambre. Si vous arrivez par le train, prévenez, on vient vous chercher.

🛏 **Marjan Degraeve** (plan I, C2, 18) : Kazernevest, 32. ☎ 050-34-57-11. • marjan.degraeve@wol.be • bedandbreakfastmarjandegraeve.be • En face du canal périphérique. Fermé 3 janv-3 fév. 2 chambres au confort très convenable 60 € pour 2 pers, petit déj compris. Au bout de 6 nuits, la 7ᵉ est gratuite. Apéro offert sur présentation de ce guide. Une adresse aux surprises artistiques décoiffantes. Décor assez délirant, mêlant le kitsch et le culte du 7ᵉ art. Conviendra plutôt aux routards jeunes et branchés car sanitaires en commun. Marjan propose une excellente liste d'adresses de restos pas chers, ainsi qu'une bière spéciale à son nom et un

apéro à base de pomme de sa fabrication. Vélos à louer (6 €/j.).

🛏 **Waterside B & B** (plan I, C2, 26) : Kazernevest, 88. ☎ 050-61-66-86. • waterside@telenet.be • pinkbear.freeservers.com • 2 doubles 65 € avec sdb commune. Pour 1 seule nuit, 10 € de plus. Petite maison, ambiance familiale et 2 chambres claires et pimpantes. Conviendrait tout à fait à une famille souhaitant préserver l'autonomie des parents.

🛏 **Chambres Rita Riemaker** (hors plan I par B1, 20) : J & M. Sabbestraat, 46. ☎ 050-37-46-51. 📱 0486-83-87-88. • rita.riemaker@pandora.be • bedandbreakfast-brugge.com • Doubles 60-65 €, petit déj copieux inclus. Réduc de 10 % sur le prix de la chambre sur présentation de ce guide. Accueil jovial de Rita. Son mari est peintre, spécialisé en vitraux et gravures. Ses œuvres couvrent les murs. Les 2 chambres se trouvent côte à côte à l'étage. L'une avec salle de bain, l'autre avec douche et w-c extérieur. Vue sur le jardin ou sur la rue. Bonne adresse pour un couple et 2 enfants, réservée aux non-fumeurs. La pâte à tartiner au chocolat du petit déj est divine !

🛏 **Bed and Breakfast Royal Stewart** (plan II, B1, 48) : Genthof, 27. ☎ 050-33-79-18. 📱 0478-55-95-89. • r.stewart@pandora.be • royalstewart.be • Compter 62 € pour 2 pers et 85 € pour 3 pers, petit déj compris. Café offert sur présentation de ce guide. Maggie, d'origine écossaise, et son mari ont aménagé au-dessus de leur boutique d'antiquités 3 chambres (dont 2 partagent leur salle de bains) dans les tons bleus, avec de beaux lustres et du mobilier ancien, comme il se doit. Si vous réservez en avance, demandez la n° 1. Au rez-de-chaussée, coquette petite salle à manger donnant sur un minuscule jardinet. Accueil charmant et polyglotte.

🛏 **Chambres d'hôtes Ivonne de Vriese** (plan II, C2, 21) : Predikherenstraat, 40. ☎ 050-33-42-24. • ivonne.de.vriese@pandora.be • de-vriese.be • Fermé janv. Doubles 55-65 € (15 € pour 1 pers supplémentaire), petit déj inclus. Réduc à partir d'un séjour de 1 sem. Vieille maison très bien située, près d'un canal, avec des propriétaires courtois (francophones), qui louent des chambres familiales (avec ou sans douche et w-c). Atmosphère authentique, mon tout dégage un vieux charme. Tout le quartier autour possède bien du caractère.

🏠 **'t Geerwijn, M. et Mme De Loof** (plan II, A2, **17**) : Geerwijnstraat, 14. ☎ 050-34-05-44. 📠 0475-72-47-02. • chris.deloof@scarlet.be • geerwijn. be • Une rue tranquille, très près du centre. Fermé 10 janv-10 fév. Doubles 65-70 €, triples 75-80 €, beau petit déj compris. Parking aisé à proximité. Wifi dans la chambre. Une jolie demeure de 1871. 3 chambres rénovées avec sanitaires, aux noms de peintres impressionnistes, décorées de tissus provençaux et meublées avec beaucoup de goût, chez un couple charmant ; le mari s'adonne à l'aquarelle.

Plus chic

🏠 **Asinello B & B** (plan II, A1, **39**) : Ezelstraat, 59A. ☎ 050-34-52-74. 📠 0478-38-86-47. • welcom@asinello.be • asinello. be • Doubles 100-150 €, petit déj compris. Le w-e, 2 nuits exigées. CB et chèques refusés. À deux pas de la vieille ville, dans un quartier sympa et tranquille, un des plus séduisants B & B qu'on connaisse, capable d'allier confort, esthétique, bien-être et qualité d'accueil. L'œil attentif et amical d'un petit âne en peluche, symbole de la maison. Bien en retrait de la rue, calme total. 3 chambres d'une blancheur immaculée et au design contemporain d'une finesse et d'une élégance achevée. D'intéressants tableaux d'avant-garde s'y fondent harmonieusement. On découvre ici le contrepoint subtil et intelligent à l'image un peu figée et passéiste de la ville. La chambre la plus chère, sous de vastes combles, possède un charme inouï (possibilité d'ailleurs d'y ajouter 2 enfants). Superbe salle de bains avec « douche-tropicale » et « bain à bulles » (celle à 120 € également). Petit déjeuner copieux et accueil particulièrement affable de Monique et Peter. Hammam gratuit, mais réserver à l'avance.

🏠 **B & B Sint Niklaas** (plan II, B2) : Sint-Niklaasstraat, 18. ☎ 050-61-03-08. 📠 0473-35-09-80. • anne@sintnik.be • sintnik.be • Singles 95-115 €, double 135 €, copieux petit déj compris avec produits faits maison. Paiement en cash slt. Apéro offert sur présentation de ce guide. Dans une ruelle parallèle au Markt, une somptueuse maison de maître rénovée en style design. 3 belles chambres, dont la vaste chambre ovale avec baignoire d'antan, ou 2 plus petites sous les toits mais avec vue imprenable sur le beffroi. Dilemme pour faire un choix ! Élégance des tons et des tissus. Chambres non-fumeurs.

🏠 **Number 11** (plan II, B2, **47**) : Peerdenstraat, 11. ☎ 050-33-06-75. • contact@atnumber11 • number11.be • Doubles 155-235 €, petit déj compris. Au cœur du vieux Bruges, sur l'un des plus vieux ponts de la ville. Maison d'hôtes de grand charme. Ici, vous êtes chez un peintre surréaliste, du nom de Pavel, mais c'est son épouse surtout qui s'occupe de la maison et des hôtes. Peut-être l'avez-vous déjà deviné : les chambres, réalisées dans les tons vanille et gris-blanc, sont splendides. Pas données, c'est sûr, mais prix plutôt justifiés. D'autant que l'ensemble de la demeure est à l'avenant : jardin d'hiver, salles de bains 1930, bibliothèque et cheminée dans le salon...

HÔTELS

De bon marché à prix moyens

🏠 **Bauhaus Budget Hotel** (plan I, C1, **11**) : Langestraat, 133. ☎ 050-34-10-93. Annexe de la Bauhaus International Youth Hostel (voir plus haut « Auberges de jeunesse à Bruges... »).

🏠 **Hôtel Lybeer** (plan II, A2, **22**) : Korte Vuldersstraat, 31. ☎ 050-33-43-55. • info@hostellybeer.com • hostellybeer. com • Fermé 10-30 juin. Double 65 €, petit déj inclus. Compter 17 € en dortoir de 4 à 8 pers. Internet et wifi gratuits. Situé dans une rue calme près du Zand, une petite adresse à mi-chemin entre l'hôtel et l'AJ, parfaite pour les routards et les jeunes à budgets limités, proposant des chambres de 1, 2, 3 et 4 lits, avec ou sans douche et w-c. Confort sommaire mais tenue correcte (quoique les parties communes auraient vraiment besoin d'un gros coup de peinture) et, surtout, petits prix. Salle de télévision (grand écran plat), vaste salle à manger (avec énorme lustre, excusez du peu !), cuisine à disposition.

🛏 *De Passage Hotel (plan II, A2, 12)* : Dweersstraat, 26-28. ☎ 050-34-02-32. ● info@passagebruges.com ● passage bruges.com ● *Voir aussi* De Passage

plus haut à « *Auberges de jeunesse à Bruges...* ». *Doubles 55-70 € (avec douche) ; petit déj 5 €. Parking payant souterrain à proximité immédiate.* Annexe de l'hôtel pour jeunes. Petite maison aux escaliers très raides, dans laquelle ont été aménagées une dizaine de très petites chambres, décorées avec une certaine réussite, chacune de couleur différente, certaines avec lavabo, salle de bains commune pour les autres. Spartiates, joueurs de basket s'abstenir ! Le petit déj est servi au café voisin.

Prix moyens

🛏 *Hôtel Van Eyck (plan II, B2, 24)* : Korte Zilverstraat, 7. ☎ 050-33-52-67. ● vaneyck@unicall.be ● hotelvaneyck. be ● *À proximité immédiate du Markt. Doubles 60-75 € selon confort et taille, triple 100 €, quadruple 110 €. 4 nuits au prix de 3 et 3 nuits au prix de 2 lorsqu'on arrive en début de sem à certaines périodes (voir le site).* En plein quartier commerçant, mais dans une rue tranquille, cette grande maison blanche datant du XVIIe s, à l'ambiance « bonne bourgeoisie » brugeoise, abrite un hôtel au charme un peu passé. Atmosphère familiale, 8 chambres seulement. Un incroyable escalier tournant, couronné d'une verrière, mène aux chambres sobrement meublées et à la déco un peu vieillotte. Les moins chères sont sans w-c. La n° 7 a une vue sur le beffroi. Le petit déj-buffet est servi dans une salle aux tons lumineux. L'accueil est très affable. Adresse non-fumeurs.

🛏 *Hôtel Fevery (plan I, B1, 28)* : Collaert Mansionstraat, 3. ☎ 050-33-12-69. ● paul@hotelfevery.be ● hotelfevery. be ● *À l'ombre de l'église Saint-Gilles. Fermé en janv. Chambres rénovées 60-90 € avec douche ou bains, petit déj compris. Familiales (intéressant pour 4 pers, avec 2 chambres) 100-125 €. Bonne réduc après 5 j. Internet.* Une petite maison banale à l'extérieur mais bien fleurie et décorée comme un intérieur familial. En tout cas, nuits paisibles garanties et accueil du patron particulièrement affable.

🛏 *Hôtel Cavalier (plan II, B2, 29)* : Kuipersstraat, 25. ☎ 050-33-02-07. ● info@ hotelcavalier.be ● hotelcavalier.be ● *Tt*

près du Markt et derrière le théâtre municipal. *Double 68 € avec douche et w-c, petit déj-buffet compris ; env 62 € en basse saison (sf w-e). Le sam seul 6 € de plus. Garage à vélos.* Un hôtel familial fort bien placé, avec une salle à manger décorée de fresques d'inspiration antique. Environ 8 chambres rénovées joliment et de très bon confort (double vitrage). Accueil très pro et sympa tout à la fois de la patronne.

🛏 *Hôtel De Goezeput (plan II, A2-3, 30)* : Goezeputstraat, 29. ☎ 050-34-26-94. ● info@hotelgoezeput.be ● hotelgoezeput.be ● *Bar ouv jusqu'à 23h. Fermé en janv. Chambres avec sdb, singles 60-70 €, doubles 90-105 €, deluxe 95-110 € selon confort et période (150-185 € pour 4-5 pers) ; petit déj 10 €. Promos sur Internet. Internet gratuit. Apéro offert sur présentation de ce guide.* Belle bâtisse, ancienne dépendance d'abbaye dans une rue tranquille près du Zand. Parties communes cossues mêlant habilement le design et l'ancien. Un bel escalier mène aux chambres, confortables et rénovées, avec poutres pour les plus belles. Parfois mansardées pour les romantiques. Celles pour 4 ou 5 personnes conviendront particulièrement aux familles (mais peuvent être louées pour 2 en saison creuse !), comme la n° 10, qu'on aime beaucoup pour sa déco gris orage et fuchsia et sa belle vue sur les toits. La n° 15, sous les toits, offre également une vue agréable (mais des sanitaires minuscules). Également 2 chambres au rez-de-chaussée.

🛏 *Hôtel De Pauw (plan I, B1, 31)* : Sint

Gilliskerkhof, 8. ☎ 050-33-71-18. ● in fo@hoteldepauw.be ● hoteldepauw. be ● Derrière l'église Saint-Gilles. Fermé en janv. Chambres 70-80 €, petit déj inclus. Possibilité de ½ pens à la Taverne Oud Handbogenhof tte proche (même maison), 25 €/pers. Un petit hôtel à la façade en brique, plutôt récente mais toute fleurie. Abrite 8 chambres réno-vées, avec w-c, lavabo ou douche. Petit déj servi au milieu des fleurs.

🛏 **Hôtel Cordoeanier** (plan II, B2, **37**) : Cordoeaniersstraat, 16. ☎ 050-33-90-51 et 34-61-11. ● info@cordoeanier. be ● cordoeanier.be ● Fermé en janv.

Doubles 80-100 € selon confort, petit déj inclus. Également des chambres pour 3, 4 ou 5 pers 130 €. Promos sur Internet pour des séjours de 3 j. ou plus. 5 % de réduc sur les chambres en cas de paiement cash. Situé tout près de la place Saint-Jean. Hôtel discret et fami-lial offrant de petites chambres dans les tons jaune et ocre. Un poil vieillot, mais fort bien tenu. Salle à manger rustique agréable et bar Rose Red ouvert jusqu'à 23h (mais fermé lundi et mardi). Patron jeune et sympa. Un bon rapport qualité-prix-calme pour la ville.

De prix moyens à un peu plus chic

🛏 **Hôtel Impérial** (plan II, A2, **32**) : Dweersstraat, 24. ☎ 050-33-90-14. ● in fo@hotelimperial.be ● hotelimperial. be ● Résa impérative. Singles 40-50 €, doubles 65-85 € et 90-120 € pour 3-4 pers. CB refusées. Possibilité de parking payant. Petite adresse de charme proposant des chambres fami-liales et d'autres plus petites, avec dou-che et w-c. La cour intérieure, aména-gée en jardin, donne sur la grande et pimpante salle du petit déj. On peut aussi loger au calme dans l'annexe, à 200 m de là, avec joli jardin, tout aussi charmante que l'hôtel.

🛏 **Hôtel Lucca** (plan II, B1-2, **33**) : Naal-denstraat, 30. ☎ 050-34-20-67. ● luc ca@hotellucca.be ● hotellucca.be ● Dans le quartier de l'église Saint-Jacques. Singles 48-68 € selon confort, doubles 53 € (avec lavabo)-88 €, triples 98-108 €, chambres pour 4 pers 118-128 € (idéales pour les familles). Tarifs dégressifs à partir de 3 nuits. 18 cham-bres. Ancienne maison des marchands de Lucques en Toscane, qui fut aussi une loge maçonnique. Les parties com-munes rappellent d'ailleurs le lustre d'antan. Les chambres, hautes de pla-fond, sont assez vastes, avec de gran-des fenêtres. La déco manque pourtant singulièrement de charme. Elle est même plutôt vieillotte et hétéroclite, limite kitsch (ce qui explique aussi les prix plutôt abordables). Les chambres sous les combles (les moins chères) sont de très petites dimensions et pas toujours bien chauffées. Caves voûtées du XIVe s servant de réception, bar et

salle du petit déj possédant beaucoup d'allure !

🛏 **Hôtel Jacobs** (plan I, B1, **34**) : Balies-traat, 1. ☎ 050-33-98-31. ● hotelja cobs@online.be ● hoteljacobs.be ● Dans le quartier de l'église Saint-Gilles. Resto le soir slt. Fermé 10 j. en janv. Doubles 75-95 € selon confort ; fami-liale env 140 € ; petit déj-buffet inclus. Menu 30 €. Ascenseur. Belle maison d'angle, fleurie, avec pignons à redans. Chambres très convenables. Jolie vue sur les toits depuis le dernier étage, par exemple depuis la chambre n° 304 qu'on aime bien. Ambiance cosy, cou-leurs chaleureuses et bar-salon agréa-ble. L'ensemble est parfaitement tenu. Accueil très souriant et pro tout à la fois du patron, Nicoli Gentile (parfaitement francophone, grande expérience, a tenu un hôtel à Bruxelles). Parking aisé, dans un quartier calme et résidentiel. Cham-bres non-fumeurs. Resto de gastrono-mie française et italienne. Pâtes fraî-ches aux truffes et gibier en saison. Agréable salle à manger.

🛏 **Hôtel Groeninghe** (plan II, A2, **25**) : Korte Vuldersstraat, 29. ☎ 050-34-32-55. ● hotelgroeninghe@pandora.be ● ho telgroeninghe.be ● Double 110 € avec petit déj. Internet gratuit. Hôtel fleuri d'allure cossue et entièrement rénové, avec une agréable salle de petit déj très claire, qui contraste avec le salon de style flamand plus sombre. Dans les 8 chambres, déco « bonbonnière » dans les tons roses ou bleus, certaines (les nos 1 et 2) avec ciel de lit et toutes avec douche. Excellent accueil.

🛏 **Hôtel Botaniek** (plan II, B2, **35**) : Waalsestraat, 23. ☎ 050-34-14-24. ● info@botaniek.be ● botaniek.be ● Non loin du parc Astrid et du Burg. Double 99 €, petit déj-buffet compris. Parking payant à 50 m. Apéro offert sur présentation de ce guide. Hôtel de maître du XVIIe s, sis dans un quartier et une rue tranquilles. Décor classe sans chichis. 9 chambres très confortables, entièrement rénovées en 2006. Belle vue sur les tours depuis les chambres n°s 7, 8 et 9 situées sous le toit.

🛏 **Hôtel Malleberg** (plan II, B2, **36**) : Hoogstraat, 7. ☎ 050-34-41-11. ● hotel@malleberg.be ● malleberg.be ● Près du Burg. Doubles 85-120 € avec petit déj. Petite promo si on prend 3 nuits à partir du dim. Quelques chambres pour 3 et 4 pers 120-180 €. Petit hôtel plutôt chic, très central. Élégante façade de pierre avec fenêtres à meneaux. 9 chambres avec douche, certaines mansardées, décorées dans des tons chauds et modernes, avec parquet cirés et poutres apparentes. La rue est très animée, préférez les chambres à l'arrière ou au dernier étage.

Plus chic

🛏 **Hôtel Karel De Stoute** (plan II, A2, **40**) : Moerstraat, 23. ☎ 050-34-33-17. ● kareldestoute@pandora.be ● hotelkareldestoute.be ● Près de l'église Saint-Jacques, mais aussi très près du centre. Fermé début janv-début fév, une dizaine de j. en juin et à Noël. Doubles 70-110 € selon confort et saison, petit déj compris. Chambres pour 3 et 4 pers 90-155 €. Dans un quartier tranquille, une grande bâtisse blanche pleine d'histoire construite sur des fondations bien plus anciennes ; une cave voûtée avec bar et une tour d'angle l'attestent. Faisait partie du Prinsenhof (cour des Princes), résidence des ducs de Bourgogne. Charles le Téméraire y séjourna en 1468. 9 chambres, spacieuses et confortables, à la déco personnalisée, avec douche et bains. Les plus belles ont des poutres au plafond. La n° 3 et la n° 7 ont leur salle de bains dans la tour. La n° 9 et la n° 11 donnent sur le jardin.

Quelques familiales avec porte communicante.

🛏 **Hôtel Boterhuis** (plan II, A-B2, **41**) : Sint Jacobsstraat, 38-40. ☎ 050-34-15-11. ● boterhuis@pandora.be ● boterhuis.be ● Doubles 95-130 € selon saison ; 110-170 € pour 4 pers. Parking privé payant. Rénovation habile d'une portion d'enceinte (élégante cour intérieure médiévale avec tour et passage voûté). Façade au pignon cranté. 11 chambres de belle taille, claires, de bon confort, sobrement décorées et avec parquet. Les moins chères sont en façade d'une jolie rue passante et surtout assez animée le soir (pas mal de bars, dont un juste en face). Les prix, peut-être un peu élevés, s'avèrent proportionnellement plus intéressants pour les chambres familiales. La plus belle, située dans une tour, est la n° 8. C'est aussi la plus chère. Salle voûtée pour le petit déj. Taverne au rez-de-chaussée.

Très chic

🛏 **Hôtel Adornès** (plan II, B1, **38**) : Sint Annarei, 26. ☎ 050-34-13-36. ● info@adornes.be ● adornes.be ● Fermé en janv. Doubles 110-140 € selon taille, petit déj continental inclus. Parking gratuit à condition de prévenir. 3 maisons à pignon à redans restaurées et formant un ensemble charmant au point de rencontre de 3 canaux, dans le quartier Sainte-Anne, le plus authentique de Bruges. Une vingtaine de chambres proprettes couleur crème, avec mobilier de pin et poutres apparentes. Salles de bains décorées de plantes. Les meilleures chambres : la n° 15, les n°s 16 et 17 avec vue sur le canal. Très jolie salle de petit déj avec une belle cheminée. Buffet plantureux. Accueil adorable de la patronne. Dans la cave voûtée qui abrite la télé, consultez plutôt les livres avec les photos de Bruges en 1900. Vélos gratuits à votre disposition. Vous l'aurez compris, on aime beaucoup cette adresse qui se veut non-fumeurs.

🛏 **Hôtel Ter Duinen** (plan I, B1, **43**) :

Langerei, 52. ☎ *050-33-04-37.* ● *info@
terduinenhotel.be* ● *terduinenhotel.be* ●
*Doubles 137-167 € selon vue, confort et
saison ; triples et quadruples 205-
225 € ; petit déj 15 €. Réduc de 5 % si
paiement en espèces, sf w-e (arrivée ven
ou sam) et j. fériés. Belle demeure blanche au bord d'un canal romantique, à*
l'écart du centre. Chambres doubles
chaleureuses et délicieusement meublées. Demandez le n° 28 ou la n° 34,
pour leur vue sur le canal. Adorable orangerie aménagée en patio. Superbe salle
à manger décorée avec un goût très sûr.
Accueil charmant et prévenant. Une
vraie adresse de charme.

Coups de folie

🛏 **The Pand Hotel** (plan II, B2, **44**) :
Pandreitje, 16. ☎ *050-34-06-66.* ● *info@
pandhotel.com* ● *pandhotel.com* ●
*À proximité de l'embarcadère des
bateaux. Doubles 195-240 € pour les
standard (déjà très jolies avec d'élégants ciels de lit) et 230-355 € pour les
supérieures ; suites 270-450 € ; petit déj
au champagne 22 € en sus. Quelques
triples et quadruples. Pensez à surveiller les promos (très intéressantes)
sur Internet.* Pour nos lecteurs ne regardant pas à la dépense, voici un hôtel de
charme, à l'aménagement alliant le raffinement et le confort anglo-saxon (voir
le salon et sa cheminée, et le bar *so
British*). Considéré comme l'un des
101 plus beaux hôtels au monde par
des guides et revues spécialisés.
Chambres de très grand confort, toutes
différentes, avec un magnifique mobilier d'antiquaire. Jacuzzi et produits
cosmétiques de marque, boutique. La
maîtresse des lieux personnifie à elle
seule la tradition de l'hospitalité brugeoise. Guide de formation, polyglotte,
elle peut vous captiver pendant des
heures. Le *Pand Hotel* est le point de
chute de beaucoup d'artistes.
🛏 **Hôtel Die Swaene** (plan II, B2, **45**) :
Steenhouwersdijk, 1. ☎ *050-34-27-98.*
● *info@dieswaene.com* ● *dieswaene-ho
tel.com* ● *Au bord du Groenerei, à deux
pas du Burg. Doubles 195 € (standard)-
295 € (supérieure) ; petit déj 20 €. Parking 15 €.* Tenté(e) ? Si vous avez gagné
au Loto, si vous souhaitez fêter un événement ou offrir un séjour-surprise à
l'élu(e) de votre cœur, pourquoi pas au
Die Swaene (Le Cygne) ? D'ailleurs, ils
font une promo *(Roméo et Juliette)* à
étudier ! Cet hôtel brugeois a été classé
3e au palmarès des hôtels les plus
romantiques de la planète. Dire que son
aménagement est luxueux tient du lieu
commun. Le mobilier est de style, les
toiles, de maître, et la cuisine du resto,
celle d'un chef étoilé.
🛏 **Relais Oud Huis Amsterdam** (plan
II, B1, **46**) : *Spiegelrei, 3.* ☎ *050-34-18-
10.* ● *info@oha.be* ● *oha.be* ● *Dans le
quartier de la Hanse. Compter 135-
155 € pour 2 pers ; suite 235 € ; petit déj
18 €.* Le luxe feutré et la volupté des
authentiques maisons de tradition hôtelière. Le long d'un des plus beaux
canaux. 4 maisons de maître du XVIIe s
réunies. Couloirs ornés de gravures et
de tapisseries, parquets qui craquent
juste ce qu'il faut pour apprécier le
moelleux des tapis. Superbe entrée.
Une des cheminées offre un ravissant
décor de céramique. Chambres de
dimensions plus que confortables, aux
meubles d'époque, avec vue sur le
canal ou sur le jardin. Bar cosy pour les
fins de soirée. Jardin et terrasse gazon-
née. Petit déj-buffet plantureux, servi
dans une belle salle imposante. Bref, si
vous en avez les moyens, l'occasion de
faire un saut dans le temps.

BRUGES ET SES ENVIRONS

Où manger ?

La loi universelle des vexations est ainsi faite que, si l'on peut se réjouir de la relative
modicité des prix de l'hôtellerie brugeoise, du côté des restaurants, il faut déchan-
ter. Il y a sans contestation possible de très bonnes tables, des endroits au charme
fou, mais il vous faudra y mettre le prix. De même, les quelques endroits où l'addition ne fera pas trop mal ne proposeront à vos papilles gustatives que les recettes

prévisibles de la gastronomie touristique. Votre courrier en atteste, pas mal de petites arnaques aussi : des suppléments imprévus ou non mentionnés à la carte, le pain payant, des bouteilles d'eau surfacturées (on vous rappelle qu'il n'y a JAMAIS de carafe d'eau gratuite en Belgique), des vins médiocres... C'est dommage, mais lorsque la demande dépasse l'offre, c'est souvent le cas. Conclusion, si vous êtes un peu exigeant, il faudra choisir dans nos adresses « Plus chic ».

Un dernier conseil : si vous redoutez les ambiances lourdement touristiques, à une ou deux exceptions près, évitez le Zand ou le Markt, si ce n'est pour y prendre un verre.

Sur le pouce

 Tea-room La Baguette Sandwich (plan I, B3, 61) : Katelijnestraat, 20. Repas rapide 5-6 €. Boulangerie proposant de bons petits plats bon marché (soupes, paninis, sandwichs...) à emporter ou à consommer sur place dans la grande salle toute simple au fond. Toujours beaucoup de monde, qualité régulière.

|●| **'t Brugs Pitahuis** (plan II, B2, 74) : Philipstockstraat, 35. ☎ 050-67-76-11. Tlj sf lun 11h30-14h, 17h30-minuit (2h ven-sam). À la carte, 6-22 €. Sympathique adresse, idéale pour un repas sur le pouce, tout en profitant, assis, d'un cadre reposant et agréable. Bons pitas et falafels préparés à partir de produits frais, généreusement fourrés.

Bon marché

|●| **Salade Folle** (plan I, B3, 60) : Walplein, 13-14. ☎ 050-34-94-43. Tlj sf mer 11h-21h30 (18h lun-mar). Menus 13,50 € le midi, 15-27,50 € le soir. Apéro maison offert sur présentation de ce guide. Pour de savoureuses salades chaudes ou froides, un plat de pâtes bio ou encore une quiche au roquefort ou à la feta. 2 petites salles et une mezzanine. Tout, ici, est soigné, du décor (clair, avec des tables en bois) au pain qu'on vous sert, accompagné de 2 types de beurre. Quelques fleurons de la carte : le poulet au curry et le magret de canard aux champignons. Vraiment un bon endroit où se restaurer.

|●| **De Verbeelding** (plan II, B2, 84) : Oude Burg, 26. ☎ 050-33-82-94. Tlj sf dim-lun 11h30-23h30. Plats de 11 à 17 €. Si proche de la place principale, ce resto est une bénédiction. D'abord, il offre une bonne, classique et saine cuisine à prix modérés et surtout, c'est l'un des rares à servir tard le soir. Accueil jeune et sympa. Clientèle largement d'habitués. Cadre chaleureux, éclairage mesuré, une fleur fraîche et une bougie sur la table. Si un mur indique l'heure de façon insistante (et souvent contradictoire), l'autre en revanche semble présenter une panoplie complète d'arracheur de dents ! Plat du jour sur l'ardoise. En entrées, des tapas consistantes, excellentes cuisses de grenouille, entrecôte-purée, croquettes de crevettes, pâtes, salades... Vins gouleyants dont un shiraz cabernet-sauvigon sud-africain et un bordeaux château-lamothe-barreau très correct. À propos, on peut aussi venir y boire un verre.

|●| **Passion for Food** (plan II, B2, 74) : Philipstockstraat, 39. 📞 0477-40-17-14. ● sherifhasuna1760@msn.com ● Tlj sf mar 11h-14h30, 17h-20h (22h ven-sam). Plats 11-18 € ; soupe du jour 4 €. 4 « mezze-tapas » 10 €. CB refusées. Gentil petit resto-salon de thé à la déco moderne et colorée. Salades (2 tailles) et soupes aux saveurs orientales et méditerranéennes relevées et accompagnées d'un très bon pain au sésame. Spécialité de tajines. Également de délicieux jus de fruits frais. Une petite halte bien agréable. Minuscule cour aux beaux jours.

|●| **Het Dagelijkse Brood** (plan II, B2, 77) : Philipstockstraat, 21. ☎ 050-33-60-50. Tlj sf mar 8h-18h. Petit déj (salé et sucré), sandwichs, soupes, salades, quiches aux légumes, le tt env 6-12 €. Formule à succès qui a fait plein de petits sous l'appellation « Pain quotidien » (même maison à Anvers et Gand).

Grande salle sobre et chaleureuse tout à la fois où l'on s'attable avec plaisir pour bruncher dans une ambiance conviviale autour de la grande table d'hôtes ou sur les côtés pour plus d'intimité. Produits frais et bien entendu toutes sortes d'excellents pains et bien sûr les bonnes tartes au citron et au caramel. Possibilité d'acheter pain et confitures.

|●| **Ganzespel** (plan I, C2, **83**) : Ganzestraat, 37. ☎ 050-33-12-33. ● ganzespel@skynet.be ● Ouv 12h-14h, 18h30-22h. Fermé lun-mar et le midi en sem en juil-août. Plat du jour 9,35 € ; à peine plus cher à la carte. Dans une jolie petite maison d'époque aux fenêtres rouge brique, un peu à l'écart des grands sentiers touristiques, 2 petites salles intimes avec plein de jeux de l'oie (voir le nom du resto) aux murs (et pour l'une avec une grande table). Ambiance flamande et clientèle d'habitués. Nicky, la patronne, fait presque tout toute seule et propose, en plus d'une petite carte, 3 ou 4 plats du jour différents (genre waterzoi à 11,90 € ou steak à 15,90 €) avec soupe, quiche, lasagne et salade. N'hésitez pas : c'est copieux et vraiment pas cher. Accessoirement, fait aussi B & B (60-80 € pour 2 pers, le w-e 2 nuits min ; CB refusées). 3 chambres dont une suite assez spacieuse et aux franches couleurs mauve, pourpre et violette qui tapent dans l'œil (cependant la dernière chambre pas rénovée se révèle un peu moins séduisante).

|●| **Trium Trattoria Snack** (plan II, B1, **62**) : Academiestraat, 23. ☎ 050-33-30-60. Tlj sf lun 9h-21h. Compter 25 €. Restaurant italien, très bien placé et économique (idéal en famille ou entre copains). Cadre contemporain classique. Pas de chichis, c'est pratique à midi. Entre le resto et la cafétéria (pas franchement intime !). Pâtes, risotto, pizzas (sur place ou à emporter) et petits vins convenables. Les serveurs parlent une sorte de « néerlando-italo-franglais ». Service rapide.

|●| **Gran Kaffee De Passage** (plan II, A2, **64**) : Dweersstraat, 28. ☎ 050-34-02-32. Service tlj 17h-minuit. Fermé en janv. Résa conseillée le w-e. Plats 8-15 €. Combinaison de bruin et eetcafee, où l'on peut manger des spécialités à prix démocratiques. Au menu, par exemple, carbonades flamandes à la bière brune et moules à la bière blanche. On dîne dans un décor de boiseries sombres rehaussées de portraits d'ancêtres. Le vieux poêle et le grand comptoir aux pompes de cuivre complètent le tableau. Superbe choix de bières. Serveurs adorables et ambiance tout à fait sympathique. C'est également un hôtel pour jeunes (voir « Où dormir ? Auberges de jeunesse »).

|●| **Terrastje** (plan II, B1, **65**) : Genthof, 45. ☎ 050-33-09-19. ● cafeterrastje@yahoo.co.uk ● En face de l'hôtel Adornès. Tlj sf mer-jeu. Fermé en janv. Plats à partir de 10 €. Café offert sur présentation de ce guide. Charmante petite maison du XVIIIe s à la façade rouge rutilante et, comme son nom l'indique, une toute petite terrasse riante pour déguster une croquette de crevettes, une petite salade, un croque-monsieur ou un pavé de bœuf. Servent le fameux waterzoi. Idéal pour une petite halte sans chichis au bord du canal loin du tintouin touristique. Service parfois débordé. Si c'est le cas, vous n'aurez qu'à en profiter pour feuilleter les différentes lectures laissées à disposition (beaucoup de guides et de livres sur Bruges).

|●| **Restaurant Sint-Barbe** (plan II, C1, **87**) : St-Annaplein, 29. ☎ 050-33-09-99. ● info@sintbarbe.be ● Tlj sf mer 8h30-11h pour le petit déj, 11h30-14h30 pour le déjeuner, puis jusqu'à 17h salon de thé, avec tarte du jour, scones, etc. Formules déj 11 €, 17 € (quart de vin et café compris) et 24,50 €. Plats 21-25 €. Plats bien élaborés genre scampi à la thaïe, ou un rib eye bien tendre avec de bons légumes. Une petite étape fraîche et agréable dans ce quartier Sainte-Anne peu touristique et où il n'y a pas trop de petites adresses.

Prix moyens

|●| **De Bottelier** (plan II, A1, **79**) : Sint Jakobsstraat, 63. ☎ 050-33-18-60. Tlj sf sam midi et dim-lun. Résa conseillée. Formules lunch 10-26 €, pâtes et sala-

des 9,40-12,55 €, plats 16-9 €, dessert 5 €. Un superbe bistrot à la déco intemporelle, où l'on passerait bien son temps à regarder s'égrener les heures sur l'une des innombrables horloges qui ornent les murs. De bons petits plats à tous les prix et pour tous les goûts (mention spéciale pour l'entrecôte, mémorable !). Goûter à la lasagne fromage de chèvre et tomates séchées, au *fish kebab* sauce poireau, aux rognons de veau au porto. Le patron parle parfaitement le français et vous traduira gentiment la carte. Clientèle éclectique et atmosphère conviviale. L'adresse est bonne et cela se sait, mieux vaut réserver.

I●I *Malesherbes* (plan I, B3, 68) : Stoofstraat, 3-5. ☎ 050-33-69-24. 🖥 0477-74-14-13. Fermé lun-mar. Dans la ruelle la plus étroite et pittoresque de la ville (panneau qui raconte sa riche histoire), dénicher ce tout petit resto spécialisé dans les bons produits français : terrines, foies gras, jambon fumé, soupe de poisson, salades, fromages, quelques viandes, petits vins de propriété... à des prix fort abordables. Salle intime (peu de tables, venir de bonne heure), bon accueil. Boutique.

I●I *'t Klein Genoegen* (plan II, A-B2, 81) : Sint Salvatorskoorstraat, 3. ☎ 050-34-02-38. Tlj sf dim-lun. Menu 26 €, plats 12-18 €. CB refusées. Un adorable resto, bien dans l'air du temps. Jolie déco au design baroquisant. Cuisine authentique, à base de produits frais, ne reniant pas ses origines flamandes (croquettes, carbonades, gaufres) mais faisant la part belle aux salades et pâtes et autres spécialités un peu plus méditerranéennes. L'originalité réside beaucoup plus dans la présentation des assiettes que dans la cuisine mais l'ensemble est très correct.

I●I *De Torre* (plan II, C2, 82) : sur le Bruse Reien, Langestraat, 8. ☎ 050-34-29-46. ● detorre@edpnet.be ● Tlj sf mar-mer (en juil-août, fermé slt mer). Snacks 7-10 €, plats 17-24 €, menus 22,50-38 €. Une des plus belles terrasses de Bruges, au bord de l'eau. Incontournable dès que pointent les premiers rayons du soleil. Si ce n'est pas hautement gastronomique, on y mange très correctement. Quelques plats de-ci de-là : *stoofpot* (ragoût de scampi

sauce curry), bœuf à la bière, cabillaud aux poireaux... À l'intérieur, cadre et atmosphère un peu conformistes.

I●I *Bistro De Schaar* (plan I, C2, 72) : Hooistraat, 2. ☎ 050-33-59-79. Tlj sf mer-jeu 12h-14h30, 18h-22h. Fermé fin juin-début juil. Plats 18-24 €. Compter 40 € pour un repas moyen. Vieille maison au bord d'un canal, où il fait bon s'asseoir en hiver. Le chef cuisine au centre de la salle à manger, dans un intérieur chaleureux et sobre, brique et poutres. Spécialité de grillades. Et puis aussi champignons farcis aux escargots crème curry, magret sauce framboise, tournedos de lotte ou onglet irlandais sauce bordelaise.

I●I *Bistro De Nisse* (plan I, C2, 88) : Hooistraat, 12. ☎ 050-34-86-51. 🖥 0498-93-86-53. ● kriscastelein@hotmail.com ● Ouv jeu-ven de 18h jusque tard ; sam-dim 12h-14h30, 18h... Fermé lun-mar. Menus 30-40 €. Belle maison traditionnelle avec une coquille Saint-Jacques en façade. Cadre bois et brique plaisant pour une honnête et classique cuisine. Spécialité de fondues viande et poisson. Sinon, scampi au curry, gambas à la Christine, pâtes diverses...

I●I *De Stoepa* (plan I, A3, 89) : Oostmeers, 124. ☎ 050-33-04-54. ● stoepa. be ● Tlj sf lun 12h-14h, 18h-minuit. Plats 16-19 €. Une bonne petite adresse qui intéressera les lecteurs résidant au B & B Baert (voir « Où dormir ? ») ou se baladant dans le sud de la ville. Dans une mignonne ancienne demeure d'angle. Cuisine aux influences orientales et méditerranéennes. Snacks divers, pâtes, *curries*, belles salades et excellent wok aux scampi citron et légumes sautés. Cadre fort plaisant et accueil jeune. Aux beaux jours, très agréable terrasse.

I●I *'t Gulden Vlies* (plan II, B2, 86) : Mallebergplaats, 17. ☎ 050-33-47-09. ● mail@tguldenvlies.be ● Tlj sf lun-mar 19h-3h (rare à Bruges !). Fermé en janv. Menus régionaux 16-27 € ; également à la carte. Un sympathique petit restaurant tenu par un jeune couple accueillant. On y mange une honnête cuisine du terroir flamand dans un décor chaleureux récemment rénové. Bonne cuvée du patron.

I●I *De Koetse* (plan II, B2, 75) : Oude

Burg, 31. ☎ 050-33-76-80. • koetse@
proximedia.be • Tlj sf jeu. Fermé fin janv
et 1re quinzaine de juil. Menus 20 €
le midi (sf dim), puis 30-36 € ; carte
38-58 €. Grosse maison jaune datée
de 1681. On y cultive les traditions de la
mer : anguille, moules, écrevisses, croquettes de crevettes et poisson grillé
sont donc à la carte avec les bières qui
conviennent. Le tout servi dans un intérieur typiquement flamand.

I●I *Taverne The Hobbit* (plan II, B2,
63) : Kemelstraat, 8. ☎ 050-33-55-20.

Plus chic

I●I *Kok au Vin* (plan II, A1, 67) : Ezelstraat, 19-21. ☎ 050-33-95-21. • info@
kok-au-vin.be • Tlj sf dim-lun 12h-
14h30, 18h30-23h. Formule lunch 12 €
en sem ; menus 33-49 €. Repas 38 € à
la carte. La déco ludique et colorée
cache une adresse tout bonnement
exceptionnelle. Le jeune chef propose
à prix doux une cuisine simple mais déjà
gastronomique. Malgré son nom, le
resto est spécialisé dans le poisson,
livré chaque matin. Mêlant terre et mer,
sucré et salé, le chef revisite les terroirs
avec brio. Les produits sont de première qualité et les poissons cuits à la
perfection. Pot de rillettes présenté en
amuse-bouche. Évidemment, que les
amateurs se rassurent, on trouve du coq
au vin en bonne place sur la carte, ainsi
que le tartare de blonde d'Aquitaine et
une bonne *pasta* (avec sot-l'y-laisse,
scampi, champignons et lardons). On a
été tout autant séduit par les innombrables petites attentions qui enrobent le
tout : un pain croustillant à souhait, la
bouteille d'huile d'olive ou le petit pot de
beurre sélectionné... Sans parler des
assiettes servies, non sans humour, de
manière artistique. Accueil et service
sont à l'avenant. Un coup de cœur !

I●I *De Pottekijker* (plan II, A1, 90) :
Achiel Van Ackerplein, 2 (hoek Ezelstraat). ☎ 050-33-81-41. • de-pottekijker.
be • Fermé mer-jeu et sam midi. Menus
37-47 €. Cadre sobre pour une cuisine
assez classique, mais fort bien exécutée avec une touche bien personnelle.
Spécialités au foie gras (ex : le thon
Rossini, la salade de ris de veau et foie
gras). Quelques fleurons de la carte : le

Ouv tlj 18h-minuit. Fermé 2 sem en janv
et en sept. Menus 23-38,50 € (tt compris pour ce dernier). Déco hétéroclite
très *Lord of the Rings*, un bric-à-brac
très sympa. *Spare ribs*, spaghettis,
lasagne, osso-buco et spécialité de
grillades. Chaude atmosphère près du
feu de bois. Clientèle jeune. On peut y
changer bébé. Salle à l'étage et une
annexe en face, *Le Bistrot Tolkien* (forcément !). Ne pas manquer de prendre
leur petit journal, le *Daily Hobbit*, assez
rigolo !

filet de lapin au lard, le suprême de
pintade farci mozzarella et tomates
séchées...

I●I *Breydel-De Coninc* (plan II, B2, 69) :
Breidelstraat, 24. ☎ 050-33-97-46. Tlj
sf mer 12h-14h, 18h-21h30 (22h sam).
Résa indispensable le w-e. Prévoir min
30 € à la carte. Menu 20 €. Ouvert
depuis plus de 50 ans, voici l'endroit
que les Brugeois connaissent depuis
qu'ils sont tout petits mais qu'ils se
désolent de voir peu à peu envahi par
les hordes de touristes qui défilent entre
Markt et Burg. Avec le temps, l'adresse,
spécialisée dans les poissons et les
fruits de mer, s'est faite plus élégante
mais les prix ont su rester raisonnables.
La casserole de moules fait plus ou
moins 1,3 kg (par personne !), le poisson est d'une fraîcheur irréprochable et
les frites sont croustillantes à souhait.
Les amateurs trouveront également des
coquilles Saint-Jacques aux épinards,
un excellent waterzoi et des anguilles à
la carte, cuisinées de différentes manières.

I●I *De Pepermolen* (plan II, C2, 71) :
Langestraat, 16. ☎ 050-49-02-25. Tlj sf
mer et jeu midi 12h-14h30, 18h-22h.
Fermé la 2de quinzaine de juil. Menus
12,50 € (le midi)-39 €. Plat env 22 €
(quelques plats pour les enfants 10 €).
Un petit restaurant très recommandable à l'enseigne du moulin à poivre. Salle
coquette ouvrant sur la rue ; le soir,
éclairage joliment tamisé avec des bougies. Ardoise avec les suggestions du
chef. Cuisine flamande mais pas uniquement, copieuse et jeune d'esprit.
Quelques plats vedettes : la sole de

Douvres, le filet de canard épices et sauce au porto, l'agneau gratin dauphinois. Accueil attentionné. Menu en français.

|●| *De Stove* (plan II, B2, 76) : Kleine Sint Amandsstraat, 4. ☎ 050-33-78-35. ● restaurant.de.stove@telenet.be ● Tlj sf mer-jeu et ven midi. Fermé 1 sem en janv, 15 j. en juin et 1 sem en nov. Résa conseillée. Menus 46 € (60 € avec les vins)-62 €. Kir offert sur présentation de ce guide. Décor simple mais lumineux. Le vieux poêle de fonte trône devant la cheminée et le chef s'affaire à ses fourneaux avec autant de cœur pour une collation simple que pour un plat élaboré. Tout, du pain jusqu'aux desserts, est fait maison. Spécialités : trio de poissons de la mer du Nord sauce moutarde, bisque de crevettes grises, bouillabaisse à la flamande ou la lasagne de cabillaud aux lardons. Vins d'Afrique du Sud, du Chili et d'Argentine.

|●| *'t Dreveken* (plan II, B2, 66) : Huidevettersplein, 10. ☎ 050-33-95-06. ● info@huidevettershuis.be ● Tlj sf mar. Menu lunch 20 € et 30 € le soir. Carte 40 €. Dans l'ancien siège de la gilde des tanneurs, une adresse ultra-touristique mais sérieuse. Idéalement située au bord du canal du quai du Rosaire. L'un des plus beaux pignons baroques du coin (1716). Ambiance « bourguignonne » et cossue, avec du mobilier du XVIIᵉ s. Spécialités flamandes mitonnées dans le respect de la tradition. Produits nobles et plats à la bière. Au fil de la carte : roulé de chèvre chaud au jambon fourré figue et miel, jeunes soles de Douvres, filet de cabillaud crevettes grises et tomates confites... N'hésitez pas à découvrir la variété des fromages belges en fin de repas. Service stylé, à l'ancienne. Si c'est complet, cette place pleine de charme offre maints autres restos.

|●| *Rock Fort* (plan II, C2, 70) : Langestraat, 15. ☎ 050-33-41-13. ● rock-fort.be ● Tlj sf sam-dim 12h-14h30, 18h30-23h. Menu 49 € ; plats 23-28 €. À l'écart de la foule, à deux pas du centre. Savoureuse cuisine, plutôt française, à déguster dans la petite salle décorée dans un style contemporain, de préférence pour le soir. Bon choix : *corvina* à la japonaise, pigeonneau d'Anjou aux herbes, veau au whiskey et champignons... Une des tables qui monte (tout comme les prix !). Bon accueil en langue française.

Très chic

BRUGES ET SES ENVIRONS

|●| *Den Dyver* (plan II, B2, 78) : Dijver, 5. ☎ 050-33-60-69. ● info@dyver.be ● Tlj sf mer-jeu. Fermé la 2ᵈᵉ quinzaine de janv et la 1ʳᵉ quinzaine de juil. Menus à partir de 20 € le midi et 45-95 € (boissons comprises pour les plus chers). Plats 20-27 €. La cuisine à la bière dans toute sa dimension gastronomique ! Médaille d'or en 2007. Carte renouvelée 4 fois par an. À essayer pour ses trouvailles qui vous étonneront. Irréprochable fraîcheur des produits. Décor à la mesure des ambitions culinaires : rustique flamand avec chaises de cuir sombre, poutres massives, tapisseries et bouquets séchés. Quelques points forts : le risotto aux chanterelles, la daurade royale sauce beurre truffée, le mariage de bœuf et joue de veau braisée à la bière et marrons, bon on arrête ! Menu en français.

|●| *Restaurant Patrick Devos* (plan II, A2, 80) : Zilverstraat, 41. ☎ 050-33-55-66. ● info@patrickdevos.be ● Tlj sf sam midi et dim. Fermé fin juil-début août. Menus 30-80 € (50-110 € avec les vins) ; menu végétarien 35 € ; carte env 90 €. Une magnifique demeure qui figurait déjà sur le plan de ville en 1261. En 1880, elle hérita d'une nouvelle façade et en 1900 d'un superbe décor Art nouveau à l'intérieur. Ici officie Patrick Devos, un des chefs les plus cotés du royaume (nombreux prix dont celui de l'alliance idéale et subtile d'un gâteau au chocolat et avec un madère... 1845 !). Salle aux boiseries néogothiques. Jardin intérieur semi-sauvage. Cuisine légère, perpétuellement en quête des harmonies les plus subtiles, malgré quelques audaces a priori acrobatiques, comme ces filets de sole aux huîtres plates et blettes, petit fond de betterave rouge, sauce citron vert et pamplemousse.

Où goûter ? Où prendre un café ou un chocolat chaud ?
Où acheter de bons chocolats ?

La ville compte une cinquantaine de chocolatiers mais seulement six artisans. Autant dire que la « Capitale du chocolat » propose le pire et le meilleur. Et comme souvent, le meilleur se paye. À vous de voir si vous préférez la quantité ou la qualité...

|●| ♟ *Bar Choc* (plan II, A2, **106**) : Zilverpand, 9. ☎ 050-61-15-44. ▯0475-66-04-06. • info@bar-c.be • *Accès par la placette avec la taverne Zilperpand't* zonnekon *au coin. Petite porte discrète menant à une cour intérieure. Entrée au nº 63 Noordzandstraat également. Tlj sf dim 11h-19h. Tasses 3,50-4,90 € selon taille. Lunch 12 €.* Un très grand choix de chocolats chauds, aromatisés, épicés, alcoolisés (44 variétés de chocolats au lait)... Nos préférés : ceux à base de cacaos « grand cru ». Cadre design, à mille lieues du salon de thé de grand-maman, terrasse aux beaux jours. Bien sûr, la carte propose toutes sortes de crêpes et de pâtisseries, toutes plus cacaotées les unes que les autres, et même une fondue au chocolat (11 € par personne).

|●| ♟ *Tea-room De Proeverie* (plan I, B3, **102**) : Katelijnestraat, 6. ☎ 050-33-08-87. • info@sukerbruyc.be • *En face de la maison mère, la chocolaterie* Sukerbuyc. *Tlj 9h30-18h.* Dans un décor clair et chaleureux (feu dans l'âtre), le café, le thé ou le chocolat chaud vous sont servis avec style et sucreries en accompagnement. Difficile de résister aux affolantes pâtisseries maison.

※ *Depla Pol* (plan II, B2, **107**) : Mariastraat, 20. ☎ 050-34-74-12. • pol.depla@skynet.be • *Ouv tlj.* À notre avis, le meilleur rapport qualité-prix, dans un cadre sobre et élégant. Du chocolat haut de gamme à prix encore raisonnable (30 € le kilo). Ganaches plutôt classiques mais qui frôlent la perfection. Le praliné, par exemple, est un pur délice : croquant et pas trop sucré, avec un vrai goût de noisette. Évidemment, vous ne manquerez pas de choix et, si vous hésitez, on vous fera gentiment goûter...

※ *The Chocolate Line* (plan II, B2, **104**) : Simon Stevinplein, 19. ☎ 050-34-10-90. • info@chocolateline.be • *Tlj 9h30 (10h30 dim-lun)-18h. Fermé 2 sem en janv. Compter 38 € le kilo.* L'une des chocolateries les plus cotées de Bruges. Bien sûr, elle a son prix, mais qualité garantie. Tout y est fait à base de produits naturels et même bio. On s'y presse pour ses associations originales (voire audacieuses), comme les chocolats à l'huile d'olive, à la tomate et aux olives, ou encore au piment, au safran, au curry... Difficile, vraiment, de résister à l'envie de s'offrir un ballotin.

※ *Chocolats Dumon* (plan II, B2, **103**) : Eiermarkt, 6, Simon Stevinplein, 11 et Walstraat, 6. ☎ 050-34-62-82 et 050-33-33-60. • stephan.dumon@telenet. be • *Tlj 10h-18h30.* Autre artisan chocolatier qui vend de bons chocolats. Plus classique mais bien moins cher aussi que les autres (moins de 20 € le kilo !), c'est un bon compromis.

Où boire un verre ? Où sortir ?

Par comparaison avec Gand ou Anvers, vous risquez de trouver la nuit brugeoise bien provinciale. Pourtant, il existe, parfois bien cachés, quelques bistrots ou *muziek cafés* où l'on pourra, en compagnie de riverains, disserter à l'envi des mérites de la cervoise locale, évoquer les légendes brumeuses d'un passé mythifié ou, plus prosaïquement, parler du parcours en championnat du football-club de Bruges.

Les cafés traditionnels

Staminee De Garre (plan II, B2, **90**) : De Garre, 1. ☎ 050-34-10-29. Tlj 12h-minuit (1h w-e). Dans un minuscule boyau (ancien coupe-feu) qui donne sur la Breidelstraat, on trouve cette maison du XVIᵉ s, réservée aux amateurs de bière. Plus de 130 variétés régionales, 5 véritables trappistes et le cru local, le redoutable Triple Garre ! Avec le décor de brique et de poutres, le vieux poêle de fonte, difficile de faire plus couleur locale. Carte d'humour pour qui comprend le flamand. Si, vers minuit, la sono distille le *Boléro* de Ravel, sachez que c'est le signal convenu pour vous mettre élégamment à la porte.

Vlissinghe (plan II, B1, **91**) : Blekersstraat, 2. ☎ 050-34-37-37. ● info@cafevlissinghe.be ● Tlj sf lun-mar 11h-minuit (plus tard ven-sam, 19h dim). Fermé en janv. Les Brugeois aiment le secret. Celui-ci en est un, bien gardé. Cachée dans une petite rue, cette ancienne auberge a un passé qui remonte à 1515. Bien qu'il ait été entièrement refait en 1870, on s'aperçoit dès l'entrée qu'on est dans un lieu où l'histoire est présente. Portraits d'ancêtres, lambris patinés par la fumée des pipes, tables en bois usées et vieux poêle donnent un cachet fou à l'ensemble. On a vraiment l'impression de pénétrer dans la salle à manger d'une demeure bourgeoise tra-

ditionnelle. Une agréable cour fleurie de rosiers grimpants sert de terrasse. Possibilité de grignoter sandwichs, soupes, croques et pâtes.

L'Estaminet (plan II, B2, **98**) : Park, 5. ☎ 050-33-09-16. ● cafelestaminet@skynet.be ● Tlj sf lun de 11h30 (16h jeu) jusque très tard le soir. En face du parc Astrid, un authentique estaminet datant de 1900. À l'intérieur, une salle des plus pittoresque où s'affiche à toute heure une gaieté bon enfant. Joyeux chahut à l'heure de l'apéro où tout le monde semble se connaître. Une grande terrasse sous verrière accueille les touristes, puis les noctambules, dans des fauteuils en rotin.

Craenenburg (plan II, B2, **92**) : Markt, 16. ☎ 050-33-66-10. Ouv tlj. C'est sur le Markt, le lieu de rendez-vous des Brugeois. Terrasse stratégique s'il en est et une maison pleine d'histoire. Belle demeure datant de 1305 au moins. De l'étage, Marguerite d'York suivit les tournois de chevaliers sur la place à l'occasion de son mariage avec Charles le Téméraire. Maximilien d'Autriche y fut enfermé par les Brugeois en 1488. Intérieur chaleureux, banquettes de moleskine et vitraux. Possibilité de se restaurer : snacks, omelettes, sandwichs, gaufres, plats de 10,50 à 19,50 €.

Les bars à vins

Wijnbar Est (plan II, A2, **93**) : Brambergstraat, 7. ☎ 050-33-38-39. ● wijnbarest@scarlet.be ● Tlj sf mar-mer à partir de 16h. Fermé 2 sem en juin. Plats 9,50-20 €. Peu de chances que, côté bière, vous ayez fait le tour de la question en un week-end, mais vous pouvez aussi avoir envie d'un verre de vin. Dans ce cas-là, voici l'endroit ! Une carte des vins grosse comme un livre et une quinzaine de vins servis au verre (environ 4 €). De quoi faire pâlir un bistrotier parisien ! Surtout que l'offre est

éclectique et surprenante. Jolie déco, très XIXᵉ s, avec déjà, à l'époque, un beau travail de récup' : antiques carreaux de Delft, immense cheminée sculptée, boiseries, vitraux... L'ensemble finit par être harmonieux, on ne peut plus intime et chaleureux. Possibilité de grignoter à l'apéro (olives, chorizo, etc.) ou quelques plats plus consistants pour les oiseaux de nuit (pâtes, raclette... ; service jusqu'à minuit). Concert le dimanche soir.

Les escales de la nuit

't Brugs Beertje (plan II, B2, **94**) : Kemelstraat, 5. ☎ 050-33-96-16. ● info@brugsbeertje.be ● En face de la

taverne De Hobbit. Tlj sf mar-mer 16h-1h (2h le w-e). Un véritable musée de la bière : bouteilles rares, sous-bocks de toutes les provenances, verres de collection, plaques publicitaires et, en dégustation, plus de 300 variétés aux arômes vraiment variés (dont 5 à la pression qui changent régulièrement). 2 raretés : 't Sanisje Honingbier, bière artisanale au miel, et la Rolls des cervoises, la Sint-Bernardus – si rares qu'elles ne sont pas toujours en stock. Possibilité de grignoter assiette de fromages, pâtés, spaghettis, toast divers... Boutique où l'on peut acheter, entre autres, la célèbre *Beer Bible* de 1 568 pages (35 €).

♟ *Lokkedize :* Korte Vuldersstraat, 33. ☎ 050-33-44-50. ● erik.broos@skynet. be ● lokkedize.be ● *Dans les environs du Zand, près de l'hôtel Lybeer (plan II, A2,* **22***). Tlj 19h-minuit (1h sam-dim).* Étape de nuit sympa. Cheminée, brique, tablées animées et petite restauration. Chants grégoriens, R'n'B et jazz. Chanson française le samedi. *Live music* le week-end. Petite restauration de type *eetcafee* : pitas et petits plats du monde. Loue aussi de coquets studios et apparts de 70 à 100 €.

♟ *Vino Vino blues & bar à tapas (plan II, B1,* **95***) :* Grauwwerkersstraat, 15. ☎ 050-34-51-15. ● rick.corty@hotmail. com ● *Tlj sf dim-lun 18h-2h.* Dans le quartier Saint-Jacques, ce café draine les amateurs de bon blues et de très bons vins espagnols. Tables éclairées à la bougie pour grignoter *empanadas,* fromages et tapas. Ambiance flamande plutôt que *movida.*

♟ *De Kluiver (plan II, B2,* **97***) :* Hoogstraat, 12. ☎ 050-33-89-27 ▫ 0477-25-62-41. ● hendrik@dekluiver.be ● *Tlj sf mar-mer 16h (18h jeu, 11h sam-dim)-1h.* Port d'attache des amateurs de marine à voile, à l'enseigne d'un trois-mâts, cet *eetcafee* est le lieu rêvé pour se dire de douces choses en tête à tête. Le soir, snacks variés et originaux. Sous la grande voile du plafond, une amusante collection de boîtes à biscuits en fer-blanc sur le thème des bateaux.

♟ *Du Phare :* Sasplein, 2. ☎ 050-34-35-90. ● info@duphare.be ● *Loin du centre, au nord de Bruges, mais facile à trouver. Il suffit de suivre le Langerei jusqu'au bout (hors plan I par B1). Tlj sf mar de 11h30 jusque tard.* C'est presque une expédition d'arriver au Dampoort (entrée du canal de Damme), où se trouve ce *bruin café* enfumé et chaleureux, installé dans une grosse demeure. Mais vous ne le regretterez pas. Après tout, ce n'est jamais qu'à 10 mn à vélo ! Chicago-blues et Delta-blues bercent les conversations autour du comptoir, sous l'œil goguenard de Gainsbarre en buste de plâtre. Bien aussi pour casser la croûte au bord de l'eau. Leur salade niçoise est d'une fraîcheur absolue et servie généreusement. Concerts 2 à 3 fois par mois.

Musiek cafés

♟ ♪ *Pick (plan II, B2) :* Eiermarkt, 12. Si vous n'avez pas le temps de chercher un endroit en particulier, il y a, derrière le Markt, un ensemble de 4 ou 5 bars-dancings. On passe de l'un à l'autre le verre à la main. Au *Pick,* une sono rock ou house fuse de l'intérieur et on souffle un peu sur la terrasse aux fauteuils en rotin. On vous le cite parce que les go-go girls y sont craquantes mais rien ne dit qu'une heure après elles ne se trouvent pas à côté. Sinon, devant la placette, dans le genre de bar sympa toujours animé, même en semaine : le *Bar des Amis.*

♟ ♪ *Cafe De Republiek (plan II, A-B2,* **99***) :* Sint Jacobsstraat, 36. ☎ 050-34-02-29. ● info@republiek.be ● *Tlj 11h-3h.* Cocktails env 6-7 €. Apéro offert sur présentation de ce guide à nos lecteurs qui prennent un repas. Plus qu'un simple café jeune et populaire, *De Republiek* est un centre culturel alternatif qui organise des expos, un ciné-club, des concerts... Bref, ici ça bouge dans une ambiance décontractée. Grande salle de café à l'atmosphère tamisée (bons cocktails) où l'on se retrouve souvent pour un dernier verre. Bonne musique jazzy-rock. Salades, pâtes et plats végétariens. Ça donne faim de refaire le monde ! Aux beaux jours, terrasse sur cour avec parasols.

♟ ♪ *De Versteende Nacht (plan II, C2,* **100***) :* Langestraat, 11. ☎ 050-68-81-77. ● de.versteende.nacht@hotmail. com ● *Tlj sf dim 19h (17h pour le bar)-2h. Fermé fin août.* Café offert sur *présentation de ce guide à nos lecteurs qui y prennent un repas. Jazzkroeg* pour les fanas de la note bleue. Assez calme. On écoute religieusement les formations qui s'y produisent régulièrement sous un immense portrait de jazzman. C'est aussi un *eetcafee*, avec plats assez chers et carte de bières généreuse. Quelques spécialités : pâtes, tapas, la « bouillabaise » maison (dans le texte), scampi « diabolique », steak, la véritable carbonade flamande, etc.

🍸 🎵 *Ma Rica Rokk* (plan II, A2, **101**) : 't Zand, 7-8. ☎ 050-33-24-34. ● info@ maricarokk.be ● *Ouv tlj de 11h à très tard le w-e.* Point de rencontre permanent, sur la place la plus animée le soir. Grande terrasse et long bar en bois pour draguer. Clientèle plutôt jeune. Cocktails et apéritifs mais aussi petit café l'après-midi.

🍸 🎵 *Charlie Rockets* (plan II, B2, **23**) : Hoogstraat, 19. Au rez-de-chaussée de l'auberge de jeunesse du même nom. *Ouv presque tt le temps.* Un des rares *rock bar* de Bruges et l'atmosphère la plus jeune et électrique. Décor totalement hétéroclite, énorme projo rappelant le passé de l'établissement. On peut également y jouer au billard et aux darts. Soirées DJ (parfois très animées) les vendredi et samedi. Concerts. Pizza et pâtes à partir de 11 € au resto *Carlito's*. Une de nos adresses préférées.

🍸 *De Kelk* (plan I, C2, **108**) : Langestraat 69. ▯ 0473-73-34-60 et 0472-71-32-32. ● dekelk.be ● *Ouv tlj jusque tard.*

Pendant longtemps l'archétype du vieux bar à bière avec ses clients collés au comptoir comme berniques sur rochers bretons. Décor de vieilles bouteilles dans tous les sens et la grande pendule s'est définitivement arrêtée à 18h30... Dans un coin, la cagnotte traditionnelle des clients pour faire la fête de temps à autre. Atmosphère tamisée et houblonnée à souhait. Patron sympa qui a cependant de gros projets d'extension. On peut penser que ça va quand même casser un peu l'esprit des lieux. En attendant, venez tester une des 400 bières au menu. Les plus populaires ici sont la Brugse tripel et les bières de Rochefort, mais on en a trouvé de vraiment *zarbies* comme celle au cacao (la Floris chocolat, goût intéressant cependant !), la Mongozo coconut, la Gribousine et même une XX !

🍸 *The Car Crash* (plan I, C2, **109**) : Langestraat, 78. ● thecrash.be ● *En face du Kelk. Tlj sf lun en principe 20h (ou 21h ; 16h ven)-minuit (et au-delà).* Un autre rock bar, plus intime. Quelques soirées à thème genre *Beach Party.* Bonne musique et assez animé, ça va de soi.

🎵 *Joey's Café* (plan I, A2) : Zuidzandstraat, 16 A. ☎ 050-34-12-64. *Accessible par le centre commercial du Zilverpand. Fermé dim.* Longue salle tout en brique nue, calme certains soirs, délirante parfois. On peut pousser la sono à fond, les boutiques aux alentours sont désertes. Petite restauration.

À voir

Il est évidemment illusoire de penser pouvoir tout voir en une journée. L'itinéraire qui vous est présenté est scindé en deux parties qui, chacune, peuvent convenir pour une journée bien remplie.

La première balade peut se faire à pied. Pour la seconde, un vélo vous fera gagner du temps. Cela dit, vous pouvez vous passer de ces conseils et musarder à votre guise car le charme de Bruges, c'est aussi la flânerie au hasard des rues et des canaux.

– Bon à savoir : il existe un *billet combiné* à 15 € pour la visite, au choix, de cinq des 16 musées municipaux que compte la ville. En vente à l'office de tourisme.

– Bon à savoir également : les musées municipaux sont fermés les lundis, ainsi que le 1er janvier, le jour de l'Ascension et le 25 décembre.

Promenade dans le cœur de la ville

🎯🎯🎯 *Le Burg* (plan II, B2, **120**) : le Burg est le site du *castrum* originel, l'endroit fortifié bâti par Baudouin Bras-de-Fer, vers 879. Ce fut le lieu où s'exerçait le pouvoir. La diversité architecturale y est étonnante. Le quadrilatère du Burg (marché le mercredi matin) est incomplet : il s'ouvre au nord sur une place plantée de tilleuls. C'est là cet endroit que s'élevait, jusqu'en 1799, l'église Saint-Donatien, rasée par la Révolution française. La construction de l'hôtel sur la place a mis au jour les bases de l'édifice roman disparu. On peut voir ces vestiges dans la cave de l'hôtel (visite en groupe), ainsi qu'une maquette de l'église de style carolingien réalisée avec les pierres des fouilles. Le pavement de la place restitue le tracé des murs.

🏃🏃 *Stadhuis (hôtel de ville ; plan II, B2, 121) :* tlj 9h30-17h. Entrée : 2 € ; réduc ; billet combiné avec le palais du « Franc ». Audioguide inclus.
Joyau du gothique (achevé en 1421), c'est le premier d'une lignée de bâtiments communaux de prestige construits en Flandre et en Brabant. Son érection marque le passage du pouvoir du comte de Flandre vers les édiles de la cité. À l'inverse de la brique, le choix de la pierre (plus chère au transport et rare en ces régions) dénote une volonté de prestige. L'élan vertical du gothique est renforcé par les 48 statues des comtes et comtesses de Flandre. Elles sont de facture récente. Les originaux (peints par Jan Van Eyck) étaient comme par hasard « tombés » de leur niche lors de la visite des sans-culottes.
– À noter, les 24 blasons des villes qui formaient le « Franc » de Bruges. On y voit celui de Dunkerque, vassale de Bruges.
– Dans *le hall,* avant de prendre l'escalier à gauche menant à la salle gothique, jetez un coup d'œil sur le vestibule où, à gauche, se trouve une toile monumentale avec Napoléon Ier et le bourgmestre de Bruges de l'époque. Celui-ci, voulant immortaliser la visite de l'Empereur qui lui avait remis la Légion d'honneur, commanda cette toile. Entre-temps, le vent de l'histoire avait tourné et ce portrait était devenu compromettant pour lui. En vous déplaçant légèrement pour faire jouer les reflets, vous remarquerez autour de la tête du brave homme une découpe masquée par une restauration récente. Il avait préféré se faire décapiter le portrait pour éviter les critiques de ses rivaux politiques. D'autres toiles monumentales du XIXe s.
– *La salle gothique* de l'hôtel de ville constitue une entrée en matière amusante de l'histoire de Bruges, et de la Flandre en général. Vous trouvez sur les murs, à la manière des chromos des emballages de chocolat de nos grands-parents, un bon aperçu des événements importants qui jalonnèrent la période médiévale où Bruges connut son apogée. Suivez la numérotation des tableaux car, outre que ces fresques néogothiques subliment l'histoire à la manière des images d'Épinal, le déroulement des épisodes de la « Bruges Story » est peu conforme à la chronologie. L'illustration du retour des Brugeois de la bataille des Éperons d'or est particulièrement représentative de la manière romantique de traiter l'histoire. La voûte de la salle est composée d'une magnifique armature de chêne ornée de médaillons et de clefs de voûte sculptées.
– *Dans la salle annexe,* de très intéressantes cartes anciennes permettent de voir le développement de la ville et les bâtiments disparus (remparts, Saint-Donatien).

🏃🏃 *Markt (plan II, B2, 122) :* le marché s'y tient depuis l'an 958 ! C'est dire le nombre de choses que ces pierres auraient à raconter si elles le pouvaient : fêtes somptueuses, révoltes, tournois, exécutions capitales, mariages, bûchers, défilés de troupes.
La diversité architecturale couvre six siècles. Deux maisons se distinguent de part et d'autre de l'entrée de la Sint Amandstraat : à gauche, celle à la haute façade gothique avec la girouette et l'anémoscope (du XXe s), alors que celle du café Craenenburg (du XIVe s) a une façade reconstituée. Petites maisons aux pignons à redans du côté nord (du XVIIe s). L'une d'entre elles a un joli panier d'or au sommet. La façade du palais provincial, malgré sa grande allure, n'a pas 100 ans. C'est du néogothique pur jus mais finalement pas laid du tout. À côté, la poste, dans le même esprit.
Le monument le plus étonnant est bien sûr le fier *beffroi* avec la *halle* à ses pieds. Le beffroi écrase véritablement la halle de sa hauteur démesurée. Cet empilement d'éléments a quelque chose de curieux. On s'attend à voir, du sommet, surgir

encore un cylindre supplémentaire comme issu d'une structure téléscopique. Il paraît que, avant 1741, une flèche surmontait le tout. Elle fut détruite par la foudre. Mais sans doute cette impression de disproportion s'atténue-t-elle lorsqu'on considère l'ensemble de plus loin.

🔫🔫 **Belfort** (beffroi ; *plan II, B2, 123*) : tlj 9h30-17h (dernier accès à 16h15). Entrée : 8 € ; réduc.
Les sportifs s'empresseront de grimper les 366 marches qui mènent à la terrasse supérieure. Pour vous permettre de souffler, des étapes sont prévues. Après 55 marches : la *chambre du tré-*

sor, où étaient conservées les précieuses chartes. Protégées derrière des grilles de fer forgé, elles étaient enfermées dans des coffres à serrure multiple : le bourgmestre et les huit échevins avaient chacun une clé et il fallait absolument la présence des neuf au complet pour en actionner l'ouverture.
À la 112ᵉ marche, petit arrêt pour regarder le panorama. Après 220 marches, vue sur la *cloche de 6 t.* Elle s'appelle « Victoire ». Début de l'escalier de bois, jusqu'à la marche 333, où est placé le mécanisme qui actionne le *carillon de 47 cloches.* Après 352 marches, la pièce du carillonneur. Il donne l'aubade trois fois par semaine le soir en été. Encore quelques marches et vous recueillez le fruit de vos efforts pour profiter de la vue sur la ville. On espère de tout cœur que vous n'avez pas oublié votre appareil photo en bas. Sur le pourtour de la balustrade, table d'orientation.
– Au pied du beffroi, maquette de l'ensemble avec des explications en braille.
– **Concerts de carillon :** en été, lun, mer et sam 21h et 22h, dim 14h et 15h ; 16 sept-14 juin, mer 11h et 12h, sam 14h et 15h.

🔫 **Les halles** (*plan II, B2, 123*) : elles datent du XIIIᵉ s et servaient de marché couvert. La fonction d'entrepôt était assurée par une autre halle, aujourd'hui disparue. La *Waterhalle* (à l'emplacement du palais provincial actuel) était construite à cheval sur la Reie et ses quais permettaient un transbordement immédiat des bateaux à fond plat qui venaient des avant-ports.

➢ Retour vers le Burg.

🔫 **Heiligbloed Basiliek** (basilique du Saint-Sang ; *plan II, B2, 124*) : à droite de l'hôtel de ville, dans le coin. ● holyblood.org ● Avr-fin sept, tlj 9h30-12h, 14h-18h ; le reste de l'année, tlj sf mer ap-m 10h-12h, 14h-16h. Certaines parties peuvent être éventuellement fermées. Entrée : 1,50 € ; gratuit pour les moins de 12 ans.
Curieuse construction que cette « basilique » dédiée aussi à saint Basile, un saint byzantin dont quatre vertèbres ont été rapportées au retour d'une croisade. Il s'agit en fait de l'imbrication d'une église inférieure, romane, et d'une seconde, gothique, par-dessus, le tout relié par un escalier extérieur Renaissance, à l'angle de l'hôtel de ville.
– **La chapelle inférieure** a gardé un style roman des plus pur : gros murs de moellons, quatre colonnes rondes massives, un chœur étriqué et peu d'ouvertures sur la lumière. À droite, une madone de bois polychrome, comme toute la statuaire du Moyen Âge (1300). La restauration de ces statues réserve parfois des surprises. Celles que l'on qualifie parfois de « Vierges noires » s'avèrent, au nettoyage, être des statues peintes de couleurs délicates : des siècles d'offrandes de cierges laissent des traces de suie durables mais pas indélébiles. Une statue du Christ en bois et un tympan de porte représentant le baptême de saint Basile complètent l'inventaire du trésor roman.

BRUGES ET SES ENVIRONS

– *La chapelle haute,* d'origine romane, fut comme souvent modifiée au XVᵉ s ; elle fut démolie par les Français à la Révolution et reconstruite au XIXᵉ s en style néogothique. À droite, sur un autel rococo, l'*ampoule du Saint-Sang* qui contiendrait quelques gouttes du sang du Christ. Cette ampoule est exposée sur un reposoir tous les jours à 11h30 après la messe et de 14h à 16h. Voici une relique vénérée des Brugeois depuis le XIIᵉ s. La légende raconte que lors de la deuxième croisade, en 1146, Thierry d'Alsace reçut des mains du patriarche de Jérusalem quelques gouttes du sang du Christ. L'histoire ressemble à celle du calice du Graal, recherché par les chevaliers de la Table ronde. La précieuse relique fut préservée dans une fiole de cristal, rapportée en grande pompe à Bruges et exposée à la vénération des fidèles. La tradition rapporte qu'il se liquéfiait tous les vendredis, ce qui multiplia le nombre de pèlerins. Chaque année, le jeudi de l'Ascension, la procession du Saint-Sang rassemble des centaines de pèlerins et draine des dizaines de milliers de spectateurs sur son parcours (voir plus loin la rubrique « Manifestations »).

– *Le musée de la basilique :* il expose, entre autres, le magnifique reliquaire du Saint-Sang, merveille d'orfèvrerie réalisée au début du XVIIᵉ s. Les respectables membres de la confrérie du Saint-Sang entourent la châsse. Ils ont été peints par Pourbus en 1556.

🎥 *Brugse Vrije* (ancien palais du « Franc » ; plan II, B2) : pl. du Burg, 11 A. Tlj 9h30-12h30, 13h-17h. Entrée combinée avec la visite de la salle gothique de l'hôtel de ville, audioguide inclus.

L'ensemble architectural classique actuel remplace le palais du « Franc » destiné à abriter l'administration des communes périphériques à la ville. Il servit de palais de justice. De l'ancien édifice de 1525, il ne subsiste à l'extérieur que la façade sud (que l'on voit du Steenhouwerdijk) et aussi la salle des échevins où se trouve le musée.

Vous y verrez, dans la *salle Renaissance,* la formidable *cheminée monumentale de Charles Quint,* réalisée en 1531 par Blondeel à la demande de la ville, qui voulait ainsi fêter la victoire de l'empereur sur François Iᵉʳ à Pavie. Faite de marbre noir pour l'âtre, d'albâtre pour la frise et de chêne pour la composition qui la surmonte, elle comporte des poignées de cuivre accrochées à la hotte, pour permettre aux seigneurs de se tenir en équilibre lorsqu'ils séchaient leurs bottes à la chaleur du feu. Parmi les personnages entourant Charles Quint, on reconnaîtra Maximilien d'Autriche, Marie de Bourgogne, Ferdinand d'Aragon et Isabelle de Castille. Les figures masculines semblent bien pourvues par la nature.

🎥 Entre greffe du palais et hôtel de ville, on emprunte, sous la mignonne arcade, une rue au nom bizarre, la *Blinde Ezelstraat* (rue de l'Âne-Aveugle). En pente légère, elle débouche sur la *Reie,* qui permettait aux bateaux d'aller jusqu'au Markt. Vous remarquerez le peu de profondeur de l'eau, à peine 2 m au centre. Lorsque les progrès de la construction navale firent apparaître les bateaux à quille, le tirant d'eau de la Reie se révéla insuffisant et Damme devint un relais obligé pour le transbordement des marchandises. Il prit alors de plus en plus d'importance.

🎥 La vue des deux côtés du pont est pleine de charme. Le *Vismarkt* (marché aux poissons), sur la gauche, est un cadeau de Napoléon (marché tous les matins sauf dimanche et lundi).

🎥 La petite *Huidevettersplein* (place des Tanneurs), sur la droite, servait, comme son nom l'indique, au commerce des peaux. La colonnette au centre comportait une balance utilisée pour peser les peaux et, sur la façade de l'hôtel de Bourgogne appelée autrefois *De Koe* (« La Vache »), on voit, sculptées en bas-relief, les étapes du travail du cuir.

🎥🎥 Passé la place, après l'embarcadère des bateaux, le *Rozenhoedkaai* (quai du Rosaire). Re-cliché sur les maisons de bois (reconstituées), l'eau, le lierre, les saules, le beffroi, les tourelles de l'hôtel de ville...

🏃 La promenade se prolonge par le ***Dijver*** et, le long des canaux, on se rend compte, par les types de maisons, de la stratification sociale de la ville : aux patriciens et marchands, les maisons pourvues d'un embarcadère ; aux artisans, les maisons à pignons ; aux petits métiers, les maisons basses de la périphérie. Sur le Dijver se trouve le collège d'Europe et, le week-end, les étals de brocanteurs s'y pressent.

🏃🏃🏃 ***Groeninge museum*** *(musée Groeninge ; plan II, B2,* **125***) :* Dijver, 12. Tlj sf lun (sf lundis de Pâques et de Pentecôte) 9h30-17h. Entrée : 8 € ; réduc. Audioguide inclus. De mi-oct 2010 au 30 janv 2011, grande expo « De Van Eyck à Dürer » (les primitifs flamands et l'Est – 1430-1530).

Un peu de culture : les primitifs flamands

L'appellation apparaît à la fin du XIXe s et est employée lors de l'exposition rétrospective de Bruges en 1902. En français, le mot a une connotation péjorative. Il faudrait en fait dire « la peinture des Pays-Bas méridionaux au XVe s ». À cette époque, le travail de la peinture est encore proche de l'artisanat. L'« ymagier » peint sur des supports très divers : tissus, meubles, murs, papier (enluminures) ou armoiries. Comme tout artisan, il se voit passer des commandes où toutes les contraintes sont précisées : sujet, coloris, dimensions. Il exécute et est payé en retour. Il appartient à une corporation qui lui a appris les techniques de son métier et qui codifie son activité. Ses œuvres sont anonymes. Il ne signe pas. Son talent, s'il en a, sera de restituer le plus exactement possible la réalité et, comme tout bon artisan, de chercher de nouveaux moyens pour y arriver. La technique de la peinture à l'huile existe, elle ne demande qu'à être perfectionnée.

Ce sont les conditions économiques qui provoquent le boom de la peinture. Les riches marchands et les notables aiment montrer qu'ils ont des moyens ; ils financent des chapelles privées et la dotent d'œuvres où le sujet religieux domine mais où ils apprécient de se retrouver portraiturés. Confits en dévotion peut-être mais aussi affublés de leurs plus beaux atours, dans des décors familiers, urbains ou privés. En jouisseurs des plaisirs et des richesses, ils exigent qu'on y voie les ors, les tapis, les brocarts et tout le luxe que leur condition leur procure. L'« ymagier » exécute. Son génie, il l'emploie à faire briller les pierres et les émaux, à rendre un tapis tellement réaliste qu'on a l'impression de pouvoir toucher ses boucles, à peindre un visage si finement que l'on peut en inventorier chacun des défauts, à trouver pour chaque chose la nuance de coloris la plus adéquate. Il est perpétuellement en quête de la perfection. Les grands (ducs, princes, évêques) ont l'ego moins scrupuleux et se font simplement tirer le portrait. Tâche lucrative pour le peintre, qu'ils envoient à des semaines de voyage pour se faire une idée de la princesse lointaine qu'ils comptent épouser. Le peintre remplit alors une double mission. Il est à la fois portraitiste mandaté mais aussi diplomate chargé de négocier les conditions du mariage. Ce statut le sort de l'anonymat. Ce fut ainsi que Jan Van Eyck devint célèbre. De « valet de chambre » de Philippe le Bon, Jan devient ambassadeur secret de celui-ci pour demander la main d'Isabelle de Portugal. À partir de sa réussite, les peintres connaîtront des fortunes plus publiques.

La visite

Le musée a été entièrement rénové début 2003. Le parcours épuré qui a été mis en place voulait assurer une meilleure fluidité de la visite tout en prenant le parti de bousculer quelques conventions muséales. Grandes salles au sol carrelé de blanc avec de grandes taches de moquette rouge pour soutenir l'ensemble. Et surtout un accrochage parfois déconcertant qui se permet de reléguer les œuvres phares du musée aux réserves, au profit d'œuvres à l'intérêt parfois contestable (ainsi, lors de notre passage, ni le Bruegel ni les planches de Marcel Broodthaers n'étaient visibles !). Dommage aussi que les peu nombreuses salles soient amputées de quelques unités pour aménager des expos temporaires. Cela entraîne inévitablement un mouvement dans la disposition qui, de toute façon, ne suit aucune réelle logique. Et vous ne disposerez d'aucun plan pour vous repérer. On vous fait part de quelques coups de cœur.

– D'emblée, on est accueilli par l'imposante sculpture de Rik Wouters *Les Soucis domestiques*.

➤ *Salle 1 :* on y trouve quelques commandes faites par la ville dans le but de rappeler aux édiles les devoirs de leur charge. En vedette *Le Jugement de Cambyse* de Gérard David, tableau de justice décrivant le supplice du juge corrompu. La surprise du juge qu'on arrête est manifeste et, lors de l'écorchement du coupable, les chiens n'ont pas le beau rôle ! Sur le siège du fils qui succède à la charge de son père, on a tendu la peau de celui-ci. Beurk !

Deux *Jugement dernier* rassemblés dans un même lieu : celui de Provost, qui rappelle étrangement Jérôme Bosch, est la seule œuvre authentifiée de l'artiste, et celui de Pourbus est inspiré de celui de Michel-Ange à la chapelle Sixtine au Vatican. Pourbus est considéré comme le dernier primitif. Pour cette œuvre, il utilisa de mauvais pigments qui disparaissent peu à peu, faisant apparaître du même coup des dessins préparatoires. Témoignage inestimable qui ne donne que plus de valeur encore au tableau.

➤ *Salle 2 :* Jan Van Eyck, *La Madone au chanoine Van der Paele*. Sublime composition sur bois dans un état de conservation exceptionnel. Le cadre en imitation marbre est couvert de commentaires. Le rendu des étoffes, de l'armure, du tapis (regardez là où il fait un pli sur la marche !) est hallucinant de précision. Le pauvre chanoine n'est pas épargné, on peut compter le nombre de ses verrues. Des médecins ont pu récemment poser un diagnostic sur son état de santé au moment du portrait : ce n'était pas brillant. Néanmoins, la preuve que l'on pouvait à l'époque corriger une vue déficiente est entre ses mains.

– *Portrait de Marguerite Van Eyck,* la femme du peintre, à l'âge de 33 ans. Un portrait sans concession.

– Hans Memling, triptyque *Moreel.* Saint Christophe porte le Christ sur ses épaules pour franchir une rivière. Exceptionnelle observation de la botanique et de la nature humaine. En tout cas, les époux Moreel ont beaucoup œuvré au peuplement de leur ville. Au verso, des grisailles avec saint Jean-Baptiste et saint Georges.

– Hugo Van der Goes, *Mort de la Vierge,* une composition pleine d'intensité pathétique ; appréciez le travail du peintre sur les mains.

➤ *Salle 3 :* à partir de 1520, la peinture brugeoise s'enrichit du contact avec l'Italie. L'Antiquité classique, l'humanisme et l'observation du corps et des lois de la perspective sont à présent au centre des préoccupations des artistes.

– Jérôme Bosch : *Le Jugement dernier,* dans le style de satire débridée qui lui est propre. Il existe plusieurs versions de ce chef-d'œuvre et celui-ci laisse planer un petit doute quant à son authenticité. Quand bien même il s'agirait de l'œuvre d'un élève, elle est de bien belle facture. Insensée et hétéroclite, avec profusion de détails et de symboles, elle nous apparaît aujourd'hui bien burlesque, sinon surréaliste. C'est oublier la forte puissance du symbole au Moyen Âge. Les contemporains de Bosch n'avaient aucun mal à en saisir tout le sens.

– Lancelot Bondeel, *Saint Luc peignant le portrait de la Sainte Vierge.*

– Maître de la *Légende de sainte Ursule* (peintre inconnu), tableau du même nom. Grande fraîcheur des coloris. L'histoire est racontée comme une B.D. et la variété des costumes est remarquable.

➤ *Salle 4 :* Gérard David, *Baptême du Christ.* Un chef-d'œuvre. Une perfection de composition et de naturalisme. Observez les traits des filles et de leur mère. La filiation est superbement rendue.

– Jan Provost, trois œuvres dont *L'Avare et la mort* dans le style maniériste propre à cette époque et la superbe crucifixion, à la riche composition. La représentation de Jérusalem y est étonnamment réaliste.

➤ *Salle 5 :* on y contemple des natures mortes, des compositions florales très en vogue à l'époque et un grand *Portrait de famille brugeoise* de Jacob Van Oost le Vieux. Remarquez le sol blanc et les murs noirs de la salle.

➤ *Salle 6 :* la fin du XVIIIe s correspond à la redécouverte de l'Antiquité classique. Les peintres brugeois ont fait le voyage obligatoire à Rome et en rapportent des œuvres empreintes de rationalité. Les portraits qu'on y voit doivent beaucoup à l'influence de Jacques-Louis David, installé à Bruxelles. On remarquera ceux de Joseph-François Ducq et de Joseph-Benoît Suvée.

➤ *Salle 7 :* autre présentation propre à faire grincer les dents : des réserves et des acquisitions récentes, montrées en alternance, sont accrochées à des grilles métalliques perpendiculaires aux murs.

➤ *Salle 8 :* on attaque la période moderne ; Tytgat, Émile Claus (*La Lys à Astene*), Permeke (*Foins à Jabbeke*), Georges Minne (*Trois femmes au tombeau*), William Degouve de Nuncques (*Nuit à Venise*), Le Sidaner (*Barque sur le canal*)...

➤ *Salle 9 :* quelques représentants de l'école de Laethem-Saint-Martin : Gustave de Smet, Frits Van den Berghe. On remarquera aussi un *Angélus* bien glaiseux de Constant Permeke. Les deux représentants emblématiques du surréalisme belge ne manquent bien sûr pas à l'appel : Magritte avec *L'Attentat* et Paul Delvaux avec *Sérénité*.

À la fin du parcours, vous vous retrouvez dans la *salle 1*, rien ne vous empêche de reprendre la visite si le cœur vous en dit.

🍴 **Museum Arentshuis** (maison Arents ; plan II, B2, **126**) : Dijver, 16. Tlj sf lun 9h30-17h. Fermé 1er janv, ap-m du 21 mai et 25 déc. Le billet acheté pour le musée Groeninge donne droit (pdt 2 j.) à l'entrée de la maison Arents ; sinon, entrée 2 € ; réduc. Anciennement nommé Brangwyn, du nom d'un architecte et décorateur anglais qui vécut à Bruges au XIXe s et légua ses collections à la Ville, et auquel l'étage est consacré, cet édifice de style Empire accueille désormais des expos temporaires de qualité. En face de l'entrée, la boutique des musées brugeois (assez décevante, très peu d'ouvrages en français).

🍴🍴 **Gruuthuse museum** (musée Gruuthuse ; plan II, B2, **127**) : Dijver, 17. Tlj sf lun 9h30-17h. Entrée : 6 € ; réduc ; audioguide compris dans le prix.

Le *gruut* était le mélange de fleurs et de plantes séchées qu'il fallait ajouter au moût de froment et d'orge pour donner du goût à la bière. Le monopole du *gruut* était détenu par une famille : les Van Brugghe. Par extension, le lieu de leur activité, *Gruuthuse* (maison du *gruut*), supplanta leur patronyme et ils devinrent les seigneurs de Gruuthuse. Au XVIe s, le houblon rendit inutile l'usage du *gruut* et les Gruuthuse aménagèrent les anciens entrepôts en maisons seigneuriales.

À l'extinction de la lignée, la ville fit de la demeure des Gruuthuse un mont-de-piété, puis finalement ce musée, qui abrite une vaste col-

UN FLAMAND À LA COUR D'ANGLETERRE

Le plus célèbre de la dynastie, Louis de Gruuthuse, fut conseiller de trois ducs de Bourgogne, chevalier de la Toison d'or et ami d'un roi d'Angleterre qui le fit duc de Winchester. Il contribua au progrès de l'humanité en inventant le boulet creux qui, comme on le sait, est bien plus meurtrier que le boulet plein. D'où sa devise : « Plus est en vous », ce qui n'est pas, comme on pourrait le penser, un slogan pour favoriser l'accomplissement personnel mais bien un rappel direct de l'efficacité de la charge creuse !

lection de meubles, d'objets de la vie quotidienne et des métiers, d'armes, de monnaies, de tapisseries étonnantes (truffées de proverbes sous la forme de bulles de B.D.), d'instruments de musique, d'ustensiles de cuisine, de pharmacie... Vous y découvrirez un oratoire unique dans son genre et une cuisine vieille de 500 ans. On trouve à l'entrée des salles, consacrées chacune à un thème précis, des fiches explicatives en différentes langues. L'ensemble du musée est agréable à parcourir et permet une instructive plongée dans le temps.

On vous conseille de vous attarder plus particulièrement dans certaines salles :

– Salle 2 : une pièce de grande valeur : un buste en bois peint de Charles Quint adolescent, tout mignon avec son menton en galoche.

– Salle 5 : remarquer dans la vitrine l'émouvant ensemble des deux femmes dont l'une touche le ventre rebondi de l'autre.

– *Salle 6 :* reconstitution d'une cuisine.
– *Salle 7 :* consacrée à la médecine avec des mortiers et des pots à onguents, mais surtout une gravure représentant la salle des malades de l'hôpital Saint-Jean et un tableau d'un réalisme assez surprenant figurant le lavement d'un enfant.
– *Salle 10 :* salle baroque du XVIIᵉ s avec une impressionnante tapisserie consacrée à l'apothéose des sept arts libéraux. On vous laisse le soin de les identifier.
– De la *salle 13,* consacrée aux corporations, belle vue sur les jardins et le palais. Mais que cela ne vous empêche pas d'admirer également les magnifiques plafonds avec armoiries.
– *Salle 16 :* art religieux. Ne manquez pas dans la vitrine le délicat ange en bois agenouillé de la fin du gothique, ainsi que la Madone assise avec l'Enfant Jésus très vivant qui semble vouloir s'échapper de ses bras.
– *Salle 17 :* oratoire des Gruuthuse avec sa voûte en berceau, surplombant le chœur de Notre-Dame, construit pour leur permettre d'assister à la messe sans quitter leur demeure.
– *Au dernier étage,* loggia avec vue sur les canaux et les bâtiments.
Le palais Gruuthuse est situé au pied de la formidable masse de l'église Notre-Dame. Pour en apprécier les dimensions, il vaut mieux la contourner par la gauche en passant par les jardins aux tilleuls en espaliers et le petit pont Saint-Boniface, sous lequel passent les bateaux en route pour le béguinage. Au risque de décevoir les âmes romantiques, les petites maisons en bois sont des constructions récentes. Mais c'est tellement joli !

🎫🎫🎫 *Onze Lieve-Vrouwekerk (église d'accueil Notre-Dame ; plan II, B2, 128) :* ouv tlj 9h30 (13h30 dim)-16h50.
Construite en gothique scaldien au XIIIᵉ s, elle présente une caractéristique immédiatement visible, sa vertigineuse tour de 122 m, qui en fait la plus haute construction de brique d'Europe. La brique permet de monter très haut mais présente un défaut : on ne peut la sculpter. D'où l'allure un peu sévère de tous ces édifices. Dès l'entrée, l'attention est attirée à droite par le rassemblement devant la chapelle de la Vierge où se trouve, dans une niche noire, une *Vierge à l'Enfant* de Michel-Ange, œuvre de jeunesse en marbre blanc (de Carrare) du sculpteur italien. Réalisée en 1504, elle était destinée à la famille des Piccolomini de Sienne mais ne put être payée. Michel-Ange fut tout heureux de la vendre à un marchand brugeois, qui la légua à l'église. C'est une des rares œuvres de Michel-Ange à avoir quitté l'Italie.
– *L'accès au chœur est payant (2 € ; réduc). Tlj sf lun 9h30-17h (16h45 sam ; dernier billet 16h30 – 16h15 sam).* On y vient pour les deux *mausolées funéraires* de Marie de Bourgogne et de son père, Charles le Téméraire.
Lorsque Charles le Téméraire, dernier duc de Bourgogne, meurt au siège de Nancy en 1477, il laisse ses possessions à sa fille unique, Marie de Bourgogne. Celle-ci épouse l'archiduc Maximilien d'Autriche. Elle devient l'enfant chérie des Brugeois : la beauté, la jeunesse, deux enfants, etc. Une star de magazine. Le malheur survient en 1482 lorsque, à l'âge de 25 ans, au cours d'une partie de chasse, elle fait une lourde chute. À la relève, elle est blessée mais apparemment pas trop gravement. Elle meurt néanmoins une semaine plus tard. Elle laisse son mari aux prises avec les Brugeois et deux enfants au destin agité : Philippe le Beau et Marguerite d'Autriche. Elle avait formulé le désir d'être enterrée à Bruges. On lui fera un mausolée de légende sur lequel, paraît-il, des chevaliers de la Toison d'or viendraient encore se recueillir. Son père, qui avait été enseveli à Nancy, vint, sur ordre de Charles Quint, rejoindre sa fille pour le sommeil éternel, dans un mausolée jumeau. Lors de fouilles récentes, les restes de Marie furent exhumés et des légistes purent déterminer la cause de sa mort. En plus des fractures apparentes aux bras, ils s'aperçurent que des côtes étaient enfoncées : les sabots du cheval avaient provoqué des blessures internes et perforé le poumon. De plus, Marie était enceinte. Sortez vos mouchoirs !
Les mausolées sont d'une facture superbe : Marie est touchante de grâce, ses longues mains sont finement ciselées. Le mausolée de son père, fondu 70 ans plus tard sur le modèle du premier, dénote dans ses détails l'apport de la Renaissance.

BRUGES ET SES ENVIRONS

– Les *sarcophages* que l'on aperçoit dans la crypte, sous les mausolées et dans une chapelle, sont ceux de prélats du XIIIe s. Les fresques romanes qui en ornent l'intérieur sont absolument splendides et admirablement conservées. L'artiste, plutôt contorsionné au fond de son trou, n'avait que quelques heures pour peindre *al fresco*, ce qui n'était pas sans complication. Pour les sarcophages les plus récents, on se contenta de tapisser les parois de dessins faits à l'avance sur papier, qu'il suffisait ensuite de coller à la chaux.

– L'église recèle encore bien des trésors tels la *Vierge aux sept douleurs* (1528) d'Isembrant, un *Christ en croix* de Van Dyck et des tableaux de Pourbus et de Gérard David. En contournant le déambulatoire, vous remarquerez de superbes confessionnaux sculptés et en contre-haut la chapelle privée des Gruuthuse.

☆☆☆ ***Memling in Sint Jan*** (Memling à Saint-Jean ; plan II, B2-3, **129**) : Mariastraat, 38. Tlj sf lun 9h30-17h (dernier billet à 16h30). Billet : 8 € ; réduc (le billet inclut la visite de l'hôpital Saint-Jean, du musée Memling et de la vieille pharmacie). Audioguide en français inclus.

En face du parvis de Notre-Dame, ce vaste ensemble de brique servit d'hôpital à la ville jusqu'en 1976. Fondé au XIIe s., il était utilisé comme hôtel pour offrir le gîte et le couvert aux marchands. Des miséreux y étaient abrités pour la nuit mais remis à la porte dès le matin. Sa fonction de lieu de soins et de bienfaisance ne vint que plus tard. Sa construction d'origine se vit augmentée de plusieurs annexes au cours des siècles. Dans les salles des malades sont présentés des objets relatifs à la vie hospitalière ainsi que quelques œuvres d'art religieux dans une muséographie sobre et aérée. N'oubliez pas de prendre un audioguide à l'entrée car il n'y a pas de légende. L'intéressante expo décrit le rôle de l'hôpital et des œuvres de charité depuis sa fondation, la vie quotidienne des sœurs et des malades, ainsi que les soins donnés par les chirurgiens, assistés des barbiers. Pour se faire une idée précise de l'organisation de l'hôpital autrefois, il faut s'attarder sur le tableau de Jean Beerblock (1778) qui représente la salle des malades et ses 150 lits répartis en travées selon le sexe. Quelques écrans interactifs permettent d'approfondir le fonctionnement de l'institution. Au fond de la salle, prendre l'escalier en colimaçon pour accéder au grenier de Diksmuide qui servait à stocker les réserves et pour en admirer la monumentale charpente de 15 m construite en chêne en 1234 et considérée comme la plus ancienne du Benelux.

Le musée Memling

Né en 1435 en Allemagne, soldat, Hans Memling travaille à Cologne et à Bruxelles avec Rogier Van der Weyden (de la Pasture). Il s'installe en 1465 à Bruges, dont il devient citoyen, après avoir été soigné, dit-on, à l'hôpital pour blessures de guerre. Il a pour clients des ordres religieux, des bourgeois et des marchands italiens. On remarque d'ailleurs l'importance des scènes urbaines. Doté d'un sens aigu de la couleur, il réussit dans ses compositions la synthèse des apports de ses prédécesseurs et annonce déjà la Renaissance. La sérénité de ses personnages contraste avec le maniérisme qui caractérisera les peintres du XVIe s.

Situé dans une petite salle qui n'est autre que la chapelle de l'hôpital Saint-Jean. Quelques œuvres exceptionnelles sont installées dans ce lieu spécialement conçu pour leur mise en valeur. Privilège esthétique rare !

– *La châsse de sainte Ursule :* sur un coffre de bois sculpté, agencé comme une chapelle gothique, on voit le récit du pèlerinage à Rome de sainte Ursule accompagnée de ses 11 000 vierges, leur retour par Bâle et leur massacre par des païens à Cologne. La légende se situe aux premiers siècles de la chrétienté mais Memling a représenté le cadre géographique et les costumes de son époque. On reconnaît les clochers de Cologne.

– *Triptyque de saint Jean-Baptiste et saint Jean l'Évangéliste :* le panneau central évoque le mariage mystique de sainte Catherine. Les épisodes de la vie des deux saints Jean (patrons de l'hôpital) sont évoqués par une succession de scènes à l'arrière-plan. La vision de l'Apocalypse de l'Évangéliste à Patmos est fulgurante d'imagination et le regard que posent les spectateurs sur le Baptiste lors de sa décapitation en dit long sur le dédain qu'ils ont pour lui.

BRUGES ET SES ENVIRONS

– Deux petits triptyques : celui de l'*Adoration des Mages* et celui de la *Déploration du Christ* sont moins spectaculaires mais bien délicats tout de même.
– Dans la chapelle Corneille adjacente (mais parfois placé aussi dans la salle) : un portrait de jeune fille, souvent appelée la *Sybille Sambetha* car on a longtemps pensé qu'elle représentait la Persane qui annonça la venue du Christ. Le relief est accentué par le bout des doigts débordant du cadre.
– *Diptyque de Marten Van Nieuwenhove :* les deux personnages se trouvent dans la même pièce. La preuve en est donnée par le reflet de leur dos dans un petit miroir rond derrière la Vierge. Le portrait du donateur est attendrissant.

L'ancienne pharmacie

On y accède par l'extérieur, avec des horaires un peu réduits (9h30-11h45, 14h-17h). Mérite un détour : un petit cloître entoure une cour intérieure avec un puits à margelle. Tableau paisible avec le joli puits. Dans la pharmacie : mortiers, balances, pots en grès témoignent de l'activité de cette ancienne institution. Dans la salle de réunion annexe, quatre siècles de pharmaciens vous contemplent. Certains étaient espagnols.

L'arrière des bâtiments de l'hôpital

Érigés au XIXe s, ils ont été récemment restaurés et aménagés en centre de congrès ; des expos temporaires s'y tiennent. Jetez-y un coup d'œil : la programmation (toujours remarquable) pourrait vous intéresser.

🍸 Au bord du canal, et à l'intérieur des anciens bâtiments de l'hôpital, un bar *lounge,* le *B.In.* L'endroit est plaisant, design au possible, sous une grande verrière. Si le resto est hors de prix, on peut toujours s'y arrêter pour boire un verre. De la terrasse (merveilleuse !), on voit passer les bateaux et on aperçoit les visiteurs se balader sur le toit de la brasserie *De Halve Maan.*

🍴🍴 *Godshuizen* (les maisons-Dieu ; plan I, B3, *130*) : sortir de l'hôpital Saint-Jean, prendre à droite et emprunter la très animée Katelijnestraat. Immédiatement, vous apercevrez à gauche et à droite (Stoofstraat) des entrées de couloir chaulées et surmontées d'un nom et d'une date. Allez voir, vous vous trouvez en présence des maisons-Dieu.
La maison-Dieu est un phénomène social et urbain typiquement brugeois. Les plus vieilles datent du XIVe s mais leur nombre n'a cessé d'augmenter au fil des siècles. Au milieu du XIXe s, Bruges était la ville la plus pauvre du pays et on se rappelle qu'à partir du XVIe s elle a cessé de se développer : de grandes zones sont restées vides à l'intérieur des remparts. Par ailleurs, la misère s'est installée et une partie de la population s'est retrouvée sans même un toit. Les gildes, propriétaires de terrains vides (souvent des « fonds de jardins »), se sont préoccupées du sort de ces miséreux et ont financé la construction de ces petites maisons basses, faites d'une seule pièce, une seule fenêtre et une lucarne mais, luxe pour l'époque, disposant au centre d'un point d'eau, d'un jardin potager et de toilettes.
Une chapelle jouxte l'ensemble et rappelle par sa présence le caractère religieux de cette assistance. Les riches Brugeois ont toujours pratiqué la charité mais les causes de la pauvreté n'ont jamais été éradiquées. Actuellement, ces maisons sont restaurées et gérées par la commission d'assistance publique qui les attribue à des retraités ou à des personnes à revenus modestes. Il s'en dégage un charme de maison de poupée tout à fait désuet et une grande quiétude.
Un peu plus loin se trouvent plusieurs beaux ensembles, datant du XVIIe s pour la plupart : *Godhuis De Pelikaan* (Groene Rei), *Zorghe* et *Schippers* (Stijn Streuvelsstraat), *De Vos* (Noordstraat), *Meulenaere* et *Saint Joseph* (Nieuwe Gentweg), etc. On compte en tout à Bruges près de 40 sites et 260 maisons. Vous pouvez y pénétrer, tout en respectant bien sûr l'intimité des habitants.

➤ Par la *Stoofstraat* (rue des Étuves : bains publics, fréquentés au Moyen Âge par les hommes et les femmes ensemble !), on débouche sur le *Walplein,* petite place ombragée où se trouve une des « attractions » favorites des touristes...

🍴 ***Brouwerij De Halve Maan*** *(plan I, B3,* **131***) : Walplein, 26.* ☎ *050-33-26-97.*
● *halvemaan.be* ● *Visite guidée : Pâques-oct, départ ttes les heures 11h-16h (17h
sam) ; en hiver, départ en sem 11h-15h, le w-e jusqu'à 16h. Entrée : 5,50 € ; boisson comprise ; réduc. Durée : 45 mn. Accès difficile pour les pers à mobilité réduite.*
Datant de 1546, c'est la dernière brasserie qui subsiste en centre-ville. La visite de
cette ancienne malterie peut intéresser tous ceux qui n'ont jamais vu ce genre
d'exploitation. Tout le processus de fabrication y est expliqué et, en parcourant les
installations, les amateurs apprécieront les collections de verres, de canettes, de
cartons à bière, etc. Dans les cuves, les ouvriers chargés du nettoyage devaient
porter un masque pour se prémunir d'une cuite aux vapeurs d'alcool. L'atelier du
tonnelier et l'estaminet 1900 achèvent la visite. À noter : la vue depuis les toits est
magnifique et la bière, la Brugse Zot – offerte avec le billet –, une blonde du meilleur
goût.

🍴 ***Diamond House*** *(musée du Diamant ; plan I, B3,* **132***) : Katelijnestraat, 43.*
☎ *050-34-20-56.* ● *diamondmuseum.be* ● *Tlj 10h30-17h30. Entrée : 6 € ; 9 € si
vous voulez assister à une démonstration de taille à 12h15.*
Si le but reste malgré tout commercial (ne rêvons pas !), cet espace d'exposition
nous présente joliment l'histoire du diamant. Il apporte la preuve que le diamant
était déjà taillé à Bruges à la fin du XIVe s et ce avant Anvers, la grande rivale commerciale. La présence dans les chroniques d'un certain Van Berquem, tailleur de
pierres précieuses de son état, l'atteste. Il est vrai que la présence de la cour de
Bourgogne dans la ville avait de quoi lui garantir du boulot.
Toutes les facettes de la taille sont décrites et les outils d'époque exposés. Volonté
didactique des panneaux décrivant l'origine géologique du diamant, ainsi que les
aspects contemporains de cette industrie, dont la valeur des échanges commerciaux atteint des sommes faramineuses. Expo de quelques-uns de ces précieux
joyaux sertis dans des parures tant anciennes que modernes et copies des diamants les plus célèbres du monde. Prix d'entrée quand même très élevé par rapport à l'intérêt, dommage. À moins, bien sûr, d'être passionné par le sujet.

🍴🍴🍴 Ⓞ ***Prinselijk Begijnhof ten Wijngaarde*** *(béguinage princier de la Vigne ;
plan I, B3,* **133***) : par la Wijngaardstraat, on rejoint le site le plus emblématique de la
ville. Tlj 6h30-18h30.*

Le béguinage de Bruges est à la
Flandre ce que la tour Eiffel est à la
France : un lieu emblématique.
Avec les autres béguinages de
Flandre, il est désormais classé au
Patrimoine mondial de l'Unesco.
C'est vrai que de cet endroit (exceptionnel en hiver) se dégage une
indicible poésie, comme si une
grâce divine se manifestait en permanence dans le bruissement du
feuillage de ces hauts peupliers.
L'éclat impressionniste des taches
de soleil sur les pelouses pique-
tées de jonquilles, le trottinement
d'une religieuse se pressant vers
la chapelle, le bandeau rouge et
blanc des maisonnettes cachées
derrière le muret de leur jardin, tout
cela contribue à faire du béguinage un lieu habité par les anges.
– Une petite ***église Sainte-Élisa-***

UNE VIE DE BÉGUINE

*Fondé en 1245 par Marguerite de
Constantinople, le béguinage héberge
des femmes qui, tout en vivant en
communauté – mais sans prononcer
de vœux –, mènent une vie à la fois
contemplative et active, une sorte de
spiritualité laïque en somme. Les béguines donnent des soins aux malades et
lavent la laine destinée aux tisserands,
ce qui leur vaut un conflit avec les foulons. Elles sont chassées par les guerres
de Religion, puis par la Révolution française, et la dernière béguine s'éteint
en 1928. Les lieux sont actuellement
occupés par une congrégation de bénédictines qui portent la traditionnelle
robe noire rehaussée de la guimpe
blanche.*

beth sert de lieu de culte aux bénédictines. Vous pourrez, en vous faisant discret,
assister à la célébration des vêpres, chantées de leurs petites voix cristallines. Vous

y verrez une belle chaire sculptée supportée par un ange solide et courageux. Tout autour, lambris de chêne. Belles stalles ciselées ainsi que le buffet d'orgues.
– Une *maison de béguines* est aménagée en petit *musée (à gauche près du portail d'entrée ; tlj 9h30-12h, 13h45-17h – dim à partir de 10h45 ; entrée : 2 €, réduc).* Vie quotidienne, cuisine, meubles et petit cloître.

🗣🗣 *Minnewater (lac d'Amour ; plan I, B3, 134) :* autre lieu d'un romantisme incontesté. L'ancien bassin principal est fermé vers l'intérieur par la maison de l'Éclusier. De l'autre côté, une grosse tour de défense garde l'accès au canal Bruges-Gand. C'est un vestige des fortifications qui ceinturaient la ville.

➤ Arrivé à l'extrémité sud de la promenade, pour rejoindre le centre, reprendre la Katelijnestraat jusqu'à Notre-Dame et poursuivre par *Heilige Geeststraat* jusqu'au pied de la grande tour de brique.

🗣 *Sint Salvatorkathedraal (cathédrale Saint-Sauveur ; plan II, A2, 135) :* Sint Salvatorhof. Tlj sf dim pdt les offices et lun mat 9h-12h, 14h-17h30 (15h30 sam).
Au IXᵉ s se dressait ici une église romane. De construction en incendie et de destruction en restauration, cette église de brique est devenue cathédrale à la suite de la disparition de Saint-Donatien. Il se dégage de son clocher une impression de massive austérité, même si le sommet néoroman égaye un peu l'ensemble. L'intérieur atténue cette impression : pour une fois, le chœur n'est pas trop envahi de baroque, le jubé du XVIIIᵉ s a été déplacé en 1935 pour se retrouver au fond de l'église, surmonté d'orgues, et c'est mieux ainsi. La statue du Dieu créateur en marbre blanc est signée Arthus Quellin. Le XIIIᵉ chapitre des chevaliers de la Toison d'or s'y est tenu en 1478. On peut y voir les blasons. Dans le chœur, deux mausolées et une belle châsse (de saint Éloi), ainsi que de belles stalles du XVᵉ s. Huit tapisseries du XVIIᵉ s, largement tendues sur les murs, racontent la vie du Christ. Dans les chapelles adjacentes, tout à fait dignes d'intérêt, un triptyque de Pourbus (1556) et un christ en croix qui a l'air de taper dans un ballon. La légende dit qu'en fait il a repoussé un iconoclaste qui voulait le détruire.
En revenant vers le narthex, on aperçoit, comme à l'église d'accueil Notre-Dame, des sarcophages peints, véritables chefs-d'œuvre de l'art roman (en accès gratuit cette fois !). En levant la tête, on peut voir l'intérieur de la tour (0,50 € pour éclairer).

🗣🗣 *Le trésor de la cathédrale :* tlj sf sam 14h-17h. Entrée : 2,50 € ; réduc. Le musée contient des œuvres importantes : le *Martyre de saint Hippolyte* de Bouts et Van der Goes, une série de lames funéraires en cuivre (spécialité brugeoise née du manque de pierres dans la région), un sarcophage de pierre du XIVᵉ s orné de fresques, une crosse de saint Maclou en ivoire du VIᵉ s et un très beau portrait de Charles Quint à 20 ans.

➤ Par la très commerçante *Steenstraat,* à droite, on rejoint le Markt, terme du premier itinéraire.

Promenade dans les quartiers moins fréquentés

Si vous avez décidé de faire la suite à vélo, c'est le moment d'en louer un dans la Hallestraat, à droite du beffroi. À vélo, attention, certaines portions de rue sont à sens unique même pour les cyclistes. Regardez bien les panneaux : *uitgezonderd* signifie « sauf ». Dans le cas d'une interdiction totale, poussez votre bécane à la main sur le trottoir. La maréchaussée est aimable mais ferme.

➤ On quitte le Markt par le fond à droite (Philipstockstraat). Quatrième à gauche (Middelburg), ensuite tout droit par Sint Walburgstraat pour arriver sur Sint Maartensplein.

🗣 *Sint Walburgaskerk (église Sainte-Walburge ; plan II, B1, 136) :* Boomgaardstrasse. Le prototype de l'église de style jésuite, c'est un monument d'une grande unité esthétique. Première au monde à avoir été dédiée à saint François-Xavier. On a affaire à un baroque assez dépouillé et la succession des colonnes toscanes rythme harmonieusement la nef. Les confessionnaux Empire ont quelque chose d'égyptien ; jetez un coup d'œil sur la finesse du travail du banc de communion. C'est une église qui contraste beaucoup avec les consœurs brugeoises. Tous les soirs de Pâques à fin septembre, sauf le mercredi, le doyen y organise des auditions de musique enregistrée (entre 20h et 22h) ; du Bach ou des chants grégoriens, dans la lumière nimbée du couchant irradiant la grande nef blanche.

🎎 *Le quartier Sainte-Anne :* contourner Sainte-Walburge sur la droite, par Kandelaarstraat, pour se retrouver sur le Verversdijk ; prendre à gauche et passer le petit pont en dos d'âne pour plonger vers l'église Sainte-Anne. Cette partie de Bruges, le quartier Sainte-Anne, est éminemment pittoresque. Il fut aussi très pauvre. Ici, ni Van Eyck ni Michel-Ange. Si les petites maisons basses ont l'air de nos jours toutes pimpantes, il faut se rappeler qu'au XIXᵉ s elles hébergeaient une population misérable. Le miracle, c'est qu'elles n'aient pas été rasées.

🎎 *Sint Annakerk* (église Sainte-Anne ; plan II, C1, **137**) : avr-fin sept, tlj sf sam ap-m et dim 10h-12h, 14h-16h. D'apparence extérieure banale, elle surprend dès l'entrée par l'exubérance de la décoration, essentiellement du XVIIᵉ s. Une église paroissiale frappée par le délire ornemental. Profusion de boiseries, de cuivre, de peintures monumentales et d'odeurs d'encens. C'est lourd, surchargé et il n'y a pas un mètre carré de libre. Mais, en définitive, c'est cohérent. Après la messe, le *disbank* à droite de l'entrée servait de comptoir de distribution de jetons pour se procurer vivres et vêtements.

➤ Prendre ensuite, à l'arrière de l'église, la Venkelstraat et, tout de suite à droite, le Rolweg.

🎎🚶 *Stedelijk Museum voor Volkskunde* (musée communal des Arts et Traditions populaires ; plan I, C1, **138**) : tlj sf lun 9h30-17h. Entrée : 2 €. Plan en français. Huit anciennes maisons-Dieu en enfilade abritent cet adorable et intéressant petit musée. On se promène dans des reconstitutions thématiques de la vie d'il y a 100 ans. Dans l'ordre, la classe, la cordonnerie, le sabotier, l'épicerie et la salle consacrée aux pipes et au tabac, la chambre à coucher, la salle de séjour, la confiserie, la pharmacie, la chapellerie, le tailleur... La cour aménagée en jardin intérieur offre un cadre idéal à une halte reposante. L'estaminet du *Zwarte Kat* contient un piano mécanique et la salle du haut présente des souvenirs du tirage au sort pour le service militaire et pas mal d'autres objets thématiques.

➤ Par la *Balstraat,* on arrive à l'exotique église de Jérusalem et au centre de la Dentelle attenant.

🎎 *L'église de Jérusalem* (plan I, C1, **139**) : Peperstraat. Pour les heures d'ouverture, voir le centre de la Dentelle. C'était l'église privée d'une riche famille de marchands génois, les Adornès. Elle appartient toujours à leurs descendants. Deux d'entre eux, vers 1470, au retour d'un pèlerinage en Terre sainte, obtinrent du pape l'autorisation de bâtir une église sur la base des plans de l'église du Saint-Sépulcre. Voilà pourquoi cette construction paraît si atypique, avec son clocher-tour surmonté de la croix de Jérusalem et de la palme de Sainte-Catherine (du mont Sinaï). Les deux tourelles arborent un soleil et un croissant de lune. À l'intérieur, les gisants Adornès, dont le visage est illuminé par le soleil au solstice d'été (d'autres membres de la famille reposent sous les dalles). Sous la chapelle, une fausse crypte avec une copie du tombeau du Christ. Vitraux remarquables également.

🎎 *Kantcentrum* (centre de la Dentelle) : Peperstraat, 3 A. ● kantcentrum.be ● Tlj sf dim 10h-12h, 14h-18h (17h sam). Entrée : 2,50 €. Des maisons-Dieu à l'arrière de la propriété des Adornès sont organisées en petit musée de la Dentelle. L'après-midi, on y voit des dentellières au travail. À ce propos, sachez que la dentelle fabriquée à Bruges est introuvable. Celle qui est vendue dans les boutiques est authentique, dans la mesure où les techniques utilisées et les modèles le sont, mais elle est faite en Asie dans des ateliers gérés par les sœurs mission-naires qui ont enseigné cet art populaire aux jeunes Philippines.

🏹 De là, on emprunte la Stijn Streuvelsstraat pour se retrouver en bordure d'un parc où s'exercent, au n° 59, les très dignes arbalétriers de la *Sint Jorisgilde* (gilde Saint-Georges ; plan I, C1, **140** ; entrée : 1,25 €), dont François Mitterrand était membre d'honneur. Les membres tirent tous les mardis et vendredis dès 18h. Ils sont en blazer avec écusson et cravate, portent des titres et s'appellent *confrater*. Ils ont le privilège d'escorter le Saint-Sang avant la procession et sont fiers de leurs traditions qui remontent au XIVe s. Leur local, visible sur demande, abrite une col-lection d'arbalètes et de souvenirs passionnants. Ils se font un plaisir d'accueillir le visiteur pour expliquer toutes les subtilités de ce noble art, pas du tout dépassé puisqu'il paraît que l'armée suisse utilise encore cet engin ! Vous pourrez aussi les voir tirer à la verticale des plumets fichés à 36 m au sommet d'un mât.
En poursuivant dans la même rue, on aboutit au canal extérieur.

🏹 *Windmolen* (les moulins à vent ; plan I, C1, **141**) : en saison, mai-sept, tlj sf lun 9h30-12h30, 13h30-17h (slt le w-e en sept). Entrée : 2 €. Au XVe s, 28 moulins tour-naient de concert. Aujourd'hui, seuls celui du nord (Sint Janhuis), encore en activité et le moulin Koelewei (juillet-août mêmes horaires), peuvent être visités. La machi-nerie est toujours aussi impressionnante.

🏹 *Sint Sebastiaansgilde* (musée de la Gilde des archers de Saint-Sébastien ; plan I, C1, **143**) : Carmerstraat. 1er mai-30 sept, lun et ven 10h-12h, mer et sam 14h-17h ; hors saison, mar-ven 14h-17h. Entrée gratuite. Demandez que l'on vous diffuse le commentaire sur cassette en français, très bien réalisé. Sa fondation date de 1302 (encore !). La milice très sélecte accueillit Charles II d'Angleterre lorsqu'il vivait en exil à Bruges, chassé par Cromwell. Depuis, tous les souverains anglais en sont membres de fait. Ces messieurs s'exercent le lundi soir soit dans le jardin, soit dans une longue galerie couverte.

🏹 *Engels Klooster* (couvent anglais ; plan I, C1, **144**) : Carmerstraat, 85. Sonnez au n° 83 et la sœur tourière vous fera entrer en vous remettant un dépliant explicatif. Ouv tlj 14h-15h30, 16h15-17h15. Fermé le 1er dim du mois. Entrée gratuite pour les individuels. La seule église avec coupole de la province est un superbe édifice baro-que Renaissance. Le pavement bicolore en étoile et l'autel composé de 23 marbres différents sont remarquables.

➤ Pour la suite du parcours, il vous faudra un peu pédaler (ou marcher) : prenez à droite la *Speelmanstraat*, puis à gauche la *Snaggaardstraat* (petits zigzags, dus aux sens interdits) pour déboucher sur le *Potterierei*, le très joli canal qui mène au Dam-poort. Remontez-le sur la droite sur 300 ou 400 m. Profitez du charme fou de ce canal tranquille à l'écart des foules. Si vous apercevez l'un des célèbres cygnes brugeois, sachez que la ville s'en occupe attentivement (la promesse faite à Maxi-milien !) et qu'ils ont, gravés sur le bec, le « B » de Bruges ainsi que leur date de naissance !

🏹 *Onze Lieve Vrouw ter Potterie* (musée de l'hôpital Notre-Dame-de-la-Potte-rie ; hors plan I par B1, **145**) : Dijver, 1. ☎ 050-44-87-11. Tlj sf lun 9h30-12h30, 13h30-17h. Entrée : 2 € ; réduc. Très ancienne institution caritative qui fonctionne encore de nos jours. L'hôpital a rassemblé dans un musée les trésors de son patri-moine : toiles de Van Oost, de Pourbus, art religieux, livres d'heures et meubles. L'*église* attenante est d'un baroque somptueux : les cuivres brillent, les marbres resplendissent. On vous propose de poser vos lèvres sur une relique de saint Idesbald !

➤ En quittant le quai droit, on passe en face sur le *Lange Rei* pour retourner vers le centre. À la hauteur de Sint Gilliskoorstraat, tourner à droite.

🍴 *Sint Gilliskerk* *(église Saint-Gilles ; plan I, B1, 146)* **:** église de quartier, elle est intéressante pour son architecture de type église-halle. À l'intérieur, un polyptyque de Pourbus, *L'Adoration des Mages.* Pour le reste, l'église est un peu dénudée.

🍴 En quittant ce quartier d'un calme hors du temps, on prend par l'Oostggistelhof, le Spaansebrug et la Spanjaarstraat pour arriver à hauteur de la jolie **Van Eyck-plaats** (statue du peintre), où se dresse, à l'angle d'Academiestraat, la masse imposante du **Oude Tolhuis** *(ancien Tonlieu ; plan II, B1, 147)* de 1478. C'était une sorte de douane où le droit de passage était perçu. Il contient à présent les 130 000 volumes de la bibliothèque communale.
Cette place est le centre du **quartier hanséatique,** du nom de la Hanse, association des ports de la Baltique à laquelle Bruges était affiliée. Les diverses nationalités présentes à Bruges avaient leur propre rue, leur auberge et leur comptoir commercial. Les noms des rues environnantes en gardent la trace.
À proximité, à un angle, la **loge des Bourgeois** où, entre autres statues, on peut voir l'*ours de Bruges* que Baudouin Bras-de-Fer terrassa, selon la légende.

🍴 *Choco-Story* *(plan II, B1, 151)* **:** Wijnzakstraat, 2 *(Sint Jansplein).* ☎ 050-61-22-37. • choco-story.be • Tlj sf certains j. fériés 10h-17h. Fermé 5-16 janv. Entrée : 6 € ; réduc. Billet groupé avec Lumina et musée de la Frite 15 € ; réduc.
Un petit musée consacré à l'histoire de la fève de cacao, son importance rituelle dans les civilisations précolombiennes, jusqu'à son arrivée en Europe par le biais des Espagnols, et son succès dans les cours royales au XVIIᵉ s, pour devenir une boisson populaire à partir du XIXᵉ s. Ce qui représente 2 600 ans d'histoire, tout de même ! L'aspect économique de la production du cacao n'est pas non plus oublié. Au fil des salles, belle collection de chocolatières et surtout quelques splendides spécimens d'art précolombien. On y trouve aussi un ensemble de moules et de râpes de toutes formes. Enfin – à tout seigneur, tout honneur –, le dernier étage est consacré au chocolat belge et à ses spécificités, rendant ainsi hommage à Neuhaus, l'inventeur de la praline en 1912. Les spécialistes apprécieront la collection de boîtes à l'effigie de la famille royale. Quant aux plus raisonnables, ils s'attarderont sur les panneaux qui expliquent les effets du chocolat sur la santé.
Et, pour finir la visite, après la salle des sculptures (en chocolat bien sûr !) démonstration de la fabrication des différents types de chocolat, histoire de vous mettre en bouche avant de sortir par la boutique. Un joli petit musée succulent à parcourir, avec des vitrines et des panneaux explicatifs concis et bien faits, qui fera saliver les amateurs mais intéressera aussi tous les gourmands.

🍴 *Lumina Domestica* *(Musée de l'Éclairage) (plan II, B1, 151)* **:** Wijnzakstraat, 2 *(Sint-Jansplein).* ☎ 050-61-22-37. • luminadomestica.be • Tlj 10h-17h. Fermé 1ᵉʳ janv, 7-18 janv, 24, 25 et 31 déc. Entrée : 6 € ; réduc. Billet groupé avec Choco-Story 8 €. Pour les lecteurs intéressés par l'histoire de l'éclairage artificiel à travers les âges (y a de la matière, ça remonte à 400 000 ans). De la torche à l'ampoule électrique (plus de 6 000 pièces anciennes), en passant par les lampes à huile égyptiennes et romaines, les lampes à pétrole et à gaz... En prime, vous saurez tout sur le ver luisant et le poisson-lanterne !

🍴🍴 *Musée de la Frite* *(Friet Museum ; plan II, B1, 152)* **:** Vlamingstraat, 33. ☎ 050-34-01-50. • info@frietmuseum.be • frietmuseum.be • Tlj 10h-17h. Fermé 1ᵉʳ janv, 5-16 janv, 24, 25 et 31 déc. Entrée : 6 € ; réduc.
Étonnant, c'est le premier musée au monde consacré à la frite. Nouvelle création du patron de *Choco-Story,* installée dans un magnifique édifice des XIVᵉ-XVᵉ s. Il abritait à l'époque la représentation commerciale de Gênes. Ce musée de la Frite aurait dû se compléter d'ailleurs de « et de la Pomme de terre » ! « Musée de la Frite » seulement, ouais, ça fait pas trop sérieux, alors que toute la partie consacrée à la patate se révèle très documentée et fort intéressante. Riche histoire qui commence d'ailleurs au Pérou et qui livre son pesant d'anecdotes et infos insolites. Vous saurez ainsi tout sur la surprenante technique du *chuno* (en quechua) ou *tienta* (en aymara), ancêtre de la lyophilisation et puis aussi les péripéties de son arrivée

en Europe. Sachez qu'au Pérou, au milieu des 4 000 variétés de pomme de terre, il existe *la yuraq llumchuy waqachi,* une pomme de terre qui possède une forme si torturée que son épluchage était l'une des épreuves pour tester l'habileté d'une jeune fille à marier.

– *Histoire* : la pomme terre arriva en Belgique en 1567 via les Canaries. Premiers ouvrages botaniques qui la mentionnent et où l'on met l'accent sur son rôle social, puisqu'elle contribua à supprimer la terrible maladie de l'ergot de seigle (fléau des paysans). Shakespeare la mentionne dans *Les Joyeuses Commères de Windsor* lorsque Falstaff dit que « du ciel pleuvent des pommes de terre ! », référence, dit-on, de la réputation d'aphrodisiaque de cet étrange tubercule. Édition originale du livre écrit par Parmentier et édité en 1789. Émouvante séquence sur la Grande Famine qui frappa l'Irlande en 1845 lorsque toutes les cultures de pomme de terre furent anéanties par le *phytophthora infestans,* un genre de mildiou (entre les morts et l'émigration, le pays tomba de huit à quatre millions d'habitants). Bien sûr, bonnes séquences sur tous ses cousins, les maniocs, patates douces et autre topinambours... À propos, quelques records : la plus grosse patate : 2 015 g (et 25 cm de long) ! La frite la plus longue : 9,79 m (bon, à base de purée quand même).

– *La frite, sa culture, sa vie* : explications sur sa naissance dans la vallée de la Meuse, ses premiers bains à 170 °C dans la graisse de bœuf et de cheval et puis enfin comment la Belgique devint la terre d'élection de la frite... Premiers appareils à faire les frites, pittoresques vieux modèles, friteuses de toutes tailles... Histoire des sauces qui les accompagnent. Amusante expo de photos de baraques à frites, livres, affiches, documents divers. Enfin, ne pas manquer la boutique et le resto dans la superbe cave médiévale voûtée. On peut y déguster *nuggets,* cervelas, fricadelles, carbonade, accompagnés, ça va de soi, de frites délicieuses, fondantes et cependant bien craquantes à l'extérieur... (cornet à partir de 2 €). Normal, toutes les qualités d'une bonne frite !

🖐 **Huis ter Beurze** (maison Van der Beurse ; plan II, B1, **148**) : à l'angle de la Grauwwerkersstraat.

🖐 **Bladelijn Hof** (ancien hôtel Bladelin ; plan II, B1, **149**) : Naaldenstraat, 19. Tlj sf dim ap-m 10h-12h, 14h-17h. Si c'est fermé, il suffit de sonner ! Entrée gratuite. Il se distingue par sa tourelle décorative. Il eut des occupants célèbres : Bladelin, trésorier de la Toison d'or, Laurent de Médicis (buste dans une niche), Tomasso Portinari et le malheureux Lamoral d'Egmont (raccourci par le duc d'Albe). On peut visiter la cour.

➤ En poursuivant par la même rue et en empruntant la petite Boterhuis, on aperçoit l'arrière de l'église Saint-Jacques.

BOURSE STORY

Le terme de « bourse » apparaît au début du XIVe s. Une place de Bruges, qui porte le nom d'un aubergiste Van der Beurse, est le lieu d'échange pour les marchands. Rapidement, on disait aller à la Beurse chaque fois qu'on réglait le volet financier d'une affaire (mot annexé ensuite par d'autre langues : bourse, bolsa, borsa, etc.). En 1309, le phénomène s'institutionnalise par la création de la Bourse de Bruges. Elle est rapidement suivie par d'autres, en Flandre et dans les régions environnantes (Gand et Amsterdam). Et c'est encore aux Pays-Bas que le premier bâtiment conçu spécialement pour abriter une bourse est édifié à Anvers.

🖐 **Sint Jacobskerk** (église Saint-Jacques ; plan II, A2, **150**) : ouv tlj en saison slt, 10h-12h, 14h-17h (ou alors à l'occasion de la messe, sam à 14h30). Église-halle à trois nefs, elle fut embellie par les dons des ducs de Bourgogne, proches résidents. Les iconoclastes ne laissèrent pas grand-chose des trésors qui la meublaient. Il reste tout de même quelques miettes remarquables : le jubé, des peintures de Blondeel et de Van Oost et, surtout, un retable attribué à un anonyme brugeois, le Maître de la légende de sainte Lucie, qui peignit *La Légende de sainte Lucie de Syracuse.* La ville de Bruges y est représentée à l'arrière-plan.

➤ L'itinéraire se termine par un retour vers le Markt par la Sint Jacobsstraat. Il reste des quantités de petits coins à explorer mais là, on vous laisse le plaisir de la découverte.

Balade en bateau

🎔🎔🎔 Cinq embarcadères différents mais tous situés en plein centre, à un jet de pierre les uns des autres. *Même itinéraire de 30 mn pour ts les bateaux. Pas d'horaires fixes : on attend que le bateau soit plein pour partir. En saison (de mars à mi-nov), ils circulent en principe tlj 10h-18h ; hors saison, w-e et vac scol slt. Arrêt complet de la navigation janv-fév. Prix : 6,70 € ; ½ tarif pour les enfants. En cas d'averse, on vous prête un parapluie.* Un complément sympa à votre promenade pédestre. S'il ne faut rien en attendre du point de vue du commentaire (inepte, bavard et débité en quatre ou cinq langues à la fois), le parcours offre des points de vue légèrement différents de ce qu'on voit en marchant.

Marchés

– **'t Zand :** *le sam, sur le Beursplein.* Un marché tous produits qui déborde sur la place.
– **Vismarkt :** *le mat mar-sam.* Marché aux poissons, produits de la mer hyper frais.
– **Markt :** *le mer.* Marché traditionnel, avec maraîchers et fleuristes. Ça surprend dans ce cadre.
– **Dijver :** *les sam-dim en saison touristique.* Brocante le long du canal sillonné par les petits bateaux remplis à ras bord de touristes. Le plus filmé par les caméscopes.

Manifestations

– **Procession du Saint-Sang :** *ts les ans, le jeudi de l'Ascension (le 13 mai en 2010).* On en trouve la trace depuis 1291. Bruges sort ses plus beaux atours pour célébrer la tradition de la procession du Saint-Sang. Cette fête à caractère essentiellement religieux draine des dizaines de milliers de spectateurs, qui s'installent des heures à l'avance pour se trouver aux lieux de passage stratégiques du cortège. Le défilé présente des tableaux vivants de l'Ancien et du Nouveau Testament. Suit alors un cortège de marchands et de métiers du Moyen Âge, qui précèdent Thierry d'Alsace et sa suite rapportant la précieuse fiole du Saint-Sang de Jérusalem. La mise en scène n'a rien d'un carnaval et une certaine dramaturgie naïve n'est pas sans rappeler les « mystères » moyenâgeux. Et lorsque la véritable relique passe, portée par l'évêque et sa suite, l'assistance se lève et se signe dans un recueillement impressionnant. On entend voler les mouches. C'est aussi cela la Flandre.
– *Juil-sept :* **puces** de luxe sur le Zand.
– **Cactus Festival :** *le 2ᵉ w-e de juil.* Festival de musique en plein air (rock, reggae...).
– **Fête des Canaux :** *ts les 3 ans en août. Prochaine édition en 2011.* Plus folklo-touristique, cette fête se passe en nocturne à grand renfort de costumes chatoyants, de danses et d'effets sonores et lumineux le long des canaux.
– **Fastes de l'Arbre d'or :** *ts les 5 ans fin août. Prochaine édition en 2012.* Dans le même registre, ceux-ci reconstituent le fameux mariage de Charles le Téméraire et de Marguerite d'York. Quelque 90 groupes participent au spectacle qui est, par son ampleur, la reconstitution la plus brillante du calendrier brugeois.

DANS LES ENVIRONS DE BRUGES

DAMME   (8430)   11 000 hab.

L'ancien avant-port de Bruges est une ville miniature qu'il ne faut pas rater si vous avez un peu de temps après votre marathon brugeois. C'est à Damme que la légende d'Ulenspiegel (Thyl l'Espiègle) a vu le jour. C'est aussi un excellent point de départ pour randonner à vélo dans les polders, « là où un canal s'est perdu », comme le chantait le grand Jacques. Enfin, un peu à l'instar de Redu (dans les Ardennes), Damme est devenu un village du livre en 1997 et accueille, outre une dizaine de bouquinistes permanents, un marché aux livres le deuxième dimanche de chaque mois.

UN PEU D'HISTOIRE

Damme vient de *dam* (digue), comme dans « Amsterdam ». Vous voyez, c'est facile le flamand ! Après la fameuse tempête de 1134 qui crée le Zwin, des Frisons (des spécialistes, déjà) viennent endiguer la région et sécher les polders. Une jetée d'accostage est construite sur le Zwin. À son extrémité, un village de pêcheurs : Damme. Un canal le relie alors à Bruges. Rapidement, la petite cité obtient des droits de monopole : le vin de Bordeaux et le hareng de Suède. Début du boom de la construction, avec l'église Notre-Dame, les halles et l'hôpital Saint-Jean. Philippe Auguste incendie la ville. On reconstruit mais, dès la fin du XIIe s, l'ensablement du Zwin menace. Damme reste pour Bruges un relais de première nécessité. En 1468, c'est à Damme que Charles le Téméraire épouse Marguerite d'York. Ensuite, même destinée que sa voisine avec la décadence et les guerres de Religion. Au XVIIe s, les remparts médiévaux sont remplacés par des fortifications à la Vauban. Damme est alors un avant-poste dans la guerre contre les Pays-Bas. Napoléon fait creuser un canal vers l'estuaire de l'Escaut, sans tenir compte de l'urbanisation. Résultat, la ville est amputée de moitié. Et, en 1944, de terribles combats ont lieu à proximité.

Arriver – Quitter

➤ *À pied, en voiture ou à vélo :* il n'y a que 5 km à parcourir de Bruges, c'est dire si on a le choix du moyen de transport. De plus, c'est enfantin à trouver : du Dampoort, au nord de la ville, prendre le long du Damsevaart (le canal) et c'est tout droit.
➤ *En bateau :* départ du Noorweegsekaai *(hors plan I de Bruges par B1)*. Le *Lamme Goedzak*, petit bateau touristique à aubes, navigue d'avr à mi-oct 5 fois/j. Le voyage prend 35 mn et le départ a lieu à l'entrée du canal (à gauche) ttes les 2h, 10h-18h. Vous pouvez le prendre à l'aller ou au retour ou bien les deux. Aller-retour : 6,70 € ; réduc.
➤ *En bus :* début avr-début oct, possibilité de prendre le n° 43 depuis la gare ou le Markt (6 liaisons/j.).

Adresses utiles

🛈 *Office de tourisme :* Jacob Van Maerlandtstraat, 3. ☎ 050-28-86-10. ● damme-online.com ● Sur la place principale. De mi-avr à mi-oct, lun-ven 9h-12h, 14h- | 18h ; w-e 10h-18h. Le reste de l'année, lun-ven 9h-12h, 13h-17h ; w-e et j. fériés 14h-17h. Le bâtiment abrite un musée sur Thyl l'Espiègle mais, à moins de bien comprendre le flamand, celui-ci vous laissera plutôt perplexe, la brochure en français proposée à l'accueil n'aidant guère à s'y retrouver. Possibilité de louer des vélos.

■ *Location de vélos : Thijl et Nele,*

J. Van Maerlandtstraat, 2. ☎ *050-35-71-92. Tlj sf mer 9h30-18h30. Compter 10 €/j. et 2,50 € pour 1h. Demandez le parcours fléché de la « Riante Polderroute ».*

Où dormir ?

⚑ *Camping Hoeke :* Damse Vaart Oost, 10, à Hoeke. ☎ 050-50-04-96. Le long du canal, entre Damme et Sluis, dans la verdure. Ouv de mars à mi-nov. Compter env 20 € pour 2 pers et 1 tente. Le calme ! Sauf en haute saison où l'on a tendance à entasser les campeurs.

🏠 *Hôtel De Speye :* Damse Vaart Zuid, 5-6. ☎ 050-35-24-78. ● info@hoteldespeye.be ● *À l'entrée de Damme sur la route venant de Bruges, face au moulin. Fermé lun-mar en hiver. Doubles 75-85 €. ½ pens 17 €. Café offert sur présentation de ce guide.* Dans une jolie maison blanche restaurée avec soin, 5 grandes chambres spacieuses et parfaitement tenues. Vélos à louer.

🏠 *De Stamper :* Zuiddijk, 12. ☎ 050-50-01-97. *En pleine campagne à env 2 km de Damme. Nécessité d'avoir une voiture. Depuis Damme, traverser la place, passer devant l'église, puis tour-*

ner à gauche vers Lapscheure ; prendre la 1re petite route à droite (Zuiddijk) et rouler env 1 km pour trouver un portail blanc sur votre droite. 3 chambres à 95 € pour 2 pers, petit déj compris, prix dégressifs. Possibilité de table d'hôtes, slt le soir, 28 €/pers (sans la boisson). Dans une ferme du XVIIe s, toujours en activité, Marc Nyssen a aménagé avec beaucoup de goût 3 chambres rustiques (tomettes anciennes au sol, poutres apparentes) mais confortables (toutes avec sanitaires), qui feront le bonheur des amateurs de calme et de vert. Également, dans un petit bâtiment annexe, un studio avec 2 lits clos avec des rideaux, une kitchenette et une salle de douche. L'ensemble tout en pin ressemble à une maison de poupée mais, attention, l'escalier pour y accéder est très raide.

Où manger ?

Côté restos, l'embarras du choix mais moins du portefeuille. On est en plein dans la zone des excursions gastronomiques du dimanche, chères aux familles flamandes. À l'addition, c'est le coup d'arbalète !

BRUGES ET SES ENVIRONS

|●| *Tante Marie :* Kerkstraat, 38. ☎ 050-35-45-03. ● info@tantemarie. be ● *Dans la rue principale. Tlj sf mer 10h-19h. Fermé 10 j. en mars et 2 sem en déc. Formules 16,50-25 € (avec coupe de champagne pour nos lecteurs !), menu 32 €, plats 9-19 €.* Salle assez spacieuse, au décor clair, avec une partie salon de thé et un comptoir où reposent des pâtisseries. Côté resto, la maison fait dans les pâtes, salades et quiches, croquettes de crevettes. Idéal pour le déjeuner, d'autant que c'est franchement bon. Service attentionné.

|●| *Bistro Soetkin :* Kerkstraat, 1. ☎ 050-37-29-47. *Tlj sf mer (et jeu en hiver). Plats 10-17 €.* Le long du canal,

près de l'embarcadère. Grande terrasse idéale en été pour un repas rapide : salades, steaks, anguilles, scampi...

|●| *Hôtel De Speye :* Damse Vaart Zuid, 5-6. ☎ 050-35-24-78. *Tlj sf lun. Menus à partir de 22 € ; plat env 17 €. Café offert sur présentation de ce guide.* Au rez-de-chaussée de l'hôtel (voir plus haut), resto au décor rustique plutôt chargé. Anguilles et côte à l'os.

|●| *Restaurant Den Heerd :* Jacob Van Maerlandtstraat, 7-9. ☎ 050-35-44-00. ● info@denheerd.be ● *Près de l'office de tourisme. Tlj sf mer-jeu. Plats à partir de 23 € (voire 38 € pour le homard) ; menu 34,50 € avec apéro, vin et café inclus. CB refusées.* Nos lecteurs qui

ont envie de faire une halte plus sophistiquée à Damme iront s'installer dans cet élégant resto pour déguster une cui- sine tournée vers la mer. Également spécialité de côte à l'os. Préférer la salle donnant sur la rue. Carte en français.

À voir

🎭🎭 Le meilleur moyen de se rendre compte visuellement de ce que Damme a pu être par le passé est de grimper en haut de la *tour de l'église* (1 € ; ascension slt en saison) et, à 43 m d'altitude, d'embrasser le paysage alentour. On distingue nettement le tracé des anciennes fortifications, à l'intérieur desquelles toute une ville se serrait. Il n'en reste pas le quart. Et pourtant, ce qui subsiste ne trompe pas. Damme a connu des temps meilleurs mais il y règne un climat un peu aristo (très *gentleman farmer*), comme si ses vieilles pierres n'en finissaient pas de se remémorer la gloire d'antan.
– Au pied de l'église, un *cimetière* où les saules taillés en candélabres répondent aux pierres de la nef en ruine.

🎭 *Stadhuis* (hôtel de ville) : ne se visite pas, sf quand il y a des expos en été. Datant de 1464, coiffé d'un immense toit, il offre un bel exemple du gothique tardif : dans les niches, entre les fenêtres, les comtes de Flandre continuent à monter la garde du passé. À l'angle sud, deux pierres de justice : on les pendait au cou des femmes médisantes, qui étaient forcées de trimbaler ce lourd collier jusqu'à l'église pour se confesser. L'horloge, quant à elle, est d'origine.

🎭 *La statue* sur la place est celle d'un Flamand important : *Jacob Van Maerlant* (XIIIᵉ s), appelé le « père de la poésie néerlandaise ». Ce fut surtout un moraliste que les écoliers flamands sont obligés de se farcir, parce qu'il fut l'un des premiers à utiliser la langue populaire, le *diets*. Sa pierre tombale est dans l'église. On la prend à tort pour celle de Thyl l'Espiègle, qui est un personnage de fiction. Une farce digne de son esprit frondeur serait à l'origine de la confusion.

🎭 *Sint Janshospitaal* (hôpital Saint-Jean) : Kerkstraat, 33. ☎ 050-46-10-80. Pâques-fin sept, tlj sf mat lun et ven 11h-12h, 14h-18h ; le reste de l'année, slt pdt les vac scol, à l'exception des congés de Noël. Entrée : 1,50 € ; réduc. Fondé par Marguerite de Constantinople au XIIIᵉ s, il tenait ses revenus de la « jauge des vins ». Le père jaugeur mesurait la capacité des tonneaux de vin de bordeaux, importés à Damme. Nul doute que la fonction était très convoitée.
– Un petit *musée* présente un ensemble d'objets religieux, de meubles, de pierres tombales et un *Christ* de Duquesnoy.

Manifestation

– *Marché aux livres :* le 2ᵉ dim de chaque mois.

JABBEKE
(8490)

Jabbeke est un village entre Bruges et Ostende, où vécut le peintre et sculpteur Constant Permeke. Sa maison est devenue un musée important pour la compréhension du phénomène expressionniste en Flandre.

Où dormir ?

🏠 *Chambres d'hôtes De Kastanjeboom :* Kastanjebosstraat, 19. ☎ 050- 81-22-83. 📱 0473-47-89-98. ● info@de kastanjeboom.be ● dekastanjeboom.

be • *À 1 km du centre de Jabbeke, direction Gistel, prendre la 4ᵉ rue sur la gauche, au niveau du n° 394. Env 100 m plus loin, tourner à gauche et suivre cette route de campagne. C'est 300 m plus loin, sur la gauche. Doubles 50-55 €, petit déj inclus avec des produits faits maison. Internet gratuit. Boisson de bienvenue et brochures touristi-* ques offertes sur présentation de ce guide. Maison agréable et calme, tenue par un couple aimable et jovial (Paul et Greet), aimant voyager. Lui est banquier et son hobby consiste à sculpter la pierre. 2 chambres impeccables et calmes, avec douche et w-c, donnant sur le jardin. Vélos à louer.

À voir

🎨🎨 *Le musée provincial Constant Permeke :* Gistelsesteenweg, 341. ☎ 050-81-12-88. Tlj sf lun 10h-12h30, 13h30-18h (17h30 en hiver). Entrée : 2,50 €.
Permeke a habité cette grosse maison des « Quatre-Vents » de 1930 à sa mort en 1952. Quelque 150 œuvres y sont exposées, dont la quasi-intégralité de ses sculptures.
Membre actif de la première école de Laethem-Saint-Martin, Permeke participe à la guerre de 1914-1918, est blessé et soigné en Angleterre. C'est là qu'il réalise ses premières compositions inspirées du monde agricole et animées de personnages façonnés dans la glaise. Revenu à l'Ostende de son enfance, il traite le milieu des pêcheurs et peint inlassablement la mer et ses aspects changeants. Installé dans sa maison de Jabbeke, il s'adonne à la sculpture monumentale. La Bretagne lui inspire un retour aux paysages. Une rétrospective a lieu à Anvers un an avant sa mort, où il se voit consacré comme le peintre belge le plus important de l'entre-deux-guerres.
Ce qui différencie Permeke de l'école expressionniste allemande, c'est l'exploitation systématique de la matière. La couleur est appliquée sur la toile avec des couches superposées qui rappellent les dépôts argileux des berges des fleuves. Le brun et le vert dominent, le minéral et le végétal fossilisé s'interpénètrent dans un univers au tellurisme instinctif. À ceux qui faisaient de longues exégèses de son œuvre, Permeke répondait par un rire gras et sonore, en affirmant que son art était simplement flamand et paysan. De fait, l'émergence de cette école a coïncidé avec celle du Mouvement flamand, ancré dans les valeurs liées au sol.
Les œuvres sont disposées agréablement dans cette grosse villa, sans fioritures. Ses tableaux les plus connus sont ici : *L'Adieu, Le Semeur, Famille...* Mais aussi une très belle série de dessins de nus qui peuvent rappeler Modigliani en plus lourd. Dans l'atelier de sculpture, des nus gisants et un « autobuste » en bois qu'on pourrait croire issu de la statuaire africaine. De nombreuses sculptures sont disséminées dans le jardin.

OSTENDE (OOSTENDE) (8400) 69 000 hab.

La « reine des plages » de la Belle Époque a perdu beaucoup de son lustre. Elle ressemble davantage aujourd'hui à une vieille dame anglaise, surtout en basse saison. L'été, elle continue à subir l'assaut des classes populaires qui viennent chercher, en famille, un peu d'iode et de distraction sur le sable. Quoi qu'il en soit, le rêve de Léopold II d'en faire le centre d'un littoral à l'urbanisation cohérente et harmonieuse s'est bel et bien effiloché au fil des décennies sous l'appétit des promoteurs et l'absence de scrupules des responsables politiques. Il faut dire aussi que l'ouverture du tunnel sous la Manche, privant les Ostendais du flux maritime des *British* qui avaient l'habitude d'y faire escale, n'a pas aidé la ville à trouver un nouveau souffle. Enfin, on notera tout de même que la digue a été refaite. Et qu'Ostende reste la ville la plus animée

OSTENDE

de la côte belge, en particulier les soirs de fin de semaine, le long de *Langes-traat.* Pour conclure sur une note positive d'ailleurs, on précisera aussi que les amateurs d'art y trouveront un excellent musée nouvellement refait, et que les inconditionnels des produits de la mer se délecteront du contenu des petites barquettes vendues dans les échoppes qui, toute l'année durant, se succèdent le long du port. Mais il faut bien chercher car, de plus en plus, on remplace les crevettes et les langoustes par du surimi. Ostende est la ville natale du chanteur Arno (mais qui vit à Bruxelles).

UN PEU D'HISTOIRE

Au début du XVII e s, Ostende s'est ralliée à la cause des Réformés : son port est utilisé par les « gueux de mer » hollandais, ce que ne peut admettre le commandement espagnol. Pendant quelque temps, la ville devient le centre du monde : l'Empire espagnol et l'Europe catholique y affrontent les Pays-Bas du Nord et l'Europe protestante en un véritable conflit international, où 55 000 Espagnols, Italiens, Français, Anglais, Hollandais, Italiens, Wallons, Flamands perdent la vie.

Le champ de bataille autour d'Ostende devient un centre d'expérimentation militaire où toutes sortes de nouvelles techniques sont testées. Les conséquences pour la population locale sont désastreuses. Le général Spinola en vient à bout en 1604 après avoir affamé les assiégés. Pour se faire pardonner, les Espagnols mettent sur pied une « compagnie d'Ostende » qui établit des comptoirs en Inde et sur les côtes africaines. Expérience qui ne dure que 60 ans.

LA CHEMISE DE L'ARCHIDUCHESSE

En 1601, l'archiduchesse Isabelle, fille de Philippe II, dresse le siège devant la ville et fait le serment de ne pas changer de chemise tant que la ville ne sera pas prise. Le siège dure 3 ans... Depuis, le terme de « couleur Isabelle » signifie une teinte plutôt... incertaine.

Après Waterloo, les Anglais se piquent de plaisirs balnéaires et installent les premières cabines de plage. *The Queen Victoria herself* vient même y faire trempette en 1834. On découvre une nappe aquifère aux propriétés thérapeutiques.

Le chemin de fer depuis Bruxelles, la liaison quotidienne avec l'Angleterre et l'engouement de la bourgeoisie aisée pour les casinos et les champs de course assurent à Ostende une réputation internationale, semblable à celle de Deauville ou de Monte-Carlo. Léopold II, roi bâtisseur, ne s'y trompe pas et œuvre pour donner un cachet prestigieux au front de mer. À l'arrière de la digue aujourd'hui défigurée, on trouve encore pas mal de ces maisons 1900, mélange de style Art nouveau et balnéaire.

La guerre de 1914-1918 apporte son lot de destructions et la période 1940-1945 voit les Allemands raser le vieux casino 1900 pour installer une batterie côtière. Les dunes sont hérissées de bunkers de béton. Le goût pour les casemates était pris...

Arriver – Quitter

➤ *En voiture :* à l'extrémité de l'E 40, à 115 km de Bruxelles.
➤ *En train :* au bout de la ligne Cologne-Bruxelles. Un train ttes les heures depuis et vers Bruxelles. Désormais desservi 1 fois/j. (2 fois le dim) par le *Thalys* depuis Paris en 2h45.
➤ *En tramway :* Ostende se situe au milieu des 69 km de la ligne du tram qui longe la côte. Circule de 5h-6h à 23h-minuit ; fréquence ttes les 10 mn en été. Il n'en coûte que 5 € pour une carte de 1 j. Pour un trajet court (1 à 2 zones), compter

1,20 €. On paye à bord s'il n'y a pas de préposé. Pour demander l'arrêt, sonnez. Horaires et tarifs sur ● *delijn.be* ● *dekusttram.be* ●

➤ *En bateau :* en juil-août, 1 liaison/j. avec Nieuwpoort avec la compagnie *Seastar* (● *seastar.be* ●). Durée : 1h30.

Où se garer ?

Toutes les rues du centre sont payantes *(tlj 9h-19h)*, mais restent moins chères que les parkings. En revanche, on ne peut s'y garer que pendant 2h ou 4h, ça dépend des rues (celles des abords du front de mer et du parc Léopold – *plan B2* – permettent de se garer 4h). Si vous êtes là pour la journée, on vous conseille plutôt d'aller à l'un des deux grands parkings *gratuits* situés en bordure du Maria-Hendrikapark *(plan B-C3)*, à 10 mn à pied du centre. Cerise sur le gâteau, on peut même emprunter gratuitement des vélos pour la journée (au Rand parking Maria-Hendrikapark) ! Autre solution : se garer, gratuitement là encore, près du fort Napoléon et gagner le centre-ville avec la navette maritime *Blue Link* (voir ci-dessous).

Adresses utiles

🚹 *In & Uit* (office de tourisme ; *plan B1*) : Monacoplein, 2. ☎ 059-70-11-99. ● *toerisme-oostende.be* ● Juin-août, tlj 9h (10h dim)-19h ; le reste de l'année, 10h-18h (17h dim). Ferme à 20h ven pdt vac scol. Brochure avec plan de la ville gratuite. Vous pouvez aussi demander le dépliant *Trajets à vélo et à pied à travers et autour d'Ostende*, gratuit lui aussi.

✉ *Poste* (plan C2) : Marie-Joséplein, 11. Lun-ven 9h-17h, sam 9h-12h30.

🚆 *Gare NMBS* (plan D3) : Natiënkaai, 2. ☎ 02-528-28-28 (n° national). ● *b-rail.be* ● À côté du port. Service de loc de vélos (à gauche des guichets) tlj 8h-20h. Env 10 €/j.

🚌 *Station de trams et bus De Lijn* (plan C3) : Brandariskaai. ☎ 070-220-200. À 100 m à droite de la gare ferroviaire.

◼ *Blue Link* (plan D2) : fonctionne tlj pdt les vac de Pâques et en juil-août (ttes les 20 mn 10h30-18h), les w-e et j. fériés en mai-juin et sept-oct. Billet : 1,50 €. Une jolie chaloupe de sauvetage en mer permet, entre autres, de gagner le fort Napoléon en évitant de contourner la ville. On peut y embarquer les vélos.

Où dormir ?

Avec plus de 4 000 lits répartis dans 54 hôtels, vous n'aurez, en principe, aucun problème pour trouver où vous loger. En cas de difficultés néanmoins (le week-end des vacances d'été sont très chargés), adressez-vous à l'office de tourisme, ils tâcheront (sans commission) de vous dégoter quelque chose.

À savoir aussi : beaucoup d'hôtels pratiquent des tarifs haute et basse saison, la haute saison correspondant grosso modo aux week-ends et aux vacances scolaires.

Très bon marché

🛏 *Auberge de jeunesse De Ploate Jeugdherberg* (plan C1, 1) : Langestraat, 82. ☎ 059-80-52-97. ● *oostende@vjh.be* ● *vjh.be* ● Fermé début janv-début fév. Nuitée à partir de 17,50 € (18,80 € si plus de 26 ans), petit déj inclus. Internet payant. Au total, 124 lits dans 21 chambres de 3 à 8 lits. Surtout fréquentée par les groupes, pas de chambres pour couples. Moderne, confortable et en plein centre. Bar et salle TV. Pas de cuisine pour les hôtes mais on peut y prendre ses repas midi et soir. Local pour les vélos.

OSTENDE

Prix modérés

🏠 **Hôtel Cardiff** *(plan C2, **2**)* : St.-
Sebastiaanstraat, 4. ☎ *059-70-28-98.*
Doubles avec ou sans sdb 50,50-
72,50 €, avec le petit déj. Un poil plus
cher pdt les vac scol. Petit hôtel familial
à la déco classique mais chaleureuse.

Fresque de Madou (peintre belge du
XIXᵉ s) dans la salle de resto. Propose
16 chambres, dont 6 se partagent une
salle de bains... payante (2 € par personne). Bon accueil, d'un couple qui
tient l'endroit depuis près de 40 ans.

De prix moyens à un peu plus chic

🏠 **Hôtel Albert II** *(plan C1, **3**)* : *Vlaande-*
renstraat, 42. ☎ *059-80-42-65.* ● *info@*
hotelalbert2.be ● *hotelalbert2.b* ●
Compter 65-100 € pour 2, selon confort
et saison, petit déj inclus. Installé dans
un bâtiment classé de 1860, qui a toujours abrité un hôtel. L'entrée baigne
dans une lumière rougeâtre mais, ras-
surez-vous, vous n'êtes pas dans un
bar louche ! Il faut monter pour arriver à
la réception. Couleurs un peu électriques dans les couloirs et salle de petit
déj aux tons roses un poil kitschouille
mais agréable. Les chambres, sur plusieurs étages, sont sympathiques, surtout les plus chères, impec', avec
moquette bordeaux rayée, lits blancs
douillets, TV à écran plat, bouilloire et
belle salle de bains (avec baignoire pour
certaines). Les « standard » (moins chères) sont dotées du même équipement
mais sont un peu moins neuves, et n'ont
qu'une petite (toute petite) salle de douche. Également des chambres pour 4,

et même 6 personnes. Un bon choix
dans cette catégorie.
🏠 **Ostend Hotel** *(plan D1, **4**)* : *Londens-*
traat, 6. ☎ *059-70-46-25.* ● *info@hote*
lostend.be ● *hotelostend.be* ● *Doubles*
standard 76-90 € selon saison, avec le
petit déj. Également des chambres
familiales à prix avantageux. Promos en
basse saison. Construction moderne
sans cachet. Vaste *lobby* décoré
d'œuvres conceptuelles. Les étages se
partagent 102 gentilles chambres au
confort standard, avec lits bleus et boiseries claires. Le petit déj se prend dans
une grande salle. Atmosphère, vous
l'avez deviné, plutôt familiale.
🏠 **Hôtel Bero** *(plan C1, **5**)* : *Hofstraat,*
1 A. ☎ *059-70-23-35.* ● *info@hotelbero.*
be ● *hotelbero.be* ● *À deux pas de*
l'Ostend Hotel. Doubles à partir de 85 €
et jusqu'à 185 € pour les « Executive
Suite », *petit déj compris. Parking*
payant. Internet et wifi payants. Établissement de la chaîne *Tulip Inn* proposant

---

■ **Adresses utiles**

  🛈 In & Uit
  ✉ Poste
  🚃 Gare NMBS
  🚌 Station de trams et bus
    De Lijn
  🅿 Parkings

🏠 **Où dormir ?**

  1 Auberge de jeunesse
    De Ploate Jeugdherberg
  2 Hôtel Cardiff
  3 Hôtel Albert II
  4 Ostend Hotel
  5 Hôtel Bero

🍴 **Où manger ?**

  10 Stad Kortrijk
  11 L'Enfant Terrible
  12 Taverne Den Artiest

  13 Toi, Moi et la Mer
  14 Villa Maritza

🍷 ♪ **Où boire un verre ?**

  12 Taverne Den Artiest
  20 Cafe Botteltje
  21 De Zeegeuzen

♫ **Où sortir ?**

  22 Tao Bar

🍴 **À voir**

  31 Mu.ZEE
  32 Musée d'Histoire locale
    « De Plate »
  33 James Ensorhuis
  34 Navire « Le Mercator »
  35 Navire « 0.129 Amandine »
  36 Port et marché aux poissons

OSTENDE

A   B

200 m

NORD

MER DU NORD

Casino

Plage

Galeries Royales

Albert I Promenade |●| 14 |●| 13

Koningstraat

Koning∫

Koninginnelaan

Astridlaan

LÉOPOLD I PL.

K. Janssenslaan

Wellingtonsstraat

Muscarstraat

steenweg

Rogierlaan

Leopoldspark

E. Beernaerstraat

Alfons

Pierterslaan

Torhoutse

31

Romestraat

Ieperstraat

Hôte de vil

Koninginnelaan

Kaïrostraat

Ed. Gavellstr.

Spoorwegstraat

Frere Orbanstraat

Verenigde Natieslaan

Mercatorlaan

Leffingestraat

A   *BRUGES, KNOKKE,* **Fort Napoléon** ✈   B

OSTENDE

NIEWPOORT, DE PANNE

Hippodrome

Plage

Albert I Promenade

Albert I Promenade

laan

Iseghem

Vlaanderenstraat

33

20

21

5 Hofstr.

22

12

4

3

Langestraat

32

1

10

A. Buylstr.

WAPEN PL.

St. Sebastiaansstr.

11 36

Nieuwstr.

2

Witte Nonnenstr.

GROENTEN-MARKT

Franciscusstr.

VISSERS PL.

Ooststr.

Christinastr.

Kaffelistraat

Kaaistr.

Sint-Paulusstr.

Jozef II

Visserskaai

Saints-Pierre-et-Paul

Beernaertstr.

straat

35

Vindictive laan

34

Leopold III laan

Brandariskaai

Graaf De Smet De Naeyerlaan

ndraalersstr.

P

C

D

OSTENDE

OSTENDE (OOSTENDE)

un bon hébergement à des tarifs encore abordables. Les chambres standard sont équipées d'un purificateur d'air (et de TV et salle de bains bien sûr). Literie récente. Agréable piscine couverte et salle de fitness en accès libre. Sinon, sauna, bain turc, solarium et terrain de squash payants. Vélos à louer. L'hôtel, tenu par la même famille depuis 90 ans, possède aussi un bar à whiskies... élu 2e meilleur du Benelux en 2009 par une association de connaisseurs.

Où manger ?

Comme ailleurs sur la côte, manger revient plutôt cher à Ostende. Le resto « type » propose une cuisine assez, non, *très* bourgeoise (en sauce) dans un décor genre faux chic tapageur, avec des plats compris entre 12 et 25 € (plutôt à partir de 15-20 € pour le poisson). Si c'est sur la digue que vous avez décidé de vous asseoir, attendez-vous à payer aussi pour le coucher du soleil. Parfois cependant, vous trouverez à la carte des salades et des pâtes, ce qui permet de manger non seulement moins cher mais aussi plus léger. Ouf ! Surtout si on passe plusieurs jours à Ostende... Et puis voici quand même quelques bons petits restos.

Prix moyens

|●| **Stad Kortrijk** (plan D1, **10**) : Langestraat, 119. ☎ 059-70-71-89. *Tlj midi et soir. Plats 7,50-13 € (moules plus chères).* Petit resto on l'on s'entasse midi et soir pour s'envoyer vite fait une plie-frites, un rumsteck, une tomate-crevettes ou un plat de moules. Cuisine simple mais soignée, à base de produits frais et, surtout, à petits prix. Également des omelettes, pratique si on n'a pas envie de trop manger le midi. La salle est à l'image du reste : simple, avec cloisons en bois et fourneaux bien en vue. Attention, le week-end, il y a parfois tellement de monde qu'il faut (après avoir fait la queue) mettre le couvert soi-même !

|●| **L'Enfant Terrible** (plan D2, **11**) : Nieuwstraat, 16. ☎ 059-51-33-86. *À l'entrée de la rue, côté port. Tlj sf mer. Menus (servis midi et soir) 15-25 €. 2e liqueur d'amande offerte avec le café sur présentation de ce guide.* Salle en longueur toute garnie de fausses plantes, avec de petites tables vertes. Les plats sont simples et savoureux. Spécialité de moules (de Zélande), de croquettes de crevettes, de soupe de poisson (en entrée), sans oublier le *mixed grill* de viande ou de poisson. Bon accueil mais service parfois un peu long.

Un peu plus chic

|●| **Taverne Den Artiest** (plan C1, **12**) : Kapucijnenstraat, 13. ☎ 059-80-88-89. ● info@artiest.be ● *Tlj 17h-2h (4h w-e). Plats 16-21 €.* Ici, déco Art nouveau avec mezzanine à balustrade qui abrite en permanence une expo d'art. Clientèle locale et de touristes, venue se repaître des côtes à l'os, *spare ribs* et autres filets brésiliens qui rôtissent en salle jusqu'à pas d'heure. Parfois figure aussi à la carte le canard au calvados. Quoi qu'il en soit, c'est copieux, bien réalisé et l'atmosphère est très chaleureuse. Voir aussi « Où boire un verre ? ».

|●| **Toi, Moi et la Mer** (plan B1, **13**) : Albert I Promenade, 68. ☎ 059-80-66-13. ● snowycook@hotmail.com ● *Fermé lun soir et mar. Menus 32-55 € ; plats 15-30 €.* Une bonne adresse sur la digue pour les amateurs de poissons et fruits de mer : croquettes de crevettes, solettes meunière, assortiment de poissons au jus de veau, cabillaud à la moutarde, homard, etc. La bouillabaisse de la mer du Nord, avec Saint-Jacques, langoustines, crevettes grises et divers poissons nous a laissé un excellent souvenir ! On dîne dans une salle feutrée, assis sur des sièges en cuir rembourrés. Bon accueil. On recommande.

OSTENDE

Très chic

|●| **Villa Maritza** (plan B1, **14**) : Albert I Promenade, 76. ☎ 059-50-88-08. ● villa-maritza@freegates.be ● Tlj sf dim soir et lun. Menus 35-60 €. Superbe façade Belle Époque perdue entre deux blocs de béton. Hauts plafonds, tentures et décoration Renaissance flamande. Cuisine légère de haute volée, tout en nuances. Une des meilleures tables du royaume, le menu de base est d'un excellent rapport qualité-prix. Carte bien sûr en français.

Où boire un verre ?

Un des attraits indéniables d'Ostende, c'est son animation la nuit, et ce malgré une baisse de la fréquentation des jeunes British qui, imbibés, mettaient de l'ambiance (euphémisme !) dans les rues de la ville. Ceux-ci, paraît-il, en faisaient d'ailleurs trop (notamment dans les chambres) au goût de certains hôteliers qui, depuis, leur barrent tout simplement l'accès à leurs établissements. Mais bon, cela n'empêche pas Ostende de continuer à vivre... le soir.

🍸 🎵 **Taverne Den Artiest** (plan C1, **12**) : voir plus haut « Où manger ? ». En plus d'être un chouette resto, c'est aussi un endroit sympathique pour vider un godet, et même parfois écouter de la musique car il y a régulièrement des concerts blues et jazz les 1er et 3e mardis de chaque mois. Essayez une bière maison ou encore une Hapkin, la bière à la hache !

🍸 **Cafe Botteltje** (plan C1, **20**) : Louisastraat, 19. Tlj 12h (16h30 lun)-1h (plus tard le w-e). Vénérable institution locale. Vous y trouverez le plus grand choix de bières et de genièvres de la côte : quelque 300 sortes pour les premières et 50 sortes pour les seconds. À la bonne vôtre ! Quelques plats pas très chers aussi. Le tout dans un décor de pub anglais tout plein de boiseries et de vieux objets sur des étagères.

🍸 **De Zeegeuzen** (Auberge des Gueux de Mer ; plan C1, **21**) : Kapucijnenstraat, 38. Tlj sf mar à partir de 17h. Dans plusieurs pièces en enfilade, discussions animées autour des tables en forme de roues. Aux murs, souvenirs de marine et généalogie des familles seigneuriales de Belgique. Installez-vous et commandez une zeegeuzen, une gueuze (bière bruxelloise) additionnée d'un alcool... secret. Très rafraîchissante ! À sa droite, le **Spanish Inn,** une des seules maisons rescapées de l'époque espagnole, propose des petits concerts au synthé tous les week-ends dès 21h.

Où sortir ?

Au début de la Langestraat, sur 300 m, succession de bars, karaokés, pita-houses, night shops et disco-clubs. C'est à celui qui produit le plus de décibels ! Dans l'ordre : le **Brazzaville** (musique salsa et rock, intérieur chaleureux), le **Dôme** (belle sélection de cocktails), le **Bordel Musical** (soirées à thème le week-end), le **Lafayette** (joli bar tout éclairé), le **Twilight** (beach parties en hiver), le **Manuscript** (déco évoquant le sud des États-Unis), le **Desperado** ou encore le **Peppermint** se partagent les noctambules.

🍸 🎵 **Tao Bar** (plan C1, **22**) : Langestraat, 24-26. ● info@tao-oostende.be ● Tlj à partir de 14h. C'est le bar qui draine le plus de monde. Le week-end, il peut y avoir jusqu'à 500 personnes ! On danse alors où on peut, au son de la house, du R'n'b ou de la musique électro. Lounge bar le reste du temps. À côté, un resto de cuisine du monde.

À voir

Bon à savoir : il existe un *City Pass* donnant accès aux principaux musées et attractions d'Ostende. Intéressant si vous comptez voir plusieurs attractions (sinon, oubliez). Pour ceux qui prévoient de passer plusieurs jours entre La Panne et Knokke, il existe aussi un *pass* pour toute la côte. Ces différents *passes* peuvent inclure ou non une carte du tram côtier. On l'achète à l'office de tourisme.

🦑🦑🦑 *Mu.ZEE* (plan B2, **31**) : Romestraat, 11. ☎ 059-50-81-18. ● *kunstmuseumaanzee.be* ● *Tlj sf lun 10h-18h. Entrée : 6 € (plus cher en cas de grande expo temporaire) ; réduc.*
Consacré à l'art belge depuis 1830, il passionnera les amateurs ! Les œuvres changent régulièrement car elles sont exposées par roulement mais, en gros, sur 3 niveaux, on découvre des dessins et peintures de James Ensor, Spillaert, Delvaux, des classiques du symbolisme et de l'expressionnisme : Servaes, Permeke, Daye, Van den Berghe, De Smet, Tytgat, Brusselmans, Wouters... Sculptures d'Oscar Jespers, compositions dada de Paul Joostens.
Parmi les représentants du mouvement CoBrA, il y a Alechinsky et Dotremont. Puis du pop art et des mouvements plus récents, avec Raveel, Panamarenko et Fabre. Place a été faite aussi à Van Anderlecht, digne représentant de la peinture lyrique abstraite, apparentée à la peinture gestuelle (coups de pinceau violents). Sculptures en bois de Vic Gentils, qui utilise des pièces détachées de piano, pieds de table, etc. Enfin, l'art belge actuel s'incarne dans les peintures de Tuymans et les œuvres picturales de toute une nouvelle génération de jeunes créateurs. Et, pour terminer, un artiste particulièrement original, Paul Van Hoeydonck, le seul artiste au monde à exposer sur la... Lune !
– Expositions temporaires de grande qualité.
|●| Agréable cafétéria et restaurant à l'étage.

🦑🦑 *Le musée d'Histoire locale « De Plate »* (plan C1, **32**) : Langestraat, 69. ☎ 059-51-67-21. ● *deplate.be* ● *Ouv pdt les vac scol, tlj sf mar 10h-12h, 14h-17h ; le reste de l'année, slt sam (mêmes heures). Entrée : 2 € ; gratuit pour les moins de 12 ans.* Dans l'ancienne maison de Marie-Louise, épouse de Léopold Ier, le premier roi des Belges. C'est ici aussi qu'elle mourut, en 1850, dans la chambre à l'étage que l'on peut visiter. Mais cette belle demeure abrite avant tout un intéressant musée sur l'histoire de la ville, de l'époque espagnole à aujourd'hui. Quelques pièces et œuvres, comme ça, en vrac : peintures du port d'Ostende au XVIIe s et représentations diverses de la ville à la Belle Époque (on y voit, entre autres, les cabines de plage montées sur roues que les Ostendais louaient aux bourgeois venus se détendre à la côte). Nombreuses maquettes de bateaux également comme celle d'un transporteur de glace norvégien du XIXe s. On a bien aimé aussi la reconstitution d'un vieil estaminet, ou encore celle d'une rue de la ville au début du XXe s, avec « dame en vitrine ». Enfin, tout en haut, salles consacrées à la liaison Ostende-Douvres, qui dura de 1846 à 2002. Là encore, nombreuses maquettes, du premier bateau à vapeur au *Prince Philippe,* qui fut la dernière « malle » utilisée pour relier les villes belge et anglaise.

🦑 *James Ensorhuis* (maison et atelier de James Ensor ; plan C1, **33**) : Vlaanderenstraat, 27. ☎ 059-80-53-35. *Tlj sf mar et certains j. fériés 10h-12h, 14h-17h. Fermé en cas de grosse tempête. Entrée : 2 € ; réduc ; gratuit pour les moins de 18 ans ainsi que le 1er dim de juil et les 11 et 21 juil.*
En 1917, Ensor hérita de cette maison, qui appartenait à son oncle, et du magasin de souvenirs qui allait avec. Il ferma le négoce mais garda tout tel quel. Dans la maison, il recevait ses amis, peintres et critiques. Il y vécut jusqu'à sa mort, en 1949. Beaucoup de tableaux furent alors vendus. Le lieu est une tentative de reconstitution de son univers mais les toiles sont remplacées par des reproductions. Les objets du magasin, en revanche, sont authentiques et ont souvent été

source d'inspiration : la carapace de tortue, le poisson-scie, le cygne empaillé et surtout les fameux masques de carnaval.

À l'entresol, reconstitution en trois dimensions d'un tableau qui fut perdu dans l'incendie de l'hôtel de ville en 1940, *Pauvre bougre qui se chauffe*. À l'étage : le salon-atelier où Ensor travaillait. Ses principales compositions monumentales y sont, là encore, reproduites. Le mobilier et l'harmonium se retrouvent dans certains tableaux. Ensemble émouvant.

🏃🏃 *Le navire « Le Mercator »* (plan C3, 34) : Pensjagersstraat, 8. ☎ 059-51-70-10. ● zeilschip-mercator.be ● Juil-août, tlj 10h-17h30 ; mai-juin et sept, tlj 10h-12h30, 14h-17h30 ; le reste de l'année, slt le w.-e. Entrée : 4 € ; réduc. Amarré dans le port de plaisance, le navire-école de la Marine marchande belge fut opérationnel de 1932 à 1960. On peut parcourir les ponts et les coursives, et se rendre compte des conditions d'existence spartiates des cadets embarqués pour faire leur apprentissage d'officiers de marine. Les commentaires en quatre langues nous apprennent que le navire a rapporté une statue de moai de l'île de Pâques, ainsi que la dépouille du père Damien, béatifié par Jean-Paul II en 1995.

🏃🏃 *Le navire « 0.129 Amandine »* (plan C2, 35) : Vindictivelaan, 35Z. ☎ 059-23-43-01. ● amandine-museum.be ● Amarré un peu plus loin, à l'entrée du port. En saison, tlj 10h (14h lun)-18h. Entrée : 4 € ; réduc. Le symbole de la pêche ostendaise dans les eaux islandaises. Construit à Ostende en 1961, ce chalutier a voyagé pendant plus de 30 ans avec de vieux loups de mer. Il pouvait rapporter l'équivalent de 70 t de cabillauds, d'aiglefins, de flétans, de raies, de homards et de limandes en une campagne. On frissonne, le temps d'une visite, en songeant à ce que devait être le quotidien des neuf membres d'équipage. Conçu comme un musée interactif, avec film explicatif. On n'échappe ni au vacarme de la salle des machines... ni aux odeurs recréées.

🏃 *Le fort Napoléon* (hors plan par B3) : Vuurtorenweg, de l'autre côté du port. ☎ 059-32-00-48. ● fortnapoleon.be ● Suivre la direction Blankenberghe. 🚇 Duin en Zuin. Sinon, en saison, possibilité de s'y rendre avec la navette maritime Blue Link (voir plus haut). Avr-fin oct, tlj sf lun (sf juil-août) 10h30-13h, 13h30-18h ; le reste de l'année, slt w.-e et pdt vac scol 14h-17h. Entrée : 5 €, audioguide inclus ; réduc. Vestige d'un passé mouvementé, le fort a été construit au début du XIXe s pour protéger la côte, alors napoléonienne, d'une invasion anglaise. Achevé en 1814, il n'eut guère le temps de remplir sa fonction. Un siècle plus tard, durant la Première Guerre mondiale, il sert de logement aux artilleurs allemands. On peut voir de cette époque la fresque *Der Barbar*, représentant un soldat allemand qui, de son sabre, transperce la tête des ennemis. Derrière lui, les drapeaux des nations à vaincre. Durant la Seconde Guerre mondiale, il redevient l'un des quartiers d'artillerie de l'occupant allemand mais aussi un bar à bières pour officiers. Enfin, déclaré Monument national en 1976, il est restauré à partir de 1995 et ouvre ses portes, en tant que musée cette fois, au public en 2000. Les différentes salles retracent plutôt bien toute son histoire et permettent de comprendre son fonctionnement.
🍸 Bar au design branché près de l'accueil et un restaurant (chic) au milieu des dunes.

À voir encore

🏃🏃 *L'estacade ouest :* elle date de 1837. C'est un des emblèmes de la ville. Idéal pour profiter du vent du large. Rien que pour ça, on aimerait Ostende !

🏃🏃 *La digue ouest et les colonnades du promenoir ou « galeries royales » :* prolongent la villa royale jusqu'à l'hippodrome Wellington. Effets géométriques et perspectives, sur 400 m de long, qui ne manquent pas de rappeler les compositions de Giorgio De Chirico.

🏃 *Le casino,* pour les fresques de Delvaux. À sa hauteur, au bas de la digue, les « *escaliers de la Mort* », où plusieurs inconscients se sont noyés en voulant voir les vagues de trop près, sont désormais recouverts de sable.

🏃🏃 *Le port et le petit marché aux poissons* (plan D2, 36) : sur le quai des Pêcheurs. On y trouve aussi l'*aquarium de la mer du Nord* (ouv tlj en saison ; entrée : 2 €), totalement inintéressant et où se languissent, entassées, quelques pauvres créatures marines neurasthéniques à force de voir défiler les rares visiteurs. Y aller plutôt pour renifler l'atmosphère portuaire et profiter des échoppes sur les quais qui vendent des barquettes de poisson et de crevettes, succulentes de fraîcheur.

🏃 Enfin, voir l'*église Saints-Pierre-et-Paul* (néogothique), à laquelle on a ajouté un mausolée de marbre à la mémoire de Louise-Marie, première reine des Belges.

À faire

La promenade de la digue et du port est l'activité principale de l'immense majorité des villégiateurs sur la côte belge. Avec les pâtés de sable des enfants qu'on surveille en somnolant derrière une toile tendue pour s'abriter du vent, la randonnée en « cuisse-tax » (sorte de go-kart à pédales géant, qui peut comprendre jusqu'à huit places) et la traditionnelle halte de l'après-midi au tea-room pour avaler force glaces, crêpes et gaufres de Bruxelles (les toutes fines, excellentes !), le séjour se passe plutôt sereinement.

Pourquoi cet engouement étrange pour une côte finalement toute plate et qui n'offre au regard qu'une muraille quasi ininterrompue d'immeubles ? Difficile à dire mais ce qui est sûr, c'est que cette habitude de séjour est partagée par nombre de Français (du Nord), d'Allemands, d'Anglais et de Néerlandais. Déjà, en 1990, on avait dénombré 35 millions de nuitées sur la côte belge ! Chiffre impressionnant qui ne tient même pas compte des visiteurs d'un jour, en réalité très nombreux. La réponse à cette interrogation se trouve sans doute dans la mer elle-même : son climat tonique est reconnu et il arrive souvent que la bande côtière seule bénéficie de soleil quand le temps est couvert partout ailleurs. De plus, cette partie du pays offre un spectacle de lumière perpétuellement changeant. Les peintres et écrivains ne s'y sont d'ailleurs pas trompés. Beaucoup s'y sont établis et la mer du Nord a toujours été pour eux une source d'inspiration.

➤ *Excursion en mer :* en saison, de 45 mn à 1h30 le long de la côte, vers Nieuport, avec la compagnie *Seastar* (☎ 058-23-24-25 ; • seastar.be •) ou avec le *Franlis,* au départ de l'estacade (plan D2 ; ☎ 059-70-62-94 ; • franlis.be •).

Fêtes

– *Le 1ᵉʳ w-e de mars :* le vendredi, cortège des Lumignons. Le samedi, bal costumé du Rat mort.
– *Ostende à l'Ancre :* fin mai-début juin. Pendant 4 jours, grand rassemblement de voiliers de différents pays, marché d'antiquités maritimes et spectacles divers.
– *Lotto Kites International :* le 2ᵉ w-e de juil. Le plus important lâcher de cerfs-volants de Belgique.
– *FUZEE :* en juil ou en août, pdt 4 j. (pour connaître les dates précises : • fuzee. be •). Théâtre de rue avec des spectacles parfois hauts en couleurs, assurés par différentes troupes et compagnies.
– *Fin d'année à Ostende :* pdt tt le mois de déc. Patinoire, marché de Noël et autres festivités.

➤ *DANS LES ENVIRONS D'OSTENDE*

🍴 ***Le domaine de Raversijde :*** *Nieuwpoortsesteenweg, 636.* ☎ *059-70-22-85.*
● *west-vlaanderen.be/raversijde* ● *Dans les dunes, vers Middelkerke, au sud-ouest
d'Ostende. Avr-11 nov : sem 14h-17h, w-e, j. fériés et vac scol 10h30-18h (dernière entrée 1h avt). Entrée par musée : 6,50 €, audioguide compris. Billet combiné pour les 3 musées : 9,75 € ; réduc.*
– Premier volet : le ***mémorial Prince Charles.*** On y trouve l'ancienne résidence du
prince Charles, frère du roi Léopold III, qui assura la régence du royaume pendant
l'épisode de la « question royale ». Souvenirs historiques de l'ex-propriétaire,
homme curieux, chaud lapin volontiers misanthrope, qui fut aussi un petit peintre
pendant ses années de retraite.
– Deuxième partie : le ***musée en plein air du Mur-de-l'Atlantique.*** Aménagé dans
les bunkers et les tranchées fortifiées, bâtis par les Allemands au cours des deux
guerres mondiales, un site qui intéressera les amateurs d'histoire militaire (batte-
ries d'artillerie, poste de commandement, uniformes sur des mannequins presque
vrais, etc.).
– Enfin, la troisième partie : un ***village de pêcheurs*** du XVIe s reconstitué, avec
maisons en toit de chaume.

LA CÔTE EST, D'OSTENDE AU ZWIN

Une trentaine de kilomètres séparent Ostende de la frontière hollandaise.
L'alternance de stations balnéaires et de dunes n'est interrompue que par le
port de Zeebrugge et son environnement industriel. La réserve ornithologique du Zwin marque la fin du littoral belge. N'hésitez pas à prendre le tram de
la côte pour relier les différents sites.

DE HAAN (LE COQ)

Station familiale agréable au nord-est d'Ostende, précédée d'un beau cordon
de dunes. À l'instar du Zoute, ses habitants ont eu le bon goût de préserver
l'habitat de cottages 1900 entourés de jardinets, ce qui dégage un charme
certain. La plage est modeste mais l'ensemble respire une douceur de vivre
qu'on ne retrouve pas dans toutes les stations de la côte.
– *Fête du Trammelant :* le 1er sam d'août. En costumes Belle Époque.

Adresses utiles

🛈 ***Office de tourisme :*** *Koninklijk Plein,
dans la petite gare du tram.* ☎ *059-24-
21-35.* ● *dehaan.be* ● *Tlj 10h (9h30 en
juil-août)-12h, 14h-16h30. Réservation
gratuite de chambres d'hôtel.*
■ ***Location de vélos et « cuisse-*** *tax » :* Fietsen André, Leopoldlaan,
9-11. ☎ 059-23-37-89. À deux pas de
l'office de tourisme. Tlj 9h-18h. Très
nombreux modèles, et de toutes les
couleurs, pour pédaler seul, à deux ou
en famille.*

Où dormir ?

🛏 ***De Stoeten Hoane :*** *Jasmijnlaan, 2.*
📱 *0473-49-82-54.* ● *carla@destoetenhoa* *ne.be* ● *destoetenhoane.be* ● *Un peu à
l'écart de la station, par la Nieuwe*

Steenweg (une fois sur celle-ci, prendre à droite après le centre sportif puis la 2e à gauche, et de nouveau à gauche). Compter 57-64 € pour la 1re nuit et 54-61 € pour les autres, selon chambre. Petit déj... plus 2 bières et une bouteille d'eau compris ! Bienvenu au « coq hardi », un B & B... d'exception, qui n'a pour seul petit inconvénient que d'être un peu éloigné de la plage. La maison, moderne, n'a l'air de rien mais à l'intérieur, c'est la surprise... D'abord les chambres, design, avec des meubles déjantés (réalisés par Geert, le proprio) et super bien équipées : TV à écran plat, frigo, lecteurs de CD/DVD (belle collection de films), lampes télécommandées et literie confortable, avec matelas inclinable. Il y a même un panier garni de serviettes, sèche-cheveux, savons... et des peignoirs pour permettre de faire le voyage jusqu'à la salle de bains commune. Celle-ci aussi est étonnante, toute carrelée, avec douche à hydromassage et 2 lavabos reposant sur une tranche de peuplier vernie... Petit déj très complet (jus d'orange frais et œufs préparés différemment tous les jours) que Carla, la très accueillante hôtesse, annonce en faisant sonner un gros réveil rouge ! Aux beaux jours, on peut le prendre au jardin, où coule un petit ruisseau. Vaisselle signée Philippe Starck ; tout ici est décalé, pour le plus grand plaisir des hôtes... Un vrai coup de cœur !

🏠 **Chambres d'hôtes Stella Maris :** Memlinglaan, 11. ☎ 059-23-56-69. ● stellamaris@stellamaris.be ● stellamaris.be ● Juste derrière l'adorable gare de tram (côté plage). Fermé déc-fév. Min 2 nuits le w-e et pdt les vac scol. Compter 70-75 € pour 2 pers, petit déj copieux inclus ; tarif dégressif dès la 2e nuit. Une villa 1890 reconnaissable à son toit rayé orange et noir. L'intérieur, très agréable, de la maison est entièrement fait en bois. Ça lui donne un petit air d'isba russe. Propose deux chambres pour 2 personnes, dont une avec douche, et une chambre pour 3 ; très chouette salle de bains commune, de style rétro. Un style que l'on retrouve d'ailleurs dans les chambres, ornées, qui plus est, de belles affiches. Terrasse, jardin et, surtout, des hôtes charmants, qui parlent très bien le français et collectionnent les pipes, les chapeaux et les lunettes. Une adresse non-fumeurs, pleine de cachet et de caractère, qu'on vous recommande vivement ! Les enfants de moins de 8 ans ne sont pas souhaités, pour des raisons de sécurité.

Où manger ? Où boire un verre ?

|●| **Au Bien Venu :** Driftweg, 14. ☎ 059-23-32-54. ● au.bien.venu@pandora.be ● Non loin de l'arrêt du tram, à droite des voies en venant d'Ostende. Tlj sf mar-mer 12h-14h, 18h30-21h. Menus 22,50-55 €. Spécialiste des huîtres, du poisson, des fruits de mer, du homard et de la bouillabaisse locale (la zeebrugeoise), mitonnée par un chef haut en couleur. Sole à l'essence de homard, soupe de crevettes grises à l'armagnac, Saint-Jacques au pistou, langoustines géantes aux herbes... Cela donne le ton, non ? Cadre chic. Bien mais cher.

🍷 **De Torre :** Memlinglaan, 2. ☎ 059-23-65-32. ● info@detorre.be ● Tt près du tram, côté plage. Mer-dim à partir de 11h. Grande bâtisse jaune un peu surréaliste, idéalement située pour se poser un moment et observer le rythme paisible du Coq. Surtout aux beaux jours, lorsqu'on peut profiter de l'agréable terrasse et voir passer les trams. À l'intérieur, c'est parfois un peu enfumé. Petite restauration aussi, mais un peu chère.

➤ DANS LES ENVIRONS DE DE HAAN

🎣🎣 **Sea Life Centre :** Koning Albertlaan, 116, **Blankenberge** (8370). ☎ 050-42-43-00. ● sealife.be ● À la sortie de la ville en venant d'Ostende. Tlj 10h-18h (19h juil-août et 17h en hiver). Entrée : 16 € ; réduc. Une belle initiative que ces Sea Life

Centres, un groupe d'aquariums implantés dans plusieurs pays européens. Centres de revalidation pour phoques mal en point, leur mission est aussi d'œuvrer pour la conservation du monde marin en sensibilisant le public à sa galopante détérioration. Une petite quarantaine d'aquariums permettent ainsi d'admirer la faune de la mer du Nord et d'autres mers du globe. En vedette, les piranhas, l'hippocampe moucheté, les requins, l'esturgeon, les raies pastenagues, les calamars, les poissons-scorpions et, le plus étonnant, les bébés crabes japonais géants, en fait les plus grands crustacés du monde, pouvant atteindre, à l'âge adulte, 3,70 m d'envergure et envelopper de leurs pinces une voiture ! À l'extérieur, on trouve des loutres, des pingouins du Chili et, bien sûr, les phoques, que l'on peut voir s'ébattre avec entrain dans un vaste bassin extérieur... ou soignés et nourris dans la section prévue à cet effet.

KNOKKE-HEIST

Knokke-Heist, tout au long de ces 11 km de littoral, voit s'égrener quantité de villages et de plages, aux noms plus ou moins évocateurs : Heist, Duinbergen, Albertstrand (ou Albert Plage), puis Knokke et enfin le Zoute. De plus en plus chic au fur et à mesure qu'on se rapproche du Zoute. Hôtels, boutiques (et quelles boutiques ! *Hermès, Cartier...*), restos, villas, casino, galeries d'art, frime sur les terrasses de la « place m'as-tu-vu », Jaguar, Mercedes et night-clubs sélects. Dommage que, comme ailleurs, les cottages aux murs blancs et aux toits rouges cèdent peu à peu la place à des immeubles sans grâce, et ce malgré une réglementation draconienne. C'est vrai que l'on ne peut pas tout à fait parler de massacre, les immeubles n'ont que quelques étages et s'intègrent un peu mieux qu'ailleurs au paysage. Mais bon, quand même !... Heureusement reste la magnifique réserve tout au bout du Zoute, sauvage et préservée, et qui vaut le voyage à elle seule.
À Knokke, si vous avez de l'argent à flanquer par les fenêtres, rendez-vous au casino, où vous aurez le privilège de flamber sous la grande peinture murale de 72 m commandée à Magritte et rassemblant la majorité de ses thèmes favoris.

Adresses utiles

🛈 *Office de tourisme :* Zeedijk-Knokke, 660, Knokke 8300. ☎ 050-63-03-80. ● knokke-heist.info ● Tlj 8h30-18h. Demander la brochure de la ville, très complète. Borne Internet gratuite

(mais accès limité à 15 mn).
🛈 *Autre bureau à Heist :* Knokkestraat, 22. Même téléphone. À côté du tram. Tlj 9h-12h30, 13h30-17h30.

Où dormir ?

🏠 *B & B Babett :* Graaf Jansdijk. 📱 0475-778-670. ● chantal.babett@skynet.be ● babett.be ● Prendre contact (proprio francophone) pour se faire expliquer le chemin pour y accéder. Compter 115 € pour 2 ; petit déj (un peu léger) 10 €/pers. Petite maison en duplex, style fermette, à l'abri d'un jardin fleuri, doux mélange entre maison

de poupées et chambre d'hôtes dans un endroit très calme mais assez loin de la plage. Elle peut accueillir jusqu'à 3 personnes. Vélos à disposition et jardinet tout ce qu'il y a de plus intime pour prendre le soleil. Table d'hôtes aussi le samedi soir, avec cuisine « énergétique » (réservation indispensable).

Où manger ?

Knokke concentre la majorité de ses restaurants et brasseries sur le Lippenslaan. La qualité est souvent au rendez-vous mais ponction sérieuse du portefeuille garantie...

|●| *Alexandra :* Van Bunnenplein, 17. ☎ 050-60-63-44. ● info@restaurantalexandra.be ● *Tlj (sf jeu et ven midi hors saison). Résa conseillée. Menu 35 € ; plat env 25 €.* Une des adresses que l'on serait tenté de ranger dans la catégorie « Plus chic » au vu de certains prix qui s'envolent à la carte. Pourtant, à y regarder de près, les moules, tout en étant excellentes, ne sont pas beaucoup plus chères qu'ailleurs. Clientèle plutôt chic. Service aimable. Terrasse aux beaux jours.

|●| *Roland :* Lippenslaan, 110. ☎ 050-60-23-50. ● roland.marreyt@skynet.be ● *Tlj (sf lun et mer hors saison). Lunch en sem 15 €, menu midi et soir 22 € ; à la carte, plats 25-30 €.* Apéro offert sur présentation de ce guide. Petite façade rétro, coincée entre deux petits immeubles. La salle du resto, très soignée et plutôt chaleureuse, est prolongée par une véranda qui s'avance sur la rue. Spécialité de poisson bien sûr. On s'est régalés avec la bouillabaisse *Mer du Nord,* mitonnée (comme le reste) par le patron lui-même.

|●| *Cézanne :* Lippenslaan, 98. ☎ 050-62-39-00. À deux pas du resto Roland. *Tlj sf mar-mer. Fermé 2 sem en mars et 3 sem en oct. Lunch 15 €, menus 22,50-32,50 €, plats 20-25 €.* Cadre sobre et plutôt chic mais cuisine à prix encore raisonnables. Là encore, on vous recommande la bouillabaisse, particulièrement bonne. Service efficace.

Où sortir ? Où boire un verre ?

♟ ♪ *Antique café :* Lippenslaan, 135. ☎ 050-62-50-50. ● info@AntiqueCafe.be ● *Tlj 9h30-20h (plus tard le w-e).* Boire un café assis sur une bergère Louis XV, ou un verre de vin confortablement installé dans un authentique chesterfield en cuir, ou encore siroter un cocktail au coin du feu, à Knokke, c'est possible ! À vous de choisir. Ici, comme chez tous les antiquaires, tout est à vendre mais cet endroit hors norme est aussi un bar, plutôt branché. Et on adore ! Ambiance un peu huppée, genre « chic décontracté », et prix à l'avenant. Concerts et soirées à thème de temps à autre en été.

À voir

🐾 *Le Zwin, réserve naturelle :* Gr. L. Lippensdreef, 8, 8300. ☎ 050-60-70-86. ● west-vlaanderen.be/zwin ● Bus De Lijn n° 12 (et n° 13 en été, plus direct) de la gare ferroviaire de Knokke. Très bien fléché depuis le Zoute. *Tlj (sf lun hors vac scol) 9h-17h30 (16h30 oct-Pâques). Entrée : 5,20 € ; réduc. Visite guidée chaudement recommandée (en français dans la mesure du possible) dim tte l'année à 10h : 7,20 €.* De l'estuaire qui, au Moyen Âge, portait à marée haute les bateaux jusqu'à Bruges il ne reste qu'une

LA BATAILLE DE L'ÉCLUSE

Au Moyen Âge, les navires se laissaient porter par la marée jusqu'à Bruges. En 1340, le bras de mer est le théâtre d'une terrible bataille navale entre les navires d'Édouard III d'Angleterre et les vaisseaux de Philippe VI de Valois. Quatre navires sont équipés d'un nouvel engin : le canon. La bataille est dantesque, 200 navires et leurs cargaisons gisent encore par le fond à l'entrée du Zwin. Les survivants se sont traînés sur les chemins de Flandre, pour rallier Gand. C'est le début de la guerre de Cent Ans.

trouée au milieu des dunes, encore submergées aux marées d'équinoxe et lors des grandes tempêtes du nord-ouest. Entre-temps subsistent des prés-salés qui constituent un biotope spécifique, où 120 espèces d'oiseaux viennent nidifier. La réserve, créée en 1952, présente deux visages : d'abord les pinèdes, à l'entrée (où nichent les cigognes blanches), qui sont aménagées en étangs et volières avec oiseaux aquatiques, rapaces, échassiers et palmipèdes ; ensuite, sur une centaine d'hectares, une étendue marécageuse, battue par les vents, où l'on peut observer à la jumelle (et bien botté !) les espèces migratrices et les plantes salines. Attention, pas d'accès à la plage à partir de la réserve, il faut pour cela passer par Knokke ou par la petite ville hollandaise de Cadzand. La végétation au printemps et à l'automne offre des coloris de toute beauté.

LA CÔTE OUEST, D'OSTENDE À LA PANNE

Au fur et à mesure que l'on suit la route royale vers la frontière française, les plages s'élargissent et la bande de dunes croît en hauteur et en densité. L'estuaire de l'Yser, ce petit fleuve côtier qui fit tant parler de lui, force la route à faire un crochet et, après La Panne, une autre réserve naturelle marque la fin du territoire belge.

NIEUPORT (NIEUWPOORT)   (8620)   10 000 hab.

Port de pêche, port de plaisance le plus important de la côte, Nieuport fut entièrement détruit en 1914-1918. Tout fut reconstruit sur le modèle ancien mais en utilisant une brique de couleur jaune un peu triste. À part ça, le front de mer y est presque aussi laid qu'ailleurs. Reste la jolie jetée et la réserve naturelle qui s'avèrent deux bonnes raisons de venir à Nieuport. La lumière y est (presque) toujours magique.

Adresses utiles

🛈 *Pavillon d'information :* Hendrika-plein, 11. ☎ 058-23-39-23. • nieuwport. be • *Au début de la digue (à Nieuwpoort-Bad). Juil-août, tlj 9h30-18h ; avr-juin et sept-oct, tlj 9h30-12h30, 14h-17h ; en hiver, tlj 10h-12h30, 14h-16h30.*

🛈 *Vous trouverez un autre **office de tourisme** au village, sur Marktplein (☎ 058-22-44-44) : juil-août, tlj 9h-17h (12h w-e) ; le reste de l'année, lun-ven 9h-12h, 13h30-16h30. Donne une liste des hébergements.*

Où dormir ? Où manger ?

Camping

🏕 *Kompas Camping :* Brugses-teenweg, 49. ☎ 058-23-60-37. • nieuw poort@kompascamping.be • kompas camping.be • *Descendre à l'arrêt de tram Nieuwpoort Stad. Ouv avr-début nov. Env 12,50 € pour 2 pers et 1 tente.*

Un camping 2 étoiles avec taverne, friterie, piscine, toboggan, pétanque, minigolf et ferme pour les enfants. Location de vélos à 500 m. Essentiellement pour les familles.

Prix moyens

Lighthouse : Kaai, 46. ☎ 058-23-73-52. • info@light-house.be • light-house.be • À env 3 km du front de mer, face aux rails du tram. Compter 60 € pour 2 avec le petit déj. Pour les amateurs de décor marin, un petit B & B proposant 3 chambres simples mais bien tenues, avec douche intégrée, w-c privatifs, TV et jolies photos de bateaux. Agréable salle de petit déjeuner, là encore décorée de vieilles affiches et de maquettes de bateaux (le patron tenait, ici même, une boutique d'articles nautiques). Une petite adresse qui ne veut de mal à personne.

Het Kompas : Henegouwenstraat, 1. ☎ 058-23-08-23. • info@hetkompas.be • Sur la digue, à env 500 m de l'office de tourisme. Tlj sf mar (et mer hors vac scol) 12h-22h. Fermé 2 sem en oct et 2 sem en fév. Plats 12,50-30 €. Joli décor : salle tout en longueur, avec de gros piliers en bois massif et des petits recoins délimités par des rambardes en fer forgé. Beaucoup de monde, on y vient à toute heure pour savourer une cuisine variée, avec aussi des options végétariennes. Si vous venez l'après-midi, fendez-vous carrément d'une crêpe normande aux pommes ! Également des salades et des suggestions du jour. Très bon accueil.

À voir. À faire

L'estacade *(la jetée) :* promenade pour humer l'air du large, assister au retour des plaisanciers ou, pour les mômes, louer à l'heure (en saison) des filets carrés que l'on remonte à l'aide d'une poulie. Les prises miraculeuses sont rares. Depuis que le chenal a été réaménagé, la promenade y est particulièrement agréable, tant pour les piétons que pour les cyclistes. À signaler : une nouvelle tradition, lancée par les gamins des écoles paraît-il, qui consiste à enfoncer une capsule de bouteille (en plastique et si possible de couleur pétante) sur un des boulons de l'estacade. Il ne reste plus guère de place aujourd'hui et tous ces petits poucets ont transformé la jetée en arc-en-ciel !

La réserve naturelle de IJzermonding : l'estuaire de l'Yser est aujourd'hui classé réserve naturelle. À cet endroit, la côte n'est qu'une splendide succession de plages, de dunes, de prés-salés, de vasières et de polders. On y accède à pied ou à vélo depuis la station ou l'estacade, via l'ancien domaine militaire. L'ancienne base navale a été entièrement démantelée, permettant à la nature de reprendre ses droits.

Le monument au roi Albert : tlj sf w-e et j. fériés 8h45-12h, 13h15-18h (17h en hiver). Entré : 1 €. Monument grandiloquent (et assez laid pour tout dire) avec statue équestre à la mémoire du « roi-chevalier », érigé à l'endroit précis où, en 1914, en accord avec ses alliés, Albert Ier décida d'inonder la plaine de l'Yser pour arrêter l'avance allemande. C'est l'éclusier Geeraert qui ouvrit, à l'endroit appelé la « patte d'oie », les vannes du canal de dérivation. Les polders furent immédiatement inondés et les troupes du Kaiser stoppées, pour 4 ans. Panorama du sommet du monument.

Le Markt est un quadrilatère aux façades de brique jaune un peu sévères, très répandues dans la région. Les arcades de la halle surmontée d'un beffroi sont très élégantes.

➤ **Promenades en bateau :** en juil-août, de Nieuport à Dixmude ou Ostende, avec la compagnie Seastar (Orientpromenade, 2 ; ☎ 058-23-24-25 ; • seastar.be •). Prix aller-retour : 18,50 €. Compter 1h30 pour la balade, dans chaque sens. Un bon moyen, quoique un peu cher, de découvrir la plaine de l'Yser.

COXYDE-OOSTDUINKERKE (KOKSIJDE)

(8670)   18 000 hab.

Ces deux stations sont à présent réunies depuis la fusion des communes. Au menu, hautes dunes (jusqu'à 33 m), larges plages propices à la pratique du char à voile et, surtout, deux intéressants musées. Il est un peu difficile de se repérer dans les différents quartiers de la station. Pour faire simple, vers l'ouest, plutôt au bord de mer, on trouve Sint-Idesbald. En continuant vers l'est, par la grande rue longeant le tram, on arrive à Coxyde-sur-Mer (Koksijde-Bad), avec, en retrait dans les terres, le village de Coxyde. De même qu'un peu plus loin, après quelques dunes, on trouve Oostduinkerke. Là encore, il faut distinguer le front de mer du village.

Adresse utile

🛈 *Office de tourisme :* Gemeentehuis Zeelaan, 303 (à côté du casino de Coxy-de-sur-Mer). ☎ 058-51-29-10. ● koksijde.be ● Avr-sept, tlj 9h-12h, 13h30-18h (9h-18h juil-août) ; oct-mars, tlj 9h-12h, 13h30-17h. Autres bureaux d'information sur la plage de Sint-Idesbald et à Oostduinkerke-Bad, ouv tlj pdt vac scol et le w-e tte l'année.

Où dormir ?

Camping

⚕ *Eureka :* Clauslaan, 2. ☎ 058-51-22-39. ● info@campingeureka.be ● campingeureka.be ● Entre Coxyde-sur-Mer et Coxyde « village », derrière le musée Ten Duinen 1138. Ouv mars-fin oct. Compter 16-20 €/nuit pour 2 pers et 1 tente. Propose aussi des mobile homes aménagés 50-75 € (10 % de réduc sur présentation de ce guide). Attention, seuls les emplacements caravanes permettent de garer sa voiture. Camping familial situé à l'arrière de la station, non loin de 2 ou 3 îlots de dunes. Vélos à disposition.

Très bon marché

🏠 *Jeugdherberg De Peerdevisser :* Duinparklaan, 41, à Oostduinkerke-Bad. ☎ 058-51-26-49. ● oostduinkerke@vjh.be ● peerdevisser.be ● Fermé 15 déc-11 fév. Nuitée 18,80 €, petit déj compris ; double 23 €. Carte obligatoire. Internet. Dans un bâtiment moderne aux allures de quartier de haute sécurité. Quelque 135 lits, principalement en chambres de 2 et 4 lits. Billard, jeux d'arcades, petit bar et salle à manger ressemblant à un réfectoire d'école.

Où manger un peu chic ?

|●| *Maison de la Mer :* Koninklijke Baan, 215, à la sortie de Coxyde en allant vers La Panne, sur la gauche. ☎ 058-52-38-88. Ouv mer-dim, midi et soir jusqu'à 21h30. Plats 20-30 €. Difficile à rater, c'est l'énorme maison au toit pentu posée sur la route entre Coxyde et La Panne. Pas pour toutes les bourses, certes, mais encore abordable, et on en a pour son argent. Spécialités de poisson et fruits de mer bien sûr, servies dans une très grande salle aux tons gris assez classe, avec plafond à poutres et baies vitrées garnies de rideaux courts.

Au menu : pâtes aux fruits de mer, solettes au beurre de champagne, lotte grillée au couscous, waterzoi de poissons de la mer du Nord et, un peu en vedette, la bouillabaisse maison, très réussie, servie dans une gigantesque assiette ! Agréable terrasse à l'arrière aux beaux jours. Propose aussi 3 chambres d'hôtes, de charme, autour de 125 €.

À voir

🎭🎭 **Paul-Delvaux Schichting** (Fondation Paul-Delvaux) : *Paul Delvauxlaan, 42, à* **Sint-Idesbald.** ☎ 058-52-12-29. • *delvauxmuseum.com* • *Avr-fin sept et pdt vac scol, tlj sf lun (excepté lun fériés) 10h30-17h30 ; le reste de l'année, jeu-dim. Fermé début janv-fin mars. Entrée : 8 € ; réduc.*

Dans une ancienne fermette, au milieu d'un quartier de villas pimpantes, la Fondation Delvaux, créée bien avant la disparition du peintre en 1994, est un magnifique musée, que nous vous recommandons chaudement. L'univers onirique de ce prince de l'onirisme est magistralement restitué. Breton ne le reconnaissait pas pour un surréaliste, son univers était trop léché, pas assez spontané... On y retrouve en tout cas tout le magasin d'accessoires de son imaginaire : sa collection de trains miniatures, les tramways en bois, un squelette, des maquettes de temples grecs, des palettes maculées de couleurs et la reconstitution de son atelier de Boisfort à Bruxelles. Le projet de la frise qu'il a peinte pour l'auditoire de zoologie de

> ## QUELQUES THÈMES RÉCURRENTS CHEZ DELVAUX
>
> *Il apparaît souvent lui-même comme un personnage égaré par rapport à la scène représentée. Le savant avec ou sans tablier est, Otto Lidenbock, un héros de Jules Verne. L'homme au chapeau melon. Les trains et les gares, simplement parce qu'il les trouve beaux. La femme, presque toujours nue, sans guère de variantes, muette, esquissant un geste. Les trains et les femmes sont très rarement associés. Le squelette, qui parfois s'anime et devient acteur à part entière. La lampe à pétrole, souvent éteinte ; elle représente la chaleur du foyer de ses tantes à Wandre. Les temples antiques « à cause de son professeur de poésie qui les a fait aimer ».*

l'université de Liège s'apparente furieusement à la manière d'une B.D. d'un Jacques Martin. Les photos de Delvaux, de sa petite enfance jusqu'à ses très vieux jours, nous le montrent vêtu éternellement d'une originale chemise à grand col ouvert mais sans manches.

Les peintures plongeront ses fans dans la délectation. La pénombre bleutée des deux grandes salles d'exposition met superbement en valeur les corps statufiés de ces belles créatures éthérées, aux poitrines parfaites. Étrange atmosphère de rencontres fortuites et de destins qui se croisent sans jamais se rencontrer. Plongée dans des songes à la fois précis dans leurs détails et improbables dans leur juxtaposition, humour absurde des hommes en chapeau boule, trains fantômes pénétrant les entrailles d'acropoles lunaires, jeunes dames en chapeau et crinoline guettant l'arrivée de trois-mâts immobiles...

🎭🎭 **Le musée abbatial Ten Duinen 1138 :** *Koninklijke Prinslaan, 8, à* **Coxyde-sur-Mer** *(très bien fléché).* ☎ 058-53-39-35. • *tenduinen.be* • *Fermé en janv. Tlj sf lun 10h (14h sam-dim)-18h. Entrée : 5 € ; réduc.* Installé à côté des ruines de l'abbaye des Dunes, dans une grosse bâtisse de pierre et de verre, ce nouveau musée vous révélera tout, ou à peu près, sur les moines cisterciens, leur vie quotidienne et le fonctionnement de leur abbaye. Une bonne façon d'en apprendre plus sur le Moyen Âge, d'autant que tout est présenté de manière ludique et interactive. On peut par exemple interroger des écrans tactiles, faire parler des mannequins ou encore écouter les chants des frères dans des combinés téléphoniques. Vous voulez savoir ce que mangeaient les moines ? Réponse dans la cuisine reconstituée de l'abbaye, où des tiroirs révèlent non seulement le contenu mais aussi la valeur nutritionnelle de leur ration quotidienne. Tout est évoqué, jusqu'à la question de l'abstinence sexuelle. À voir encore, au second étage, une belle collection d'objets liturgiques (calices, ciboires, vases d'autel...) provenant de différents pays d'Europe. Et bien sûr les ruines de l'abbaye elle-même, en partie reconstituées.

LA PANNE (DE PANNE) (8660) 10 000 hab.

La station balnéaire, bien connue des Lillois et des Ch'tis, partage avec la France toute proche une immense plage sans brise-lames. Cela permet la pratique grisante du char à voile. Ambiance lourdement touristique dans la station. La réserve naturelle du Westhoek, elle, est une belle étendue sauvage, lorgnée sans cesse par les promoteurs et défendue bec et ongles par les associations de protection de la nature.

Adresses utiles

🛈 **Office de tourisme :** Zeelaan, 21. ☎ 058-42-16-16. ● depanne.be ● Juil-août, tlj 8h (9h w-e)-18h ; le reste de l'année, 8h (9h w-e)-12h, 13h-17h.
🛈 **Pavillon d'information :** Albert Plein.

☎ 058-42-18-19. Ouv slt pdt vac scol.
🚂 **Gare NMBS :** à Adinkerke (3 km au sud de La Panne). ● b-rail.be ● Liaisons avec Gand et Bruxelles.

Où dormir ?

🛏 **Hôtel Maxim :** Toeristenlaan, 7. ☎ 058-42-14-57. ● info@hotelmaxim. be ● hotelmaxim.be ● Doubles 76-92 € selon période, petit déj compris ; moins cher à partir de 2 nuits. Parking payant. Dans un quartier résidentiel, à proximité des plages. Petit bâtiment des | années 1970 un peu démodé mais les chambres (20 en tout) sont très confortables, avec TV écran plat, bonne literie, bureau et salle de bains nickel. Certaines d'entre elles possèdent une terrasse. Accueil tout à fait charmant. Une bonne adresse.

À voir

Au-delà du monument prétentieux à Léopold Ier, qui fit là ses premiers pas sur le sol belge (comme Armstrong sur la Lune), débute la réserve du Westhoek. Quelques lotissements de tours cubiques ne réussissent pas à gâcher le site.

🏃🏃 **La réserve du Westhoek :** on peut parcourir cet espace naturel tte l'année, à condition de ne pas quitter les sentiers balisés. Le mieux, en fait, consiste à faire une promenade guidée. Infos à l'office de tourisme. Les 340 ha (même superficie que Central Park, à New York) appartiennent à la Région flamande, qui en a réglementé strictement l'accès. Les dunes constituent un milieu perpétuellement changeant, à cause de l'action de la mer et des vents. Une zone centrale, dépourvue de végétation, est appelée le « petit Sahara ». Quand il fait très chaud, avec un peu d'imagination, cela peut faire illusion... La végétation faite d'oyats, de troènes, d'argousiers, de sureaux noirs et de saules rampants contribue tout de même à fixer les dunes. Entre les plus hautes de celles-ci se creusent des dépressions situées sous le niveau de la mer, appelées « pannes ». Enfin, inondées par la mer en hiver, elles forment un milieu marécageux où se développe une végétation spécifique : orchidées sauvages et gentianes.

À faire

– Les routards amateurs de sensations fortes pourront s'essayer au *char à voile* ou à la *planche à voile à roues* (infos auprès de LAZEF, Dynastielaan, 20 ; ☎ 058-41-57-47 ; ● lazef.be ●). La largeur exceptionnelle de la plage à marée basse permet des évolutions qui peuvent flirter avec les 50 km/h par bonne brise. Au ras du sable, c'est décoiffant !

FURNES (VEURNE)   (8630)   12 000 hab.

La petite ville, au centre de l'arrière-pays côtier appelé Veurne-Ambacht, est une cité tout à fait intéressante. L'influence espagnole y a laissé des traces durables, tant du point de vue de l'architecture que du côté des traditions. La procession des Pénitents, héritage des Pays-Bas espagnols, n'a rien à envier à celle de Séville.

UN PEU D'HISTOIRE

Ville drapière comme la majorité des villes de Flandre, elle jouit d'une prospérité en dents de scie, en fonction des relations triangulaires Flandre-Angleterre-France. Lors du règne des archiducs Albert et Isabelle, les polders environnants ont été asséchés. Une garnison espagnole permanente défend Furnes, avant-poste de l'Espagne aux confins de l'Empire face au royaume de France, jusqu'au début du XVIIIe s.

> **FURNES LA GLORIEUSE !**
>
> *On le sait peu mais Furnes fut la capitale de la Belgique pendant près de 4 ans ! En effet, ayant échappé aux bombardements, elle était la seule ville encore intacte pendant la Première Guerre mondiale sur le petit bout de Belgique non occupé, et le roi Albert Ier en fit son quartier général. La reine Élisabeth, elle, préféra s'installer sur la côte, à La Panne.*

Comment y aller ?

➤ **En voiture :** à 7 km de La Panne et 34 km d'Ostende. Tout au bout de l'E 40.
➤ **En train :** rens : ● b-rail.be ● En provenance de Bruxelles, Gand, La Panne...
➤ **En bus :** horaires et tarifs : ☎ 070-220-200. ● delijn.be ● Depuis Ypres, Poperinge, Nieuport, La Panne, Ostende, Dixmude...

Adresses utiles

🏠 **Office de tourisme :** Landhuis, Grote Markt, 29. ☎ 058-33-55-31. ● veurne.be ● Tlj (sf dim et j. fériés en hiver) 10h-12h, 13h30-17h30 (14h-16h hors saison). Demandez la brochure Veurne de A à Z (1 €) : 2 promenades y sont proposées.
■ **Location de vélos :** 2 adresses en ville, ouv tlj 1er mars-15 oct : **Tweewielcenter de Voorstad** (Ieperse Steenweg, 20 ; ☎ 058-31-16-86) et **Wim's Bike Center** (Pannestraat, 35 ; ☎ 058-31-22-09). Moyen de transport idéal pour visiter les Moëres (marais asséchés) et la région Bachten de Kupe (l'arrière-pays de l'Yser).

Où dormir ?

🛏 *De Loft :* Oude Vestingstraat, 36. ☎ 058-31-59-49. ● deloft@pandora.be ● deloft.be ● Doubles 74-79 € selon saison ; petit déj compris. Tarifs dégressifs. Reproduction d'aquarelle offerte sur présentation de ce guide. À 300 m du Markt, une ancienne forge aménagée en hôtel - taverne - tea-room, avec une dizaine de chambres plus ou moins rénovées, d'un confort suffisant. Jeune tenancier aimable qui organise des expos.

Plus chic

🛏 *'t Kasteel en Koetshuys :* Lindendreef, 5-7. ☎ 058-31-53-72. ● info@kasteelenkoetshuys.be ● kasteelenkoetshuys.be ● Compter 99 € pour 2 pers, petit déj compris. Possibilité de ½ pens le w-e. Dans un joli hôtel particulier qui vient de fêter ses 100 ans, une grosse poignée de chambres d'hôtes de belle taille. Déco de charme, avec plancher et hauts plafonds moulurés. Petit déj gourmand pour démarrer la journée d'un bon pied. En prime, un sauna, un hammam et une salle de massages. Une belle adresse de style.

🛏 *The Old House :* Zwarte Nonnenstraat, 8. ☎ 058-31-19-31. ● info@theol dhouse.be ● theoldhouse.be ● Compter 80-105 € selon chambre et saison ; petit déj 15 €. Wifi gratuit. Ici, c'est un ancien commissariat d'arrondissement, datant de plus de 200 ans, qui a été transformé en hôtel. Les chambres sont superbes et tout confort (TV à écran plat, petit bureau, très bonne literie, lavabo de forme carrée et « douche tropicale » dans les salles de bains). Atmosphère un peu XVIIIe s. Pour se détendre, un salon-piano d'époque et, ouvert à tout le monde, un magnifique tea-room où l'on peut déguster un délicieux chocolat chaud. Pour ceux qui ont quelque chose à fêter.

Où manger ?

Toutes ces adresses sont situées sur ou à un jet de pierre de la Grand-Place.

De bon marché à prix moyens

🍴 *Taverne Flandria :* Grote Markt, 30. ☎ 058-31-11-74. ● m.hindryckx@sky net.net ● Juste à côté de l'office de tourisme. Tlj sf mer soir et jeu 10h-22h (minuit en saison). Plat env 10 €. Taverne classique avec son décor traditionnel et son lot d'habitués. L'occasion de goûter à quelques produits du terroir, comme le boudin blanc et le pâté de Furnes, ou le fromage de Lo. Sinon, lasagnés, croquettes de crevettes... Service aimable et choix de bières important (120 !), dont la Westmalle au fût. Une bonne halte.

🍴 *Grill De Vette Os :* Zuidstraat, 1. ☎ 058-31-31-10. ● info@grilldevetteos. be ● Tlj sf jeu (et mer hors vac scol) 18h-2h. Fermé 10 j. en oct. Plat 20 €. Apéro offert sur présentation de ce guide. De Vette Os, c'est le « bœuf gras » en flamand. Réputé pour ses demi-poulets (rôtis en salle), son carré d'agneau, ses grillades diverses et, l'hiver, ses stoofpotjes (sortes de pot-au-feu). Amusant, on prend place sur des bancs de parc. Ambiance très animée tard le soir. Bon choix de vins de différents pays.

Un peu plus chic

🍴 *Restaurant Onder den Toren :* Sint Niklaasplaats, 1. ☎ 058-31-65-66. ● in fo@onderdentoren.com ● De la place centrale, suivre Oostraat sur 50 m, puis à droite. Tlj sf mar 18h-1h. Plats 17-28 €. Café offert sur présentation de ce guide.

Dans une ruelle sombre, pile au pied de la grosse tour de l'église Saint-Nicolas. Entrez et montez, par un escalier en colimaçon en fer, à la salle à l'étage, bien agréable avec sa cheminée. Cuisine fine et savoureuse. Anguilles au vert, blanquette de veau, coq au vin et navarin d'agneau. Personnel souriant et efficace. Très bonne adresse.

Où sortir ?

Pietje Pek : *Appelmarkt, 2.* ● *info@pietje-pek.be* ● *Ouv ven-sam slt (mer-dim pdt vac scol) à partir de 21h.* Bar dansant dans une spectaculaire petite cave voûtée. On vient de loin pour s'y amuser. Prix normaux.

À voir

Grote Markt (Grand-Place) : ensemble harmonieux, surtout du côté des maisons Renaissance flamande, avec leurs pignons mignons, tous différents. Le bâtiment du *Landhuis,* ancienne châtellenie gérant les communes environnantes, plus tard palais de justice, est de facture classique. Le *beffroi* qui le surplombe fut érigé en gothique mais le joli clocher à bulbes aux boiseries jaunes est baroquisant. D'autres maisons méritent qu'on s'y attarde : le *Pavillon espagnol (Spaans paviljoen),* à l'angle gauche de l'Ooststraat, fut construit au XVᵉ s et servit de QG aux officiers ibériques. C'est une sorte de tour fortifiée de quatre étages, en brique claire. En face, l'ancienne *boucherie (Vleeshuis),* au pignon joliment festonné, est reconvertie en bibliothèque. À l'un des angles du Markt, une maison à arcades servait de base à la garde de nuit. Une girouette en forme de lion des Flandres la surmonte.

Stadhuis (hôtel de ville) : *Grote Markt. Les horaires de visite sont annoncés sur un panneau devant l'office de tourisme. Un guide fait faire le tour du propriétaire, mais se renseigner pour savoir à quelle heure est la visite en français. Entrée : 3 € ; réduc.*
Coincé dans un angle de la place, à côté du Landhuis, il présente une double façade dont l'une est précédée d'une élégante loggia à quatre colonnettes. À l'arrière, un clocheton avec un bulbe en forme de goutte.
L'intérieur de l'édifice a conservé de magnifiques reliquats du passé. On trouve dans l'entrée des objets expiatoires de justice et le portrait du héros local qui informa en 1914 l'état-major allié sur les potentiels de défense que présentait l'inondation de la plaine de l'Yser. Dans plusieurs salles, mobilier des XVIIᵉ et XVIIIᵉ s très bien conservé, portraits des archiducs Albert et Isabelle, de Louis XIV, de Joseph II et de son frère Léopold. Un superbe manteau de cheminée aux armes d'Espagne et, dans la chapelle attenante à la salle d'audience de l'ancien palais de justice, deux Delvaux, *La Dame de Furnes* et *Le Parc.* Remarquables aussi sont les revêtements muraux : tentures en cuir de Malines dans l'ancienne salle du conseil, tentures et chaises de velours bleu dans la salle du collège et, surtout, cuir repoussé de Malines dans la salle qui sert de bureau à Albert Iᵉʳ et où il reçut Poincaré et George V.

Sint-Walburgakerk (église Sainte-Walburge) : *Grote Markt.* Elle est restée longtemps incomplète et son achèvement ne fut clôturé qu'au début du XIXᵉ s. Dans la nef de droite, on peut voir un reliquaire contenant un morceau de la « Vraie Croix », bien sûr ! La ruine en face du parvis est celle de la nef du XIVᵉ s et de son portail, restés isolés du corps principal de l'église.
– Le petit parc qui borde cet ensemble est un havre de paix charmant, aux arbres centenaires, retentissant du sifflement des merles. Un beau buste du peintre Paul Delvaux y trône. Il était citoyen d'honneur de Furnes, où il passa ses dernières années.

❀ La tour-donjon de l'église Saint-Nicolas : à l'autre bout de la Grand-Place. Ouv de mi-juin à mi-sept, 10h-11h45, 14h-17h15. Entrée : 1,50 €. Cette massive tour-donjon carrée écrase les petites maisons attenantes. Le carillon égrène les notes de l'*Hymne à la joie*. Le niveau du portail d'origine donne une idée du rehaussement du sol depuis le XIIIe s, date de sa construction. L'intérieur de l'église est de type « halle » et contient de belles stalles. Groupe sculpté au bas de la chaire avec saint Nicolas et trois enfants.

Manifestation

– **Procession des Pénitents** (Boetprocessie) : le dernier dim de juil. On voit de très nombreux participants (250 cagoulés) venir expier leurs fautes en traînant de lourdes croix. Le sommet est atteint avec le Christ, qui se coltine une double barre de 40 kg. Cela dure depuis 1644, preuve indéniable que l'Espagne a laissé ici plus que des souvenirs. Le nombre des participants croît même d'année en année !

Spécialités

Les **potjesvlèsch** sont des rillettes en gelée composées de lapin, de poulet, de veau. On en tartine une tranche de pain de campagne et on arrose le tout d'une trappiste de Sainte-Sixte. Également le *jambon de Furnes,* sans rival au rayon des jambons séchés.

➤ *DANS LES ENVIRONS (PROCHES) DE FURNES*

❀ Bakkerijmuseum (musée de la Boulangerie et de la Confiserie) : Albert I-laan, 2. ☎ 058-31-38-97. ● bakkerijmuseum.be ● À proximité du carrefour E 40-A 18, dans la banlieue de Furnes. Juil-août : tlj 10h-17h30 ; le reste de l'année, tlj sf ven 10h-17h. Fermé en janv. Entrée : 5 € ; réduc. Une ferme du XVIIe s qui abrite un petit musée attachant. La place du pain dans l'art, les chefs-d'œuvre en sucre, en massepain ou en chocolat, une boulangerie 1900, tous les outils de la pâtisserie, les fers à gaufres et à hosties, les moules à dragées,

SUCE ET TAIS-TOI !
Une spécialité locale : la babelutte, qui est un caramel, mélange de sucre et de beurre emballé dans un papier blanc et bleu. Ce nom provient du flamand babelen (« bavarder ») et uit (« terminé »). On dit qu'autrefois, pour faire taire quelqu'un, on lui offrait une babelutte. En effet, ce caramel dur a l'avantage, pendant la mastication, de coller aux dents et d'empêcher le bavardage.

un vieux four à bois, une pelle à enfourner un « pain français » de 2,5 m, des cylindres pour bonbons acidulés et plein d'autres objets destinés à mettre la main à la pâte...

DIXMUDE (DIKSMUIDE)   (8600)   15 000 hab.

La « perle » des polders, comme ses habitants la nomment, est une ville aux multiples symboles. Ville verrou de la plaine de l'Yser, elle se trouva aux avant-postes des combats de 1914 et fut à ce titre une des villes martyres de la Grande Guerre. Choisie par un large courant d'opinion de l'après-guerre comme lieu de commémoration du souvenir des soldats flamands tombés dans les tranchées, elle vit l'érection d'une première *tour de l'Yser,* symbole international de la Paix et lieu de rassemblement des mouvements nationalistes flamands.

UN PEU D'HISTOIRE

Dixmude, à présent à près de 20 km de la mer, fut un port qui commerçait avec l'Angleterre via l'Yser, alors un estuaire. Ville drapière, elle vendait aussi son célèbre beurre à Paris. Les troupes allemandes de 1914 s'y heurtèrent à une défense acharnée des Belges, épaulés par 6 000 fusiliers marins français. La ville fut pilonnée par l'artillerie lourde et les défenseurs durent se replier derrière l'Yser et s'y enterrer pour 4 ans. Dixmude n'était plus qu'un champ de ruines. Après le conflit, ses habitants la rebâtirent à l'identique.

Adresses utiles

🛈 *Office de tourisme :* Grote Markt, 28. ☎ 051-51-91-46. ● diksmuide.be ● En saison, tlj 9h-12h, 13h30-17h ; hors saison, en sem slt 10h-12h, 14h-17h. Prenez-y la brochure *Diksmuide* qui propose une petite promenade guidée de la ville et les différents circuits à vélo à faire dans les polders. Vous y trouverez aussi les adresses où louer votre deux-roues.

🚉 *Gare NMBS :* Bortierlaan. À 300 m du Markt. Trains pour Gand et La Panne.

Où dormir dans le coin ?

🏚 *Kasteelhoeve Viconia :* Kasteelhoevestraat, 2, Diksmuide-Stuivekenskerke 8600. ☎ 051-55-52-30. ● info@viconia. be ● viconia.be ● Fermé en janv. En sem, 55-68 €/pers en ½ pens ; le w-e, séjour de 2 nuits obligatoire (toujours en ½ pens), 121-147 €/pers. En pleine nature, à 7 km de Dixmude et 20 km de la frontière française, une ferme-château en brique de style néogothique, ancienne institution norbertine. Chambres au confort standard et cuisine du terroir de bonne tenue. Grandes pelouses et jardin à disposition. Location de vélos sur place.

Où manger ?

🍴 *'t Fort :* Kaaskerkestraat, 2. ☎ 051-50-21-71. ● info@brasserietfort.be ● Tlj sf lun (et mar hors saison) 10h30-22h. Maison d'angle juste à côté de l'accueil de la tour de l'Yser. Pratique pour ceux qui vont visiter cette dernière. L'endroit est d'ailleurs assez fréquenté, on y boulotte des plats de pâtes et de belles pizzas bien garnies à prix pas trop élevés. Également des viandes et poissons (plus chers). Déco contemporaine un poil chic, mais atmosphère très relax.

🍴 *Cappiello :* Schoolplein, 5. ☎ 051-55-57-21. ● info@cappiello.be ● Pas loin de la Grand-Place, sur la route qui conduit à la tour de l'Yser. Tlj sf lun (et mar hors saison) 12h-14h, 18h-22h. Digestif offert à la fin du repas. Dans une superbe maison en pierre à pignon denté. À l'intérieur, fort jolie salle aux tons provençaux, avec murs de pierre apparente et une dalle en verre donnant sur une partie de la cave. Pour info, Cappiello était un affichiste du début du XXe s, qui a passé presque toute sa vie en France. Excellente cuisine à dominante franco-belge, ici, tout est soigné, du pain, servi avec deux sortes de beurre, au vin au verre en passant par les frites et, bien sûr, le contenu principal de l'assiette. Goûtez par exemple à l'anguille maison sauce bisque, un petit régal ! Très bon accueil.

À voir

🪶 ***Grote Markt :*** grande place reconstruite à l'identique après 1918. Le pourtour des maisons est en brique jaune du pays. Hôtel de ville néogothique.

🪶 ***Sint-Niklaaskerk*** *(église Saint-Nicolas) :* Grote Markt. Fidèlement reconstituée d'après un original du XIVe s, elle contient un *Chemin de croix* de Georges Minne. Sur une colonne, photo de la ville détruite.

🪶 Au-delà du portail gauche de l'église Saint-Nicolas, la rue mène au ***Vismarkt*** *(marché aux poissons)* puis, franchissant un canal, jusqu'au ***béguinage.*** Agréable lieu de paix articulé autour d'une belle pelouse et d'une chapelle. Si ça a l'air si propre et net, c'est qu'ici aussi il a fallu reconstruire.

🪶🪶 ***Ijzertoren*** *(tour de l'Yser et musée de la Paix) :* Ijzerdijk, 49. • ijzertoren.org • Tlj 9h-18h (17h en hiver). Fermé 3 sem vac de Noël. Entrée : 7 € ; réduc.
Construite après la Première Guerre mondiale, la tour se dresse à la sortie de la ville et abrite un musée réparti sur... 22 étages. Un rassemblement pacifiste et international s'y donna rendez-vous tous les ans au début. En 1946, elle fut dynamitée « d'une façon professionnelle, efficace, anonyme et tout de même connue » (!) et reconstruite en plus grand (84 m !). Avec les débris de la première tour, on dressa une ***porte de la Paix,*** à la manière d'un arc de triomphe.
Aujourd'hui, son musée, par le biais d'une muséologie interactive récente, se consacre aux deux grandes guerres et à ses victimes, à la paix et aux Droits de l'enfant... le tout sur fond de reconnaissance et d'affirmation de l'identité du peuple flamand. On peut d'ailleurs toujours lire, au sommet de la tour, la devise-slogan en croix *AVV-VVK – Alles voor Vlaanderen, Vlaanderen voor Kristus !* – « Tout pour la Flandre, la Flandre pour le Christ ! ». Mais bon, plus qu'un endroit consacré à la gloire et à l'autonomie dudit peuple, il s'agit d'un monument à la paix et à la liberté, comme en témoigne d'ailleurs le festival musical organisé chaque année autour de ces deux thèmes par l'association responsable du musée. Vue panoramique du haut de la tour, auquel on accède par ascenseur avant de redescendre à pied.

🪶 ***Dodengang*** *(« Le Boyau de la Mort ») :* Ijzerdijk, 65. *Sur la berge gauche du fleuve, à 3 km du pont qui enjambe l'Yser. D'avr à mi-nov, tlj 10h-17h ; le reste de l'année, slt mar et ven 9h30-16h. Fermé Noël-Nouvel An. Entrée gratuite.* Ce réseau de tranchées en chicane se trouve sur la berge gauche du petit fleuve, à l'endroit où celui-ci, large d'une vingtaine de mètres, séparait les lignes des Allemands et des Belges. Les Allemands avaient une tête de pont sur la rive gauche. Les tranchées conservées serpentent sur environ 400 m. Dans un nouveau bâtiment, abritant un musée, le premier étage aborde les faits historiques et évoque la vie quotidienne dans les tranchées. Un hommage y est rendu aux milliers de soldats qui ont péri durant la Grande Guerre. Des photos, des bandes vidéo, des cartes et des pièces de collection illustrent cette tranche d'histoire dramatique. En entendant gazouiller les oiseaux aujourd'hui, on a du mal à imaginer que des combats effroyables se sont déroulés dans ces avant-postes, sans cesse sous le feu de la mitraille. Il arriva même que, à portée de voix les uns des autres, des soldats des deux camps se mettent à vouloir fraterniser...
– Ceux qui veulent épuiser le sujet se rendront aussi au ***Patelin de Notre-Dame,*** à Oud-Stuivekenskerke, non loin du Boyau de la Mort. C'est un site constitué de bâtiments religieux en ruine, qui occupa une position-clé durant les affrontements. On peut y voir les plans des combats, à l'intérieur de la chapelle.

➤ *DANS LES ENVIRONS DE DIXMUDE*

🪶 ***Le cimetière allemand de Praetbos-Vlasdo :*** à l'est de Dixmude, c'est une large pelouse installée au milieu d'un bois tranquille. Depuis plus de 60 ans, un magnifique groupe statuaire veille sur le repos éternel de 25 638 soldats allemands de la Grande Guerre. Leurs noms sont gravés par groupes de 20, sur de simples dalles plates. Un grand nombre étaient des étudiants et, parmi eux, Peter, le fils de Käthe Kollwitz. L'artiste berlinoise a donné au cimetière deux poignantes statues agenouillées, celles d'un père et d'une mère accablés par le chagrin, muets de douleur. L'expression de leur désespoir est la meilleure propagande que l'on ait faite contre la guerre.

🔍 **Old Timer Museum Bossaert :** *Tempelaere, 12,* **Reninge** *8647.* ☎ *057-40-04-32.* • *oldtimermuseum.be* • *Sur la grand-route N 8, de Furnes à Ypres, entre Oostvleteren et Woesten. Lun-ven 13h (13h30 lun)-18h15, sam 10h30-17h15. Fermé dim et j. fériés. Entrée : 5 € ; réduc.* Installé dans un complexe commercial flanqué d'une cafét'. Superbe collection privée d'une centaine de voitures anciennes et de motos, pour les amateurs de belles carrosseries. Hall d'expo lumineux et agréable. En vrac, quelques modèles qui nous ont tapé dans l'œil : Lincoln Continental 1978, Fawcett Flyer 1918, luxueuse Mercedes 600 de 1965, Moskovitch 1951, FN 1924, Minerva 1930, Packard 1939, Alcyon 1925, Landaulet 1908, Austin Seven 1932 et plusieurs légendaires Ford T...

YPRES (IEPER)   (8900)   35 000 hab.

> « J'aimerais acquérir toute la ville d'Ypres
> comme grande ruine. Pour le peuple britannique,
> il n'existe pas de lieu plus saint. »
>
> Winston Churchill.

Ville martyre symbole de la folie des hommes (elle donna son nom à un gaz de combat, l'ypérite), ville souvenir pour des centaines de milliers de familles britanniques, ville modèle de la reconstruction courageuse, Ypres est une cité qu'il ne faut en aucun cas manquer lors d'une visite de la Flandre. Les monuments détruits ont été rebâtis avec une précision de maquettiste. Malgré tout, une certaine froideur domine. Le musée *In Flanders Fields* **fait revivre avec tous les moyens technologiques modernes la réalité de ces années terribles.**

UN PEU D'HISTOIRE

Ypres, au Moyen Âge, est l'une des trois grandes villes de la Flandre avec Bruges et Gand. Sa population compte au XIIIᵉ s jusqu'à 40 000 habitants (plus qu'aujourd'hui), occupés essentiellement à la production du drap qui se vendait dans l'Europe entière. Encore une fois, le déclin vient de troubles sociaux, suivis d'une épidémie de peste et de conflits sanglants avec la France. On voit la récession se prolonger au cours des siècles suivants avec la prise dévastatrice par le duc de Parme en 1584, qui fait massacrer sa population. Objet de sièges successifs de la part des Français au XVIIᵉ s, la ville leur échoit au traité de Nimègue en 1678. Aussitôt, Vauban s'empresse d'en faire une place forte modèle. L'Autriche en 1716, puis la France à nouveau en 1792, la Hollande en 1815... Ypres partage en ces siècles troublés le destin commun de toutes ces villes frontalières, victimes du grand jeu de ping-pong de la politique européenne. Malgré tous les aléas de l'histoire, Ypres avait réussi à conserver à peu près intacts ses monuments architecturaux. C'était sans compter les canons Krupp de l'armée du Kaiser.

Il fallut près de 50 ans (1919-1967) pour reconstruire Ypres. Les travaux furent financés en grande partie par les dommages de guerre allemands et, le moins que l'on puisse dire, c'est que le résultat est époustouflant. La halle est une parfaite illusion de gothique authentique !

La ville se souvient chaque jour de cette tragédie en perpétuant la cérémonie de la sonnerie aux morts de la Première Guerre mondiale.

1914-1918 : l'Apocalypse à Ypres

En octobre 1914, alors que l'inondation des polders bloque l'avance allemande un peu plus au nord, les Anglais supportent autour d'Ypres le poids d'une offensive de grande envergure. Ils se maintiennent avec les Canadiens et les Français, mais Ypres et ses monuments servent de cible aux grosses pièces prussiennes. Huit siècles d'architecture sont réduits à un tas de ruines fumantes.

Pendant 4 ans, cette partie du front occidental *(le saillant d'Ypres)* va connaître des combats d'un acharnement et d'une violence inégalés dans l'Histoire. Les effroyables conditions de combat (la boue, la pluie) et les moyens employés (le pilonnage incessant, les gaz de combat) vont décimer toute une génération de jeunes des deux camps. Défendu par les troupes venues des quatre coins de l'Empire britannique, le

GALERIE DE SOLDATS

Parmi les combattants présents à Ypres durant la période 1914-1918 : Louis-Ferdinand Céline, gravement blessé en 1914 à Poelkappelle (il fut invalide à 75 %) ; l'Allemand Ernst Jünger (écrivain aussi), qui connut l'enfer de Passendale ; Georges Guynemer, tué en combat aérien à Poelkappelle ; Adolf Hitler (jeune soldat), blessé à Wijtschate.

champ de bataille de la Flandre va coûter la vie à près de 450 000 d'entre eux ! Des dizaines de milliers n'eurent même pas de sépulture officielle. Les pertes allemandes furent encore plus épouvantables.

Comment y aller ?

➢ **En train :** ● b-rail.be ● Au bout de la ligne Bruxelles-Courtrai-Ypres.
➢ **En voiture :** de Lille et Courtrai (E 17), prendre l'A 19 qui mène aux abords de la ville.

Adresses utiles

🛈 **Office de tourisme :** Lakenhalle, Grote Markt, 34. ☎ 057-23-92-20. ● ie per.be ● *1er avr-15 nov :* lun-ven 9h-18h, w-e 10h-18h ; fermeture à 17h le reste de l'année. Guide des loisirs gratuit, avec la liste et un petit commentaire sur toutes les balades à faire dans le coin. Sinon, vente des cartes des promenades à vélo, notamment *Le Circuit de la paix.* C'est aussi le centre d'infos pour la région autour d'Ypres, appelée le Westhoek (voir aussi le site ● *toerisme*

westhoek.be ●). Très belle librairie. Ne partez pas sans jeter un œil aux cartes postales, on y voit la ville avant 1914-1918, après 1914-1918 et aujourd'hui. Édifiant !
🚃 **Gare :** Colaertplein. ☎ 056-26-35-40. ● b-rail.be ●
◼ **Location de vélos :** à la gare, mais slt en saison (avr-oct). Autre possibilité, le camping **Jeugdstadion,** situé juste en dehors du centre, côté sud. ☎ 057-21-72-82. Compter 10 €/j.

Où dormir ?

Prix moyens

🏠 **Chambres d'hôtes Hortensia :** Rijselsestraat, 196. ☎ 057-21-24-06. 📱 0479-31-99-22. ● bbhortensia@hot mail.com ● guesthouse-ypres.be ● À 10 mn de la place centrale. Double 64 €, petit déj compris. Café offert sur

présentation de ce guide. Tenu par un homme affable. Chambres sur rue ou sur l'arrière, décorées dans un style sobre et moderne (lits jumeaux uniquement). Petit déj avec muesli, pain grillé et jus d'orange. Vélos à louer.

🛏 **Hôtel Sultan :** Grote Markt, 33. ☎ 057-21-90-30. ● sultanyp@skynet. be ● sultan.be ● Fermé fin déc-fin janv. Doubles 64-80 € (90 € pour 4 pers) selon chambre, petit déj inclus. Réduc de 4 € si on réserve par e-mail ! Wifi et Internet gratuits. Thé et café offerts. Chambres rénovées et pimpantes, avec écran plat, clim', sanitaires et bonne literie. Certaines ont vue sur la place (carillon tonitruant compris), d'autres sont mansardées.

Un peu plus chic

🛏 **Regina :** Grote Markt, 45. ☎ 057-21-88-88. ● info@hotelregina.be ● hotelregina.be ● Doubles 85-120 € selon confort, petit déj compris. Parking 10 €/nuit. Wifi et Internet gratuits. Grande bâtisse de style flamand, sur la place principale, en face de la halle. Chacune des 20 chambres porte le nom d'un artiste : Piaf, Garbo, Ensor, Magritte... Elles sont toutes différentes mais toutes très confortables et originales dans la déco, avec une salle de bains en carreaux de faïence ou en pierre apparente, ça dépend. Bar et resto sur place (fermé le dimanche).

🛏 **Albion :** Sint Jacobsstraat, 28. ☎ 057-20-02-20. ● info@albionhotel. be ● albionhotel.be ● Double 114 € (103 € à partir de 3 nuits), petit déj inclus. Parking gratuit à deux pas. Internet payant. Dans les anciens locaux des services sociaux de la ville, un hôtel non dénué de charme. Entrée avec moquette rouge. Déco standard dans les chambres, au demeurant impeccables, avec salle de bains moderne. Le petit déj (excellent) se prend dans une sorte de salon-bibliothèque. Propriétaire très courtoise.

Où dormir très bon marché dans les environs ?

🛏 **Auberge de jeunesse De Sceure :** Veurnestraat, 4, Oost-Vleteren 8640. ☎ 057-40-09-01. ● desceure@skynet. be ● Situé sur la N 8, juste après le croisement avec la N 321, côté gauche, en venant d'Ypres (située à 17 km). Ouv tte l'année. Nuitée 17,50 €, avec draps et petit déj. Aucune enseigne, c'est la grosse maison en brique brune, l'une des rares auberges de la région. Elle est ouverte aux individuels mais l'atmosphère est celle d'un centre d'hébergement pour groupes scolaires. Les fauchés y trouveront toutefois un lit, en chambres de 2 à 6 lits. Sinon, le village est connu pour sa bière trappiste introuvable ailleurs. Location de vélos.

Où manger ?

La vie nocturne se réduit à quelques cafés-tavernes-restos autour du Markt. Mais, les Yprois étant casaniers, on y croise surtout des groupes de Britanniques en pèlerinage dans la région.

Prix moyens

🍽 **In 't Klein Stadhuis :** Grote Markt, 32. ☎ 057-21-55-42. ● info@kleinstadhuis.be ● Tlj (sf dim en hiver) à partir de 9h (8h sam) jusqu'au dernier client. Plats 10-20 €. Petite façade à pignon abritant une joyeuse taverne peinte dans les tons gais, sur 2 étages. Ça ne désemplit pas, on y vient autant pour boire un godet que pour se caler la panse. Cuisine soignée et plats pour toutes les bourses, du spaghet' maison au jambonneau sauce champignon (la spécialité) en passant par la moussaka, l'onglet, la tartiflette ou le gratin de poisson. Également des options végétarien-nes. Profitez-en aussi pour siffler une (ou deux) Hommel, la bière de la proche petite ville de Poperinge. Concert gra-tuit le mardi soir en juillet-août.

|●| *Den Anker : Grote Markt, 30.* ☎ 057-20-12-72. ● *denanker-petrus@ telenet.be* ● *Tlj 10h-22h. Menus à partir de 21 € ; plats 14-25 € ; moules*

21-23 €. À côté du *Kleine Stadhuis* mais changement radical de décor et de clientèle. Ici, on sert des moules-frites et autres plats traditionnels, comme la côte à l'os ou la brochette géante de bœuf, à déguster dans une salle classi-que. Copieux et bien mijoté. Également des salades.

Où boire un verre ?

Ⓨ *De Vage Belofte : Vismarkt, 3.* ☎ 057-21-56-50. ● *devagebeloft@scar let.be* ● *Ouv tlj dès 16h. Une Queue de charrue (bière) offerte sur présentation de ce guide.* Le Vismarkt est l'un des rares endroits d'Ypres qui s'animent un

peu le week-end. Plusieurs bars, les uns à côté des autres. Dans celui-ci, on peut goûter une blonde mousseuse, conseillée par le jeune patron, passé maître ès bières (belges).

À voir. À faire

🎭🎭 L'immense *Grand-Place,* un peu froide, la gigantesque *halle aux draps* de style gothique (125 m de long) et le massif *beffroi* carré (classé, comme les autres beffrois de Belgique, au Patrimoine de l'Unesco) donnent une idée du volume du commerce qui pouvait se traiter ici avant le XIIIe s. La halle, comme presque toute la ville, fut entièrement dévastée par les bombardements et reconstruite à l'identique (une prouesse !). De nos jours, même si l'ensemble est harmonieux, leur taille frise la démesure. La petite construction de l'*hôtel de ville,* entre gothique et Renais-sance, s'intègre joliment au tout.

🎭🎭🎭 *In Flanders Fields :* au 1er étage de la halle aux draps, Grote Markt, 34. ☎ 057-23-92-20. ● *inflandersfields.be* ● *D'avr à mi-nov, tlj 10h-18h ; le reste de l'année, mar-dim 10h-17h. La caisse ferme 1h plus tôt. Fermé 3 sem après les vac de Noël. Entrée : 8 € ; 1 € jusqu'à 25 ans. Billet valable également pour les autres musées de la ville.*
À ne pas rater ! Musée moderne et interactif utilisant les dernières technologies pour restituer avec brio les douloureuses années 1914-1918, où la ville fut prise dans l'œil du cyclone de batailles titanesques et meurtrières au point d'hériter, comme Coventry, Verdun, Dresde, Stalingrad, Hiroshima ou Sarajevo, du label peu enviable de ville martyre. À l'entrée, on vous remettra une carte munie d'un code-barres qui vous permettra de suivre, sur des bornes interactives, l'histoire d'un homme ou d'une femme ayant vécu la guerre.
Le parcours s'appuie sur une quantité d'objets, de documents et de témoignages qui imprègnent le visiteur de la réalité de cette tragique page d'histoire. Des écrans interactifs permettent également d'approfondir un aspect particulier du conflit, tel que le traitement des blessés ou la vie en dehors du front. Après un bref rappel de l'histoire de la ville, bourgeoisement tranquille au début du XXe s, on entre de plain-pied dans le contexte international orageux de l'été 1914. L'invasion de la Belgique par les troupes de Guillaume II est montrée via un montage de films d'époque. Puis, suite à une phase joyeuse où la guerre est perçue par les officiers britanniques comme un aimable pique-nique, se présente la première bataille de l'Yser, l'inon-dation de la plaine et la mise en place des tranchées. La désuétude des équipe-ments, inadaptés à ce type de guerre, y est illustrée par une citation de Louis-Ferdinand Céline, qui se plaint du raffut que fait son sabre de cuirassier lorsqu'il chevauche vers le front.

Dès Noël 1914, des tentatives de fraternisation entre les belligérants qui doutent du bien-fondé des tueries déclenchent une répression féroce des états-majors. Dans l'armée belge, des conscrits flamands ont du fil à retordre avec les ordres donnés par leurs officiers francophones. Très vite, tout l'arsenal industriel est mis à contribution pour fabriquer des armements capables de provoquer des percées décisives. L'artillerie lourde, aidée par l'observation aérienne, réduit la campagne des environs d'Ypres à l'état d'un sol lunaire. On va même jusqu'à construire des faux arbres en acier pour épier les lignes ennemies. L'emploi du *gaz moutarde* (nommé *yperite* en hommage malheureux à la cité rasée) décime les rangs des combattants, pris de court et contraints d'uriner sur leurs mouchoirs pour se protéger sommairement le visage. L'usage du masque se révèle obligatoire, et le « saillant d'Ypres », où un demi-million de personnes laisseront la vie, devient l'antichambre de l'Apocalypse.

Dans un espace empli de vapeurs de gaz, des images d'archives montrent de braves Tommies déboussolés se faire dégommer par les mitrailleuses des Teutons, des membres figés par la mort émergeant de la boue sous une dalle. En agonisant, les pauvres troufions posent la question cruciale : « *Why ?* »

Pendant ce temps, à l'arrière, les permissionnaires tentent d'oublier quelques instants ces horreurs avant de retourner au casse-pipe, les chirurgiens et les infirmières des hôpitaux de campagne s'efforcent de rafistoler les gueules cassées et les mutilés ; les prisonniers de guerre se disent que, malgré leur captivité, ils ont tiré le bon numéro. Le curé Van Walleghem de Dikkebus relate dans ses carnets ses rencontres avec des Chinois qui rient et applaudissent lorsqu'un obus tombe à proximité, et aussi l'histoire d'un colosse fidjien en pagne qui récure une bouilloire en parlant de son doctorat en droit à Cambridge ! Après 4 années, le calme revient enfin sur Ypres, ses habitants rentrent et entament courageusement une longue reconstruction, et la région voit émerger les alignements de dizaines de milliers de croix fleuries de coquelicots.

Vous l'aurez compris, ce musée captivant, riche de témoignages humains plutôt que de fastidieuses descriptions stratégiques, nous a beaucoup émus et nous sommes sûrs qu'en accueillant un énorme public il contribuera à enlever aux générations futures toute envie de faire la guerre.

🕯 *La cathédrale Saint-Martin :* elle a également bénéficié de la reconstruction, en héritant d'une nouvelle flèche, absente avant 1914 et culminant à 102 m. L'intérieur est assez grandiose. Le tombeau du fondateur de la doctrine janséniste, l'évêque Jansénius, s'y trouve en compagnie de Robert de Béthune, comte de Flandres, dans la chapelle du Saint-Sacrement. Une stèle rappelle l'aide apportée par les Flamands aux partisans de William Wallace à la bataille de Bannockburn, où les Écossais flanquèrent la raclée aux Anglais en 1314 ! Une autre rend hommage aux enfants de France tombés sur le sol belge pendant la Grande Guerre. Ouf, l'honneur est sauf !

➤ *La promenade des remparts :* à partir de la poudrière. Demandez à l'office de tourisme la brochure munie d'un plan. Longue de 2,6 km, elle permet de passer par la *Boterplas*, à l'ouest de la ville, avec les ouvrages à cornes de Belle et Elverdinge, de voir la *tour des Lions* ou l'*hospice Saint-Jean*. Elle se poursuit par les *fortifications de Vauban*, qui surplombent les douves, et se termine à la *porte de Menin* (où se déroule la cérémonie du Last Post ; voir ci-dessous « Manifestations »).

Manifestations

– *Cérémonie du Last Post :* ts les soirs à 20h, à la porte de Menin (sur ● lastpost. be ●, vous trouverez le calendrier des grandes manifestations, en uniformes, avec fanfare, etc.). Depuis 1928, une cérémonie simple mais émouvante se déroule sous l'arche. Deux clairons yprois (du corps des pompiers) jouent la sonnerie aux morts en mémoire des 54 896 militaires du British Empire tués avant le 15 août 1917 et

dont les corps ne furent jamais retrouvés. Après cette date, 34 984 autres disparurent encore. Leurs noms sont inscrits au *Tyne Cot Cemetary* à Passendale. Toutes les nationalités de l'Empire y sont présentes : quel destin incroyable pour ces Australiens, Néo-Zélandais, Sikhs, Écossais, Gallois, Irlandais, Afghans, Sud-Africains ou Birmans, d'avoir respiré pour la dernière fois sous le ciel de la Flandre... Le jour de notre visite à Ypres, 150 personnes au moins étaient présentes à la cérémonie. Les morts ne sont pas oubliés.
– **Fête des Chats :** *ts les 3 ans, le 2ᵉ dim de mai. Prochaine édition en 2012.* D'après une tradition médiévale qui voulait qu'à date fixe des chats fussent jetés du haut de la tour du beffroi. Cette cruelle coutume servait de support à la « fête des Chats », qui se perpétue de nos jours. Festivités le samedi et cortège de chats le dimanche, à l'issue duquel on jette encore des chats du haut du beffroi, mais des chats en peluche. En recevoir un sur le crâne est censé porter bonheur !

➤ *DANS LES ENVIRONS D'YPRES*

Quelques hauts lieux de 1914-1918 au départ d'Ypres

La région d'Ypres est parsemée de cimetières, de cratères d'obus et de petits musées. On retrouve encore des vestiges tous les ans en labourant.
La brochure *In Flanders Fields* décrivant l'itinéraire 1914-1918 (à faire en voiture) est disponible en français (3 €) auprès des offices de tourisme de la région. Cette route de 82 km et 30 étapes environ (deux boucles autour d'Ypres) reprend les étapes essentielles, cela vous aidera à faire le tri parmi les innombrables tranchées et cimetières. Voici, en attendant, l'essentiel de l'essentiel.

🍴 En partant vers l'est sur la route de Menin, le *Hooge-Crater (Meenseweg, 467 ;* ● hoogecrater.com ●) témoigne des énormes trous laissés par les explosions de sapes souterraines. Chapelle et petit musée avec de nombreux objets et armes retrouvés dans le sol *(entrée payante ; explications très succinctes).*

🍴 À *Langemark,* le plus grand cimetière allemand, avec plus de 44 000 noms gravés sur des stèles de bronze, mélangés sans distinction d'âge ou de grades. Belle présentation vidéo sur place.

🍴 À *Poelkappelle,* au carrefour de la N 313 et de la route de la forêt d'Houthust, d'où démarra l'offensive libératrice de 1918, le très beau *monument à Georges Guynemer,* commandant de l'escadrille des cigognes, titulaire de 54 victoires et abattu le 11 septembre 1917.

🍴🍴 À *Zillebeke,* deux *collines, Hill 60* et *Hill 62,* portaient des noms de cotes d'altitude. Des milliers de Britanniques y succombèrent. On y trouve un mémorial aux *Queen Victoria Rifles* et un monument aux sapeurs australiens, ainsi qu'un petit musée au *Sanctuary Wood.* Celui-ci n'est pas forcément des plus palpitant (comme souvent avec ces petits musées privés faits avec les moyens du bord) ; en revanche, il donne accès à des tranchées qui se trouvent être dans un remarquable état de conservation.

🍴 Sur le territoire de *Zonnebeke,* le *Tyne Cot Cemetary* rappelle aux Anglais l'enfer de Passendale, le point du front le plus redouté par les Tommies. Au flanc de la colline, dans une ordonnance qu'on hésite à qualifier « de parade », s'alignent plus de 12 000 tombes, souvent anonymes, et sur les murs sont gravés les noms de plus de 35 000 autres disparus.

🍴🍴 *Dugout Experience – Memorial museum Passchendaele 1917 :* Ieperstraat, 5, à *Zonnebeke* (8980). ☎ 051-77-04-41. ● passchendaele.be ● Fév-nov, tlj 10h-18h. Entrée : 5 € ; réduc.

Ce musée relate brillamment l'offensive britannique de 1917. On commence la visite par le 1er étage et les cinq grandes batailles d'Ypres, pour s'intéresser plus spécialement à la bataille de Passchendaele, une tentative de percée de la ligne des crêtes (le « saillant d'Ypres »). Cent jours ! Au total 500 000 morts de part et d'autre. Pour gagner, grignoter 8 km sur l'ennemi. Vous parlez d'une victoire ! Pour rendre compte de cette absurdité mais aussi pour rendre hommage à tous ces soldats sacrifiés, le musée présente toutes sortes d'objets militaires ou personnels, des maquettes, des photos, des documents cinématographiques, des gravures. Des commentaires audio (en français) donnent vie aux vitrines. Muséographie ludique et interactive. On pourra ainsi respirer (ou tout au moins sentir !) de l'ypérite et surtout crapahuter dans des souterrains, puisqu'une galerie a été reconstituée à l'identique dans les sous-sols, avec le poste de commandement, un poste de secours, les dortoirs, etc. Claustrophobes s'abstenir !

Ce musée constitue une bonne introduction à la visite des champs de bataille et n'est pas réservé, que du contraire, aux fanatiques d'histoire militaire.

🍴 Et encore, dans les environs, des quantités de petits mémoriaux et cimetières, enchâssés dans les cultures et dédiés aux Canadiens, Australiens, Néo-Zélandais, Sud-Africains... ayant combattu pour la gloire de l'Empire britannique.

POPERINGE (8970) 19 500 hab.

Après avoir donné son nom au tissu appelé « popeline », cette petite cité à 11 km à l'ouest d'Ypres est devenue la *capitale du houblon*. Le paysage est ponctué de ces hautes tiges autour desquelles la plante s'enroule. La préparation des jets de houblon au printemps est l'une des particularités de la cuisine locale. Bref, avec en plus un centre charmant autour du Markt, Poperinge mérite bien une petite halte.

Adresses utiles

🏛 *Office de tourisme :* Stadhuis, Grote Markt, 1. ☎ 057-34-66-76. ● poperinge. be ● Tlj sf dim en hiver 9h-12h, 13h-17h (16h w-e). Prenez-y le plan de la ville où sont pointées toutes les curiosités.

🚉 *Gare :* Leperstraat, 165. ☎ 056-26-35-51. Trains de Courtrai via Ypres.
🚲 *Location de vélos :* à l'*hôtel Belfort*, Grote Markt, 29. ☎ 057-33-88-88. Compter 9 €/j.

Où dormir ?

De prix modérés à prix moyens

🏠 *Predikherenhof :* Elverdingseweg, 25. ☎ 057-42-23-66. ● predikherenhof@ telenet.be ● predikherenhof.be ● À 4 km de Poperinge, direction Elverdinge. Compter 37 €/pers, avec le petit déj. Ferme au milieu des champs, en rase campagne, proposant 6 chambres impeccables équipées de mobilier en bois et d'une très bonne literie. Chacune porte le nom d'une vache... décédée puisque, maintenant, les vaches n'ont plus de nom. Vraiment l'endroit

idéal pour sentir la région ! Terrasse agréable, qui plus est, donnant sur des cultures de moutarde, et même quelques paons dans la cour. Le petit déjbuffet est servi dans une salle rustique bien sympathique.
🏠 *Talbot House :* Gasthuisstraat, 43. ☎ 057-33-32-28. ● info@talbothouse. be ● talbothouse.be ● Fermé vac de Noël. Double sans sdb 54 €, petit déj inclus. Entrée du musée offerte sur présentation de ce guide. La *Talbot House,*

ancien refuge pour les soldats anglais de 1914-1918, continue d'accueillir ceux qui le désirent (principalement des Britanniques) pour la nuit. Hébergement sommaire (chambres de 1 à 4 lits, salle de bains à l'étage) mais bien tenu. Quelques chambres plus modernes au fond du jardin. Pour plus d'infos sur l'histoire du lieu, voir plus bas la rubrique « À voir ».

Où manger dans la région ?

|●| *Gasthof 't Hommelhof :* Watouplein, 17, Watou-Poperinge 8978. ☎ 057-38-80-24. ● info@hommelhof. be ● *Watou est à un jet de pierre de la frontière française. Juil-août, ouv tlj ; le reste de l'année, fermé mer ainsi que le soir lun-mar et jeu. 1er menu 32 € ; carte 38 €. Café offert sur présentation de ce guide.* Petite étape gastronomique dans le mignon village de Watou. Décor d'auberge flamande, le houblon sèche au-dessus du comptoir. Spécialité de cuisine à la bière : le demi-coq à la blanche de Watou, le jambonneau à la triple Saint-Bernard et, en saison, les délicieux jets de houblon qui accompagnent la solette sauce Nantua. Prix tout à fait raisonnables pour la qualité. Terrasse aux beaux jours.

Où boire un verre dans les environs ?

🍸 ● *In de Vrede :* Donkerstraat, 13, Westvleteren 8640. ☎ 057-40-03-77. ● philip@indevrede.be ● *À 6 km au nord de Poperinge, par la N 321, en direction de Westvleteren. Tlj sf ven (et jeu 1er oct-1er avr) 10h-20h (au moins). Fermé la 1re quinzaine de janv, la 2e sem des vac de Pâques et la 2de quinzaine de sept.* Pile en face de l'abbaye Saint-Sixtus, perdue au milieu des polders et qui ne se visite pas, mais où l'on fabrique une des 6 vraies bières trappistes de Belgique : la *Westvleteren,* une brune mousseuse et charpentée, la meilleure au dire des connaisseurs. Comme ce nectar ne se trouve pas dans le commerce, on vient s'en procurer ici, dans la boutique attenante... quand il en reste, car son succès est tel que la demande excède parfois l'offre. Cela dit, le café, lui, en a toujours. On y déguste le divin breuvage à 3 degrés d'alcool différents : 6, 8 et 12°. En dégustation également, du fromage et du pâté à la trappiste. Un régal. Qui a dit que la trappe rendait triste ?

À voir

🍗 Près du Markt, la *collégiale Saint-Bertin,* église-halle avec tour massive carrée. On y verra un jubé assez original, le baldaquin du Saint-Sacrement en style Louis XV, et une chaire de vérité, en provenance de Bruges, particulièrement ouvragée.

🍗 *L'église Saint-Jean :* construite au XIIIe s, après une forte progression de la population. Elle est surmontée d'un coquet clocher à bulbes. À l'intérieur, des grandes orgues imposantes ainsi qu'un lustre de fer forgé et un autel Renaissance, où est exposée une statue de la Vierge miraculeuse, baladée tous les ans en procession à la suite d'un miracle survenu en 1479, lorsqu'un bébé mort-né, non baptisé et enterré en terre non consacrée, fut exhumé vivant après que ses parents avaient prié la Vierge pendant 3 jours. Enfin oint par le curé, il put alors trépasser en paix quelques heures plus tard... provoquant un afflux de pèlerins émerveillés par la miséricorde de la Vierge.

🍗 *L'église Notre-Dame :* autre église-halle, elle recèle un joli portail Renaissance et des stalles et bancs de communion ouvragés.

🍗🍗 *Hopsmuseum* (musée national du Houblon) : Gasthuisstraat, 71 (tt près de la Grand-Place). ☎ 057-33-79-22. ● hopmuseum.be ● *Mar-ven 10h-18h ; sam 14h-*

18h ; dim 10h-12h, 14h-18h. Fermé lun et déc-fév. Entrée : 5 € ; réduc. Situé dans l'ancien « poids public », où, jusqu'à la fin des années 1960, le houblon fut contrôlé, pesé et pressé. Instruments, pressoirs et cuves sont accompagnés de panneaux explicatifs (en français), dans le cadre d'une toute nouvelle muséographie, et racontent l'histoire du houblon au fil du temps et des saisons.

¶ *Talbot House : Gasthuisstraat, 43.* ☎ *057-33-32-28.* ● *talbothouse.be* ● *Tlj sf lun 9h30-17h30. Entrée : 8 € pour le musée et la maison Talbot elle-même ; réduc.* Un peu cher pour ce qu'il y a à voir, dommage. En tout cas, mieux vaut bien maîtriser l'anglais. Poperinge, à l'arrière de la ligne de front en 1914-1918, servait de centre de récréation et de repos pour les Tommies. Un prêtre anglican, Thomas « Tubby » Clayton, fit de cette maison un véritable lieu de fraternité et de réconfort pour les soldats durement éprouvés par les combats. Aucune discrimination de grade ou de condition n'y était faite, et l'optimisme et l'humour *British* y étaient imposés (pour ceux qui n'étaient pas d'humeur, une chapelle était aménagée dans le grenier). La réputation de ce havre de tranquillité au milieu de l'enfer fit le tour du front, même dans les lignes ennemies ! Et Talbot House devint un véritable symbole de paix pour tous ceux qui connurent cette époque. Récupérée par ses propriétaires, la maison recevait encore des visites quotidiennes après la guerre. En 1940, la Gestapo tenta de s'emparer des archives. En 1944, Talbot House reprit du service pour les soldats polonais qui libérèrent la région.

C'est aujourd'hui devenu pour les Anglais un véritable pèlerinage. On visite la maison, qui est aussi un lieu d'hébergement (voir plus haut « Où dormir ? »), ainsi que le nouveau musée attenant qui, au travers d'objets, photos et documents variés, restitue l'histoire de la maison et l'atmosphère qui régnait entre ses murs. Afin de limiter le nombre de visiteurs dans la maison elle-même et, ainsi, de réduire les facteurs de détérioration, le musée a décidé d'imposer un supplément à ceux qui désirent y entrer. Naturellement, si vous y dormez, la visite est comprise dans le prix de la nuit.

Manifestations

– *Triennale du Houblon : le 3e dim de sept, ts les 3 ans. Prochaine édition en 2011.* Une grande manifestation sur les terres de la houblonnerie flamande.
– *Fête de la Bière : le dernier w-e d'oct.* Dégustation de bières de caractère à l'*hôtel Palace (Ieperstraat, 34),* derrière l'office de tourisme.

COURTRAI (KORTRIJK)   (8500)   73 500 hab.

Depuis le XIVe s, Courtrai est la capitale mondiale du lin, grâce à la spécificité des eaux de la Lys, propices au rouissage. De nos jours, c'est un pôle économique et universitaire (plus de 25 000 étudiants) de première importance, à proximité de la métropole lilloise.

UN PEU D'HISTOIRE

Un château fort, dont on a conservé les tours « Broel », voit le jour au XIIe s. Dans la plaine de Groeninge, les chevaliers de Philippe le Bel sont mis en pièces le 11 juillet 1302. Cette grande déroute, appelée la bataille des Éperons d'or, inspira au fil des siècles de nombreux chansonniers et romanciers, et ce de part et d'autre de la frontière. Les Français rendront la monnaie des éperons en 1382, en n'omettant pas de mettre le feu à la ville.

Sinon, dès le XVe s, Courtrai est connue dans le monde occidental pour sa spécialité du damassé. De nos jours, les tissus d'ameublement, les tapis et la décoration perpétuent cette tradition.

Adresses utiles

🏛 *Office de tourisme pour Courtrai et la vallée de la Lys (Streekbezoekerscentrum) :* Begijnhofpark. ☎ 056-27-78-40. ● kortrijk.be ● 1er avr-30 sept : en sem 9h-18h, le w-e 10h-17h ; 1er oct-31 mars : en sem 9h-17h, le w-e 10h-16h. Liste des B & B. Demandez la brochure de Courtrai, avec un plan à l'intérieur. Vend aussi le livret *Vill'en poche*, bien fait.

🚉 *Gare :* Stationplein, 8. ☎ 056-26-32-00. ● b-rail.be ● À 300 m du Markt. Trains pour Lille, Ypres, Gand, Bruges et Bruxelles.

Où dormir ?

Courtrai, bien que sympathique, ne justifie pas forcément une étape. Voici quelques adresses au cas où...

Bon marché

🛏 *Jeugdherberg Groeninghe :* Passionistenlaan, 1 A. ☎ 056-20-14-42. ● kortrijk@vjh.be ● vjh.be ● À 1 km à l'est de la gare ferroviaire, le long du chemin de fer. Fermé 10h-17h et de mi-déc à mi-janv. Nuitée à partir de 15,40 €, petit déj et draps compris. À l'étage d'un centre communal. Pour les « ajistes » endurcis, 96 lits dans 35 chambres de 1 à 8 lits. Déco quasi inexistante.

Prix moyens

🛏 *Hôtel Focus :* Hovenierstraat, 50. ☎ 056-21-29-08. 📠 0475-36-15-71. ● in fo@focushotel.be ● focushotel.be ● Un peu à l'écart du centre. Téléphoner avt de venir (pas de réception). Fermé 20 déc-5 janv. Double 90 €, petit déj inclus. Possibilité de ½ pens. Également 4 studios, 2 apparts et 1 villa (de 1 nuit à 1 mois). Verre de bienvenue offert sur présentation de ce guide. Une adresse vraiment sympathique, où les 4 chambres (dont 1 simple et 1 triple), lumineuses et tout confort, ont été décorées de façon personnalisée par différents artistes courtraisiens (un peintre, un musicien, un écrivain et un sculpteur). Salon plein d'agrément et salle de petit déj adorable. Les enfants sont les bienvenus et pourront, en prime, disposer de livres et de jeux. Loue également des vélos.

Où manger ? Où boire un verre ?

Bon marché

🍴🍷 *'t Fonteintje :* Handboogstraat, 12. ☎ 056-22-20-88. ● laurence@cafe fonteintje.be ● En bordure de la Lys, non loin de la Grand-Place. Ouv 17h-1h (3h w-e). Fermé dim en hiver, mar en été. Restauration (sept-mai) 5-10 €. Même si cela ne se devine pas de l'extérieur, voici l'un des plus vieux cafés de Courtrai, sinon le plus vieux puisque la maison date de 1661. Intérieur chaleureux, mêlant vieux bois, tableaux contemporains et éclairages intimistes. Manger ou fumer, avec la nouvelle législation, il fallait choisir. Aussi la restauration n'est plus assurée qu'aux beaux jours, en terrasse, au bord de l'eau. Y circulent, aux heures de table, de bonnes grosses assiettes bien fumantes et pas chères du tout. Une aubaine pour les affamés pas trop fortunés. Si vous êtes satisfait, n'hésitez pas à le dire à Laurence, la sympathique patronne, ça lui fera grand plaisir !

Prix moyens

|●| ☕ **Café Rouge :** *sur la place Sint Maartenskerkhof, 6a.* ☎ 056-25-86-03. ● caferouge@skynet.be ● *Tlj sf lun. Fermé 2 sem en oct. Plats 14-25 €.* Une maison blanche du XIXe s. Au rez-de-chaussée, bistrot et tea-room à la déco moderne et agréable, propice à une rêverie mélancolique en face de l'église. On entend le parquet craquer, le vent bruire dans les grands arbres et le bourdon égrener les heures... Côté resto, on a le choix entre une carte snack et quelques plats bien mijotés.

|●| **Restaurant Beethoven :** *Onze Lieve-Vrouwestraat, 8.* ☎ 056-22-55-42. *Ouv slt le soir. Fermé mer et 15 juil-15 août. Plats 12-20 €.* Tout à la gloire de Ludwig Van, ce resto un peu sombre mais très intime propose une belle variété de grillades et de succulentes préparations : le saumon ou les filets de poulet et crevettes sauce safran laissent un bon souvenir. Carte en français.

À voir

🚶 **L'hôtel de ville :** *sur le Markt.* Date des XVe, XVIe et XVIIe s. Il possède, dans sa belle salle des échevins, une remarquable cheminée gothique, mélange de bois, de pierre et d'albâtre. Sur la façade de style Renaissance (restaurée aux XIXe et XXe s.), les figures sculptées des comtes de Flandre. Visite en dehors des cérémonies officielles (se renseigner à l'office de tourisme).

🚶 **Le beffroi :** solitaire au milieu du Markt, c'est un vestige de l'ancienne halle. Il est coiffé de cinq tourelles et d'un Mercure, symbole du dynamisme des habitants et du commerce. Les deux jacquemarts, Manten et Kalle, sont quant à eux de création récente et sonnent les heures.

🚶 **Onze Lieve-Vrouwkerk** *(église Notre-Dame) :* bâtie au XIIe s, elle a eu le grand privilège de servir de salle d'expo pour les fameux éperons français. Comme ils furent récupérés, ceux qui restèrent n'étaient que des copies. Un chef-d'œuvre : la statue de sainte Catherine, du XIVe s. À voir aussi, les fresques murales de la chapelle comtale et les portraits des comtes de Flandre, ainsi qu'une *Élévation de la Croix* d'Antoon Van Dyck.

🚶🚶 ⊗ **Le béguinage :** *dans la rue Begijnhofstraat. Ouv tlj de l'aube jusqu'au coucher du soleil.* C'est l'un des plus attachants du pays, classé comme tous les autres par l'Unesco. Il compte encore 41 maisonnettes du XVIIe s. Un petit *musée (ouv 14h-17h),* dans la maison de la mère supérieure, en restitue l'atmosphère d'antan.

🚶🚶 **Kortrijk 1302 :** *Begijnhofpark.* ☎ 056-27-78-40. ● kortrijk1302.be ● *Tlj sf lun 10h-18h (17h oct-mars). Entrée : 6 €, audioguide compris ; réduc.* Ce nouveau musée (inauguré en 2006) retrace l'histoire de la cité en faisant la part belle à la fameuse bataille des Éperons d'or de 1302. Remarquable scénographie interactive qui rend la visite absolument palpitante. On revit la bataille au jour le jour par le biais de maquettes, d'écrans vidéo... Les protagonistes (de splendides sculptures d'époque placées sur un échiquier géant) nous content la grande Histoire mais nous dévoilent aussi les enjeux diplomatiques et les arcanes de la politique... Ne manquez pas, par exemple, la triste histoire de Philippine de Dampierre, qui serait morte empoisonnée par la reine de France...
Récit d'une bataille
Le 11 juillet 1302, suite à l'épisode des *Matines brugeoises* (voir le texte sur Bruges), l'armée de Philippe le Bel rencontre les milices communales de Flandre aux

abords de Courtrai. Les milices flamandes, les *Klauwaerts* (du « parti de la griffe »), encadrées par quelques chevaliers wallons, prennent position sur une hauteur, au bord de la Lys. Les chevaliers français, en bien plus grand nombre, s'établissent sur la colline en face. Ils sont organisés sous le commandement de grands seigneurs de la Cour. La bataille commence avec l'intervention des arbalétriers français. Ils repoussent leurs adversaires, puis les « piétons » (les fantassins) se mettent en marche pour achever d'écraser l'ennemi.

Le comte Robert d'Artois, qui dirige l'*ost royal,* lance à son tour sa chevalerie à l'attaque. Mais, dans leur impatience d'en découdre, les chevaliers bousculent leurs propres troupes à pied, pour ensuite chuter et s'embourber dans les fossés derrière lesquels s'abritent les Flamands. La bataille s'achève sur un désastre sans nom. Robert d'Artois lui-même est tué, les assaillants dédaignant le capturer pour en tirer rançon.

Les Flamands ramassent alors dans la boue de la plaine de Groeninge les ornements abandonnés par les chevaliers français. Ces fameux éperons d'or iront garnir l'église Notre-Dame de Courtrai.

Une bataille qui en dit long...

La bataille des Éperons d'or n'est pas un détour anodin de l'histoire, elle symbolise aussi la libération, la résistance contre l'occupant français. À ce titre, elle tient une place à part dans la littérature flamande, depuis sept siècles. Plus encore, depuis la création de l'État belge, en plein âge d'or du Romantisme. Le 11 juillet 1302 devint même une date emblématique pour les mouvements nationalistes qui fleurirent un peu plus tard en Flandre comme dans le reste de l'Europe d'ailleurs. Cristallisant l'identité flamande, cette date fut commémorée et récupérée comme un précieux outil de propagande contre la « contamination » de la Flandre par la langue et la culture françaises. C'est ce que nous racontent les dernières salles du musée. Passionnant !

– Pour finir, un petit tour dans l'***ancienne abbaye de Groeninge,*** où l'on trouve beaucoup d'objets produits par les artisans locaux, comme les pièces de damas et de lin, l'argenterie, les étains et la poterie, et une curieuse collection de pipes.

🏛 ***Broelmuseum :*** *Broelkaai, 6.* ☎ *056-27-77-80.* • *broelmuseum.be* • *Au bord de la Lys, non loin des tours médiévales, derniers vestiges des anciennes fortifications de la ville. Tlj sf lun 10h-12h, 14h-17h ; w-e 11h-17h. Entrée : 3 €.* Musée communal restituant le passé artistique de la ville avec ses figures de proue que sont Roelandt Savery, paysagiste baroque, actif à Courtrai au début du XVIe s, et Louis-Pierre Verwée, peintre animalier réaliste et amateur de vaches du XIXe s. Salle de céramiques avec abondantes explications techniques.

🏛🏛 ***Vlasmuseum*** *(musées du Lin et de la Dentelle) : E. Sabbelaan, 4.* ☎ *056-21-01-38. Au sud de la ville ; prendre le bus n° 13 jusqu'à l'arrêt Erasmus. Mars-nov, mar-ven 9h-12h30, 13h30-18h ; w-e 14h-18h. Entrée : 3 € pour chaque musée ; ticket combiné pour les 2 musées : 4,75 €. 2 musées en un mais visitables séparément. Audioguide en français.*

Passionnant musée, fort bien agencé, avec tableaux vivants, consacré à cette culture du lin particulière à la Lys. On comprend, à voir le nombre d'opérations successives nécessaires avant d'aboutir à la toile de lin, pourquoi ce produit est considéré comme un article de luxe.

Au rez-de-chaussée de la nouvelle aile, sur plus de 100 m de vitrines, une collection unique de vieilles dentelles, de broderies, d'ouvrages de couture, de linge de maison, de textiles damassés et de toile de lin. Le tout présenté sur des mannequins, des animaux naturalisés dont le traditionnel cheval de trait brabançon. À l'étage, plusieurs tableaux qui reconstituent à travers le temps les différents usages de la dentelle et du lin.

🍴 Un estaminet ancien vous accueille à la sortie.

LA RÉGION WALLONNE

LA PROVINCE DU BRABANT WALLON

À la suite de la scission politique de l'ancien Brabant, le Brabant wallon s'est vu doté de son autonomie et constitue depuis l'une des 10 provinces belges. À Nivelles, les traditions sont proches de celles des cités hennuyères voisines. Wavre et les riantes communes vertes des environs deviennent de plus en plus une banlieue proche de Bruxelles. Enfin, Louvain-la-Neuve, comme on le sait, est une ville créée de toutes pièces mais qui a réussi une greffe spectaculaire.
À ceux qui se demandent ce qu'il y a à voir en Brabant wallon, on rappelle les deux principaux pôles d'attraction de la province : le site de Waterloo et ses musées, et les superbes ruines cisterciennes de Villers-la-Ville.

WATERLOO   (1410)   29 000 hab.

Poétisé par Victor Hugo au XIXe s, chanté par le groupe Abba au XXe s, victoire pour les uns, débâcle pour les autres, Waterloo est devenu au fil des temps un lieu mythique. Situé en lisière de la forêt de Soignes, à une petite vingtaine de kilomètres de la capitale, c'est une excursion de quelques heures, facile à inclure dans la visite de Bruxelles. La petite ville de Waterloo n'a pas un grand intérêt en soi mais c'est juste un peu au sud que s'est déroulée la bataille décisive, où les armées anglaises, hanovriennes et hollando-belges commandées par Wellington, alliées aux Prussiens de Blücher, mirent définitivement en déroute l'impérialisme napoléonien. Les Belges, eux, ont un peu de mal à se situer dans tout ça. Ils avaient des soldats dans les deux camps ! Curieusement, en Belgique, la bataille de Waterloo a engendré un véritable culte du souvenir napoléonien : dans certains endroits, notamment dans le Hainaut, des processions religieuses sont organisées régulièrement, avec grognards en costumes, fifres, tambours et tout le tralala.

UN PEU D'HISTOIRE

> « Waterloo Waterloo Waterloo, morne plaine.
> Comme une onde qui bout dans une urne trop pleine.
> Dans ton cirque de bois, de coteaux, de vallons,
> La pâle mort mêlait les sombres bataillons... »

> Victor Hugo.

Au matin du 18 juin 1815, tout est calme. Le mauvais temps empêche la bataille de s'engager avant 11h30. Sur le terrain, deux armées : celle des alliés, menée par Arthur Wellesley, duc de Wellington, maréchal de sept armées, alliée à celle de Blücher, maréchal de l'armée prussienne et à celle de Guillaume-Frederick-Georges-Louis, prince d'Orange-Nassau, commandant en chef des troupes hollando-belges et qui sera (légèrement) blessé au combat. En face, celle dirigée par Napoléon Bonaparte, empereur des Français, qui a repris le pouvoir après son exil à l'île d'Elbe.

Les hostilités étaient déjà engagées depuis quelques jours. Le 14 juin, Napoléon avance rapidement à la rencontre des armées alliées dans le but de les combattre séparément, avant qu'elles ne se rejoignent. Le 16, à Ligny, l'armée française arrache une victoire sur Blücher. Le 17, Napoléon arrive à la plaine du Mont-Saint-Jean. Il passe la nuit à la ferme du Caillou (devenue un musée). De son côté, Wellington s'installe dans une auberge au village de Waterloo qu'il a transformée en quartier général. Les deux hommes dorment à quelques kilomètres de distance.

Le 18, un dimanche, à 11h30, la bataille s'engage ; elle durera toute la journée. Les deux camps s'affrontent d'abord à la ferme d'Hougoumont, où des rangs entiers d'hommes tomberont. C'est à 13h30 que la principale attaque française prend forme, tandis que les combats redoublent à la ferme de la Haie-Sainte, puis à celle de la Papelotte. Sur l'aile gauche, Ney n'en fait qu'à sa tête et les Français sont contraints d'abandonner leurs positions. Napoléon attend les renforts de Grouchy, qui ne viennent pas.

LE GROS MOT LE PLUS CÉLÈBRE

Cette réponse est passée à la postérité. Certains disent que Cambronne aurait plutôt dit : « La garde meurt mais ne se rend pas. » Blessé, il fut emmené comme prisonnier en Angleterre. Il a toujours prétendu n'avoir jamais dit ni le mot ni la phrase. Néanmoins, Victor Hugo, dans Les Misérables, écrit qu'au général anglais qui exhorte la garde : « Braves Français, rendez-vous ! » Cambronne aurait bien dit : « Merde ! »

À 16h, c'est la grande canonnade. Un peu plus tard, le bruit court que les troupes prussiennes arrivent. Napoléon abat ses dernières cartes et envoie la garde impériale. C'est le va-tout. Les canons sont pointés, les troupes en place. Elles avancent, lentement mais sûrement. Les bombardements sont terribles, la garde impériale passe de front mais est attaquée sur son flanc. Au passage du chemin creux, la bataille devient tangente. À 20h10, Wellington ordonne une avancée générale. La garde impériale s'effondre. À la nuit tombante, tout est perdu, l'Empire est défait. Sur les 180 000 soldats qui ont pris part au combat, 48 000 sont blessés ou morts. Une partie de ceux-ci gisent sur la plaine, morne plaine...

Comment y aller de Bruxelles ?

➢ **En voiture :** c'est de loin la manière la plus pratique de visiter les trois points importants de Waterloo, situés sur la même route en partant de Bruxelles (la chaussée de Waterloo qui devient, à Waterloo, la chaussée de Bruxelles) ; on rencontre successivement le musée Wellington, la butte du Lion et la maison du Caillou, à quelques kilomètres les uns des autres.

➢ **En bus :** plus compliqué, surtout si l'on veut voir tous les sites. Le bus W, pour Waterloo et la butte du Lion, quitte la gare du Midi à Bruxelles ttes les 30 mn env. Si vous voulez voir le musée Wellington, le Hameau du Lion puis revenir sur Bruxelles, on conseille de prendre la carte 1 j. à 6 €.

Adresse utile

🅸 **Maison du tourisme de Waterloo :** chaussée de Bruxelles, 218. ☎ 02-352-09-10. ● waterloo-tourisme.be ● En face du musée Wellington. Avr-sept, tlj 9h30-18h30 ; le reste de l'année, tlj 10h30-17h. Plan de Waterloo, liste des chambres d'hôtes et accès à Internet. Vend aussi le petit guide *Le Champ de bataille de Waterloo pas à pas.*

Où dormir ? Où manger ?

🏠 *Chambres d'hôtes Le Vert Bocage :* av. du Vert-Bocage, 9. ☎ 02-387-28-34. ● yahyazaouk@hotmail.com ● À un peu moins de 2 km du musée Wellington en venant de Bruxelles par la chaussée de Waterloo. Compter 60 € pour 2 pers, avec le petit déj. Petit verre de bienvenue offert à l'arrivée. Maison abritant 3 chambres d'hôtes impeccables et équipées de bons matelas. Proprios charmants. Le petit déj, varié, se prend à la grande table du salon, moderne, avec cheminée et belle vue sur le grand jardin.

🏠 *Chambre d'hôtes chez Mme Dachelet :* drève Dudinsart, 84. ☎ 02-354-41-77. ● dachelet@skynet.be ● users.skynet.be/dachelet ● À 2-3 km à l'ouest du centre (passer à l'office de tourisme pour se faire expliquer la route, un peu compliquée). Env 60 € pour 2 pers, petit déj compris ; un peu plus si séjour de 1 seule nuit. CB refusées. Parking fermé. Wifi gratuit. Verre d'accueil offert sur présentation de ce guide. Ne propose qu'une seule chambre mais, vous verrez, elle est très plaisante avec une kitchenette, nichée dans une petite annexe de la maison. Idéal pour un séjour de plusieurs nuits dans le coin. De plus, Micheline, la maîtresse des lieux, est bien sympathique.

🏠 🍽 *La Tourelle :* rue E.-Hecq, 20, Ways 1474. ☎ 067-77-27-17. ● info@fermetourelle.be ● fermetourelle.be ● À côté de Genappe, à env 7 km au sud de la butte du Lion. Résa conseillée. Compter 75 € pour 2 pers et pour 1 seule nuit, 60 € à partir de 2 nuits ; petit déj en plus. Ici, vous êtes dans un ancien moulin, une bâtisse blanche donnant sur un pré où coule une rivière et, pourtant, au cœur du village de Ways. Il a été restauré et aménagé pour accueillir 4 superbes gîtes pour 2 à 4 personnes (prévoir 15 € supplémentaires par personne au-delà de 2), avec sanitaires nickel et coin cuisine équipé d'un lavabo ancien. En prime, une fromagerie, de l'autre côté de la rue, ainsi qu'un salon de dégustation le dimanche (12h-20h), tous 2 installés dans un ancien béguinage. Ne pas négliger le salon : on se régale, dans une salle rustique, de petits plats délicieux pas chers du tout, faits maison à base de fromage de chèvre (il y a 120 chèvres juste à côté !) mais pas seulement. Mieux vaut toutefois réserver car l'endroit commence à être connu des gens du coin, qui ne se privent pas d'envahir les lieux !

🍽 *L'Amusoir :* chaussée de Bruxelles, 121. ☎ 02-354-82-33. ● info@amusoir.be ● Ouv 364,5 j./an, midi et soir ! Lunch 9 € ; plats 7,50-18 € ; menu-enfants. Apéro maison offert sur présentation de ce guide. Le resto de Waterloo qui désemplit rarement. C'est même un peu l'usine à vrai dire, mais bon, le décor rustique est agréable (ancienne ferme), le lunch fort intéressant et la viande rouge belle et tendre (7 façons d'accommoder le filet pur). Service virevoltant, à défaut d'être toujours souriant.

🍽 *La Sucrerie :* chaussée de Tervueren, 198. ☎ 02-352-18-18. ● ghw@martins-hotels.com ● Fermé le midi le w-e. Business lunch 19 € ; menus nettement plus chers le soir ; plats à la carte 20-25 € ; également un menu-enfants. Apéro offert sur présentation de ce guide. Sis dans une ancienne sucrerie de betteraves à côté d'un hôtel très chic, ce bâtiment industriel offre un cadre spectaculaire (splendides voûtes de brique subtilement éclairées) à une cuisine de brasserie à la fois classique et sophistiquée. Spécialité de homard et foie gras. La carte, elle, change tous les 2 mois mais on y trouve toujours la sole, le filet pur et le tartare. Pour ne pas trop écorner son budget, on peut s'en tenir au lunch, qui ne laisse que de bons souvenirs.

À voir

– *Conseil :* pour mieux sentir ce que fut cette terrible bataille qui scella le sort de l'Europe pour plus d'un siècle, on vous conseille de commencer par la visite du musée Wellington, un rien vieillot mais très bien fait, puis de vous diriger vers le *Hameau du Lion,* 5 km plus au sud (en partie sur le territoire de Braine-l'Alleud), qui regroupe la butte du Lion, l'impressionnante fresque circulaire de la bataille, un intéressant musée de Cire et, installé dans le Centre du visiteur, un spectacle audio-visuel. Le tout est désormais géré par l'entreprise *Culturespaces,* qui propose un billet combiné à 8,70 € pour l'ensemble des attractions du Hameau. Si vous faites le musée Wellington avant, mieux vaut toutefois prendre à l'office de tourisme le *Pass 1815* à 12 €, qui inclut aussi le dernier QG de Napoléon près de Genappe (à 5 km au sud de la Butte).

🎭🎭 *Le musée Wellington :* chaus-sée de Bruxelles, 147. ☎ 02-354-78-06. *Au centre de Waterloo, face à l'église. Mêmes horaires d'ouver-ture que l'office de tourisme. Entrée (audioguide inclus) : 5 € ; réduc.*
Le quartier général de Wellington, ancienne auberge-relais, a été transformé en un passionnant musée, riche en souvenirs d'épo-que. De plus, la visite se fait avec un excellent audioguide dispen-sant, outre un commentaire très complet sur l'exposition, un tas d'explications annexes qui repla-cent véritablement le visiteur dans ce que devait être l'atmosphère de l'époque. Dix-huit salles en tout,

UNE JAMBE QUI VOYAGE SEULE

Une vitrine de la salle 4 expose la jambe de bois de Lord Uxbridge, commandant en chef, qui perdit sa vraie jambe gau-che au combat. Détail macabre et cocasse : la jambe emportée par un boulet fut retrouvée sur le champ de bataille et Lord Uxbridge assista plus tard à l'enterrement de celle-ci ! Lorsqu'il mourut en 1854, la jambe fut exhumée, ramenée en Angleterre et placée dans la tombe du grand cava-lier. La prothèse fit le chemin inverse et se trouve donc au musée de Waterloo !

chacune donnant un éclairage particulier. Voici quelques points forts.

– *Salle 2 :* schéma général de la bataille. Voir l'avis de recherche des déserteurs lancé par l'armée britannique !

– *Salle 4 :* sur les victimes de Waterloo, dont le colonel Gordon, l'aide de camp de Wellington, mort le 18 juin pendant la bataille.

– *Salle 6 :* c'est là que Wellington passa la nuit du 17 au 18 juin et qu'il reçut, à 2h du matin, la confirmation de la participation à la bataille des armées prussiennes. Dans une armoire vitrée reposent deux des 247 pièces du service en porcelaine que Louis XVIII offrit au duc de Wellington pour le remercier d'avoir réduit la dette de guerre et fait évacuer, après 3 ans d'occupation, ses troupes du territoire français.

– *Salle 8 :* gravures sur la rencontre entre Wellington et Blücher, chef des forces prussiennes âgé de 73 ans lors de la bataille (qu'il se contenta, du coup, de suivre à cheval).

– *Salle 10 :* consacrée à Napoléon et à ses généraux. Peintures et aquarelles rap-pelant ses batailles et son exil à Sainte-Hélène, belle gravure de l'Empereur sur son lit de mort.

– *Salle 14 :* la grande salle, qui retrace la bataille par des plans lumineux, le tout accompagné d'excellentes explications et de morceaux choisis de textes. Armes, récits, costumes... Très bien fait.

Détails historiques : c'est parce que Wellington signa ici, à Waterloo, et non sur une autre entité, le soir du 18 juin, son communiqué de victoire que le nom de Waterloo resta attaché à la bataille. On trouve depuis des « Waterloo » un peu partout dans le monde anglo-saxon (pas moins de 35 aux États-Unis !). Pour les Français, le lieu de la bataille resta longtemps Mont-Saint-Jean, pour les Prus-siens Belle-Alliance (du nom de la ferme où Wellington et Blücher se congratulè-rent) et pour les Hollando-Belges, Quatre-Bras. C'est aussi à Waterloo qu'est né, après 1815, le tourisme en rapport avec la bataille : pendant des décennies, une malle-poste a conduit, de Bruxelles, des voyageurs désireux de se tremper dans le fleuve de l'Histoire. Le descendant du duc de Wellington vient une fois par an inspecter les 2 000 ha de fermes qui furent attribués à son ancêtre après la bataille et toucher son pactole de droits de fermage. C'est Bonaparte qui a perdu et ce sont les Belges qui trinquent.

Le Hameau du Lion

À 5 km au sud du musée Wellington par la chaussée de Bruxelles, il regroupe les 4 attractions citées plus bas. Tlj 9h30-18h30 (10h-17h nov-mars). Billet pour ttes les attractions : 8,70 € ; réduc. Rens complémentaires au ☎ 02-385-19-12 ou sur ● *culturespaces.com* ● *waterloo1815.be* ●

🏃🏃 *La butte du Lion :* entrée : 6 € *(inclut le panorama de la bataille) ; réduc.* Élevée entre 1823 et 1826 à l'endroit précis où fut blessé le prince d'Orange-Nassau lors des combats, son ascension par un escalier de 226 marches gratifie le visiteur d'un panorama sur la campagne où Français et alliés eurent à en découdre. C'est le gouvernement des Pays-Bas qui fit édifier cette colline pour y percher, à 45 m, cet énorme lion de fonte de 28 t, emblème des Orange-Nassau. En fait, le jeune prince n'y subit qu'une blessure légère mais on en fit tout un fromage. Quoi qu'il en soit, la hauteur de la butte est inversement proportionnelle au rôle joué par le fils du roi des Pays-Bas. La bête, elle, regarde vers la France, pour protéger le pays de l'envahisseur (les *Frenchies, of course !*).

🏃🏃 *Le panorama de la bataille :* entrée : 6 € *(inclut la Butte) ; réduc.* La peinture retrace un épisode crucial de la bataille vers 17h : une des charges de la cavalerie : le 3ᵉ corps de Kellermann, les survivants du 4ᵉ corps de Milhaud, la division de cavalerie légère de Lefèbvre-Desnoëttes et lourde de la garde impériale (Guyot). Même si cette technique de représentation appartient à un autre âge (1912), on ne peut qu'être impressionné par la facture de cette fresque circulaire de 110 m de long et de 12 m de haut. De plus, il y a maintenant une sonorisation très appropriée. Les peintres ont réussi à restituer, par la perspective et le foisonnement des personnages, l'extrême confusion de la bataille, la rage de vaincre des combattants et la détresse des mourants. Une œuvre traversée par le souffle de l'épopée.

🏃🏃 *Le musée de Cire :* accessible slt avec le billet combiné à 8,70 €. Annexe du *Bivouac de l'Empereur* (la taverne rustique du site), ce petit musée ravira les spécialistes de l'histoire napoléonienne par la précision des détails et la valeur de collection des pièces présentées. Il évoque surtout deux moments : la veille et le lendemain de la bataille. Les visages de cire sont l'œuvre d'artistes du musée Grévin. L'endroit faisait déjà fonction d'hôtel et de musée vers 1825, lorsque le sergent-major Edward Cotton, rescapé des combats, décida d'y installer la collection d'armes et d'objets qu'il avait ramassés sur le champ de bataille pendant plusieurs années. Parmi les touristes anglais de l'époque, il y eut la reine Victoria.

🏃 *Le spectacle audiovisuel :* dans l'auditorium du Centre du visiteur. Accessible slt avec le billet combiné à 8,70 €. Une maquette électronique relate à grand renfort d'effets sonores le mouvement des troupes au cours de la journée du 18 juin 1815, tandis qu'un écran diffuse des images de la bataille. Utile pour visualiser le déroulement des combats. En deuxième partie, un montage de fiction où des enfants jouent à la guerre sur le site et sont emportés dans un maelström d'images effrayantes tirées du film *Waterloo*, de Bondartchouk. Les enfants aimeront... peut-être.

– Enfin, d'avril à octobre, ceux qui veulent tout faire feront aussi la nouvelle activité proposée par *Culturespaces* : le ***Battlefield Tour,*** un tour du champ de bataille à bord d'un vieux camion militaire anglais tout-terrain, avec commentaires en trois langues. Sympa s'il fait beau. *Durée : 45 mn. Coût : 5,50 € ; réduc. Possibilité de billets combinés.*

À voir encore

¶ *Le dernier QG de Napoléon :* chaussée de Bruxelles, 66. ☎ 02-384-24-24. À 5 km au sud de la Butte, côté gauche de la route en allant vers Genappe. Tlj 10h-18h30 (13h-17h nov-mars). Entrée : 4 € ; réduc. C'est dans cette demeure champêtre que Napoléon passa sa dernière nuit... avant de régner sur l'Europe. Quelques salles (bien moins complètes que le musée Wellington) où l'on peut voir le lit de l'Empereur, un masque mortuaire (tiens, de profil il ressemble à Mitterrand), des plans de bataille ainsi

> ## BONAPARTE N'AIMAIT PAS PUER !
>
> *C'est à l'arrivée des Français en Allemagne en 1801 que le commerce de l'eau de Cologne se répandit. Son plus célèbre utilisateur était Napoléon, qui en versait un flacon dans ses bottes avant de monter à cheval. Il en consommait jusqu'à 43 l par mois. À Sainte-Hélène, privé de son eau favorite, il parvint à en retrouver la formule en faisant appel aux souvenirs de ses compagnons d'infortune.*

que le curieux squelette d'un hussard français trouvé en 1910 sur le champ de bataille. Armes, médailles, souvenirs de campagne. Dans la dernière salle, dioramas de la campagne de juin 1815. Petit ossuaire dans le jardin derrière.

¶ *La chapelle royale : en face du musée Wellington.* Beau dôme. Érigée en style baroque à la fin du XVIIe s par le gouverneur espagnol des Pays-Bas dans l'espoir de voir enfin le roi Charles II engendrer un héritier (peine perdue). Après 1815, les Anglais en firent un lieu de commémoration et financèrent la construction de l'église. On peut y voir des plaques gravées par des familles ou des régiments britanniques et hollando-belges. Une plaque à la gloire de Napoléon, apposée récemment dans ce lieu dédié aux vainqueurs, aurait pas mal irrité la reine Élisabeth II lors d'une visite.

Manifestations

– *Week-end de reconstitution de la bataille de Waterloo : les 17 et 18 juin.* Des soldats en costume d'époque bivouaquent et recréent l'atmosphère de la bataille à travers des mouvements de troupes !
– *Animations historiques : ts les w-e de juil-août.* Démonstrations d'infanterie, de cavalerie et de tir d'artillerie.

NIVELLES
(1400)   24 000 hab.

À une bonne demi-heure en voiture du centre de Bruxelles, Nivelles, malgré les bombardements allemands de 1940, est une grosse bourgade tranquille, surtout connue pour sa fameuse collégiale romane superbement restaurée et sa tarte *al djote* bien goûteuse.

UN PEU D'HISTOIRE

C'est l'abbaye fondée au VIIe s par Itte, femme de Pépin l'Ancien, comme chacun le sait, qui est à l'origine de la ville. Leur fille *Gertrude* en fut la première abbesse (avec un nom pareil, que pouvait-elle faire d'autre ?, nous direz-vous). Au fil des siècles, l'abbaye prend de l'importance et, au XIIe s, la cité se dote d'une enceinte. Elle poursuit son extension, à l'image de l'abbaye qui accueille des chanoinesses de haut rang qui vivent dans le luxe. À Nivelles, on fabrique du lin et de la dentelle.

Avec la dispersion de l'artisanat, la ville perd de son importance. Quant à l'abbaye, elle périclite à la fin du XVIIIᵉ s. Le principal fait marquant de son histoire récente reste ancré dans la mémoire des anciens : c'est le terrible bombardement de 1940, qui ruina la collégiale et tout le centre-ville.

Adresse utile

🛈 *Office de tourisme du Roman Païs :* rue de Saintes, 48. ☎ 067-22-04-04. ● tourisme-roman-pais.be ● Tlj 8h30-17h.

Où dormir ?

🏠 *La Ferme des Églantines :* chemin de Fontaine-L'Évêque, 8. ☎ 067-84-10-10. ● fermedeseglantines@hotmail. com ● fermedeseglantines.be ● À 2,5 km du centre de Nivelles. De la Grand-Place, prendre la direction de Mons puis, au 1ᵉʳ rond-point, le grand axe de gauche et suivre les indications. La « ferme » est au milieu des champs. Compter 75 € pour 2 pers, petit déj compris. CB refusées. Wifi gratuit. Apéro offert sur présentation de ce guide. Tenu par Rose-Mary et son mari, Roberto, qui a entièrement retapé le fenil de cette ancienne ferme (et pas seulement le fenil !) pour y installer des chambres d'hôtes bien confortables (plancher, salle de bains en carreaux de faïence, TV satellite, etc.). Petit déj (varié) pris dans l'ancienne étable, à la déco agréablement rustique. On peut aussi y dîner (table d'hôtes sur demande, 20 € pour 3 services), ce sera pour vous l'occasion de discussions animées avec ce passionné de Roberto ! Enfin, amis des bêtes, sachez que vous serez ici entourés de chiens, chats, lapins, oies, ânes, chevaux et moutons. Au total, quelque 250 animaux !

Où manger ?

– Les amateurs d'insolite goûteront la spécialité de Nivelles, la *tarte al djote,* composée pour moitié de fromage et de bettes, mais aussi d'oignons hachés et de fines herbes. Plutôt bonne et à consommer avec une bière locale : la Jean de Nivelles. Les meilleures à emporter se vendent à la **boulangerie Courtain,** bd de la Fleur-de-Lys, 14, au restaurant *Au duc de Brabant,* chaussée de Bruxelles, 102, et à la boulangerie **Tout au Beurre,** rue de Namur, 70.
– Certains petits restos servent aussi les *doubles,* des crêpes de sarrasin au fromage gras.

🍽 *Brasserie-restaurant des Arts :* Grand-Place, 51. ☎ 067-21-83-73. ● info@brasseriedesarts.be ● Pile en face de l'entrée de la collégiale. Tlj 11h-15h, 18h-23h (minuit w-e). Plat du jour 8,50 €, menu d'hôtes 24 € ; à la carte, pâtes env 12 € et viandes ou poisson 15-25 €. Apéro ou café offert sur présentation de ce guide. La brasserie qui fait courir le Tout-Nivelles pour dîner en joyeux groupes autour des grandes tables rondes ou tout simplement pour boire un verre en terrasse aux beaux jours. Cuisine franco-italienne bien enlevée, avec quelques curiosités locales, comme le saumon cru mariné à la nivelloise, la raclette nivelloise ou la côte de veau à la d'Jean d'Jean (une bière de Nivelles). Service prévenant et virevoltant. Soirée à thème les 2ᵉ et 4ᵉ samedis du mois.

🍽 *La Pinède :* rue de l'Étuve, 2. ☎ 067-44-42-23. Fermé dim soir et lun. Plat du jour 9 € ; carte 10-20 €. Charmant décor : banquettes de style ferroviaire au rez-de-chaussée, salle garnie de briques apparentes à l'étage, sous un toit en pente. Un excellent prélude à ce qui suit, à savoir une bien bonne petite cuisine de brasserie ! Ravioles de chèvre, courgettes aux crevettes grises, filet de canard en robe de parme, véritable tartare de bœuf et poisson en fonction de l'arrivage. Bon accueil, service agréable. Une adresse à fréquenter sans hésiter !

À voir

LA PROVINCE DU BRABANT WALLON

🍴🍴 *La collégiale Sainte-Gertrude :* sur la Grand-Place. ☎ 067-22-04-44. *Tlj sf dim mat 9h-17h. Visite guidée (5 €) tlj à 14h, ainsi qu'à 15h30 le w-e. Durée : 1h30. On précise que la crypte et la salle impériale ne sont accessibles que lors de ces visites.*

Avant de vous en raconter l'histoire, il faut savoir que ce que vous voyez aujourd'hui est en quelque sorte une « copie conforme » de la collégiale du Moyen Âge. En grande partie détruite pendant la guerre, elle fut reconstruite grâce aux indemnisations payées par les Allemands. Et là fut donnée une formidable leçon de démocratie directe. Les autorités organisèrent un référendum auprès des habitants pour définir le style qu'on allait adopter pour la nouvelle collégiale. C'est le roman rhénan qui l'emporta. Bravo à lui.

Fondée en 650, la collégiale fut édifiée sous sa forme actuelle au XIe s pour montrer la puissance de l'Empire germanique. Le style se rapproche du roman classique et se définit précisément comme ottonien, caractérisé notamment par un plafond plat. Celui-ci est en béton imitant le bois. La grande particularité tient au côté bicéphale de l'ouvrage, c'est-à-dire à la présence de deux chœurs. Celui situé à l'est s'élève sur une crypte et était utilisé pour les messes, tandis que l'autre, situé à l'ouest, servait aux grandes célébrations (Noël, Pâques, Pentecôte). Ensemble aux belles proportions (102 m de long). Autre élément particulier du style ottonien : l'absence de décoration sur les piliers carrés et sa grande simplicité.

– *Le chœur :* avec, au fond, un vestige de fresque du XVe s représentant le martyre de saint Laurent. Derrière le chœur, la châsse de sainte Gertrude, refaite de façon particulièrement moderne après que l'original avait fondu sous les bombes allemandes. Les habitants de Nivelles, qui goûtent assez peu son style, la surnomment la « boîte à sardines ». À droite du chœur ouest, un char en bois du XVe s qu'on sort le jour de la Saint-Michel pour une grande procession, chargé de la châsse. La sainte, ainsi tirée par six chevaux, est censée protéger les récoltes de l'invasion des rongeurs. D'ailleurs, ne voit-on pas sur toutes les représentations de sainte Gertrude des rats courir à ses pieds ou sur la crosse qu'elle tient ? Dans la nef, une maquette en carton de l'ancienne collégiale avec sa flèche gothique et ses petites maisons adjacentes.

– *L'avant-corps :* il donne à la façade de l'église l'aspect d'un chevet. Édifié au XIIe s, il est le siège du chœur occidental de l'église. Le tout a été restauré superbement. Admirables coupoles de pierre.

Dans le cadre de la visite guidée, possibilité d'accéder aux chapelles-tribunes de l'avant-corps. Voir le trou de Sainte-Gertrude, curieux passage entre un mur et une colonne où seuls réussissaient à passer les gens en état de grâce. Un état dont étaient exclus les gros, étant donné l'étroitesse du paysage.

En poursuivant la grimpette dans la tour, on passe par les prisons de l'abbaye. Tout en haut, la salle impériale est l'endroit où l'abbesse rendait la justice. Aujourd'hui transformée en petit musée, elle abrite notamment les restes fondus de la châsse originelle de la sainte. Au sommet de la tour, le jacquemart doré, Jean de Nivelles, sonne toutes les heures.

– *La crypte :* accessible uniquement lors des visites guidées. Ce n'était pas un cimetière mais un lieu de prière. Les deux piliers carrés servaient à se repérer pour être sous les reliques de sainte Gertrude situées dans le chœur. En se positionnant juste en dessous, les pèlerins venaient se sanctifier. À côté, on peut deviner les ruines de cinq églises, bâties ici entre les VIIe et Xe s. On y retrouva de nombreux ossements mais, comme les gens y étaient enterrés nus, il fut impossible de les

identifier. Certains évoquent la présence d'Ermentrude (petite-fille de Charlemagne) et d'Himeltrude (épouse supposée de Charlemagne), qui mesurait 1,90 m.
– *Le cloître :* sur le flanc nord de l'église, alors que d'habitude les cloîtres sont au sud. Pas toujours ouvert. À l'époque de sa construction au XIIIᵉ s, Nivelles était une importante place marchande et le côté sud était occupé par le marché qu'on ne pouvait déplacer. Seul un flanc du cloître a survécu aux bombardements. Ancien cimetière de moines, c'est aujourd'hui un cimetière de carillons.

🍴 *Le Musée communal :* rue de Bruxelles, 27. ☎ 067-88-22-80. Tlj sf mar 9h30-12h, 14h-17h. Entrée : 2 €. Installé dans un édifice du XVIIIᵉ s, coquet et noble, ce musée un peu ennuyeux abrite de riches collections concernant l'histoire de la ville. On débute la visite par le 2ᵉ étage, où sont mises en avant les fouilles archéologiques de la région. Le 1ᵉʳ étage se consacre à la musique et à l'artisanat local. Une des salles les plus intéressantes présente les études des sculptures de Laurent Delvaux, sculpteur baroque du XVIIIᵉ s, originaire de Nivelles. Une trentaine de projets sont exposés mais c'est à la fin de la visite qu'on pourra admirer les chefs-d'œuvre de la collégiale : quatre statues provenant de l'ancien jubé, de pur style gothique brabançon tardif (fin du XVᵉ s), tout en finesse et en grâce.

Manifestations

– *Carnaval :* le dim après Mardi gras. Carnaval *Aclot* le lendemain, avec cortège nocturne (assuré par les *Gilles de Nivelles*).
– *Tour Sainte-Gertrude :* le dim qui suit le 29 sept. Sur une quinzaine de kilomètres à la découverte des champs, six chevaux tirent un char du XVᵉ s sur lequel est posée la châsse de sainte Gertrude.

L'ABBAYE DE VILLERS-LA-VILLE

Située à une douzaine de kilomètres à l'est de Nivelles et à une trentaine au sud de Bruxelles. Villers-la-Ville est aussi minuscule que connue. Et ce grâce aux ruines de sa superbe abbaye gothique.
➢ *Pour s'y rendre :* prendre l'E 19 vers Mons ; sortie 19 à Nivelles, puis N 93. Villers est ensuite fléchée sur la gauche.

UN PEU D'HISTOIRE

Ce sont les cisterciens, et notamment saint Bernard, qui fondent l'abbaye au XIIᵉ s dans cette belle vallée de la Thyle. Ce sera la plus importante jamais construite dans le pays. Elle commence sa vie tambour battant, et la petite église se voit rapidement adjoindre des édifices complémentaires. Un siècle après son érection, elle rayonne sur tout l'Occident chrétien. Les moines sont propriétaires de terres immenses et gèrent d'autres communautés. Son aura s'amenuise aux XVIᵉ et XVIIᵉ s avec les guerres de Religion, avant de connaître un renouveau puis d'être pillée par les Français en 1794, après leur victoire à Fleurus. Comme beaucoup d'abbayes à l'époque, elle servit alors de carrière de pierre et tomba rapidement en ruine. Outre la beauté romantique qui se dégage du site, c'est la grande cohérence architecturale qui frappe et émeut, quand on sait que des ajouts continuels vinrent l'enrichir tout au long de ses six siècles d'existence. Se mêlent ici avec harmonie des styles fort différents.
L'État racheta l'abbaye en 1892 pour la restaurer et l'ouvrir à la visite. En déambulant au gré de votre humeur, vous découvrirez facilement les édifices les plus importants.

Infos pratiques

Rens : ☎ *071-88-09-80.* • *villers.be* • *Avr-oct, tlj 10h-18h ; le reste de l'année, tlj sf mar 10h-17h. Entrée : 5 € pour la visite libre, 7 € avec l'audioguide ; réduc.*

La visite

🎎 *L'église abbatiale :* proportions impressionnantes (94 m sur 40 m) et voûte de 23 m. Il en subsiste encore la nef. Élevée au début du XIIIᵉ s en forme de croix, elle fut la première en style gothique dans la province, tout en conservant une grande sobriété.

🎎 *Le cloître :* d'abord roman, il se mit à la mode gothique comme tout le monde. Dans l'un des angles repose le croisé Gobert d'Aspremont, qui mourut en odeur de sainteté à Villers. Nous, on n'a rien senti. Un gisant en marbre recouvre son tombeau.

🎎 *Le réfectoire :* sa taille permet de s'imaginer le nombre de convives à table. Son style n'est déjà plus roman, tout en n'étant pas encore complètement gothique. Les fenêtres ogivales accueillaient la lumière tandis que nos bons moines accueillaient généreusement la bonne bière brassée par leurs soins. À côté, la cuisine dont on aperçoit encore la hotte.

🎎 *L'hôtellerie :* tout au fond de l'abbaye, c'est une remarquable construction basse de style roman épuré, avec ses grosses voûtes à arêtes et ses épaisses colonnes. On y brassait la bière. Vu la taille imposante du lieu, on peut aisément imaginer les quantités qui y circulaient.

🎎 *Le palais abbatial :* ce fut en fait le dernier ajout de l'histoire de l'abbaye au début du XVIIIᵉ s, avant son abandon à la fin de celui-ci. C'est sans doute la partie qui colle le moins à la cohérence architecturale de l'ensemble. Mais ce n'est pas bien grave, vu ce qui subsiste aujourd'hui.

|●| En face de l'abbaye, l'*Auberge du Moulin* sert des assiettes de fromage et de charcuterie, ainsi qu'un plat du jour à environ 10 €.

Manifestations

L'abbaye et l'église accueillent des *manifestations culturelles* variées : animations familiales le lundi de Pâques, représentations théâtrales tous les soirs de mi-juillet à mi-août, concerts musicaux la nuit « des chœurs » (fin août), etc.

LOUVAIN-LA-NEUVE (1348) 24 000 hab.

Couplée à Ottignies, une bien curieuse ville, entièrement sortie du sol comme un champignon après la pluie dans les années 1970. Ce sont les heurts entre communautés flamande et wallonne au sein de l'université qui ont provoqué la « sécession ». Littéralement fichus à la porte de Leuven (la Louvain flamande), les francophones ont donc pris la décision de battre en retraite en Wallonie et de créer leur Louvain à eux.

Une ville neuve donc, la première en Belgique depuis Charleroi, sortie de terre et posée au-dessus du sol, comme sur des échasses, ce qui lui donne une curieuse allure de soucoupe volante toujours prête à décoller. Heureusement, alors que les architectes-apprentis sorciers auraient pu gratifier le site de leurs catastrophes habituelles, ils ont eu la sagesse de concevoir une ville à taille humaine, avec des structures respectant une certaine simplicité. Dire que l'ensemble est riant, c'est aller trop loin. Beaucoup de béton certes, mais la plupart des constructions sont parées de brique et d'ardoise. La ville entière est piétonne. Toutes les voitures sont reléguées dans de grands parkings situés en rez-de-chaussée (entre les échasses de la soucoupe volante, pour reprendre notre métaphore).

L'arrivée en ville est un peu curieuse. On cherche des rues, un centre, des gens, et on ne rencontre que des panneaux nous donnant le choix entre plusieurs parkings. On tourne en rond un bon paquet de fois avant de comprendre comment ça marche. Passerelles, places, unités de vie, facs, commerces... tout cela est intimement lié, répondant bien à l'idée de mixité des fonctions. On ne voit pas la différence entre la fac et les habitations, et c'est tant mieux.

La ville peut également surprendre sur le plan humain. Il semble, à première vue, que la seule tranche d'âge qu'on y croise soit celle, très mince, des 18-30 ans. Et puis, en se promenant et en rencontrant les Néo-Louvanistes, on s'aperçoit que des représentants des classes d'âge moins jeunes ont choisi aussi de s'installer ici, attirés par le bouillonnement intellectuel, les bibliothèques, l'université des Anciens et la riche vie associative. Pour eux, L-L-N est la ville où l'on ne vieillit pas ! Les statistiques révèlent d'ailleurs que sur environ 19 000 habitants (le

> ## LES 24H VÉLO DE LOUVAIN-LA-NEUVE
>
> *Depuis 1976, chaque année en octobre, les Néo-Louvanistes se mettent en selle pour un marathon cycliste de... 24h ! Comme ces coureurs ne sont pas des surhommes, ils se relaient au sein d'équipes. Et c'est l'équipe qui, au bout des 24h, a totalisé le plus grand nombre de tours qui remporte la course. Au tout début, il s'agissait d'un véritable défi sportif mais, très vite, le folklore a pris le dessus et les vélos se sont mués en véhicules à pédales au look complètement fou !*

double en journée) la moitié désormais ne sont pas des étudiants. Plus de 1 300 maisons unifamiliales ont été bâties et 130 entreprises se sont installées dans le parc scientifique, générant près de 4 500 emplois. Quelques fermes sont également intégrées dans le tissu urbain. Enfin, le théâtre Jean-Vilar attire des spectateurs de Bruxelles.

Bref, la mayonnaise a bien pris, les urbanistes et les architectes qui avaient fait le pari de créer *ex nihilo,* en quelques années, une vraie communauté urbaine sont contents... et peuvent mettre en chantier de nouveaux projets de développement. Car, on s'en doute, Louvain-la-Neuve ne compte pas s'arrêter en si bon chemin et, d'ailleurs, c'est à L-L-N que la Fondation Hergé a choisi d'installer le tant attendu musée Hergé conçu par Christian de Portzamparc.

Adresses utiles

🚆 *Gare SNCB : sous la dalle, entrée par la rue des Wallons.* Pour Bruxelles, 2 possibilités : le train vers Ottignies puis celui, direct, pour Bruxelles (l'option la plus rapide) ou le train omnibus (sans changement à Ottignies). Un coup d'œil aux quais : fresque pseudo-Renaissance de Thierry Bosquet sur le thème de la connaissance. En face,

25 reproductions de toiles de Paul Delvaux qui fut chef de gare honoraire de Louvain-la-Neuve.

🛈 *Office de tourisme : dans la gare, à côté des guichets (pratique !).* ☎ 010-47-47-47. ● olln.be ● *Ouv en sem 9h-17h, sam 11h-17h ; juil-août, ouv également dim 11h-15h.* Infos générales sur L-L-N et les environs. Projection aussi d'un petit film sur la ville dans un espace audiovisuel (où se trouve une maquette de L-L-N) et expos d'art temporaires.

Où manger ? Où boire un verre ?

Ville estudiantine, Louvain-la-Neuve regorge de snacks, friteries, *pita-houses,* pizzerias et autres brasseries où l'on peut tout aussi bien se sustenter d'un plat simple que s'envoyer une Gueuze...

De bon marché à prix moyens

|●| 𝖸 *Crêperie bretonne La Mère Filloux* : pl. des Brabançons. ☎ 010-45-15-85. Tlj 9h-1h. Fermé pdt les vac de Noël. Crêpes 3-20 €. Café offert sur présentation de ce guide. Un petit délire culinaire. Avant tout pour la variété proposée : quelque 200 sortes de crêpes salées et 150 de crêpes sucrées ! Une formule qui appâte du monde. Exemples : crêpes au poulet sylvestre, de bœuf aux marrons, saumon à l'orange, crabe créole, champignons savoyards, il y en a vraiment pour tous les goûts ! Ce n'est pas tout : côté glaces, on a compté 80 coupes différentes et, au rang des boissons, pas moins de 250 sortes de bières ainsi que des thés et cafés de toutes provenances ! Les indécis passeront leur chemin. Cadre banal.

|●| *Le Respect Table* : terrasse des Ardennais, 20. ☎ 010-45-89-58. Presque en face de la crêperie. Lun-sam 12h-14h, mer-sam 19h-21h. Formule déj entrée + plat ou plat + dessert 12 € ; menu 3 services le soir 22 €. Possibilité aussi de ne prendre que 1 plat, 9 € le midi et 12,50 € le soir. Une adresse qu'on aime beaucoup pour son cadre gai (salle toute colorée avec fourneaux intégrés) et la qualité de sa cuisine... tendance bio, équitable et respectueuse de l'environnement ! Tous les jours, choix entre 2 ou 3 entrées, plats et desserts, pas plus, mais c'est sain, copieux, savoureux et inventif. Pourquoi, mais pourquoi se priver ? Bons petits vins bio. Il y a même du *coca équitable de Bretagne* ! Service très aimable.

𝖸 *Le Brasse-Temps* : pl. des Brabançons, 4. ☎ 010-45-70-27. À côté de la crêperie. Tlj sf sam ap-m et dim 11h-1h. Une microbrasserie où vous pourrez tremper vos lèvres dans 5 bières de fabrication maison : la Blanche Neuve, l'Ambrasse-Temps, la Cuvée des Trolls, la Brasse-Temps des Cerises (fameuse !) et, dernière en date, la Brune des Temps. Si c'est votre anniversaire, faites-le savoir, on vous offrira, si vous payez la première, une « Rafale ».

Un peu plus chic

|●| *Empreintes Nomades* : rue Rabelais, 26. ☎ 010-45-61-60. En plein centre. Tlj 9h-1h. Résa conseillée le soir. Plats 11-18 €. Si vous cherchez un resto où l'on mange bien et dans une chouette ambiance, simple : *Empreintes Nomades* ! Toujours du monde en effet, et pour cause : le personnel est hyper sympa, le cadre aussi (plafond tendu de tissus, bons gros fauteuils, petites loupiotes et tableaux ou photos noir et blanc aux murs...), et les assiettes sont bien remplies, de mets succulents. Que dire de plus ? À la carte, spécialités de couscous et tajines mais il y a aussi des plats plus classiques comme l'onglet de bœuf, le steak d'espadon ou les pâtes (au jambon et poireaux, aux pleurotes et à la pancetta...). Sans oublier les suggestions, genre *fusion,* comme la tajine de daurade farci aux herbes... Possibilité aussi d'y prendre le petit déj (café, croissant et jus d'orange pressée pour 3,33 € !) ou, l'après-midi, d'y savourer une gaufre de Bruxelles ou une mousse au chocolat maison... La bonne adresse qu'on vous dit !

|●| *Nulle Part Ailleurs* : Grand-Rue, 9. ☎ 010-45-13-27. Dans la rue principale. *Tlj 12h-15h, 18h-23h. Résa conseillée. Lunch 13,90 €, menus à partir de 20 €. À la carte, compter 12-18 € le plat. Apéro offert si vous réservez par Internet min 24h à l'avance !* Un autre excellent resto de Louvain-la-Neuve. Ici encore, décor très chaleureux, un peu arabisant, avec des tables en bois joli- ment dressées. Accueil extra. La carte affiche ici aussi des couscous et des tajines mais également des plats délicieux de poisson (essayez le millefeuille de tilapia !) ou de viande (magnifique médaillon d'agneau en croûte de parmesan, hélas pas toujours à la carte).

À voir

Le musée de L-L-N : *pl. Blaise-Pascal, 1. ☎ 010-47-48-41. ● muse.ucl.ac.be ● Mar-ven 10h-18h, w-e 14h-18h. Fermé lun. Entrée : 3 € ; réduc.* Installé dans un bâtiment de la faculté de Philo & Lettres (dont la bibliothèque surplombe les salles d'expo). Il abrite aussi bien des statues anciennes à caractère religieux et des collections ethnographiques (surtout d'Afrique et d'Océanie) que des œuvres d'art naïf et contemporain. Belles gravures de Dürer aussi, de Goya, Picasso ou Rembrandt, et peintures, dessins, estampes et sculptures belges du XXe s, exposées par rotation. Seule une salle est réservée à une expo permanente : la « salle du dialogue », avec des œuvres de même thème mais traitées par des artistes d'époque et d'origine très différentes. Enfin, le musée propose des expositions temporaires venant d'ailleurs, tous les deux ou trois mois.

Musée Hergé : *rue du Labrador, 26. ☎ 010-45-57-77. Tlj sf lun et j. fériés 10h -18h. ● museeherge.com ● Entrée : 9,50 €, réduc.*
« À force de croire à ses rêves, l'homme en fait une réalité », disait un jour le créateur de Tintin à l'astronaute Neil Armstrong. Le musée qui lui est consacré est sans aucun doute à la hauteur de ses rêves. Les familiers du petit reporter auront tout de suite remarqué le clin d'œil dès la lecture de l'adresse : la rue du Labrador créée à Louvain-la-Neuve en hommage à celle où Tintin habitait dans une ville ressemblant à s'y méprendre à Bruxelles, avant de s'installer entre deux voyages au château de Moulinsart acheté par le capitaine Haddock après *Le Trésor de Rackham le Rouge*. Moulinsart qui, comme tout bédéphile le sait, est inspiré du château de Cheverny, est aussi entouré de paysages de la campagne brabançonne qui servent, à juste titre, à présent d'écrin au musée Hergé conçu par l'architecte Christian de Portzampac.
Depuis la plate-forme qui coiffe la ville universitaire, on accède à cet étrange vaisseau suspendu par une longue passerelle, comme pour un embarquement portuaire vers l'aventure. La façade se présente comme les deux pages d'un livre ouvert : à gauche, la silhouette de Tintin de dos, à droite comme une page blanche, la signature d'Hergé.
La construction, d'une légèreté étonnante, est un hommage stylistique évident à la « ligne claire », avec ses volumes suspendus disposés en quinconce, ses murs obliques sans angles droits, entre lesquels s'articulent huit salles d'exposition, reliées entre elles par des passerelles et des escaliers. Aux murs dans des tons pastel, des thèmes décoratifs comme du papier peint inspirés par l'œuvre d'Hergé (les murs des buildings américains, les vagues de la mer...).
Les huit salles thématiques nous plongent immédiatement au cœur de l'œuvre : tout en haut, la première est consacrée aux débuts de ce garçon modeste, mais très tôt griffonneur compulsif, né à Bruxelles en 1907 qui s'appelait Georges Rémi et qui trouva son pseudo en inversant. les initiales de son nom. Ses premiers dessins sont publiés dans le *Boy-scout belge* où il crée le personnage de Totor qui, ressemble déjà, étrangement au futur Tintin, sans la houppe.
Les aventures de Tintin et Milou, publiées à partir de 1929 dans le *Petit Vingtième* – annexe pour jeunes du très catholique et conservateur *Vingtième siècle* – occupent évidemment une grande place dans le musée. On découvre 80 planches originales

(qui seront renouvelées au fil des mois), le processus de leur élaboration, mais aussi les autres facettes d'Hergé : affiches, publicité, cinéma et caricatures. De 1940 à 1944, Hergé a collaboré au journal *Le Soir*, aux mains de l'occupant, cela n'en faisait pas pour autant un pronazi, preuve en est cette caricature publiée en 1939 dans un journal satirique où une de ses créatures, Monsieur Bellum, taggue un mur d'un « Hitler est un fou » sans ambiguïté.

Tout ce parcours foisonne de citations souvent pleines d'humour qui ajoutent encore au plaisir d'un parcours passionnant lorsqu'on découvre l'extraordinaire galerie de portraits de tous les personnages qui peuplent les aventures. Cette iden-tification à ses personnages, Hergé la revendiquait haut et fort : « *Tintin, et tous les autres, disait-il, c'est moi* » ! Suit encore une salle passionnante où l'on découvre les rapports étroits entre l'œuvre d'Hergé et le cinéma, tant du point de vue du découpage scénaristique que des influences du 7e art sur les aventures de Tintin (King Kong pour *l'Île noire*, Charlot, Tom Mix, les frères Marx etc...).

Dans la salle du *Laboratoire*, l'influence de la science, jusqu'au paranormal appor-tent la preuve de la rigueur avec laquelle la vulgarisation scientifique était traitée pour créer les engins aussi sophistiqués que la fusée lunaire ou le jet de *Vol 714 pour Sidney*. Le *Musée imaginaire* rassemble plusieurs collections de passionnés qui ont accumulé des centaines d'objets réels ou fictifs évoquant les mondes loin-tains et les civilisations mystérieuses (le fétiche Arumbaya, la momie de Rascar Capac..)

Les studios Hergé sont une autre facette de sa carrière. Durant 21 ans, Hergé sera à la tête d'une entreprise florissante qui faisait vivre de nombreux collaborateurs et où il rencontra une jeune coloriste, Fanny Vlamynck, qui deviendra sa deuxième épouse et, à sa mort, la gestionnaire parfois controversée des droits d'auteurs liés à l'œuvre.

À la fin de sa vie, Hergé s'est littéralement passionné pour l'art contemporain, preuve en sont les esquisses de son dernier album, *l'Alph Art* où un personnage apparaît sous les traits du marchand d'art Fernand Legros.

En fin de parcours d'éminents personnages tels que Michel Serres, Haroun Tazieff, le dalaï-lama, Alain Resnais rendent hommage à Hergé. Mais le plus durable n'est-il pas celui de la société belge d'astronomie qui a baptisé un corps céleste, décou-vert, entre Mars et Jupiter du nom d'Hergé ?

« *Tintin m'a rendu heureux* », disait-il. « *Je me suis beaucoup amusé, et, en plus, on m'a payé pour le faire !* ». Une vie bien remplie...

🦌 Si vous avez un peu de temps, allez jeter un œil au *quartier de la Baraque,* au nord-est du centre. C'est l'une des « zones résidentielles » (si on peut appeler ça comme ça) les plus étranges de Belgique, rien que ça !

LE LAC DE GENVAL
....

Faire un petit tour au sud de Bruxelles et ne pas s'arrêter à Genval serait bien dommage. Genval, lieu de villégiature, est bien connu des Bruxellois puisqu'ils viennent y flâner le dimanche, au bord de son charmant lac, entouré de coquettes demeures et aménagé pour les sports nautiques.

Où manger ?

Nombreux restos, chers évidemment, mais le cadre champêtre et bourgeois à la fois donne bien envie de prendre place en terrasse, au bord de l'eau, pour un bon repas arrosé. À part ces restos assez cossus, en voici un à prix moyens dans le centre du village.

Prix moyens

|●| *La Clé :* rue de la Station, 39. ☎ 02-654-17-20. ● lesclefs@skynet.be ● Juste en face de la gare. Tlj sf lun soir et dim 12h-14h30, 19h-22h30. Fermé dernière sem d'août-1re sem de sept. Plat du jour 9 € ; carte 30-35 €. Apéro maison offert sur présentation de ce guide. Bistrot-brasserie sympa avec coin véranda ou bien, au fond, une salle garnie de miroirs. Honnête cuisine saisonnière affichant salades, pâtes, grillades et quelques plats moins classiques comme le waterzoi de poussin ou la lasagne de Saint-Jacques et crevettes grises.

À voir

🐾 *Le musée de l'Eau et de la Fontaine :* av. Hoover, 63. ☎ 02-654-19-23. Juste en retrait du lac. Lun-ven 9h30-12h, 13h30-16h30 ; w-e et j. fériés 10h-18h. Entrée 3 € ; réduc. En visitant ce musée, vous saurez enfin tout sur l'eau, son origine, ses différents usages, sa nécessité et la manière de l'amener jusqu'à nous. Ouf ! Une section est également consacrée aux fontaines et aux pompes à eau, dont vous découvrirez enfin le fonctionnement. Visite instructive et plaisante. Devant le musée, jeter un œil à la *Sirène échouée sur un rocher,* véritable cri d'alarme contre la pollution aquatique.

➤ *DANS LES ENVIRONS DE GENVAL*

En bordure de la forêt de Soignes

🐾 *Le domaine de La Hulpe :* traversée par la charmante rivière Argentine, l'ancienne propriété de l'industriel Ernest-John Solvay est un superbe parc de 220 ha qui appartient à la Région wallonne. Des pelouses bordées de massifs d'azalées et de rhododendrons, des étangs, des collines plantées d'essences rares (séquoias notamment) en font un lieu de promenade particulièrement apprécié. Un grand lac servait autrefois de source d'approvisionnement en eau aux fabricants papetiers de la région. Le domaine et le château au milieu ont servi de décor pour le tournage du film *Le Maître de musique.*

🐾🐾 *La Fondation Jean-Michel-Folon :* drève de la Ramée, dans la ferme du château de **La Hulpe.** ☎ 02-653-34-56. ● fondationfolon.org ● Accès fléché depuis le carrefour des Trois-Colonnes du village de La Hulpe. Parking à 400 m de la ferme, petite trotte. Tlj sf lun 10h-18h (la caisse ferme à 17h). Entrée : 7,50 € ; réduc. Visite entièrement accessible et gratuite pour les pers handicapées.
Tout l'univers de l'artiste est évoqué au travers d'un parcours très joliment aménagé dans d'anciens bâtiments agricoles disposés autour d'une cour carrée. La visite s'ouvre sur une projection où glisse le pinceau de l'aquarelliste sur la feuille blanche, puis on pénètre, par une porte-livre, dans l'imaginaire poétique et onirique de Jean-Michel Folon. Dans un accrochage plus ou moins chronologique, ses aquarelles, peintures, sérigraphies, vitraux, tapisseries et ses illustrations d'œuvres littéraires (Prévert, Kafka, Apollinaire) évoquent un monde d'intimité et de douceur, où les thèmes récurrents sont la défense de l'environnement et la place de l'homme, souvent seul, dans la ville. À noter, le mur d'affiches encadré de miroirs produisant une vertigineuse mise en abîme.
Remarquable collection de timbres et de correspondance illustrée, envoyée à son ami Soavi. Dans la *Tête de l'homme bleu,* une salle des glaces diffuse le célébrissime générique d'Antenne 2 en compagnie de sa contribution publicitaire à la prospection gazière. Avec ses sculptures en bois, ses marbres et bronzes patinés, ses eaux-fortes et une étonnante série de petits personnages aux têtes toutes différen-

tes, on découvre une œuvre moins connue, détournant les objets de leur usage courant et qui ne cache pas sa parenté avec la thématique surréaliste si présente dans l'univers artistique belge. Reconstitution de l'atelier du sculpteur et commentaires de Folon en vidéo. On a vraiment bien aimé aussi, dans une courette, le parapluie d'eau qui protège un personnage debout à la Magritte, la salle où un bonhomme assis rappelle celui qui résiste aux marées de la plage de Knokke-Heist et surtout, surtout, dans une autre pièce, l'élégant ballet d'un petit automate acrobate, sous une voûte étoilée. Magnifique !

La visite se termine par la *boutique* du musée. À côté se trouve la *Taverne de l'Homme bleu,* cafétéria où l'on peut prendre une tartine de fromage blanc aux radis et aux oignons, arrosée d'une Kriek.

LA PROVINCE DE LIÈGE

Visage avenant, épanoui, facettes multiples et même, devrions-nous dire, particulièrement contrastées, quand, aux bocages du pays de Herve, succèdent, sans transition, les Fagnes, relief et végétation plus proches de la toundra sibérienne que des prairies à pommiers. Fagnes d'ailleurs merveilleusement chantées par Apollinaire. Paradis des randonneurs, des botanistes et de tous les trucs en « -logues ». Sans oublier la dimension industrielle et humaine, avec le bassin minier de Blégny et son fascinant écomusée. Et pour finir, Liège, qu'on a aimé pour sa chaleur. Mais trève de bavardage, on vous en cause tout de suite...

LIÈGE (4000, 4020) 200 000 hab. (agglomération : environ 600 000 hab.)

En préambule, force est de reconnaître que Liège n'est pas la plus belle ville de Belgique : hormis le cœur de la cité, qui recèle quelques perles architecturales, pas mal de béton mal placé, de constructions disgracieuses et de bâtiments gris formant un ensemble plutôt anarchique, auquel il n'est pas facile de trouver une once d'harmonie ; sans parler du passé industriel de la région qui, avec ses usines massives, à Ougrée notamment, dans la banlieue sud-ouest, a littéralement défiguré certains abords de l'agglomération.
Mais en dehors de cela, Liège véhicule une réputation justifiée de ville accueillante, vivante, rieuse, voire exubérante. N'y fête-t-on pas le 14 Juillet avec presque plus d'enthousiasme qu'en France ? Mieux : au centre de Liège se trouve le « Carré », un petit périmètre plein de cafés gorgés d'étudiants sept jours sur sept, avec un pic le vendredi. Ce fameux Carré serait même – imaginez un peu ! – la zone où coule le plus de bière au mètre carré... dans le monde !
En effet, s'il est une chose qui ne déçoit pas à Liège, c'est bien cette chaleur, cette convivialité, qu'on retrouve dans la rue, sur les marchés, au comptoir des estaminets... Ce n'est d'ailleurs pas pour rien qu'on la surnomme la Cité Ardente ! Et puis, on le disait, la ville possède quand même un patrimoine architectural non négligeable (391 bâtiments classés), ainsi que quelques musées intéressants, qu'on peut pratiquement tous rallier sans voiture. Enfin, routards coquins, sachez que les Liégeoises passent pour les plus jolies et effrontées des Belges ; alors, à 2h13 de Paris (en *Thalys*), n'hésitez plus à débarquer sous l'aérienne structure de la nouvelle gare conçue par Calatrava pour y faire la bamboche, dans une ambiance qui n'a rien à envier à Marseille.

UN PEU D'HISTOIRE

LIÈGE

Tout commence un jour noir de 705, lorsque saint Lambert, évêque de Tongres-Maastricht, se fait trucider alors qu'il herborise sur les berges de la Légia. Son successeur, saint Hubert, décide de construire, sur les lieux mêmes de l'assassinat, un sanctuaire qui rapidement devient un lieu de pèlerinage très populaire. Plus tard, il y transfère son évêché (à l'époque à Tongres). Liège n'est alors qu'un minuscule village. Charlemagne lui accorde pourtant quelque attention. Sur la route d'Aix-la-Chapelle, Liège est une étape obligée et plaisante. Il y fait même battre monnaie. Pour les Normands, c'est déjà la « cité ardente » : elle brûle en 881. La belle aventure va-t-elle s'arrêter là ? Non car, en 972, un nouvel évêque est nommé par l'empereur Otton Ier. C'est *Notger,* un gars décidé, un bâtisseur, qui essaime les églises et les palais et met en place les bases d'un État souverain et prospère : la principauté de Liège. À l'époque, on disait : « Liège doit Notger au Christ et tout le reste à Notger. »

Liège, ville cléricale, voit aussi se développer une société civile de commerçants, d'artisans, de professions libérales. Des tensions, des luttes âpres pour le pouvoir se déroulent entre l'évêque et ses subordonnés. Révoltes, négociations, trêves ponctuent la vie liégeoise jusqu'à la paix de Fexhe, signée en 1316 entre l'évêque et les représentants du peuple. C'est la grande charte fondatrice de la démocratie liégeoise, qui proclame le droit d'intervention du peuple dans le gouvernement de l'État.

Nombreux sont ceux qui convoitent la principauté de Liège, à commencer par les Bourguignons, gênés dans leur expansion par ces turbulents Liégeois. Louis XI, en bisbille avec la maison de Bourgogne, leur accorde son soutien en catimini mais par deux fois les laisse tomber lorsque ça n'arrange plus ses affaires. La première fois, Liège y perd ses remparts, ses libertés (et même son perron transporté à Bruges) ; la seconde fois, en 1468, Charles le Téméraire rase carrément la ville, ne sauvegardant que les églises. Bon prince cependant, il autorise immédiatement sa reconstruction.

Sous le règne d'*Érard de La Marck,* prince-évêque de 1505 à 1538, Liège remonte la pente. D'autant plus que le développement de l'industrialisation, grâce au charbon de la région et au fer des Ardennes, apporte une prospérité sans égale. Notamment par les fabriques d'armes. L'appui donné à Charles Quint se révèle également bien récompensé. Jean de Corte (dit Curtius) s'enrichit en fournissant la poudre à canon aux armées impériales. Et la cerise sur le gâteau : l'esprit de la Renaissance, qui pénétra abondamment la cité. Humanistes et artistes y insufflent une riche vie culturelle et intellectuelle.

La belle saga de Liège s'interrompt en 1789, lorsque la ville s'enflamme pour la Révolution et chasse les princes-évêques après avoir démantelé leur belle cathédrale Saint-Lambert. L'intervention des armées de la République est décisive et, le moins qu'on puisse dire, c'est qu'elles ne s'y conduisent pas de façon très conviviale pour les Liégeois eux-mêmes. En 1795, Liège devient département français sous le nom de département de l'Ourthe, et la ville découvre les ravissements de la centralisation et de la bureaucratie françaises ! Napoléon a besoin de canons. Liège se met à en fondre en masse. Le savoir-faire de ses forgerons et des fondeurs attire John Cockerill qui y installe ses usines métallurgiques. Le paysage en est bouleversé. Victor Hugo saura, comme toujours, trouver les mots : « Toute la vallée semble trouée de cratères en éruption. Quelques-uns dégorgent des tourbillons de vapeur écarlate étoilée d'étincelles ; d'autres dessinent lugubrement, sur un fond rouge, la noire silhouette des villages... Ce spectacle de guerre est donné par la paix. »

En 1826, démarrage du premier four des cristalleries du Val Saint-Lambert. Pendant ce temps-là, la politique continue son chemin. À l'amer épisode français succède la transition batave. En 1815, à Liège, on n'apprécie guère Guillaume d'Orange. Le divorce ne tarde pas. Pour le précipiter, Liège s'allie à Bruxelles. La révolution de 1830 et la création de la Belgique doivent beaucoup aux Liégeois...

En 1889, naissance de la manufacture d'armes d'Herstal. En 1914, la résistance de la ceinture des forts retarde l'avancée en Belgique des troupes du Kaiser. Cet héroïsme vaut à la ville l'attribution de la Légion d'honneur.

SIMENON, FILS DE LIÈGE

Il naît à Liège le 13 février 1903 et meurt à Lausanne le 4 septembre 1989. Entre ces deux dates, plusieurs centaines de romans, nouvelles, contes et ouvrages à caractère autobiographique. C'est l'auteur francophone le plus traduit au monde (avec, paraît-il,

> ### LE CAFÉ LIÉGEOIS
>
> *Avant 1914, ce grand classique, à la carte de tous les bistrots et brasseries qui se respectent, s'appelait le café viennois. Pourquoi ce transfert géographique ? On va tout vous révéler : en 1914, lors de l'invasion allemande de la Belgique, les forts ceinturant Liège offrent une résistance acharnée aux Teutons, qui ne viennent à bout des assiégés qu'en convoyant sur place les énormes obusiers Skoda de l'armée autrichienne. Enthousiasmés par cet héroïsme et écœurés par la brutalité germanique, les cafetiers parisiens décident alors, par solidarité avec la Cité Ardente, de rebaptiser le café viennois « café liégeois » !*

LIÈGE

Hergé, encore un Belge !). Famille modeste, originaire d'**Outremeuse,** quartier populaire de Liège, dont l'histoire et l'atmosphère le marquent beaucoup. Ado, il écume les librairies et montre un esprit curieux et fouineur. À 16 ans, il devient reporter pour la *Gazette de Liège,* où il s'occupe des faits-divers (les chiens écrasés). À 18 ans, il rejoint un cercle culturel et intellectuel d'inspiration libertaire, la « Caque ». Soirées de poésie dans les vapeurs d'alcool et exaltation de la bohème. Il ne s'y implique pas vraiment et commence à écrire son premier roman sous le nom de Georges Sim. Mais Simenon s'ennuie dans cette ville provinciale. Il va partir pour Paris. Il prend le train, un jour froid de décembre 1922, sans se retourner. Plus tard, il expliquera : « Comme au foot, il faut choisir la ligue dans laquelle on jouera : locale, nationale ou internationale. » Il ne revint pas ou presque. En 1930, il crée le fameux commissaire Maigret dont la devise était : *Comprendre, ne pas juger.* Son rythme de production fascine tout le monde. Sait-on qu'il écrivit aussi plus de 100 romans non policiers ? Il lui arrivait même d'en écrire un en une semaine. Liège est fière de son auteur universel et populaire, même si cette fierté se teinte parfois d'amertume pour l'infidèle qu'il fut à l'égard de sa terre natale. N'a-t-il pas été jusqu'à faire disperser ses cendres sur la terre suisse ? Qu'importe ! L'esprit de Simenon restera longtemps encore associé à Liège. Il nous a même semblé qu'il a mis tellement de Liège dans ses ouvrages que la moindre rue d'Outremeuse nous paraît familière...

Adresses et infos utiles

Infos touristiques

🛈 **Office de tourisme** (plan C1) : En Féronstrée, 92. ☎ 04-221-92-21. ● liege.be ● Lun-ven 9h-17h, sam 10h-16h30, dim 10h-14h30. Organise de passionnantes balades guidées à thème (programme disponible, principalement d'avril à fin octobre (prix : 5-8 €, réduc ; durée : env 2h). Demandez aussi la brochure sur la ville, qui contient un excellent plan du centre, ainsi que le dépliant Les Coteaux de la

Citadelle et les circuits Simenon et Liège baroque. Enfin, vous y trouverez les magazines *Agenda* et *La Référence,* qui reprennent toute l'actualité culturelle pour Liège et la province.
🛈 **La maison du tourisme du pays de Liège** (plan B1) : pl. Saint-Lambert, 32-35. ☎ 04-237-92-92. ● ftpl.be ● Juin-sept, tlj 9h-18h ; le reste de l'année, tlj 9h30-17h. Infos et brochures sur Liège et la province, et location

d'audioguides pour le parcours Simenon à travers la ville (coût : 6 € ; réduc).

Comme à l'autre bureau, on y trouve aussi l'Agenda et La Référence.

Poste, télécommunications

✉ **Poste :** pl. du Marché (plan C1). Lun-ven 9h-18h30, sam 10h-13h.
▣ **Internet :** au Pot-au-Lait (rue Sœurs-de-Hasques, 9 ; plan B2, **44**), un café à la déco déjantée près de la cathédrale (voir « Où boire un verre ? Où écouter de la musique ? »). Sinon, il y a des phone shops équipés d'ordinateurs un peu partout en ville, notamment rue Léopold, à l'angle de la rue de la Cathédrale (plan C1) et rue des Guillemins (à deux pas de la gare ; plan B4). Ils sont pour la plupart ouverts tous les jours 9h-20h (ou 21h).

Transports

🚆 **Gare de Liège Guillemins** (plan A-B4) : pl. des Guillemins. La vieille gare a été démolie en 2007 et en juin 2009 la nouvelle a été inaugurée. En descendant du train, on est saisi par le gigantisme de cette voûte blanche d'acier au look futuriste, due à l'architecte Santiago Calatrava. Un bel ouvrage, certes, mais qui tranche (euphémisme !) avec le quartier alentour, plutôt vétuste... (celui-ci est cependant aussi appelé à être transformé). Trains directs pour Bruxelles, Gand, Bruges, Ostende, Verviers, Aix-la-Chapelle, Cologne, Eupen, Luxembourg, Namur, Charleroi, Mons, Tournai et Anvers. Également 7 à 8 Thalys/j. pour Paris (2h13 de trajet, via Bruxelles, et 3h, une fois/j., via Mons, Charleroi et Namur).
■ **Eurolines** (plan B4, **2**) : rue des Guillemins, 94. ☎ 04-222-36-18. ● eurolines.be ● Lun-ven 9h-13h, 14h-17h30 ; sam 10h-13h, 14h-15h30.
🚌 **Bus locaux** (plan B1) : maison du TEC, pl. Saint-Lambert. ☎ 04-361-94-44. Lun-ven 8h-18h30, sam 9h-13h.
■ **Maison des Cyclistes de Liège** (plan C1, **3**) : rue de Gueldre, 3. ☎ 04-222-20-46. ● provelo.org ● Lun, mer et ven 15h-18h. Location de vélos. Tarifs : 12 € la journée (10 € pour les enfants).

Où dormir ?

Bon marché

🏠 **Auberge de jeunesse Georges-Simenon** (plan C2, **10**) : rue Georges-Simenon, 2, 4020. ☎ 04-344-56-89. ● liege@laj.be ● laj.be ● En Outremeuse. Bus n° 4 de la gare des Guillemins. Réception ouv jusqu'à 1h. Fermé en janv. Nuitées 17,50-31 €, petit déj compris. Accessible aux moins valides. Remise de 10 % sur le prix de la 1re nuit en chambre double, sur présentation de ce guide. Accolée au cloître des Récollets, cette belle AJ en intègre des parties, mêlant harmonieusement les matériaux modernes aux vieilles voûtes de pierre. En tout, 204 lits répartis en chambres de 4 à 7 lits disposant chacune de sanitaires complets et d'armoires à cadenas. Celles du dernier étage possèdent une mezzanine. Cuisine, grande salle à manger, coin TV, bagagerie, petite bibliothèque, accès Internet (ou connexion sans fil pour ceux qui ont leur portable) et même une petite scène pour les spectacles ou concerts que l'AJ organise parfois. Dehors, la grande cour pavée accueille aussi des animations, notamment pour la fête du 15 août. Enfin, petit détail amusant : ce n'est pas la peine d'apporter vos bombes à tag, le ciment des murs est traité anti-graffiti !

Prix modérés

🏠 **Bateau-péniche L'Embrun** (plan B3, **14**) : au port des yachts, à la hauteur du pont Albert-Ier. ☎ 04-221-11-20. ● info@penichehotel.com ● penichehotel.

com • *Important : en voiture, accès par le pont Albert-Ier, slt en venant de l'autre rive. Attention aussi, ne pas aller directement à la péniche, toujours téléphoner avt pour vérifier si elle dispose de cabines libres, réserver et prendre rdv. Compter 45-55 € pour 2 pers avec sanitaires communs et 70 € avec sdb, sans le petit déj. Également une capitainerie (avec kitchenette) 85 €.* Cette belle péniche rouge et blanc, lorsqu'elle n'est pas en croisière ou réservée pour une soirée ou un séminaire, loue ses cabines à la nuit comme un hôtel. Bien sûr,

l'espace est réduit mais les cabines sont plutôt plaisantes et bien tenues, comme le reste du bateau d'ailleurs. De plus, agréable living (avec bar, TV et vidéo) et excellent accueil.

🛏 *Hôtel Les Nations* (plan B4, **11**) *: rue des Guillemins, 139.* ☎ 04-252-44-14. • info@hotellesnations.be • hotellesnations.be • *Dans le quartier de la gare. Doubles à partir de 52 €, petit déj compris.* À l'étage d'un snack-friterie, 15 chambres récemment rénovées et, pour le prix, tout à fait convenables (petite déco sympa, sanitaires privés,

LIÈGE

■ **Adresses utiles**

🛈 Office de tourisme et maison du tourisme du pays de Liège
✉ Poste
🚂 Gares ferroviaires
🚌 Bus locaux
🅿 Parkings
@ Internet
2 Eurolines
3 Maison des cyclistes de Liège
@ **44** Le Pot-au-Lait
❀ **71** Brocante de Saint-Pholien
❀ **72** Marché de la Batte

🛏 **Où dormir ?**

10 Auberge de jeunesse Georges-Simenon
11 Hôtel Les Nations
12 Hôtel Hors Château
13 Hôtel Les Acteurs
14 Bateau-péniche L'Embrun
16 Hôtel Best Western Univers
17 Le Cygne d'Argent
18 Hôtel La Passerelle

🍽 **Où manger ?**

20 La Main à la Pâte
21 L'Œuf au Plat
22 Le Taboulé
24 Amour, Maracas et Salami
25 Bruit qui Court
26 As Ouhès
27 Le Sway
28 Taverne Tchantchès et Nanesse
29 Café Lequet
30 Le Duc d'Anjou
31 Le Numidie
32 Les Sabots d'Hélène
35 Le Bistrot d'en Face
37 Le Thème
38 Le Vin sur Vin
39 España

41 Amon Nanesse – La Maison du Peket

🍸 🎵 **Où boire un verre ?**
Où écouter de la musique ?

28 Taverne Tchantchès et Nanesse
40 Le Jardin des Olivettes
41 La Maison du Peket
42 Le Vaudrée II
43 Taverne Saint-Paul
44 Le Pot-au-Lait

🚶 **À voir**

36 Maison Havart
45 Archéoforum
46 Palais des Princes-Évêques
47 Place du Marché
48 Hôtel de ville
49 Musée de la Vie wallonne
51 Escalier de la montagne de Bueren
52 Impasses du quartier Hors-Château
53 Église Saint-Barthélemy
54 Grand Curtius
56 Musée de l'Art wallon
57 Musée d'Ansembourg
58 Cathédrale Saint-Paul
59 Église Saint-Jean
60 Église Saint-Jacques
61 Opéra royal de Wallonie
62 Église Saint-Denis
63 Église Saint-Pholien et rue des Écoliers
64 Église Saint-Nicolas
65 Musée Grétry
66 Musée Tchantchès et théâtre des marionnettes de Liège
67 Aquarium, musée de Zoologie et Maison de la science
68 Musée d'Art moderne et d'Art contemporain (MAMAC)
69 Maison de la métallurgie
70 Basilique Saint-Martin
73 Musée des Transports en commun

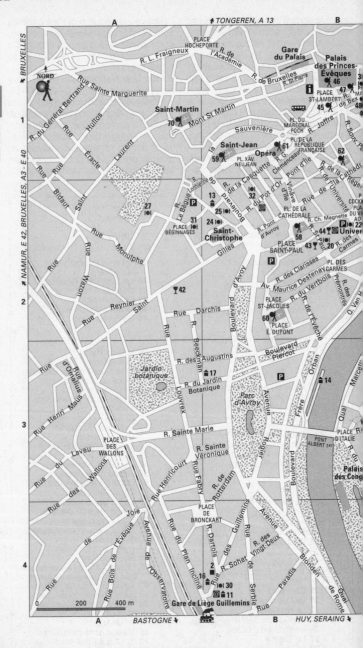

TONGEREN, A 13

BRUXELLES

NAMUR, E 42, BRUXELLES, A3 - E 40

NORD

Rue Sainte Marguerite

R. L. Fraigneux

PLACE HOCHEPORTE

R. de l'Académie

R. de Bruxelles

R. St-Pierre

Gare du Palais

Palais des Princes-Évêques

PLACE ST-LAMBERT

Rue du Général Bertrand

Rue Hullos

Rue Eracle

Rue Laurent

Saint-Martin

Mont St Martin

70

PL. DU MARECHAL FOCH

R. G.

PL. DE LA RÉPUBLIQUE FRANÇAISE

R. Joffre

R. de Bex

46 47 45

48

3

Sauvenière

Saint-Jean

Opéra

59 61

62

Clemenceau

Pont d'Ile

R. de la Cathédrale

R. de l'Université

Rue Saint

Rue Bidaut

Rue Monulphe

R. Le Bègue Lonhienne

R. de la Casquette

R. Plainevaux

Boulevard

R. du Pont d'Or

Vinâve d'Ile

PL. XAV. NEUJEAN

32

13

25

24

27

31

PLACE BÉGUINAGES

Saint-Christophe

R. Pont d'Avroy

R. Ch. Magnette

PLACE SAINT-PAUL

58

44 22

Université

43

20

R. des Carmes

PL. DE LA CATHÉDRALE

COCK PLA DU AO

Rue Gilles

Rue Reynier

Rue d'Ornélius

Rue Henri Maus

42

Rue Darchis

Beeckman

R. des Augustins

Rue Louvrex

R. du Jardin Botanique

17

R. Sainte Marie

PLACE DES WALLONS

Rue du Laveu

Rue des Wallons

Rue de Joie

Rue Henricourt

Rue Fabry

Avenue de l'Observatoire

Rue du Plan Incliné

R. Sainte Véronique

PLACE DE BRONCKART

R. de Rotterdam

R. Darlois

Rue des Guillemins

Rue des Vingt-Deux

R. de Serbie

R. Soher

2 16

30

11

Gare de Liège Guillemins

d'Avroy

R. des Clarisses

Av. Maurice Destenay

PL. DES CARMES

R. du Vertbois

R. de l'Évêché

Boulevard Piercot

PLACE ST-JACQUES

60

PLACE E. DUPONT

Parc d'Avroy

Avenue Rogier

Boulevard Frère Orban

14

PONT ALBERT 1er

PLACE D'ITALIE

Quai

Palais des Cong

Boulevard

Avenue Blonden

Quai de Rome

R. des Prémontrés

PL. DES

0   200   400 m

BASTOGNE

HUY, SERAING

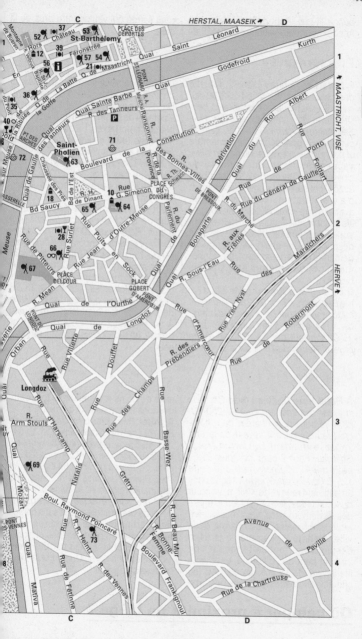

bonne literie). Petit déj pris au snack. Accueil courtois. Pratique pour les budgets serrés qui veulent être près de la gare.

Prix moyens

▣ *Hôtel Les Acteurs (plan B2, 13)* : rue des Urbanistes, 10. ☎ 04-223-00-80. ● info@lesacteurs.be ● lesacteurs.be ● *Dans une rue donnant sur le bd de la Sauvenière. Doubles 60-70 €, sans le petit déj. Un petit déj offert par chambre et par nuit sur présentation de ce guide.* Vaguement décoré sur le thème du cinéma, cet hôtel propose 16 chambres avec TV et sanitaires privés, sobrement mais sympathiquement arrangées, avec armoire vitrée pivotante et couvre-lits assortis aux tentures. Certaines sont appelées à être refaites. Salle de petit déj colorée. Une affaire familiale qui ne demande rien à personne. L'environnement nocturne peut être parfois bruyant.

▣ *Le Cygne d'Argent (plan B3, 17)* : rue Beekman, 49. ☎ 04-223-70-01. ● info@cygnedargent.be ● cygnedargent. be ● *Doubles sans ou avec sdb 75-80 € ; petit déj 9 €. Garage fermé payant. Réduc de 10 % sur le prix de la* chambre sur résa en direct (pas via un central), sur présentation de ce guide. *Dans une rue calme, hôtel d'une grosse vingtaine de chambres très bien tenues et très confortables. La plupart ont une moquette toute neuve et des tentures assorties aux couvre-lits.*

▣ *Hôtel La Passerelle (plan C2, 18)* : chaussée des Prés, 24, 4020. ☎ 04-341-20-20. ● passerellehotel@skynet. be ● hotelpasserelle.com ● *En Outremeuse. Compter 70-150 € pour 2 pers ; petit déj 8 €. Parking privé payant. Wifi gratuit. Remise de 10 % sur présentation de ce guide.* Encore un hôtel familial qui remplit plutôt bien sa fonction. Propose une quinzaine de chambres un peu petites mais suffisamment agréables et confortables. Les nos 16, 26, 36 et 46 ont un tout petit coin salon. Salle de petit déj confortable et lumineuse. À noter, l'hôtel vient d'être repris et devrait être progressivement remis à neuf.

Plus chic

▣ *Hôtel Hors Château (plan C1, 12)* : impasse des Drapiers, 2. ☎ 04-250-60-68. ● ramon@hors-chateau.be ● hors-chateau.be ● *L'entrée est dans une impasse donnant sur la rue Hors-Château. Pour 2 pers, compter 95 € ; petit déj 12 €. Également une suite 125 €. Parking privé payant.* Niché dans un bâtiment rénové du XVIIIe s, au cœur du vieux Liège, face à l'ancienne église des Rédemptoristes, voici le seul véritable établissement de charme de la ville. Il abrite 9 chambres à la déco design, avec moquette, connexion Internet haut débit, bureau, excellente literie, grande TV à écran plat, AC (ou chauffage), fenêtres antibruit et superbe salle de bains à carreaux, le tout dans des tons brun-gris. Qui dit mieux ?

▣ *Hôtel Best Western Univers (plan B4, 16)* : rue des Guillemins, 116. ☎ 04-254-55-55. ● univershotel@skynet. be ● univershotel.be ● *À deux pas de la gare. Doubles à partir de 69 € ; petit déj 10 €. Parking payant (pas très cher). Wifi payant. Réduc de 10 % sur le prix de la chambre, sur présentation de ce guide.* Hôtel de bon standing mais sans caractère particulier. Les chambres sont régulièrement rénovées. Tons chauds, parquet, double vitrage partout. Petit déj-buffet bien garni. Une adresse bien dans sa catégorie.

Où camper à proximité de Liège ?

⛺ *Camping du domaine provincial de Wégimont* : chaussée de Wégimont, 76, Soumagne 4630. ☎ 04-237-24-00. ● wegimont@prov-liege.be ● prov-liege. be/wegimont ● *Sur la route Liège-Verviers. Bus nos 68 et 69, au départ de* la rue Léopold (plan C1). *Fermé en janv. Compter à peine 8 € pour 2 pers et 1 tente.* Camping de très bon niveau, dans un domaine de 22 ha. Animations l'été, complexe avec 3 piscines (accès gratuit pour les campeurs !), minigolf, pêche, canotage, tennis, buvette et friterie.

Où manger ?

De prix modérés à prix moyens

|●| *Amour, Maracas et Salami (plan B2, 24)* : rue Sur-la-Fontaine, 78. ☎ 04-223-65-86. • maracas@skynet.be • *Ouv le midi lun-ven et le soir ven. Fermé le w-e. Plat du jour 12 €.* Café offert sur présentation de ce guide. Petite adresse toute simple, nommée d'après une phrase d'un roman de Georges Perec. 3 charmantes pièces en enfilade, celle du fond étant surplombée d'une mezzanine garnie de plantes et d'une verrière. Petites tables étroites pour se sustenter d'un plat du jour, souvent une préparation mijotée, à la fois copieuse et économique. Plus simple encore, un potage du jour, une assiette de fromage ou une salade. Atmosphère gentiment bohème. Piano et presse du jour à disposition.

|●| *L'Œuf au Plat (plan C1, 21)* : quai de la Batte, 30. ☎ 04-222-40-32. • œuf. plat@skynet.be • *Lun-sam sf mar 12h-14h, 18h30-22h ; dim 8h-15h. Plats 6-15 €. Digestif offert sur présentation de ce guide.* Salle ornée de lambris verts, avec brique apparente, poutres et carrelage. Ici, la spécialité, ce sont les œufs, servis sous la forme de bonnes grosses omelettes (paysanne, végétarienne, *matoufet*...) et autres fricassées. Mais il y a aussi des steaks et, à réserver au moins 12h à l'avance, des raclettes aux œufs, avec divers accompagnements permettant, en tout, 2 048 combinaisons ! Également des petit déj le dimanche matin (marché de la Batte à deux pas) et, tous les jours, un menu pas cher incluant le *peket*, 2 œufs, lard et saucisse, quart de vin rouge et, de nouveau, le *peket* ! Clientèle locale, au parler qui ne l'est pas moins. On aime.

|●| *Amon Nanesse – La Maison du Peket (plan B1, 41)* : rue du Stalon, 1-3. ☎ 04-250-67-83. • contact@maisondu peket.be • *Derrière l'hôtel de ville. Tlj 12h-14h30, 18h-22h30. Plats 10,50-* 23,50 €. Apéro offert sur présentation de ce guide. Une brasserie liégeoise à la déco authentique même si elle est assez récente : poutres, brique nue, réverbères (du boulevard d'Avroy), dallage de pierre bleue et petites tables en bois avec nappes à carreaux. Ne pas manquer le bel escalier en fer forgé et, à côté, le puits d'origine. Dans l'assiette, une bonne petite cuisine liégeoise pur jus : boulets à la liégeoise, rognons « Nanesse », jambonneau et son *hochepot*, pièce de bœuf au poivre vert flambé au *peket*... Après le repas, allez prendre un *peket* à *La Maison du Peket* attenante (voir « Où boire un verre ? Où écouter de la musique ? »).

|●| *Bruit qui Court (plan B2, 25)* : bd de la Sauvenière, 142. ☎ 04-232-18-18. • info@bruitquicourt.be • *Fermé dim midi. Résa impérative le w-e. Plats 10-15 €.* La bonne adresse pour manger bien, pas lourd et pas trop cher ! Dans une ancienne banque, jolie grande salle sous verrière, aux tons rouge, brun et pourpre. On s'assoit dans des fauteuils face à de petites tables en bois. Au choix, des salades variées et plantureuses (végétarienne, aux filets de rouget, aux cailles rôties, aux gambas, façon créole, au foie gras, etc.) mais aussi feuilleté Parmentier, croustades, tartiflette à la basque, pâtes et tourtières. Un bien, bien beau programme !

|●| *Le Numidie (plan A2, 31)* : rue du Frère-Michel, 25. ☎ 04-223-36-85. *Près du précédent. Tlj à partir de 18h. Plats 13-16 €.* Ici, fameux couscous servis jusqu'à 2h du matin en semaine et 4h le week-end ! Viandes grillées en salle, déco et musique algériennes, chaude ambiance ; bref, idéal pour les noctambules affamés !

|●| *Le Sway (plan A2, 27)* : rue Pouplin, 6. ☎ 04-232-15-68. *Fermé sam midi et dim-lun. Formule déj 15 € ; le soir,*

LIÈGE

436 LA RÉGION WALLONNE / LA PROVINCE DE LIÈGE

LIÈGE

3 menus 24-40 € ; plats 10,50-18 €.
Dans l'ancienne gare de Jonfosse mais
que traversent encore des trains ! Le
resto est à l'étage. Déco d'inspiration
ferroviaire, avec bar et mezzanine. Côté
cuisine, on fait dans la branchitude
éclairée et exotique, façon *fusion food*,
mais toujours avec savoir-faire et originalité. Quatre orientations géographiques sont proposées à la carte, chacune correspondant à une ancienne
ligne de chemin de fer *(Orient-Express,
Great Western Highway...)*, ce qui donne
des plats aussi variés que le *burrito* de
poulet au cheddar, le pot-au-feu de la
mer à la noix de coco, le tajine de volaille
au citron ou l'entrecôte argentine. Vins
évidemment d'un peu partout, il y en a
même du belge ! Service cool et efficace. Café au rez-de-chaussée avec
concerts de blues et de jazz les mercredi et vendredi, et, au bout d'un couloir passant sous les voies, la salle
Sound Station, qui programme des soirées DJ et des concerts de pop rock.

⬤ Café Lequet *(plan C2, 29)* : quai sur
Meuse, 17. ☎ 04-222-21-34. *Tlj sf dim
soir et mar 12h-14h30, 18h-21h. Plats
8-20 €. CB refusées. Digestif offert sur
présentation de ce guide.* On aime
beaucoup ce bistrot populaire avec son
décor en bois. Clientèle mélangée, pos-
tiers, profs, auteurs de B.D... Vous y
dégusterez l'un des meilleurs *boulets* de
la ville (c'est là qu'on s'aperçoit que ça
peut être une vraie délicatesse) et de
solides plats de ménage, type potée.
Steak issu directement de l'abattoir et
frites bien croustillantes. L'un des
meilleurs moments reste le dimanche

midi, lorsque la foule rugissante de la
« batte » envahit la salle.

⬤ La Main à la Pâte *(plan B2, 20)* : rue
Saint-Paul, 23. ☎ 04-222-13-40. ● *lamai
nalapate@skynet.be* ● *Tlj midi et soir.
Plat du jour 7,50 € ; à la carte, pizzas et
pâtes 7,50-14 €, poissons ou viandes
10-20 €. Apéro maison offert sur présentation de ce guide.* Un bon resto italien qui propose des plats pour toutes
les bourses. Cadre gentiment élégant :
grande salle à la lumière orangée, sol en
marbre, longues nappes, chaises couvertes de tissus et miroirs muraux où
trônent des rangées de bouteilles. Service facétieux, rapide et efficace, on
appelle ça une adresse sympa !

⬤ Le Taboulé *(plan B2, 22)* : pl. du
20-Août, 22. ☎ 04-221-12-22. *Fermé
sam midi et dim. Plats à partir de 13 € ;
carte env 20 €. Digestif offert sur présentation de ce guide.* Plusieurs Liégeois nous avaient parlé de ce resto
libanais. On y est donc allés et on en est
sortis sans regrets. Le cadre n'est pas
décoiffant, non, mais le contenu de
l'assiette, lui, est très sérieux : *hou-
mous, shawarma, bourghoul, sfiha* (pâté
de viande), *moutabal* (crème d'auber-
gine), *loubia* (gros haricots blancs en
salade), *ardi* (cœurs d'artichaut au
citron), *khiar belaban* (concombres au
yaourt), *fatayer* (chausson aux épinards), grillades diverses et variées (servies avec un beau choix d'accompa-
gnements), bref, tout ce qu'on fait de
bon au pays du cèdre. De plus, le service est charmant et, à la fin du repas,
on vous offrira le digestif de votre choix
(prenez la liqueur du Liban !).

De prix moyens à plus chic

⬤ Taverne Tchantchès et Nanesse
(plan C2, 28) : rue Grande-Bêche, 35.
☎ 04-343-39-31. ● *info@taverne-tchan
tches.be* ● *En Outremeuse. Fermé lun
midi, sam midi et dim tte la journée, ainsi
que 1re sem de juil et 1re quinzaine de
sept. Plat du jour 13 € ; à la carte, compter 20 € (le plat). Wifi gratuit. Digestif
offert sur présentation de ce guide.*
C'est l'ancien musée Tchantchès et l'un
des endroits les plus secrets de Liège.
La façade déjà, toute couverte de plantes, aux vieilles fenêtres à carreaux,
donne le ton. À l'intérieur, cadre chaleu-

reux : brique, poutres apparentes, pittoresques tableaux des fêtes de Wallonie et de personnages liégeois (œuvres
du père du patron) et, au-dessus du bar,
des rangées de marionnettes. Cuisine
liégeoise typique ou française servie
copieusement. Pas mal de choix :
salade, *boulets* (12 €), lapin à la bière
Tchantchès, cailles au *peket*, boudins
grillés, coquelet façon Nanesse, etc. Au
bar se rencontrent les gens du quartier.
Alors, si vous êtes bavard... Accueil et
atmosphère particulièrement conviviaux.

IOI *Le Vin sur Vin* (plan B1, 38) : pl. du Marché, 9. ☎ 04-223-28-13. • alainre my.vins@skynet.be • Fermé sam midi et j. fériés. Menu 20 € ; plats 15-25 €. Apéro maison offert sur présentation de ce guide. En face du perron, symbole des libertés liégeoises, dans une des plus anciennes maisons de la place avec ses poutres basses et sa belle cheminée de carreaux de faïence bleue. Tout le concept s'articule entre l'amour pour le jus de la treille, comme son nom l'indique, et une cuisine résolument subtile et... féminine (en salle comme en cuisine, il n'y a que des femmes qui travaillent ici !). On se régale, entre autres, de ravioles de homard, du cabillaud au pain d'épice et badiane, des rognons à la liégeoise et des incontournables *boulets* (ils, ou plutôt elles, ont reçu le « boulet de cristal », décerné chaque année par la confrérie des *Gay Boulets* !). Le tout habilement valorisé par d'excellents crus du Languedoc bien choisis. Les desserts sont aussi confondants. Une adresse à fréquenter surtout en soirée pour roucouler en tête à tête.

IOI *Le Duc d'Anjou* (plan B4, 30) : rue des Guillemins, 127. ☎ 04-252-28-58. Dans le quartier de la gare. Ouv 11h-23h30 (365 j./an, est-il précisé !). Plats 10-25 € ; 1er menu 25 €. Pour les moules, c'est selon le prix du marché. Café offert sur présentation de ce guide. Dans ce quartier qu'on croyait voué à la banalité gastronomique, voici peut-être les meilleures moules de la ville. Bernard Blier est même venu un jour expressément à Liège pour les essayer (sur le conseil de Lino Ventura) ! Grande salle avec miroirs, type brasserie, et 30 succulentes façons de vous concocter lesdites moules (marinière, au poivre vert, flambées au *peket*, etc.). Également d'autres spécialités belges. Frites en supplément (1,60 €) mais à volonté.

IOI *España* (plan C1, 39) : rue En Féronstrée, 109. ☎ 04-223-34-07. À 100 m de l'office de tourisme. Fermé mer. Résa conseillée, surtout le w-e. Paella 18 €. Cadre ringard, musique presque inexistante, bref, si on vous indique ce resto, c'est pour le contenu de l'assiette et pas autre chose, à savoir une magnifique (et hyper copieuse !) paella aux fruits de mer.

IOI *Les Sabots d'Hélène* (plan B2, 32) : rue Saint-Jean-en-Isle, 18. ☎ 04-223-45-46. Au cœur du Carré. Ouv tlj 18h30-minuit. Résa impérative le w-e. Compter un peu moins de 20 € le plat. Apéro offert sur présentation de ce guide. Derrière une façade discrète, une adresse où venir entre amis se régaler d'une formule conviviale : la charbonade. Selon votre choix, on vous apporte, à table, côte à l'os, bœuf argentin, filet d'autruche ou scampi, à cuire sur un petit barbecue qui fonctionne au charbon de bois (les tables sont surmontées d'une hotte). C'est servi avec un gratin dauphinois et des crudités, et c'est le même patron, très chaleureux, qui tient le resto depuis un quart de siècle.

IOI *Le Bistrot d'en Face* (plan C1, 35) : rue de la Goffe, 8-10. ☎ 04-223-15-84. Fermé sam midi et lun-mar. Résa conseillée, car c'est toujours plein ! Menu 35 € ; carte env 31 €. Café offert sur présentation de ce guide. Toute la mythologie du bouchon lyonnais : la pierre apparente, les petits vichys, le plafond rustique, les toiles aux murs, les saucissons qui pendouillent et les bouteilles au garde-à-vous sur le comptoir, le tout saupoudré de quelques symboles de la vie rurale. Cuisine et plats plus canailles bien entendu : saucisson chaud pistaché, oreilles de cochon confites, croquettes de crevettes grises (en plat !), Parmentier queue de bœuf, etc. Plus l'inévitable grande ardoise. Café liégeois en carafe.

IOI *Le Thème* (plan C1, 37) : impasse de la Couronne, 9. ☎ 04-222-02-02. • le theme@letheme.com • Signalé par une pancarte dans la rue Hors-Château. Ouv slt le soir (cuisine jusqu'à 21h). Fermé dim et 21 juil-15 août. Menus 32-38 €. Apéro offert sur présentation de ce guide. Très secret, au fond d'un étroit passage. Et surtout très original : tous les ans, on change entièrement le décor, toujours autour d'un thème bien précis (d'où le nom du resto). Atmosphère classe et très intime. Les menus, bien exécutés, changent toutes les 2 semaines. Idéal pour séduire une fille de hobereau !

IOI *As Ouhès* (plan B1, 26) : pl. du Marché, 21. ☎ 04-223-32-25. • as.ouhes@ skynet.be • Ouv tlj midi et soir. Plats 11,50-20 €. Café offert sur présentation de ce guide. En face du perron, presque à côté du resto *Le Vin sur Vin*, une élégante brasserie tout en profondeur avec peintures au pochoir, gravures du début du siècle (dernier), dessus de table métalliques et nappes blanches ; voilà pour le cadre. Aux fourneaux, on s'active à une cuisine de terroir inventive et à prix étudiés. Cuisine wallonne donc, où l'on relèvera quelques préparations du cru particulièrement bien enlevées, comme le vol-au-vent de poule, les roulades de chicons au gratin de Bouquet des Moines, la salade liégeoise au lard fermier ou les *boukètes* (crêpes à la farine de sarrasin), le tout servi avec style et efficacité. Ah ! on allait oublier, le meilleur café liégeois jamais dégusté !

Où boire un verre ? Où écouter de la musique ?

Dans le Carré (plan B2)

Le Carré, c'est le cœur ardent (c'est là qu'on voit que cette épithète ne qualifie pas que le côté industriel de la ville) du Liège nocturne. Un espace piéton appartenant à la jeunesse, avec ses lieux, cafés et bars rugissants où règne une atmosphère chaude et trépidante, surtout le vendredi. Presque exclusivement étudiant jusqu'à il y a peu, le Carré attire désormais un nombre croissant de trentenaires (voire de quadras), ceux qui avaient 20 ans dans les années 1980 et 1990 et qui n'ont pas bien su s'extraire du lieu...

Inutile de citer tous les endroits sympas du Carré. L'ambiance change régulièrement de trottoir, les musiques se concurrencent à qui mieux mieux (finissant par fusionner en un galimatias musical assez fou !). Mais voici quand même quelques incontournables.

♪ *Chez Bouldou* : rue de la Tête-de-Bœuf, 15. ● michel@bouldou.com ● Blindé le week-end. Et pour cause : c'est l'un des grands classiques du Carré. Salle sombre au décor chargé, fait d'un peu tout et n'importe quoi, avec un grand bar circulaire au milieu. Concerts tonitruants et gratuits les jeudi et dimanche. Mais il y a aussi de la guitare acoustique le lundi et du clavier (scène ouverte) le mardi. Un peu plus calme, si l'on peut dire, les autres soirs. À la carte : tangos, mazout, *half en half* et autres panachés de la même eau. Juste en dessous, le *Plaza Catredal,* boîte qui fait surtout dans la musique latino.

♀ Et puis comme ça, en vrac, une poignée d'autres rades, tels l'*Aller Simple,* le *Déluge* et le *Cour Saint-Jean,* toujours pleins d'étudiants bien braillards ; *Le Soleil,* en face de *Chez Bouldou,* qui fait des soirées à thème le samedi, ou encore le *Geographic Café,* lui aussi rempli d'étudiants. Pour les plus âgés, il y a aussi l'*Orange Givrée* (avec ses balançoires en guise de tabourets), les *3 Rivières* (belle sélection de rhums), la *Guimbarde* (déco postindustrielle) et le *Mad Murphys,* où l'on peut se parler sans devoir (trop) s'époumoner (sauf le week-end). Enfin, citons le *Smile* (clientèle un peu grunge) et le *Fief de l'orge* (pour ses bières spéciales).

En dehors du Carré

♀ *Le Vaudrée II* (plan A2, 42) : rue Saint-Gilles, 149. ● vaudree@gmail. com ● Ouv en sem 7h-1h, le w-e 9h-2h. Café offert sur présentation de ce guide si l'on y prend son repas. L'un de nos bars à bières préférés. Certes pas pour le cadre, plutôt classique, mais pour son énorme choix de bières : quelque 800 étiquettes (fruitées, ambrées, bio, sans alcool...) et 24 à la pression ! Goûtez aussi aux cocktails de bières (Merveilleuse de Rochefort, Flambée, Superbe), c'est la spécialité de la maison. On peut aussi y manger.

LIÈGE

🍷 **La Maison du Peket** (plan B1, 41) : rue du Stalon, 1-3. Tlj à partir de 10h. C'est la peketerie attenante au resto Amon Nanesse (voir « Où manger ? »). Un lieu rustique et chaleureux, tout en pierre, avec plein de salles et de recoins. Le patron est un type étonnant : originaire de (l'ancienne) Yougoslavie, ex-joueur de foot, il a vécu un peu partout pour, finalement, revenir pour de bon à Liège car, dit-il, il ne se sent nulle part comme ici. On y sert tous types de pekets, fruités (essayez celui au gingembre), nature ou flambés. Il y en a même un au chocolat !

🍷 **Taverne Saint-Paul** (plan B2, 43) : rue Saint-Paul, 8. Près de la cathédrale. Tlj sf dim de 10h à tard. Un des plus vieux débits de boissons de Liège. Fondé en 1881. Ancien relais de diligence. Trotski y aurait dormi entre deux distributions de tracts. C'est l'un des seuls de la ville à se rapprocher des « cafés bruns » à la flamande. Décor de bois patiné, stucs, fenêtres à vitraux, vieux carrelage, objets anciens. Excellentes bières au fût.

🍷 **Le Pot-au-Lait** (plan B2, 44) : rue Sœurs-de-Hasques, 9. Ouv 12h-2h (3h w-e). Pas loin du précédent mais très différent car, ici, on est dans une sorte de dédale aux murs complètement fous, peinturlurés de couleurs pétantes, avec des sculptures surréalistes, des formes en bois, des fresques d'anges... Thèmes majeurs : le mysticisme et les extraterrestres ! On peut aussi y surfer sur le Net. Soirée DJ du mardi au samedi. Clientèle variée.

🍷🎵 **Le Jardin des Olivettes** (plan C1, 40) : rue Pied-du-Pont-des-Arches, 6. Dans une ruelle menant au pont. Ouv slt ven-sam à partir de 20h, dim dès 9h. Une véritable institution liégeoise : depuis des lustres, dans une ambiance vraiment folklo, vieux et moins vieux montent sur la petite estrade chanter des tubes inusables. D'ailleurs, aux murs, pas mal de photos noir et blanc des habitués. La musique est toujours assurée par un pianiste, souvent le patron lui-même, qui n'a qu'à puiser dans les 6 ou 7 valises de partitions mises à disposition. Beaucoup de Néerlandais et d'Allemands le dimanche.

🍷 **Taverne Tchantchès et Nanesse** (plan C2, 28) : rue Grande-Bêche, 35. En Outremeuse. Rappel : ce n'est pas seulement un bon resto (voir « Où manger ? »), c'est aussi un bar où vous recueillerez l'authentique esprit liégeois dans un lieu particulièrement convivial. Siège social des confréries de la bière et du tchésté (« château » en wallon) Tchantchès. Au-dessus du comptoir, les clients possèdent leur chope à leur nom. Décor avec les célèbres marionnettes. Au mur, les prix Tchantchès accordés chaque année à deux artistes : dessinateur, photographe, écrivain, acteur... Goûtez à la bière Tchantchès (blonde ou brune), à la Nanesse (rousse) ou à la bière au miel. Vraiment une institution !

Où danser ?

Depuis peu, il n'y a plus de boîtes dans le centre de Liège. Il faut sortir de la ville si on veut passer la nuit sur une piste de danse.

🎵 **Le Millenium** : rue du Condroz, 13, Boncelles 4100. ● millenium.be ● À 10 km de Liège, sur la route de Marche (côté gauche, en face du magasin Carrefour). Ouv lun et ven-sam. Gratuit avt minuit (après, c'est 6 €) ou pour les plus de 30 ans. Le grand bazar dansant du coin. Du bruit à faire trembler le pays de Liège ! Exclusivement pour ceux qui cherchent du volume, beaucoup de volume (dans les deux sens du terme), et à se sentir très entouré.

À voir

Avant de vous lancer à la découverte de la ville, procurez-vous le plan du centre de Liège à l'office de tourisme. Il est joliment illustré et vous sera très utile pour arpenter la ville à pied.

🕯 *La place Saint-Lambert (plan B1) :* cette vaste place est le cœur historique de la ville. Elle a été réaménagée après 30 ans de travaux ! À la décharge des pouvoirs publics, il faut préciser que les découvertes archéologiques y furent très importantes et qu'il fallait concilier la circulation automobile et les fouilles ; fouilles dont on peut désormais contempler le résultat à l'Archéoforum (voir plus bas). Sur cette place, s'élevait l'une des plus imposantes cathédrales du Nord de l'Europe. Elle fut démolie par les révolutionnaires liégeois en 1793, puis servit de carrière de pierre jusqu'en 1828. Lors des fameuses fouilles dont on vous parlait, on en retrouva les fondations mais aussi les vestiges de la première église édifiée sous Notger (X^e s), ceux d'une villa gallo-romaine, ainsi que des traces d'habitat néolithique et même paléolithique. Finalement, c'est au sculpteur-architecte *Claude Strebelle* qu'on a confié la tâche d'aménager la place en fonction de toutes les contraintes existantes, et le résultat est plutôt réussi : une belle place bien revêtue et bordée d'îlots de bâtiments certes très modernes mais non sans harmonie avec le gabarit et les lignes du palais des princes-évêques. En face de ce dernier, on a même percé une nouvelle galerie marchande.

Au centre, la circulation des bus se fait en souterrain et débouche à côté de l'Archéoforum, où est exposé le produit des fouilles.

🕯 🚶 *L'Archéoforum (plan B1, 45) :* sur la place, entrée à côté du tunnel d'où débouchent les bus. ☎ 04-250-93-70. ● archeoforumdeliege.be ● *Visite guidée ttes les heures 10h-17h. Fermé lun. Entrée : 5,50 € ; réduc.* Il s'agit donc des vestiges archéologiques de la place Saint-Lambert, mis au jour pendant près d'un siècle et aménagés dans un vaste espace multimédia, le plus grand du genre en Europe. Accompagné d'un guide, on y découvre, outre des objets préhistoriques (pierres, ossements d'animaux, etc.), les fondations des différents édifices qui se sont succédé ici, de la villa gallo-romaine à la dernière cathédrale, en passant par l'église romane de Notger et divers éléments d'architecture mérovingienne et carolingienne. Tout est imbriqué, entremêlé, mais le ou la guide, par ses subtiles explications, permet d'y voir plus clair. Une belle visite, surtout si le sujet vous parle.

🕯 *Le palais des Princes-Évêques (plan B1, 46) :* dominant la place Saint-Lambert, voici l'imposant palais qui fut la résidence des princes-évêques. Construit à l'emplacement de la première résidence de Notger. Ce que l'on voit aujourd'hui est une reconstruction de 1536 (après maints pillages, incendies et guerres). Il échappa, on ne sait pourquoi, à la fureur iconoclaste de 1793. Il servit ensuite d'entrepôt, de prison et d'hôpital.

Accès libre à la première cour. On y notera une certaine influence italienne dans le plan et le style, s'alliant avec le gothique. Superbement rythmé par les portiques à colonnes. Une curiosité architecturale : pour renforcer le rythme de l'ensemble, sur chaque côté, la forme des colonnes change, tantôt cylindre, anneau et bulbe, tantôt bulbe-bulbe, tantôt bulbe-anneau-cylindre, se conjuguant avec la grande variété des motifs des chapiteaux et socles des colonnes. Décor floral, bouffons, masques grimaçants, etc. Le prince-évêque Érard de La Marck, grand ami d'Érasme, y fit introduire des éléments de l'œuvre de ce dernier, notamment de l'*Éloge de la folie*. Colonne 28, on distingue clairement un fou et un perroquet qui lui enlève une pierre du nez. La découverte des Amériques inspira également les sculpteurs. Voûtes gothiques en brique. Les façades présentent un harmonieux ordonnancement de hautes fenêtres croisées, balustrades ajourées et lucarnes à pinacles.

Au 1er étage, l'ancienne salle de réception et de banquet des princes-évêques, à la superbe décoration du XVIIIe s, qu'on ne peut malheureusement visiter qu'à des moments exceptionnels (aujourd'hui, siège de la cour d'assises) ou sur rendez-vous (se renseigner à l'office de tourisme).

🕯🚶 *La place du Marché (plan B1, 47) :* l'une des plus anciennes de la ville. Toujours bordée d'immeubles du XVIIIe s (merci à Louis XIV qui fit détruire ceux des siècles précédents !) et de nombreux cafés-restos avec terrasse qui en font l'un des lieux les plus agréables les soirs d'été. Au centre, le *perron* et sa fontaine, symbole des libertés communales. Il fut transféré à Bruges pendant 11 ans, après la prise de la ville par Charles le Téméraire en 1467. Sur la colonne, la traditionnelle pomme de pin qu'on retrouve sur beaucoup de perrons. En se refermant, elle symboliserait le peuple qui sait se serrer les coudes pour se défendre. En s'ouvrant, c'est la joie qui s'exprime, l'ouverture sur le monde et la fertilité quand elle libère ses graines (ouais, ouais, belle métaphore !).

🏛 **L'hôtel de ville** (plan B1, 48) **:** bordant au sud la place du Marché, c'est un élégant édifice appelé familièrement « la Violette » par les Liégeois. Depuis le XIIIᵉ s s'élève ici le pouvoir communal, contrepoids indispensable à la tyrannie des évêques. D'abord dans une demeure à l'enseigne de la Violette, remplacée en 1718, après diverses destructions (merci de nouveau à Louis XIV !), par l'édifice actuel. Style classique, d'une certaine sobriété, avec un double escalier décoré de... pommes de pin. Noter, au second étage, l'élégante alternance de frontons courbes ou triangulaires au-dessus des fenêtres, ainsi que le large fronton frappé des armoiries du prince-évêque et des deux bourgmestres qui présidèrent à la construction de l'édifice. De l'autre côté, cour d'honneur encadrée de deux ailes. Sur le mémorial des policiers morts pour la patrie, un certain Arnold Maigret. Voici le personnage qui inspira en partie le célèbre commissaire. D'autres sources affirment que Maigret était le nom d'un médecin voisin de Simenon, place des Vosges à Paris, avec lequel il partageait la passion des bateaux.
Possibilité de visiter l'intérieur de l'hôtel de ville. Essayez de vous joindre à un groupe. Grande salle des pas perdus avec joli plafond polychrome. Espaces rythmés de colonnes de granit noir. De Del Cour, sculpture originale des *Trois Grâces*, supportant la pomme de pin du perron. À l'étage supérieur, l'ancienne salle des mariages (nombreux bustes et tableaux) et salle du conseil communal au plafond richement décoré de stucs.

🏛 **Le quartier Féronstrée et Hors Château** (plan C1) **:** entre colline et Meuse, la naturelle extension de la ville médiévale vers le nord-est. C'est un quartier qui vaut une visite approfondie, pour son intérêt architectural et tous ses petits secrets charmants...
La rue Hors-Château, tracée au XIᵉ s en dehors des murailles, aligne aujourd'hui nombre de belles demeures aristocratiques et bourgeoises. Tout au début, l'ancienne *église Saint-Antoine.* Construite en 1645 dans le style jésuite. Noter les cinq étages à pilastres, chapiteaux, volutes, guirlandes et niches à statues. Elle a été restaurée assez récemment et accueille depuis des expos temporaires.

🏛 **Le musée de la Vie wallonne** (plan C1, 49) **:** cour des Mineurs, derrière l'église Saint-Antoine. ☎ 04-237-90-40. ● viewallone.be ● Tlj sf lun 9h30-18h. Fermé 1ʳᵉ sem de janv. Entrée : 5 € ; réduc. Abrité dans l'ancien couvent des frères mineurs, de style Renaissance mosane, c'est le plus riche musée ethnographique de Wallonie. Rouvert depuis 2008 dans une nouvelle muséographie qui présente des collections d'objets, de documents et d'images touchant à tous les aspects de la vie wallonne du XIXᵉ s à nos jours : histoire, géographie, économie, vie quotidienne, consommation, religions et croyances, fêtes, savoirs, métiers d'art. Il propose aussi des expos temporaires (prix d'entrée séparé) et un théâtre actif de marionnettes (important dans le folklore wallon !). Enfin, un centre de documentation, une boutique et un espace saveurs viennent compléter ce nouvel ensemble.

🏛 **Le Grand Curtius** (plan C1, 54) **:** quai de Maastricht, 13. ☎ 04-237-90-40. ● grandcurtiusliege.be ● Tlj sf mar 10h-18h. Entrée : 5 € ; réduc ; gratuit 1ᵉʳ dim de chaque mois. Audioguide.
Ouvert au printemps 2009 après 15 longues années de travaux, l'ensemble muséal du Grand Curtius regroupe en une seule et même entité de 5 600 m², les collections des *musées d'Armes, du Verre, d'Archéologie, des Arts décoratifs, d'Art religieux et d'Art mosan.* Organisé sur deux niveaux en parcours chronologique il restitue l'histoire du pays mosan de la préhistoire à nos jours. Un parcours théma-

tique vient compléter le précédent : il regroupe les richesses muséales de la ville de Liège autour des thèmes de l'égyptologie, le verre, les armes, les religions et la spiritualité.

Commençons par le plus spectaculaire : dans sa belle livrée rouge en brique et pierre calcaire, le fier palais (en fait un magasin) construit par Jan de Corte est familier aux promeneurs des bords de Meuse. On qualifie son style de « Renaissance mosane » bien que la Renaissance ait peu pénétré les

CE CURIEUX CURTIUS

Jean de Corte (dit Curtius 1551-1628) est un industriel liégeois qui a accumulé une fortune considérable dans le commerce du salpêtre et des armes. Il faut dire qu'à son époque l'Europe était à feu et à sang, déchirée par les guerres de Religion qui vont déboucher sur la guerre de Trente Ans. Fournisseur des armées espagnoles de Philippe II et III il s'installe en Cantabrie où il fait venir des fondeurs liégeois qui y développent la sidérurgie.

régions du Nord. La tour de guet qui le coiffe est postérieure à sa construction qui débuta à la fin du XVIe s. Remarquez sur la façade les mascarons en tuffeau repeints comme à l'origine. Il y a là un mélange d'armoiries familiales, de grotesques et même une scène scatologique (rangée du milieu à l'extrême droite) où un personnage accroupi vient déposer son petit cadeau. Le bâtiment principal accueille des expos temporaires de prestige (commencé par Delvaux en 2009). Ne manquez pas de visiter les combles et de remarquer les pièces d'apparat qui comportent de magnifiques cheminées monumentales. Au rez-de-chaussée, une salle rassemble quelques trésors : tapisserie, mobilier de Serrurier-Bovy, verres de Gallé...

Le parcours chronologique débute par la section préhistoire particulièrement riche dans la vallée de la Meuse où abondaient les grottes favorables au peuplement. Si la période gallo-romaine est moins généreuse en témoignages, la période carolingienne et le Moyen Âge propose quelques trésors incomparables : une maquette de la cathédrale Saint-Lambert primitive, l'évangéliaire de Notger en or, ivoire et émaux, une *Sedes Sapientiae* de 1060 appelée Vierge d'Évegnée à la confondante ressemblance avec un président de la France récent. Cherchez lequel !

Suit alors une profusion de statues médiévales en bois ou pierre, cela s'expliquant aisément par le caractère ecclésiastique de la principauté. Les luttes pour le pouvoir sont évoquées par ce tableau de la restitution du perron aux Liégeois après son exil à Bruges par Charles le Téméraire. Cabinets marquetés, colliers de gildes en or dans la salle Renaissance et singulière représentation en marbre d'un cadavre rongé par les vers sur son tombeau. Jolie guirlande florale de Jan Bruegel de Velours, autel de la chapelle de l'ancien hôpital de Bavière. Magnifique statuaire baroque de Jean Del Cour, un enfant doué du pays. On rejoint alors l'hôtel Hayme de Bomal où dans des salons aux dorures rutilantes sont exposés les trésors du legs du baron et de la baronne Duesberg, grands collectionneurs d'horloges. Napoléon se rendit deux fois à Liège. On peut admirer sa silhouette encore juvénile en costume de Premier consul peinte par Ingres. Il semble qu'il avait déjà mal au foie...

Les sections thématiques dans la résidence Curtius débutent par l'égyptologie qui a toujours eu droit de cité à Liège grâce aux travaux de Jean Capart. La collection des verres est sans aucun doute une des plus riches qui soit : verres vénitiens, hollandais, anglais et bien sûr les plus belles pièces de la cristallerie du Val Saint-Lambert.

Côté armes, l'arsenal est encore plus impressionnant ; bien sûr la production de la FN de Herstal est largement représentée mais la profusion des armes blanches tant militaires que civiles laissent pantois. On se passionnera pour le travail sur les magnifiques fusils de chasse incrustés de nacre et d'ivoire et on s'étonnera de cette curieuse représentation du Perron liégeois faite de chiens de fusils assemblés. Magnifique piano Pleyel réalisé par Serrurier-Bovy et peint par Émile Berchmans. Pour ceux qui auront encore un peu d'énergie, précisons que la collection d'Art de la table et la section sur le thème des arts religieux et des courants philosophiques sont loin d'être à dédaigner.

🍸 Retour dans la *rue Hors-Château* (plan C1) pour détailler d'autres *hôtels particuliers* du XVIIIe s. Notamment aux n°s 5, 9 et 13. Tout au bout, le temple de culte antoiniste, siège de la seule religion d'origine belge. L'antoinisme est largement teinté de spiritisme et propose de parvenir au bonheur au travers d'un certain nombre de réincarnations (attention, on ne fait pas leur pub !).

🍸 *L'escalier de la montagne de Bueren* (plan C1, 51) : insolite et colossal escalier de près de 400 marches, l'un des plus longs d'Europe ! Construit en 1880 pour permettre aux soldats de la caserne située tout en haut de gagner la ville directement, sans avoir à passer par certaines rues

PLUS QU'UN ÉBÉNISTE

Précurseur du design, Gustave Serrurier-Bovy est, jusqu'en 1888, architecte à Liège, quand il se tourne vers le commerce des meubles et s'intéresse aux productions anglaises. En Angleterre il rejoint le mouvement des Arts & Crafts. En 1893, il devient facteur de meubles et présente un cabinet de travail à l'Exposition de la Libre Esthétique à Bruxelles. C'est le succès. Il milite pour la simplicité dans le décor et défend la beauté à la portée de tous. Il se détourne de la production artisanale, trop chère, pour se tourner vers l'esthétique industrielle. Il fonde avec un architecte parisien, René Dulong, la société Serrurier et Cie. De 1903 à 1907, la firme produit ses plus belles réalisations.

mal famées (que c'est mignon de penser aux pioupious comme ça ; cela dit, pour remonter, un *peket* ça va, trois, bonjour les dégâts !). À propos, on lui donna le nom de « montagne de Bueren » en souvenir des 600 Franchimontois et de leur célèbre capitaine, Vincent de Bueren, qui tentèrent héroïquement de s'emparer de Charles le Téméraire, alors basé en haut de la colline. Vous pouvez bien sûr partir à l'assaut des 375 marches pour découvrir les quartiers accrochés aux pentes de la colline (comme celui de la Pierreuse) mais nous vous conseillons plutôt un autre itinéraire.

🍸 À gauche de l'escalier de Bueren *(plan C1)*, suivre l'exquise petite *rue des Ursulines.* C'est le début du sentier des coteaux (brochures sur celui-ci disponibles à l'office de tourisme). Vestiges d'un béguinage fort bien rénové. Devant, un ancien relais de poste du XVIIe s entièrement remonté ici. Aventurez-vous, sans hésiter, jusqu'au panorama que l'on a de la tour des Vieux-Joncs. La ville est à vos pieds... Descente possible par la rue Pierreuse.

🍸 Retour à nouveau dans la rue *Hors-Château* pour partir à la découverte des *impasses du quartier (plan C1, 52).* Elles menaient jadis aux logements des employés des grands hôtels particuliers, où s'installèrent par la suite des familles ouvrières aux revenus modestes. Comme les *mews* anglais, elles sont réinvesties aujourd'hui par les amoureux du charme et du calme de ces ruelles piétonnes. Demeures rénovées avec goût et fleuries. Pénétrez sur la pointe des pieds dans ce mode de vie privilégié : impasse Venta, impasse de la Couronne (qui revient par celle de l'Ange), à leur jonction une *potale* (petite chapelle murale), impasse de la Vignette, l'une des plus mignonnes.

🍸 Traverser la rue Hors-Château pour la *cour Saint-Antoine,* située entre les rues des Brasseurs et Hors-Château. Exemple typique de rénovation intelligente dans les années 1970. Compromis harmonieux d'immeubles anciens et de rajouts ou réadaptations modernes. À une extrémité, on distingue bien les vestiges d'une brasserie du XVIe s. À l'autre se détachent, au-dessus de la petite maison rouge, les tours avec clochers de l'église Saint-Barthélemy.

🍸 *L'église Saint-Barthélemy (plan C1, 53) :* entre les rues En Féronstrée et Hors-Château. Tlj 10h-12h, 14h-17h. Entrée : 2 €. Une des plus anciennes de Liège. Consacrée en 1015. Extérieur roman typique. Seul le grand porche de style néoclassique fut ajouté au XVIIIe s. Sa rénovation, qui a pris près de 10 ans, s'est achevée en 2006 et la façade a retrouvé son lustre blanc et rouge d'autrefois. C'est l'un des rares exemples de collégiales romanes demeurées en l'état sans modification (ou presque), à l'époque du gothique. Élégants clochers en forme de losanges biseautés. Intérieur (rénové lui aussi) décoré de stucs au XVIIIe s'est resté en style baroque mais apuré de tous ses excès. L'église est en fait surtout connue pour ses *fonts baptismaux* du XIIe s, dits de « Renier de Huy ». Ils appartenaient à une autre église détruite à la Révolution et constituent aujourd'hui l'une des sept merveilles de Belgique, rien que ça ! Cuve en laiton de 500 kg, soutenue par 10 pieds en forme de bœufs (au lieu des 12 initiaux) et ornée de scènes de baptême dont celui du Christ dans le Jourdain, de Craton (un philosophe grec), de Corneille (un centurion romain, pas Pierre)... le couvercle, lui a disparu. C'est vraiment un pur chef-d'œuvre, empreint d'un style d'une grande maturité, montrant un modelé superbe ; bref, un véritable poème inscrit dans le métal. Ses origines restent toutefois incertaines : au vu de certains caractères nettement orientaux, certains parlent d'un butin arraché à une basilique byzantine lors de la prise de Constantinople, d'autres assurent qu'il s'agit d'une réalisation qui ne doit qu'au génie des fondeurs des bords de Meuse.

Un peu plus loin, une dalle en verre permet de voir les fondations d'un escalier en colimaçon qui appartenait à l'église antérieure. À la croisée du transept du chœur, une pierre tombale formée de losanges de marbre.

🎭 **Le musée de l'Art wallon** (plan C1, **56**) : rue En Féronstrée, 86. ☎ 04-221-92-31. Dans l'îlot Saint-Georges (entrée sur l'esplanade du bâtiment). Mar-sam 13h-18h, dim 11h-16h30. Fermé lun et j. fériés. Entrée : 5 € ; réduc.

Installé dans un moche édifice de béton. En revanche, l'agencement muséographique intérieur (inspiré du Guggenheim de New York) témoigne d'un réel effort de présentation des collections. On commence au 4e étage et on descend doucement niveau par niveau, en se pénétrant, dans l'ordre chronologique, de la riche production artistique wallonne. Comme d'hab', voici quelques chefs-d'œuvre glanés au fil du parcours.

– Renaissance : *Saint Denis refusant de sacrifier au dieu inconnu* de Lambert Lombard. Ampleur des drapés, richesse des trompe-l'œil.

– XVIIIe s : *Visite de la manufacture de tabac* de Léonard de France, qui nous révèle beaucoup de détails sur les costumes et les intérieurs de l'époque. Ici, noter le regard ahuri des enfants voyant de belles dames pour la première fois !

– De Léon Mignon, intéressant *Joseph et le Taureau*. Dans le style réaliste-socialiste, la peinture ouvrière, avec *La Coulée à Ougrée* de Constantin Meunier. Et bien d'autres, dont les noms ne résonneront pas forcément à vos oreilles parce qu'ils n'ont pas connu de consécration en dehors de la Wallonie. Cependant, leur talent est réel et beaucoup ont quelque chose à dire. Par exemple, Anto Carte, très lyrique, avec un brin de pathétique dans les *Aveugles* ou les *Archers de saint Sébastien*. On a bien aimé *L'Effort,* beau mouvement du corps s'accordant avec l'eau. Ainsi que les toiles de Pierre Paulus, peintre des paysages industriels et des conditions de travail. D'Auguste Mambour (copain d'enfance de Simenon), le *Nu de fer,* exaltation de la beauté noire avec Liège en fond. Sensualité inquiète avec *La Femme au corset rouge* d'Adrien de Witte, qui peint dans le style de Degas.

– Et puis les « vedettes » : Paul Delvaux, avec *L'Homme de la rue.* Noter dans ce tableau que le drôle de personnage *British* se retrouve au milieu, en tout petit, sur le chemin. De Delvaux aussi, le *Christ au tombeau,* de la même veine surréaliste. Magritte est également présent, avec *La Forêt.*

🎨 **Le musée d'Ansembourg** (plan C1, **57**) : rue En Féronstrée, 114. ☎ 04-221-94-02. Tlj sf lun et j. fériés 13h-18h. Entrée : 5 € ; réduc. Musée dédié aux arts décoratifs liégeois du XVIIIe s. Installé d'ailleurs dans un hôtel particulier de l'époque, construit en 1738 dans le style Régence pour un banquier négociant en cuir. Ici, pas de vitrines. On visite comme si le proprio nous avait laissé au moment les clés. Vous y admirerez le génie des ébénistes liégeois exprimé au travers des meubles, portes et lambris. Superbe salon de musique avec son plafond orné de stucs, ses tapisseries d'Audenarde, aux fraîches couleurs, ses panneaux de bois ciselés. Dans la salle à manger, murs recouverts de cuirs polychromes et dorés, dits « style Cordoue ». Lambris et bois sculptés de toute beauté. Voir aussi la cuisine, entièrement revêtue de carreaux de faïence de Delft. D'autres salles à l'étage, dont une possède l'ancienne table du conseil privé du palais des Princes-Évêques, en chêne et marqueterie.

🎷 *La Maison du jazz* (plan C1) : rue Sur-les-Foulons, 11. ☎ 04-221-10-11. • mai sondujazz.be • *Dans une ruelle près du musée d'Art wallon. Lun-mar et jeu 12h-17h, mer et ven sur rdv. Entrée gratuite.* Un lieu de rencontre, d'informations et de découvertes pour tous les inconditionnels de la note bleue, qui a toujours trouvé à Liège une terre de prédilection. C'est également le secrétariat du festival international de Jazz. Expos temporaires, archives et documents, bibliothèque, photothèque et, point d'orgue, des milliers de disques et de DVD à écouter ou à regarder. Le tout gratos ! Une belle initiative, appelée à connaître de nombreux développements.

🎷 *L'îlot Saint-Georges* (plan C1) : entre le musée de l'Art wallon et la rue Sur-les-Foulons, une série de façades des XVIIᵉ et XVIIIᵉ s, victimes d'opérations immobilières de-ci de-là, dans les années 1970, et remontées ici. Un îlot archéologique en quelque sorte. C'est tellement rare que ça mérite quand même d'être signalé ! L'édifice d'angle est un bel exemple d'architecture Renaissance mosane du XVIIᵉ s, avec ses alternances de bandes de brique et de fenêtres à meneaux. Le nom de la rue Féronstrée indique qu'y travaillèrent jadis les *férons*, ouvriers des métaux.
Noter, à l'entrée de la rue Sur-les-Foulons, la *fontaine* dite *Montefiore*. Il y en eut d'autres en ville, offertes par des mécènes. Remarquer le bassin au pied, destiné à étancher la soif des chiens qui tiraient souvent de petites charrettes (notamment pour livrer le lait).

🎷 Autres immeubles intéressants dans le coin : la *maison Havart* (plan C1, **36**), quai de la Goffe. Abritant aujourd'hui le restaurant *Au Vieux-Liège,* elle date du XVIIᵉ s. Imposante et pittoresque, avec ses étages à encorbellement couverts d'ardoises. De l'autre côté du parking (rue de la Goffe), tout en longueur, l'ancienne *halle aux viandes,* le plus vieil édifice public de la ville (1546) où, il n'y a pas si longtemps, œuvraient encore les *mangons* (bouchers).
La *rue de la Goffe* aligne encore nombre d'intéressantes demeures des XVIIᵉ et XVIIIᵉ s. Le *quai de la Goffe,* quant à lui, témoigne de l'activité batelière et portuaire importante qui s'y déroulait. La Goffe (le « gouffre ») indique une échancrure, un refuge où pouvaient « s'engouffrer » les bateaux pour décharger leurs marchandises. Les deux mâts en forme de crayon rappellent la fonction du lieu. Tout le long de la Goffe et de la Batte se déroule le dimanche matin un fameux marché aux puces très couru régionalement (voir plus loin la rubrique « Marchés et puces »).

🎷 Des quais, vous pouvez revenir vers la place du Marché par la rue de la Cité et la *rue Neuvice, vinâve* du XIIᵉ s, reliant la Meuse à la place du Marché. Les maisons du XVᵉ s abritent encore pas mal de commerces populaires, décorés d'enseignes métalliques à l'ancienne aux noms évocateurs : « Le Cerf fleuri », « Le Lion vert », « Al Manoie di Noûvice »...
Entre les nᵒˢ 23 et 24, la *rue du Carré,* venelle moyenâgeuse où l'on a quelque mal à se balader en couple !

Le quartier de l'île

Eh oui ! C'est dans une ancienne île liégeoise que nous vous convions à traîner vos baskets. Regardez le plan de la ville, notez la boucle des boulevards de la Sauvenière et d'Avroy. C'est un ancien bras de la Meuse comblé au début du XIXᵉ s. D'ailleurs, subsistent pas mal de noms de rues évoquant cette époque : rue Pont-d'Isle, rue Pont-d'Avroy, Vinâve-d'Isle, rue Saint-Jean-en-Isle, etc. Aujourd'hui, en tout cas, la jeunesse l'a investi et en a fait son pré carré, comme d'ailleurs l'indique le nom du cœur actif de la nuit liégeoise, le *Carré* (plan B2)... Nombreuses rues piétonnes et commerçantes où, à part les églises, vous découvrirez, de-ci de-là (malgré les enseignes envahissantes), quelques demeures anciennes intéressantes. Pas de vestiges antérieurs à 1468, car Charles le Téméraire incendia toute cette partie de la ville.

LIÈGE

🍴 *La cathédrale Saint-Paul* (plan B2, **58**) : *tlj 8h-17h.*
Ancienne collégiale fondée au Xe s et rebâtie en gothique au XIIIe s. Au XIXe s, à la suite du Concordat, elle devint cathédrale et fut même restaurée, remplaçant la cathédrale Saint-Lambert agonisante (dont elle recueillit quelques dépouilles, comme le carillon). Certes, le clocher et ses clochetons sentent un peu trop le XIXe s, mais le vaisseau ravit par son ordonnance rigoureuse, ainsi que par les grandes baies surmontées de pinacles.
À l'intérieur, on retrouve d'ailleurs la rigueur gothique d'origine. Voûte de la nef du XIIIe s, voûtes du plafond du XVIe, ainsi que les hautes fenêtres et l'abside (avec peinture d'inspiration allemande). Notre grand coup de cœur : le magnifique *Christ au tombeau* (1696), œuvre de Jean Del Cour. Influence du Bernin certaine. Quelle maîtrise, quelle capacité à faire fusionner ainsi tragédie et esthétique ! La mort rend le visage encore plus beau, pathétique et serein tout à la fois. Richesse du drapé, corps encore frémissant, que la matière du marbre n'arrive même pas à exprimer glacé. Autre merveille, la verrière du transept sud, datant du XVIe s. Dans sa partie supérieure, vous reconnaîtrez le *Couronnement de la Vierge*, par les trois membres de la Sainte-Trinité. En dessous, la *Conversion de saint Paul*.
Remarquable également, la chaire avec une étonnante représentation de Satan presque séduisante (cornes très discrètes mais, attention, pieds fourchus et ailes de vampire !). À droite du chœur, *Vierge à l'Enfant* inhabituelle. Elle n'a pas de contact maternel avec Jésus qu'elle présente déjà comme un homme. Longiligne avec un grand cou, et traces de polychromie.
– Ne pas manquer non plus le beau *cloître*, voûté de brique, et son petit jardin.
– *Le trésor :* dans l'annexe claustrale, entrée par la cathédrale ou par la rue Bonne-Fortune. ☎ 04-232-61-32. • trésordeliege.be • *Tlj sf lun 14h-17h ; visite guidée à 15h. Entrée (audioguide inclus) : 4 € ; réduc.* Au XVIe s, un voyageur italien qui visitait Liège parlait de la cité comme « un paradis des prêtres ». Le trésor en est l'un des témoignages encore tangible. Il propose, sur trois niveaux, un nouveau parcours historique et artistique de la ville avec quelques chefs-d'œuvre issus de la défunte cathédrale Saint-Lambert, comme l'impressionnant *buste-reliquaire de saint Lambert* (à la mesure de la dévotion dont il faisait l'objet !). Le prince-évêque Érard de La Marck offrit les 5 kg d'argent nécessaires pour le réaliser. On le voit d'ailleurs agenouillé devant le socle où se nichent différentes scènes particulièrement travaillées de la vie de saint Lambert. Autres pièces fameuses, le *reliquaire de saint Georges,* offert par Charles le Téméraire (pour se faire pardonner l'incendie de la ville en 1468 ?), en or massif, d'une grande finesse de détails (observez le plissé du coussin !), et la chasuble de David de Bourgogne. Pour le reste, ciboires, ostensoirs, croix serties, crosses et anneaux épiscopaux, textiles de haute époque, calices, burettes... et des manuscrits heureusement épargnés par l'inondation de 1926, quand l'eau de la Meuse monta jusqu'à 1,20 m.

🍴 *L'église Saint-Jean* (plan B1, **59**) : *ouv à Pâques et de mi-juin à mi-sept, 10h30-12h30, 14h-17h. Fermé jeu mat et dim mat. Visite guidée gratuite.* Ancienne collégiale, fondée au Xe s. Sympa et pittoresque. Style hybride puisque le clocher carré flanqué de deux tourelles est roman et que la rotonde qui le sépare de la nef est une reconstruction du XVIIIe s. De loin, sous un certain angle, l'ensemble évoque curieusement la silhouette d'un chameau. À l'intérieur, la rotonde de style néoclassique est surmontée d'une très haute coupole et entourée d'une galerie circulaire avec une dizaine de chapelles. Admirable *Vierge* dite « *des Miracles* », datant du début du XIIIe s. Là aussi, Jésus trône sur le genou, détaché de sa mère, et le regard de la Vierge, pas maternel pour un rond, porte loin et haut, tandis qu'elle foule un dragon des pieds. À quoi pense-t-elle à ce moment-là ?

🏛 *L'église Saint-Jacques* *(plan B2, 60)* : *pl. Saint-Jacques.* ☎ *04-222-14-41. Ouv à Pâques et de mi-juin à mi-sept, tlj sf dim mat 10h-12h, 14h-18h ; en basse saison, slt le mat 9h-12h. Visite guidée gratuite sur rdv.*

Considérée par beaucoup comme la plus belle de Liège. Abordez-la par le sud (côté Meuse) pour en avoir l'approche la plus intéressante. À gauche, le narthex, massive et rustique construction romane prolongée par un volumineux vaisseau de style gothique flamboyant. Curieusement, pas de mât au vaisseau, nulle flèche élancée, si ce n'est ce dérisoire petit clocheton. Côté place Saint-Jacques, portail Renaissance italienne de 1558.

La première église fut fondée en 1016 par Baldéric II, successeur de Notger, comme abbatiale d'un monastère bénédictin. Exceptionnellement, les abbés portaient crosses et mitres, et relevaient directement du pape. C'est à Saint-Jacques que les deux bourgmestres (élus le jour de la Saint-Jacques) venaient jurer de défendre les droits et les libertés de la commune. C'est là également que se déroulaient les négociations avec le prince-évêque lorsque des tensions avec la commune éclataient. Au début du XVIe s, la vieille voûte romane s'effondra. Le nouveau vaisseau gothique flamboyant fut construit en un temps record (25 ans !).

C'est à l'intérieur qu'on prend encore plus la mesure de la richesse architecturale de Saint-Jacques. C'est le summum du style flamboyant. Il jette ses derniers feux avant de céder le pas au style Renaissance ! Ce qui frappe d'abord, c'est la voûte, la plus travaillée au monde, dit-on ! Festival de nervures, d'entrelacements et de clefs de voûte (plus de 150 !). S'y intercalent nombre de portraits, médaillons et motifs peints.

Tout autour, peu de surfaces planes : faux triforium, véritable dentelle de pierre, arches festonnées. Toutes les surfaces entre triforium et arcades sont sculptées d'arabesques et de têtes de personnages bibliques. Tout le long de la nef, monumentales statues blanches. Ni marbre ni albâtre, c'est du tilleul peint, œuvre du grand Del Cour.

– *La chapelle Saint-Rémy :* dans le transept gauche. Oubliez le retable XIXe s, de peu d'intérêt, pour vous laisser émouvoir par la douceur et l'air douloureux tout à la fois de la *pietà* du XVe s. Sur le mur, une imposante dalle funéraire noire d'un abbé du XVIe s. On ne s'aperçoit pas que c'est une copie (fort bien réalisée d'ailleurs) de l'original qui fut volé par les révolutionnaires français. Le bateau qui l'emportait vers Paris coula en outre dans la Meuse, à Charleville. Elle resta un siècle au fond de l'eau avant d'être remontée et exposée au musée du Louvre. Pour la petite histoire, la ville de Liège, à défaut de récupérer légitimement son bien, en réclama en 1925 une copie qui lui fut, tenez-vous bien... facturée par le Louvre ! Pour oublier cette mesquinerie, laissez-vous séduire, à droite de cette chapelle, par l'adorable *Vierge à l'Enfant* (1523) en bois doré, debout sur un croissant de lune.

– *Le transept droit :* pierre tombale du prince-évêque Baldéric II en marbre noir de Theux (du XVIIe s). Dans une chapelle latérale du chœur, à droite, découvrez, cachée sous l'autel, une *Mise au tombeau* polychrome du XVIe s (avec pleureuses et figures d'orientaux).

– Retour dans *le chœur* : seuls nos lecteurs les plus exégètes, dotés de très bons yeux, détailleront la voûte et ses clefs. Ils pourront y voir une rare représentation à deux faces de la Vierge, les symboles des évangélistes, un saint Michel combattant le dragon et, au centre du chœur, une statue du Christ sur une clé en pendentif. À droite du chœur toujours, la tribune des bourgmestres.

– *Les stalles :* elles datent de la fin du XIVe s et méritent d'être détaillées. Pas si tristes que ça, les moines à l'époque ! Nombre de miséricordes (ces rebords sous le siège relevé qui permettaient de se reposer un peu en station debout) montrent de surprenantes figures et représentations satiriques, grotesques ou fantastiques. À vous de découvrir les deux personnages accroupis en train de déféquer... (allez, on vous aide, ils sont à droite !).

– Ne partez pas, il reste à voir les superbes *vitraux* du XVIe s. Au centre du chœur, le *Sacrifice d'Abraham,* offert par l'abbé qui reconstruisit l'église. De part et d'autre, les vitraux offerts par deux grandes familles ennemies et qui se réconcilièrent à cette occasion. À gauche, les Hornes, avec Jacques III à genoux et, sur le vitrail à côté, ses deux épouses. À droite du chœur, la famille des La Marck, avec son chef agenouillé devant le Christ et, sur l'autre vitrail, sa femme.

🍴 **L'Opéra royal de Wallonie** (plan B1, **61**) : pl. de la République.
Un des rares exemples de style Empire à Liège. Édifié en 1818, il peut recevoir 1 600 personnes. L'architecte s'inspira du théâtre de l'Odéon à Paris. Beau plafond peint. Le fronton triangulaire fut un rajout tardif, les Liégeois trouvant leur opéra pas assez cossu !
De part et d'autre, l'occasion de juger des conceptions architecturales bien différentes. À gauche, la longue barre de verre du centre commercial que l'architecte, pour se donner bonne conscience, a pourvue d'arcades, rappelant celles de l'opéra. Noter également l'architecture en gradins laissant respirer l'opéra et permettant, en outre, d'amener en douceur le paysage urbain au niveau de l'église Saint-Martin sur sa colline (vous voyez, le *Routard* n'est pas systématiquement anti-architecture moderne !).
Devant l'opéra, la *statue d'André-Modeste Grétry,* le célèbre compositeur liégeois (dont vous visiterez la demeure dans l'Outremeuse). Dans le socle, une urne avec son cœur.

➤ Maintenant, nous allons rendre visite à quelques rues et monuments voisins du quartier de l'Île...

🍴 **L'église Saint-Denis** (plan B1, **62**) : pl. Saint-Denis. Tlj sf dim 9h-17h. L'une des plus anciennes églises de la ville, puisqu'elle fut fondée par l'évêque Notger à la fin du Xe s. De ce fait, on y trouve plusieurs styles. Narthex et nef romans, chœur gothique. Le narthex a retrouvé son aspect d'antan mais l'intérieur est de style baroque du XVIIIe s. Repeinte en jaune, l'église recèle des stucs rococo dans les chapelles latérales, une belle tribune d'orgue de 1589 et, dans le transept droit, on découvre un retable gothique avec une remarquable *Passion,* véritable foisonnement de personnages. Dans les nefs, plusieurs œuvres de Lambert Lombard (du XVIe s) dont un *Ecce Homo,* le *Baptême du Christ.*

🍴 **La rue Léopold** (plan B-C1) : tracée et construite en 1875 dans la grande tradition haussmannienne, à travers le vieux quartier de la Madeleine.

🍴 **Entre la rue Léopold et la rue de la Régence** (plan B-C1) s'étend un vieux quartier qui ne possède pas une très bonne réputation. Rapport à quelques sex-shops et à la faune qu'ils drainent, ainsi qu'à quelques rues avec des filles en vitrine. Le soir, d'ailleurs, elles se teintent en bleu et rouge fluo, notamment rues Florimont, Champion, de l'Agneau. Pour les ama-

> **OÙ MAMAN SIMENON SE RÉVÈLE SUPERSTITIEUSE**
>
> C'est au n° 24 de la rue Léopold, au-dessus d'une boutique de chapelier, que naît Georges Simenon le vendredi 13 février 1903 à minuit dix. Il est le premier fils de Désiré Simenon, comptable et d'Henriette, mère au foyer. Presque un début de roman, puisque sa mère le déclare finalement né le 12 à 23h30 ! À l'époque, le vendredi 13 portait malheur (comme toujours aux USA). On peut retrouver l'histoire de sa naissance au début de son roman **Pedigree**.

teurs de superlatifs, suivre la *rue du Carré,* la voie la plus étroite de Liège (donnant dans la rue Souverain-Pont). Au début du XXe s, on y trouvait nombre de bouchers et tripiers. À propos de pont, empruntez celui des Arches, on va aller en Outremeuse...

Le quartier d'Outremeuse (où vécut Simenon)

Outre la Meuse, *djus d'là Moûse* (comme disent en dialecte wallon ses habitants), vous découvrirez le quartier exprimant le mieux, à notre avis, l'esprit liégeois. C'est la patrie de Tchantchès, le gavroche de la ville qui incarne vraiment cet esprit. Le goût de l'indépendance et l'esprit frondeur des gens d'Outremeuse s'expriment d'ailleurs bien par les deux « institutions culturelles » qui y coexistent : la « République libre d'Outremeuse » et la « Commune libre de Saint-Pholien ». Elles recouvrent très exactement les paroisses de Saint-Nicolas et de Saint-Pholien, ainsi que les deux anciennes activités professionnelles de l'île : les tisserands pour Saint-Nicolas et les tanneurs pour Saint-Pholien. Les habitants d'Outremeuse mettent un point d'honneur à défendre leur quartier, à préserver la langue wallonne et les traditions culturelles de Liège. Ils y ajoutent même un aimable esprit de clocher entre les deux paroisses, presque une gentille rivalité. Une anecdote révélatrice : quand ils vont rive gauche, les gens d'Outremeuse, toutes tendances, disent « aller en ville ». De même dans deux livres, *Je me souviens* et *Pedigree,* Simenon va jusqu'à faire dire à sa grand-mère, quand elle va rive gauche, parlant d'Henriette (la mère de Simenon) : « Je vais voir l'enfant de l'étrangère qui n'est pas d'Outremeuse... » En fait, ce n'est même pas le plus beau des quartiers et, depuis quelques années, de l'avis même des Liégeois, il connaît un certain déclin, perdant progressivement restos, cafés et autres lieux autrefois conviviaux, même en Roture. Architecturalement, ça donne plutôt l'aspect d'un patchwork hybride de styles (principalement du XIXe s déclinant et banales tours du XXe). En outre, beaucoup de choses ont disparu dans les tourmentes immobilières. Les canaux et biefs de la Meuse où travaillaient les tanneurs ont été comblés, et quasiment plus rien ne subsiste de leur activité. Les rues et points pittoresques se circonscrivent à l'axe allant de l'église Saint-Pholien à la rue Puits-en-Sock et aux ruelles alentour.

Vous nous avez compris, l'Outremeuse ne conviendra pas aux visiteurs pressés. Il vous faudra traîner les pieds, le plus souvent le nez en l'air, pour repérer des détails architecturaux insolites et bien sûr les *potales* ! L'attention en éveil aussi pour saisir ces chaleureuses conversations, en dialecte wallon, au détour d'une rue, d'un verre...

On en profitera pour s'arrêter à tous les hauts lieux simenoniens. Le grand Georges avait dit : « C'est de l'enfance et de l'adolescence que nous tirons le principal de notre acquis. À 70 ans, j'agis, je pense, je me comporte comme l'enfant d'Outremeuse. » Et, plus tard, comme on lui faisait remarquer que ses descriptions de quartiers de banlieue possédaient souvent un air d'Outremeuse, il avait ajouté : « Dans mes romans, on retrouve Liège, même si cela se passe à Nantes ou à Charleroi. » Bien, on y va, par le *pont des Arches* (titre du premier roman de Simenon, écrit à 16 ans, signé Georges Sim), ou la populaire passerelle qui rejoint le boulevard Saucy. Citons encore Simenon : « Il y a, frontière entre le faubourg et le centre de la ville, un large pont de bois qu'on appelle la Passerelle. C'est plus court, plus familier. La Passerelle est un peu la chose des habitants d'Outremeuse, le pont qu'on franchit sans chapeau, pour une course de quelques instants... »

🍴 À l'angle de Surlet et du boulevard Saucy *(plan C2)*, **statue de Tchantchès,** symbole du Liégeois éternel. Puis prendre le boulevard de l'Est. Intéressante enfilade d'immeubles bourgeois de la fin du XIXe s.

🍴 ***L'église Saint-Pholien*** *(plan C1, 63)* : bd de la Constitution, 1. Elle n'est pas particulièrement sexy (reconstruite au début du XXe s avant qu'elle ne s'écroule) mais c'est un peu le phare de la Commune libre. Décoration intérieure typique du style kitsch néogothique. Ce fut le cadre du premier Maigret, *Le Pendu de Saint-Pholien*. Simenon construisit son intrigue à partir de la mort de Joseph Kleine, l'un de ses amis, retrouvé pendu un matin à la clenche (poignée) de la porte droite de l'église. Kleine faisait partie avec Simenon de la fameuse « Caque », cette minisociété secrète où l'on buvait fort, tout en philosophant à longueur de nuit sur l'art et la littérature. La thèse du suicide parut à l'époque la plus probable mais une version pencha pour un règlement de compte entre pourvoyeurs de drogue (Kleine était cocaïnomane).

🍴 ***La rue des Écoliers*** *(plan C1, 63)* : c'est la « rue du Pot-au-Noir », dans le roman. Au n° 13, accès à l'impasse de la Houpe, aujourd'hui fermée par une porte. C'est là,

LIÈGE

tout au fond, au 1er étage d'une menuiserie, que se réunissait la « Caque », la bohème de Liège. Elle regroupait peintres, décorateurs, musiciens, jeunes écrivains et poètes. En plus de Simenon, on y trouvait le malheureux Kleine, ainsi que le peintre Auguste Mambour et le futur éditeur Denoël. Accoutrements bizarres, looks de néoromantiques, lectures publiques de Nietzsche, de textes sacrés d'Inde, de poèmes de Laforgue, et saouleries. Cela dura de 1919 à 1922. La mort de Kleine mit fin à la cohésion du groupe.

🥄 **Le boulevard de la Constitution** *(plan C-D1) :* ne pas y rater la brocante du vendredi matin (voir plus loin la rubrique « Marchés et puces »). Sur la droite, on y trouve la caserne Fonck, où Simenon effectua une grande partie de son service militaire en 1922, chez les lanciers. Puis le grand carrefour avec la pointe de l'ex-hôpital de Bavière. Simenon y fut enfant de chœur à la chapelle (avec la porte d'entrée, l'un des rares vestiges de l'hôpital).

🥄 Quelques rues où habita successivement ***Simenon.*** Au n° 25, rue Georges-Simenon (ancienne rue Pasteur), il résida avec sa famille de 1905 à 1911. On y trouve aujourd'hui la nouvelle et belle AJ. Également au n° 53, rue de la Loi, de 1911 à 1917. Dernier domicile, au n° 29, rue de l'Enseignement, de 1919 à 1922, quand il était jeune reporter à la *Gazette de Liège,* avant de fuir à Paris.
Place du Congrès, buste de l'écrivain. Ce fut son premier terrain de jeu. À 12 ans, il aimait y observer les étoiles, toujours allongé sur le même banc.

🥄 **L'église Saint-Nicolas** *(plan C2, 64) :* rue Fosse-aux-Raines. Lun-sam 9h30-12h, 18h-19h ; dim 10h30-12h30. Vous êtes désormais en République libre d'Outre-meuse. C'est le plus vieil édifice religieux du quartier. Construit en 1710. Façade baroque. À l'intérieur, mobilier XVIIIe s. À droite, sous vitrine, calvaire de bois du début du XVIe s. Chaire évoquant saint Antoine. Dans le chœur, les saints des prémontrés. Dans le transept gauche, la célèbre Vierge noire que l'on emmène en procession le 15 août. La famille Simenon occupait le dernier banc au fond à droite. C'est le grand-père, Chrétien (c'était son prénom !), qui faisait la quête, pour la confrérie Saint-Roch. On y voit toujours le tronc où l'on mettait le produit de la quête et le petit coffre à missels.

🥄 Juste en face de l'église, la *rue des Récollets,* l'une des plus typiques du quartier. Bordée de maisons basses, elle n'a guère changé depuis le temps où Henriette (la maman de Georges) se plaignait de la saleté des innombrables gosses jouant dans cette rue de pauvres familles. Aujourd'hui, il n'y a presque plus d'enfants...

🥄 **Le musée Grétry** *(plan C2, 65) :* rue des Récollets, 34. ☎ 04-343-16-10. Mar et ven 14h-16h, sam 10h-12h, et sur demande. Entrée : 1,50 €. Demeure-musée d'André-Modeste Grétry (1741-1815), grand compositeur d'opéras-comiques qui a « réussi à Paris ». On lui doit des œuvres immortelles comme : *Zémir et Azor, Isabelle et Gertrude, La Rosière de Salency, Diogène et Alexandre* ou le ballet *Céphale et Pocris* et de l'immortel *Où peut-on être mieux qu'au sein*

UN PROTÉGÉ DE NAPOLÉON

La carrière de Grétry fut surtout parisienne. L'Empereur lui remit la Légion d'honneur ; il faut préciser que La Victoire *est à nous, un des airs tirés de l'opéra* La Caravane du Caire, *était devenu une des chansons de marche préférée de la Grande Armée. Il est enterré au Père-Lachaise mais son cœur se trouve dans la statue de bronze de l'Opéra royal de Wallonie.*

de sa famille ? Il est aussi l'auteur de souvenirs littéraires plutôt rousseauistes : *Réflexions d'un solitaire ;* il eut le malheur de perdre ses trois filles. Cette demeure, édifiée au XVIIIe s avec une jolie façade à colombages, plut à Simenon qui la visita lors d'une de ses rares visites à Liège, en 1952 (à l'occasion de sa réception à l'Académie royale). Il écrivit dans ses mémoires : « Ses fenêtres ont gardé leur vitrage verdâtre en culs de bouteille cernés de plomb. Une maison comme on en voit sur les tableaux des maîtres flamands, en clair-obscur... une maison comme j'aurais aimé... » L'intérieur se révèle effectivement charmant, voire un poil émouvant. Il semble encore habité. Tout est en place, mobilier d'époque et pianos du maître. Demander à voir la façade sur cour avec son élégante tourelle d'escalier à colombages.

🎭 **La rue Puits-en-Sock** *(plan C2) :* notre rue préférée. C'est le *vinâve,* la rue principale du quartier. Nombreuses ruelles perpendiculaires et commerces. C'est là que naquit Désiré, le père de Simenon, et, dans les années 1950-1960, on y voyait encore trottiner, pour faire ses courses, Henriette, sa maman. Chrétien, le grand-père, tenait une chapellerie au n° 58. Désiré, qui travaillait aux Guillemins, ne manquait pourtant pas d'aller embrasser son père chaque matin. Le petit Georges, lui, venait le dimanche. En 1918, petit drame chez les Simenon : Désiré est très malade. Henriette demande à Georges d'abandonner ses études pour subvenir quelque temps aux besoins de la famille. C'est là que le jeune Simenon s'engage comme apprenti pâtissier, à Saint-Gérard, à l'angle des rues Puits-en-Sock et Jean-d'Outre-meuse. Il n'y restera que 15 jours. Il aime trop les livres et s'embauche comme commis dans une librairie du centre. Ruelle pittoresque se terminant en *ârvô* (passage voûté), la rue Porte-aux-Oies.

🎭 **La rue En Roture** *(plan C2) :* au niveau du n° 44, rue Puits-en-Sock, un *ârvô* mène à En Roture, l'une des ruelles les plus prolétaires du coin il y a encore quelques dizaines d'années. Insolite double grille en chicane à l'entrée, appelée familièrement « la cage aux lions ». Elle servait à casser l'élan des mômes lorsqu'ils jaillissaient de la ruelle (leur évitant ainsi de passer sous le tram !). On peut y voir aussi un christ et une belle *potale.* Jusque dans les années 1920, on y trouvait des théâtres traditionnels de marionnettes liégeoises. Aujourd'hui, En Roture est une rue riche en restos, malgré le déclin qui touche tout le quartier.

🎭 **Le musée Tchantchès** *(plan C2, 66) :* rue Surlet, 56. ☎ 04-342-75-75. Mar et jeu 14h-16h. Fermé en juil. Entrée : 1 €. Siège de la République libre d'Outremeuse. D'après la légende, Tchantchès (François en wallon) naît en 760 en Outremeuse. Après une jeunesse turbulente, il devient le compagnon d'armes de Roland, le neveu de Charlemagne. On le représente avec un grand sarrau, un pantalon rapiécé, une casquette de soie noire, un foulard à carreaux rouges et des sabots. C'est un franc buveur, préférant, tout bébé déjà, le *peket* au lait. Son épouse, Nanesse, a un fort caractère. Lui-même possède un grand cœur, beaucoup de bon sens et « il tiesse près dè bonèt » (la tête près du bonnet). Sa marionnette, créée au XIXe s, est célèbre et Tchantchès continue à symboliser l'esprit frondeur et le goût de la liberté des Liégeois. Nombreux souvenirs de notre héros liégeois (photos, tableaux, diplômes) et superbe collection de marionnettes. Chaque année, le musée s'enrichit de nouveaux costumes. C'est ici que vint se réfugier le théâtre royal Ancien Impérial d'En Roture avec ses 129 marionnettes à tringles. De janvier à avril, spectacles lès mercredi après-midi et dimanche matin.
– À côté, la *maison des Métiers d'art* : expos temporaires.

🎭👪 **L'Aquarium, le musée de Zoologie et la Maison de la science** *(plan C2, 67) :* quai Van Beneden, 22. ☎ 04-366-50-21. ● aquarium-museum.be ● Maison de la science : ☎ 04-366-50-04. ● masc.ulg.ac.be ● Aquarium et musée de Zoologie ouv lun-ven 9h-17h (10h-18h juil-août et pdt les vac de Pâques), w-e 10h30-18h. Entrée : 5 € ; réduc. Maison de la science ouv lun-ven 10h-12h30, 13h30-17h ; w-e 14h-18h (juil-août tlj 13h30-18h). Entrée : 3 € ; réduc.
Dans un grand bâtiment, trois attractions différentes pour vous faire découvrir le monde de la science et de la zoologie. Vaut la visite, même si on aimerait voir quelques travaux de rénovation rafraîchir un peu l'ensemble.
– **L'aquarium Dubuisson** abrite deux ou trois dizaines de bassins renfermant, en tout, 250 espèces des mers chaudes ou froides. Un réservoir de 66 m³ accueille aussi de petits requins. Au fil de la visite, on peut admirer la daurade royale, le bar commun, l'énigmatique murène, la rascasse rouge, le mérou noir, les poissons-

vaches, poissons-pierres (pas faciles à repérer) et les axolotls, pour ne citer qu'eux. Quelques tortues aussi, et un alligator miniature qui a l'air de s'emm... ferme dans son reptilarium. Enfin, reconstitution du biotope des rivières wallonnes. Fresque de Paul Delvaux avec l'évolution des espèces pour thème

– *Le musée de Zoologie :* présentation vieillotte, digne des musées de la première moitié du XXe s, mais très riche collection d'espèces, conservées dans des bocaux à formol ou naturalisées. Les amateurs apprécieront ! Entre autres raretés, on peut y voir des vers solitaires, une salamandre, un homard géant, un casoar à casque, une souris à miel, un diable de Tasmanie, ainsi que des squelettes de poissons, reptiles et mammifères, notamment ceux d'un anaconda et d'un rorqual de près de 20 m. Fort belle section aussi sur les coraux.

– *La Maison de la science :* ici, il est interdit de ne pas toucher ! De plus, il y a toujours un animateur pour orienter les visiteurs et faire la démonstration d'expériences, les plus drôles étant celles réalisées avec l'azote liquide ou l'électricité statique (horripilation, cage de Faraday, simulation d'éclairs...). Belle collection aussi d'appareils et nombreuses installations pour faire comprendre les phénomènes optiques (disque de Newton, hologrammes, fibres optiques...), électriques, radioactifs (étonnante chambre de Wilson permettant de visualiser les particules !) ou de transformation d'énergie (dynamo de Zénobe Gramme). Et pour terminer : un phonogramme Edison, des postes de télé ancestraux, un curieux tableau périodique des éléments et une section minéralogique.

🏛 *Le musée d'Art moderne et d'Art contemporain* (MAMAC ; plan C4, **68**) *:* parc de la Boverie, 3. ☎ 04-343-04-03. ● mamac.be ● Situé au sud du quartier d'Outremeuse, dans un grand parc. Lun-sam 13h-18h, dim 11h-16h30. Entrée : 5 € ; réduc. Bâtiment datant de l'Expo universelle de Liège de 1905. Grande salle avec verrière et colonnes corinthiennes blanches. Peu de passage (et présentation d'avantguerre !) mais les amateurs de peinture y découvriront une intéressante collection.

En plus des expositions temporaires, le musée présente en permanence plus de 200 œuvres représentatives des principales écoles belges et françaises de ces 150 dernières années. À voir notamment, une série exceptionnelle de Boudin, précurseur de l'impressionnisme, avec des petites merveilles comme *Plage de Trouville* et *Bassin de Deauville,* Van Rysselberghe (*La Dame en blanc),* Monet (superbe lumière du matin dans *Bassin du Commerce)* et Signac (*Château de Comblat).*

> **MERCI ADOLF !**
>
> *Parmi les œuvres majeures présentes au musée : Gauguin, Picasso, Kokoschka et Chagall. Amusant : c'est au mauvais goût de Hitler que ces derniers doivent leur présence au musée... Comment ? Tout bêtement parce que Hitler, souhaitant expurger les musées allemands de « l'art dégénéré », les mit en vente en Suisse et que, coup de bol pour le MAMAC, un groupe de mécènes liégeois les acheta !*

Viennent ensuite le symbolisme (avec Permeke, Ensor et quelques beaux crayons de Khnopff), les accents fauves de Friesz, puis le surréalisme de Magritte et de Delvaux. Le parcours se poursuit avec une section des années 1950 et 1960, des abstraits géométriques tels Léger, Magnelli, Vasarely, Poliakoff... et les dignes représentants du mouvement CoBrA : Appel, Alechinsky, Corneille, Doutremont. Enfin, quelques œuvres de Tapiès, Van Velde, Monory et Sol Lewitt viennent compléter, sur le plan chronologique, la collection.

– *Le cabinet des estampes :* au sous-sol. Mêmes horaires et même billet que le musée. Ne pas rater ces salles d'une grande richesse. Vous y verrez de belles expos temporaires d'artistes majeurs, comme Lambert Lombard, Bertholet Flemal, Jean Del Cour, Englebert Fisen, Edmond Plumier, Léonard Defrance, Joseph Dreppe... Le fonds comprend 26 000 pièces. De quoi nourrir quelques décennies d'expos !

🏛 *La Maison de la métallurgie* (plan C3, **69**) *:* bd Raymond-Poincaré, 17. ☎ 04-342-65-63. Lun-ven 9h-17h ; avr-fin oct, également sam-dim 14h-18h. Entrée : 5 € ;

réduc. Dans une ancienne usine, un musée consacré à ce qui fut l'une des plus grandes activités du Liégeois. Reconstitution d'un haut-fourneau au charbon de bois du XVIIe s et d'une forge avec les énormes soufflets et marteau-pilon. Nombreux outils, plaques de cheminée, etc. La tuyauterie de la machine de Marly commandée par Louis XIV pour alimenter les eaux de Versailles fut coulée à Lavégnée-Huy (à côté de Liège). Salle de la sidérurgie moderne : différents minerais de fer, nombreuses photos et panneaux d'explication. Approche particulièrement pédago, comme cette drôle d'horloge de monsieur Volta. Grande salle : documents et manuscrits divers, estampes. Baignoire fabriquée pour la venue de Napoléon.

🎥 *Le musée des Transports en commun (plan C4, 73)* : rue Richard-Heintz, 9. ☎ 04-361-94-19. *Lun-ven 10h-12h, 13h30-17h ; sam-dim 14h-18h. Fermé déc-fin fév. Entrée (avec audioguide) : 2,50 €.* Sous un vaste hangar, pour les amoureux des vieux trams, une balade dans l'histoire des transports de la ville. Ils ont retrouvé toutes leurs couleurs vives et leurs banquettes de bois bien astiquées. Projection de films anciens.

🎥🎥 *La nouvelle gare des Guillemins (plan A-B4)* : même si vous ne venez pas en train, la nouvelle gare de Liège vaut le coup d'œil. L'ancienne datait de 1958. Après un concours international, la réalisation du projet a été confiée au célèbre architecte catalan Santiago Calatrava Valls, choisi pour la réputation dont il jouit, mais aussi pour son expérience en matière de gare : *Stadelhofen* à Zurich, Lyon-Saint-Exupéry et la *Estação do Oriente* à Lisbonne, construite pour l'Expo de 1998. Avec ses 32 000 m² et ses 40 m de hauteur, la gigantesque voûte de verre et d'acier qui couvre les neuf voies impressionne. Dommage qu'elle détonne quelque peu dans le quartier plutôt délabré qui l'environne mais, à terme, ce dernier devrait aussi connaître une profonde mutation. Enfin, une première en Europe : un accès autoroutier direct à la gare doublé d'une aire de parking.

Quelques balades hors des sentiers battus

Pour nos lecteurs impénitents trekkeurs urbains, pour ceux qui ont du temps, voici quelques itinéraires tout à fait insolites et passionnants.

Le quartier Pierreuse

C'est la *ville haute (plan B1)*, un quartier très ancien où le « pittoresque » naît avant tout de l'observation et de l'émotion. Longtemps habité par une population un peu en marge, immigrés de fraîche date, familles ouvrières, artisans, petits boulots marginaux, artistes..., il doit bien sûr son nom à une carrière de pierre. Aujourd'hui, son aspect n'a guère changé.

🎥 *La rue Pierreuse* débute derrière le palais des Princes-Évêques, au débouché de la rue Hors-Château, et musarde jusqu'à la citadelle. Ça grimpe dur. Nombreuses demeures basses en brique des XVIIIe et XIXe s. Au n° 71, enseigne *À la couronne de fer* de 1757 (martelée). Au carrefour de la rue Volière (ancienne enseigne de cabaret) et de la cour des Minimes, grand christ. À gauche, la rue Volière aux rustiques pavés. Aux n°s 29-31, authentique demeure du XVIIe s. Fenêtres à gros meneaux. Tout le coin possède une atmosphère de paisible village.

🎥 *La cour des Minimes* : de l'autre côté de la rue Pierreuse. Une grille en ferme parfois l'accès. Elle mène à la tour des Vieux-Joncs. Sur la droite, petite porte (accès possible 9h-18h). L'allée de gauche qui monte a conservé son aspect médiéval primitif, bombée et tordue à souhait. Bordée de demeures aux hauts murs et jardins secrets. Ici, on est loin de Liège ! L'escalier du Pery invite à rejoindre la montagne du Bueren.

🦶 En continuant la rue Pierreuse, à droite dans une niche, un *calvaire polychrome, Li grand bon Diu d'Piéreuse,* qui protège depuis plusieurs siècles les gens du quartier.

À l'assaut du mont Saint-Martin

C'est le *Publemont,* la plus ancienne colline habitée de Liège. Départ rue Haute-Sauvenière (place de la République-Française). Derrière l'église Saint-Martin, vous découvrirez l'un des quartiers les plus charmants de Liège.

🦶 En remontant la *rue Haute-Sauvenière (plan B1)* à droite, accès à l'*hôtel de Bocholtz,* ancienne maison canoniale du XVIᵉ s, aux réminiscences Renaissance italienne et mosane. Fort bien restaurée.

🦶 Première étape, l'*église Sainte-Croix,* fondée par l'évêque Notger en 979. De cette époque, il ne subsiste quasiment rien. Clocher du XIIᵉ s, chœur et nefs du XIVᵉ s. De fait, c'est la seule église de Belgique possédant une abside romane, s'opposant à une abside gothique. Intérieur malheureusement inaccessible sauf durant les offices.

🦶 *La rue Saint-Pierre (plan B1) :* en impasse. Au nᵒ 15, l'hôtel Torrentius du XVIᵉ s. Au nᵒ 13 naquit César Franck. Charmante « cour-ruelle » au chevet de Sainte-Croix. Une maison intégrée dans le cloître présente deux ouvertures ogivales. À l'angle, petite église Saint-Nicolas-aux-Mouches (presque la taille d'une chapelle). Aujourd'hui, demeure particulière.

🦶 Vers la basilique Saint-Martin, la *rue Mont-Saint-Martin (plan A-B1)* propose, au nᵒ 9, l'hôtel de Selys-Longchamps du XVIᵉ s, avec un pignon en gradins à la flamande. D'autres édifices intéressants jusqu'à la basilique. Petite cour pavée au nᵒ 23, avec fontaine et naïades.

🦶 *La basilique Saint-Martin (plan A1, 70) : au bout de la longue rue Saint-Martin. Juil-août, tlj sf lun 14h-17h.*
On est étonné de trouver là une architecture si prestigieuse. C'est qu'elle faillit devenir la cathédrale de Liège ! En effet, le prédécesseur de Notger, trouvant que la première cathédrale (Saint-Lambert) était trop souvent inaccessible à cause des inondations, décida d'en construire une autre sur la colline. Il se heurta cependant à l'opposition de la population, bien décidée à conserver sa cathédrale sur le lieu même du martyre de saint Lambert. Des émeutes populaires, pendant lesquelles la résidence de l'évêque fut mise à sac (et les émeutiers lui burent tout son vin), transformèrent l'ex-future nouvelle cathédrale Saint-Lambert en... collégiale Saint-Martin.
À l'intérieur, plan en croix traditionnel. Moins grande que Saint-Jacques-et-Saint-Paul, d'aspect plus trapu, elle n'en dégage pas moins une certaine ampleur. Voûte en brique rouge. Massifs piliers mi-grès, mi-calcaire. Chaire de chêne sculpté du XVIIIᵉ s. Superbes vitraux racontant la vie de la Vierge, du XVIᵉ s. Couleurs resplendissantes. Voûte du chœur aux multiples nervures. Fort belle Vierge couronnée en bois polychrome, du XVIᵉ s. Dans la chapelle du Saint-Sacrement, une douzaine de médaillons en marbre dus au ciseau de Jean Del Cour. Dans la crypte, tombeau du prévôt Conrad de Gavre. En 1996, on y célébra les tristes funérailles des petites Julie et Mélissa.

➤ En sortant de Saint-Martin, on est d'emblée invité à descendre les degrés des Tisserands et à traverser la rue Saint-Séverin, pour parvenir à la rue des Remparts, ancien chemin de ronde, qui dégringole romantiquement vers la place Hocheporte. Tout le long, demeures couvertes de lierre ou de vigne vierge et jardins secrets. La rue Hocheporte, quant à elle très ancienne, aligne de belles façades des XVIIᵉ et XVIIIᵉ s. Dans sa partie supérieure, elle mène à la pittoresque rue pavée Naimette, bordée de hauts murs et de contreforts. Tout ce coin a su garder un adorable et authentique cachet rural.

La descente vers le boulevard de la Sauvenière par l'escalier des Bégards est intéressante sur le plan archéologique (remparts) mais un peu craignos (squats mal famés).

Marchés et puces

☸ **Brocante de Saint-Pholien** (plan C1, **71**) : en Outremeuse, ven mat, sur le bd de la Constitution. Elle a tellement de succès qu'elle s'étend désormais presque jusqu'à l'ancien hôpital de Bavière. Les vrais chineurs sont déjà là à 7h, voire avant, pour faire de bonnes affaires. Chouette atmosphère dans les vieux troquets alentour.

☸ **Marché de la Batte** (plan C1, **72**) : dim mat, quai de la Batte (au niveau du pont des Arches). Énorme marché coloré. Tout aussi énorme foule qui s'en va boire et manger dans les cafés et petits restos qui bordent le quai.

☸ **Petites Puces de Saint-Gilles** (plan A3) : sam 8h-13h, au bout de la rue Saint-Gilles, au-delà de l'A 602. Bonnes affaires garanties.

Théâtre

∞\ **Théâtre des marionnettes de Liège** (plan C2, **66**) : au musée Tchantchès, rue Surlet, 56. ☎ 04-342-75-75. Musée ouv mar et jeu 14h-16h, fermé juil, mais représentations (entrée : 3 €) slt mer ap-m et dim mat oct-avr. Grands thèmes historiques : l'épopée de Charlemagne, La Chanson de Roland, etc.

Manifestations

– **Festival de Jazz de Liège** : en mai, pdt 2 jours, au palais des congrès.
– **Fête paroissiale de Saint-Pholien** : le 4e dim de juin. Chouette ambiance, là aussi. Promenade de l'arbre de mai et tirs de campes.
– **Le 14 juillet** : fêté davantage à Liège (ville de tradition républicaine) que le 21 juillet, la fête nationale belge.
– **Les fêtes du 15 août** : en Outremeuse. Parmi les plus vivantes de Liège ! Elles s'étalent en fait sur 3 jours. Le 14, on promène le « bouquet », structure métallique de 6 m de haut garnie de fleurs et reproduisant les emblèmes des vieux métiers. Suivent des chants et danses folkloriques wallonnes, puis les bals populaires (jusqu'à 2h du mat) dans les rues En Roture et Grande-Bêche. Le 15, c'est le tir de campes puis l'apothéose de la fête, avec d'abord une procession de la Vierge noire d'Outremeuse. Départ de l'église Saint-Nicolas (rue Fosse-aux-Raines). Itinéraire par la rue Jean-d'Outremeuse et place Del Cour. Grand-messe (avec sermon en wallon). Mât de cocagne. Exposition et spectacles des marionnettes liégeoises au musée Tchantchès. Cortège folklo avec des géants. Dans la soirée, re-grands bals rue Grande-Bêche. Le 16 août, enfin, enterrement, vers 17h, de Mati l'Ohe... suivi d'un bal (où chacun est déguisé) dans la rue En Roture.
– **Liège Cité de Noël** : pl. du Marché et le long des grands magasins de la pl. Saint-Lambert (en fait dans tt le centre). Le plus grand marché de Noël de Wallonie dure tout le mois de décembre. Un vrai village d'échoppes en bois décorées, proposant dégustations et artisanat.

➤ *DANS LES ENVIRONS PROCHES DE LIÈGE*

🦴 🚶 **Le préhistosite et la grotte de Ramioul** : rue de la Grotte, 128, **Ivoz-Ramet**. ☎ 04-275-49-75. ● ramioul.org ● À 15 km env au sud-ouest de Liège. Bus n° 9 de la pl. de l'Opéra (attention, 1 seul/h). Fermé pdt les vac de Noël. On peut visiter seul, tlj 9h-17h (slt en sem hors saison), le musée interactif (entrée : 3 €), mais on vous conseille plutôt la visite complète et guidée du site : Pâques-début nov, mer, w-e et j. fériés (tlj pdt les vac scol) à 14h. Durée : 3h. Prix : 9 € (musée inclus) ; réduc ; gratuit 1er dim du mois.

Le préhistosite vise à plonger le visiteur dans le mode de vie de nos lointains ancêtres. Elle a pour thème : « Réveillez le primitif qui est en vous ! » D'abord, on visite la grotte de Ramioul, puis on assiste à diverses démonstrations dans des habitats préhistoriques reconstitués : comment faire du feu avec un bout de silex et de marcassite, tresser une corde, tailler la pierre ou façonner une poterie. Instructif et amusant, d'autant qu'on peut soi-même s'essayer à certaines de ces techniques. Les pressés, eux, se contenteront de la visite du musée de la Préhistoire, plutôt bien fait, qui propose, en guise d'intro, un petit film comparant l'homme moderne et l'homme « primitif ».

Suivent des collections d'objets classés chronologiquement, des restes d'animaux, de mammouth ou de rhino laineux (pour ne citer qu'eux), et des « boîtes » avec des écrans munis de manettes qui permettent de voyager virtuellement dans le paysage préhistorique. Possibilité aussi de manipuler des silex, de gratter des peaux et de découvrir comment l'homme de l'âge de la pierre faisait des aiguilles. À voir encore, des instruments de musique (ou simplement destinés à produire des sons), une table avec des aliments consommés par nos ancêtres, la plus vieille marcassite conservée en Belgique (12 000 ans) et des sections sur les rites (funéraires notamment), l'art et la pensée de l'homme préhistorique (là, la conjecture occupe plus de place).

Enfin, si vous voulez tout faire, vous pourrez également vous exercer au tir à l'arc ou au propulseur (en supplément) sur des cibles animalières en 3 D... Au total, une expérience dépaysante, qui génère quelques réflexions vertigineuses sur les prétendues valeurs essentielles de la vie moderne.

🏛️🏛️ **Le château et les cristalleries du Val Saint-Lambert :** rue du Val, 245, **Seraing.** ☎ 04-330-36-20. ● immoval.be ● Cristallerie : ☎ 04-330-38-00. ● valsaint-lambert.com ● Bus n° 9 de la pl. de l'Opéra. Château ouv tlj 10h-17h. Pour la cristallerie : visites tlj (avec guide le w-e, sans supplément) à 10h30, 12h, 14h30 et 16h. Entrée : 12 € ; réduc.

Installée dans une ancienne abbaye cistercienne transformée en manufacture après la Révolution française, la cristallerie du Val Saint-Lambert a pas mal perdu de son aura. Bien sûr, quand on a été la plus importante fabrique de verre au monde, ce n'est pas difficile. En un siècle, sa main-d'œuvre a été divisée par 100 et sa production, jadis de 150 000 pièces par jour, est désormais limitée à des articles de luxe (cependant encore et toujours de grande renommée).

Outre les ateliers que l'on visite (la cristallerie proprement dite), le site s'est doté, dans ce qu'on appelle le château, d'un musée et d'un parcours multimédia. Plutôt bien fichu, celui-ci retrace, lors d'un voyage fictif en ballon, l'évolution du Val Saint-Lambert puis, à travers différentes mises en scène, l'histoire du verre, depuis les Babyloniens jusqu'au XIXe s en passant par les maîtres verriers du Moyen Âge. La partie musée, elle, présente un espace « ludique » qui permet d'appréhender le cristal à travers quelques œuvres massives, ainsi qu'une galerie à plusieurs niveaux où l'on peut admirer les plus belles pièces réalisées par la manufacture. Celle-ci, comme on l'a dit, se visite aussi (droit d'entrée compris dans le billet) et complète bien les expos du château car c'est ici qu'on peut assister au soufflage et au façonnage des pièces de cristal. Une bonne occasion de s'émerveiller du savoir-faire de ces maîtres artisans !

🏛️ 🚶 **Source O Rama :** av. des Termes, 78 bis, **Chaudfontaine.** ☎ 04-364-20-20. ● sourceorama.com ● À env 10 km au sud-est de Liège. Pdt les vac scol, tlj 10h-18h ; le reste de l'année, mar-ven 9h-17h, w-e et j. fériés 10h-18h. Entrée : 10 € ; réduc. Chaudfontaine (la bien nommée !) est le seul endroit en Belgique où jaillit, au terme d'un cycle de 60 ans, de l'eau thermale chaude (également conditionnée en bouteilles pour la consommation). Un long parcours donc, abondamment expliqué et illustré au travers de modules multimédia (dont une petite salle de ciné avec sièges mouvants et minipulvérisateurs d'eau). Les mômes apprécieront. Sinon, le musée parle aussi de l'eau en général : son cycle naturel (explication de la nappe phréatique dans une grotte fictive), ses « méfaits » (évocation des catastrophes liées à l'eau), la nécessité qu'elle représente pour les êtres vivants, ses propriétés physico-chimiques, thérapeutiques... L'eau existe-t-elle ailleurs dans le système solaire ? Réponse, de nouveau, dans l'un des modules. La visite s'achève par un concert ponctué de jets d'eau, dirigé par « O », petit personnage en forme de goutte... d'eau.

|●| **Restaurant Biji :** esplanade, 2, à Chaudfontaine. ☎ 04-239-60-60. ● info@livinghotel.be ● Ouv tlj midi et soir. Si vous avez un creux après la visite du Source O Rama (situé juste en face), cette brasserie moderne et design, installée dans le Living Hotel, propose d'excellentes salades et quelques « universaux » (boulets, pâtes au jambon de Parme, américain et scampi thaïs) environ 12,50 €. Possibilité aussi de commander un plat plus « travaillé », genre dos de daurade avec gâteau de légumes ou « kudu » (viande africaine) aux chips d'ananas, mais c'est un peu plus cher.

LA BASSE MEUSE

LA MINE DE BLEGNY

À une dizaine de kilomètres au nord-est de Liège, le charbonnage de Blegny, qui fut le dernier à fermer dans le bassin liégeois (1980), s'est reconverti en un captivant musée industriel. La mine fut exploitée très longtemps. D'abord en surface, puis, au XIXe s, en profondeur. Elle descendait sur huit étages jusqu'à 530 m et employait 650 personnes. On y extrayait jusqu'à 1 000 t de charbon par jour. Aujourd'hui, on visite la mine et le musée qui lui a été adjoint, en partie dans d'anciens bâtiments et salles. On peut même, depuis peu, faire un tour en tortillard et se balader sur un des terrils du site pour découvrir son écosystème. L'ensemble fait partie du circuit de la route du Feu.

Comment y aller ?

➤ **De Liège :** prendre, pl. Saint-Lambert, le bus n° 67 jusqu'à Trembleur.

Où dormir ? Où manger dans le coin ?

🏠 **Maison d'hôtes Le Logis fleuri :** Vieille-Voie-d'Ardenne, 86, Saive 4671. ☎ 04-362-33-96. ● lelogisfleuri@skynet. be ● logisfleuri.be ● Fermé la 1re quinzaine de sept. Compter 55 € pour 2 pers, petit déj inclus ; moins cher à partir de 2 nuits. Apéro ou café offert sur présentation de ce guide. Dans une vieille maison rustique de 1847 flanquée d'un grand jardin avec un petit étang où s'ébattent des koï (poissons japonais). Propose 3 chambres, avec salle de bains, très soignées, de style campagnard, dont une peut accueillir 4 personnes. Une bonne alternative à l'hôtel.

|●| **Le Jardin de Caroline :** rue Saivelette, 8, Housse-Blegny 4671. ☎ 04-387-42-11. ● lejardindecaroline@belga com.net ● Fermé mar-mer et sam midi. Résa conseillée. 1er menu 29 € ; à la carte, compter 60 € pour un plat et une entrée. Café offert sur présentation de ce guide. Jolie maison brune dans un

coin résidentiel. Salles néorustiques de très bon goût. Dans l'assiette, une fine cuisine française. Le premier menu présente un excellent rapport qualité-prix. La carte évolue au gré des saisons mais fait la part belle au foie gras, aux lan-goustines et aux Saint-Jacques. Si vous ne le connaissez pas encore, tentez le fromage de Herve au dessert. Terrasse aux beaux jours et véranda toute l'année. Bon accueil.

Visites

La mine

🦺 ⚒ 👥 *Rens :* ☎ *04-387-43-33. ● blegnymine.be ● Ouv mars-nov : Pâques-début sept et pdt les vac de Carnaval et de la Toussaint, tlj ; le reste de la saison, slt w-e et j. fériés. Visites en français à 10h, 12h30, 14h30 et 16h30. Durée : 2h. Entrée : 8,60 € pour la visite de la mine seule ; 12,80 € avec le musée ; réduc. CB acceptées.* Une visite particulièrement vivante et émouvante, surtout si vous avez la chance d'être guidé par un ancien mineur. Elle commence par un film sur l'histoire du charbon. Puis on descend à 30 m de profondeur, par la cage de mine, pour se balader dans une galerie avec toute sa machinerie, en état de marche et audible ! On y voit les procédés d'extraction, d'étayage, l'évolution des outils et des techniques à travers le temps, ainsi que les différents métiers liés à la mine (boutefeu, géomètre...). Ensuite, descente à 60 m avec, entre les deux niveaux, l'exploration d'une « taille ». En bas, vous saurez tout sur « l'anse de cinq pouces », la mesure du travail du mineur, et les rudes conditions de labeur de ce dernier. Incroyable, on apprend également que la silicose ne fut reconnue comme maladie professionnelle qu'en 1964. Enfin, on remonte à la surface, jusqu'à la Recette et le Triage-lavoir, perché à 12 m de haut. C'est là qu'était trié puis lavé le charbon. Impressionnants culbuteurs, tamis, trémies et systèmes d'encagement et de décagement des berlines (wagonnets).

Le musée

🦺 ⚒ 👥 *Ouv fin mars-début nov : début avr-début sept, tlj ; le reste de la saison, w-e et j. fériés slt. Entrée : 5,30 € ; réduc. Visite avec audioguide. Durée : 1h30.* Situé dans l'un des plus anciens édifices miniers de Belgique (1816). Plus de 15 salles thématiques d'origine ou reconstituées. On y découvre toute l'organisation de surface de la mine (guichets où le mineur prenait son matériel, infirmerie, douches, « salle des pendus », bureau du géomètre...), plus l'outillage des XIXᵉ et XXᵉ s, des lampes à chandelles (très dangereuses, à cause des fuites de grisou) aux marteaux-piqueurs. Également des végétaux fossilisés, des explications sur les produits dérivés du charbon (encore bien présents dans notre vie quotidienne), etc. Vraiment intéressant.

|●| Possibilité de se restaurer sur place, notamment, à la brasserie, d'une plan-chette de fromage ou de la « fricassée du mineur », accompagnées d'une bière des Houyeû.

LE PAYS DE HERVE

Au nord-est de Liège s'étend le pays de Herve, une région bocagère ver-doyante qui évoque parfois la Normandie. Même si l'urbanisation galopante tend à en faire de plus en plus une grande banlieue de Liège, il reste quelques villages à la personnalité affirmée et des coins champêtres se prêtant à une poignée de magnifiques balades.

AUBEL

Petit bourg du pays de Herve, producteur de beurre, de sirop et de cidre, et qui draine les habitants des villages voisins pour ses marchés séculaires du dimanche et du mardi.

Adresse utile

🛈 *Office de tourisme :* hôtel de ville. ☎ 087-68-01-39. De Pâques à sept : mar-ven 8h-12h, 13h-16h30 ; sam 10h-14h ; dim 9h30-13h30. On peut s'y pro-curer, pour 5 €, le plan de la route des Vergers, qui parcourt les splendides collines de la région et fait découvrir les fermes ancestrales.

Où dormir ?

🏠 *Maison d'hôtes La Bushaye :* Bushaye, 294. ☎ 087-68-83-46. ● info@bushaye.com ● bushaye.com ● À 3,5 km d'Aubel (fléché du centre du village). Compter 89 € pour 2 pers, petit déj inclus ; un peu moins cher à partir de 2 nuits. Internet. Dans une maison campagnarde tenue par un couple de Néerlandais, 5 chambres confortables et agréablement rustiques, avec plancher et murs de pierre. Le matin, pour le petit déj, on s'installe dans la salle commune, garnie d'une longue table en chêne et d'une grosse cheminée en pierre de France. Coin salon aussi et cuisine équipée à dispo. Tarifs tout de même un peu élevés.

Où manger ? Où prendre un pot ?

🍴 *Le P'tit Crémeux :* à une enjambée de la place principale. ☎ 087-67-99-29. ● leptitcremeuxdaubel@skynet.be ● Ouv le midi mar-dim, plus le soir ven-sam. Il s'agit en fait d'une fromagerie, mais qui dispose de quelques tables où l'on peut s'asseoir pour déguster du pain très frais garni de brie-pomme ou de lard-reblochon, une assiette de fromage ou de charcuterie, ou encore une délicieuse salade au vinaigre chaud. Pratique pour le midi. Les vendredi et samedi soir, ils font aussi raclette, fondue savoyarde et autres « reblochonnades » pour environ 17 €.

🍴 *Le Panier Gourmand :* pl. Antoine-Ernst, 19. ☎ 087-68-81-11. ● lise.cordaro@skynet.be ● En plein centre. Fermé mer-jeu et sam midi. Restauration de base à moins de 12 €, grillade env 15 € et plats plus travaillés à partir de 28 €. Cadre soigné. La carte change régulièrement mais peut-être y trouverez-vous le suprême de volaille aux pommes et cidre d'Aubel ou le loup de mer aux épinards. Sinon, il y a des petits plats de ménage pas chers, type vol-au-vent ou boulettes... Un restaurant qui ronronne doucement à Aubel depuis pas mal d'années déjà.

HERVE (4650)

Petite capitale du pays du même nom. Elle produit un fameux fromage, qui, pensons-nous, bat le munster au niveau senteur (le « piquant » est succulent).

Adresse utile

🛈 *Maison du tourisme du pays de Herve* : pl. de la Gare, 1. ☎ 087-69-36-70. ● paysdeherve.be ● *En été, tlj 9h-18h. Fermé lun (et horaires un peu plus limités) hors saison.* Expos temporaires et montages sur le pays de Herve.

On peut aussi y louer des VTT (pour parcourir l'ancienne ligne de chemin de fer n° 38) et s'y procurer des cartes de balades pédestres. Cafétéria *Le Quai des Champs* en annexe, pour s'essayer aux produits de la région.

Où dormir dans le coin ?

🏠 *Des Genêts sur l'Herbe* : chemin du Terril, 15, Xhendelesse 4652. ☎ 087-66-04-33. ● des.genets@belgacom.net ● users.skynet.be/fb641695 ● *À env 3 km au sud de Herve ; téléphoner pour connaître la route à suivre. Env 60 € pour 2 pers, petit déj inclus. Apéro offert sur présentation de ce guide.* Très chouette maison d'hôtes tenue par un

couple charmant. Monsieur est comédien amateur, madame décoratrice, ce qui donne 2 superbes chambres (dont 1 pouvant accueillir jusqu'à 4 personnes) et une atmosphère des plus sympathique. Petit déj très copieux, avec confitures et gâteaux maison. Coin salon sur mezzanine pour les hôtes, avec livres et jeux. Et même un jardin avec piscine !

À voir

🕯 Dans le centre, quelques *demeures* des XVIIe et XVIIIe s. Un truc curieux : les *Six Fontaines,* grand lavoir public en brique construit en 1773. Il s'agit d'une longue galerie à arcades abritant six bacs en pierre, alimentés chacun par une source différente.

🕯 *L'Espace des Saveurs* : dans la Maison du tourisme. *Mêmes horaires d'ouverture que cette dernière. Entrée : 3 € ; réduc.* Spectacle audiovisuel expliquant la fabrication du fromage et des sirops de pomme et de poire. Dégustation et vente de produits à la cafétéria de la maison du tourisme.

Manifestation

– *Grande cavalcade* : le lundi de Pâques. Parade de chars.

SOIRON   (4861)

Un des plus pittoresques villages du pays de Herve, d'ailleurs classé dans la liste des plus beaux villages de Wallonie. Carrefour important du temps des Romains, puisque les routes Tongres-Trèves et Saint-Quentin - Cologne s'y croisaient. A conservé une belle homogénéité architecturale. Demeures anciennes de granit gris blotties sur une colline autour de sa ravissante église.

Où manger ?

🍴 *Hostellerie Vieux Soiron* : rue Principale, 51. ☎ 087-46-03-55. *Ouv ven-dim midi et soir. Fermé 15 j. en sept. Résa*

indispensable dim midi. Menu du jour 25 € ; plats à partir de 16 €. Café offert sur présentation de ce guide. Petites salles rustiques basses de plafond avec poutres et parquet qui craque. Excellente cuisine traditionnelle améliorée.

Spécialités de viandes et de gibier en saison. Œufs frits *Vieux Soiron,* rognon de veau à la liégeoise et veau *Otero.*

Où manger dans les environs ?

|●| *A Potche é Foure :* trou du Bois, 30, Xhendelesse 4652. ☎ 087-26-81-39. ● potcheefoure@yahoo.fr ● Ouv ven-sam soir et dim. 1er menu 25 € ; à la carte, 30 € pour une entrée et un plat. Apéro offert sur présentation de ce guide. Intérieur chaleureux avec petite voûte de brique rouge. Vraie cuisine de terroir à prix modérés : soupe de poisson, cailles en ragoût de cèpes, feuilleté d'escargots, boulettes au sirop de Liège, côte de cochon au genièvre, Saint-Jacques à la roquette et parmesan, crêpes aux pommes, etc. Terrasse et grand jardin. Bon accueil. Pour info, *A Potche é Foure* signifie « À la Sauterelle ».

À voir

🕯 *L'église Saint-Roch :* son clocher est une ancienne tour de défense du XIe s. À l'intérieur, remarquable harmonie décorative. Riche ornementation du tabernacle (avec le sacrifice d'Abraham). Noter, autour du chœur, le délicat ciselage des lambris. Les stalles, confessionnaux et bancs ont été réalisés au XVIIIe s par le même artisan. Confessionnal marqué d'un étrange « confesseur étranger ». À gauche, chapelle des seigneurs de Soiron. Dans le chœur, le tableau central est une bonne copie de la *Transfiguration* de Raphaël.

🕯 Devant l'église, à droite, deux *maisons* de 1663 de style Renaissance liégeoise, avec portes en accolades. Descendre la petite rue du cimetière pour rejoindre une pittoresque petite place entourée de demeures anciennes. La grande maison d'angle, au n° 80, est l'ancienne brasserie du village. D'autres édifices intéressants : le séchoir à chardons, le lavoir, etc.

VERVIERS   (4800)   55 000 hab.

Importante ville commerciale et autrefois industrielle. Au XVIIIe s, elle rivalise même un temps avec Bruxelles. Connue au Moyen Âge pour la qualité de ses draps, Verviers se spécialise dès le XVIIe s dans le traitement de la laine. La révolution industrielle en fait le principal centre lainier de Wallonie. William Cockerill y introduit le premier assortiment de mécaniques à filer du continent au début du XIXe s, et les innovations techniques se succèdent tout au long du siècle. La richesse des grands patrons d'industrie se traduit par la construction de somptueuses demeures et hôtels particuliers. Après la Première Guerre mondiale, Verviers est le centre lainier le plus florissant d'Europe. Bien sûr, parallèlement, les luttes ouvrières pour de meilleures conditions de travail et de salaire en font aussi l'un des phares du syndicalisme européen.
La crise de l'industrie lainière et la concurrence internationale portent un rude coup à la ville, qui tente une difficile reconversion vers d'autres activités industrielles.
Aujourd'hui, il subsiste quelques restes de la grande période de prospérité : demeures patriciennes, musées, quartiers pittoresques, qui en font plus qu'une simple ville de passage. L'activité textile n'est pas non plus tout à fait moribonde puisque deux entreprises perpétuent la tradition lainière, l'une en

se spécialisant dans les tapis de billard et l'autre en lavant la fameuse laine de cachemire. Le centre touristique de la Laine et de la Mode illustre bien cette tradition.

Ne pas manquer de goûter la Ploquette, la bière de Verviers (remise à fermenter en bouteille).

Côté chanson, Maurane, Pierre Rapsat et Jean Vallée sont originaires de Verviers, de même que l'historien Henri Pirenne.

Adresses utiles

❚ Maison du tourisme du pays de Vesdre : rue Jules-Cerexhe, 86. ☎ 087-30-79-26. ● paysdevesdre.be ● Dans le centre touristique de la Laine et de la Mode. Mai-sept, tlj 9h-17h ; oct-avr, tlj sf lun, mêmes horaires.

❚ Bureau d'information du tourisme de la province : rue des Martyrs, 1. ☎ 087-35-08-48.

🚉 Gare centrale : pl. de la Victoire, 1. Trains pour Liège, Eupen et Spa. Bus pour les Fagnes : ☎ 087-35-44-30.

Où dormir à Verviers et dans les environs ?

Peu de lieux où loger à Verviers même. On vous en recommande un au centre et deux un peu en dehors de la ville.

Prix modérés

🏠 Hôtel des Ardennes : pl. de la Victoire, 15. ☎ 087-22-39-25. ● info@hotel-verviers.be ● hotelverviers.com ● En face de la gare. Doubles sans ou avec sdb 48-58 €, petit déj non compris. Wifi gratuit. Apéro maison offert sur présentation de ce guide. Fort bien tenu. Chambres décorées à l'ancienne mais toutes rénovées, parmi les moins chères de la ville. Salle agréable pour le petit déj, avec banquettes et trophées de chasse. De plus, le patron est vraiment sympa.

🏠 La Villa Fleurie : rue de la Libération,

18 B. ☎ 087-22-38-21. ● la_villa_fleurie@yahoo.fr ● lavillafleurie.be ● À quelques km au sud de Verviers. Prendre la E 42 vers Spa, sortie n° 7, puis la route vers Theux ; c'est env 1,5 km plus loin, dans la rue qui part sur la droite après la station essence Total. Compter 60 € pour 2 pers, avec le petit déj. À l'étage d'une maison agréable et très bien tenue, 2 chambres aux tons estivaux avec TV et lavabo. Salle de bains commune mais impeccable. Hôtes accueillants. Jardin avec piscine.

Un peu plus chic

🏠 |●| Hostellerie du Postay : rue Mairlot, 22, Wegnez 4860. ☎ 087-46-14-77. ● hostellerie.postay@skynet.be ● hostellieedupostay.be ● À 3 km à l'est de Verviers : prendre la direction Pepinster puis, à Ensival, la rue du Purgatoire à droite ; ensuite, c'est fléché. Resto fermé sam midi, dim-lun. Congés : 3 sem en août et de Noël à mi-janv. Double avec sdb 85 €, petit déj compris. Menus 35-105 €. Possibilité de ½ pens. Ferme authentique joliment aménagée et dominant le plateau de Herve. Amé-

nagement plein de coins et de recoins. Les chambres, au nombre de 7, sont confortables. Opter pour la demi-pension permet, en outre, de profiter de l'excellente cuisine française du lieu. Une table qui s'est taillé une belle réputation en fait, grâce au talent d'un jeune chef passionné par son métier. Depuis la terrasse de l'établissement, vue sur les prairies où paissent de braves vaches et panorama sur Verviers en contrebas.

Où manger ?

De prix modérés à prix moyens

|ଠା| *L'auberg'in :* rue Xhavée, 76. ☎ 087-33-97-68. ● locht.joseph@skynet.be ● Près du Café du Théâtre. Fermé lun, mer, en août et fin déc. Résa conseillée le w-e. Lunch en sem 14,90 € ; à la carte, plat 25 €. Apéro maison offert sur présentation de ce guide. Salle simple mais très soignée et, surtout, souvent pleine. Il faut dire qu'on y sert de bons gros plats bien copieux, du genre qui tiennent chaud au corps. Par exemple le lapin frais du pays, le canard aux griottes, la choucroute, le cassoulet toulousain, l'osso-buco, les moules, et on en passe. Chaude ambiance, évidemment, et accueil très prévenant.

|ଠା| *Le Patch :* chaussée de Heusy, 173. ☎ 087-22-45-39. ● lepatch@skynet.be ● Sur les hauteurs de Verviers. Fermé sam midi, dim et lun soir. Menu du jour 12 € ; plats 10,50-22 €. Café offert sur présentation de ce guide. Petite maison de charme. Patine à l'ancienne, collection étonnante de cages à oiseaux, trouvailles hétéroclites en provenance des puces, comme cette caisse enregistreuse. Tables en bois décorées à la main. Cuisine goûteuse, mitonnée par la maîtresse des lieux et servie avec le sourire. Pièces de viande de belle taille, qui fondent dans la bouche, bons plats de pâtes fumantes, appétissantes salades et suggestions variées en fonction du marché. À fréquenter aussi pour la « chocolatomanie » et le credo de la maison : « Restaurant raisonnable ». Terrasse en été.

Où boire un verre ? Où écouter de la musique ?

Ⓨ *La Boule Rouge :* pont Saint-Laurent, 10. ☎ 087-33-39-50. ● henry lince@skynet.be ● En plein centre. Tlj sf dim midi 10h-2h. Internet. Digestif offert à nos lecteurs qui prennent un repas. On aime bien cette brasserie chaleureuse, avec ses boiseries, recoins, affiches colorées et excellente bande musicale. Patron sympa qui a composé une superbe carte de bières, où figure entre autres la Guillotine (artisanale à triple fermentation). On peut aussi y manger à prix raisonnables.

Ⓨ *Le Saint Andrews :* dans la rue du Marteau, qui part de la pl. du Martyr. ● standrewscafe@hotmail.com ● Fermé lun. Sur présentation de ce guide, une pinte de Guinness au prix d'une demie, mais une seule fois ! Petit pub à l'ambiance *British,* qui sert la seule Guinness au fût de Verviers. Beau choix de whiskies aussi.

● *Spirit of 66 :* pl. du Martyr, 16. ☎ 087-35-24-24. ● info@spiritof66.be ● spiritof66.be ● En plein centre. Ouv slt les j. de concerts. Entrée : 8-29 €. On y vient de toute l'Europe pour assister aux nombreux concerts (environ 200 par an !) de blues, rock, pop, métal... assurés par des artistes anglo-saxons. Excellente acoustique.

À voir

🏃🏃 *Le centre touristique de la Laine et de la Mode :* rue de la Chapelle, 30. ☎ 087-35-57-03. ● aqualaine.be ● Tlj sf lun 10h-17h. Entrée : 6 € ; réduc. Le lieu héberge aussi la Maison du tourisme du pays de Vesdre.
Une expo réalisée en 1999, proposant deux parcours audioguidés : l'un sur le travail de la laine, l'autre sur l'histoire du costume (les deux étant liés). Elle est installée dans un bâtiment néoclassique rénové ayant appartenu aux industriels de la famille Dethier (en activité jusqu'en 1970). Dans la cour, une machine à vapeur, symbole de la révolution industrielle, apparue à Verviers à la fin du XVIIIe s.

Le premier parcours retrace à travers toute une mise en scène les différentes étapes du processus de fabrication de la laine (de la tonte du mouton à l'étal du mercier), à l'époque où le commerce de ladite laine faisait la fortune de la ville. Le parcours sur la mode, lui, passe en revue les costumes des principales époques, de l'Antiquité à nos jours, au travers de 10 modules chronologiques. Entre les deux parcours, des passerelles illustrent la place de cette activité dans l'histoire de Verviers.

UN GOÛTEUR PAS DÉGOÛTÉ

On apprend des trucs curieux dans le musée de la Laine, notamment qu'avant l'apparition du savon, on dégraissait la laine à l'urine ! Celle-ci était récoltée dans les foyers par un monsieur qui devait aussi goûter le liquide, histoire de s'assurer qu'il contenait assez d'ammoniaque. Ah, les joies du temps jadis !

Des expos temporaires, une boutique et un centre de documentation viennent compléter cette initiative destinée à raviver l'intérêt pour la ville. Ceux que le sujet passionne pourront également demander à l'accueil le parcours-promenade de 1h30 sur le thème « Je file en ville ».

🏃 *La Maison de l'eau :* rue Jules-Cerexhe, 86. ☎ 087-30-14-33. *Mêmes horaires d'ouverture que le centre de la Laine. Entrée : 5 € ; réduc.* Déclarée capitale wallonne de l'eau, Verviers se devait d'avoir son musée de l'Eau. Rappelons que c'est à l'eau pauvre en calcaire de la Vresde que la ville dut sa prospérité dans la première moitié du XXᵉ s. Cela dit, pas grand-chose, dans cette Maison de l'eau, à se mettre sous la dent : pas mal d'effets visuels et sonores mais, au final, on reste sur sa soif. Notons quand même la maquette animée du barrage de la Gileppe et la section sur les cycles naturel et artificiel de l'eau, le traitement des eaux usées et les menaces qui pèsent sur sa préservation. Comme pour le centre de la Laine, ceux qui souhaitent creuser le sujet feront le nouveau parcours-promenade dans les rues de Verviers, à la découverte des fontaines de la ville (brochure disponible au centre de la Laine).

🏃🏃 *Le musée des Beaux-Arts et de la Céramique :* rue Renier, 17. ☎ 087-33-16-95. *Lun, mer et sam 14h-17h, dim 15h-18h. Entrée : 2 € ; réduc.*
Sis dans un ancien hospice de vieillards (façade couverte de dalles funéraires), cet ancien musée recèle un riche ensemble de peintures et de porcelaines. Il s'agit en fait de la collection privée de Jean-Simon Rénier, peintre et archéologue verviétois décédé au début du XXᵉ s. Au rez-de-chaussée se trouvent surtout les *peintures du XVIᵉ au XIXᵉ s.*
Châtiment d'Ananias et Saphira de Pierre Pourbus le Vieux, paysage de Jean Van Goyen, portrait d'homme de Nicolas de Largillière, *La Vierge, l'Enfant Jésus et saint Jean* de Jacques Van Oost, *Marchand de gibier à plumes* de Pierre Van Schendel. Pas mal de peintres flamands.
Pièce Louis-Philippe avec de grandes scènes champêtres. Voir aussi le meuble à gravures liégeoises. Surtout, ne pas rater la collection de *porcelaines* : de Chine et, à la cave, d'Andenne et de Bruxelles, polychrome de Delft, faïence anglaise, grès de Raeren (XVIIᵉ s.), céramique contemporaine (dont une de Picasso), au total, l'un des ensembles du genre les plus complets de Belgique !
Au 1ᵉʳ étage, enfin, *peintures des XIXᵉ et XXᵉ s,* avec notamment des représentants de la petite école verviétoise (tendance intimiste), mais aussi une poignée d'œuvres d'artistes plus connus, tels que Constantin Meunier, Carpentier, Courbet, Fernand Khnopff, Paul Delvaux ou Magritte. Ce même niveau abrite aussi des expos temporaires d'art contemporain.

🏃 *Le musée d'Archéologie et du Folklore :* rue des Raines, 42. ☎ 087-33-16-95. *Mar et jeu 14h-17h, sam 9h-12h, dim 10h-13h. Entrée : 2 €.* L'autre musée communal, installé, non loin du précédent, dans une demeure bourgeoise du XVIIIᵉ s. Comme son nom l'indique, exposition des découvertes archéologiques de la région, mais aussi collections d'armes et de mobilier anciens, faïences de Delft, meuble à dentelle, boîtes de Spa, etc. Salles consacrées à la préhistoire et à l'Antiquité : silex, monnaies liégeoises et romaines, statuettes égyptiennes (retrouvées dans une valise abandonnée à la gare de Verviers !). Et au sous-sol, une surprise : le théâtre de Bethléem (l'un des derniers d'Europe !) qui, chaque année entre les 20 et 30 décembre, conte l'histoire de Noël avec des personnages verviétois en papier mâché (la méchante Marguerite, le compère Ernou...), animés par des enfants.

Petite balade en ville

🔸 **L'hôtel de ville :** pl. du Marché. Élégante bâtisse blanc et gris du XVIIIe s, de style classique. Sur le fronton, une devise qui devrait plaire à Jacques Séguéla : Publicité Sauvegarde du Peuple. Bien entendu, il s'agissait probablement de la publicité des débats ! Devant, le traditionnel perron.

🔸 **La rue des Raines :** l'une des plus aristocratiques, elle mène à l'église Saint-Remacle. Nombreuses demeures bourgeoises. Aux

noS 42 et 50, noter les encadrements de fenêtres, tout à la fois élégants et sobres. Aux noS 11 et 13, charmantes maisons à colombages et brique. La place Saint-Remacle est bien calme et mystérieuse la nuit, lorsque l'église paraît moins sévère.

🔸 Repasser par la rue Renier, traverser le pont. À gauche, part la charmante *promenade des Récollets,* qui court sur la colline au milieu des arbres et offre un joli panorama sur la ville. Tout au bout, des escaliers. On a le choix entre revenir en ville ou se balader dans le vieux quartier populaire autour de la rue Spintay.

LIMBOURG   (4830)

Sur une colline, l'une des plus charmantes petites cités médiévales de Wallonie. Place forte importante jusqu'à la fin du XVIIIe s, elle connut une existence agitée (guerres de Religion, guerre de Trente Ans, etc.). Louis XIV fit sauter le château en 1675. On peut voir cet épisode peint sur un mur du réfectoire au musée des Invalides à Paris. Malgré cela, la ville conserve de beaux restes. Vestiges des remparts (d'où un panorama est superbe). Mais notre coup de cœur, c'est la place principale aux hauts pavés disjoints : plantée de vieux tilleuls, tout en longueur, de guingois, elle a conservé une délicieuse homogénéité architecturale. Tout en haut, petit manoir néo-Renaissance. Jolie promenade à flanc de colline par le chemin des Écureuils.

Où manger ? Où boire un verre ?

|●| 🍷 *Café-crêperie-casse-croûte Au Cheval Gourmand :* pl. Saint-Georges, 35. ☎ 087-76-23-81. ● cheval-gourmand@skynet.be ● Tlj sf jeu-dim 12h-21h. Plats 5-10 €. Café offert sur présentation de ce guide. Tenu par une

dame truculente. Avant, elle tenait une épicerie, qu'elle décida de transformer en café à cause du grand nombre de touristes qui, sans vergogne, utilisaient les toilettes de son commerce. L'endroit est rustique, ne vous étonnez pas si on vous adresse la parole en wallon ! Vin chaud, café flambé, crêpes, gaufres, omelette, gratin de chicorée au jam-bon, bref, idéal pour une pause à n'importe quel moment du jour. Terrasse en été.

Où dormir ? Où manger dans les environs ?

🛏 |●| *Bretts :* dans le hameau de Herbiester, 68, à 1 km de Jalhay (env 8 km au sud de Limbourg). ☎ 087-37-76-68. ● info@bretts.be ● bretts.be ● Nuit 55 € pour 2 pers, avec le petit déj. Table d'hôtes ts les soirs pdt les vac scol, slt ven-dim le reste de l'année. Apéro maison offert sur présentation de ce guide. Bienvenue dans ce B & B tenu par un sympathique couple anglo-belge. Il propose une poignée de chambres à la fois rustiques et modernes, en tout cas charmantes et confortables, avec mur de brique (ou de pierre) apparente, des lits douillets et une salle de bains nickel. L'endroit fait aussi table d'hôtes, dans une salle chaleureuse, surtout quand il y a du monde (et comme il y en a souvent, du monde...). Pas vraiment de carte, plutôt une poignée de suggestions, mais c'est bon (tendance végétarienne), copieux et pas cher (plat autour de 15 € !). Y a même, tout au fond du jardin, une salle en bois avec un barbecue, pour ceux qui ont envie de s'isoler un peu et de faire leur tambouille eux-mêmes. Également un sauna et une véranda avec canapés où se relaxer. Une bonne petite adresse, qu'on vous dit !

🛏 |●| *Au Vieux Hêtre :* rue de La Fagne, 18, Jalhay 4845. ☎ 087-64-70-92. ● vieuxhetre@skynet.be ● vieux hetre.com ● À 8 km au sud de Limbourg. Resto fermé lun-mar hors saison. Doubles avec douche ou bains 60-150 € selon saison, petit déj compris. Plat du jour 16 € ; 1er menu 25 €. ½ pens possible. Sur présentation de ce guide, digestif offert ainsi que 1 nuit gratuite pour un séjour de 4 nuits. En bordure de route, une bien séduisante maison en pierre de pays. Cadre élégant, accueil chaleureux empreint d'une réjouissante simplicité. Pour dormir, une douzaine de chambres confortables « de prix moyens à plus chic », selon l'affluence. Ici, ni frime ni chichis. Robert Dedouaire allie avec bonheur professionnalisme et enthousiasme. Pour ses plats particulièrement inspirés et inventifs, des produits d'une extrême fraîcheur. Le premier menu présente un remarquable rapport qualité-prix. Aux beaux jours, on bénéficie du cadre d'un merveilleux jardin aquatique. Une des meilleures tables de la région !

À voir

🍴 *L'église Saint-Georges :* du XVe s. Beau porche avec, en médaillon, saint Georges terrassant le dragon. Malheureusement l'intérieur, en pleine transformation, est pour l'instant inaccessible.

🍴 *L'Ancienne Justice de Paix :* pl. Saint-Georges, 30. Mai-sept, mer-dim 14h-19h. Entrée gratuite. Intéressante maquette de Limbourg en 1632, donc avant sa destruction par les Français. Le 1er étage accueille des expos d'art temporaires.

➤ DANS LES ENVIRONS DE LIMBOURG

🍴 *Le barrage et le lac de la Gileppe :* inauguré par Léopold II en 1878, pour répondre aux besoins de l'industrie textile verviétoise, il retient plus de 25 millions de mètres cubes d'eau sur une surface de 130 ha. Un majestueux lion de grès de 300 t monte la garde au faîte du barrage. Le tour du lac de retenue constitue un excellent but de rando à vélo.

EUPEN

(4700)   17 500 hab.

À la frontière du plateau de Herve et de la grande forêt, petite « capitale » de la Belgique germanophone (siège du Conseil de la communauté germanophone). Appelée Néau en français sous la période autrichienne (un paradoxe pour une ville germanophone). Juchée sur une colline bordant la Vesdre, c'est une ville commerciale et industrielle plutôt agréable. Elle s'enrichit aux XVIIe et XVIIIe s grâce au textile et à la laine, et aligne aujourd'hui en son centre de jolies demeures bourgeoises de cette époque.

➤ À 6 km d'Eupen, le barrage sur la Vesdre peut servir de point de départ pour de magnifiques *promenades dans l'Osthertogenwald* (carte IGN, Limbourg-Eupen 43/5-6).

LA PROVINCE DE LIÈGE

Adresses utiles

🏢 **Office de tourisme :** Marktplatz, 7. ☎ 087-55-34-50. • eupen-info.be • Lun-ven 9h-17h, sam 9h-15h, dim fermé (w-e juil-août 9h-15h). Organise une promenade de 2h dans la ville avec, à la clé, une entrée à la chocolaterie Jac-ques-Callebaut et la visite du musée de la Forêt à Ternell (situé à 7 km d'Eupen).

🚉 **Gare :** ☎ 04-241-56-68. Trains pour Cologne, Liège, Louvain, Bruxelles, Gand, Bruges et Ostende.

Où dormir ? Où manger ?

Bon marché

⛺ **Camping Hertogenwald :** Oestrasse, 78. ☎ 087-74-32-22. • info@camping-hertogenwald.be • camping-hertogenwald.be • À 3 km au sud-ouest d'Eupen, sur la N 629. Env 15 € pour 2 pers, avec tente et voiture. Bien aménagé, dans un environnement boisé. Pub avec billard, baby-foot et fléchettes.

🏠 |●| **Gîte d'étape du CBTL** (Jugend und Gästehaus) : Judenstrasse, 79. ☎ 087-55-31-26. • gite.eupen@gitesdetape.be • gitesdetape.be/eupen • À 1 km de la gare. Bien indiqué. Nuitée 7,65-14,60 €, petit déj inclus. Draps 4 €. Carte de membre des gîtes d'étape (4 €) obligatoire, mais offerte sur présentation de ce guide. Situé sur les hauteurs de la ville, où l'air est vivifiant. Grande bâtisse entourée de prés. Beau panorama. Accueil chaleureux des « père et mère aub' ». Dispose de 19 chambres agréables (lambrissées ou en brique) de 2 à 12 lits. Sanitaires impeccables. S'il n'y a pas trop de monde, les couples peuvent avoir leur chambre. Resto avec repas très bon marché, barbecue extérieur et tous les bons conseils imaginables sur la région et ses possibilités (randonnées dans les Fagnes, sports divers, ski, etc.). Comment, vous n'y êtes pas encore ?

Prix moyens

🏠 **Zum Goldenen Anker :** Marktplatz, 13. ☎ et fax : 087-74-39-97. En plein centre, sur une place, face à l'église Saint-Nicolas. Compter 60 € pour 2 pers, petit déj inclus. Café offert sur présentation de ce guide. Une petite pension offrant quelques chambres rénovées, avec moquette, TV et petite salle de douche. Toilettes sur le palier. Au rez-de-chaussée, bar (enfumé) où vous rencontrerez la clientèle locale (affûtez votre allemand !).

Chic

|●| *Fiasko :* Bergstrasse, 28. ☎ 087-55-25-50. ● restaurantfiasko@skynet.be ● *Dans la rue principale. Fermé lun-mar. Résa conseillée le w-e. Lunch 19,50 €, menu 5 services 60 €. À la carte, plats 19-29 €. Apéro maison offert sur présentation de ce guide.* Petite salle intime à la déco inspirée de Gaudí et Hundertwasser. Une fois n'est pas coutume, c'est madame qui s'affaire aux fourneaux. Propositions variées selon le marché. Certes, ce n'est pas donné, mais les produits sont extra-frais et la cuisine audacieuse (faon au café, lotte aux fraises, carpaccio de pain au fromage et gingembre, etc.). Terrasse aux beaux jours. Excellent accueil et service efficace.

À voir. À faire

🍴 *L'église Saint-Nicolas :* Marktplatz. Édifiée en 1724. Les deux clochers furent ajoutés au XIXe s. À l'intérieur, trois nefs de même hauteur, type « halle ». La décoration est un chef-d'œuvre du style rococo chargé (pléonasme !). Autel dans le genre imbattable, comme le sont aussi les niches à baldaquin, abritant (à gauche) la Vierge et (à droite) saint Joseph. Tout le pourtour est lambrissé avec des confessionnaux sculptés et ciselés d'un seul tenant. Chaire richement ornementée également. Noter, sur les bancs, les traditionnels noms gravés (ou en lettres de cuivre) des grandes familles de la ville. À commencer, au premier rang, par le « Magistratus Eupensis ».

➤ *Balade dans la ville haute* (Oberstadt) *:* Marktplatz, demeures patriciennes du XVIIIe s, ainsi que Kirchstrasse et Bergstrasse. Au n° 32, Klotzerbahn, l'édifice de l'exécutif de la Communauté germanophone. Gospertstrasse, on remarque nombre de jolies façades cossues. Werthplatz, s'attarder sur la maison Grand-Ry, au n° 1 (XVIIIe s), ainsi que sur la chapelle Saint-Lambert. L'hôtel de ville, Aachenerstrasse, est abrité dans un ancien couvent du XVIIe s. À côté, l'église de l'Immaculée Conception (nombreuses statues du XVIe au XVIIIe s).

🍴 *Eupener Stadtmuseum* (Musée communal) *:* Gospertstrasse, 52. ☎ 087-74-00-05. ● eupener-stadtmuseum.org ● *Mar-ven 9h30-12h, 13h-16h ; sam 14h-17h ; dim 10h-12h, 14h-17h. Entrée : 1,50 €.* Abrité dans une maison bourgeoise du XVIIe s, à l'élégant fronton. Exposition sur l'industrie textilo-lainière et l'artisanat local. Amusant, on y apprend que des poteries de Raeren (XVIIe s) furent retrouvées dans des tombeaux indiens d'Amérique du Nord. Comme quoi, la mondialisation ne date pas d'hier ! Belle collection d'horloges. Reconstitution d'un atelier d'orfèvre et présentation de vêtements anciens.

🍴👥 *La chocolaterie Jacques-Callebaut :* rue de l'Industrie, 16. ☎ 087-59-29-67. ● bcb-divisionjacques.be ● *Lun-ven 9h-17h. Fermé w-e et j. fériés. Entrée : 2 €.* L'une des grandes marques du chocolat belge, pas encore sous contrôle d'une multinationale. Après un petit film sur le processus de fabrication du chocolat, on entre dans un musée qui raconte l'histoire du groupe en exposant d'anciens moules, des chromos, des emballages et des publicités anciennes. Puis on accède à une passerelle surplombant la partie de l'usine où sont emballées les tablettes de chocolat. Pour finir, boutique avec les produits de la marque mais pas seulement, puisqu'on y vend également la Floris Chocolat, une bière.

Manifestations

– *Carnaval :* l'un des plus captivants du pays, bien dans la tradition rhénane. Dans cette ville du textile, les costumes furent longtemps confectionnés à partir de chutes de tissus multicolores. Le samedi précédant le Mardi gras, le prince du carnaval

reçoit tous pouvoirs des mains du bourgmestre. Le jeudi, cortège des Vieilles Femmes. Le dimanche, défilé des Enfants. Grand cortège également le lundi (avec jets de caramels). Le soir du Mardi gras, grand bal.
– *La Saint-Martin :* le 11 nov. Très fêtée à Eupen, où elle se termine par un grand feu de joie.

> **LA PREUVE PAR ONZE**
>
> *Lors du carnaval, le nº 11 est le chiffre fétiche (et le symbole des fous et des idiots). La première séance de préparation du carnaval se déroule toujours le 11 novembre à 11h11. Onze lois sont alors promulguées par le conseil des Onze.*

LES HAUTES-FAGNES

Une région bien particulière en Belgique. Alors qu'un peu au sud, à Torgny, c'est presque la Provence, ici, en Hautes-Fagnes, c'est quasi la toundra ! D'Eupen à Malmedy s'étendent plus de 4 000 ha de zone humide, marais, landes et tourbières, parsemés de quelques sapinières et bosquets de feuillus. Ici, le climat est rude quasiment toute l'année. Étés frais, hivers longs et rigoureux, brouillards fréquents. Pensez que la température moyenne annuelle est de 7 °C, qu'il peut déjà geler fin septembre, qu'il peut encore geler fin mai, qu'il a parfois neigé en avril, voire en mai (aventure vécue !), que c'est en août qu'il pleut le plus...

Arrêtons là, on n'est pas ici pour décourager le lecteur. Car c'est aussi un formidable écosystème, avec des plantes de montagne et d'autres presque boréales : molinia, linaigrettes, myrtilles, airelles, orchis des sphaignes, jonquilles et toutes les variétés de mousses, bruyères et lichens, etc. Riche faune représentée par les grosses bébêtes d'abord – sangliers, cerfs, chevreuils – et les plus petites – renards, belettes, hermines. On y a répertorié 160 espèces d'oiseaux, dont la moitié vit là de façon permanente. Parmi lesquels : la pie grièche, le geai, la grive, la fauvette, le coucou, l'alouette, la mésange, le vanneau huppé, le faucon, l'épervier, la buse et, le roi d'entre eux, le tétras-lyre (ou coq de bruyère), dont il ne reste que quelques dizaines d'individus (très difficiles à observer).

Une curiosité géologique : de larges cuvettes, les *pingos* ou *palses,* dépressions remplies d'eau et de tourbières allant jusqu'à 50 m de diamètre et entourées d'un talus. À l'origine, des bulles de glace qui, au moment de la fonte, taraudèrent le sol.

Mais tout cela se révèle bien fragile. Depuis le XIXᵉ s, l'assèchement des sols, la reforestation, les mises en culture ou prairie ont considérablement réduit les Fagnes. En outre, ces paysages âpres, voire dramatiques, attirent nombre d'amoureux de la nature et de randonneurs, ce qui peut, si ce n'est pas réglementé, présenter un danger pour l'écosystème. C'est pour préserver cette nature que, depuis 1957, cette zone est désormais protégée et fait partie du parc naturel Fagnes-Eifel, à cheval entre Belgique et Allemagne.

LE CENTRE NATURE DE BOTRANGE

🚶 🏃 *Route de Botrange, 131.* ☎ 080-44-03-00. ● centrenaturebotrange.be ● *Situé sur la route qui va d'Eupen à Robertville. Pour s'y rendre de Liège en transports en commun : train jusqu'à Verviers, puis bus nº 390. Sem 9h-18h, w-e 10h-18h. Entrée (avec audioguide) : 3 €.* Le centre nature de Botrange, un beau bâtiment en bois clair qui se fond bien dans l'environnement, a ouvert pour faire connaître à un large public le parc naturel des Hautes-Fagnes. Outre une grande variété de promenades pédestres axées sur la découverte de la nature (de l'excursion ornithologique à l'observation des chauves-souris), le lieu propose une exposition permanente, bien conçue, présentant l'évolution géologique de la région, son histoire récente, sa faune, sa flore et son écosystème. On y apprend pas mal de choses, notamment que Botrange, il y a 500 millions d'années, se situait au pôle Sud et que la zone, tout au long de sa dérive vers sa position actuelle, fut successivement sous-marine, désertique, tropicale et hautement montagneuse. On y trouve aussi une boutique avec de la documentation, des livres et des cartes de promenade. Enfin, le centre dispose d'une bibliothèque, d'une cafétéria et organise des expos temporaires et des animations pour enfants.

➤ **DANS LES ENVIRONS DU CENTRE NATURE DE BOTRANGE**

BOTRANGE

À 694 m, c'est le point culminant de la Belgique. De la tour, par beau temps (oui, ça arrive !), on découvre un vaste panorama sur les Fagnes.

➤ **Trois itinéraires** didactiques permettent de découvrir à pied le plateau sous ses différents aspects. Il s'agit du **sentier de Neûr Lowé** (5 km), du **sentier de la Polleur** (2,5 ou 4,5 km) et du **parcours des 3-Bornes** (5 km). Plan disponible au centre nature, mais mieux vaut se munir de la carte IGN au 1/25 000 (vendue au centre) et bien sûr de bonnes chaussures, de préférence imperméables.
– Le 1er itinéraire, qui part du centre nature, traverse ou longe les landes, les tourbières et les forêts d'épicéas, trois composantes essentielles des Hautes-Fagnes, et montre comment celles-ci se sont imposées au paysage d'origine.
– Le 2e, qui démarre un peu avant la bifurcation de la N 68 en venant d'Eupen (à environ 3 km du centre), porte sur la formation de la tourbière et sa transformation, par l'homme, en un paysage de landes (par assèchement).
– Le dernier, enfin, part de la baraque Michel, située à quelque 4 km du centre. Il suit les traces de la présence humaine sur le plateau au cours des siècles (on y voit notamment les *bornes*, qui signalaient les confins d'États, tels que le duché de Limbourg ou le marquisat de Franchimont) et offre quelques-uns des plus beaux points de vue sur les Fagnes. Vous y croiserez le « pavé de Charlemagne », voie mérovingienne enfouie sous la tourbe.

LE CHÂTEAU DE REINHARDSTEIN

🎭🎭 *Situé dans une vallée étroite, sur un éperon rocheux. Accès par Ovifat (bien indiqué) ou à travers bois depuis le barrage de Robertville (800 m env).* ☎ 080-44-68-68. ● *reinhardstein.net* ● *Horaires des visites assez variables (consultez le site !), mais, en gros (si le château n'est pas réservé), celles-ci ont lieu pdt les vac scol (y compris juil-août), mar, jeu et sam ap-m, et dim mat. Également sept-oct, sam ap-m et dim mat. Entrée : 6 € ; réduc.*
Tôt, à l'ère médiévale, le site fut fortifié. Les célèbres quatre fils Aymon s'y réfugièrent un jour. En 1354, un nouveau château fut édifié, qui connut, au fil des siècles, de prestigieux proprios : les Nassau, les Schwarzenberg et, pour finir, les Metternich. Le père du fameux négociateur de Vienne vendit le château, qui fut ensuite démantelé et servit de carrière de pierre. Reconstruit à partir de 1969, il a retrouvé son imposante allure et domine à nouveau ce site exceptionnel. Côté ouest, avec ses 60 m de haut, il paraît inexpugnable.
À l'intérieur, le professeur Overloop, collectionneur passionné, a brillamment remeublé et décoré les salles. Entre autres pièces remarquables, nous avons relevé, dans la *salle des Chevaliers,* une cathèdre seigneuriale, une très rare armure italienne

articulée du XVIe s, une belle tapisserie d'Audenarde, un coffre italien de mariage, un christ de Sluter en bois sculpté du XVe s. Dans la première salle, statue de Charlemagne du XVIIe s et superbe roi David sculpté avec harpe.

Dans la *chapelle,* intéressante statuaire également : sur l'autel, Vierge polychrome de l'école rhénane du XIVe s. Dalmatique (chasuble de célébrant) du XVIe s, avec armoiries de la Toison d'or. Volets de retable avec grisaille d'un côté et scènes colorées de l'autre (métaphore : la religion, c'est la lumière !). Beau lutrin du XVIIe s... et tant d'autres choses.

Enfin, visite des appartements privés, également superbement meublés.

MALMEDY   (4960)   11 600 hab.

À l'origine : deux abbayes jumelles, l'une à Stavelot, l'autre à Malmedy, fondées en 648 par saint Remacle. Si l'abbaye de Stavelot prit plus d'importance, le scriptorium de Malmedy, en revanche, était réputé, ainsi que son école. Comme beaucoup de villes, Malmedy eut droit à son cortège de destructions : pillée par les Vikings et les Magyars aux IXe et Xe s, ratiboisée par Louis XIV en 1689. Elle connut toutefois une période de prospérité au XVIIIe s, avec le développement des tanneries, des papeteries, du textile et autres industries. La Révolution y trouva un écho considérable. Elle devint sous-préfecture du département français de l'Ourthe puis, en 1815, après le Congrès de Vienne, fut rattachée à l'Allemagne. Ce n'est qu'en 1925 que Malmedy devint belge, après un référendum. Elle fut reconstruite à la suite d'un bombardement américain effectué par erreur en décembre 1944 et est aujourd'hui un important centre commerçant et touristique, où l'on parle encore le wallon, comme en témoignent parfois d'ailleurs les noms des rues.

➤ *Pour s'y rendre depuis Liège :* train jusqu'à Verviers, puis bus n° 395 jusqu'à Malmedy. Autre solution : train jusqu'à Trois-Ponts, puis bus n° 47.

LE « CWARMÉ », CARNAVAL DE MALMEDY

Un des plus pittoresques de Belgique ! Les 4 jours (appelés ici « Grantès Haguètes ») précédant le Mardi gras sont particulièrement intenses. Liesse vraiment populaire. Auparavant quatre jeudis, disons de « mise en jambes », l'auront préparé. En principe, tout le monde se déguise. Costumes et personnages originaux portant des noms qui ne le sont pas moins : le *sôté* (le nain), la *Djoupsène* (l'Égyptienne), le *véheû* (le putois), *Grosse-Police* (qui ouvre le carnaval), le *sâvadje* (le sauvage), etc. Carnaval mené par le *trouv'lé* à qui l'on remet les pleins pouvoirs pendant 4 jours. Les *longs-nés* se baladent en *bâne corante* (« bande courante »), taquinent les passants et imitent leurs gestes. Ces derniers, pour s'en débarrasser, leur paient parfois un verre. La *haguète,* quant à elle, immobilise ses victimes avec un « happe-chair » pour qu'elles demandent pardon.

Le lundi, se déroulent des jeux de rôle. Petits théâtres de rue. Des sketchs, souvent en wallon, racontent les petits travers de la ville et de ses habitants. Événements politiques et politiciens sont souvent brocardés avec force et humour. Le mardi soir, on brûle la *haguète.*

Adresses utiles

🛈 *Maison du tourisme des cantons de l'Est :* pl. Albert-Ier, 29 A. ☎ 080-33-02-50. ● cantons-de-lest.be ● Juil-sept, lun-sam 9h-18h ; le reste de l'année, mer-sam 10h-18h, dim 10h-17h. Documentation très complète sur la ville et la région.

🚍 *Gare routière :* av. de la Gare. Bus

pour Waimes, Ligneuville, Burg-Reuland, Verviers, Trois-Ponts et Stavelot.

■ *Location de vélos et VTT : Sport et Nature,* pl. du Parc, 23. ☎ 080-33-97-01. Non loin de la gare routière.

Où dormir ?

Bon marché

⚓ *Camping familial :* rue des Bruyères, 19, à Arimont. ☎ et fax : 080-33-08-62. ● info@campingfamilial.be ● campingfamilial.be ● À quelques mn en voiture de Malmedy. Fermé en nov. Compter 13 € pour l'emplacement et 2 pers. Situé sur une colline, à proximité des forêts. Belle vue sur Malmedy et les alentours. Friterie.

🛏 |●| *Auberge de jeunesse Hautes-Fagnes :* route d'Eupen, 36, à Bévercé. ☎ 080-33-83-86. ● malmedy@laj.be ● laj.be ● À 2,5 km du centre de Malmedy, sur la route d'Eupen. Le bus n° 397 s'y arrête. Nuitée 15,40-33 €, petit déj inclus ; doubles 21,80-23 € de ½ pens. Possibilité de pens complète et de ½ pens. Repas à partir de 7 €. Grande AJ moderne et confortable, avec salle commune équipée d'une cheminée. Près de 180 lits en tout, en chambres de 2, 4, 6 et 8 lits, avec ou sans sanitaires. Coin TV, ping-pong, borne Internet et plaine de jeux.

Prix moyens

🏠 *Café-Hôtel La Forge :* rue Devant-les-Religieuses, 31. ☎ 080-79-95-91. ● info@hotel-la-forge.be ● hotel-la-forge.be ● Doubles à partir de 39 €, petit déj inclus. Café offert sur présentation de ce guide. Chouette hôtel un peu Art nouveau (admirez la cage d'escalier). Demandez une des nouvelles chambres, bien arrangées, dans les tons chauds, et très confortables, avec TV à écran plat. Des chambres plus anciennes, la n° 5 est très agréable, mais les autres sont plus quelconques. Petit déj-buffet servi au 1er étage, dans une belle salle séparée de la cage d'escalier par une cloison vitrée de 1 cm d'épaisseur.

Où manger ?

Prix modérés

|●| *La Table de Cochem :* pl. de Cochem, 10. ☎ 080-77-01-19. ● sabine.fabritius@belgacom.net ● Entre la pl. de Rome et la pl. Albert-Ier. Ouv mer midi et jeu-dim midi et soir. Menu du jour (plat + dessert) 8,50 € ; plat env 15 € ; suggestions un poil plus chères. Café offert sur présentation de ce guide. On l'aime bien cette petite table, et ce même si l'humeur du personnel n'est pas toujours au beau fixe. Murs aux tons orangés, superbe meuble en bois blanc pour le bar ; bref, un cadre sympa et chaleureux. La cuisine, toujours mitonnée avec soin, propose des plats de terroir comme le cassoulet maison, à faire pâlir d'envie un Toulousain. Sinon, il y a les carbonades à la bière de Malmedy, le jambonneau à la moutarde verte, le croustillant de boudin noir, pour ne citer qu'eux, et de savoureuses suggestions.

Prix moyens

|●| *La Charbonnade :* rue Devant-l'Étang, 11. ☎ 080-33-95-34. ● lacharbonnade@skynet.be ● Ouv ven-lun midi et soir. Fermé de fin juil à mi-août. Plat env 20 €. Petit resto sympathique et convivial, où l'on mange de bonnes charbonnades (assortiment de viandes que l'on cuit soi-même à table, au char-

bon de bois) et autres raclettes. Ou même, pourquoi pas, les deux ! Cadre soigné (murs jaunes à colombages) et bon accueil.

Où dormir ? Où manger dans les environs ?

Des dizaines de logis et de chambres d'hôtes dans les environs. N'hésitez pas à vous procurer la brochure à l'office de tourisme.

De prix modérés à prix moyens

🏠 *Gîte et chambres d'hôtes à la ferme d'Arimont :* chemin de la Cense, 22, à Arimont. ☎ 080-33-00-68. ● info@ fermedarimont.be ● fermedarimont. be ● À 3 km de Malmedy. Double 55 € (un peu plus pour 1 seule nuit), petit déj compris. Ensemble bien aménagé dans un beau coin de nature. 2 chambres d'hôtes, de style campagnard, dans l'ancienne grange (demander celle du 1er étage, plus cossue), avec coin cuisine et salon commun équipé d'un poêle. Également 2 gîtes rustiques pour 4 à 6 personnes. On peut jouer au ping-pong, au baby-foot et même tirer à l'arc dans le fenil. Une bonne adresse où se mettre au vert.

🏠 |◉| *Ferme Libert :* route de la ferme Libert, 33 à Bévercé. ☎ 080-33-02-47. ● fermelibert@skynet.be ● fermelibert. be ● À quelques km au nord de Malmedy en allant vers Eupen. Bien indi-

qué. Doubles 76-87 €, petit déj inclus. Au resto (ouv midi et soir), menus à partir de 20 €. Possibilité de ½ pens tte l'année et de w-e gastronomiques. Apéro offert et réduc de 6 % sur le logement (sf vac scol, w-e et j. fériés) sur présentation de ce guide. Grosse structure hôtelière bourgeoise, qui vaut surtout pour sa situation, idéale, en bordure de forêt. Vaste salle à manger s'ouvrant superbement sur la vallée. Les chambres sont classiques mais bien tenues. Comme pour la salle à manger, certaines donnent sur la vallée. Au resto, nappes et serviettes en tissu pour une cuisine de campagne... classique mais copieuse. Menus de 3 ou 4 plats pour toutes les bourses ; celui du jour se révèle d'un bon rapport qualité-prix. À la carte, toutes les viandes, notamment du bison, de l'autruche et de l'entrecôte Galway.

À voir. À faire

🏛 *La cathédrale Saint-Pierre-Saint-Paul-et-Saint-Quirin :* héritière de l'ancienne abbatiale, dernier souvenir de l'abbaye qui reçut le statut de cathédrale entre 1920 et 1925, quand Malmedy n'était ni belge ni allemande. Reconstruite au XVIIIe s après le grand incendie de 1689. Façade de pierre assez sobre. Voûte en berceau, nef unique avec coupole à la croisée du transept. Si l'atmosphère intérieure paraît froide, en revanche, intéressant mobilier. Chaire en bois doré particulièrement ornementée (fleurs, feuillages, etc.). Dans le chœur, siège épiscopal à baldaquin, stalles et portes sculptées. À gauche, sarcophage-reliquaire de saint Quirin (XVIIIe s).

🏛 *Le musée du Papier et le musée du Carnaval :* Maison Cavens, pl. de Rome, 11. Pour les horaires et tarifs, se renseigner à l'office de tourisme.
Le musée du Papier
Ce fut l'une des industries les plus importantes de la région. Origine du papier depuis les guêpes triturant les fibres de bois jusqu'au papier d'écorce mexicain, en passant par le papyrus et le parchemin. Représentation de toutes les qualités : papier d'Extrême-Orient, papier de fibre de mûrier, papier filigrané de Taiwan, papier arabe (de chiffon), etc. Explication du processus de fabrication. Maquettes à animer soi-même.

Le musée du Carnaval
Souvenirs, documents, amusantes photos des carnavals passés. Maquettes de
chars, affiches, journaux spécifiques, etc. Présentation de personnages et de costumes traditionnels.

➤ DANS LES ENVIRONS DE MALMEDY

🍴 Baugnez 44 Historical Center : *route de Luxembourg, 10, à 4 km au sud-ouest
de Malmedy, par la N 62 vers Bellevaux-Ligneuville.* ☎ 080-44-04-82. • *baugnez44.
be* • *Tlj 10h-18h. Entrée : 7,50 € ; réduc.* Un tout nouveau musée, qui porte sur la
bataille des Ardennes et, plus spécifiquement, sur un épisode tragique de celle-ci :
le massacre de 84 prisonniers américains par le *Kampfgruppe*. Rappelons que cette
bataille, l'ultime offensive de Hitler, baptisée « offensive von Rundstedt », avait pour
objectif de reprendre le port d'Anvers. Le musée, au fil d'un parcours audioguidé de
15 modules, nous en retrace l'évolution à grand renfort d'images, d'objets et de
matériel d'époque. Un film de 25 mn complète le tout. Bien sûr, brasserie, et même
une boutique.

🍴🍴 Schieferstollen Recht : *Zum Schieferstollen, 9 A, à **Recht**, entre Malmedy et
Saint-Vith (sortie 12 ou 13 sur la E 42).* ☎ 080-57-00-67. • *schieferstollen-recht.
be* • *Avr-oct, tlj sf lun 10h-18h (dernière entrée à 16h30). Visite guidée à 11h et 14h.
Durée : 1h30. Entrée : 7 € ; réduc.* Le village de Recht, en communauté germanophone, a longtemps recélé d'importantes carrières de pierre bleue, le fameux
schiste, avant que les frères Margraff ne décident d'y creuser une galerie souterraine d'extraction, à la fin du XIXe s. Elle fut exploitée jusqu'en 1908 et devint une
réserve d'eau de 1936 à 1975. Elle est maintenant ouverte aux visiteurs, après
plusieurs années de travaux de déblayage. C'est une visite intéressante : après
avoir revêtu un casque et un ciré, on traverse un tunnel de 400 m sous terre, avant
de découvrir la « salle de la cathédrale », l'énorme cavité où s'affairaient les
mineurs. Leur boulot ? Extraire, à la dynamite, des dalles de schiste, 12h à 14h par
jour, dans la quasi-obscurité. Les gravats (qui constituaient 70 % de la masse
extraite) servaient d'échafaudages. Émouvant témoignage d'un labeur aujour-
d'hui inconcevable. Pourtant, la mine, tout au long de son exploitation, ne fit qu'un
seul mort : Nicolas Zangerle, dont on peut voir la croix tombale, celle-là même en
fait qui causa sa mort, en l'écrasant ! Avant d'entamer la descente, procurez-vous
un flacon de liqueur aux herbes à la réception, ça vous réchauffera le cœur dans la
galerie.

SAINT-VITH (SANKT VITH)   (4780)   9 200 hab.

Belge depuis 1920, Saint-Vith est, après Eupen, la deuxième ville de la communauté germanophone. Complètement rasée par l'aviation américaine
en 1944, elle a été reconstruite avec la volonté d'offrir à ses habitants un cadre
plaisant, dans un environnement de prairies et de bosquets. Le seul vestige
ancien est la tour Büchel, dernière trace d'une enceinte du XIVe s.

Adresse utile

🛈 **Office de tourisme :** *Mühlenbach-
strasse, 2.* ☎ 080-22-76-64. • *east
belgium.com* • *Juil-août, lun-sam
9h-16h30, dim 9h30-14h ; le reste de* *l'année, horaires un peu plus limités
et fermé dim.* Documentation sur toute
la région.

Où dormir ? Où manger ?

Bon marché

⚕ |◉| **Camping Wiesenbach :** Wiesenbachstrasse, 58c. ☎ 080-22-61-37. ● ernst.paulis@hotmail.com ● info@campingwiesenbach.be ● À 1 km du centre. Ouv tte l'année. Compter 12,50 € pour 2 pers et l'emplacement. Dans un cadre boisé. Resto, piscine et sentiers de promenades à pied et à VTT.

🏠 **Auberge de jeunesse Ardennen-Eifel :** Rodterstrasse, 13 A. ☎ 080-22-93-31. ● sankt-vith@vjh.be ● vjh.be ● Un peu à l'ouest de la ville, à 500 m de la gare routière. Réception à partir de 17h. Nuitée 15,40-21,80 €, petit déj compris. Une auberge en forme de quadrilatère, avec une pelouse intérieure. En tout, 95 lits répartis pour la plupart en chambres de 4. Bar, ping-pong et jeux de société.

Prix moyens

🏠 |◉| **Hôtel-restaurant Am Steineweiher :** Rodterstrasse, 32. ☎ 080-22-72-70. ● info@steineweiher.be ● steineweiher.be ● Un peu à l'écart du centre. Fermé en janv. Double 84 €, petit déj inclus. 1er menu 24 €. Parking gratuit. Wifi payant. Apéro offert sur présentation de ce guide. Dans un environnement boisé au bord d'un étang. Réception décorée de poupées. Propose 14 chambres un peu kitsch mais douillettes, avec salle de bains, TV et, pour certaines, un balcon. Grande salle de resto de style ancien avec carpettes, tableaux, tapisseries et cheminée. Cuisine à dominante française, de bonne réputation, faisant la part belle à la truite et au gibier. Belle cave à vins aussi. Et « Semaine hongroise » chaque année en novembre, avec menus et musiciens tsiganes.

À voir

🔍 **Heimatmuseum** (musée de la Vie rurale) : Schwarzerweg, 6. ☎ 080-22-92-09. Lun-jeu 13h-17h, ven 13h-16h, sam 14h-16h, dim 14h-17h. Entrée : 1,50 €. Dans un des bâtiments de l'ancienne gare ferroviaire. Reconstitution d'intérieurs au XIXe s, archéologie et traditions populaires de la région. Art sacré et belle bibliothèque.

🔍 **Le musée de la Bière de Rodt** : à Rodt-Tomberg. ☎ 080-22-63-01. À quelques km à l'ouest de Saint-Vith. Pdt les vac scol, tlj 9h-18h ; le reste du temps, slt le w-e. Gratuit. Quatre mille sortes de bières issues de 140 pays, avec les verres assortis. Dans un refuge de ski, des gadgets et des pièces de collection, ainsi qu'un petit montage vidéo pour expliquer les processus de fabrication. Possibilité de déguster.

Manifestation

– **Carnaval** réputé du dimanche au Mardi gras.

STAVELOT

(4970)   6 700 hab.

L'histoire de la ville est bien entendu étroitement liée à celle de son abbaye, concurrente de celle de Malmedy. Elle était le siège d'une petite principauté autonome dirigée par un prince-abbé. Membre du Saint Empire germanique

depuis 843, elle conserva une certaine indépendance. C'est la Révolution française qui mettra fin à ce statut en 1795, en l'intégrant au département de l'Ourthe. En 1815, Stavelot fut séparé de Malmedy et resta à la Belgique.
Aujourd'hui, la ville présente un visage avenant de ville d'histoire ayant su, malgré les vicissitudes des guerres, conserver une grande partie de son patrimoine architectural. Pour les fans de vieilles automobiles, arrêt obligatoire aux caves de l'abbaye !

APOLLINAIRE À STAVELOT

Stavelot fut une étape importante dans la vie du poète, et la ville lui rend aujourd'hui, avec un musée, un vibrant hommage. Le jeune Wilhelm Apollinaris de Kostrowitsky naquit, on le sait, à Rome (le 26 août 1880), de père inconnu. Sa mère, la baronne Olga-Angelica de Kostrowitsky, lui donna les prénoms de Guillaume et Apollinaire. En 1899, la petite famille s'installa à Paris, puis prit des vacances en Belgique. La baronne, grande joueuse ruinée, tenta de se refaire au casino de Spa et plaça le jeune Guillaume et son frère à la pension *Constant,* rue Neuve, 12 (aujourd'hui, le resto *Ô Mal-Aimé*).
Apollinaire y passa l'été, sympathisant avec les milieux littéraires de la ville, randonnant en forêt et, surtout, nouant une idylle avec Maria Dubois, sa première inspiratrice. Celle-ci était aussi jolie que spirituelle. Quant à la maman joueuse, elle se fit virer de Spa et partit tenter sa chance à Ostende, oubliant ses enfants, cependant que le patron de la pension s'inquiétait car l'argent de la location ne rentrait plus. Guillaume écrivit à sa mère qui lui répondit, avec l'argent... du billet de train pour revenir à Paris. Dans la nuit du 5 octobre, les deux jeunes gens partirent à la cloche de bois, laissant une lourde ardoise. Gros scandale dans la ville, une famille qui présentait si bien ! Depuis, Stavelot a plutôt fort justement tiré profit de l'anecdote.

Adresses utiles

🛈 **Office de tourisme :** *pl. Saint-Remacle, 32, dans l'ancienne abbaye.* ☎ 080-86-27-06. ● *stavelot.be/tourisme* ● *Tlj 10h-13h, 13h30-17h.* Organise, le samedi après-midi de juillet à septembre, des promenades guidées gratuites (à thème) dans la nature environnante. Vous y trouverez aussi la liste des hôtels, meublés, chambres d'hôtes et gîtes de la région.

🚂 **Gare :** *la plus proche se trouve à Trois-Ponts, à 6 km de Stavelot.* De là, trains pour Liège. Pour aller à Trois-Ponts, bus n° 744 ou 745. Sinon, de la gare de Verviers, bus n° 294 pour Stavelot (et Trois-Ponts).
■ **Location de vélos et VTT :** *Coo-Bike, Petit Coo, 4... à Coo* (à 9 km à l'ouest de Stavelot). ☎ 080-68-91-33. Organise aussi des activités sportives.

Où dormir ? Où manger ?

Campings

🏕 **Camping L'Eau Rouge :** *Cheneux, 25.* ☎ 080-86-30-75. ● *fb220447@skynet.be* ● *eaurouge.eu* ● *À 3 km du centre. Ouv tte l'année. Emplacement 14,50-17 € pour 2 pers.* Wifi payant. Petite plaine de jeux, tir à l'arc.
🏕 **Camping de Challes :** *route de Challes, 5.* ☎ 080-86-23-31. *À 2 km du cen-*

tre. *Ouv avr-oct. Env 6,50 €/pers.* Dans un cadre verdoyant. Plus familial, plus simple.
🏕 **Camping de la Cascade :** *chemin des Faravennes, 5, à Coo.* ☎ 080-68-43-12. ● *info@camping-coo.be* ● *camping-coo.be* ● *À côté du parc de loisirs de Coo. Ouv avr-fin sept. Env 6 €/pers.*

De prix moyens à un peu plus chic

🏠 *Hôtel d'Orange :* rue Devant-les-Capucins, 8. ☎ 080-86-20-05. • logis@hotel-orange.be • hotel-orange.be • *Doubles et familiales à partir de 98 €, petit déj-buffet (au champagne dim !) compris. Remise de 10 % sur le prix de la chambre accordée en sem non fériée sur présentation de ce guide.* Dans une rue très tranquille, hôtel de style classique fort bien tenu. Ancien relais de poste du XVIIIe s. Une bonne vieille tradition, assurée par la même famille depuis 1789, c'est dire si la fibre hôtelière y est bien ancrée. On a un faible pour la chambre n° 7. Excellent accueil.

🏠 *Chambres d'hôtes Le relais :* rue Basse, 2. ☎ 080-86-20-47. • info@lerelais-stavelot.be • lerelais-stavelot.be • *S'adresser à la taverne-resto* Le Festival, *rue Général-Jacques (à une rue de là). 6 doubles avec sanitaires privés 65 €. Également un studio pour 4 pers. Petit déj 7 €. Café offert à nos lecteurs qui prennent un repas au resto.* Une maison bien tenue qui abrite de belles chambres, aux tons bleu clair, avec TV. Celles du 2e étage sont mansardées. Également un studio agréable et bien équipé, avec, aux murs, de jolies photos noir et blanc.

🏠 *Boutique Hotel Dufays :* rue Neuve, 115. ☎ 080-54-80-08. • dufays@skynet.be • bbb-dufays.be • *Pour 2 pers, compter 115 € en sem et 125 € le w-e et vac, petit déj inclus.* Tenu par un Néerlandais, voici un lieu de grand caractère, dans une demeure de la fin du XVIIIe s. Elle abrite 6 chambres à thème (française, africaine, Mille et Une Nuits, années 1930...), superbes et très confortables, avec TV et une grande salle de bains. Petit déj-buffet bien fourni, servi dans une très jolie salle. Une bien belle adresse.

🍴 *Rest'Ô Mal-Aimé :* rue Neuve, 12. ☎ 080-86-20-01. • omalaime@skynet.be • *Ven-dim à partir de 18h et dim midi. Formule entrée + plat + dessert 24 € ; menu surprise dim. « Nous n'acceptons ni stress ni portable (ni CB) »,* est-il précisé sur la porte. En fait, c'est la maison qui abritait la fameuse pension *Constant* d'où Apollinaire s'enfuit à la cloche de bois. Bien sûr, c'est chargé de vieux souvenirs. Poèmes de Desnos et de Soupault, portraits aux murs. Même au petit coin, on peut lire les vers d'Apollinaire ! Cuisine honnête, en tout cas audacieuse (rouget aux bettes, canard à l'eau-de-vie...) et, somme toute, pas trop chère. Le menu, à choix multiple, vous sera délivré oralement par le sympathique garçon.

Où dormir ? Où manger dans les environs ?

🏠 *Gîte d'étape du Château de Wanne :* à Wanne. ☎ 080-86-31-06. • gite.wanne@gitesdetape.be • gitesdetape.be • *À 6 km au sud de Stavelot. Ouv, en principe, tte l'année. Nuit à partir de 14,60 €, petit déj inclus ; compter 4 € en plus pour les draps, ainsi que pour la carte CBTJ, obligatoire.* Belle situation face à la vallée. Il s'agit en fait d'un château du XVIIIe s, abritant 20 chambres de 2 à 7 lits. Sympa.

🏠 *Sa-Tyre :* Astrid-Delacroix, 41, à Monthouet. ☎ 080-78-56-07. • satyre@tele2allin.be • home.scarlet.be/satyre • *Près de Stoumont, à env 18 km à l'ouest de Stavelot. Résa conseillée. Compter 60 € pour 2 pers ; petit déj 7,50 €. CB refusées. Café ou thé offert sur présentation de ce guide ainsi que 10 % de réduc dès la 3e nuit.* Ici, il n'y a qu'une seule chambre mais elle est très agréable, avec salle de bains privée, au rez-de-chaussée d'un chalet rustique, dans un hameau perché à 500 m d'altitude. Calme assuré et belle vue sur la région. La proprio, charmante, est néerlandaise.

🏠 *La Petite Maison :* village de Francheville, 8, 4870. 📱 0473-266-432. • la petitemaison8@hotmail.com • la-petitemaison.be • *À 9 km au sud-est de Stavelot. Env 100 € pour 2 pers, petit déj (gourmand !) compris. Une bouteille de vin offerte sur présentation de ce guide.* Adorable petit studio, sur 2 étages, dans une maisonnette posée à côté de la maison des proprios. Idéal pour les couples en vadrouille ! Cerise sur le gâteau, on peut même, s'il fait beau, prendre le petit déj sur la terrasse privée qui domine toute la région.

🛏️ |●| *La Métairie :* *au cœur du village de Wanne.* ☎ 080-86-40-89. ● *lametai rie@skynet.be* ● *lametairie.be* ● *Resto fermé lun-mar. Doubles 95-110 €, petit déj-buffet inclus. Lunch 20 €, menu du mois 27,50 € ; carte env 40 €. Internet. Réduc de 10 % sur le prix de la chambre en sem à partir de 2 nuits, sur présentation de ce guide.* Avant, on ne recommandait que le resto car il n'y avait pas de chambres, mais maintenant, on vous conseille le lieu aussi bien pour pioncer que pour manger. Ravissante maison campagnarde avec, côté resto, 2 salles chauffées au poêle. Le couple de patrons, soucieux de bien faire, ne travaille qu'avec des produits frais de saison et régale sa clientèle d'une cuisine savoureuse, à prix bien étudié. Si vous n'avez pas trop faim, petite restauration aussi à midi. Terrasse aux beaux jours. Et, depuis peu donc, des chambres, hyper soignées, à la déco agréable et avec de bons gros lits. De quoi faire une bonne nuit après un bon repas !

À voir

🚶 *La place Saint-Remacle :* avec ses gros pavés, entourée de demeures de caractère, elle présente une plaisante homogénéité architecturale, dans toutes les nuances de gris. Fontaine du perron du XVIIIe s, symbolisant les libertés communales. Ruelles charmantes en haut de la place, bordées de maisons à colombages ou à façade d'ardoise (en particulier, rue Haute).

🚶 *L'église Saint-Sébastien :* *tlj 9h-18h.* Édifiée au XVIIIe s. Rénovée il y a peu. Autel central en bois imitation marbre de 1717. Belle chaire en chêne sculpté de la même époque, ornementée des quatre docteurs de l'église. Ne pas manquer, dans le chœur, l'un des chefs-d'œuvre de l'art mosan : la *châsse de saint Remacle* (avec les reliques du fondateur de l'abbaye), datant du XIIIe s. Elle mesure 1,70 m (longueur inhabituelle). Remarquable travail d'orfèvrerie. Possibilité aussi de voir le trésor (buste reliquaire de l'abbé Poppon) en s'adressant à l'office de tourisme.

🚶🚶 *L'ancienne abbaye :* ☎ 080-88-08-78. ● *abbayedestavelot.be* ● *Tlj 10h-18h. Elle abrite aussi les musées de la ville. Prix du forfait pour les 3 musées : 7,50 € ; réduc.*
L'abbaye de Stavelot était plus grande que celle de Malmedy, et saint Remacle la préférait. Son rayonnement s'était étendu de la Loire à l'Empire germanique. De l'abbaye subsistent la base de la tour qui, jadis, s'élevait à 100 m de hauteur, son immense baie et le porche du XVIe s au blason sculpté, ainsi que les bâtiments conventuels en brique reconstruits au XVIIIe s. Ils s'ordonnent autour du jardin du cloître et abritent aujourd'hui un complexe muséal. Sur rue, beau porche en brique avec fenêtres à meneaux en pierre et portes en accolades.
Les vestiges archéologiques de l'ancienne abbatiale du XIe s ont, quant à eux, été mis en valeur pour être accessibles au profane, qui peut déambuler de la nef au chœur et du transept à la crypte à moitié enterrée.
L'abbaye accueille également, toute l'année, de nombreuses manifestations artistiques et abrite l'office de tourisme, la bibliothèque publique et le centre culturel local.
🍷 Au *Café des Musées,* bières, fromages et salaisons artisanaux de la région.

🚶🚶 *Le musée du Circuit-de-Spa-Francorchamps :* *au sous-sol de l'abbaye.* Pour les amateurs de vieilles guimbardes de course et de vénérables motocyclettes, c'est la visite à ne pas rater ! 20 sur 20 déjà pour le cadre, puisque ce n'est autre que les splendides caves médiévales voûtées en brique de l'abbaye (avec piliers du XIe s). On ne va pas vous écrire tout le catalogue mais en voici les fleurons rutilants (certains d'entre eux pouvant toutefois être temporairement exposés ailleurs) : d'abord, la production de la fameuse usine FN d'Herstal, notamment le premier vélomoteur un cylindre (133 cm³) de 1902, appelé la « demoiselle d'Herstal ». Puis la première voiture construite spécifiquement pour la course, la FN 1200. Puis la Ferrari F40, une Jaguar Cooper de 1954, une Chevron B8 et des motos de course dont la Gillet (1937) de Herstal. Citons encore la Talbot Lago et la Ford Capri, victorieuses aux 24 Heures de Francorchamps, ainsi qu'une March-Leyton F1 de 1994, qui permet d'apprécier l'évolution des véhicules, et vous aurez une bonne idée du trésor que recèlent ces galeries... Le tout, bien sûr, saupoudré de photos, châssis, moteurs de F1 et affiches insolites.

🐾 *Le musée de la Principauté de Stavelot-Malmedy :* au rez-de-chaussée de l'abbaye. Parcours multimédia retraçant l'histoire de la principauté abbatiale de Stavelot-Malmedy. On peut y voir une belle sélection d'objets religieux et archéologiques, savamment mis en valeur par un environnement de sons et d'images. En vrac : calices, croix de cimetière en fonte ou *Vierge* de procession en bois polychrome du XVIIIᵉ s, ostensoirs cylindriques du XVIIᵉ s. Sarcophage en calcaire de l'abbé d'Odon (an 836), visage gravé d'un moine aux grandes oreilles, crosse de l'évêque Wibald (XIIᵉ s) et sainte Anne trinitaire en chêne du XVIᵉ s. Portraits des derniers abbés, en guise de conclusion.

🐾 *Le musée Apollinaire :* au 1ᵉʳ étage de l'abbaye. Pour les amoureux du poète, visite bien sûr obligatoire. Pour les autres, une intéressante dérive dans ce musée où traînent des odeurs de génie, sur les pas d'un destin peu ordinaire. La première salle en restitue les différentes étapes, année par année, sur la base de textes illustrés de photos et surmontés de citations – à son propos – de ceux qui l'ont connu (Picasso, Chagall, Marie Laurencin, Cocteau...). Le parcours s'achève donc en 1918, lorsque, 2 ans après sa trépanation suite à un éclat d'obus, Apollinaire succomba à la grippe espagnole. S'ensuit une évocation de son univers poétique dans la petite bibliothèque (où reposent, sur une table, ses principales œuvres). Au salon de poésie enfin, possibilité d'écouter certains de ses poèmes et de jeter un œil à la doc de l'Association des amis d'Apollinaire.

Manifestations

– *Carnaval du Laetare :* le dim 3 sem avt Pâques (en fait, du sam soir au lun soir). Des centaines de *blancs moussis,* revêtus d'une cape et d'un capuchon blancs, affublés d'un long nez rouge, se répandent dans la ville en compagnie des chars et des géants. À l'origine, un édit du prince-abbé en 1499, interdisant aux moines de participer au carnaval. Les habitants, résolus à se moquer de l'abbé, participèrent aux festivités en se déguisant en moines blancs.
– *Festival de Théâtre :* début juil, dans l'abbaye. Résas à l'office de tourisme ou au ☎ 04-222-06-96.
– *Festival de Musique de Stavelot :* ● festivalstavelot.be ● Les 3 premières sem d'août, dans l'ancienne abbaye. Musique de chambre.
– *Festival du Conte et de la Légende :* ☎ 080-86-32-26, 3 j. pdt la 2ᵈᵉ quinzaine d'août. Apéro, spectacles et promenades (dans la nature) entremêlées de récits (inscription conseillée).
– *Festival de Jazz :* le 2ᵉ w-e de nov, dans les caves romanes de l'abbaye.

➤ *DANS LES ENVIRONS DE STAVELOT*

🐾 *Le musée historique de Décembre-1944 :* rue de l'Église, 7, à *La Gleize.* ☎ 080-78-51-91. De mars à mi-nov, tlj 10h-18h ; le reste de l'année, vac, w-e et j. fériés slt. Entrée : 5 € ; réduc. On vous parlait plus haut, à propos du musée Baugnez 44 (voir « Dans les environs de Malmedy »), de l'offensive du maréchal von Rundstedt. Eh bien, c'est ici, du moins en partie, qu'elle se brisa ! Musée petit mais très complet, bien que la présentation ne soit pas du dernier cri. Nombreuses vitrines avec soldats, matériel de guerre, photos, plans-reliefs, uniformes, armes, poste de secours reconstitué. Au 1er étage : collections d'insignes et de grades. Unes de journaux originales annonçant l'échec de l'offensive et la libération de la Belgique. Émouvant, le vieux vélo qui sauva un blessé américain. Ou encore, mais ça c'est moins émouvant, le « Goliath », un petit char téléguidé bourré d'explosifs.

🍴 *Coo :* village renommé pour sa cascade, ses multiples activités sportives, dont des balades en kayak sur l'Amblève, et un parc d'attractions extrêmement touristique : *Plopsa Coo :* ☎ 080-68-42-65. • *plopsa.be* • ; *Pâques-Toussaint, tlj pdt les vac scol, le w-e slt le reste de la saison, plus jeu-ven en mai-juin ; entrée : 22 € ; réduc.*

SPA
(4900)　　　　　　　　　　　10 500 hab.

Une des plus célèbres stations thermales et de villégiature d'Europe. De nouveaux thermes (un nouveau spa, comme on dirait aujourd'hui !) ont été construits sur la colline. Leur accès se fait par un funiculaire, nouveau lui aussi. Pas vraiment une destination routarde, mais une ville pépère, très atmosphère début de siècle (l'autre !), et un camp de base classique pour de multiples randonnées alentour.

UN PEU D'HISTOIRE

Les Romains connaissaient déjà les vertus curatives des eaux de la région. D'ailleurs, « Spa » ne vient-il pas de *sparsa* (« qui jaillit » en latin) ? C'est au XVIe s qu'apparaît un début d'amorce d'activité thermale. Les *bobelins* (toujours du latin : *bibulus,* « grand buveur ») débarquent de plus en plus nombreux à Spa dans les *pouhons* (fontaines). Et du beau linge : la reine Margot (qui vient se purifier de ses péchés ?), Christine de Suède, le tsar Pierre le Grand, l'empereur Joseph II, Charles II d'Angleterre, Monteverdi (qu'inspirait le chuintement cristallin des sources), Victor Hugo, Meyerbeer... Parallèlement à cela, l'eau se transforma en or lorsqu'on découvrit qu'il était possible d'occuper les *bobelins* avec les jeux d'argent et de hasard. Ainsi Spa gagna-t-elle, au XVIIIe s, le surnom de « Café de l'Europe ». Pendant la Première Guerre mondiale, la ville servit de lieu de repos et de convalescence à 100 000 soldats allemands. Le Kaiser Guillaume II choisit également d'y résider avec son état-major.

Adresses utiles

🛈 *Maison et office de tourisme du pays des Sources :* pl. Royale, 41. ☎ 087-79-53-53. • *paysdessources. be* • *Ouv 9h (10h w-e)-18h (17h en basse saison).* Propose des promenades guidées. Liste complète des attractions et chambres d'hôtes dans les environs.

🚂 *Gare :* rue de la Gare (si, si). ☎ 04-241-58-23. Trains toutes les heures pour Liège avec changement à Pepinster ou Verviers-Central, mais mieux vaut changer à Verviers-Central, car ceux qui s'arrêtent à Pepinster sont des omnibus.

■ *Location de vélos et de VTT : Velodream,* rue Général-Bertrand, 6. ☎ 087-77-11-77. • *info@velodream. be* • *Mar-ven 9h-18h, sam 9h-17h.* Assez cher. *Sinon, il y a AB Bike,* Balmoral, 35, à Spa-Jalhay (à 2-3 km de Spa, sur la N 629). ☎ 087-77-57-77. *Réduc de 10 % sur présentation de ce guide.* Loue des vélos et organise un tas d'activités sportives.

Où dormir ?

Camping

🏕 *Camping Parc des Sources :* rue de la Sauvenière, 141. ☎ 087-77-23-11. ● info@parcdessources.be ● camping parcdessources.be ● À 2 km au sud-est de Spa, par la route de Francorchamps (la N 62). Ouv avr-oct. Compter 17,50 € pour 2 pers, la tente et la voiture. En bordure de forêt. Piscine, plaine de jeux et cafétéria.

Prix moyens

🛏 |●| *Hôtel-resto Le Relais :* pl. du Monument, 22. ☎ 087-77-11-08. ● info@hotelrelais-spa.be ● hotelrelais-spa.be ● Dans le centre. Compter 79-99 €, petit déj-buffet compris. Au resto (fermé le midi, sf dim), menus à partir de 23 €. En fin de repas, café offert sur présentation de ce guide. Façade fleurie abritant des chambres plaisantes et confortables. Au resto, cadre agréable, dans les tons brun-violet, avec de hautes chaises en osier et des nappes en coton. Cuisine française très appréciée des Spadois : scampi au beurre de mangue, canard aux framboises et ravioles de foie gras à l'huile de truffe, pour ne citer qu'eux. Propose aussi des séjours avec entrée aux thermes.

🛏 *L'Étape Fagnarde :* av. Dr-Pierre-Gaspar, 14. ☎ 087-77-56-50. ● etapefagnarde@skynet.be ● etapefagnarde. be ● Résa très conseillée le w-e. Double 90 €, petit déj compris. Gîte disponible pour 5 à 6 pers : 150 € la nuit, 850 € la sem. Possibilité de dîner sur place : menu (vin compris) 40 €. Wifi et parking gratuits. Réduc de 50 % pour la 3e nuitée en sem sur présentation de ce guide. Vaste demeure blanche entourée de verdure. À l'intérieur, 5 chambres impeccables (on aime particulièrement la « Prince de Condé » !), avec TV et salle de bains. Le reste de la maison est à l'avenant, bien arrangé et très soigné. S'il fait mauvais temps, on peut profiter des espaces communs, sympas (bibliothèque chargée de B.D. et de guides de voyage... dont quelques vieux *Guides du routard*), ou encore aller se faire suer au petit sauna d'en bas. S'il fait beau en revanche : ping-pong, beach-volley et même pétanque dans le jardin !

Chic

🛏 *Villa d'Olne :* chemin Henrotte, 92. ☎ 087-77-12-99. ● info@villadolne.be ● villadolne.be ● Compter 110-160 € pour 2 pers. Ici, on est vraiment tombés sous le charme ! Imaginez : il s'agit d'une maison restée à l'abandon pendant un demi-siècle et que les proprios, un couple très accueillant, ont retapée avec passion pendant... 10 ans. Résultat : une grande et magnifique villa avec 4 chambres d'hôtes, superbes aussi, et tout confort. 2 d'entre elles, les plus chères, sont de vrais petits appartements avec coin cuisine et salon en mezzanine. Petit déj pris à une vieille table en bois à côté d'une cheminée, et table d'hôtes le vendredi soir sur demande (25 €). Hop, ce n'est pas tout : la maison recèle aussi, dans ses entrailles, un billard, une petite salle de gym, un sauna-hammam-Jacuzzi et une piscine ; le pied quoi ! De plus, les enfants sont les bienvenus. On a été impressionné aussi par la voûte ogivale piquée de minispots de lumière, qui surplombe la salle à manger. Mais bon, on va s'arrêter là, venez plutôt et vous verrez !

Où dormir dans les environs ?

Prix modérés

🛏 *Le Clos du Lac :* route du lac de Warfa, 54, à Sart-lez-Spa. ☎ 087-77-61-20. ● daniel.moline@skynet.be ● le-clos-du-lac.com ● À 700 m du lac de

Warfa, sur la droite en venant de Spa. Doubles 55-60 € selon saison, petit déj compris ; moins cher à partir de 2 nuits. Vous êtes chez un professeur de japonais, dans une maison neuve avec, à l'arrière, un grand jardin. Belle vue sur les prairies et la colline, où trône le château du lac. Chambres fonctionnelles avant tout mais impeccables, avec sanitaires privés. Le petit déj se prend dans le salon.

🛏 **Chambres d'hôtes Myosotis** : rue A.-Beaupain, 7 F, Sart-lez-Spa. ☎ 087-47-48-22. ● spa.myosotis@skynet.be ● lesmyosotis.be ● En bordure des

Fagnes, à 6 km au nord-est de Spa. Doubles 50-55 €, petit déj (copieux) compris ; moins cher à partir de 2 nuits. Digestif offert sur présentation de ce guide. Une adresse au calme, tenue par un couple âgé qui, à votre arrivée, vous servira son petit alcool maison. 2 chambres doubles et 1 pour 3 personnes, chacune disposant de douche et w-c, isolés par un rideau. C'est propre mais l'ensemble manque un rien d'intimité. Doc sur les balades à faire dans le coin, cuisine à disposition et jardin avec barbecue.

Où manger ?

Bon marché

🍴 **Jean-Philippe Darcis** : pl. du Monument, 23. ☎ 087-77-20-21. À la diagonale de l'office de tourisme. Tlj sf mer 8h-18h. Petite restauration 5,50-11 €. D'abord, il y a la chocolaterie, approvisionnée par Jean-Philippe Darcis, un maître chocolatier de Verviers qui a reçu pas mal de récompenses pour ses

manon et autres macarons (goûtez-les, vous ne serez pas déçu !). Puis il y a le salon de thé, où l'on sert salades, pâtes, toasts, tartines et, bien sûr, pâtisseries, glaces, crêpes ou gaufres de Bruxelles. Bien pour le midi, surtout avec un « secret tibétain » ou une « rêverie d'automne » (ce sont des thés).

Chic

🍴 **Le Grand Maur** : rue Xhrouet, 41. ☎ 087-77-36-16. ● info@legrandmaur. com ● Ouv le soir mer-sam et le midi dim. Formules 2 ou 3 services 27-40 €. Dans une demeure ancienne au style particulièrement élégant. Plancher de bois verni, superbe cheminée ornée de faïences et de stucs délicats, belles

estampes. On retrouve cette élégance dans une cuisine de saison, classique mais parfaitement exécutée, ainsi que dans le service. La carte change tous les 15 jours, suivant bien sûr les saisons. Prix tout à fait raisonnables pour la qualité proposée.

Où manger dans les environs ?

🍴 **Le Vinâve** : dans le hameau de Solwaster, à 8-9 km au nord-est de Spa. ☎ 087-47-48-69. ● info@levinave. be ● Fermé lun soir et mar (et mer en hiver). Plat env 16 € ; 1er menu 23 €. Un resto de village à l'écart des sentiers touristiques mais très fréquenté par les gens du coin... qui savent qu'ici ça vaut la peine de venir. Le patron, fort accueillant, propose en effet une bien bonne cuisine, inventive (lasagne de

speculoos au massepain, pigeonneau fermier aux légumes, noix de Saint-Jacques au lard, etc.) et... copieuse puisqu'il passe régulièrement entre les tables pour s'assurer qu'on a encore assez dans l'assiette (faute de quoi, il ressert !). Finissez par un « terroir wallon » (un mélange de vin, d'orange et de cointreau) et vous nous direz des nouvelles de tout ça !

À voir. À faire

🏃🏃 **Les thermes de Spa :** *pl. Royale.* Construits en 1868, ils présentent une façade typique Napoléon III. Ils ont été fermés pour faire place au nouveau complexe thermal sur la colline, un centre ultramoderne *(accès par le funiculaire qui part au pied de l'hôtel Radisson, face à l'office de tourisme ; pour ts rens supplémentaires :* ● *ther mesdespa.com* ● *; ouv tlj 9h-21h)* avec bains carbo-gazeux, buses hydromassantes, canons à eau, sièges à bulles, canapés bouillonnants, saunas, hammams, espaces de relaxation et de remise en forme. La totale, quoi ! Le tout complété par un bar-cafétéria et des terrasses avec vue panoramique sur la ville de Spa.

🏃 **Le musée de la Ville d'eau :** *av. Reine-Astrid, 77 B.* ☎ *087-77-44-86.* ● *spavilla royale.be* ● *1er juil-30 sept, ainsi que pdt les vac de Pâques et de la Toussaint, tlj sf mar 14h-18h ; le reste de l'année (sf déc-fin fév), ouv slt w-e, aux mêmes heures. Entrée :* 3 €. Le billet donne aussi accès au musée spadois du Cheval. Installé dans l'ancienne villa Marie-Henriette. Vous découvrirez ici les plus beaux exemples de l'art local : les *jolités,* les fameuses boîtes peintes de Spa. Elles pouvaient recevoir de 12 à 16 couches de laque, avec à chaque fois ponçage, puis polissage à la paume pour la dernière couche afin d'obtenir ce précieux aspect satiné. Motifs divers : avec incrustation de nacre ou de laiton, décor à l'encre de Chine, scènes mythologiques ou champêtres. Tous types d'objets : boîtes à quadrilles, coffrets, boîtes à ouvrage, nécessaires de toilette, coffrets à jeux, etc. Belles boîtes jaunes décorées de fleurs et miniatures sur papier vélin. Noter le piano en loupe d'érable, joliment décoré.

🏃 **Le musée spadois du Cheval :** *av. Reine-Astrid.* Dans les anciennes écuries de la villa Marie-Henriette. Mêmes horaires et billet d'entrée que le musée de la Ville d'eau. Au rez-de-chaussée, calèches, instruments de pesage, sellerie, uniformes, gravures et miniatures, atelier de maréchal-ferrant. Au 1er étage : peintures diverses, aquarelles et photos anciennes.

🏃 **Le musée de la Lessive :** *rue de la Géronstère, 10.* ☎ *087-77-14-18. Pdt les vac de Pâques et juil-août, tlj 14h-18h ; mai-oct, le w-e slt ; le reste de l'année, dim slt. Entrée :* 2 €. Au 2e étage du centre culturel de Spa, l'histoire de la lessive de l'Antiquité à nos jours. Ne riez pas, on y apprend plein de choses. Par exemple que pour blanchir le linge, on a utilisé l'urine (un puissant dégraissant) pendant 2 000 ans, ou qu'au Moyen Âge on lessivait 2 fois par an (c'était la « grande buée » de printemps et d'automne !), ou encore que l'apparition de la machine à laver individuelle doit beaucoup aux mouvements hygiénistes du XIXe s (liés à la condition ouvrière de l'époque) ainsi qu'à la découverte de l'existence des germes pathogènes et de leur rôle dans de nombreuses maladies... Au fil des salles, on passe en revue toute cette histoire, des « tonneaux lessive » avec système de bielles aux « fouloirs » des années 1930 avec pieds mécaniques pour battre le linge, en passant par la « lessiveuse du célibataire » (munie d'un grand moulinet) et la petite Hoover des années 1950, vendue à l'époque pour l'équivalent de 3 mois de salaire d'instit'... L'avenir de notre bonne vieille lessiveuse ? Peut-être la machine à ultrasons, ces derniers ayant des propriétés... détachantes. Qui a dit que la lessive ne pouvait pas être un sujet intéressant ?

Petite balade architecturale en ville

Architecture majoritairement XIXe s en d'aimables déclinaisons de style. Établissements de bains, sources, grands hôtels témoignent de l'époque prospère de Spa.

🏃 **Le pouhon Pierre-le-Grand :** *dans le centre, rue Rogier (au bout de la rue Royale).* ☎ *087-79-53-53. Avr-oct, tlj 10h-12h, 13h30-17h ; hors saison, tlj 13h30-17h, ainsi que 10h-12h w-e et j. fériés.* C'est la source la plus célèbre. Grande structure sur poutres en fer forgé. Au mur, le *Livre d'or,* grand tableau avec tous les VIP qui honorèrent Spa de leur présence (dont Pierre le Grand en 1717). Fontaine en marbre distillant une eau riche en fer, légèrement piquante et acidulée (assez bon goût !). Aujourd'hui, le *pouhon* sert parfois de salle d'expos.

🚶 Rue Gérardy, voir aussi (de l'extérieur seulement) le *pouhon Prince-de-Condé*.

🚶 À côté des anciens thermes, le **casino,** avec sa demi-rotonde à colonnes, est le plus ancien du monde (1763) mais l'édifice actuel date du début du XXᵉ s. Salles de jeux et salon rose de style Louis XVI. Salle des fêtes imitant le théâtre de la reine à Versailles. Théâtre style Napoléon III. Pour nos lecteurs qui veulent perdre la boule, ouverture des hostilités à 15h.

🚶 *La galerie Léopold-II : dans le parc des Sept-Heures.* C'est une longue galerie, supportée par 160 colonnes de fonte (gracieuses ferronneries), qui relie deux petits pavillons. Elle permettait de se promener tranquillement par temps de pluie. Tous les dimanches matin, elle abrite une brocante renommée.

Achats

⊛ *Manufacture des jolités de Spa :* av. Reine-Astrid, 90. ☎ 087-77-03-40. Mar-sam 14h30-17h30. Bon choix des fameuses boîtes peintes.
⊛ *Maison Daenen :* pl. Pierre-le-Grand, 5. ☎ 087-77-04-08. Fermé lun. Ici, vous trouverez l'*Élixir de Spa,* un alcool à base de plantes mais dont la recette est tenue secrète...

> ## DANS LES ENVIRONS DE SPA

🚶 *Le château de Franchimont :* à 8 km au nord de Spa. ☎ 087-53-04-89. ● chateau-franchimont.be ● Mai-sept, tlj 10h-18h ; avr et oct, le w-e 11h-17h. Fermé le reste de l'année. Entrée : 3 € ; réduc. S'il n'y a personne à l'entrée, les billets se prennent à la cafétéria à côté du château.

Ancienne place forte qui défendait le marquisat du prince-évêque de Liège. On y reconnaît le « bouclier » caractéristique du XIVᵉ s, fait de deux tours semi-circulaires, encadrant un mur en étrave et qui protégeait le donjon des tirs d'artillerie. Sa vue commandait deux vallées mais son importance stratégique diminua au fil des siècles. À la fin du XVIIIᵉ s, il tomba en ruine et servit ensuite de carrière de pierre.

Ancien escalier à vis dont ne subsistent que les premières marches, menant au chemin de ronde et à la chambre haute de la tour carrée. Belle vue sur les deux vallées. Nombreux escaliers descendant dans les casemates. Au milieu, basse-cour avec vestiges de bâtiments à destination rurale (puits, cuisine, fours banaux, etc.).

UNE OFFENSIVE AUDACIEUSE CONTRE LE TÉMÉRAIRE

C'est de Franchimont que partirent 600 habitants pour tenter un raid osé : délivrer le roi Louis XI, captif de Charles le Téméraire. Le camp de ce dernier était situé en haut de la montagne de Liège (voir « L'escalier de la montagne de Bueren » dans la rubrique « À voir » à Liège). Le raid s'effectua de nuit. Malgré l'effet de surprise et le courage des assaillants, les Bourguignons étaient trop nombreux et les 600 Franchimontois furent massacrés. Les représailles du Téméraire se révélèrent terribles : incendie de Liège et de Theux. L'exploit des 600 resta profondément ancré dans les mémoires et l'histoire de la Belgique.

🚶 *Theux :* grosse bourgade entre Spa et Verviers, proposant, en son centre, une élégante architecture. Jeter un œil à la *place du Perron,* ensemble harmonieux avec mairie du XVIIIᵉ s, ainsi qu'à l'*église Saints-Hermès-et-Alexandre,* grosse tourdonjon renommée pour son plafond à caissons peints du XVIIᵉ s.

AU SUD DE LIÈGE

Pour ceux et celles qui se dirigent vers la province du Luxembourg (La Roche-en-Ardenne, Bastogne) ou Namur, voici quelques sites ou villages balisant la route qui y mène.

LES GROTTES DE REMOUCHAMPS

Route de Louveigné, à Remouchamps. ☎ *04-360-90-70. En plein centre du village. Fév-nov et pdt les vac de Noël, tlj 10h-16h (plus tard en hte saison) ; déc-janv, ouv slt le w-e. Entrée : 8,50 €. Compter 1h15 pour la visite.* Moins spectaculaires que celles de Han mais méritent une visite. On chemine à pied sur 1 200 m avant d'arriver à la grande salle dite « de la cathédrale » (70 m de long et 40 m de haut). En cherchant un peu, vous verrez comment la nature a sculpté, bien avant l'homme, une crèche de Noël, des orgues et des fonts baptismaux ! Le retour se fait en barque par la rivière ; retour qui, paraît-il, constitue la plus longue navigation souterraine d'Europe.

Adresse utile

🛈 *Maison du tourisme d'Ourthe-Amblève : route de Louveigné, 3-5, Remouchamps 4920.* ☎ *04-384-35-* 44. ● *ourthe-ambleve.be* ● À côté des grottes. Tlj 8h30-17h.

AYWAILLE

Important carrefour routier, surnommé la « porte de l'Ardenne liégeoise ».
➢ Agréable liaison pédestre et cycliste vers Remouchamps par la *voie des Aulnes*.

À voir dans les environs

🍗 *Le château de Jehay : rue du Parc, 1,* **Jehay-Amay** *4540.* ☎ *085-82-44-00. À 20 km au sud-ouest de Liège. Avr-oct, mar-ven 14h-18h, w-e et j. fériés 11h-18h. Entrée (château et parc) : 5 € ; réduc.*
L'un des plus ravissants châteaux du Liégeois. Magnifique exemple de la Renaissance mosane au XVIe s. Construit sur pilotis, il présente une architecture en damier, alternance de moellons et de pierre de taille, unique en Belgique. C'est aussi l'un des plus intéressants musées privés qu'on connaisse.
D'abord, les collections d'art. Dans le grand hall, meubles anciens, tapisseries, christ en ivoire de Jean Del Cour, belles dentelles. Collection d'argenterie, un tableau de Bruegel de Velours et d'autres toiles intéressantes comme le *Saint Jean Baptiste* de Murillo. Grande salle à manger meublée en style Renaissance et vaste salon décoré de façon extrêmement raffinée. Vous y découvrirez encore quelques pièces, comme d'inestimables porcelaines, une splendide *Sedes Sapientiae* (Vierge assise) romane, une tapisserie des Gobelins sur un carton de Teniers, des œuvres de Lambert Lombard, un clavecin peint du XVIIIe s, de superbes horloges, etc.
Les caves renferment de riches collections archéologiques mais sont actuellement en réfection. Expositions temporaires de juin à septembre.

🍗 *La collégiale Sainte-Ode : à Amay.* Entièrement restaurée. Odeou Chrodoara, aristocrate mérovingienne, y fut inhumée. Sarcophage dans la crypte.

HUY

(4500)   19 500 hab.

L'une des villes préférées de Victor Hugo en Belgique. Avec quelques raisons. Elle possède une magnifique collégiale et un vieux centre offrant de paisibles promenades à travers l'histoire.

JUSTEMENT, UN PEU D'HISTOIRE...

Situé au confluent de la Meuse et du Hoyoux, à mi-chemin de Namur et de Liège, le site revêtit de tout temps une importance stratégique. Au Xe s, c'était la deuxième ville de la principauté après Liège (et le centre commercial le plus actif). Cela lui valut d'obtenir la première charte de l'Empire germanique. La ville fit partie de la province de Liège jusqu'à la Révolution française.

C'est à Huy que Pierre l'Ermite prêcha en 1095 la première croisade (il y est d'ailleurs enterré).

La ville dut également sa renommée au travail du métal. Elle donna naissance à de fameux orfèvres, dont Renier de Huy (créateur des fonts baptismaux de l'église Saint-Barthélemy à Liège) et Godefroy de Huy (auteur des châsses de la collégiale). Huy a vu naître le père Pire (Prix Nobel de la paix 1958) et Jean-Joseph Merlin. Qui c'est ça ? Eh bien rien de moins que l'inventeur du patin à roulettes ! Autre célébrité : Colin Maillard, un maçon devenu aveugle à la suite d'un combat et qui donna son nom au célèbre jeu.

Huy dut subir, tout au long de l'histoire, des dizaines de sièges et de guerres. En 1944, elle n'échappa pas aux destructions, mais la reconstruction et la restauration de la ville respectèrent assez bien le caractère des quartiers anciens. À ne pas manquer : les fêtes de la Saint-Jean au mont Falise, avec concours de lancer d'œufs et grands feux.

Adresses utiles

🛈 *Maison du tourisme du pays de Huy-Meuse-Condroz :* quai de Namur, 1. ☎ 085-21-29-15. ● pays-de-huy.be ● Installé dans l'ancien hospice d'Oultremont. Avr-sept, sem 8h-18h, w-e 9h-18h ; le reste de l'année, sem 9h-16h, w-e 10h-16h. Bon accueil, personnel compétent et excellente doc.

🚂 🚌 *Train :* ligne 125 pour Liège-Guillemins. Également, pour Liège toujours, les bus n°s 9 et 85.

■ *Location de vélos : Couleur Aventure,* rue des Augustins, 15. ☎ 085-21-26-42.

Où dormir à Huy et dans les environs ?

Camping

⛺ *Camping Mosan :* rue de la Paix, 3, Tihange 4500. ☎ 085-25-13-59. ● ces-huy@skynet.be ● À 2 km du centre de Huy. Ouv avr-fin sept. Env 9 € pour 2 pers, la tente et 1 voiture. CB refusées. Épicerie, pêche, natation.

Prix moyens

🏠 |●| *Hôtel du Fort et sa Réserve :* chaussée Napoléon, 5-9. ☎ 085-21-24-03. ● info@hoteldufort.be ● hoteldufort. be ● Au bord de la Meuse, le long d'une route à grand passage (mais les chambres sont bien insonorisées). Resto fermé sam soir (basse saison) et dim soir. Compter 75-80 € pour 2 pers ; petit *déj 7 €. Menu de base 12,50 €. Wifi gratuit. Apéro maison offert, ainsi qu'un petit déj par chambre sur présentation de ce guide.* Hôtel familial bien tenu et accueil chaleureux. La déco pop art seventies fait un peu mal aux yeux mais, patience, dans quelques années ce sera de nouveau à la mode. Chambres tout à fait convenables, équipées de salle de bains (refaites) et de TV. Au resto, cuisine passe-partout pour le menu mais, à la carte, quelques suggestions plus élaborées, comme la truite flambée au pastis. Carte des vins très respectable, c'est le dada du patron.

🏠 ***Hôtel des Touristes :*** *vallée du Hoyoux, 4, à Modave (voir plus bas « Dans les environs de Huy »).* ☎ 085-41-15-05. 📠 0475-70-17-19. ● *info@hoteldestouristes.be* ● *hoteldestouristes.be* ● *Env 61 € pour 2 pers ; petit déj 7 €. Wifi payant. Digestif offert sur présentation de ce guide.* Au cœur du village, nouvel hôtel proposant 12 chambres ravissantes avec plancher, matelas bien fermes, TV et salles de bains nickel. Le petit déj (en supplément) se prend dans une petite salle fort plaisante. Également une taverne servant des plats légers.

Où manger ? Où boire un verre ?

De bon marché à prix moyens

🍴🍷 ***La Maison Batta :*** *av. de Batta, 5.* ☎ 085-25-18-91. ● *info@maisonbatta.be* ● *Mar-sam 10h-18h30 ; ouv aussi dim juil-août. Fermé 1er-21 mars. Apéro offert sur présentation de ce guide.* En bord de Meuse, face au fort, maison du XVIIe s abritant 2 charmantes salles avec parquet, murs clairs et objets sous vitrines. Bien pour prendre un thé ou avaler une salade, une quiche ou des penne bio sur les coups de midi. Pas cher bien sûr. Jardin accessible aux beaux jours et boutique de produits du terroir.

🍴 ***La Tête de Chou :*** *rue Vierset-Godin, 8.* ☎ 085-23-59-65. *Dans une petite rue à proximité de la pl. Verte. Fermé sam midi, dim-lun et 3 sem en sept. Menu 35 €.* Façade verte, petit resto à la déco design riante dans les tons orange et bleu. Petite carte bien balancée. Croustades de ris de veau, magret de canard à l'écossaise, blanc de cabillaud au pain d'épice. Pour le plat du jour, poisson le mercredi et frites maison le vendredi !

🍷 En face de *La Tête de Chou*, à l'angle de rue, vous pouvez pousser la porte du ***Contre Vents et Marées,*** un joli cocktail-bar où Michou, le tenancier, donne parfois un petit concert.

🍷 Sur la Grand-Place, *L'Escalier* et *L'Entre-temps* se partagent le lot de jeunes Hutois soucieux de faire la fête le week-end. Le premier fait plutôt dans le rock, l'autre dans la musique commerciale.

À voir. À faire

🚶🚶 ***La collégiale :*** *tlj 9h-12h, 14h-17h.*
Sur l'emplacement de plusieurs sanctuaires antérieurs, sa construction commença en 1311 pour finir en 1536. Extérieurement, architecture homogène, d'aspect cependant massif dû probablement à la grosse tour, réminiscence du style roman et qui, perdant sa flèche en 1803 à la suite d'un coup de foudre, ramassa un peu plus l'allure générale. La rosace qui la perce fut longtemps considérée comme l'une des quatre merveilles légendaires de Huy (deux disparurent : le pont et le château médiéval) et reste la plus grande rosace rayonnante du pays. Par beau temps, remarquable contre-jour en fin d'après-midi.
À l'intérieur, plan à trois nefs avec un beau sentiment d'élévation et une impression d'harmonie globale. Fenêtres du chœur s'élançant à 20 m. Peintures des

voûtes de 1536, de style Renaissance. Crypte correspondant au chevet de l'église de 1066. Pavé d'origine. Christ en bois du XIIIe s.

– *Le trésor :* juil-sept, ouv ts les w-e 14h-17h ; avr-juin et oct, slt le 1er w-e du mois. En sem, demander au sacristain. Entrée : 3 € ; réduc. C'est le chef-d'œuvre de la collégiale. Exposition des plus belles châsses de Belgique. Châsse de saint Domitien (1172) avec ses personnages en argent et ses vêtements en or. Châsse de saint Marc (XIIIe s) en cuivre doré et émaux champlevés. Scènes de la vie du Christ : les bergers, les Rois mages, l'entrée à Jérusalem, la Descente de croix, etc. De l'autre côté, la fuite en Égypte, la résurrection de Lazare, etc. Châsse de saint Mengold (avec trois léopards). Châsse Notre-Dame, attribuée au maître de la *châsse de saint Remacle* à Stavelot. Beau travail niellé et filigrané avec ses 12 apôtres en métal repoussé et pierres précieuses.

🦯 En sortant, longer le flanc intérieur de la collégiale jusqu'au *portail de Bethléem,* l'ancienne entrée du cloître. *Nativité* datant du XIVe s. Au-dessus, âne et bœuf soufflant séparément sur le Christ emmailloté. Sur les colonnes, animaux fantastiques et personnages grotesques.

🦯 *Le Musée communal :* rue Vankeerberghen, 20. ☎ 085-23-24-35. ● musee-huy. be ● Ouv tte l'année, lun-ven 14h-16h (il faut sonner pour entrer), ainsi que mai-sept, le w-e 14h-18h. Entrée : 3 € ; réduc.
Installé dans l'ancien couvent des frères mineurs, ce musée est dédié à l'histoire et aux activités traditionnelles de la ville. On passe d'abord un portique monumental de style Louis XIII et le cloître de 1662. Petit topo, dans l'ordre, des collections :
– salle n° 1 : évocation de la charte de libertés de Huy (1066) sur des sceaux et des monnaies. Art et orfèvrerie religieuse aussi, notamment des parchemins, reliquaires de voyage, un saint Jacques le Majeur en bois sculpté du XVIe s. Puis un véritable chef-d'œuvre : le *Beau Dieu* (1240) de Huy, un des plus grands crucifix du pays. Intéressant travail sur le plissé du périzonium (le péri quoi ?... le pagne, si vous préférez !) ;
– salle n° 2 : arts décoratifs mosans, argenterie, vaisselle en faïence d'Andenne, étains et horlogerie du XVIIe au XIXe s ;
– salle n° 3 : peintures et gravures représentant la ville ;
– salle n° 4 : c'est la section archéologique, qui couvre la préhistoire et les périodes gallo-romaine (poterie...), mérovingienne (fouilles de Saint-Victor), le Moyen Âge et les temps modernes (verrerie, balles de mousquets, clés et serrures, etc.) ;
– salle n° 5 : consacrée à la viticulture. On peut y voir, entre autres, un grand pressoir du XVIIIe s ;
– dans les dernières salles, collection de pipes et de lampes, outils pour fabriquer les balles, boîtes à poudre, vêtements du XIXe s, ameublement rural, lit clos wallon du XVIIIe s. Reconstitution d'une cuisine paysanne aussi, et formes à beurre aux dessins naïfs. Pour finir, salon et salle à manger bourgeois du XIXe s et outils de sabotier et de corroyeur.

🦯 *Le fort :* à 45 m au-dessus de la Meuse. ☎ 085-21-53-34. ● fortdehuy.be ● Accès à pied. Pâques-sept, en sem 9h-12h30, 13h-16h30 ; w-e et j. fériés 11h-18h. Juil-août, tlj 11h-18h. Entrée : 4 €. Construit en 1818, à l'emplacement de l'ancien château. Prison au XIXe s, caserne dans les années 1920 et 1930, il servit à nouveau de prison sous les nazis. Aujourd'hui, il abrite un *musée de la Résistance et des Camps de concentration.*

Balade dans la ville

🦯 En partant du musée, on aperçoit la *tour octogonale d'Oultremont,* rue du Palais-de-Justice, vestige de l'ancien palais comtal (XVIe s). À deux pas, précédée d'une cour, la *maison du gouverneur* (1535). Suivre la pittoresque *rue des Frères-Mineurs* avec son ârvô et ses hauts murs. On arrive à l'*église Saint-Mengold.* En face, belle *maison* dite *près la Tour,* la plus ancienne de Huy (XIIe s), avec tour pentagonale. Place Verte s'élève l'ancienne *maison Nokin,* avec une ravissante fenêtre en accolades.

🍴 *L'hôtel de ville : sur la Grand-Place.* Il fut construit en 1766. Façade classique en pierre bleue et brique surmontée d'un fronton triangulaire sculpté. Au milieu de la Grand-Place, le *Bassinia,* l'une des quatre merveilles de Huy. C'est une fontaine du XVe s, avec un bassin de bronze surmonté de quatre statuettes. Le beau fer forgé, avec l'aigle bicéphale autrichien, fut ajouté en 1733.

🍴 De l'autre côté du pont Roi-Baudouin, voir la *maison Batta* de 1575 (voir aussi la rubrique « Où manger ? Où boire un verre ? »), l'*hôtel de la Cloche* (quai de Compiègne), bel édifice de la Renaissance mosane (1606). Plus loin, l'*église Saint-Pierre,* avec une intéressante cuve baptismale du XIIe s et le *jardin de curé en quatre saisons.*

On cultivait la vigne à Huy depuis l'époque mérovingienne, et cette activité connut son apogée au XVIe s. Louis XIV, jaloux, fit arracher les pieds de vigne. Le déclin vint au XIXe s, mais, depuis 1963, une vingtaine de viticulteurs produisent un petit pinard honnête et entretiennent la tradition en faisant vivre la confrérie du Briolet. On peut voir, sur la rive gauche de la Meuse, les coteaux du vin de Huy.

➤ *DANS LES ENVIRONS DE HUY*

🍴 *Le château de Modave :* ☎ 085-41-13-69. • *modave-castle.be* • *À une petite quinzaine de km au sud de Huy. D'avr à mi-nov, tlj 10h-18h ; fermé les lun non fériés. Le reste de l'année, sur rdv. Visite audioguidée. Entrée : 6 € ; réduc.* Accroché sur un piton rocheux, le château date en grande partie du XVIIe s. Là aussi, belle alliance de pierre grise et de brique dans un ordonnancement classique. Un charpentier liégeois ingénieux, qui avait réussi à faire monter l'eau de la rivière au château, fut invité à Versailles par Louis XIV pour alimenter les fontaines du parc. Il inventa la fameuse machine de Marly, qui servait à acheminer l'eau de la Seine jusqu'au château. Autre anecdote, c'est à Modave que Louis XVI devait se rendre (attendu par le comte d'Artois) au moment de sa fuite. Et il y eut Varennes... À l'intérieur, somptueux décor. Remarquables plafonds, mobilier, peintures, tapisseries de Bruxelles. Beaux jardins.

LA PROVINCE DU LUXEMBOURG

C'est la province la plus boisée de Belgique. Ici, point de grandes villes ayant entamé les forêts profondes. Les rivières elles-mêmes hésitent à s'y frayer un chemin et, au moindre obstacle, s'écoulent en d'interminables boucles. On connaît un coin où, sur quelques hectares, on peut apercevoir six méandres de l'Ourthe (Dordogne largement battue). Comme les paysans du cru, les rivières ici prennent leur temps. Le Semois, au sud, n'est pas en reste, livrant en outre d'impressionnants paysages, comme le tombeau du Géant à Botassart. Dans ces paysages accidentés, des châteaux, encore des châteaux, et des souvenirs nécessairement douloureux quand on évoque la bataille des Ardennes et Bastogne, la ville martyre. De quoi alimenter la réflexion lors des longues randonnées en pays de Gaume. Au point de ne pas s'apercevoir, pour parodier Brel, que, dans la région de Virton, la Provence redescendait la Vire et le Ton...

LA ROCHE-EN-ARDENNE   (6980)   4 300 hab.

Nichée dans la vallée de l'Ourthe, petite capitale du tourisme du Nord de la province. Paysage escarpé qui attira longtemps stratèges et bâtisseurs de châteaux. Les premiers touristes furent les Celtes, les Romains, les comtes de Namur, puis les ducs de Luxembourg, les Bourguignons, les Autrichiens, Charles Quint, Philippe II. Louis XIV, ayant trouvé l'esthétique du château plutôt ratée, se hâta de le démolir et commanda à un disciple de Vauban une nouvelle mouture. En décembre 1944, l'offensive des Ardennes fut terriblement destructrice pour la ville. Mais La Roche-en-Ardenne se reconstruisit vaillamment. Aujourd'hui, quasiment chaque maison abrite une boutique touristique. Beaucoup de Néerlandais et de Flamands en saison, pour qui le moindre relief prend des allures d'Alpes...

Adresses utiles

🄸 *Maison du tourisme du pays d'Houffalize-La Roche-en-Ardenne :* pl. du Marché, 15. ☎ 084-36-77-36. ● coeurdelardenne.be ● Tlj 9h-19h30 (9h30-17h30 hors saison). Brochure des terrains de camping de Wallonie et carte des promenades, qui compte 10 circuits. Ils peuvent aussi, et sans frais, vous réserver une chambre d'hôtes ou d'hôtel.
■ *Location de VTT et de kayaks : Kayaks de l'Ourthe,* rue de l'Église, 35 (dans le centre). ☎ 084-36-87-12. Ouv de mi-avr à sept.

Où dormir ? Où manger ?

La Roche compte quelque 25 hôtels, plusieurs campings et de nombreuses chambres chez l'habitant, dont la liste est disponible à l'office de tourisme.

Campings

⚸ *Floréal :* route de Houffalize, 18. ☎ 084-21-94-67. ● camping.laroche@florealclub.be ● florealclub.be ● Le seul camping de La Roche ouv tte l'année. Compter 18 € (en hte saison) pour 2 pers et 1 tente. Un peu l'usine, mais bon équipement.
⚸ 🏠 *Le Benelux :* rue de Harzé, 24. ☎ 084-41-15-59. ● info@campingbenelux.be ● campingbenelux.be ● Ouv avr-sept. Emplacement 12,50 € (parking inclus). Chambre 36 € pour 2 pers, petit déj compris.
⚸ |●| *Le Vieux Moulin :* Petite Strument, 62. ☎ 084-41-15-07. ● info@strument.com ● strument.com ● Ouv Pâques-oct. Env 15,50 € pour 2 pers et 1 tente. Non loin du centre et, cependant, dans une vallée encaissée à l'écart de toutes constructions. Resto à l'hôtel en annexe.
⚸ *Camping du Pouhou :* route de Marche, 4. ☎ 084-41-11-74. ● campingdupouhou@skynet.be ● À 3 km du centre. Ouv Pâques-oct. Le plus simple, le plus nature et le moins cher de ts : 10 € pour 2 pers, 1 tente et la voiture. De plus, boisson au choix offerte sur présentation de ce guide.

Bon marché

🏠 *Chambres d'hôtes Le Vieux La Roche :* rue du Chalet, 45. ☎ 084-41-25-86. ● levieuxlaroche@skynet.be ● levieuxlaroche.com ● Tt près du centre. Fermé en janv. Compter 38-60 € pour 2 pers, petit déj (avec confitures maison, dont une offerte sur présentation de ce guide) inclus. Une maison ardennaise joliment restaurée, proposant 4 chambres avec douche et lavabo, simples mais plutôt coquettes et vraiment pas chères. Également

1 chambre avec salle de bains à 55 €. Petite terrasse-jardin.

De prix moyens à plus chic

🏠 |●| *Hôtel Moulin de la Strument :* Petite Strument, 62. ☎ 084-41-15-07. ● info@strument.com ● strument.com ● *Sur le parcours de la Transardennaise, à 600 m du centre. Fermé en janv. Compter 80 € pour 2 pers, petit déj compris. Au resto, 1er menu 25 €. Charmant établissement installé dans un ancien moulin à eau, lui-même situé dans une belle vallée. Accueil chaleureux et chambres colorées, sympas et soignées. Également une très belle suite, à peine plus chère. Feu de cheminée et pierre du pays au resto, où l'on peut goûter, le week-end, à une cuisine de terroir fine et généreuse (en semaine, ce n'est pas toujours le patron qui est aux fourneaux). Truites et gibiers, carré de porcelet au miel, saumon fumé artisanal.*

Profitez-en aussi pour visiter le petit musée de la Meunerie, en annexe.
|●| *Hôtel-restaurant Le Midi :* rue de Beausaint, 6. ☎ 084-41-11-38. ● info@ hotelmidi.be ● *Tlj 12h-14h, 18h30-20h30. Fermé 1re quinzaine de janv et juil. 1er menu 22 € ; à la carte, plat env 25 €. Wifi gratuit. Apéro maison offert sur présentation de ce guide. Salle un peu chic avec un grand miroir mural et une jolie collection de bouteilles entreposées dans un renfoncement creusé dans la roche. Accueil sympathique et excellente cuisine, fort bien maîtrisée. La carte change souvent, mais on y trouve des plats genre blanc de sandre au beurre rouge, terrine maison aux foies de volailles ou suprême de poularde fermière.*

Où dormir dans le coin ?

🏠 *Chambres d'hôtes Le Clos de la Fontaine :* rue de la Fontaine, 2, Chéoux 6987. ☎ 084-47-77-01. ● leclos delafontaine@swing.be ● chambresdho tes.fr/sites/closdelafontaine ● *À 15 km env à l'ouest de La Roche. Double 70 €, petit déj compris. Nos lecteurs se verront offrir une bouteille de jus de pomme frais. Dans une solide maison en vieille pierre de pays, 5 chambres d'hôtes agréables et rustiques, avec plancher brut, poutres, TV et sanitaires impeccables. Idéal pour ceux qui recherchent un hébergement sympa dans un joli coin de campagne, d'autant qu'il y a pas mal de balades à faire dans les environs (le couple de proprios peut vous prêter des cartes au 1/25 000). En prime, une salle à manger très cosy avec cheminée, là*

même où se prend le petit déj composé de confitures maison et de jus de pomme pressée. De quoi démarrer d'un bon pied !
🏠 *Chambres d'hôtes Le Marronnier :* route de la Roche, 34, Beausaint 6980. ☎ 084-41-15-04. ● info@lemarronnier. be ● lemarronnier.be ● *À 3 km de La Roche sur la N 89 direction Saint-Hubert. Double 60 € ; petit déj 10 €. Réduc de 10 % sur le prix de la chambre, sur présentation de ce guide. 4 chambres mansardées dans l'annexe d'une maison en pierre. Assez charmant, comme l'accueil d'Yvette, la sympathique proprio flamande. Possibilité de table d'hôtes le soir et, le matin, petit déj-buffet complet avec omelette au lard.*

À voir

🪶 *Le château :* rue du Vieux-Château, 4. ☎ 084-41-13-42. ● chateaudelaroche. be ● *Juil-août, tlj 10h-18h30 ; avr-juin et sept-oct, 11h-17h ; le reste de l'année, lun-ven 13h-16h, w-e 11h-16h30. Entrée : 4 € ; réduc. Belles ruines dominant fièrement La Roche. Le premier château fut bâti au XIe s. Renforcé ensuite par tous ses occupants. Au XVIIIe s, il fut démantelé par Joseph II. Ses murs, tout en tranches de schiste superposées et partiellement couverts de mousse, ne manquent* pas d'allure. Spectacle de fauconnerie le week-end en saison (tous les jours pendant les vacances scolaires) et autres animations, telles que l'apparition d'un fantôme à heures fixes...

🏛🏃 *Le musée de la Bataille des Ardennes :* rue Châmont, 5. ☎ 084-41-17-25. ● batarden.be ● Mer-dim 10h-18h ; janv-mars (sf vac de Carnaval), slt le w-e. Fermé Noël et Jour de l'an. Entrée : 6 € ; réduc. Un musée qu'on aime bien pour son côté didactique et la richesse de ses collections. Son proprio, un jeune passionné par la Seconde Guerre mondiale, n'a pas ménagé ses forces pour réaliser une exposition claire sur l'origine et le déroulement de la bataille des Ardennes, avec une insistance particulière sur le bombardement de La Roche en décembre 1944, perpétré par les Américains pour contrer l'avancée allemande. Le tapis de bombes (voir les photos au rez-de-chaussée) n'épargna que 18 maisons ! Au 1er étage : dioramas sur les paras, vieilles affiches, reconstitution du 10 janvier 1945 (seconde libération de La Roche par la 84e division d'infanterie US), armes, grenades et objets personnels, dont des biscuits et l'ancêtre de la barre chocolatée Mars. Vitrines troupes anglaises, aviateurs... Le 2e étage est dédié à l'armée allemande. Quelques pièces : une édition de *Mein Kampf* de 1932 et la fameuse « Enigma », machine à encoder les messages. Également une salle d'armes.

🏃 *Le musée de la Meunerie de la Strument :* voir l'adresse plus haut dans « Où dormir ? Où manger ? ». ☎ 084-41-15-07. Juil-août, tlj 10h-18h ; le reste de l'année, slt le w-e. Fermé janv-fév. Entrée : 3,75 € ; réduc ; gratuit pour les clients de l'hôtel. Moulin du XIXe s, conservé dans l'état d'origine et joliment rénové par les soins du propriétaire.

> ## ➤ DANS LES ENVIRONS
> ## DE LA ROCHE-EN-ARDENNE

🏃 *Le belvédère des Six-Ourthes :* pour s'y rendre, suivre la belle vallée de l'Ourthe (N 860) jusqu'à *Nadrin.* Au bout de la rue du village, perpendiculaire à la N 860, se trouve un belvédère du haut duquel on bénéficie d'un des plus beaux points de vue de la province (si, si, c'est vrai ! ce n'est pas une phrase passe-partout). On n'a jamais rencontré une rivière aussi paresseuse. On vous le disait plus haut, la Dordogne ou le Lot et leurs cingles sont battus à plate couture. L'Ourthe apparaît dans le paysage six fois, dans six directions différentes, cherchant une nouvelle voie au moindre rocher qui lui résiste. Paysage de larges mamelons couverts de forêts dans lequel tranchent les coupes de bois, les nouvelles plantations, les juxtapositions conifères et feuillus, créant un immense patchwork de verts.

Où dormir ? Où manger ? Où boire un verre
du côté de Nadrin ?

🛏 *Les Alisiers :* rue du Hérou, 53, Nadrin 6660. ☎ 084-44-45-44. ● alisiers@skynet.be ● alisiers.be ● Sur la route du belvédère. Chambre 59 € pour 2 pers ; petit déj 8 €. Wifi gratuit. Réduc de 10 % sur le prix de la chambre (hors vac scol) sur présentation de ce guide. Belle bâtisse au milieu d'un jardin donnant sur la vallée. Calme et sérénité garantis. 4 chambres dont 2 avec vue, toutes avec sanitaires privés.

🛏 *La Gentilhommière :* rue du Hérou, 51, Nadrin 6660. ☎ 084-44-51-85. ● la gentilhommiere.be ● À côté de l'hôtel Les Alisiers. S'il n'y a personne, s'adresser au resto La Plume d'Oie, dans le centre du village. Fermé de mi-sept à mi-oct. Double 67 €, moins cher la 2e nuit ; petit déj 7 €. CB refusées. Très agréable demeure moderne avec piscine. Chambres charmantes et nickel, toutes dans des tons différents, avec balcon en bois donnant sur la vallée. S'il fait beau, le petit déj se prend sur la terrasse, sinon, c'est dans le salon, très classe.

|●| *Restaurant Le Vieux Chêne :* Nadrin 6660. ☎ 084-44-41-14. Au centre du village. Fermé mar-mer (sf 15 juil-15 août). 1ᵉʳ menu 17,50 €, plats 12,50-20 €. Apéro offert sur présentation de ce guide. Excellents poissons et spécialités régionales. Pot-au-feu de la mer, civet de marcassin et truite. Petit coin cheminée avec fauteuils, tables joliment dressées.

|●| 🍷 *Brasserie d'Achouffe :* dans le village d'Achouffe. ☎ 061-28-94-55. Fermé mar-mer hors saison et de mi-juin à mi-juil. Brasserie artisanale près d'Houffalize. On peut s'envoyer une Mac Chouffe, bière de grande réputation, à la taverne à côté, dans une salle avec des poutres et des nains de jardin. Ou manger un bout, notamment un honnête lapin à la Chouffe.

À voir encore dans les environs

🚶 👣 *Le parc Chlorophylle :* près de Dochamps, village à une douzaine de km au nord de La Roche. ☎ 084-37-87-74. ● parcchlorophylle.com ● Tlj 10h-17h (18h juil-août). Fermé de mi-nov à mi-mars. Entrée : 6 € ; petite réduc pour les enfants. Parc forestier de 9 ha, avec plaines de jeux pour les mômes et circuits didactiques sur tout ce qui a trait à la forêt. À noter aussi : la longue passerelle de 15 m de haut permettant de côtoyer la cime des arbres, ainsi qu'un superbe point de vue sur près de 40 km de campagne depuis la cafétéria du site. Pour les familles.

VIELSALM   (6690)   7 000 hab.

À 450 m d'altitude, petite ville dans un environnement sympa de forêts et de collines rocheuses. L'une des régions les plus intéressantes de Belgique sur le plan géologique. Belle fête le 20 juillet avec le sabbat des Macrâlles (sorcières). Le lendemain, fête des Myrtilles. Piscine subtropicale dans le complexe *Sunparks* ; bon à savoir si le temps est à la pluie.

Adresses utiles

🏠 *Maison du tourisme du val de Salm et des sources de l'Ourthe :* av. de la Salm, 50. ☎ 080-21-50-52. ● vielsalm-gouvy.org ● Tlj 10h (8h30 sam)-18h.

■ *Location de vélos :* à la gare. Ou au *Garage Léonard,* rue Fosse-Roulette, 24. ☎ 080-21-53-81.

Où manger à Vielsalm et dans les environs ?

|●| *Le Petit Restaurant :* rue des Comtes-de-Salm, 33, à Salmchateau (à 2 km). ☎ 080-21-44-80. ● jlmonfort@skynet.be ● Dans la rue principale du village, à côté d'un petit Delhaize. Ouv le soir ven-dim. Fermé juil-août. Plats 7-10 €. Café offert sur présentation de ce guide. Décor comme à la maison, poêle au milieu, meubles bourgeois, horloge et petits cadres. Dégustation de petits plats de terroir faits maison. Salades, soupes, truite fumée, fricassée au lard, chèvre chaud du Coticule et, même, une raclette « mieux et moins chère qu'à la montagne » (un peu plus chère quand même que les autres plats)... C'est savoureux et bien servi. Une adresse toute simple et chaleureuse comme on les aime.

|●| *Contes de Salme :* rue J.-Bertholet, 6. ☎ 080-21-62-36. ● info@ardenne-vacances.be ● En face de l'église de Vielsalm. Tlj 11h-21h30 (22h w-e et j. fériés). Fermé 2 sem en janv et 10 j. en juin. Plats 18-33 € ; menus 35-45 €. Wifi gratuit. Apéro maison offert sur présentation de ce guide. Restaurant-brasserie-bar à vins (et même gîte) édifié sur le site du

premier château des comtes de Salm. L'intérieur en jette : on mange dans une grande salle chaleureuse, tout en bois et en pierre du pays, pleine de niches et de recoins. Allez faire un tour aux toilettes, elles valent le coup d'œil ! Au menu, solide tartiflette, truite du val de Salm, entrecôte du pays, *spare ribs,* jambonneau et beaucoup, beaucoup de salades l'été. On peut aussi juste venir siroter un café (de grande origine), une bière de Vielsalm ou encore un verre de vin, accompagné, pourquoi pas, d'une assiette de charcuterie ou de fromage.

À voir

🏃 **L'archéoscope du pays de Salm :** *av. de la Salm, 50.* ☎ *080-21-50-52. Tlj 10h-18h. Entrée : 5,50 € ; réduc.* Parcours multimédia fort bien conçu, d'environ 45 mn, sur l'histoire, le patrimoine et la géologie de la région. Le commentaire est donné par un audioguide. Film d'introduction d'abord, puis plongée dans les entrailles du sol avec la découverte des variétés de schistes dont l'exploitation fit vivre la population du val de Salm. Photos, outils et reconstitution miniature sur le travail de l'ardoise et les traditions des ouvriers mineurs et carriers. Enfin, inventaire miniature des richesses architecturales et du folklore des environs à l'aide d'écrans tactiles, avant de passer au coin de l'âtre d'une chaumière ardennaise pour écouter le récit de bien belles légendes où le diable est souvent évoqué mais toujours vaincu !

🏃 **Le musée de l'Histoire et de la Vie salmienne :** *Tienne Messe, 3.* ☎ *080-21-62-52. Près de l'église. Ouv slt juil-août : mar-sam 10h-12h, 13h-17h, dim 14h-17h30. Entrée : 1,50 €. Billet combiné avec le musée du Coticule : 3 €.* Installé dans une maison du XVIIIe s. Expo de vêtements régionaux et de tous les aspects de la maison traditionnelle en haute Ardenne.

🏃 **Le musée du Coticule :** *à Salmchateau, à 2 km.* ☎ *080-21-57-68. Avr-oct, mar-sam 10h-12h, 13h-17h ; dim et j. fériés 14h-17h30. Entrée : 2 €. Billet combiné avec le musée de l'Histoire et de la Vie salmienne : 3 €.* Aujourd'hui, ce petit musée, installé dans un ancien atelier, permet de ne pas oublier ce qui fit vivre une région entière. Présentation géologique, documents, outils, machines en état de fonctionnement montrant toutes les étapes de la fabrication.

> **C'ÉTAIT AVANT GILLETTE**
>
> *Le coticule, unique au monde, est un schiste très dur dont on s'aperçut qu'il usait les meilleurs aciers. Pas étonnant qu'il soit devenu la pierre à affûter les rasoirs. Depuis le XVIe s, date du début de l'exploitation massive du coticule, Vielsalm était devenue la capitale de la pierre à rasoir, exportant dans le monde entier (en particulier au XIXe s). Mais le triomphe du jetable et du rasoir électrique fit péricliter cette activité et, dans les années 1950-1970, puits d'extraction et ateliers fermèrent progressivement (le dernier en 1982).*

HOUFFALIZE   (6660)   4 750 hab.

Petite bourgade lovée dans un méandre de l'Ourthe, Houffalize fut complètement rasée en janvier 1945 par les bombardements. Sur une place, un char allemand Panther, repêché dans la rivière après l'offensive, témoigne encore de ce tragique épisode d'une histoire jusque-là paisible. À l'endroit où se trouvait une tannerie et où furent ensevelis des dizaines d'habitants dont de nombreux enfants, la ville a voulu construire un site de mémoire tourné vers l'avenir : Houtopia, né de cette volonté de sensibiliser nos contemporains aux valeurs pacifiques universelles par le biais des Droits de l'enfance. On applaudit à cette initiative. Les environs d'Houffalize hébergent quelques centres d'activités de plein air.

Adresse utile

🛈 *Office de tourisme :* pl. de Janvier-45. ☎ 061-28-81-16. ● houffalize.be ● Tlj 9h-13h, 13h30-16h30 (17h30 juil-août).

Où dormir ? Où manger ?

🛏 |●| *Au Bon Accueil :* rue du Pont, 5. ☎ et fax : 061-28-81-40. ● hotellermita ge@euphonynet.be ● resto.com/aubo naccueil/ ● En plein centre. Fermé mer (sf juil-août), ainsi que la 1re sem de juil. Double avec sdb 65 €, petit déj compris. Menu du jour 23 € ; à la carte, plats 12-27 €. Remise de 5 % sur le montant de l'addition, à l'hôtel comme au resto, sur présentation de ce guide. Un petit hôtel familial tout simple, à prix doux. Pour les budgets serrés, les chambres sont tout à fait convenables. Cuisine de spécialités ardennaises avec quelques échappées exotiques : casserole d'écrevisses, truite au jambon, coq à la Chouffe et wok de scampi au curry. Gibier en saison.

À voir

🎭 🏃 *Houtopia, Le Monde aux enfants :* pl. de l'Église, 17. ☎ 061-28-92-05. ● houtopia.be ● Tlj sf sam hors vac scol 11h-17h (10h-19h juil-août). Fermé en janv. Entrée : 6,25 € ; petites réducs enfants et familles.
Centre récréatif et éducatif destiné aux enfants, qui découvriront leurs droits et leurs devoirs au travers d'abord d'un montage filmé multiécran, fort bien fait, d'une vingtaine de minutes, présenté par le regretté Peter Ustinov. Des artistes de cirque miment des saynètes qui, mêlées à des images d'archives parfois assez dures, enseignent aux mômes qu'ils sont les hommes et les femmes de demain et que, en leur garantissant leurs droits irrépressibles à l'éducation et à la sécurité, notre pauvre monde ne pourra qu'évoluer harmonieusement. Pas d'angélisme pour autant : l'exploitation des enfants à des fins guerrières, les perversions des adultes, les dégâts causés à l'environnement et toutes les tares dramatiques de nos sociétés sont exposés sans complaisance.
Au sous-sol, un espace d'activités ludiques et interactives développe par modules des thèmes un peu rebattus pour nous mais non pas pour les enfants, comme la sécurité routière, la santé, le recyclage des déchets, les dangers domestiques, les cinq sens, les migrations des espèces menacées (comme la cigogne noire), etc. Des aires de pique-nique, une cafétéria et une plaine de jeux sont également prévues pour permettre à tous de se délasser.

DURBUY
(6940)   10 500 hab.

Blottie au pied d'une paroi rocheuse (la Falize), dominée par son château, Durbuy fut une petite bourgade de 400 habitants jusqu'en 1977, année où elle fusionna avec d'autres communes. Ce qui ne l'empêche pas de se prévaloir, pour sa promotion, d'avoir été (et d'être encore !) « la plus petite ville du monde ». Avec ses quelques ruelles médiévales, ses demeures anciennes et son site pittoresque (premier vrai paysage abrupt en venant des polders), elle draine tout au long de l'année une foule de Néerlandais et de Flamands, lassés de leur morne plaine et aspirant légitimement à un peu de relief ! Vous l'avez compris : en haute saison, ce centre de villégiature peut distiller une atmosphère lourdement touristique...

Adresse utile

🏠 @ **Office de tourisme :** *pl. aux Foires, 25.* ☎ *086-21-24-28.* • *durbuyinfo. be* • *En plein centre. Lun-ven 9h-18h,* *w-e 10h-18h. Hors saison, ferme à 17h. Internet payant.*

Où dormir ?

Prix moyens

🏠 |●| **Chambres d'hôtes à la Ferme de Durbuy :** *à 2 km au nord de Durbuy, dans le petit village de Warre.* ☎ *086-21-44-44.* • *info@fermededurbuy.com* • *fermededurbuy.com* • *Compter 80 € pour 2 pers ; moins cher à partir de 2 nuits. Table d'hôtes le soir 30 €.* Jolie ferme équestre donnant sur la vallée de l'Ourthe. Outre 2 gîtes pour les groupes, l'endroit dispose de 2 chambres doubles charmantes et très soignées, avec vieux plancher, salle de bains à l'ancienne, tentures et couvre-lits à carreaux. Salle à manger du même tonneau, pour un petit déj non compris, à 9 € il est vrai, mais composé de jus d'orange pressée, œufs, charcuterie et fromages de la région. Bien pour une retraite en pleine nature, d'autant qu'on peut y monter à cheval.

Plus chic

🏠 **Chambres d'hôtes Au Milieu de Nulle Part :** *rue des Récollectines, 5.* ☎ *086-21-43-77.* • *aumilieudenullepart. com* • *Dans le vieux centre. Fermé mar-jeu. Compter 125 € pour 2 pers, avec le petit déj.* Si vous êtes prêt à casser votre tirelire pour une nuit à Durbuy, alors venez ici. Vous y découvrirez un B & B hors du commun, une vraie maison de conte de fées abritant 3 chambres parfumées aux tons marron, rehaussées de meubles rustiques et décorées de végétaux séchés... Le matin, on prend son petit déj dans une merveilleuse salle. Face à la falaise à l'arrière, il y a même un jardin, enchanteur, comme le reste. Pas donné, certes, mais unique !

Où manger ?

Bon marché

|●| **La Ferme au Chêne :** *rue Comte-d'Ursel, 36.* ☎ *086-21-10-67.* • *la.ferme. du.chene@skynet.be* • *Dans la rue principale, non loin du* Sanglier des Ardennes. *Ouv tlj sf mer en saison, slt ven-dim le reste de l'année. Réduc de 5 % sur la bière Marckloff servie au fût (max 4 pers), sur présentation de ce guide.* Terrasse au calme avec vue sur l'Ourthe, pour une petite restauration sans histoire : crêpes, omelettes, gaufres, *matoufé* grand-mère (spécialité maison), tartouille durbuysienne, salades, assiette de charcuterie artisanale, etc. Fabrique aussi sa propre bière, la Marckloff. Bon accueil.

De plus chic à très chic

|●| **Le Moulin :** *pl. aux Foires, 17.* ☎ *086-21-29-70.* • *le_moulin17@msn.com* • *Fermé mar hors saison. 1er menu 25 € ; à la carte, plats 15-20 € env. Café offert sur présentation de ce guide.* Cadre très agréable (vieux moulin du XIIIe s) pour une cuisine raffinée. Exemple : le couscous de homard et de lotte. Carte de saison et suggestions du jour suivant le marché. Fait aussi salon de thé.

|●| *Le Sanglier des Ardennes :* rue Comte-d'Ursel, 14. ☎ 086-21-32-62. ● *info@sanglier-des-ardennes.be* ● *Tlj 12h-14h, 19h-21h. Fermé la 1ʳᵉ sem de janv. Compter 10-12 € le plat côté brasserie. Au resto, menus 35 € le midi, à partir de 55 € le soir. Carte min 60 €.* Grosse maison dominant la place principale. Salle à manger panoramique sur l'Ourthe et la verdure, clientèle et atmosphère plutôt chicos. Que cela ne vous décourage pas, vous découvrirez ici une cuisine de haute volée, qui ne faiblit quasiment jamais. Vraiment fine et goûteuse. Une affaire qui tourne de façon très pro ! Le menu « clin d'œil », servi à midi, en donne un bon aperçu. À la carte : poularde au gros sel, côte de sanglier en panure de poivre ou, côté desserts, soupe « du vieux garçon » (aux fruits rouges) et trilogie de crème brûlée. Si vous n'avez pas de quoi vous payer le resto, essayez la brasserie, sur la terrasse chauffée, qui sert des plats plus simples mais aussi beaucoup plus démocratiques.

À voir. À faire

➢ *Balade dans le vieux centre :* petit mais d'une remarquable homogénéité. Rue des Récollectines, rue Éloi, rue de la Prévôté, vous découvrirez de nobles demeures anciennes en pierre grise et de ravissants clins d'œil architecturaux. Rue Comted'Ursel s'élève la vieille halle au blé du XVIᵉ s (qui vient d'être restaurée), un des rares exemples de pignon à colombages de la province. C'est l'ancienne grange aux dîmes, où les paysans venaient payer leur fermage. Plus tard, elle fut utilisée pour rendre la justice.

🎐 🏃 *Le parc des Topiaires :* sur la rive de l'Ourthe opposée à celle de la vieille ville. ☎ 086-21-90-75. ● *topiairesdurbuy.be/indexfr.swf* ● *Tlj 10h-18h. Fermé de mi-nov à mi-mars sf w-e, j. fériés, vac scol. Entrée : 4,50 € ; réduc ; gratuit pour les moins de 12 ans.* Un hectare de buissons, les fameux topiaires, taillés de toutes les manières, du crocodile au Manneken-Pis. Au total, plus de 250 figures. Nous, on préfère la nature non taillée, cela demande moins de boulot et un regard plus attentif.

🎐 🏃 *Le musée des Autos miniatures :* dans la même rue que Le Sanglier des Ardennes. 📱 0475-564-391. *Avr-sept, tlj de 10h jusqu'en soirée ; hors saison, ven-mar 11h-18h. Entrée : 3 €.* « Le plus petit musée du monde ». Dans deux pièces, quelque 1 400 voitures miniatures, dont les célèbres Dinky Toys. Amusant de penser que certaines valent plusieurs milliers d'euros...

🎐 🏃 *La brasserie artisanale Marckloff :* à la ferme du Chêne. *Tlj sf mer-jeu ; en juil-août, tlj sf jeu. Entrée gratuite, mais dégustation à 2,80 €, ce qui n'est pas cher.* Une microbrasserie qui a repris des traditions brassicoles qui remontent au XIVᵉ s.

➢ DANS LES ENVIRONS DE DURBUY

BARVAUX-SUR-OURTHE

Adresse utile

🏢 *Maison du tourisme du pays d'Ourthe et Aisne :* Grand-Rue, 16, Barvaux-sur-Ourthe. ☎ 086-21-35-00. ● *ourthe-et-aisne.be* ● *Lun-ven 8h30-18h30, sam 10h-18h, dim 10h-16h.*

Où dormir dans le coin ?

🏠 *Maison d'hôtes « Lai L'Oiseau » :* Petite Hoursinne, 9, Mormont 6997. ☎ 086-49-95-63. ● *lailoiseau@hotmail.* com ● *lailoiseau.be* ● *À env 10 km à l'est d'Érezée. Compter 65 € pour 2 pers (un peu plus pour 1 seule nuit), petit déj* compris. Verre offert à l'arrivée. 2 chambres d'hôtes dans un hameau entouré de forêts, où brament des cerfs à la saison des amours (on en dénombre une centaine dans la zone !). Si vous tombez bien (entre septembre et octobre), Jean-Pierre se fera un plaisir de vous guider pour vous les faire entendre (on n'en dit pas plus...). Mais revenons au lieu : il s'agit d'une très charmante maison campagnarde proposant 2 chambres (dont 1 pouvant accueillir jusqu'à 4 personnes) aménagées avec beaucoup de goût et impeccablement tenues. Le matin, petit déj bio, très apprécié des hôtes. Le sympathique couple peut aussi vous prêter des VTT, histoire de parfaire le processus de remise en forme.

À voir

🕯 🕴 *Le labyrinthe :* rue Basse-Commène. ☎ 086-21-90-42. • lelabyrinthe.be • À 10 mn à pied de la gare de Barvaux. De mi-juil. à fin août, tlj 10h30-19h30 (dernière entrée à 17h) ; en sept, le w-e aux mêmes heures. Entrée : 8,50 € ; réduc pour les enfants de moins de 1,50 m. Tous les ans, un champ de maïs de 2 ha est aménagé en labyrinthe géant animé de personnages déguisés. Un régal pour les mômes qui prennent un malin plaisir à perdre leurs parents dans ce dédale végétal.

🕯 🕴 *Les grottes de Hotton :* au sud de Durbuy. ☎ 084-46-60-46. • grottesdehotton.com • Avr-oct, tlj 10h-17h (18h juil-août) ; le reste de l'année, visite w-e 14h et 15h30, et tlj à 11h, 14h et 15h30 pdt les vac de Noël et de fév. Entrée : 9 € ; réduc. Découvertes dans les années 1960. Concrétions de couleurs et de formes d'une grande variété. « Macaronis » transparents, belles draperies minérales. Mais la grande originalité de ces grottes réside dans la surprenante faille souterraine que vous parcourrez d'abord tout en bas puis par un aménagement en corniche : 35 m de haut sur 200 m de long ! Très impressionnant !

MARCHE-EN-FAMENNE   (6900)   16 800 hab.

Agréable petite ville administrative et commerçante qui, depuis de nombreuses années, déploie beaucoup d'efforts pour mettre en valeur son patrimoine architectural. Résultat globalement positif, puisqu'elle est capable aujourd'hui de présenter un centre-ville fort intelligemment restauré et une gentille animation.

Sur le plan historique, relevons que c'est là que fut conclu, en 1577, le traité dit « Édit perpétuel » qui confirmait la pacification de Gand et la fin du joug espagnol. La ville possédait jadis une ceinture de remparts qui fut liquidée par les armées de Louis XIV et dont seule une tour subsiste aujourd'hui. La dentelle, jusqu'à la fin du XIXe s, fut une importante activité (300 dentellières en ville à l'époque et 850 dans la région). Une école de dentelle travaille à sa relance aujourd'hui.

Adresses utiles

▣ *Maison du tourisme du pays de Marche et de Nassogne :* pl. de l'Étang, 15. ☎ 084-34-53-27. • maisontourisme.nassogne.marche.be • Lun-ven 8h30-18h, w-e et j. fériés 9h30-17h30.

▣ *Syndicat d'initiative :* rue des Brasseurs, 7 (en face de l'hôtel Quartier Latin). ☎ 084-31-21-35. • marche-tourisme.be • Tlj sf lun 9h-17h. Fermé 2de quinzaine de janv. Installé dans l'une des plus anciennes maisons de la ville. Peut organiser des visites guidées de la ville.

Où manger assez chic ?

|●| *La Gloriette :* rue de Bastogne, 18. ☎ 084-37-98-22. ● *info@lagloriette. net* ● À env 2 km du centre. Fermé lun et mer soir. Lunch 3 services en sem 22 € ; 1er menu 35 €. Jolie façade en brique rouge rehaussée de volets verts. Dans une salle agréable, aux murs blancs et tables joliment dres-

sées, on y savoure des mets raffinés et délicats, tels (mais la carte change bien sûr) le tournedos de canette farci aux girolles ou les Saint-Jacques en consommé de crustacés... Bien bon accueil. Une bonne adresse pour une halte gastronomique dans le coin.

À voir. À faire

🕯 *Le musée de la Dentelle :* départ du syndicat d'initiative (voir plus haut). Visites tlj sf lun (et mar hors saison) à 11h, 13h30 et 15h. Fermé 2de quinzaine de janv. Entrée : 2,50 € ; réduc. Dans le dernier vestige de fortification de la ville, salle en sous-sol où l'on peut suivre l'évolution de la dentelle dans les vêtements, du XVIe au XXe s. Beaux exemples de ce qui se faisait dans d'autres villes (Bruxelles, Binche, Bruges, Lille, Paris...). Salle consacrée à l'ancienne dentelle de Famenne, aux fuseaux et aux travaux de l'école. Enfin, présentation de l'outillage et des techniques des dentellières.

🕯 *Le musée de la Famenne :* rue du Commerce, 17. ☎ 084-32-70-60. ● http:// musee.marche.be ● Mars-nov, mar-sam 10h-12h, 13h-17h ; dim et j. fériés 14h-17h. Entrée : 2,50 € ; réduc. Installé dans un joli édifice en brique du XVIIIe s, le musée évoque l'histoire de la Famenne, du bas Moyen Âge au XIXe s. Objets retrouvés dans les cimetière et décharge de Wellin et Hamoir ; maquette d'un village carolingien, sculptures du Maître de Waha et meubles de Chignesse (un anonyme du XVIIIe s). À l'étage, belle salle du « monument », une chapelle de Marche, encore visible aujourd'hui, où les parents d'enfants mort-nés allaient porter leur défunte progéniture pour tenter de leur faire retrouver quelques signes de vie et, ainsi, pouvoir vite les baptiser (faute de quoi ils étaient condamnés à errer dans les limbes !). Enfin, au grenier, outils de tonnellerie et cordonnerie du XIXe s, et toiles d'artistes contemporains.

➤ *Balade dans le centre :* église Saint-Remacle dominant la jolie place centrale. Elle date du XIVe s. Abside gothique et pittoresque clocher. Tout autour, beaucoup de *demeures anciennes* des XVIIIe et XIXe s. Façades peaufinées, bien léchées. Tout le quartier a conservé un certain cachet. Maisons basses, *rue des Dentellières*, avec de petites marches devant chaque porte.

Manifestations

– *Carnaval :* temps fort de l'année, avec l'élection du prince, le cortège des géants, le « gugusse » et la « grosse biesse ».
– *Marché aux Oiseaux :* le 15 août.

➤ ## DANS LES ENVIRONS
DE MARCHE-EN-FAMENNE

🕯 *L'église Saint-Étienne :* à *Waha, à 2 km de Marche.* La plus ancienne église romane de Belgique. Elle possède encore, à droite du chœur, sa pierre de dédicace (23 juin 1050). Clocher avec toits biseautés se superposant dans une certaine rigueur géométrique. À l'intérieur, voûte et baies romanes. Trois nefs à l'architecture simple. Au-dessus du chœur, remarquer le superbe calvaire gothique. Surtout, ne pas manquer les splendides nouveaux vitraux, de Jean-Michel Folon. Devant le porche, un vénérable « tilleul de justice » au corps noueux, très vieux. On y attachait les prévenus en attente de jugement.

SAINT-HUBERT   (6870)   57 000 hab.

Petit centre de villégiature entouré de belles forêts (que l'on peut découvrir sur des chemins balisés), Saint-Hubert propose aussi une remarquable basilique. Le jeune saint Hubert était, en 683, un prince insouciant, amateur de chasse. Il s'apprêtait à abattre un cerf un vendredi saint, quand une croix lumineuse apparut entre les bois. Il entra ainsi dans un monastère et, plus tard, devint le prince-évêque de Liège. C'est le saint patron des chasseurs et des bouchers.

Adresses utiles

🛈 *Maison du tourisme du pays de Saint-Hubert :* rue Saint-Gilles, 12. ☎ 061-61-30-10. ● saint-hubert-touris me.be ● Tlj 9h-17h30. Petit dépliant gratuit proposant une promenade historique dans la ville et vente de cartes des

différentes balades à faire dans la région.

■ *Location de vélos : Godfroid Sports,* route de Poix, 11 B. ☎ 061-61-28-10. Fermé lun. Boissons offertes au retour de la promenade.

Où dormir ? Où manger ? Où boire un verre ?

Camping

⚞ *Camping Europacamp :* rue de Martelange. ☎ 061-61-12-69. À 1,5 km du centre, sur la route de Bastogne. Ouv tte l'année. Compter 10,70 € pour 2 pers, avec tente et voiture. Situé dans les

bois, camping familial sur une quinzaine d'hectares. Emplacements bien isolés et végétation généreuse. Jeux pour les enfants.

De prix moyens à un peu plus chic

🛏 |●| ♟ *L'Ancien Hôpital :* rue de la Fontaine, 23. ☎ 061-41-69-65. ● info@ ancienhopital.be ● ancienhopital.be ● Bar à vins ouv à partir de 12h. Fermé mar-mer hors vac scol et fin août-début sept. Doubles 95-105 €, petit déj compris ; suite 140 €. Vous l'aviez deviné, l'endroit est sis dans un ancien hôpital (du XVIIe s), superbement rénové. Pro-

pose de bien belles chambres dont une suite en duplex avec salle de bains en mezzanine. Petit déj varié, comprenant même un dessert ! C'est aussi un bar à vins (verre à partir de 4 €) où, dans une salle à la fois classe et chaleureuse, on peut s'enfiler de bonnes fondues bourguignonne, au fromage (environ 20 €) ou... au chocolat (10 €) !

Où dormir dans les environs ?

🛏 *Auberge de jeunesse :* rue de la Gendarmerie, 4, Champlon 6971. ☎ 084-45-52-94. ●laj.be ●Arrêt de bus

à 50 m. De fév à mi-avr et de mi-nov à début janv, ouv en sem slt sur résa. Fermé de début janv à mi-fév. Nuitée

15,40-33 €, petit déj compris. Internet. Presque en bordure de la N 4, belle maison en pierre entièrement rénovée. Bon confort. Quelque 75 lits en chambres de 3 à 15 lits. Cuisine équipée, bar, ping-pong, terrain de volley et mur d'escalade. Jardin avec barbecue. Location de vélos.

À voir

🍴 *La basilique Saint-Pierre-Saint-Paul-Saint-Hubert (ouf !) : ouv tlj 9h-18h (17h hors saison).*
Elle dépendait de l'abbaye. Édifiée au XIe s, reconstruite en gothique au XVIe. Elle hérita en 1700 d'une façade classique un peu massive et surmontée de deux clochers. À l'intérieur, belle ampleur du vaisseau à cinq nefs, grande variété des matières, alternance de gris et de rose pour les piles, calcaire blond pour le haut et certaines parties du triforium. Superbe voûte en brique avec arches en grès. Dans le transept gauche, mausolée assez grandiloquent de saint Hubert, du XIXe s. Chœur clôturé de marbre. Stalles de 1733, notables pour leurs panneaux sculptés contant la vie de saint Hubert et de saint Benoît. Beau travail sur les accoudoirs et miséricordes. Autel monumental en marbre avec Vierge de l'école de Del Cour.
– *Le déambulatoire :* avec chapelles rayonnantes. Troisième chapelle à gauche, ancien trésor avec fenêtrage Renaissance. Première chapelle à droite, 24 émaux peints à Limoges abîmés par les Huguenots.
– *La crypte :* jolies voûtes d'origine en brique reposant sur deux piles centrales. Fort belle pierre tombale en marbre noir.
– *Le transept droit :* autel de saint Hubert, style Renaissance tardive avec relique de l'étole du saint. Devant, balustrade sculptée. Retable tout en hauteur *(Saint Hubert et le cerf).* Beau buffet d'orgue Renaissance joliment restauré reprenant les motifs de la porte.

🍴 *Les anciens bâtiments abbatiaux : à gauche de la basilique.* Reconstruits en 1729. S'il y a une expo temporaire, vous pourrez admirer les portes sculptées en chêne, cheminées en marbre, l'escalier royal et la belle rampe en fer forgé.

🍴 *Le centre Pierre-Joseph-Redouté : rue Redouté, 11.* ☎ *061-18-72. Juil-sept, tlj 14h-18h. Entrée : 2 €.* Pierre-Joseph, l'enfant prodige de la région, est né à Saint-Hubert en 1759 et décédé à Paris en 1840. Il y devient un des meilleurs aquarellistes de son époque. Il est universellement connu pour les illustrations de ses ouvrages de botanique. Une renommée qui poussa les scientifiques du monde entier à venir le rencontrer, comme l'Américain Audubon. Professeur talentueux, il compte parmi ses élèves des personnages illustres : la reine Marie-Antoinette, Metternich, le roi de Wurtemberg et la première reine des Belges, Louise-Marie d'Orléans. La rose qui porte son nom lui assure l'immortalité.

Manifestations religieuses et culturelles

– *Juillet musical : ts les w-e du mois.* Concerts et récitals.
– *Journées internationales de la chasse et de la nature : le 1er w-e de sept.* Bénédiction de pains et d'animaux, concert de trompes de chasse, messe sonnée au cor, cortège historique et marché artisanal. Festivités un peu similaires (sans le concert et le cortège mais avec un rallye équestre) le 3 novembre (pour la canonisation de saint Hubert).

➤ *DANS LES ENVIRONS DE SAINT-HUBERT*

🍴 🏃 *Euro Space Center : à côté de la sortie 24 de l'E 411, sur la commune de Transine.* ☎ *061-65-64-65.* ● *eurospacecenter.be* ● *Ouv tlj juil-août 10h-17h. Compter 2h de visite. Entrée : 11 € ; réduc.*

Pour tout savoir sur l'espace, son histoire et sa conquête. Cadre évidemment en relation avec le sujet : un vaste hangar divisé en modules dédiés chacun à un aspect de la thématique spatiale. Le parcours commence par un film un peu cucul sur l'ESA (l'Agence spatiale européenne), puis on entre dans le *temple des planètes*, consacré aux satellites artificiels et aux corps célestes, avant de passer par un espace dédié à la conquête spatiale, puis dans une réplique du module qui a été arrimé à l'ISS (la station spatiale internationale), et, enfin, le long d'une impressionnante réplique d'*Atlantis*. Ceux qui ne sont pas sujets aux maux de tête pourront également se faire le *Space Show*...
Possibilité de stages de 6 jours avec hébergement pour initier les jeunes aux techniques spatiales.

FOURNEAU-SAINT-MICHEL

Un musée de la Vie rurale niché dans une vallée vierge entre des collines boisées, à 8 km au nord de Saint-Hubert. Au XVIIIe s le dernier abbé de Saint-Hubert y installa un fourneau destiné à une exploitation métallurgique, dont on peut encore voir la halle aux soufflets et l'étonnant « maka », ou « martinet », un énorme marteau d'affinage pesant jusqu'à 200 kg.

Où manger ? Où boire un verre ?

|●| *L'Auberge du Prévost :* à côté du musée de la Vie rurale. ☎ 084-21-09-15. ● aubergeduprevost@skynet.be ● Fermé lun soir, mar (ouv mar midi juil-août) et déc-fév. Résa conseillée. Entrées ou plats à partir de 12 € ; 1er menu 24 €. Café offert sur présentation de ce guide. Comme dans une ancienne grange aménagée, vaste salle pleine de poutres avec un haut plafond en pente. Beaucoup de charme et de rusticité avec vue sur la vallée. Le chef, un Flamand jovial, se plaît à renouveler constamment ses recettes, même s'il tient beaucoup à quelques classiques comme le cassoulet, l'entrecôte de Nassogne ou les rognons à la bière.

Également quelques plats végétariens, ce qui n'est pas courant par ici. Une excellente adresse !
|●| ♈ *Bar Al Pêle :* un peu avt L'Auberge du Prévost en venant de Saint-Hubert. ☎ 084-21-00-24. ● info@alpele.be ● Tlj sf mer (sf juil-août), et jeu hors saison, 10h-19h (17h en sem). Café offert sur présentation de ce guide. Intérieur rustique et volontairement vieillot, à l'étage d'une maison blanche. Restauration paysanne à prix modiques, servie dans des petites poêles : omelette forestière, fricassée au jambon, *matoufé*, patates aux lardons, potée, soupe grand-mère, crêpes, gaufres et glaces. Terrasse ombragée. Accueil chaleureux.

À voir

♈ *Le musée de la Vie rurale en Wallonie :* ☎ 084-21-08-44. De mi-fév à mi-nov, tlj sf lun (excepté juil-août) et j. fériés 10h-17h (9h30-18h30 mai-août). Entrée : 5 € ; réduc.
Dans une vallée ravissante et paisible, à l'écart de la campagne plus peuplée des environs, ont été réinstallés de nombreuses habitations rurales, fermes et édifices divers, provenant de tous les coins de la Wallonie. Vous y admirerez l'adorable chapelle de Farnières en son enclos, avec quelques jolies pierres tombales, la vieille imprimerie (ses casses, son marbre), la vénérable école communale et son vieux poêle au milieu, la siroperie, diverses granges, ainsi que la maison du cheval de trait ardennais et tous les anciens métiers. Deux parcours ; un de 1 km et un autre de 2,2 km.

À l'ouverture, le 1er mars, et à la fermeture, le dernier week-end de novembre, veillées d'Ardenne avec conteurs. Activités folkloriques et artisanales le week-end du 21 juillet (fête nationale).

LE VILLAGE DU LIVRE DE REDU

À l'ouest de Saint-Hubert, un village entièrement dédié au livre. Tout a commencé, très précisément, à Pâques, en 1984, un jour particulièrement ensoleillé... Ce jour-là, pour la première fois, les livres ont envahi les rues de ce petit village d'à peine 400 habitants. Il y en avait partout : sur les trottoirs, dans les granges et les anciennes étables, sur des tréteaux dressés pour l'occasion. Et le succès fut au rendez-vous : 15 000 visiteurs s'étaient déplacés pour participer au premier grand marché du livre rare ou d'occasion jamais tenu en Wallonie. Le village du Livre de Redu était né. Ce fut le premier en Europe continentale (depuis, il y a eu Bécherel en Bretagne et bien d'autres). Vingt-trois librairies spécialisées en livres rares et précieux, avec une multitude de livres d'occasion dans tous les domaines. Plus quelques artisans dont l'activité est liée au livre (dorure, reliure, fabrication de papier). Aujourd'hui, ça devient vraiment un succès populaire (plus de 350 000 visiteurs annuels), mais évitez de venir en semaine hors saison, car beaucoup de librairies sont fermées. À noter aussi, un petit *musée de l'Imprimerie,* dans la *Librairie Ardennaise.*
Les grands rendez-vous annuels des amateurs de bouquins ont toujours lieu le week-end de Pâques plus le 1er samedi du mois d'août pour la *nuit du Livre* (feu d'artifice ce soir-là).

Adresse utile

🏛 *Maison du tourisme du pays de la Haute-Lesse* (Daverdisse, Libin, Tellin, Wellin) : pl. de l'Esro, 60. ☎ 061-65-66- 99. ● haute-lesse-tourisme.be ● En plein centre. Tlj mars-oct 9h-18h et nov-fév 9h30-16h30.

Où dormir ? Où manger ?

Plusieurs possibilités de *chambres d'hôtes* à Redu. La maison du tourisme en donne la liste.

🏠 |●| *L'Escargon :* rue de la Prairie, 36. ☎ 061-65-63-27. ● ph.evrard@belga com.net ● Double env 45 €, petit déj compris. Table d'hôtes les soirs de fin de sem pdt les vac d'été, le 1er w-e du mois le reste de l'année, ou tt simplement sur demande. Menus 17-22 €. Sur présentation de ce guide, on vous offrira... non pas l'apéro mais un livre. Car *L'Escargon,* c'est l'une des librairies de Redu. Accessoirement, le sympathique couple de propriétaires loue 2 de ses chambres, naturellement pleines de livres, et fait de temps en temps à manger... pour le plus grand bonheur de ceux qui se laissent tenter !

BASTOGNE (6600) 13 800 hab.

D'aucuns pourraient penser que Bastogne est une ville moins séduisante que Liège, surtout si l'on songe au comportement étonnant des coureurs participant à la célèbre course cycliste. À peine arrivés à Bastogne, nos pédaleurs s'en retournent aussi sec à Liège ! Trêve de boutade, Bastogne est aujourd'hui la ville symbole de l'héroïque résistance à l'offensive von Rundstedt, restée dans l'histoire sous le nom de bataille des Ardennes. C'est à Bastogne que

s'achève la voie de la Liberté, bornée depuis Utah Beach. Sur la place principale, char Sherman et buste du général McAuliffe. Outre son émouvant musée
et son monument commémoratif, la ville propose une remarquable église
ancienne, Saint-Pierre, rescapée de toutes les guerres.

UN PEU D'HISTOIRE

Le 16 décembre 1944, à l'aube, l'armée allemande, dirigée par le général
von Rundstedt, lance une ultime offensive en Belgique. Son but : reprendre
Anvers, isoler les armées alliées du Nord et, si possible, les contraindre à capitu-
ler. Les conditions sont favorables : les usines d'armement tournent à plein et la
mobilisation des hommes de 16 à 60 ans a permis de créer de nouvelles divisions. Seule faiblesse, l'aviation. Mais les conditions météo leur sont, sur ce terrain, également favorables. 240 000 hommes, 2 000 canons et 1 000 chars Tigre
et Panther sont lancés dans la bataille. En face, pour contrer le choc de l'offensive, à peine 240 chars, 576 canons et 83 000 hommes (dont beaucoup de troupes peu expérimentés). L'offensive allemande s'enfonce comme un coin dans le
dispositif allié et Bastogne est encerclée. Le 22 décembre, à la demande de red-
dition des Allemands, le *général McAuliffe* aura cette réplique devenue célèbre :
« Nuts ! » (« Des noix ! »). Par chance, le lendemain, le brouillard se lève et Bastogne peut être ravitaillée par les airs. Attaques inlassables des Panzer, bombardements et raids aériens allemands terribles ne changent rien à la détermination
des défenseurs. Fin décembre, il n'y a plus que 1 000 habitants en ville. La IIIe armée, dirigée par *Patton*, lance une offensive du sud pour libérer Bastogne. Le
26 décembre, c'est chose faite. La résistance de Bastogne a permis de fixer une
grosse partie de l'armée allemande et a été déterminante dans l'échec de
l'offensive.

Adresse utile

🛈 *Maison du tourisme du pays de*
Bastogne : pl. McAuliffe. ☎ 061-21-
27-11. ● bastogne-tourisme.be ● Tlj
9h30-12h30, 13h-18h (17h30 en hiver).

Où dormir à Bastogne et dans les environs ?

De bon marché à prix modérés

🏠 *La Pommeraie :* dans le village de
Sprimont, à 12 km à l'ouest de Bastogne. ☎ 061-68-86-11. ● contact@euro
paventure.be ● europaventure.be ●
Compter 30 €/pers, petit déj compris.
Table d'hôtes 15 € ; réduc pour les
enfants. Wifi gratuit. De plus, petit
cadeau et carte d'hôte offerts sur présentation de ce guide. 3 chambres
d'hôtes rénovées, rustiques et confortables, avec salle de bains, dans une
vieille maison du pays. Au resto, menu
3 services (spécialités régionales et
gibier en saison) servi tous les soirs vers
19h30. Jardin et location de vélos. *La
Pommeraie,* c'est aussi une étape de la
Transardennaise, sur le parcours de
grande randonnée, reliant La Roche à

Bouillon en plusieurs jours. Renseignez-
vous si l'aventure vous tente.
🏠 *La Ferme des Bisons :* à Recogne.
☎ 061-21-06-40. ● info@fermedesbi
sons.be ● fermedesbisons.be ● À 6 km
au nord de Bastogne, direction Houffalize. Double 50 €, sans le petit déj.
2 splendides gîtes en bordure de la
forêt, aménagés avec tout le confort
moderne, dans les dépendances d'une
grosse ferme du XVIIIe s dont les lourdes charpentes et les espaces généreux ont été préservés. L'un des 2 gîtes
dispose d'une dizaine de mignonnes
petites chambres neuves avec sanitaires privés, qui peuvent occuper les
individuels en juillet et août ; l'autre, de
chambres entièrement équipées (TV,

cuisine, salle de bains...) de 4 à 13 lits, pour les familles ou les groupes. Chacun des gîtes possède un espace commun avec salon, billard et Internet. Un petit coin de paradis pour les enfants, d'autant que dans la prairie voisine, un troupeau d'une centaine de vrais bisons américains broute paisiblement l'herbe ardennaise (voir « Dans les environs de Bastogne »).

Un peu plus chic

🛏 *Hôtel Léo :* pl. McAuliffe, 50. ☎ 061-21-14-41. • wagon-leo.com • *En plein centre de Bastogne, presque à côté du wagon-resto du même nom. Env 75 € pour 2 pers, petit déj inclus.* Nouveau petit hôtel très central abritant 7 chambres bien arrangées et d'un excellent confort pour le prix ! Le petit déj-buffet se prend dans un espace très agréable, avec mobilier en bois clair, au rez-de-chaussée.

Où manger ?

◉ *Le wagon-restaurant Léo :* rue du Vivier, 4-6. ☎ 061-21-14-41. • restaurant@wagon-leo.com • *En plein centre. Fermé lun, 1re quinzaine de juil et 21 déc-20 janv. Plats 12-19,90 €. CB refusées. Apéro maison offert sur présentation de ce guide.* Difficile à rater, c'est le wagon-restaurant bleu. De toute façon, tout le monde le connaît car, ici, c'est une sorte d'institution ! À l'intérieur, banquettes et boiseries vernissées, comme dans un train de la Belle Époque. Salle plus importante à l'arrière, avec moquette et quelques motifs Art nouveau. Service efficace et cuisine soignée, axée sur les grands classiques : moules, rumsteck au poivre vert, choucroute paysanne, vol-au-vent (bouchée à la reine) à l'ancienne et « super truite à la luxembourgeoise ». Également des plateaux de fruits de mer mais, là, mieux vaut avoir la bourse peine...

À voir

🚶 *Bastogne Historical Center :* sur la colline du Mardasson. ☎ 061-21-14-13. • bastognehistoricalcenter.be • *À 3 km de la ville et à côté du mémorial. Bien indiqué du centre. Mai-sept, tlj 9h30-18h ; mars-avr et oct-déc, tlj 10h-17h30. Fermé janv-fév. Entrée : 8,50 € ; réduc.* Bon petit musée consacré entièrement à la bataille de Bastogne, dans une grande salle circulaire. Un audioguide, fort bien fait, commente par le menu tout ce qu'on y voit, des bataillons allemands et américains reconstitués, avec véhicules blindés et tout le matériel de guerre, aux mannequins figurant les différents types de participants aux combats (infirmiers, sous-off'...). Bien sûr, objets sous vitrines, tels ce paquet de Camel ou ce casque criblé de balles, et émouvante vieille plaque de ville jaune et rouge emportée comme souvenir par un capitaine d'artillerie américain, qui la restitua ensuite au musée. Ne pas manquer non plus le film de la bataille. Séquences absolument uniques.

🚶 *Le mémorial :* sur la colline du Mardasson, à côté du Bastogne Historical Center. Immense construction en forme d'étoile à cinq branches, hommage du peuple belge à l'armée américaine et à ses alliés pour leur participation à la libération de l'Europe. Au centre, une simple phrase : « Le peuple belge se souvient de ses libérateurs américains. » Sur les murs sont gravés les noms de toutes les unités ayant participé à la bataille des Ardennes. Possibilité de monter sur la terrasse du mémorial.

🚶 *L'église Saint-Pierre :* pl. Saint-Pierre. Sur le chemin du mémorial, ne pas manquer cette étonnante église. Du XIIe s subsiste le massif clocher roman. Nef reconstruite au XVe s en gothique flamboyant. À l'intérieur, c'est la voûte des trois nefs qui frappe d'emblée, véritable treillis de lierres, nervures et clefs de voûte qui jaillissent de chaque pilier. Derrière l'orgue, remarquable *Mise au tombeau* en bois du XVIe s. Mais le chef-d'œuvre de l'église, ce sont les fonts baptismaux romans en pierre sculptée (attention, cachés derrière une porte au fond). Aux angles, des têtes taillées de facture assez primitive. Surmontées d'un ravissant dais en fer forgé.

Manifestation

– *Foire aux Noix :* en déc.

➤ *DANS LES ENVIRONS DE BASTOGNE*

🎋 🚶 *La Ferme des Bisons :* à Recogne. ☎ 061-21-06-40. *Voir plus haut « Où dormir à Bastogne et dans les environs ? ». Juil-août, tlj sf lun 12h-18h. Période d'ouverture plus large pour les groupes. Entrée de l'exposition indienne (en juil) : 4 € ; réduc.* L'Ouest américain en plein cœur de l'Ardenne, avec une harde d'une bonne centaine de têtes de ces puissants, fascinants et pourtant paisibles bestiaux. À voir de près en char à bancs (tarif : 4 €). En plus, et surtout, dans un bâtiment de la ferme, un étonnant petit musée de la vie des Indiens des plaines (☎ 061-31-10-60 ; ● fermedesbisons.be ● ; *tlj juin-fin sept, 9h30-18h30, en hiver, 10h30-17h30 ; visites guidées (1h) l'ap-m en juil-août et dim en sept ; entrée : 4 €, réduc*), avec un conservateur-guide passionnant et intarissable qui se fait plaisir, au travers de tous les tableaux vivants et des dizaines d'objets authentiques, en racontant la vie et les mœurs des tribus Sioux, Creeks ou Dakotas. La reconstitution d'un grand tipi est réellement spectaculaire.

ARLON   (6700)   26 400 hab.

Chef-lieu de la province du Luxembourg. Petite ville tranquillou de la Lorraine belge. Après Tongres, elle est considérée comme la ville la plus ancienne du pays. Elle fut une opulente cité romaine fortifiée qui succomba néanmoins aux invasions barbares et franques. Après une vraie scoumoune, d'autres barbares, déguisés en civilisateurs (les Français pour ne pas les nommer), pillèrent et saccagèrent la ville, que ce soit ceux du duc de Guise, du Roi-Soleil ou ceux de l'an II (Arlon, z'enfants de la patrie...). Même des Croates sévirent en 1636 ! Au printemps 2004, Arlon a vu se dérouler le très médiatisé procès de Marc Dutroux et de ses complices. La cour d'assises a siégé dans une salle spécialement aménagée pour la circonstance, dans un palais de justice inauguré 1 an plus tôt.

Adresse utile

🛈 *Maison du tourisme du pays d'Arlon :* rue des Faubourgs, 2. ☎ 063-21-94-54. ● arlon-tourisme.be ● Près de la pl. Léopold. En sem 8h30-17h, le w-e 9h-16h. Plan d'Arlon et petite brochure proposant une promenade en ville.

Où dormir ? Où manger ?

🏠 *Hôtel des Druides :* rue de Neufchâteau, 108. ☎ et fax : 063-22-04-89. ● alaingisquet@gmail.com ● En bordure de la ville, mais comme Arlon n'est pas grand… Compter 34-45 € pour 2 pers, petit déj compris. Parking privé. Café offert sur présentation de ce guide. Hôtel vieillot mais bien tenu, proposant des chambres peu excitantes mais pas chères du tout. Accueil correct. Sanitaires privés ou à l'étage.

▲ *Chambreville :* chemin des Espagnols, 238A. ☎ 063-22-50-83. ● info@chambreville.com ● chambreville.com ● Compter 60 € pour 2 avec petit déj. Dans une maison moderne, 2 chambres plaisantes et impeccables, avec parquet et sanitaires étincelants. Petite cuisine équipée à dispo. Bon rapport qualité-prix. On prend le petit déj (assez complet, avec pâtisserie maison) au rez-de-chaussée ou dans un petit espace à l'étage, comme on le...

▲ ●I● *Hostellerie du Peiffeschof :* chemin du Peiffeschof, 111. ☎ 063-41-00-50. ● info@peiffeschof.be ● peiffeschof.be ● À 2-3 km à l'est du centre. Doubles 112-160 €, petit déj (avec yaourt de ferme et fromage artisanal) compris. Menus 22 € le midi, à partir de 25 € le soir. Wifi gratuit. Un hôtel de charme pas loin de la ville mais déjà dans les champs. Bon accueil et belles chambres, bien finies, dans les tons chauds et équipées, en plus du confort habituel, de lits douillets. Côté cuisine, l'établissement a du répondant, avec son agréable brasserie *Le Zinc* (attention, ouverte seulement en semaine, et réservation souhaitée), qui affiche un 1er menu à prix intéressant. Salon fumoir, terrasse sympa avec tables et chaises en bois. Une bonne adresse pour qui désire se laisser aller à une petite folie.

●I● *Maison Knopes :* Grand-Place, 24. ☎ 063-22-74-07. Tlj sf lun 9h (14h dim)-18h30. Plats 10-14 €. Café offert et réduc de 10 % sur l'addition, sur présentation de ce guide. Fondé en 1936, cet endroit est à la fois une boutique, un salon de thé et un resto. Jolie salle au sol pavé et murs en crépi, ou tables en terrasse pour les beaux jours. On y vient tant pour un petit déj que pour une boisson chaude ou pour grignoter un morceau (attention, pas de restauration le dimanche). Carte d'une grande diversité : *ginger coffee*, *moka de java*, cafés alcoolisés, 25 sortes de thés, crêpes, gaufres, glaces, croques, galettes au sarrasin, salades et autres plats tels que le vol-au-vent maison ou la fondue artisanale.

●I● *Faubourg 101 :* rue du Faubourg... 101. ☎ 063-60-28-33. ● faubourg101@skynet.be ● Fermé sam midi et dim. Lunch env 12 €. À la carte, plats 11-20 €. En bordure du centre. Bel espace sur 2 étages mêlant harmonieusement le rustique et le contemporain. Très souvent bondé, mais l'ambiance n'en est que meilleure ! À la carte, des plats du genre camembert rôti, daurade grillée, onglet à l'échalote, tortellinis à la crème et au jambon et salade du Faubourg (aux lardons, avec un œuf à cheval). Rien à redire, c'est bon, copieux et bien présenté. De plus service sympa et efficace. À fréquenter sans hésitation !

Où boire un verre ?

La spécialité du coin est le *maitrank*, qui existait déjà du temps de Charlemagne. Les moines ajoutaient des plantes ou des fruits dans le vin blanc pour en diminuer l'acidité. La coutume se perd en Luxembourg, sauf à Arlon où familles et estaminets continuent de le fabriquer. Dans le vin, on fait macérer de l'aspérule odorante avec du cognac et du sucre (et parfois une tranche d'orange). C'est en mai qu'on réalise cette opération, d'où le nom !

🍸 *Maison de la Knipchen :* à l'angle de Saint-Donat et de Vierge-Noire. Café sans caractère particulier, mais, aux beaux jours, sa terrasse au pied de l'église invite à boire l'un des meilleurs maitranks de la ville (la sympathique patronne n'a cependant pas voulu nous livrer sa recette). Possibilité de grignoter salade niçoise et spaghettis.

À voir. À faire

🦌 *Le Musée archéologique :* rue des Martyrs, 13. ☎ 063-21-28-49. ● ial.be ● *De mai au 2e dim de sept, mar-sam 9h-18h, dim 13h30-17h30 ; le reste de l'année, mar-sam 9h-16h30. Entrée : 4 € ; réduc. Ticket combiné avec le musée Gaspar.* Riches collections d'antiquités romaines (en particulier de bas-reliefs), témoignage de l'occupation de l'empire dans la région. En voici les pièces les plus significatives : *Officier assistant à un sacrifice,* belle sculpture du Ier s, autel funéraire de Julius Maximinus, stèle au satyre *(Vénus au long drap),* la *Louve androphage* et puis, le must du musée, *Les Voyageurs, Guide du routard* à la main (si, si !). Exemples de poterie sigillée et verres romains (délicats flacons à parfum), lampes à huile, armes et outils en bronze, fibules et autres objets de parure. Moule en plomb de faux-monnayeurs, petits dieux en bronze.
– *Au 1er étage :* époque mérovingienne, matériel funéraire de l'époque franque retrouvé au vieux cimetière, belles boucles de ceinture, bijoux, armes.

🦌 *Le musée Gaspar :* en face du précédent. ☎ 063-60-06-54. *Tlj 9h-12h, 13h30-17h30 ; de mi-avr à mi-sept, dim et j. fériés 13h30-17h30. Fermé lun et pdt les vac de Noël. Entrée : 4 € (voir précédent).* Jean Gaspar était un sculpteur animalier d'Arlon. Quelques-unes de ses œuvres (parfois à contenu politique, comme le « Coq gaulois », perché sur un casque allemand) sont présentées à l'étage, dans deux salles. Au rez-de-chaussée, remarquable retable de l'école anversoise du XVIe s. Le musée organise aussi deux expositions temporaires (liées à l'art et à l'histoire du pays d'Arlon) par an.

🦌 *Le musée du Scoutisme :* rue du Maitrank, 49, à **Bonnert** *(village à quelques km au nord d'Arlon).* ☎ 063-22-15-53. ● museescout.be ● *Ouv aux individuels de mi-juin à mi-sept, sam-dim 14h15-17h. Entrée 2 € ; réduc.* Pour ceux qui ont été scout, ou qui le sont restés, évocation du mouvement depuis sa création à travers toutes sortes d'affiches, d'objets, de mannequins et même, au grenier, de constructions en bois telles qu'on en voit dans les camps scouts.

🦌 *Le parc archéologique :* rue des Thermes-Romains. Au sud de la ville. Vestiges de la plus ancienne église chrétienne de Belgique (IVe s). À côté, restes des thermes romains. Pas très spectaculaire mais intéressera les fans.

🦌 *L'église Saint-Donat :* elle s'élève sur une butte qui fut fortifiée d'après des plans de Vauban. Accès par un escalier bordé d'un calvaire. Église de style hybride. À l'intérieur, dans le chœur, boiseries et portes du XVIIIe s. Maître-autel de style rococo. Chapelle de gauche, vestiges de fresques du XVIIIe s. Autel de la même époque. À côté, *Vierge à l'Enfant* sur un croissant de lune.

Manifestations et marché

– *Marché aux puces :* le 1er dim de chaque mois, sf déc-fév.
– *Carnaval :* le w-e avt la Laetare.
– *Fèves de carême* (Faaschtebounen) : le 1er dim de carême.
– *Fêtes du Maitrank :* la 2de quinzaine de mai. Rens à l'office de tourisme.

LA GAUME

Le point le plus au sud de la Wallonie. Un relief assez différent du reste du pays. Ici, le paysage est tout en douceur, rondeur et volupté. Villages riants aux toits en tuile romaine bénéficiant d'un légendaire microclimat. En quelques dizaines de kilomètres, il peut y faire 2 à 3 °C plus chaud (et même plus, comparé à la Fagne). Chimay, dans le Hainaut, reçoit presque deux fois plus d'eau que Torgny !

Les gens d'ici sont naturellement frondeurs et affichent quelques traits du caractère méridional, dont la jovialité. Alors qu'en Ardenne on parle le wallon, en Gaume, on parle le lorrain. Bref, ça en deviendrait presque exotique !

VIRTON

(6760)　　　　　　　　11 000 hab.

Aimable petite ville bâtie sur un mamelon dominant le Ton. Capitale de la Gaume, dont elle présente la culture et l'histoire dans un remarquable musée.

Adresse utile

🛈 **Maison du tourisme de la Gaume :** rue des Grasses-Oies, 2 B. ☎ 063-57-89-04. ● soleildegaume.com ● Tlj 9h-18h. Donne un livre touristique très complet sur la région.

Où dormir ? Où manger dans le coin ?

⚡ 🍴 **Camping de la Colline de Rabais :** à 3 km de Virton, direction Arlon. ☎ 063-57-11-95. ● info@colline derabais.be ● Ouv tte l'année. Compter 17,50-24 € pour l'emplacement et 2 pers, selon saison. Grand camping bien équipé et en pleine nature. Resto, bar, épicerie, piscine, minigolf, fitness, tennis et location de vélos.

🏠 🍴 **Maison d'hôtes La Bajocienne :** rue de l'Abbé-Dorion, 22, Ruette 6760. ☎ 063-57-00-63. Fax : 063-57-94-67. ● labajocienne.be ● À deux pas de la frontière française. Double avec sdb 50 €, petit déj compris ; moins cher à partir de 2 nuits. CB refusées. Apéro, café et digestif offerts sur présentation de ce guide. Bienvenue dans cette ferme « bio », qui abrite 4 fort jolies chambres très soignées de style romantico-campagnard, avec salle de bains privée nickel. Le pied, quoi ! Espace commun pour les hôtes et salle de jeux pour les enfants. De plus, on peut y manger le soir (sur demande, pour 20 € avec les produits de la ferme.

🏠 🍴 **Château de Latour :** Latour 6761, à 3 km à l'est de Virton. ☎ 063-57-83-52. ● chateaudelatourbernard@skynet. be ● chateaudelatour.be ● Resto fermé dim soir et lun. Congés annuels : 3 sem en janv et fin août. Double 83 €, petit déj non compris. Apéro maison offert sur présentation de ce guide. Un château dont les fondations sont vieilles de 1 000 ans, abandonné à la Révolution française. On raconte encore dans le coin que Marie-Antoinette s'y serait réfugiée avec ses bijoux... L'endroit possède un certain cachet. 14 chambres, dont 7 (celles de la nouvelle aile) bien agréables pour leur mariage de pierre nue, tons chauds et fenêtres à carreaux. Élégant salon avec âtre et restaurant au rez-de-chaussée. Accueil très courtois.

À voir

🎎 **Le Musée gaumais :** rue d'Arlon, 38-40. ☎ 063-57-03-15. ● musees-gaumais. be ● Tlj sf mar (sf juin-août) 9h30-12h, 14h-18h. Fermé déc-fin mars, sf pdt les vac de Noël et de Pâques. Entrée : 3 €.

Riches collections ayant trait à l'histoire et la culture de la Gaume. C'est aussi l'un des plus riches musées de métallurgie ancienne de Belgique. L'expo se tient sur quatre niveaux, dans l'ancienne partie (un couvent du XVIII° s) et dans une aile plus récente.

Ancienne partie

– *Rez-de-chaussée :* pierres tombales et tabernacle en pierre du XVI° s. Cheminées monumentales, vieux poêles, ferronnerie d'art.

– *Caves :* ateliers de vieux métiers, notamment du sabotier, du cordonnier, de l'imprimeur, du bourrelier (qui travailla jusqu'en 1984 !) et du ferblantier. Forges du maréchal-ferrant.

– *Cour :* plaques de cheminées et pierres tombales.

– *1er étage :* cabinet de curiosités, avec un exemplaire original de l'*Encyclopédie* de Diderot et d'Alembert. Cabinet médical aussi, avec le premier transfuseur de sang (1914) connu. Reconstitution de la cuisine avec sa pompe en cuivre. Chambre du XVIII° s avec lit clos.

– *2e étage :* consacré à l'enfance (berceaux, jouets...). On y voit aussi un vieux mécanisme d'horloge, l'un des trois du genre encore en état de marche en Belgique.

Nouvelle aile

– *Rez-de-chaussée :* collections archéologiques. Pierre montrant la moissonneuse de Trévires mentionnée par Pline l'Ancien au Ier s. Bassin en bronze de Sainte-Marie-sur-Semois. Fouilles de la nécropole mérovingienne de Torgny. Colliers de perles en pâte de verre et fibule discoïde en or. Faïences luxembourgeoises. Également une salle dédiée aux hommes illustres de la région, et une section médiévale.

– *1er étage :* beaux-arts d'artistes gaumais, dont Nestor Outer.

– *2e étage :* coutumes et croyances, pratiques religieuses. Ex-voto et pharmacopée. Vierges de pèlerinages et de procession. Croix en faïence du curé Pierre Pierre (1780) et *Assomption* du frère Abraham Gilson (XVIII° s). Orfèvrerie religieuse, crèches populaires, fers à hosties.

Manifestation

– **Foire aux Amoureux :** *le 26 déc.* Grande fête avec DJean d'Mady et Djeanne, les géants de Virton.

TORGNY   (6767)

Le village le plus au sud de la Belgique, dans un environnement bucolique extra. Magie du microclimat, on se retrouve presque dans un bourg provençal. Un peu dommage que le village, à force de vouloir plaire, ait perdu une part de son âme. En attendant, on pourra admirer les demeures de calcaire blond qui prennent des tonalités or et miel au soleil couchant, les toits de tuiles romaines rouges et, sur la place, le lavoir du XIX° s, à la solide charpente de bois. Beaucoup de maisons possèdent des linteaux millésimés. C'est la rivière Chiers qui sert de séparation entre la Belgique et la France. Elle est considérée comme la plus ancienne frontière du royaume de France, fixée en 1659, au traité des Pyrénées.

Torgny possède une tradition viticole. Trois vignobles y sont en exploitation, dont un joliment appelé Clos du Poirier du Loup. On en produit 6 000 bouteilles. Rien d'étonnant finalement, ce sont les Romains qui y importèrent la vigne et elle subsista jusqu'à la fin du XIX° s. Il faut dire que la protection des vents du nord et le sol de calcaire se réchauffant rapidement au soleil sont autant de facteurs favorables.

– Attention, les jours d'affluence, le parking est difficile, il faut se garer à l'entrée du village.

Adresse utile

🛈 **Syndicat d'initiative Le Méridional :** pl. Albert-Paul. ☎ 063-57-83-81. ● torgny.be ● En haut du village, près de l'église, au-dessus de La Grappe d'Or. Tlj sf lun (et dim hors saison) 14h-18h (13h-17h en hiver). Vente de cartes de promenades balisées à faire à pied, à cheval ou à vélo dans la région.

Où dormir ? Où manger ?

Prix modérés

🛏 **Chambres d'hôtes L'Escoffiette :** rue de l'Escoffiette, 7. ☎ 063-57-71-70. ● lescofiette@skynet.be ● Double 60 € (un peu plus pour 1 seule nuit), petit déj compris. Internet. Sur présentation de ce guide, réduc de 10 % en sem sur le prix de la chambre à partir de 2 nuits. Dans une belle demeure du village, ancien pensionnat de jeunes filles, 5 chambres doubles personnalisées, avec équipement complet et du linge très soigné. Accueil particulièrement aimable de Dany, et chaleureux salon équipé d'une cheminée. Petit déj varié avec produits du terroir. Une bien sympathique adresse.

🛏 |●| **Taverne La Romanette :** rue Grande, 3. ☎ 063-57-79-58. ● weicker. jeanmarc@belgacom.net ● Hors saison, fermé mar soir et mer. Chambre double 51 €, petit déj compris. Possibilité de ½ pens. Wifi gratuit. Café offert sur présentation de ce guide. À côté d'un café-resto avec terrasse, 4 chambres d'hôtes bien finies, avec TV et belle salle de bains. Rien à redire pour le prix ! Bon accueil. Soirée barbecue pas chère au resto les mercredis d'été.

De plus chic à très chic

🛏 |●| **L'Empreinte du Temps :** rue de l'Escofiette, 12. ☎ 063-60-81-80. ● in fo@lempreintedutemps.be ● lemprein tedutemps.be ● Fermé du dim soir au mar midi, ainsi que fin janv-début fév et fin août-début sept. Double 95 €, suite 180 €, petit déj inclus. Menu (choix entre plusieurs entrées, plats et desserts, tlj différents) 24 €. Tenu par le même couple de proprios que La Grappe d'Or (voir ci-dessous), mais moins cher que celui-ci. Pourtant, les chambres sont superbes et très chaleureuses ! Toutes personnalisées, avec vieux plancher et murs en crépi ou en pierre de Torgny. Au resto (résa conseillée le week-end !), sis dans une belle cave aménagée au goût du jour, excellente cuisine, du même « tonneau » qu'à La Grappe d'Or mais en un peu moins sophistiqué, vu la différence de prix. N'empêche, c'est l'un des meilleurs endroits où casser la graine de toute la région !

🛏 |●| **La Grappe d'Or :** rue de l'Ermi tage, 18. ☎ 063-57-70-56. ● la.grappe_ dor@skynet.be ● lagrappedor.be ● Dans la rue menant à l'église. Mêmes horaires d'ouverture que L'Empreinte du Temps. Doubles 120-130 €, petit déj (sublime !) compris. Au resto (résa indispensable le w-e), 1er menu 54 € (73 € avec les vins) ; plats 28-34 €. Un établissement de caractère, tenu par un jeune couple accueillant, qui sont aussi les proprios de L'Empreinte du Temps. Si vous y logez, préférez les chambres de l'annexe, superbes. Mais les autres, de style plus ancien, sont progressivement rénovées. Pour manger, on a le choix entre le jardin d'hiver et 2 salles plus intimes. Repas cher mais cuisine de très grande réputation. Quelques plats et desserts (mais ça change tout le temps) : homard rôti en carapace à la vinaigrette de mangue, foie gras poché à l'eau de terre de Gaume, glace au parmesan. Astiquez, mais alors sérieusement, vos papilles !

➤ *DANS LES ENVIRONS DE TORGNY*

🍴 Gentil village de **Montquintin** au sommet d'une colline à 6 km au nord de Torgny. Ruines imposantes du château fort. Petite église romane. Intéressante *ferme-musée* de 1765 *(ouv 14h-18h juil-août)*. Cuisine et chambre reconstituées, et grange pleine d'outils agricoles.

➤ Pour ceux qui ont un peu de temps et qui aiment sortir des sentiers battus, possibilité de rejoindre l'**abbaye d'Orval** par une **route champêtre** : en redescendant vers Virton, prendre la première route à gauche vers Couvreux ; traverser le village puis, de nouveau dans les champs, prendre à gauche le chemin marqué d'un sens interdit, vers le hameau de Thonne-la-Long (France) ; continuer ensuite vers Avioth, puis suivre les indications pour la Belgique et l'abbaye d'Orval. Dépaysement (presque) garanti !

L'ABBAYE D'ORVAL   (6823)

Nichée, comme la plupart des abbayes, dans un site exceptionnel. Elle fut fondée au XIe s et devint rapidement l'une des plus prospères d'Europe. « Orval » viendrait de « Val d'or » (le verlan existait-il déjà dans ces contrées ?) ; d'après une solide légende : la comtesse Mathilde, protectrice de l'abbaye, avait perdu sa bague nuptiale, d'une très grande valeur sentimentale, dans une source. Une truite miraculeuse la lui retrouva. L'histoire de l'abbaye ne fut pas de tout repos. Elle fut détruite plusieurs fois mais se releva toujours : au XIVe s, en 1637, par le maréchal de Châtillon, en 1793 au canon par les troupes du général Loison. En 1926, des moines s'y installèrent et une nouvelle église fut édifiée sur les anciennes caves du XVIIIe s. Et ce n'est pas l'une des moindres originalités que la cohabitation des deux abbayes côte à côte.

Infos utiles

– **Renseignements :** ☎ 061-31-10-60. ● orval.be ●
– **Horaires et tarifs :** *ouv tlj, 9h30-18h30 juin-fin sept ; jusqu'à 18h mars-mai et oct ; 10h30-17h30 nov-fév. Visites guidées (1h) l'ap-m en juil-août et dim en sept. Entrée : 5 € ; réduc.*

La visite

– Toutes les heures, **audiovisuel** retraçant l'histoire de l'abbaye.

🍴 **La fontaine Mathilde :** c'est là que la truite miraculeuse retrouva la fameuse bague en or de la comtesse.

🍴🍴 **Les ruines de l'église abbatiale :** elles n'ont rien perdu de leur grandeur ni de leur émouvante noblesse. Remarquable puissance d'évocation. Nombreux vestiges significatifs, comme la grande rosace du transept gauche, les chapiteaux romans et gothiques. Noter, près du chœur, les piliers plats destinés à recevoir les stalles qui s'y adossaient. À droite, accès au cloître. Belle salle capitulaire.

🍴🍴 **Le musée :** dans les superbes caves du XVIIIe s. Plaques de cheminée aux armes des abbés, vieux pavements, maquettes de l'ancien et du nouveau monastères. Historique des abbayes cisterciennes.

🎥🎥 Ne pas manquer non plus la *vieille pharmacie* en sortant à gauche, puis en droite ligne. Bocaux vénérables, mortiers, petits tiroirs peints, cornues, balance sculptée du XVIIIe s. Expos temporaires.

🛍 Enfin, dans la *boutique,* l'occasion de faire l'emplette de la célèbre bière | d'Orval, du fromage au moins aussi fameux et de délicieux petits biscuits.

> ## ➤ *DANS LES ENVIRONS DE L'ABBAYE D'ORVAL*

🎥 *Le relais romain de Chameleux :* au sud de Florenville. Bien indiqué de la route N 88. Après avoir traversé une belle forêt, on parvient dans une vallée avec de nombreux étangs. Beaucoup de charme, ce qui explique les luxueuses propriétés et résidences secondaires. Relais romain du Ier s, dont on retrouve un certain nombre de vestiges significatifs (entrepôts, puits, etc.). Si le dallage a disparu, en revanche, on distingue encore bien une portion du remblai de la route romaine.

Où manger dans le coin ?

|●| *Le Chameleux :* à côté du relais romain. ☎ 061-31-10-20. *Fermé mar soir et mer, ainsi que de fin août à mi-sept. Plats 9-12 €. Café offert sur présentation de ce guide.* On aime beaucoup cette petite auberge de campagne | avec une terrasse reposante face à la vallée. Patron très sympa. Cuisine simple, goûteuse, copieuse et à petits prix. Truite meunière, omelette aux pommes de terre et lard, crêpes et quelques plats en plus l'hiver.

LA VALLÉE DE LA SEMOIS

LA HAUTE SEMOIS

Adresse utile

🛈 *Maison du tourisme du pays de la Semois entre Ardenne et Gaume :* pl. Albert-Ier, Florenville 6820. ☎ 061-31-12-29. ● semois-tourisme.be ● *Pdt vac* | *scol, tlj 9h-19h (18h vac de Noël et Toussaint) ; le reste de l'année, lun-sam 9h-18h, dim 10h-16h.*

À voir

🎥 *Chiny-sur-Semois :* à 4 km du gros bourg commercial de Florenville. Un des plus beaux villages de Wallonie, au bord d'une Semois encore bien paresseuse. Vieilles demeures du XVIIIe s, vestiges de remparts, harmonie architecturale et promenades écologiques au départ du *moulin Cambier.* Canoës et kayaks sur la rivière à la belle saison et promenade en barque en direction de Lacuisine. Étonnantes ruines d'un pont détruit en 1940.

🎥🎥 *Chassepierre :* également l'un des plus beaux villages du coin. Voir les vieilles demeures et l'église se mirant dans l'eau le soir, au soleil couchant. Le week-end qui suit le 15 août, festival des Artistes et théâtre de rue.

BOUILLON

(6830)   5 450 hab.

Ici, la Semois forme une large boucle. À l'endroit le plus étroit de celle-ci, sur une arête, s'étire l'une des plus impressionnantes forteresses d'Europe (et la plus grande de Belgique). Bouillon, petite capitale d'un duché, dont le dernier héritier était un prénommé... Godefroy. Avant de partir prendre Jérusalem avec le succès que l'on sait, il vendit en 1096 son château aux princes-évêques de Liège. Les proprios suivants seront successivement les princes de La Marck, puis à nouveau les princes-évêques. En 1676, Louis XIV l'accorde à la famille de La Tour d'Auvergne. En 1795, le duché est intégré au nouveau département des Forêts, et en 1830, à la Belgique définitivement.

Aujourd'hui, Bouillon se révèle l'une des destinations les plus touristiques de Wallonie. Beaucoup de monde en été et le week-end. Depuis quelques années, les croisés sont revenus en camping-car. Hôtels en nombre, ça va de soi.

Adresses utiles

🏠 *Maison du tourisme du pays de Bouillon :* quai des Saulx, 12. ☎ 061-46-52-11. ● bouillon-tourisme.be ● Juil-août, tlj 9h-18h30 ; le reste de l'année, tlj 10h-18h (17h dim). Vente des cartes de promenades balisées à faire dans la région (pas moins de 99 !).

🏠 *Syndicat d'initiative :* au guichet du château. Mêmes horaires d'ouverture que ce dernier.

Où dormir ?

De bon marché à prix moyens

🏕 *Camping Au Moulin de la Falize :* Vieille-Route-de-France, 62. ☎ 061-46-62-00. ● moulindelafalize@swing.be ● Sur les hauteurs de la ville. Du centre de Bouillon, prendre à gauche avt le tunnel qui mène au château et faire 1 km. Fermé en janv. Compter 16 € pour l'emplacement et 2 pers. Entouré de bois. Tennis et centre de loisirs avec jeu de quilles, billard et, en juillet-août, une piscine. Accueille pas mal de caravanes.

🏠 *Auberge de jeunesse :* route du Christ, 16. ☎ 061-46-81-37. ● bouillon@laj.be ● laj.be ● Sur les hauteurs de Bouillon également. Nuitée à partir de 15,40 € (17,50 € pour les plus de 26 ans), petit déj et draps compris. Wifi et Internet gratuits. Apéro maison offert sur présentation de ce guide. Propose 134 lits en chambres de 4 à 10 lits. Véranda, ping-pong, cuisine, machine à laver et jeux de société. Possibilité, souvent, d'y manger un plat du jour bon marché. Surtout, l'AJ offre une superbe vue sur la ville et sur le château, en particulier la nuit. Également des gîtes pour 8 et 20 personnes, tout équipés.

🏠 *Hôtel Relais Godefroy :* quai de la Tannerie, 5. ☎ 061-46-42-04. ● relaisgodefroy@skynet.be ● relaisgodefroy.be ● Au bord de la Semois. Fermé de janv à mi-fév et 1re sem de juil. Compter 50-70 € pour 2 pers, petit déj compris. Également des chambres familiales et 1 dortoir pour les groupes. Internet payant. Avr-juin, réduc de 10 % accordée sur le prix de la chambre, sur présentation de ce guide. Hôtel moderne et fonctionnel, s'apparentant un peu à un centre d'hébergement. Chambres avec ou sans vue sur la Semois, équipées ou non de salle de bains, mais toutes très bien tenues. Les plus chères bénéficient même d'un réel effort de déco. Idéal pour les sportifs qui viennent s'exercer dans la région, d'autant plus que l'établissement organise aussi des week-ends d'entraînement VTT tout compris (logement, repas, matériel) à prix forfaitaires.

🏠 *Chambres d'hôtes Belle Vue :* rue Au-Dessus-de-la-Ville, 4. ☎ 061-32-17-71. ● chambre.bellevue@skynet.

be • belle-vue.info • *Fermé en janv. Doubles avec sdb 50-55 €, petit déj compris ; tarif dégressif dès la 2e nuit.* À deux pas du centre, sur les hauteurs. Vous y trouverez 5 chambres convena-bles (garnies de photos du vieux Bouillon), dont 2 avec très belle vue sur le château. Le petit déj, composé de pâtisseries maison, se prend au salon, là encore face au château.

Plus chic

🛏 *Hôtel de la Poste : pl. Saint-Arnould, 1.* ☎ *061-46-51-51.* • *info@hotelposte.be* • *hotelposte.be* • *Dans le centre. Doubles 90-98 € selon saison, petit déj compris.* Bâtiment blanc datant du XVIIIe s, avec tourelles d'angle. L'intérieur est resté à peu près comme avant, avec ses boiseries, son marbre rose, ses salons d'époque... Pas mal de charme en fait, y compris dans les chambres, arrangées à l'ancienne, avec parquet qui craque et, pour certaines, un petit coin salon meublé de fauteuils donnant sur la rivière... Très bonne tenue générale. Petit déj varié pris dans la grande salle cossue du rez-de-chaussée, là même où l'on peut man-ger, et fort bien, à midi ou le soir (voir « Où manger ? »).

🛏 *La Ferronnière : voie Jocquée, 44.* ☎ *061-23-07-50.* • *info@laferronniere.be* • *laferronniere.be* • *Fermé lun et mar midi, ainsi que 2 sem en janv et de fin juin à mi-juil. Doubles 90-120 €, petit déj compris.* Près du centre mais déjà en hauteur, cette grosse bâtisse abrite, outre un resto de haute tenue (voir plus loin « Où manger ? »), une demi-douzaine de chambres de bon aloi, avec sanitaires nickel et excellente literie. Les prix varient selon la taille et l'orientation (certaines donnent sur le château). Petit déj remarquable.

Où manger ?

Certes, les restos ne manquent pas à Bouillon, de là à y faire bonne chère... En voici toutefois quelques-uns qui méritent une attention particulière.

Prix modérés

🍴 *Taverne de l'Archéoscope : quai des Saulx, 10.* ☎ *061-61-42-61. Tlj sf lun à partir de 10h. Plat max 13 € ; menus à partir de 18 €.* Attenant à l'archéoscope, la salle principale est assez insipide mais il y a quelques tables aussi dans la cour, ainsi qu'un coin « à dîner » niché dans une petite cave voûtée tout en pierre, nettement plus agréable. L'avantage ici, c'est que les prix sont fort raisonnables et que la cuisine, pour autant, n'est pas négligée. De plus, un peu de tout à la carte : sandwichs, croques, omelettes, spaghettis, salades ou, plus costaud, des plats genre pavé de bœuf aux pleurotes, truite ardennaise et jambonneau à la godefroy. À notre avis la meilleure adresse de Bouillon dans cette catégorie !

Plus chic

Désolé mais, à Bouillon, on tombe très vite dans cette catégorie !

🍴 *Le restaurant de l'hôtel Panorama : rue Au-Dessus-de-la-Ville, 25.* ☎ *061-46-61-38.* • *info@panoramahotel.be* • *Fermé mer-jeu hors saison. Plats 19-23 € ; menus 30-42 €.* Tenu par la même famille depuis 3 générations. Sur les hauteurs de la ville, on s'installe dans une salle assez classe, au fond musical discret, avec lustre en fer forgé et vue sur le château. L'un des restos les plus recommandables de Bouillon. Difficile de citer des plats, la carte change tous les jours.

🍴 *Le restaurant de l'hôtel de la*

Poste : *voir plus haut la rubrique « Où dormir ? ». Plats ou entrées 16-29 € ; 1er menu 39 €.* Outre un hôtel assez charmant, c'est aussi un resto gastro, à prix plutôt élevés. On y mange cependant très bien, en terrasse aux beaux jours ou dans la grande salle cossue du rez-de-chaussée, face à la Semois. Service très sympa.

La Ferronnière : *voir plus haut la rubrique « Où dormir ? ». Lunch 28 € ; menus 35-58 €. Apéro offert sur présentation de ce guide.* Cuisine française élaborée et très réputée sur la place. Agréable salle aux tentures, nappes et revêtements de chaises assortis. En été, service au jardin. Nos lecteurs moins nantis se rabattront plutôt sur *La Taverne de l'Archéoscope...*

Où boire un verre le soir ?

The Saloon : *Vieille-Route-de-France, 62. 0495-54-17-30. Sur les hauteurs de Bouillon, attenant au camping* Au Moulin de la Falize *(voir plus haut). Juil-août, tlj dès 20h ; le reste de l'année, fermé lun-mer.* Peu d'endroits un peu animés après 21h dans cette ville. Alors pourquoi pas un petit parfum de western avec cette espèce de saloon tout en bois, qui propose une soirée dansante le samedi. Les autres soirs, ambiance musicale, mais on ne danse pas particulièrement. Parfois un concert ou une soirée à thème.

À voir

Le château : *☎ 061-46-62-57. Juil-août, tlj 10h-18h30 (22h mer et ven-dim) ; avr-juin et sept, tlj 10h-18h (18h30 w-e) ; mars et oct-nov, tlj 10h-17h ; déc-fév 13h (10h w-e et pdt vac de Noël et de Carnaval)-17h. Derniers billets vendus 45 mn avt la fermeture. Entrée : 5,90 € ; réduc. Visite nocturne à la torche, en juil-août, moyennant un petit supplément (pour la torche...). Possibilité de billet combiné avec les musées.* Long de 340 m, large de 40 m, le château aurait été construit au VIIIe s sur ordre de Charles Martel. Il fut considérablement remanié au XVIe s puis sous Vauban. C'est donc un condensé de l'art de la défense à travers les siècles, auquel ne manque que le donjon médiéval détruit par les Hollandais en 1824. De la cour d'honneur, parcours fléché qui vous réserve quelques surprises pittoresques : oubliettes, salle de torture, escaliers taillés dans le roc, greniers souterrains et autres passages secrets. Du haut de la tour d'Autriche, terminée en 1551, charmant point de vue sur l'ensemble du château, la ville et les caprices nonchalants de la Semois. Nouvelle expo aussi (intitulée *scriptora*) sur l'écriture et son enseignement au cours des siècles, à laquelle on accède par la salle *Godefroy.* Enfin, spectacle décoiffant de fauconnerie dans la cour d'honneur (installez-vous à l'arrière des gradins !), de trois à quatre fois par jour entre Pâques et début novembre.

Le Musée ducal : *rue du Petit, 1-3. ☎ 061-46-41-89. De Pâques à mi-nov : tlj 10h-18h jusqu'à fin sept, jusqu'à 17h le reste de la saison. Entrée : 4 € ; réduc.* Installé dans une grosse demeure du XVIIIe s, ancien palais du gouvernement. Histoire et folklore, reconstitution d'un logis ardennais (cuisine, salle à manger). Atelier de tisserand. Souvenirs de l'époque où les écrivains brimés politiquement en France se faisaient imprimer ou écrivaient des articles ailleurs, notamment à Bouillon. Voltaire, Buffon, d'Alembert, Chamfort, l'abbé Prévost, Mirabeau, Diderot participèrent à ce premier « Bouillon de culture » ! Salle historique consacrée à Godefroy de Bouillon et aux croisades. Grande maquette du château au XIIe s.

L'archéoscope Godefroy-de-Bouillon : *quai des Saulx, 14. ☎ 061-46-83-03. Ouv 10h-18h juil-août, jusqu'à 17h mai-juin et sept, et 16h le reste de l'année. Fermé lun oct-fin fév, le mat en sem déc et fév, et tt le mois de janv. Entrée : 6,25 € ; réduc.* Attraction de prestige de la ville de Bouillon. Installé dans une ancienne ferronnerie – elle-même ancien couvent –, complètement rénovée des combles au sous-sol avec un savoir-faire remarquable. La preuve vivante que l'on peut faire du beau avec du vieux. Attraction avant tout destinée à drainer les foules, l'archéoscope se veut un regard sur le passé prestigieux, ou prétendu tel (tous les historiens ne sont pas d'accord), du duché de Bouillon. Place, donc, à la légende dorée du héros des lieux : le preux Godefroy, seigneur de Bouillon sacré roi de Jérusalem à l'issue de la première croisade. Un spectacle multimédia nous fait le récit (très romancé) du pieux duc en route pour la Terre sainte et son glorieux destin. Sons et lumières spectaculaires. L'histoire reprend

RÉCUPÉRATION HISTORICO-POLITIQUE

En 1830, la Belgique se cherchait des racines historiques solides et fut saisie par le besoin d'exalter « ses » gloires du passé. Les historiens s'approprient Godefroy (né à Boulogne-sur-Mer !) et ils vont glorifier ce supposé ancêtre né aux confins des mondes latin et germanique. Godefroy devient l'idéal du Belge pieux et brave. Considéré comme un modèle « bilingue » pour la Belgique unitaire, il est même récupéré par le rexisme qui fait un parallèle entre Godefroy et le fasciste Léon Degrelle, lui aussi originaire de Bouillon : dans un amalgame entre croisés et SS.

ses droits avec une section où les croisades sont évoquées par Bichara Kader, professeur palestinien de l'Université libre de Bruxelles. À l'étage, expo sur l'histoire de la défense militaire du territoire de Bouillon à travers les siècles, avec un comparatif des différentes forteresses du coin. Du multimédia encore, avec une immense carte au sol et des vidéos. Plus loin, hologramme du *Journal encyclopédique* qu'on verra au Musée ducal. Le parcours s'achève avec les cellules reconstituées des religieuses qui habitaient ces murs avant la Révolution.

🚶 **La ferme des Fées** : Mont-de-Zatrou, 1, Les Hayons. ☎ 061-46-89-17. À env 8 km à l'est de Bouillon. Ouv 10h-12h30, 13h30-18h. Fermé mar en juil-août, mar-mer le reste de l'année. Ce lieu, c'est la création de Marie-Laure et Michel, qui ont tout lâché pour venir faire des bonshommes en pâte à modeler dans ce petit village. Réalisés à l'échelle un quart, ils figurent les Ardennais d'il y a 100 ans dans leurs activités quotidiennes, mais aussi les fées et sorcières qui peuplaient, sinon la région, en tout cas l'imagination de ses habitants. On est reçu par le couple, qui expose et vend sur les lieux leurs drôles de petits personnages.
– En partant, ne manquez surtout pas de faire un saut jusqu'au *point de vue du Mont-de-Zatrou,* situé à 500 m de là.

Achats

⊕ **Le Marché de Nathalie** : *Grand-Rue, 22.* Une boutique où l'on trouve 300 sortes de bières belges (la plupart artisanales) : Vieille Brune et Petrus, Cochonnette, Quintine, Lupulus et, bien sûr, leurs bières à eux (brassées à deux pas), que sont la Médiévale, la Cuvée de Bouillon, la Blanche de Bouillon, la Bouillonnaise, la Vauban et la Noirefontaine. Également, pour les amateurs, de la gelée et du saucisson à la bière.

➤ DANS LES ENVIRONS DE BOUILLON : LA BASSE SEMOIS

CORBION

Village ardennais typique à l'ouest de Bouillon, à 400 m d'altitude, au cœur des forêts, fier d'un enfant du pays, né en 1520 : Sébastien de Corbion, dit Sébastien « Pistolet », inventeur de l'arme à feu et non du petit pain rond vendu dans les boulangeries belges.

Avec **70 km de sentiers balisés,** Corbion, sur le parcours du GR 14 Ardenne-Eifel, est également une base de départ pour les marcheurs ; alors astiquez vos bottines et préparez vos mollets : huit magnifiques points de vue sur la vallée de la Semois vous attendent. Itinéraires de randonnées à l'*Hôtel des Ardennes*. Si vous êtes fumeur, vous pouvez bien sûr faire les promenades (c'est même recommandé !) mais vous pourrez aussi faire halte au petit **musée du Tabac** (pas mal de plantations dans la région), dont le proprio confectionne des « bouchons de tabac », à fumer dans une pipe.

Où dormir ? Où manger ?

Prix moyens

📧 |●| **Auberge Le Relais :** *rue des Abattis, 5, 6838.* ☎ *061-46-66-13.* ● *in fo@hotellerelais.be* ● *hotellerelais.be* ● *Près de l'église. Résa souhaitée. Double 50 € ; petit déj-buffet 12 €. Plat du jour 9 € ; 1ᵉʳ menu 20 €. Possibilité de ½ pens. Formules w-e et sem. Café ardennais offert si 2 nuits min sur présentation de ce guide.* Ambiance familiale comme chez papa et maman. 11 chambres avec salle de bains. Salon et resto au cadre rustique ardennais, agrémentés l'un et l'autre d'un feu de cheminée. Au resto, spécialités de lapin à la bière de Godefroy et de poulet farci aux pruneaux à la sauce *maitrank*. À toute heure, tartines de jambon fumé, glaces, pâtisseries. Bon camp de base pour des randonnées en forêt, d'autant que la patronne est très accueillante. Loue aussi un gîte avec cheminée.

Plus chic

📧 |●| **Hôtel des Ardennes :** *rue de la Hate, 1, 6838.* ☎ *061-25-01-00.* ● *con tact@hoteldesardennes.be* ● *hoteldesar dennes.be* ● *Fermé de janv à mi-mars. Doubles 75-120 €, petit déj-buffet compris. 1ᵉʳ menu 25 €, plats 15-25 €. Wifi payant, Internet gratuit. Sur présentation de ce guide, en cas de résa, 10 % de remise sur le prix de la chambre, hors w-e et j. fériés, et apéro maison offert.* Hôtel de bonne réputation dans ce village tranquille, tenu par la même famille depuis plus de 100 ans. Chambres confortables. Un conseil : choisissez les plus petites, moins chères et pas très différentes. Ambiance feutrée, salle à manger cossue et clientèle assez chicos. Excellente cuisine : truite au bleu, papillotes de homard et Saint-Jacques, poêlée de foie d'oie aux crosnes (légume croquant du Japon) et fèves des marais, selle d'agneau au romarin... Billard, ping-pong et joli jardin avec jeux pour les enfants.

ROCHEHAUT

Fort jolie route par Corbion et Poupehan. Village haut perché (d'où le nom !) offrant un panorama remarquable sur le méandre de la Semois, qui abrite le petit village de Frahan. Un chemin de 1,5 km y conduit (mais par la route, compter huit bornes !).

Où dormir ? Où manger ?

📧 **Les 3 Mousquetaires :** *rue de la Cense, 37.* ☎ *061-46-69-70.* ● *info@ar dennechalet.com* ● *ardennechalet. com* ● *Env 60 € (55 € à partir de 2 nuits) pour 2, avec le petit déj.* L'un des premiers *B & B* de Belgique, puisqu'il existe depuis... 1974 ! Il est tenu par Sylvie et son époux, qui vous donneront de bonnes infos sur la région et tout ce qu'on peut y faire. 4 chambres toutes différentes mais toutes avec TV, salle de bains, petit coin salon et peintures sur les murs. Petit déjeuner varié, composé de yaourt, fromage et charcuterie. Un bon rapport qualité-prix.

🏠 *L'Auberge de la Ferme :* *rue de la Cense, 12.* ☎ *061-46-10-00.* ● *auberge delaferme.com* ● *Doubles 100-280 €, avec le petit déj.* Au cœur du village, immanquable, car *L'Auberge de la Ferme,* c'est en fait aussi *l'Auberge de la Fermette, l'Auberg'Inn, l'Auberge du Palis* et la *P'tite Auberge,* en tout 4 beaux bâtiments en pierre de pays regroupant 70 chambres. Celles-ci sont toutes bien conçues et confortables, mais plus on aura le confort croît bien sûr : de la « petite chambre » avec sanitaires et TV à la suite avec vaste salon, baie vitrée munies de tentures électriques et salle de bains immense équipée de baignoire-Jacuzzi et douche à multijets... Faites votre choix ! Le proprio, c'est Michel Boreux (et sa famille), un personnage controversé dans le coin pour les ambitions déme-

surées que certains lui prêtent (en plus de l'hôtel et de ses 2 restos, il possède une boutique de produits du terroir, un musée et un parc animalier – voir plus loin – de 40 ha !) mais qui a le sens de l'accueil et qui, indéniablement, fait bien les choses.

🍽 *La Taverne de la Fermette :* *dans la rue principale, à côté de* L'Auberge de la Ferme *(mêmes coordonnées que celle-ci). Tlj 12h-22h. Plats 12-19 €.* C'est l'un des deux restos de *L'Auberge de la Ferme* (l'autre, gastro, est plus cher !). Très bonne cuisine à prix tout à fait raisonnables et grosses portions dans les assiettes (on vous défie de finir la tartiflette !). La viande vient en droite ligne de l'élevage familial. De plus, le cadre (tables et chaises en bois et murs de pierre) est soigné et chaleureux. Toujours du monde, accueil extra, bref, un sans-faute et, à notre humble avis, l'une des meilleures adresses du coin.

Où dormir ? Où manger dans les environs ?

🏠 🍽 *Hôtel-restaurant Beau Séjour :* *rue du Tabac, 7, Frahan 6830.* ☎ *061-46-65-21.* ● *info@hotel-beausejour.be* ● *hotel-beausejour.be* ● *Ouv tlj de mi-mars à mi-nov, slt le w-e le reste de l'année. Fermé en janv et de mi-juin à début juil. Doubles 80-90 €, petit déj compris. Au resto, 1er menu 22 €. Sur présentation de ce guide, apéro offert ; et pour ceux qui choisissent la formule ½ pens en sem, la 4e nuit est offerte.* Grosse bâtisse à colombages en

contrebas de Rochehaut (situé à 9 km par la route), au bord du méandre de la Semois. Chambres convenables, un peu vieillottes pour certaines mais l'ensemble est bien tenu. Préférez celles qui donnent sur la rivière. Bonne cuisine au resto. Spécialités de truite aux amandes, ris de veau à l'ardennaise, magret de canard au sirop de Liège... Jardin. Point de départ pour des balades dans les environs.

À voir

🦌 *Le parc animalier « entre Ferme & Forêt » :* *départs pour la visite en face de* La Taverne de la Fermette, *tlj à 10h, 11h10, 14h, 15h15, 16h30 et 17h30 (à vérifier quand même). Billet : 9 € ; réduc. Ticket combiné avec l'*Agrimusée *: 16 €.* On vous le disait, Michel Boreux voit les choses en grand : il a créé, en bordure du village, sur une pente douce donnant sur un beau vallon, un parc animalier de 40 ha regroupant une quarantaine d'espèces de nos régions, ou plus exotiques : ânes, chèvres, sangliers, cerfs blancs, moutons roux d'Ardenne mais aussi bisons, aurochs, bouquetins, lamas, autruches, émeus (autruches d'Australie), walabys (petits kangourous), ainsi que certains des animaux... consommés aux restos de *L'Auberge de la Ferme* (les vaches « limousines », entre autres). C'est joli, et les bêtes sont loin d'être confinées, mais la balade en petit train peut se révéler lourdement touristique... En revanche, on peut le découvrir seul et à pied si on loge à l'hôtel.

BOTASSART

On aime bien ce village menant peut-être au plus beau méandre, le ***tombeau du Géant.*** On reste saisi par la grandeur, l'harmonie du paysage. À contempler en amoureux. On retrouve ses émois d'ado.

ALLE-SUR-SEMOIS

Sans bien s'en rendre compte, on est passé dans la province de Namur. Centre ardoisier et village très touristique de la basse Semois. Les campings se succèdent le long de la rivière et, désolé pour les heureux propriétaires de caravanes, cela gâche vraiment le paysage. Le centre du village, qui vient d'être restauré, est toutefois bien joli avec ses maisons en pierre de schiste autour de l'église au clocher bulbeux.

À voir. À faire

🗡 ***Ardois'Alle :*** *rue de Reposseau, 12.* ☎ *0497-45-43-74.* ● *ardoisalle.be* ● *Pdt les vac de Pâques, d'été et de la Toussaint, tlj sf lun 10h-17h ; le reste de la saison, ouv slt le w-e (aux mêmes heures). Fermé début nov-fin mars. Entrée : 5 € ; réduc.* Plongée dans le sous-sol schisteux (attention, température d'environ 10 °C !) pour découvrir l'industrie ardoisière à présent disparue. Magie des profondeurs, couloirs angoissants et salles baignées par la nappe aquifère. Vidéo et petit musée pour en savoir plus. Compter environ 1h en tout.

➤ Plusieurs activités sportives sont possibles au départ de Alle, à commencer par la ***descente de la Semois en kayak*** *(compter 2 à 6h, selon le lieu d'embarquement et min 16 €/pers).* Également du ***VTT*** (huit circuits balisés dans le coin). Infos au centre *Récréale* (☎ *061-50-13-43),* où se trouvent aussi un bowling et un minigolf.

VRESSE-SUR-SEMOIS

Frère jumeau du précédent, Vresse est aussi un village apprécié des peintres (plusieurs lieux d'expos) et la petite capitale du tabac de la Semois. On y trouve un pont à trois arches, dont la dernière construction remonte à 1774.
À 2 km de là, le croquignolet petit village de ***Laforêt,*** considéré comme un des plus beaux de Belgique, est un havre de quiétude.

Adresse utile

🛈 ***Maison du tourisme de l'Ardenne namuroise :*** *centre touristique et culturel, rue Albert-Raty, 83.* ☎ *061-29-28-27.* ● *ardenne-namuroise.be* ● *Juil-août, tlj 9h-19h ; le reste de l'année, horaires restreints.* Toute la doc sur la région et, en prime, une galerie de peinture à l'étage.

Où dormir ? Où manger dans le coin ?

🏠 |●| ***Maison d'hôtes Les Alisiers :*** *rue du Coin, 17, Membre 5550 (village à 3 km de Vresse-sur-Semois).* ☎ *061-50-00-01.* ● *alisiers@swing.be* ● *http://users. swing.be/les-alisiers/* ● *Double 72 € (80 € si une seule nuit), petit déj inclus.* Table d'hôtes 35 €, apéro, vin et café compris. Une bonne adresse si vous cherchez à vous poser, même une nuit, dans la région. 3 chambres coquettes et très bien tenues, avec mobilier en bois et murs de pierre apparente. Demandez la

« Simone » (là même où la proprio est née !), avec mezzanine et grosses poutres au plafond. Petit déj (confitures maison, croissants, œufs de ferme) pris dans un beau salon avec piano. La maison est fière aussi de sa table d'hôtes, concoctée par le proprio, qui était restaurateur à Namur.

LA PROVINCE DE NAMUR

> « Les bords de la Meuse sont beaux et jolis.
> Il est étrange qu'on en parle si peu ! »
>
> Victor Hugo (1838).

Comme il avait raison, le père Hugo. Et c'est toujours aussi vrai. Les habitants de la *Belle Province* belge pèchent par excès de modestie et auraient intérêt à mieux faire connaître leurs trésors. Encore une province bien verte, profondément entaillée par la Meuse qui livre là, de Namur à la frontière française, une délicieuse balade bucolique. L'eau est bien présente. Surtout en profondeur, où elle a taraudé la roche et produit parmi les plus belles grottes du pays. Les sportifs seront à la noce : il faut voir les grimpeurs faire la queue, le dimanche, au pied des falaises de Freÿr. Et son lot de châteaux, manoirs, remarquables musées, églises et abbayes. Et le meilleur tout de suite... Namur, l'autre capitale de la Belgique !

NAMUR
(5000)   108 000 hab.

Autant Liège étourdit par son rythme effréné, autant Namur apaise par son côté gentiment provincial. Et puis, ici, point de voies à grande vitesse ou trop de ponts à franchir pour découvrir de nouveaux quartiers. Au pied de son rocher, tout est à portée de lance-pierre, circonscrit à un beau centre historique, en grande partie préservé. Et pourtant, sa position stratégique entre Sambre et Meuse lui valut bien des sièges au long des siècles. Les promoteurs immobiliers ont aussi durement attaqué dans les années 1970-1980. À ce dernier siège cependant, les Namurois ont bien riposté. Aujourd'hui, Namur est la capitale administrative de la Région wallonne et le siège du Parlement wallon s'est installé au pied de la citadelle, dans l'ancien hôtel *Saint-Gilles*.
Namur jette sa réputation de ville « sage » aux orties lors des fêtes de Wallonie, le troisième week-end de septembre. La ville est alors prise de frénésie : de la musique à tous les coins de rue et le *peket* qui coule à flots. À ne pas manquer.

UN PEU D'HISTOIRE

Schéma classique ! Forteresse gauloise, occupation romaine par César qui avait immédiatement compris l'intérêt du site. Sous Charlemagne, déjà une petite ville. Raids classiques, ici encore, des Vikings et autres Normands avant que la situation se stabilise. Au Xe s, installation du premier comte de Namur. Le dernier, ruiné, vend sa ville en 1421 à *Philippe le Bon*, duc de Bourgogne. Dès lors, Namur ne cessera, pendant cinq siècles, d'être convoitée et assiégée. À tel point que les maisons possédaient des greniers carrelés pour éviter que les boulets chauffés à blanc n'y mettent le feu. Non, on ne va pas vous faire la liste des sièges, mais voici quand même quelques temps forts : après la séquence bourguignonne vint l'occupation espagnole. Au XVIIe s, *Louis XIV* s'intéresse à son tour à cette position stratégique.

Après l'avoir conquise en 1692, il la perd en 1695, au profit de *Guillaume d'Orange.* Puis, en 1701, retour de la France et, en 1715, de la Hollande. En 1746, *Louis XV* remet le couvert, mais la ville est reprise par l'Autriche qui se hâte de démolir les remparts. En 1792, les armées de la Révolution française s'en emparent et en font la préfecture de Sambre-et-Meuse jusqu'en 1814.

Au XIXᵉ s, cachée par son rocher, Namur est oubliée par la révolution industrielle. Tant mieux ! En outre au XXᵉ s, les deux guerres mondiales furent moins meurtrières pour l'architecture de la ville que dans nombre d'autres cités belges. Une anecdote importante : la résistance de Namur en 1914 donna le temps à *Joffre* d'élaborer sa tactique pour remporter la bataille de la Marne.

Adresses utiles

🏠 *Maison du tourisme du pays de Namur* (plan C1) : sq. Léopold. ☎ 081-24-64-49. • namurtourisme.be • Tlj 9h30-18h. Demandez le dépliant gratuit avec les différents circuits pédestres permettant de découvrir la citadelle (il s'intitule *À l'assaut de la citadelle !*), ainsi que la brochure *Namur balise son histoire*, qui donne un mot d'explication sur les monuments de la ville. Également, pour 3 €, le livret *Ville en poche*, plus détaillé. Enfin, l'office de tourisme organise tous les matins en juillet-août (et le lundi après-midi en avril, mai, juin et septembre) des visites guidées du centre.

– Autre centre d'infos pl. du Grognon (plan C2), ouv début avr-fin oct.

🏠 *Fédération du tourisme de la province de Namur* (plan A2) : av. Reine-Astrid, 22. ☎ 081-74-99-00. • ftpn.be • Ouv tte l'année, lun-ven 9h-12h, 13h-16h30. Pas vraiment réservé au public

mais, si vous avez des questions sur la province, vous pouvez leur téléphoner, consulter leur site ou même vous y rendre. À noter que leur brochure est disponible à la maison du tourisme.

✉ *Grande poste* (plan B1) : bd E.-Melot. À côté de la gare. Également un bureau rue de la Monnaie, 1 (plan C2).

@ *Internet : Net Computer* (plan B1, 1), à l'angle des rues Godefroid et Saint-Jacques. Tlj 9h-23h30.

🚂 *Gare* (plan B1) : à 500 m au nord du centre piéton. ☎ 081-25-22-22. Liaison *Thalys* de Paris le soir en 2h23 et vers Paris (le matin très tôt) en 2h24.

■ *Infos bus locaux : TEC,* ☎ 081-25-35-55.

■ *Location de vélos : Maison des cyclistes,* pl. de la Station, 2 B (entre la Maison du tourisme et la gare). ☎ 081-81-38-48. • namur@maisonsdescyclistes.be • *Horaires incertains, téléphoner avt de se déplacer.*

Où dormir à Namur et dans les environs ?

Camping

⛺ *Camping Les Trieux* : rue des Tris, 99, Malonne 5020. ☎ 081-44-55-83. • camping.les.trieux@skynet.be • campinglestrieux.be • À quelques km à l'ouest de Namur, au bord de la forêt domaniale. Si vous n'êtes pas motorisé, ils peuvent venir vous chercher à la gare. Ouv de mi-mars à début nov. Compter

13 € pour 2 pers avec la tente et la voiture. Café offert sur présentation de ce guide. Plutôt bien situé, sur une pente douce bordée d'un pré et de sapins. Pain le matin. Ping-pong, location de vélos et quelques ânes aussi pour distraire les mômes.

Très bon marché

🏠 *Auberge de jeunesse Félicien-Rops* (hors plan par B3, 12) : av. Féli-

cien-Rops, 8. ☎ 081-22-36-88. • namur@laj.be • laj.be • À moins de 3 km du centre-ville, en direction de Wépion-Dinant. Dans le quartier La Plante. De la gare, bus n° 3 (arrêt devant l'AJ) et n° 4 (arrêt Les Marronniers). Fermé 3e sem de nov. Nuitée 15,40-33 €, petit déj compris. Internet gratuit. Café offert sur présentation de ce guide. Agréablement situé en bord de Meuse, dans une ancienne maison de maître. Propose 100 lits en chambres de 4, 5 et 6 lits (plus 2 doubles), avec ou sans sanitaires privés. Bonne atmosphère et bon équipement : coin TV, petite bibliothèque, laverie, cuisine aménagée, bar et jardin. Terrain de volley aussi et location de vélos ou VTT.

De prix modérés à prix moyens

🛏 *La Maison Couleurs, Nature :* rue du Try, 13, Thon-Samson 5300. ☎ 081-21-06-38. • manuelle.biernaux@yahoo.fr • thon-samson.be • En venant de Namur par la N 90, entrer dans le village de Maizeret puis prendre la 2e route sur la gauche, qui monte ; c'est tt en haut. Compter 60 € pour 2 pers, petit déj compris. Table d'hôtes le soir, sur demande, 25 €. À un peu plus de 10 km à l'est de Namur, dans l'environnement champêtre et joliment préservé du village de Thon (classé parmi les plus beaux villages de Wallonie). Une adresse de charme en pleine nature, pourtant à 15 mn à peine en voiture du centre de Namur. Ancienne ferme reconvertie en relais équestre proposant un hébergement chaleureux dans 5 chambres mansardées et personnalisées avec sanitaires impeccables. Bala-des à cheval possibles. Petit coin TV et bel espace pour les repas, si le ciel fait grise mine. Sinon, sympathique terrasse à l'arrière donnant sur les champs et les rochers des hautes berges de la Meuse.

🛏 *Maison d'hôtes La Fontaine-Dieu :* rue de la Fontaine-Dieu, 41, Mehaigne 5310. ☎ 081-81-10-98. • lafontainedieu@hotmail.com • lafontainedieu.be • À env 15 km au nord de Namur, direction Eghezée. Fermé déc-janv. Doubles 70 € pour 1 seule nuit, 58 € à partir de 2 nuits ; petit déj compris. Possibilité de table d'hôtes, 20 €. Apéro offert sur présentation de ce guide. Une bien agréable maison d'hôtes là encore, installée dans une fermette d'un petit village de la Hesbaye namuroise, face aux prés et aux bois. Ici, c'est dans l'ancienne grange, qui abrite 2 cham-

NAMUR

■ **Adresses utiles**

ℹ Maison du tourisme du pays de Namur et Fédération du tourisme de la province de Namur
✉ Grande poste
🚂 Gare
◎ 1 Net Computer

🛏 **Où dormir ?**

10 Hôtel Les Tanneurs de Namur
12 Auberge de jeunesse Félicien-Rops
14 New Hotel de Lives

🍽 **Où manger ?**

10 L'Espièglerie et Le Grill des Tanneurs
20 Le Bon Vin
22 La Maison des Desserts
24 Le Temps des Cerises
25 Fenêtre sur Cour et Le Pâtanthrope

26 Brasserie Henry

🍸 🎵 **Où boire un verre ? Où sortir ?**

19 La Cuve à Bière
25 Extérieur-Nuit
27 Le Chapitre
28 Boulevard du Rhum
29 Le Monde à l'Envers
30 Terrasses de la place du Marché-aux-Légumes et Piano-Bar

🗡 **À voir**

30 Place du Marché-aux-Légumes et église Saint-Jean-Baptiste
31 Musée Félicien-Rops
32 Musée diocésain
33 Musée de Groesbeeck de Croix
34 Musée des Arts anciens du Namurois
35 Trésor du prieuré d'Oignies

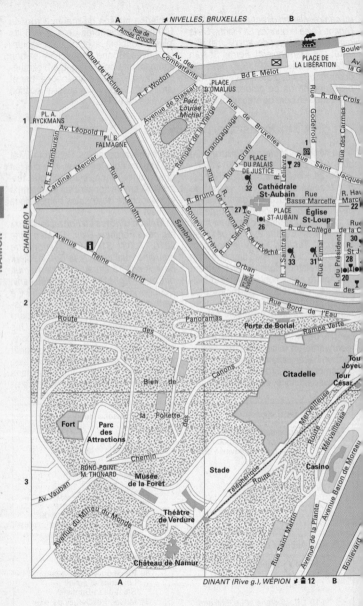

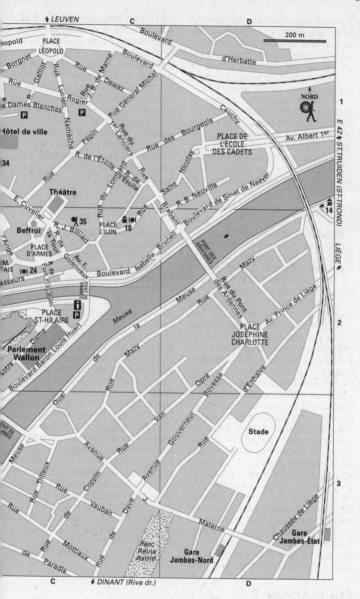

NAMUR

bres rustiques et charmantes, que vous serez logé. Plancher en chêne, brique apparente et salle de bains (commune) ornée d'azulejos. Le petit déj, préparé avec le pain de Jean, la confiture de Sonia et les œufs du voisin, se prend, aux beaux jours, dans le jardin.

🏠 *Ferme de Reumont :* chemin de Reumont, 97, 5020 Malonne. ☎ 081-44-18-52. • reumont@swing.be • cham bre-dhote.be • *Sur les hauteurs de Namur. Prendre la N 90 et suivre, une fois à Malonne, le panneau indiquant « Gîte à la ferme ». Compter 50 € (supplément de 5 €/pers si une seule nuit)*

pour 2 pers, petit déj compris. CB refusées. Wifi gratuit. Nos lecteurs se verront remettre 75 cl de bière d'abbaye de fabrication locale en cadeau. Dans une ferme (encore active) du XVIIe s un peu isolée et au toit couvert de mousse. Accueil chaleureux et chambres de style campagnard très agréables (celles du 2e étage sont mansardées). Également un gîte (mais location plutôt à la semaine) encore plus rustique, avec cuisine. Possibilité de table d'hôtes sur réservation, avec les produits de la ferme. Beau jardin à l'arrière. Un bon rapport qualité-prix !

Plus chic

🏠 *Hôtel Les Tanneurs de Namur* (plan C2, **10**) : rue des Tanneries, 13. ☎ 081-24-00-24. • info@tanneurs.com • tan neurs.com • Doubles 55-215 € ; petit déj-buffet (excellent !) 10 €. Apéro maison offert sur présentation de ce guide. Le plus chouette hôtel de Namur ! Il se situe dans une ruelle de charme, bordée d'une dizaine de bâtiments anciens collés les uns aux autres. Ceux-ci devaient être démolis mais furent finalement subtilisés aux appétits des promoteurs par un amoureux du vieux Namur. Remarquable rénovation intérieure, en matériaux nobles, prenant place dans un festival d'angles, de recoins, petits escaliers et décrochages. En tout, une trentaine de chambres, fort réussies, de taille, de configuration... et de prix très variables, mais affichant toutes plus ou moins le même style. Les moins chères, agréables et déjà d'un bon niveau de confort (TV, minibar), sont une excellente affaire ; les autres, les plus chères notamment (en duplex), sont tout bonnement superbes et très luxueuses (Jacuzzi, minichaîne, etc.). En bref, un bien bon gîte que cet hôtel des Tanneurs, et qui offre (façon de parler) aussi le couvert

avec ses deux restaurants : *Le Grill des Tanneurs* (abordable) et *L'Espièglerie* (chic !). Voir plus loin la rubrique « Où manger ? ».

🏠 *New Hotel de Lives* (hors plan par D2, **14**) : chaussée de Liège, 1178, Lives-sur-Meuse 5101. ☎ 081-58-05-13. • info@newhoteldelives.com • new hoteldelives.com • En dehors de Namur, mais facile à trouver : traverser le pont de Jambes et prendre, un peu plus loin à gauche, la direction de Liège ; quelques km après le viaduc de l'autoroute, sur la droite, face aux rochers et à la Meuse, vous tomberez sur une grande bâtisse 1900 ; c'est là. Compter 85-100 € pour 2 pers, petit déj-buffet compris. Réduc de 10 % sur le prix de la chambre sur demande lors de la résa et sur présentation de ce guide. Hôtel affilié à la chaîne *Best Western*, abritant 20 chambres réparties dans 2 ailes. Préférez celles de la nouvelle aile, pimpantes. Même équipement dans les autres (TV, coffre-fort et minibar) mais déco plus vieillotte. Bar et élégant resto cerné de baies vitrées pour le petit déj (ou le dîner). Dommage qu'il y ait un peu de bruit à cause du trafic et que l'accueil soit moyen.

Où manger ?

Prix moyens

|◐| *La Maison des Desserts* (plan B1-2, **22**) : rue Haute-Marcelle, 17. ☎ 081-22- | 74-51. Tlj sf lun 8h30-19h. Fermé les 3 dernières sem de juil. Plats (petits ou

plus consistants) 6-14 €. Salon de thé à la déco bourgeoise à l'avant mais partie sous verrière, fleurie et plus sympa, à l'arrière, le tout dans une jolie demeure du XVIIIe s. On y avale des croques, des crêpes, des quiches, des salades et, bien sûr, quelques beaux desserts. Très fréquenté.

De prix moyens à un peu plus chic

|●| *Le Bon Vin* (plan B2, 20) : rue du Président, 43. ☎ 081-22-28-08. Ouv mar-sam midi et ven-sam soir. Fermé les 2 dernières sem de juil-début août, la sem du 1er nov et 24 déc-1er janv. Résa conseillée le w-e. Plats 9-17 € ; carte env 30 €. CB refusées. Une petite salle bondée en fin de semaine. On a apprécié ce petit resto chaleureux du centre, qui fait aussi bar à vins. Ici, pas de musique, rien que le brouhaha des convives ! Peu de choix à la carte mais c'est bien préparé et avec de bons produits (bio pour beaucoup) : jambon à l'os cuit au foin, choucroute, salade de poulet fermier, lasagne aux légumes, truite à l'escabèche... On termine par un morceau de tarte à la cassonade, à 3 €, et hop, le repas est fait !

|●| *Le Temps des Cerises* (plan C2, 24) : rue des Brasseurs, 22. ☎ 081-22-53-26. ● tempsdescerises@skynet. be ● Fermé sam midi, dim-lun et de mi-juil à mi-août. Résa conseillée. Lunch 3 services 19 € ; à la carte, plat env 20 €. Apéro maison offert sur présentation de ce guide. La carte, à thème, change 4 à 5 fois par an. Petite salle pimpante tout en blanc et rouge. Aux murs, les signatures des vedettes qui honorèrent les lieux de leur présence. La cuisine, réalisée uniquement avec des produits frais, est goûteuse, consciencieuse, et révèle même des saveurs qu'on croyait perdues. Quelques plats : bäckeoffe, jambonneau fermier, cuisse de canard « à faire rougir Maïté » et crème brûlée au florange. Préférez la table ronde près de la cuisine, c'est l'âme du resto. Bon accueil et atmosphère détendue. Une des adresses les plus typiques du vieux Namur.

|●| *Brasserie Henry* (plan B2, 26) : pl. Saint-Aubain, 3. ☎ 081-22-02-04. ● info@brasseriehenry.net ● Ouv tlj 8h-minuit. Plat du jour 9 € ; lunch 3 services 19 € ; à la carte, plats 10-18 €. Apéro offert sur présentation de ce guide. La grande, l'énorme même, brasserie namuroise sur le flanc du majestueux paquebot de la cathédrale Saint-Aubin. Il y a de l'*Amarcord* de Fellini dans l'éclairage de ce vaisseau la nuit. Salle impressionnante, aux murs crème, hauts plafonds moulurés, tables en marbre et banquettes en skaï vert foncé. Dans l'assiette, une cuisine de brasserie classique mais bien ficelée : tête de veau en tortue, jambonneau à l'ancienne, andouillette « Chédeville », choucroute Henry et cassoulet fait *dans* la maison. Solide carte des vins et plat du jour avantageux. Des Anita Ekberg namuroises esseulées hantent les lieux, à la recherche de leur Marcello...

|●| *Le Grill des Tanneurs* (plan C2, 10) : rue des Tanneries, 13. ☎ 081-24-00-24. Le midi, menu du jour 2 services 9 € ! À la carte, plats 14-25 €. Vous l'avez deviné, c'est l'un des deux restos de l'hôtel *Les Tanneurs* (voir « Où dormir ? »). Au 1er étage. Il a vu défiler pas mal de célébrités. Cadre fort agréable (murs rouges et grosses poutres) et bonne cuisine. Petits plats de brasserie et viandes grillées (en salle !) au menu. Terrasse aux beaux jours.

|●| *Le Pâtanthrope* (plan B2, 25) : pl. Chanoine-Descamps, 15. ☎ 081-22-80-43. ● patanthrope@skynet.be ● Fermé dim-lun. Lunch 20 € ; menu 35 € ; plats 15-20 €. Là encore, décor très réussi, mélange de brique apparente, tables noires joliment dressées, superbe chandelier en fer forgé et grande fresque sur le mur du fond. L'atmosphère est classe, la musique douce et dans les assiettes, même en cherchant bien, vous ne trouverez que du bon : cannellonis au crabe, canard au jus de truffe, croquettes de macaronis, agneau aux *shiitakes*... pour vous donner une petite idée des plats (qui bien sûr changent). Portions un peu légères mais c'est compensé par la qualité. Côté vins, vous pouvez vous en remettre à celui de la maison, plus

NAMUR

que convenable. Accueil très sympa. Un sans-faute !

|●| Fenêtre sur Cour *(plan B2, 25) : rue du Président, 35.* ☎ *081-23-09-08.* ●*res to@exterieurnuit.be* ● *Tlj sf dim midi et soir. Plat du jour à 8,50 € ; à la carte, compter le double (pour un plat). Café offert sur présentation de ce guide. Salle principale un peu pompeuse mais pas* déplaisante, avec des miroirs et une cheminée XVIIIe s. On peut aussi s'installer dans une sympathique véranda donnant sur une cour intérieure. Cuisine de marché un peu surfaite, mieux vaut donc se rabattre sur le plat du jour, compétitif. Servi le midi, il est accompagné d'un potage.

Chic

|●| L'Espièglerie *(plan C2, 10) : rue des Tanneries, 13.* ☎ *081-24-00-24. C'est l'autre resto de l'hôtel Les Tanneurs (voir « Où dormir ? »). Fermé sam midi et dim soir. Lunch 26 € ; 1er menu le soir 43 €. Réduc (jusqu'à 20 %) sur présentation de ce guide et si vous payez* en liquide. Cadre cossu et confortable pour une excellente cuisine française. La carte suit les saisons mais le homard et le foie gras s'y taillent en général la part du lion. Très bon accueil.

Où boire un verre ? Où sortir ?

♈ Nombreuses **terrasses** sur la **place du Marché-aux-Légumes** *(plan B2, 30)*, prises d'assaut dès que le soleil darde ses rayons.

♈ La Cuve à Bière *(plan B2, 19) : rue des Brasseurs, 108.* ☎ *080-26-13-63. Tlj sf dim-lun dès 17h.* Taverne chaleureuse dédiée à Gambrinus, avec un bar en forme de cuve, bien sûr. Grand choix de bières qui réunit pas mal d'habitués et alimente un joyeux brouhaha. On vous prévient, c'est assez enfumé.

♈ Extérieur-Nuit *(plan B2, 25) : pl. Chanoine-Descamps, 6.* ● *cafe@exterieurnuit.be* ● *Accolé au resto Fenêtre sur Cour. Tlj 11h (14h dim)-minuit (5h le w-e).* Déco quelconque et atmosphère pleine de fumée mais l'endroit est très populaire, surtout en fin de semaine. Agréable terrasse sur rue piétonne.

♈ Boulevard du Rhum *(plan B2, 28) : rue des Fossés-Fleuris, 36. Dim-jeu 18h30-minuit, ven-sam 16h-1h30.* Propose une centaine de cocktails à base de rhum et de fruits dans un décor de fauteuils en rotin et de faux palmiers. Il y a aussi une cave voûtée, plus fraîche, mais où que vous alliez, c'est souvent plein ! Spécialité : le *Boulevard du rhum*, une planchette de 6 éprouvettes contenant chacune un rhum différent. Musique *lounge* ou antillaise.

♈ Le Chapitre *(plan B1-2, 27) : rue du Séminaire, à l'angle de la pl. Saint-Aubain.* ☎ *080-22-69-60. Tlj sf dim 14h-... (dernier client).* Estaminet tout en brique nue et en poutres, où l'on s'assied à de petites tables de bois. Parfait pour descendre une bière spéciale... dont la sélection est affichée au tableau noir (Gulden Draak, Chouffe au fût...). On y sert aussi, en exclusivité, la Chapitre, une bière genre Pils mais meilleure. Sur la façade : chien et chat « pitres » en trompe l'œil.

♈ Le Monde à l'Envers *(plan B1, 29) : rue Lelièvre, 26.* ☎ *081-22-35-22. À côté des facultés. Ouv à partir de 8h (7h sam et 15h dim). Wifi gratuit. 2 boissons pour le prix d'une (1 seule fois) sur présentation de ce guide.* Le bar qui ne paie pas de mine mais à l'atmosphère chaleureuse (un peu enfumée aussi). Parties de minifoot et de fléchettes endiablées. Clientèle variée, musique rock et années 1980. Le samedi, ouverture dès 7h pour accueillir le petit monde du marché hebdomadaire.

♈ ♪ Piano-Bar *(plan B2, 30) : pl. du Marché-aux-Légumes, 10.* ☎ *081-23-06-33.* ● *lepianobar.be* ● Concerts de blues, rock, country (et autres) les vendredi et samedi soir, dans une longue salle avec un grand écran et une petite scène au bout. Chouette atmosphère.

À voir

Le vieux centre historique

🏹 *La place du Marché-aux-Légumes (plan B2, 30)* : le cœur de la cité. À l'ombre de l'église Saint-Jean et de ses tilleuls. Charmante en tous points, avec ses demeures XVIIIᵉ s et ses vastes terrasses qui s'emplissent d'une jeunesse vite dissipée à la moindre apparition du soleil. On y trouve le *Ratin Tot,* la plus ancienne taverne de la ville (1616). Au milieu, l'antique pompe à eau.

🏹 *L'église Saint-Jean-Baptiste (plan B2, 30)* : c'est le plus vieux sanctuaire de Namur mais, pour l'essentiel, la construction date du XVIᵉ s ; elle hérita par la suite d'un clocher baroque. Le clocher, d'ailleurs, est dissymétrique. Levez les yeux, il n'est pas dans la ligne ! À l'intérieur, il se dégage une certaine intimité. Style composite avec tous les ajouts de ces deux derniers siècles. Chaire et tribune d'orgue en bois sculpté du XVIIIᵉ s. De part et d'autre du chœur, deux toiles intéressantes : à gauche, *Salomé et la tête de saint Jean-Baptiste* et, à droite, *L'Enfant Jésus.* Ce dernier et l'angelot sont particulièrement réussis (touche Rubens).

🏹 *À la découverte de demeures anciennes :* marcher dans les rues du Président, Ruplemont, Fumal, des Brasseurs *(plan B2).* Nombre d'anciennes maisons (XVIIᵉ et XVIIIᵉ s) joliment restaurées. En 1704, un édit obligea d'édifier des façades de brique et de pierre en remplacement des colombages. Noter les « coins cassés », angles de rues coupés en biseau qui permettaient aux carrosses et autres de tourner. À l'angle de la rue du Président et de la rue Saint-Jean, précisément, l'une des plus anciennes demeures de Namur avec, en corniche, son « cordon larmier », qui permettait à la pluie de s'écouler en larmes.
Au nᵒ 20, rue Ruplemont, belle porte de l'École dominicale des pauvres, de 1660. Noter la maison qui met la poésie à l'honneur, rue Fumal. La rue des Brasseurs, qui échappa de peu à la tourmente immobilière des années 1960, a retrouvé son bel ordonnancement. Au nᵒ 107, l'une des plus vieilles maisons du quartier et, au nᵒ 135, une belle façade baroque. Au passage, ancienne porte du XVIIIᵉ s, donnant accès à la Sambre.
Rue du Collège, on trouve l'Athénée royal. En dessous de la voûte, les lettres de l'alphabet, pour apprendre dès la rue. Noter le lion hollandais imposé en 1815 après le départ des Français.

🏹🏹 *Le musée Félicien-Rops (plan B2, 31)* : rue Fumal, 12. ☎ 081-77-67-65. ● museerops.be ● Tlj sf lun (sf juil-août) 10h-18h. Entrée : 3 € ; réduc. Audioguide : 2 €.
Commençons par une citation de Baudelaire : « Ce tant folâtre M. Rops qui n'est pas un prix de Rome, mais dont le talent est haut comme la pyramide de Khéops ». Félicien Rops, hélas ignoré en France, est en fait un immense artiste. Il naît à Namur en 1833 et meurt à Paris en 1898. Étudiant aux Beaux-Arts, influencé par les courants pamphlétaires et libertaires de l'époque, il se révèle un caricaturiste au trait féroce et au talent exceptionnel. Nul ne sera étonné de son amitié avec Baudelaire, dont il illustre les *Épaves.*

> **PROFESSION DE FOI**
>
> *« Je sais que je ne respecte pas assez les notaires, que je suis étourdi comme un hanneton et insouciant comme un moineau, je sais que je ne suis pas utile au bien de l'État mais ce dont tu ne doutes pas et qui ferait tomber en syncope tous les gens sérieux jusqu'à la cinquième génération mâle, c'est que je suis heureux et presque fier d'être ainsi. Ceci je l'espère passe les bornes d'une honnête insanité... » Lettre de Félicien Rops à Émile Leclerq, 1863.*

Installé à Paris, il travaille aussi avec Verlaine, Mallarmé, Maupassant, les Goncourt, Barbey d'Aurevilly... La femme domine nettement son œuvre. En revanche, en peinture, il s'attache exclusivement aux paysages, comme une respiration, un ressourcement quand il broie trop d'idées noires...

Abrité dans un bel hôtel particulier du XVIIIe s, le musée reflète bien les divers aspects de la personnalité de Félicien Rops. On débute par ses premières armes artistiques, avec la création du journal *Uylenspiegel*, des lithographies caricaturales et un admirable *Enterrement en pays wallon* (avec du Daumier dans le trait). Sa rencontre avec Baudelaire donnera des œuvres étonnantes, telles *La Mort qui danse*, *Épaves*, *Mors syphilitica*...

Paris l'attire. Il y découvre la modernité. Des œuvres majeures sont créées : les remarquables *Dames au pantin*, *Le Bouge à matelots* (où l'on retrouve les influences de Lautrec), *La Buveuse d'absinthe*...

Vient ensuite le Rops graveur avec des planches d'essais et des vitrines techniques. Au 2e étage, le Rops peintre. Une œuvre assez sombre dans l'ensemble, sauf *La Plage de Heyst*. Nombreux souvenirs de voyage, croquis, dessins de personnages. À voir absolument : *Cent légers croquis sans prétention pour réjouir les honnêtes gens* (tout un programme !) et le célèbre et sulfureux *Pornocratès*.

Découverte, ensuite, du Rops illustrateur d'ouvrages littéraires, en particulier *Le Bonheur dans le crime*, un superbe dessin original au crayon et à l'estompe pour *Les Diaboliques* de Jules Barbey d'Aurevilly ou encore *La Lyre* pour Stéphane Mallarmé.

La visite se termine avec le Rops « satanique » et une surprenante série : *Les Sataniques* et une *Sœur Marie Alacoque* tout à fait inhabituelle !

Pour en savoir plus, trois courts-métrages sur la vie de l'artiste et une bibliothèque centrée sur le XIXe s et l'art de la gravure.

🏛️ **L'église Saint-Loup** *(plan B2)* : **rue du Collège, 1.** Construite en 1621. Magnifique exemple de baroque jésuite où perce l'influence de la Renaissance italienne. L'intérieur, visible uniquement d'une cage de verre à l'entrée, vaut le détour : grande nef majestueuse avec deux bas-côtés en berceau ouvragés. Remarquable plafond dit « en berceau à lunettes », en pierre de sable sculptée directement par l'artiste. Ce qui, avec les tonalités grises globales de l'église et les piliers de marbre rouge annelés, donne une polychromie originale. Confessionnaux en « baroque fou » (est-ce encore possible ?) avec abondance de pampres, chérubins et colonnes torses. Chaire du même tabac, d'un style violemment exubérant. Très beau banc de communion. L'église accueille parfois des concerts. À ne pas rater !

🏛️ **La cathédrale Saint-Aubain** *(plan B1-2) :* édifiée en 1751 par un architecte italien. Elle remplace une église gothique dont on garda une tour du XIIIe s (sympa, ça !). Triomphe du style classique. Imposante croisée de transept avec coupole ajourée. Décor particulièrement grandiloquent et chargé. Chaire de 1848 à double escalier à la monumentalité assez stupéfiante. Confessionnaux immenses, à la dimension de l'église. Dans le chœur, toiles de Jacques Nicolaï (élève de Rubens). Le *Calvaire*, à gauche, serait de Van Dyck. Les caves, enfin, abritent quelque 400 000 bouteilles de Grafé-Lecocq, négociant-éleveur en vins bien connu à Namur.

Derrière l'autel de marbre de la cathédrale se trouve un cénotaphe contenant les entrailles de *don Juan d'Autriche*, né en 1545, fils bâtard de Charles Quint et d'une habitante de Ratisbonne. Élevé à la cour d'Espagne, comme un infant, il fait une brillante carrière militaire, combat les pirates barbaresques, dirige la répression de la révolte des Morisques, ces descendants des musulmans du royaume de Grenade, et fait partie des vainqueurs de la bataille de Lépante (1571) comme amiral de la flotte de la Sainte Ligue contre les Turcs. Nommé gouverneur des Pays-Bas à la suite de l'échec du duc d'Albe, il peine à contenir la rébellion des protestants. Il meurt brusquement du typhus en 1578 au camp de Bouge où campaient ses armées. Son corps fut éviscéré et débité en tronçons pour être transporté clandestinement dans les fontes d'un cheval à travers la France et être enterré à Grenade auprès de ses ancêtres de la maison d'Espagne. Edmonde Charles-Roux en a brossé le portrait fascinant dans une remarquable bio : *Stèle pour un bâtard* (Grasset, 1992).

🏛 *Le Musée diocésain* (plan B1, *32*) : pl. du Chapitre. ☎ 081-44-42-85. ▯0476-97-23-24. *Entrée par la cathédrale. Pas d'heures fixes d'ouverture, il faut téléphoner pour voir le musée. Entrée : 2,50 € ; réduc.*

Dans deux annexes récemment restaurées de la cathédrale. Beaucoup de pièces présentées se révèlent d'un grand intérêt. À commencer par le *trésor de Saint-Aubain.* On admirera aussi la *couronne-reliquaire des saintes Épines* (de 1210) et son écrin : un autel portatif décoré de 18 scènes d'Évangile en ivoire de morse, taillées peu après l'an 1000 ; un baiser de paix émaillé du trésor des rois maudits ; une *Notre-Dame du Bon Succès*, offerte par Léopold Guillaume en réparation des exactions commises par des soldats espagnols lâchés un soir dans les rues de Namur, ainsi que la croix de Brogne, orfèvrerie namuroise de 1505.

Impressionnant ensemble de sculptures du XIIIᵉ au XVIIᵉ s, avec principalement la Vierge de Cens, *Sedes Sapientiae* des environs de 1220. Enfin, citons encore une croix de procession peinte au milieu du XVᵉ s, unique en Belgique, et même en Europe.

🏛🏛 *Le musée de Groesbeeck de Croix* (plan B2, *33*) : rue Joseph-Saintraint, 3. ☎ 081-24-87-20. *Tlj sf lun 10h-12h, 13h30-17h. Fermé Noël-Nouvel An. Entrée : 2 € ; réduc.*

Remarquable musée d'art décoratif, abrité dans une belle demeure patricienne du XVIIIᵉ s. La disposition des salles et chambres révèle bien ce que furent les préoccupations de l'aristocratie éclairée de l'époque : recherche du plaisir de vivre, de l'ostentation et de l'intimité tout à la fois. Riches collections d'objets d'art dont nous n'énumérerons que les plus belles pièces.

– Tout d'abord, à droite de l'entrée, étonnante cuisine aux murs couverts de carreaux de faïence, tous différents les uns des autres ! Puis, dans le vestibule, des plats en porcelaine de Chine, des miroirs de Venise et un curieux diplôme de théologie imprimé sur tissu.

– À gauche, grandes salles décorées XVIIIᵉ s, nombreux portraits de nobles et d'aristos, meubles d'époque, horloge marquetée namuroise. Pas mal de toiles sur le célèbre siège de Namur de 1695. Argenterie, aiguière Louis XIV et coffret au poinçon de Namur de 1692. Dans la salle à manger, une pièce rare : un jeu de loto complet et peint à la main, du XVIIIᵉ s.

– En bas de l'escalier : horloge originale en marbre, énormes bottes de postillon (pas pratiques pour marcher), traîneau, etc. Une élégante cage d'escalier avec rampe sculptée mène à la rotonde du premier étage. *Triomphe de la Sicile,* attribué à Tiepolo. Ravissante collection de statuettes en terre cuite et figurines en faïence.

– Harpe ancienne et clavecin de 1640 dans le salon de musique. Fresque de la Tempête. Buffet de mariage et toiles de Juppin, paysagiste namurois. Certaines pièces sont décorées en cuir repoussé, doré et polychrome (scènes de chasse).

– Ne pas manquer le vestibule des petits appartements, présentant d'intéressants petits portraits de gens du peuple par Henri Michel, et voir, dans le grand couloir, ces portraits des échevins de Namur du XVIIᵉ s, ainsi qu'un grand panorama de la ville au confluent de la Sambre et de la Meuse.

– Enfin, balade dans le petit jardin à la française, pour le calme (à peine troublé par le cri des paons) et la vue sur la façade arrière.

🏛 *Le musée des Arts anciens du Namurois* (plan C1, *34*) : rue de Fer, 24. ☎ 081-22-00-65. *Tlj sf lun 10h-18h. Entrée : 3 € ; réduc.*

Vous êtes gâté : encore un chouette petit musée, niché dans l'hôtel de Gaiffier d'Hestroy, une élégante demeure aristocratique du XVIIIᵉ s. Accès par la cour intérieure.

– *Rez-de-chaussée* : orfèvrerie mosane fort bien présentée. Phylactères du XIIᵉ s, pyxides (boîtes à hosties) limousines, *Annonciation* et *Visitation,* panneaux peints de 1400 (collégiale de Walcourt), croix à double traverse du XIIIᵉ s.

Intéressants vestiges de sculptures en calcaire (fonts baptismaux, pleurants...). Bassinoires en laiton repoussé, bougeoirs, encensoirs, rafraîchissoirs, etc. Tabernacle en pierre du XVIe s.

Peintures de Henri Bles, un artiste namurois du XVIe s qui ne signait que d'une chouette. Amusez-vous à la chercher dans ses œuvres. Ses paysages sont pleins de fantaisie et de poésie. Alors, vous avez trouvé la chouette ?... Beau triptyque de *L'Adoration des Mages*. *Pêche miraculeuse* du XVIe s. Et puis, encore un autre Bles, *Paysage avec saint Jérôme*.

– *À l'étage* : à gauche, salle avec de nombreuses sculptures en bois polychromes (du moins à l'origine). Remarquable saint Pierre et beau saint Antoine. Ne pas manquer le retable doré décrivant l'enfance et la passion du Christ, véritable bande dessinée avant l'heure. Commencer la lecture par le bas. Scène de crucifixion avec la déploration de la Vierge, en tout point admirable ! Côté orfèvrerie, un curieux *Repos de Jésus* du XVe s. Très en vogue dans les communautés religieuses médiévales (les sœurs les gardaient en cellule).

À droite de l'escalier, encore une salle avec d'autres belles pièces, comme ce retable en pierre tendre du XVIe s. Bas-reliefs en albâtre, gobelets et patènes, toujours du XVIe s. Croix de chasubles et petite salle au trésor présentant des objets de corporations de métiers. Noble *Vierge à l'Enfant* (XVIe s) en bois polychrome de l'ancienne collégiale Notre-Dame. Enfin, petite salle d'audiovisuel.

– Pour digérer paisiblement tous ces chefs-d'œuvre, agréable *jardin* derrière le musée.

🎯 **Le Musée archéologique** *(plan C2)* : rue du Pont, 21. ☎ 081-23-16-31. Tlj sf lun 10h (10h40 le w-e)-17h. Fermé Noël-Nouvel An. Entrée : 2 € ; réduc. Installé dans la « halle al' Chair » (ancienne halle aux viandes), un des plus beaux (et rares) exemples d'architecture civile du XVIe s. Sur la façade, les armoiries du roi d'Espagne, Philippe II. Les collections seront... un jour transférées dans un nouveau musée mais, en attendant, on peut encore voir la section protohistoire (torques – colliers – en bronze du rocher de Néviau, haches, poteries), la section gallo-romaine (verrerie de Penteville, vestiges de mosaïques) et d'autres objets de sites, tumuli, cimetières du Ier s à l'époque mérovingienne. Voir le plan-relief de Namur de 1747. Vous noterez comme le « Grognon » (quartier au pied de la citadelle) était urbanisé à l'époque, et donc l'ampleur du « crime architectural » commis il y a peu ! Au 1er étage, vestiges du site de Taviers et outils retrouvés dans la villa belgo-romaine d'Anthée. Belle collection de fibules romaines, bijoux, broches émaillées et encore des objets provenant des cimetières francs du Ve s (peignes en os gravés, boucles de ceinturons).

🎯🎯 **Le trésor du prieuré d'Oignies** *(plan C2, 35)* : rue J.-Billiart, 17. ☎ 081-25-43-00. Dans l'institut des sœurs Notre-Dame. Tlj sf dim mat, lun et j. fériés 10h-12h, 14h-17h. Fermé 11-27 déc. Entrée : 2 € ; réduc.
Considérée comme l'une des sept merveilles de Belgique, voici une collection d'orfèvrerie religieuse qui ravira les fans. L'art mosan s'est particulièrement exprimé dans ce domaine, atteignant des sommets au XIIIe s, de même qu'une renommée dans toute l'Europe continentale. Ici, c'est l'œuvre d'Hugo d'Oignies, l'un des grands avec Rénier, Godefroy de Huy et Nicolas de Verdun. Hugo fut au faîte de sa production en 1228-1230. Pendant les guerres qui firent suite à la Révolution française, le trésor fut muré dans une cache et resta jusqu'en 1818, date à laquelle il fut confié aux sœurs de Notre-Dame de Namur, qui réussirent à leur tour à le soustraire aux Allemands (et surtout aux sbires de Goering), lors des deux guerres mondiales. Aujourd'hui, le trésor, quasiment au complet, comprend une quarantaine de pièces que nous vous laisserons la joie de découvrir. Voici néanmoins nos grands coups de cœur !
– *La reliure d'évangéliaire* : recouverte de feuilles d'argent, lacis de feuillage et plaques niellées. En bas, à gauche, Hugo s'y représente lui-même. À gauche toujours, Christ en majesté ; à droite, la Crucifixion.

– La superbe croix « à double traverse » (croix byzantine), le reliquaire de la côte de saint Pierre (en forme... de côte), le phylactère de saint Martin (énorme travail de filigrane), d'adorables petites boîtes d'ivoire, le calice de Gilles de Walcourt (signé Hugo), le pied-reliquaire de saint Blaise, une mitre brodée en fil d'or montrant le martyre de saint Thomas Becket.
– Et puis, bien sûr, le « Lait de la Vierge », incontestablement le reliquaire le plus original. En forme de colombe, il contient, non le lait de la Vierge, mais de la galactite (de la pierre de lait, quoi !) recueillie sur les parois de la grotte du Lait à Bethléem.

➤ **Petite balade dans le centre :** place d'Armes *(plan C2)* s'élève le bâtiment qui abritait le Conseil régional wallon avant son installation sur le site de l'hospice Saint-Gilles. À sa gauche, le passage voûté pour le beffroi, ancienne tour Saint-Jacques et porte de ville au XIVe s. Puis arrivée au Théâtre royal, magnifique réalisation du début du XIXe s, complètement rénové. Essayez de jeter un coup d'œil sur la grande salle ronde, si c'est possible. Rue de la Tour s'élève la tour Marie-Spilar, également vestige de l'enceinte du XIVe s. Au n° 2, rue de la Gravière, porche baroque du XVIIe s de l'ancienne maison de ville de l'abbaye de Floreffe. La rue du Lombard et la rue de l'Étoile sont les axes d'un vieux quartier en pleine restauration. Il semblerait, pour une fois, qu'on n'ait pas décidé de faire « table rase ». Croisons les doigts et rendons-nous jusqu'à la rue des Tanneries pour admirer un exemple de réussite de rénovation urbaine intelligente : une dizaine d'édifices des XVIIe et XVIIIe s, anciennes tanneries et maisons closes, restaurés en respectant leur architecture et l'ordonnancement de la rue.

Le quartier de la Citadelle

Passé le pont du musée, on parvient au pied de la citadelle, qui est aussi le point d'arrivée du tronçon namurois (nouvellement balisé) du pèlerinage de Saint-Jacques-de-Compostelle. Ici, au confluent de la Sambre et de la Meuse, s'étendait un quartier très ancien de la ville, le « Grognon », liquidé dans les années 1970 par les « architectes ». Résultat : un no man's land sur lequel on projetait, jusqu'à il y a peu, de construire le siège du Parlement wallon... ou d'y bâtir un quartier d'habitations, ou encore un centre commercial... mais pour l'instant, tout cela est à l'arrêt et, en attendant que cela se dénoue, le Parlement wallon s'est installé sagement dans l'hospice Saint-Gilles, rénové pour la circonstance.

🚶 **La citadelle** *(plan B-C2-3) :* il s'agit de l'ancien complexe militaro-défensif qui occupe l'éperon rocheux. Son histoire fut tumultueuse : de l'oppidum gaulois à la citadelle espagnole du XVe s, fortifiée par Vauban au XVIIe s et reconstruite par les Hollandais en 1816, on dit que le rocher connut 20 sièges en vingt siècles ! Aujourd'hui, il n'y a plus guère que les touristes pour le prendre d'assaut, poussés par un certain nombre d'attractions incluant, depuis plusieurs années, cinq itinéraires d'interprétation bien balisés et gratuits, qui permettent de découvrir le site et son histoire. Le départ de ces différentes promenades, d'une durée comprise entre 40 mn et 2h45, se fait au pied de la citadelle, en face du Parlement wallon. Pour les fainéants, un petit train sillonne les différents plateaux de la citadelle. On peut le combiner avec la visite des souterrains du domaine fortifié *(Pâques-fin sept, tlj 11h-18h ; entrée – avec le train – : 7,50 €, réduc).* D'autres curiosités attendent encore le visiteur au sommet, comme l'atelier de parfumerie, qui propose des visites guidées le samedi à 15h30 (3 €), l'espace archéologique Saint-Pierre, le château des comtes (entrée libre), ainsi qu'une plaine de jeux. Cafétéria.

À voir. À faire si vous avez encore du temps

🔫 **Le musée des Traditions namuroises** *(hors plan par A1) :* rue Saint-Nicolas, 6. ☎ 081-22-68-67. Pâques-Toussaint, mar, jeu et sam-dim 14h-17h. Entrée : 2 € ;

réduc. Le folklore, les fêtes, les jeux populaires, le culte des saints locaux, l'artisanat, l'horlogerie et tout ce qui évoque le doux art de vivre des habitants de la vallée mosane. Également une nouvelle salle sur l'histoire de la Poste.

➤ *Balades en bateau sur la Meuse :* ☎ 082-22-23-15. Croisières panoramiques sur la Sambre et la Meuse, balade Namur-Wépion et, le dimanche de fin juillet à fin août, circuit Namur-Dinant-Namur (avec passage d'écluses et d'intéressants points de vue en cours de route). Possibilité aussi de prendre la *Namourette,* un petit bateau couvert reliant Namur et Jambes.

Marché

– *Marché aux puces :* *le dim mat sur le quai de la Meuse, de part et d'autre du pont de Jambes.* Beaucoup de stands. S'étire tout en longueur. De belles affaires à faire si l'on vient de bonne heure. Plus important le 1ᵉʳ dimanche du mois.

Manifestations

– *Grands feux sur les hauteurs :* *le 1ᵉʳ w-e du carême.* On allume successivement sept bûchers autour de Namur et la fête culmine avec un grand feu d'artifice.
– *Namur en mai :* *le dernier w-e de mai ou le 1ᵉʳ de juin.* Festival des arts forains : magiciens, saltimbanques, bonimenteurs... animent la voie publique. Très chouette.
– *Les fêtes de Wallonie :* *le 3ᵉ w-e (lun compris) de sept.* Infos : ☎ 081-24-64-49. Un véritable cortège de tout le folklore namurois, montrant les lointaines et profondes racines de la ville. Les festivités s'articulent autour de deux points forts : la messe en wallon, le lundi matin à l'église Saint-Jean-Baptiste, et le combat d'échasses, le dimanche après-midi sur la place Saint-Aubain, au cours duquel s'affrontent les « Mélans » et les « Avresses ». Le samedi est surtout consacré à des animations de rue (jeux de quilles, sauts dans des sacs, etc.).
– *Festival international du Film francophone :* *la dernière sem de sept.* ● fiff.be ● A soufflé ses 20 bougies en 2005. Un *pass* à 10 € permet d'assister aux projections des films en lice.

➤ *DANS LES ENVIRONS DE NAMUR*

🏃 *Le musée de la Fraise :* *chaussée de Dinant, 1037, à Wépion.* ☎ 081-46-20-07. ● museedelafraise.be ● *À quelques km au sud de Namur. Pâques-Toussaint, tlj sf lun 14h-18h. Entrée : 3 € ; réduc.* Pour nos lecteurs dentistes ou ceux qui la ramènent trop ! Les collines dominant la ville produisent quelque 400 t de fraises par an et sont renommées dans toute la Belgique !

🏃🏃 *Corroy-le-Château :* *au nord-ouest de Namur et à 5 km de Gembloux.* ☎ 081-63-32-32. ● corroylechateau.be ● *Mai-fin sept, sam-dim et j. fériés (slt dim et j. fériés mai-juin et sept) 10h-12h, 14h-18h. Visite guidée. Entrée : 3,80 €.* Le château est un magnifique exemple d'architecture militaire médiévale de plaine, et pour cause : il s'agit de la forteresse du XIIIᵉ s la plus importante et la plus complète non seulement de Belgique mais de l'ensemble des Pays-Bas. Inspiré du Louvre de Philippe Auguste, il est cerné de cinq robustes tours cylindriques et précédé d'un châtelet d'entrée avec pont-levis, flanqué de deux tourelles. La décoration intérieure, reflet des goûts de ses propriétaires, la famille Trazegnies, présente une alternance de marbres rares, de tableaux anciens (dont un *Martyre de saint Sébastien* de Van Dyck), de meubles de marqueterie et une collection de robes du XVIIIᵉ s.

ANDENNE (5300) 25 000 hab.

Petite cité mosane à mi-chemin entre Namur et Huy, Andenne s'est développée au sortir du VIIe s autour de la fondation d'une abbaye par sainte Begge, fille d'un Pépin. Y naquit aussi Charles Martel, qui stoppa l'expansion musulmane à Poitiers. Si, à première vue, elle ne présente qu'une longue rue commerçante perpendiculaire au fleuve, un œil attentif y découvrira quelques belles demeures des XVIIe et XVIIIe s et, au fond de la vallée, un intéressant quartier préservé autour de la collégiale Sainte-Begge.

Adresse utile

🖪 *Office de tourisme :* pl. des Tilleuls, 48. ☎ 085-84-96-40. • andennetourisme.be • Lun-ven 9h-17h et, en saison, w-e 10h-16h. Situé dans un bel édifice Art nouveau de 1907. Vente de cartes de promenade de la région. Bon accueil.

Où manger ?

🍴 *Le Barcelone :* rue Brun, 14. ☎ 085-84-32-68. • barcelone@skynet.be • Tlj 11h-15h, 18h-23h (minuit w-e). Plat du jour 9 € ; plats 12-17,50 € ; carte env 25 €. Apéro offert sur présentation de ce guide. Bar-restaurant à la déco faux chic. La salle de resto en contrebas est plus sobre, grise et assez zen. Sert une cuisine variée et copieuse, capable de contenter un estomac affamé normalement constitué. Rognons de veau dijonnais, filet américain, blanquette de veau maison. Pas mal de petits en-cas aussi.

À voir. À faire

🔅 *La place des Tilleuls :* aurait cent fois plus de charme si elle ne servait pas de parking. Hôtel de ville et kiosque à musique.

🔅 *Le musée de la Céramique :* rue Lapierre, 29. ☎ 085-84-41-81. Ouv tte l'année, en sem 9h-12h, 13h-16h30 ; le w-e (slt mai-sept) 14h-17h. Entrée 4 € ; réduc. Musée installé dans une maison du cœur de la vieille ville et dédié à l'une des grandes activités traditionnelles de la ville. Au rez-de-chaussée : salle géologique et archéologique. Explication sur l'origine du travail de la céramique à Andenne. Belle maquette de la ville au XVIIIe s. Aux 1er et 2e étages, beaux exemples des productions issues de la terre de la région, réalisés entre les XVIIIe et XXe s : céramique, faïence, porcelaine... S'attarder sur le travail d'Arthur Craco, qui réalisa notamment des fontaines en grès céram, ainsi qu'une belle nativité composée de 17 personnages (au 2e étage) pour l'expo universelle de Bruxelles de 1935.

🔅 On débouche alors sur la magnifique *place du Chapitre,* bordée de maisons patriciennes qui fleurent bon leur notabilité Ancien Régime.
– *La collégiale Sainte-Begge :* pl. du Chapitre. Ouv normalement tlj en passant par la petite porte qu'on trouve sur le flanc de la collégiale. Elle est l'œuvre du prolifique Laurent-Benoît Dewez, architecte attitré des Pays-Bas autrichiens. Facture classique à trois nefs, tour carrée avec toiture en cloche. Façade à niveaux ionique et corinthien surplombés d'un fronton triangulaire. Intérieur lumineux meublé en Louis XVI, statues gothiques et baroques, et tombeau de la sainte, censée protéger la santé des enfants.

– **Le trésor :** à l'intérieur de la collégiale. Ouv 14h-18h30, ts les dim 15 juil-15 août, et les 1er dim de mai-juin et sept-oct. Entrée : 2,50 €. On peut y admirer la châsse en argent doré renfermant les reliques de sainte Begge et un buste-reliquaire du XVIe s en argent.
– Sur la place encore, l'ancienne **fontaine aux Poussins,** qui descend de la colline.

Manifestations

– **Carnaval des Ours :** le dim de la mi-carême. En souvenir d'un plantigrade tué par Charles Martel, à l'âge de 9 ans, avec un marteau ! Jets d'ours en peluche.
– **Biennale de la céramique :** les dim et lun de Pentecôte les années paires. Grand marché de poterie et expos diverses de l'art céramique d'Europe, d'Afrique et des Caraïbes.

➤ DANS LES ENVIRONS D'ANDENNE

➤ **La vallée du Samson :** en amont d'Andenne, à la hauteur de Namèche, s'ouvre une croquignolette vallée, creusée par un ruisseau bien courageux : le Samson. Fortement encaissée et truffée de grottes. À l'entrée, **Thon,** un village classé parmi les plus beaux de Wallonie (voir dans le chapitre « Namur » la rubrique « Où dormir à Namur et dans les environs ? »). On remonte la vallée sur 16 km jusqu'à Gesves, en croisant le superbe **château de Faulx-les-Tombes** et en passant par d'adorables hameaux aux maisons en pierre du pays.

🔹 À **Goyet,** on peut voir des **grottes et cavernes** où vécurent des hommes de Cro-Magnon et autres Néanderteliens. Rue de Strouvia, 3. Ouv tlj pdt les vac scol belges ; mer et ven-dim le reste de l'année. Visites à 11h, 14h et 17h. Entrée : 7 € ; réduc.

EN REMONTANT LA VALLÉE DE LA MEUSE

Entre Namur et Hastière, l'une des plus agréables balades à faire en Wallonie. Balisée de châteaux, de superbes jardins, de petites villes anciennes. Avec, en prime, les minuscules vallées des affluents de la Meuse menant à d'autres sites et villages intéressants, comme le château de Montaigle ou le charmant village de Crupet, qui figure parmi les plus beaux villages de Wallonie.

Où dormir ? Où manger dans le coin ?

De prix modérés à prix moyens

🛏 |●| **Chambres et table d'hôtes Andrieux :** rue du Rivage, 21, Annevoie 5537. ☎ 082-61-17-41. ● alain.andrieux@skynet.be ● Au bord de la Meuse. Doubles et triples 42-52 € (56 € pour 3 pers) ; petit déj 5 €. Fait aussi table d'hôtes, avec un « menu du Routard » 16 €. CB refusées. Apéro offert sur présentation de ce guide. Une grosse construction de brique au cadre rustique et dotée d'une véranda au rez-de-chaussée, proposant 3 chambres rénovées en hommage aux personnages d'Hergé, avec sanitaires complets ou non, plutôt pratique pour les budgets serrés. Sanitaires simples (cabine de douche additionnée dans la chambre même). Ce n'est pas Byzance (meubles de bois blanc, lino au sol...) mais l'accueil est très chaleureux et l'atmosphère familiale. À la table d'hôtes, civet de marcassin à la Maredsous ou truite des jardins d'Annevoie, le tout à des prix honnêtes.
🛏 |●| **Chambres d'hôtes Beau Vallon :** chemin du Beau-Vallon, 38, Wépion 5100. ☎ et fax : 081-41-15-91. Situé dans un chemin de campagne qui

part de la route Namur-Dinant à env 2 km au nord de Profondeville. Prendre le chemin du Beau-Vallon et faire 1 km. La bâtisse est sur la droite après un virage à droite. On y pénètre par une sorte de cour de ferme. Fermé pour les fêtes de fin d'année. Ouv tt le reste de l'année en théorie. Doubles 50-60 €, petit déj inclus. Belle bâtisse à façade ocre avec jardin classique d'un côté et perspective sur les bois de l'autre. Sur la colline à l'arrière, une minuscule chapelle. 4 chambres doubles dont 1 avec salle de bains. Les 3 autres partagent la même salle de bains. Lits d'enfants sur demande. Agréable salle de séjour avec TV et cheminée. Jeux de société à la pelle.

🛏 **Les Vergers de la Marmite :** rue Simone-Patiny, 5, Bois-de-Villers 5170. ☎ 081-43-46-93. 📱 0475-81-70-40. ● del tombe.lemen@scarlet.be ● vergersdela marmite.be ● Gîte rural pour 5-7 pers, ouv tte l'année. Prix de la sem (pour 7 pers) : 400 € en hte saison et 330 € en basse saison. Un peu moins cher pour 5 pers. Remise de 10 % sur le prix, sur présentation de ce guide. Gîte dans une petite maison en pierre du pays et bardée de bois, simple et prévue pour 7 personnes et bien équipé, avec un agréable poêle à bois au milieu de la pièce, pour ceux qui souhaitent passer au moins 2 ou 3 jours dans la région, c'est parfait. Très au calme et jardin sur l'arrière.

🍴 **Le Jardin d'En Bas :** rue d'En-Bas, 1, Hun, Annevoie 5537. ☎ 082-61-37-06. ● lejardindenbas@gmail.com ● Tlj sf mar-mer 12h-14h, 19h-21h. Résa conseillée. Lunch complet 18,50 € ; menus 25-30 €. Café offert sur présentation de ce guide. Grosse bâtisse paysanne en pierre, dans une ruelle en bord

de Meuse. Calme et sérénité garantis. À l'intérieur, brique et colombages, poutres apparentes et atmosphère d'intimité chaleureuse pour une excellente et plantureuse cuisine de terroir. Ne pas manquer le pot-au-feu d'escargots frais (il y a un élevage réputé dans le secteur) ! Également la salade de gésiers confits, la fricassée de lapin au romarin, la tarte au chèvre et thym, l'omelette de campagne, le jarret de veau à l'ancienne (recette de la maman de la jeune patronne), les crêpes aux pommes, etc. On a également adoré les boulettes sauce liégeoise. Service efficace. L'une des terrasses-jardins les plus charmantes qu'on ait vues dans la région. Aux beaux jours, sous les parasols, les places sont convoitées.

🍴 **Café de la Gare :** rue Colonel-Bourg, 15, Profondeville 5170. ☎ 081-41-23-22. Dans le centre de Profondeville, à 10 km au sud de Namur. Tlj sf lun 18h (19h30 pour la cuisine)-2h. Résa conseillée. Plats 15-25 € ; carte env 35 €. Étonnant de trouver un resto ouvert si tard dans le coin ! Petite salle souvent pleine comme un œuf, au décor chargé d'objets de marine et d'images de bateaux car le patron (aux fourneaux) est un ancien plongeur-démineur de l'armée belge. Carte courte mais proposant des plats copieux et bien réalisés, comme le magret de canard, l'aloyau, les croquettes de crevettes ou l'entrecôte irlandaise et la côte à l'os (qui a un franc succès pour 2). Également un tableau de suggestions avec pas mal de produits de la mer. Au fait, ne cherchez pas la gare de Profondeville, elle n'a jamais existé, c'est juste une fantaisie du premier proprio, qui, pour faire de l'humour, avait appelé son bistrot le Café de la Gare !

À voir. À faire

🍺 **Le musée des Bières belges :** à **Lustin,** village presque en face de Profondeville. ☎ 081-41-11-02. W-e et j. fériés 11h-19h ou sur rdv. Entrée gratuite. Capharnaüm insolite de tout ce qui a trait à la bière : bouteilles, étiquettes, sous-bocks, verres, publicités, etc. On peut consommer au bar mais aussi acheter à boire et à voir. En mai et le premier dimanche d'octobre, brocante et bourse d'échange sur le thème du fameux breuvage.

🌳 **Les jardins du château d'Annevoie-Rouillon :** sur la commune d'**Anhée.** ☎ 082-67-97-97. ● annevoie.be ● Bien indiqué. Début avr-Toussaint, tlj 9h30-17h30 (heure limite d'entrée), et 18h30 juil-août. Entrée : 7,90 € ; réduc. Le château date des XVIIᵉ et XVIIIᵉ s. Il a appartenu pendant 305 ans à la famille de Montpellier, qui l'a vendu en 2000. Depuis, seuls les jardins se visitent. C'est en 1758 qu'ils furent commencés. Leur originalité provient du fait qu'étangs, jets d'eau et cascatelles sont alimentés sans machinerie, grâce à des sources se prolongeant en un long canal en haut de la colline. Ce dernier mesurant 365 m (nombre de jours dans une année) et faisant 7 m de large (nombre de jours dans une semaine). Avant, il était aussi bordé de 52 tilleuls (nombre de semaines dans une année). Tous les jeux d'eau des 48 ha du parc fonctionnent donc grâce à la pression naturelle. Une très agréable promenade en perspective, facilitée par le petit plan explicatif qui vous sera remis à l'entrée.

🏃 *Le château de Poilvache :* en bord de Meuse toujours, à la hauteur de Houx. ● poilvache.be ● Juil-août, tlj 10h30-18h ; avr-juin et sept-oct, slt le w-e. Entrée : 2 €. Ruines impressionnantes. Le château date du XIIᵉ s. Les quatre fils Aymon y auraient vécu après avoir fui la colère de Charlemagne sur leur fabuleux cheval Bayard. Le château fut renforcé par Jean l'Aveugle, comte du Luxembourg, roi de Bohême, puis par le Bourguignon Philippe le Bon. Finalement, il fut démantelé au XVᵉ s par le prince-évêque de Liège, allié aux Dinantais.

🏃 *Le château de Montaigle :* situé au début de la vallée de la Molignée, à quelques km à l'ouest d'Anhée. ☎ 082-69-95-85. ● montaigle.be ● Juil-août, tlj 10h30 (13h w-e)-19h ; avr-juin et sept-oct, slt le w-e 13h-19h. Fermé nov-fin mars. Entrée : 4 € ; réduc. Date du XIIIᵉ s. Ses ruines ont fière allure sur leur rocher. Au XVᵉ s, véritable place forte des Bourguignons. L'armée d'Henri II la détruisit en 1554. Il a été restauré grâce à une technique de projection de micro-béton.

➤ *Les draisines de la Molignée :* balade à vélo à 4 roues posé sur des rails. Vente des billets rue de la Gare, 82, à **Falaën**. Ou à **Warnant** à 4 km de là, rue de la Molignée, 116. ☎ 082-69-90-79. ● draisine.be ● Ouv tte l'année, tlj 10h-17h30. Prix d'une draisine de 4 pers : 17 €. Promenade sur une ancienne voie de chemin de fer, entre Falaën ou Warnant et Maredsous aller et retour, à travers nature sauvage et rochers. Trois parcours donc, respectivement de 3 et 4 km de long, plus le combiné des deux (7 km). Avec arrêt casse-croûte possible à l'ancienne gare de Maredsous. Compter aux alentours de 90 mn par trajet. Touristique en diable mais sympa à faire avec des mômes.

L'ABBAYE DE MAREDSOUS

La visite : infos et billets au centre d'accueil Saint-Joseph, juste à côté de l'abbaye. En juil-août, tlj 3 ou 4 visites à des heures précises 10h-18h (infos au ☎ 082-69-82-84). Le reste de l'année, slt dim à 14h30. Durée : 1h. Prix : 2,50 €.

🏃 L'abbaye est une imposante construction mais, lecteurs romantiques, ne rêvez pas trop, elle a été édifiée en 1872 dans un style néogothique pas vraiment aérien. Aujourd'hui encore, des moines y vivent et y travaillent. Destination incroyablement touristique (il faut dire que la vallée et son environnement ont du charme). À moins que ça ne soit pour la brasserie de l'école d'Art non loin de l'abbaye, où se donnent rendez-vous les personnages préférés de Cartier-Bresson et de Doisneau ; échantillonnage pittoresque de la Belgique profonde (surtout le week-end !). Ici, la bière coule à flots et il y était précisé il n'y a pas longtemps encore que ceux qui partiraient en emportant négligemment leur chope iraient en enfer... La plaque a disparu, dommage.

Où dormir ? Où manger ? Où boire un verre dans les environs de l'abbaye ?

🏠 |●| *Le Chalet des Grottes :* rue d'Anthée, 52, entre Anthée et Hastière, │ juste à côté des grottes (visitables) du pont d'Arcole. ☎ 082-64-41-86. ● cha letdesgrottes.be ● *Ouv tte l'année, tlj ; sf pour le resto, fermé mar-mer hors saison. Compter 85 € pour 2 pers, avec petit déj. Fait resto : lunch env 15 € (entrée + plat ou plat + dessert) ; menus plus gastronomiques 35-45 €. Apéro offert sur présentation de ce guide.* Relais rustique et chaleureux, bien revisité de manière contemporaine, dans un environnement très boisé, un peu à l'écart de tout. Idéal pour s'isoler un peu. Propose 5 chambres plaisantes et confortables avec vue sur les bois, sur des thèmes différents et contemporains (Paris, Manhattan, Barcelone...). Toutes avec sanitaires. Au resto, une cuisine qui sait suivre le fil des saisons. Cuisine française sur le fond, se permettant quelques échappées exotiques.

|●| **Les Montagnards :** *rue du Marteau, 31, Sosoye 5537.* ☎ *082-69-91-38.* ● *les montagnards@skynet.be* ● *À quelques km de l'abbaye de Maredsous. Fermé lun-mar, la 1re quinzaine de mars et la dernière sem de sept. Plat du jour 12 € (potage et plat) ; menu touristique 15 € ; autres menus 15-32 € ; à la carte, repas complet 30 €. Café offert sur présentation de ce guide.* Agréable petite salle et bonne cuisine, préparée avec soin. Émincé de volaille à la bière de Maredsous, onglet à l'échalote, jambon à l'os maison, paupiettes de veau, salades variées, truites à l'estragon, terrine de campagne artisanale, etc. Terrasse avec vue aux beaux jours.

|●| 🍸 **Café de Maredsous :** ☎ *082-69-91-64. Peu avt l'abbaye de Maredsous, sur la grande route qui y mène. Fermé mer-jeu. Menus 17,70-23,80 €. Un apéro local offert à nos lecteurs qui prennent un repas.* L'ancienne gare toute blanche, a été aménagée en un café-resto et le quai en terrasse. C'est là qu'arrivent les draisines de la Molignée (voir plus haut). Pratique pour boire un verre en descendant des draisines, avant de repartir dans l'autre sens. Possibilité aussi de grignoter tartines, salades et quelques plats chauds comme la cuisse de lièvre, le demi-faisan aux airelles, les truites au coulis d'écrevisse ou le lapin à la bière Li Crochon.

Achats

🌤 **Centre d'accueil Saint-Joseph :** *rue de Maredsous, 11.* ☎ *082-69-82-84.* ● *accueil@maredsous.com* ● *tourisme.maredsous.be* ● *Ouv tlj 9h (10h l'hiver)-18h (20h dim).* Vaste cafétéria où vous trouverez la 6, 8 ou 10° « au fût ». Elle n'est pas brassée à l'abbaye. Son goût se révèle résolument rural et rustique. Vous pouvez la consommer sur place avec même, pourquoi pas, une assiette de fromage, une tartine de jambon fumé ou une saucisse, mais le cadre ne donne pas vraiment envie de s'attarder. Le fromage est affiné sur place, mais la bière n'est pas brassée ici. Également une boutique de souvenirs, une librairie et, à l'étage, des expos temporaires (entrée payante).

🌤 À 1 km de l'abbaye se trouve le minuscule village artisanal de **Maredret,** connu pour sa fameuse boutique de *poterie (ouv sam et dim ap-m en saison)* et son petit musée du Bois.

LA VALLÉE DU CRUPET

CRUPET (5532)

Sur le flanc est de la Meuse. D'Yvoir, après les carrières de pierre, la route musarde dans une petite vallée verdoyante et débouche sur les hauteurs du village de Crupet. Demeures de pierre noyées dans les fleurs et la végétation. Beaucoup de charme, tout ça ! Pas étonnant, Crupet fait partie de l'association Les plus beaux villages de Wallonie dont le siège se trouve dans la localité : ● *pbvw.be* ● pour ceux qui voudraient en connaître la liste complète.

Où dormir ? Où manger à Crupet et dans les environs ?

Prix modérés

🛏 *Chambres d'hôtes Le Marronnier :* 1A, rue des Fossés, à Dorinne 5530. ☎ 083-69-90-33. Dans un superbe petit village situé à quelques km au sud de Crupet. Compter 45 € pour 2 pers (5 € de plus pour un séjour d'1 seule nuit), petit déj inclus. Remise de 10 % accordée sur présentation de ce guide. Petit B & B de campagne dans une ancienne dépendance de ferme fort joliment restaurée avec de la pierre brune et des baies vitrées. 2 chambres à peine (dont une triple), mais coquettes et impeccablement tenues, sous une mansarde, au 2e étage de la maison. Accueil gentil comme tout. Le petit déj, avec du pain et des confitures maison, se prend dans un salon chargé de plantes.

🍴 *Auberge D'ol Besace :* rue Haute, 11. ☎ 083-69-90-41. Juste en face de l'église. Ouv tlj midi et soir. Fermé mar en hiver. Résa indispensable le w-e. Le midi en sem, menu 22 € ; plats 12,50-17,50 €. Sympathique auberge au décor très... auberge, simple et chaleureux, doublée d'une salle toute vitrée où l'on fait rôtir la volaille et griller les viandes. « Po riches et poves igna place ! », comme profession de foi, ça donne le ton ! Atmosphère relax. Excellente cuisine de terroir à prix encore modérés : croquette de pied de porc sauce gribiche, croquant au fromage de Chimay, truites, potée au chou et ses cochonnailles, *squinée* sur planche, blanquette de veau aux légumes d'automne. Imaginez : un tibia de bœuf entier ! Il faut dire que le patron est un ancien boucher. Également, bien sûr, quelques spécialités de gibier en saison.

Plus chic

🛏 *La Ferme de l'Airbois :* Tricointe, 55, sur la commune d'Yvoir (5530). ☎ 082-61-41-43. 📱 0479-51-52-96. ● mca@airbois.be ● airbois.com ● À env 3 km d'Yvoir. De la poste, prendre la rue en face qui monte puis, env 2 km plus loin, à droite au T. Ensuite c'est fléché. Double 97 € en sem et 110 € le w-e, petit déj compris. Café ou thé offert sur présentation de ce guide. La ferme se trouve sur un plateau à l'écart de tout, battu par les vents mais avec une vue formidable. Situation exceptionnelle pour ceux qui veulent fuir la ville ! Superbe endroit composé de 3 maisons : celle des proprios, qui dispose d'une très belle chambre d'hôtes, et 2 annexes de 5 chambres chacune. En principe, ces 2 dernières sont réservées aux groupes mais dès que l'une d'elles est libre, les chambres (très cosy, avec de vieux meubles de famille) se louent à la nuit à des individuels. En été, possibilité d'utiliser la piscine des proprios, un couple qui se consacre à la création de carreaux de faïence !

🛏 *Le Moulin des Ramiers :* rue Basse, 31. ☎ 083-69-02-40. ● moulindesramiers@hotmail.com ● lemoulindesramiers.be ● Fermé de mi-déc à mi-janv. Double 125 € ven-sam ; promo en sem (lun-jeu) autour de 90 € et 100 € dim ; petit déj 12 €. Auberge de luxe installée dans une vieille demeure de pierre en bord de rivière. Environnement bucolique extra. Chambres agréables avec mobilier recherché et tout le confort, du minibar à la loupe de maquillage en passant par le peignoir de bain et le coffre-fort !

À voir

🚶 *Le château :* en bas du village. C'est un gros donjon datant du XIIIe s qui, au XVIe, reçut sa tourelle et le hourd (charpente en encorbellement) en brique et colombages, surmonté d'un toit d'ardoise. On y accède par un petit pont de pierre. Carte postale en tout point charmante ! Dommage que ce soit une propriété privée.

¶ *L'église Saint-Martin :* *en haut du village.* Tour et nef romanes du XIe s. Église agrandie à la période gothique mais arcades et colonnes d'origine. Chœur agrandi à nouveau au XVIIIe s. À l'entrée, belles pierres tombales. Intérieur pimpant blanc et mauve. Beau plafond à caissons. Fonts baptismaux du XIIIe s.

¶ *Insolite grotte de l'Abbé-Jules-Gérard :* à côté de l'église Saint-Martin. Construite au début du XXe s avec des représentations polychromes de saint Antoine grandeur nature, dans des scènes de sa vie, d'un kitsch imbattable. Ne pas manquer d'emprunter l'escalier intérieur pour celle où saint Antoine repousse le démon. Grotte populaire si l'on en juge par le nombre d'ex-voto et de bougies qui se consument.

➤ DANS LES ENVIRONS DE CRUPET

¶ *Le château féodal de Spontin :* dissimulé derrière une partie plus récente servant à la fois d'enceinte et de dépendance, c'est, avec ses douves et son pontlevis, l'un des plus séduisants de Wallonie ! Le donjon remonte à 1160. On peut le visiter l'après-midi (sauf les lundi et mardi), ou même y dormir car le château fait aussi maison d'hôtes. Attention, uniquement pour les fondus de Moyen Âge très à l'aise dans leur budget, car, franchement, les quatre chambres (au décor médiéval, à peine aménagées, avec leurs antiques salles de bains dans des rotondes surélevées) manquent un peu de chaleur, de confort et se louent vraiment cher... D'autre part, vous n'en trouverez sans doute pas de semblables dans toute la Belgique !

DINANT

(5500)   13 000 hab.

Ce fut la deuxième bonne ville de la principauté de Liège. Tout en longueur. Normal, entre falaises et fleuve, il ne lui restait plus beaucoup de place pour s'urbaniser. Avec le clocher à bulbes de sa collégiale, sa forteresse et ses toits bleus, une des images les plus célèbres du tourisme wallon.

UN PEU D'HISTOIRE

Bien défendu par son rocher, le site connaît d'abord un peuplement celtique. Puis se crée une bourgade gallo-romaine prospère. Au Moyen Âge, c'est l'un des ports les plus importants, avec Liège et Namur. À partir du XIIe s, la richesse de la ville s'accroît avec l'industrie de la dinanderie (le cuivre martelé), nom dont la ville est gracieusement à l'origine. Appartenant à la principauté de Liège, Dinant est souvent en bisbille avec Bouvignes (appartenant à la province de Namur et qui travaille aussi le cuivre).
Dans le genre « scoumoune guerrière », Dinant rivalise avec Namur. Dix-sept sièges, paraît-il, et de nombreuses fois détruite. Ça commence avec les Bourguignons en 1466. Dinant fait le mauvais choix et rejoint le

SAXO SUR MEUSE

Dinant est fière d'être la patrie d'Adolphe Sax, l'inventeur du... saxophone. Son père fabriquait déjà des instruments de musique, ça aide pour se trouver une vocation. À 20 ans, il élabore une clarinette à 24 clés. En 1841, il présente sa plus belle œuvre : le saxo. Berlioz est enthousiaste mais ses concurrents fabricants sont jaloux et en sabotent la diffusion. Sax meurt dans le plus complet dénuement. Mais quel plus beau destin que de laisser son nom à quelque chose dans l'histoire ? Sur son nuage avec Charlie Parker et John Coltrane, Sax doit se dire : « Sans le jazz, que serait la musique ? Mais sans le sax, que serait le jazz ? »

camp de Louis XI. Charles le Téméraire, en une *Blitzkrieg* de 7 jours, liquide la ville. Huit cents Dinantais, attachés deux par deux, sont noyés dans la Meuse. Depuis, ils portent le nom de *copères* (encore une paire... à l'eau). En 1554, ce sont les Français, alors en guerre contre Charles Quint, qui remettent ça. En 1675, Louis XIV s'empare de la ville (mais dégâts minimum) et, en 1789, elle est affaiblie par les troubles révolutionnaires. La guerre de 1914-1918 fut elle aussi très meurtrière. Les Allemands en incendient les trois quarts. Beaucoup de massacres. Un certain lieutenant Charles de Gaulle est d'ailleurs blessé sur le pont. Reconstruite, la ville subit à nouveau des bombardements destructeurs de 1940 à 1944. Et pourtant, Dinant est toujours là, debout, pimpante, accueillante.

SPÉCIALITÉS LOCALES

Outre la *flamiche*, tarte chaude aux beurre et fromage piquant, il y a les fameuses *couques de Dinant*, fabriquées depuis le XVᵉ s. C'est une subtile gâterie très dure, faite de farine et de miel, inventée au moment du siège par Charles le Téméraire. Bonnes mâchoires de rigueur !

Adresses utiles

🛈 *Maison du tourisme de la Haute Meuse dinantaise :* av. Colonel-Cadoux, 8. ☎ 082-22-28-70. ● dinant-tourisme.com ● En face de la citadelle, de l'autre côté du pont (rive gauche). Lun-ven 8h30-18h (19h juil-août), sam 9h30-17h (16h en hiver), dim 10h-17h

(14h en hiver). Vente de cartes de randonnées pédestres et cyclistes. Brochure sur Dinant et la Haute Meuse.
■ *Location de VTT : Cyclos Adnet,* rue Saint-Roch, 17. ☎ 082-22-32-43. *Dakota Raid :* rue G.-Cousot, 6. ☎ 082-22-89-55.

Où dormir ? Où manger ?

🛖 *Maison d'hôtes Au Fil de l'Eau :* av. Colonel-Cadoux, 88. ☎ 082-22-76-06. ● aufildeleaudinant@skynet.be ● En bordure de Meuse, face à la citadelle, dans la même allée que l'office de tourisme. Compter 52 € pour 2 pers, avec le petit déj. 1 chambre pour 4 personnes, meublée très simplement, au rez-de-chaussée de la maison, colorée et très bien tenue, avec sanitaires, TV et frigo. Pas très grand mais les endroits où loger à Dinant sont plutôt rares. L'accueil est bon, l'atmosphère familiale, et l'on mettra même, si vous voulez, des vélos à votre disposition... Au petit déj, confiture maison et jus de pomme pressée !
🛖 *Hôtel Ibis :* Rempart d'Albeau, 16. ☎ 082-21-15-00. ● ibishotel.com ● Doubles 70-75 € selon saison ; petit déj 13 € (très cher, on peut parfaitement le prendre ailleurs). Bon, vous nous connaissez, on n'est pas très « hôtels de chaîne ». Mais vu qu'il n'y a plus un

seul établissement dans le centre-ville, on n'a pas trop le choix. Les chambres sont évidemment très standardisées, mais sans mauvaises surprises, absolument impeccables et fonctionnelles. Évitez celles donnant sur la rue, bruyantes. Choisir celles donnant sur la rivière.
🍴 *Restaurant La Couronne :* rue Sax, 1. ☎ 082-22-24-41. Fermé lun en saison et mer-jeu l'hiver. Plat du jour 10 €, servi midi et soir ; menu 25 €. Une vénérable adresse du centre-ville, classique dans son traité, régulière en qualité. La salle de resto est au fond du café. Bien pour le midi comme pour le soir. En plat du jour, chicons au gratin, quiche ardennaise, *stoemp* au lard et à la saucisse. Tout un programme. À la carte, sole meunière, truite ardennaise et cuisses de grenouilles à l'ail. Rien à dire, rien à redire.
🍴 *La Broche :* rue Grande, 22. ☎ 082-22-82-81. Fermé mar et mer midi, 1ʳᵉ sem de janv, 2ᵉ sem de mars et

1re quinzaine de juil. Le midi, menu complet 19,50 € ; autres menus à partir de 25 € ; plats 19-26 €. Cadre clair et élégant, tables joliment dressées. Bonne cuisine dans les assiettes, avec par exemple le sandre et le ris de veau poêlé, le magret de canard, le filet pur grillé ou le papadum de scampi. Gibier en saison. Service pro. Tout simplement une valeur sûre bien qu'un peu cher.

À voir. À faire

🕯 **La collégiale Notre-Dame :** en bord de Meuse, au centre-ville. Ouv tlj en général 9h-17h. Il y eut d'abord une église romane, écrasée en 1227 par un pan de la falaise et reconstruite peu après. Les voûtes furent refaites après le passage de Charles le Téméraire. Le curieux clocher à bulbes date, quant à lui, de 1566. Le seul vestige de l'église romane se trouve sur le côté extérieur gauche. C'est un portail, aujourd'hui muré, avec une Vierge à l'Enfant très dégradée. À l'intérieur, à droite, la petite chapelle avec les fonts baptismaux de 1472 fut aménagée devant un vieux portail du XIIIe s. Belle ampleur de la nef voûtée d'ogives en pierre. Chaire du XVIIIe s. Grands confessionnaux au fond, d'époque Louis XIV. Déambulatoire autour du chœur, avec, derrière l'autel, un curieux saint Perpète (patron des forçats ?). L'immense verrière est l'une des plus hautes d'Europe (bleus superbes). Dans le transept gauche, gisant de 1356.

🕯 **La citadelle :** pl. Reine-Astrid, 5. ☎ 082-22-36-70. • citadelledᵉdinant.be • Pour s'y rendre : à pied, départ de la pl. Reine-Astrid. Hardi petit, 408 marches ! En voiture, depuis le centre, prendre direction Liège et grimper sur env 3 km. En téléphérique enfin, du pied de la citadelle (toujours pl. Reine-Astrid). Avr-sept, tlj 10h-18h ; oct-déc et fév-mars, tlj sf ven 10h-16h ; janv, slt le w-e. Entrée : 7 € (avec ou sans téléphérique). Il y eut d'abord une première forteresse construite par le prince-évêque de Liège. Démolie par Charles (le Téméraire) en 1466. Aménagée par Louis XIV. Pour finir, reconstruite par les Hollandais en 1818 pour empêcher les Français de refaire des bêtises. La visite (guidée) commence par trois dioramas grand format sur l'histoire militaire de la région. Ensuite, on va voir la prison (doublée d'une salle de torture), avant d'aller admirer le panorama puis de visiter encore d'autres parties, comme la boulangerie, les cuisines, le musée d'armes et la reconstitution d'une tranchée de la Première Guerre mondiale... qui réserve une surprise un peu désagréable à la fin.

🕯 **Le rocher Bayard :** à 1 km du centre, vers le sud (rive droite, comme la collégiale). Spectaculaire aiguille de 35 m de haut, séparée de la falaise. La légende veut que le rocher ait été fendu par le sabot du fameux cheval Bayard transportant les quatre frères Aymon en fuite. Plus prosaïquement, ce sont les artificiers de Louis XIV qui agrandirent, à l'explosif, la brèche existante pour y faire passer la route.

🕯 🕴 **La maison de la Pataphonie :** rue En-Rhée, 51. ☎ 082-21-39-39. À deux pas de la collégiale. Pdt les vac scol d'été, ainsi que les petites vac scol, visites tlj sf sam à 14h et 16h30 ; le reste de l'année, slt mer à 14h30, dim et j. fériés à 14h et 16h30. Important : mieux vaut téléphoner pour réserver sa visite, car le nombre de places est limité. Entrée : 5 €. Billet combiné avec une visite de la grotte La Merveilleuse (11 €) ou le bateau Le Bayard (9,50 €). Dinant est vraiment une ville pionnière en matière de sonorités musicales (rappelons que c'est ici qu'est né Adolphe Sax). Elle le prouve à nouveau avec ce lieu où vous découvrirez, par vous-même, toutes sortes de sons provenant de toute une série d'objets, de mécanismes, d'assemblages et de matières. Six salles en tout, s'articulant chacune autour d'un type de source sonore. Amusant et instructif. On est surpris de voir (enfin, d'entendre) ce qui peut sortir de simples boîtes de conserves, de barres d'acier, de clous, de pots de fleurs, de saladiers en plastique et même de galets... À voir aussi : le zigzagboule, l'embarcassons, le lithophone, le grand échantillonneur ou encore le chahutophone ! Et puis, à la clé de tout cela, une petite morale : qu'il faut au fond peu de fonds pour faire des sons à la fois complexes et harmonieux.

🏃 *La grotte La Merveilleuse :* à 500 m du centre, sur la route de Philippeville, sur la rive gauche de la Meuse. ☎ 082-22-22-10. Avr-oct, tlj 11h-17h (10h-18h juil-août) ; nov-mars, le w-e et durant les petites vac scol 13h-16h. Entrée : 8 €. Visite guidée slt. Départ chaque heure (à l'heure pile). Durée : 50 mn. Billet combiné avec la maison de la Pataphonie. Prix de groupe appliqué sur présentation de ce guide. Une petite heure de visite parmi des stalactites et -gmites d'une grande finesse et le glouglou des cascades. Quelque 300 habitants de la ville y passèrent 8 jours dans le noir pendant la Seconde Guerre mondiale ! La grande salle est assez spectaculaire.

🏃 *Bouvignes-sur-Meuse :* juste avant Dinant (à laquelle elle est désormais rattachée après avoir été rivale), une gentille bourgade chargée d'histoire (et pourtant moins touristique). Spécialisée dans la dinanderie (travail du cuivre) pendant cinq siècles. On aime beaucoup le charme ancien de sa place du Bailliage et de ses gros pavés, à l'ombre de l'église et de la splendide maison espagnole (voir plus loin la Maison du patrimoine médiéval mosan). Elle a peu changé de visage depuis la période médiévale. D'ailleurs, la ville possède encore le plan de l'époque, avec les rues et ruelles perpendiculaires au fleuve.
– *L'église Saint-Lambert :* elle possède l'originalité d'avoir deux chœurs, l'un du XIIIᵉ s et l'autre du XVIᵉ (lorsqu'on reconstruisit la nef). Très belle chaire et vitrail de 1562. Malheureusement, l'église n'est ouverte qu'aux heures de messe. À l'extérieur, jouxtant le chevet, les derniers vestiges des remparts de 1215.
– *Le château de Crève-Cœur :* prendre la route qui part de l'église et monte la colline. Bien indiqué. Accès libre et gratuit. En haut de la côte, route jusqu'au parking. Y accède également un petit chemin partant de l'église. Environ 100 m en contrebas, ruines de ce qui fut l'une des plus imposantes places fortes du Namurois. Construite, comme Poilvache, par les comtes du Luxembourg. Démantelée en 1554 au moment des guerres avec Charles Quint. Au soleil couchant, l'un des plus prodigieux panoramas qui soit sur la vallée de la Meuse, Dinant et Bouvignes, dont, d'en haut, on appréhende bien le plan médiéval.
– *Maison du patrimoine médiéval mosan :* pl. du Bailliage, 16. ☎ 082-22-36-16. Ouv avr-nov, tlj sf lun 10h-18h. Entrée : 3 € ; réduc. Dans une admirable maison espagnole. Collections et maquettes évoquant toute la vie médiévale, sur trois niveaux.

➢ *Balades en bateau :* croisières sur la Meuse, dans toutes les directions (genre bateau-mouche). Plusieurs compagnies, toutes situées en bord de Meuse, sur l'avenue Winston-Churchill :

■ *Compagnie des bateaux touristes :* quais nᵒˢ 2, 5 ou 6. ☎ 082-22-23-15.
– *Dinant-Anseremme :* avr-oct. Départ, 9h30-18h30, ttes les 30 mn ; 45 mn aller-retour. Prix : 6 € ; réduc.
– *Dinant-Freÿr :* mai-août, tlj à 14h30 ; 2 allers-retours. Prix : 10 €.
– *Dinant-Namur :* de mi-juil au 20 août, dim à 15h30. Trajet simple en 3h30. Prix : 15 € ; réduc.

■ *Bateaux Le Copère :* quai nᵒ 9. ☎ 082-21-35-35. Pour Anseremme. Avr-fin oct, 4 départs/j., 10h-12h, 16h-18h. Prix : 6 € ; réduc. Pour Freÿr : 1 départ/j. à 14h15. Durée : 45 mn.
■ *Bateaux Bayard :* quai nᵒ 10. ☎ 082-22-30-42. Prix de groupe appliqué sur présentation de ce guide. Pour Anseremme (avr-oct 11h-17h) et Givet (jeu en juil-août à 10h).

➢ *Balade en bateaux électriques sans permis :* au *Yacht Club Dinant,* bd Sasserath. ☎ 082-22-43-97. De mi-avr à mi-oct, tlj 10h-20h. Prix : 35 € pour 1h (bateau de 5-7 pers). Électrique, donc silencieux, pour une chouette balade sur la Marne.

➢ *Descente de la Lesse en kayak :* de Houyet ou Gendron à Anseremme (sud de Dinant). Compter respectivement 21 km et 11 km. Parcours le long d'un paysage de châteaux médiévaux, de coteaux boisés, de cavernes et de massifs rocheux. Un must dans la région. Trois compagnies, basées à Anseremme, proposent la location de kayaks. Anseremme est le point d'arrivée de la balade : on prend un petit train pour remonter la Lesse jusqu'au point de départ... de la descente (Gendron ou Houyet). Tarifs variables selon les loueurs.

■ **Lesse Kayaks :** pl. Beaudouin-Ier, 2. ☎ 082-22-43-97. • info@lessekayaks. be • lessekayaks.be • Ouv de mi-avr à mi-nov. Outre la descente de la Lesse, propose plusieurs programmes d'activités sportives du genre escalade, parcours aérien et même de la spéléo.

■ **Kayaks Libert :** quai de Meuse, 1. ☎ 082-22-24-78. Ouv avr-oct. Prix de groupe appliqué sur présentation de ce guide.
■ **Kayaks Ansiaux :** rue du Vélodrome, 15. ☎ 082-21-35-35. • ansiaux.be • Ouv avr-oct.

LE CHÂTEAU DE FREŸR

Un des plus élégants châteaux de la région, majestueusement situé en bord de Meuse. Ses jardins à la française sont parmi les plus séduisants de Belgique. Édifié sur les ruines d'un donjon à partir de 1571, en brique et pierre bleue, dans le style Renaissance mosane traditionnel. Le quadrilatère date du XVIIe s. L'aile côté parking fut abattue pour créer une perspective sur le château de la cour d'honneur.

Infos utiles

– À mi-chemin entre Dinant et Hastière. ☎ 082-22-22-00. • freyr.be • Avr-juin, dim et j. fériés 14h-16h30 ; juil-août, mar-dim 10h30-12h45, 14h-17h45 ; le reste de l'année, slt dim 14h-16h30. Durée de la visite : 1h. Entrée : 7,50 € ; réduc ; gratuit pour les moins de 12 ans. Visite libre.

À voir

🎋 **Le grand vestibule :** de style rococo et orné de toiles de Snyders représentant des scènes de chasse. C'est ici que se déclara l'incendie de 1995, consécutif, en fait, à une grosse inondation !

🎋 **L'antichambre des deux Gildas :** le clou en est le carrosse pour enfants, entièrement opérationnel et tracté, jadis, par d'authentiques poneys.

🎋 **La salle à manger :** du XIXe s et de style néo-Renaissance. Cuirs de Cordoue et grosse cheminée, bustes en terre cuite qui figurent les personnages des cartes à jouer et grande tapisserie en trompe l'œil, prolongeant la pièce.

🎋 **Le salon des Habsbourg :** on y marche sur le seul parquet qui ait résisté à la mérule. Mobilier Louis XVI.

🎋 **Le salon Louis XIV :** ainsi nommé pour le portrait du Roi-Soleil qui orne l'un des murs. Décoration de guirlandes de roses et de stucs au plafond.

🎋 **La chapelle :** elle fut l'église paroissiale jusqu'en 1951. Style rococo. Les vitraux diffusent doucement la lumière. Atmosphère de grâce et d'intimité. Ravissant tabernacle du XVIIe s. Noter, au-dessus de l'autel, ce « deuxième plafond », posé au XVIIIe s pour séparer d'un « étage », ainsi qu'il convenait, l'autel et la chambre à coucher, située juste au-dessus.

🌿🌿 **Les jardins :** dessinés à la française en 1760. En plein Siècle des lumières, ils expriment le triomphe de la raison qui impose son ordre à une nature désordonnée (pas mal dit !). Symétrie quasi parfaite. La Meuse fait ici office de grand canal. Nous trouvons le parterre, les bassins, les quinconces de tilleuls et, au bout, les orangeries voûtées de brique. Aux beaux jours, on sort les orangers, dont certains ont 300 ans et donnent encore des oranges (mais très mauvaises). C'est l'une des rares orangeries en Europe qui possèdent encore vraiment leur fonction initiale.

Parallèlement aux parterres s'élève un jardin particulièrement original sur le thème du jeu de cartes. Au milieu, la fontaine de Neptune. Statues évoquant les rois, les reines et les valets. Magnifiques charmilles dessinant les couloirs : le pique, le cœur, le carreau et le trèfle.

Tout en haut, le *Frédéric Salle*, pavillon construit en 1774 pour la visite de la fille de l'impératrice Marie-Thérèse d'Autriche. Rotonde à coupole et fort jolis stucs des Moretti, qui se sont représentés en bambins de part et d'autre de la pièce. La ligne de chemin de fer n'a visiblement été ajoutée qu'après...

➤ DANS LES ENVIRONS DU CHÂTEAU DE FREŸR

🌿 **Les rochers de Freÿr :** en face du château. Vertigineuses falaises qui font le délice des grimpeurs de la région et du club alpin belge. Le week-end, les cordées se suivent à la queue leu leu sur chaque paroi.

CELLES
(5561)

Mignonne bourgade classée parmi les plus beaux villages de Wallonie. Point extrême de l'offensive allemande lors de la bataille des Ardennes (un char en témoigne à l'entrée de la ville). Autour de l'église, belle homogénéité architecturale des maisons de pierre.

Où dormir ? Où manger ?

🏠 |●| **La Clochette :** *rue de Vêves, 1, en bord de route.* ☎ 082-66-65-35. ● laclochette@skynet.be ● laclochette.be ● Fermé lun midi et mer. Congés annuels : de mi-fév à mi-mars et fin juin-début juil. Double 70 €, petit déj compris. 1er menu 25 €, puis 38 € ; plats 12-24 € ; carte à partir de 30 €. Apéro maison offert sur présentation de ce guide. Cadre cossu, salle un peu triste mais cuisine sûre.

Classique mais préparée avec savoir-faire. Viviers à truites (et à homards). Un peu fatigué de la grande spécialité des Ardennes (la truite) ? Rabattez-vous sur le homard au thym ou le civet de marcassin façon grand-mère, pomme aux airelles ! Propose également des chambres à l'étage, avec salle de bains. Pratique mais pas de charme particulier.

Où dormir dans les environs ?

🏠 **La Ferme des Belles Gourmandes :** *rue du Camp-Romain, 20, Furfooz 5500.* ☎ 082-22-55-25. ● valerie_david@ mac.com ● lafermedesbellesgourmandes.com ● Sur les hauteurs de Dinant, à 7 km, surplombant la vallée de la Lesse.

Accès fléché. Double 60 €, petit déj compris. CB refusées. Carte des promenades de la région offerte sur présentation de ce guide ! Dans un village agricole, une ferme du XVIIe s joliment restaurée et tenue par un couple charmant. Accueil adorable de Valérie. Vous y trouverez 4 chambres très agréables, arrangées chacune autour d'un thème et d'une couleur (la mer, la campagne, rêves d'ailleurs et sieste au soleil...). Un super rapport qualité-prix en fait, d'autant que le petit déj, avec ses salaisons locales, ses croissants et pains maison, son assortiment de fromages, ses confitures maison (en été), est costaud ! Pour les séjours un peu plus longs, il y a aussi 3 petits gîtes en duplex pouvant accueillir jusqu'à 4 personnes *(juil-août et vac scol belges)*, loués pour 2 nuits minimum, selon saison, compter 135-210 €.

À voir

🚶 *L'église Saint-Hadelin :* elle présente un aspect fortifié avec sa grosse tour carrée, encadrée de deux tourelles avec meurtrières. Intérieur restauré. Nombreuses pierres funéraires et, notamment, à droite du chœur, une énorme dalle en marbre noir reposant sur des bouffons. Visite de la crypte voûtée. Une autre au fond, mais inondée.

➤ DANS LES ENVIRONS DE CELLES

🚶🚶 *Le château de Vêves :* dans le parc naturel de Furfooz, à 2 km de Celles. ☎ 082-66-63-95. ● chateau-de-veves.be ● *Avr-oct, tlj sf lun et ven (tlj sf certains lun en juil-août) 10h-17h30. Entrée : 6 € ; réduc.*
L'un des châteaux les plus croquignolets (oui, ça faisait longtemps que l'on n'avait pas utilisé cette épithète !) qu'on connaisse. Superbement perché sur une butte dans une riante vallée. D'abord château fort, puis transformé au cours des siècles en château d'agrément. Il possède encore son allure du XVe s, avec ses tours et tourelles à poivrière.
Entrée par une porte fortifiée courbe permettant de piéger l'assaillant. Dans la cour, double galerie à colombages. Donjon de 36 m de haut et de 3 m d'épaisseur à la base. C'est la partie la plus ancienne. À l'intérieur, salles d'héraldique et des sceaux. La salle d'armes est la plus vaste du château. Dans le salon Hilarion, joli mobilier XVIIIe s. Chambre à coucher avec alcôve et meubles Louis XVI. Noter la superbe salle à manger, aux décors de châteaux peints. Dans le grand salon, beau cartel d'ébène incrusté de cuivre. Visite également de la cuisine avec sa crémaillère et son four banal.

🚶 *L'église de Foy-Notre-Dame :* petit village au nord de Celles. C'est là qu'on découvrit, dans un vieux chêne, une statue de la Vierge. Il n'en fallait pas plus à l'époque pour provoquer un pèlerinage, puis construire une église à l'image de son succès. Ce qui fut fait en 1623. On ne prit pas vraiment le temps de fignoler l'architecture extérieure (ici assez modeste) mais, en revanche, beaucoup de soin fut apporté au décor intérieur.
Beau plafond à caissons racontant, en 145 panneaux, la vie de la Vierge et celle du Christ. Richesse des autels du chœur. Les principaux, outre celui en marbre, sont ceux sur le côté en bois sculpté avec colonnes torsadées. Statue de la Vierge miraculeuse dans le tabernacle, objet de grande dévotion. Il faut noter le remarquable travail des boiseries sculptées. En particulier, les lambris en chêne qui courent sans discontinuité tout le long des murs de l'église. Dans le narthex, les écussons des familles nobles et des évêques au plafond.

LE SUD-EST DU NAMUROIS

CINEY   (5590)   15 000 hab.

Petite capitale du Condroz, c'est une ville riante et surtout commerçante. Fortement éprouvée lors des innombrables guerres, elle n'a pas conservé beaucoup de monuments anciens. Elle fut au centre d'un conflit féodal dont le souvenir est parvenu jusqu'à nous, la « guerre de la Vache », qui mit aux prises Liège et Namur pendant 2 ans à la fin du XIIIe s pour une histoire de vache volée. Sans verser dans la folie, à propos de vache, Ciney est aussi le siège de l'Association bovine du bleu-blanc belge, race qui fait la fierté du monde agricole et le plaisir des consommateurs de steaks juteux. Une excellente bière (brune ou blonde) porte le nom de Ciney.

Adresse utile

🏛 *Office de tourisme* : au centre culturel, pl. Roi-Baudouin, 1. ☎ 083-21-65-65. Tte l'année, en sem 8h30-12h, 13h30-17h ; et sam mat. Également dim en juil-août 10h-12h, 14h-16h.

Où dormir ? Où manger ?

🏠 *Hôtel Surlemont* : rue Surlemont, 9. ☎ 083-23-08-68. • surlemont.be • En bordure de Ciney (accès fléché), à env 2 km du centre. Compter 85-100 € pour 2 pers, sans petit déj. Réduc de 10 % la 2e nuit et 20 % la 3e. Jus d'orange offert à l'arrivée de nos lecteurs. Un bien bel hôtel ! Dans un espace très dégagé, un peu en dehors de la ville et donc parfaitement au calme, cette ancienne ferme restaurée abrite de fort jolies chambres réalisées dans des tons harmonieux (taupe, sable, grège...), avec un peu de colombages apparents, et équipées de belles salles de bains nickel et vaste pour les chambres « Surlemont ». Spa et sauna également. De plus, très bon accueil.

🍴 *La Part des Anges* : pl. Monseu, 28. ☎ 083-21-86-96. Face à la collégiale. Fermé sam midi et lun-mar. Plat env 13 € ; 1er menu 23 €. Le petit resto de Ciney qui fait dans les petits prix sans pour autant lésiner sur la qualité. Atmosphère intime et cadre rustique modernisé, avec son parquet, son mur en pierre de pays et son poêle au fond de la salle. La carte tourne régulièrement mais propose des plats du genre fondue du Vigneron, escalope gratinée à la diable, pavé de bar aux poireaux et camembert grillé au thym. On peut aussi y goûter du vin belge. Si, si...

🍴 *Le Comptoir du Goût* : rue du Commerce, 121. ☎ 083-21-75-95. • restaurant-lecomptoirdugout.be • Fermé dim-lun, ainsi que tt le mois de juil et 2 sem en avr. Plat du jour en sem 13 € ; menu complet 28 € ; plats 13-24 €. Façade grise, salle dans les tons sourds, prolongée aux beaux jours par une terrasse donnant sur un bout de jardin. Ensemble très tendance, chic et de bon aloi. Une bien belle cuisine ma foi, appréciée des habitants comme des gens de passage, qui viennent profiter du plat du jour mais aussi des différentes préparations d'ici et d'ailleurs. Cuisine très *world*, déclinée sur différents thèmes *Un goût... d'iode*, *... d'ici ou d'ailleurs*, *... de tout en un*. Derrière ses appellations quelque peu elliptiques se cachent des préparations souvent inspirées, goûteuses et bien servies.

Manifestations

– **Foires aux puces :** le w-e de Pâques et le 2e w-e d'oct.
– **Grande foire aux antiquaires :** le w-e autour du 21 juil.

➤ DANS LES ENVIRONS DE CINEY

🕴 **Chevetogne :** à une dizaine de km au sud de Ciney. Une curiosité et une attraction :
– une *église byzantine* (mais oui !) de type Novgorod, richement décorée par des artistes grecs. On peut assister aux offices le dimanche. Ah, les chants grégoriens !
– *Le domaine provincial :* ☎ 083-68-72-11. ● *province.namur.be/atout/cheveto gne* ● Avr-fin oct, tlj 10h-19h. Entrée : 10 € ; gratuit nov-fin mars. Le billet donne accès à ttes les activités du domaine. Dans une nature lumineuse (bon d'accord, pas tous les jours), une dizaine de jardins thématiques (dont le *woodland garden*, qui possède de beaux rhododendrons, le jardin de plantes médicinales et le jardin des licornes), plusieurs plaines de jeux, des topiaires, une piscine avec toboggans, inclus dans le prix (accessible aux beaux jours), un train touristique, un centre équestre, des étangs à barques, des terrains de tennis et de basket, un minigolf et un sentier ornithologique à travers la forêt. Des animaux aussi, tels que cerfs, daims, chèvres et sangliers, qui ne demandent qu'à se faire photographier.

⚊ 🛏 Nombreuses possibilités de logement dans le domaine, du *camping* (tarifs très raisonnables) au *motel* (compter 60 € pour 2 personnes) en passant par les *chalets familiaux.*

LE CHÂTEAU DE LAVAUX-SAINTE-ANNE

🕴🕴 *Dans le village de Lavaux-Sainte-Anne.* ☎ 084-38-83-62. ● *chateau-lavaux. com* ● Sortie 22a sur l'autoroute E 411. Mars-oct, tlj 9h-17h30 (fermeture de la caisse 19h juil-août). Fermé de mi-déc à mi-mars. Entrée : 6,50 € pour le château seul, 9 € pour le château et la zone humide ; réduc. Brochure bien faite avec plan du château et de la zone humide.
Superbe château médiéval de plaine du XVe s. Ses origines remontent toutefois au XIIIe et il fut modifié au XVIIe. Totalement entouré de douves. On y distingue deux parties : les tours et le donjon d'origine d'une part, et la cour intérieure de style Renaissance d'autre part. Un mur extérieur fut d'ailleurs abattu au XVIIe s pour l'ouvrir sur la campagne. Galerie à colonnes galbées et chapiteaux toscans. Laissé à l'abandon dès 1810, il fut restauré à partir de 1933. Réaménagé une nouvelle fois en 2004, il abrite à présent des expos permanentes sur la vie rurale (à la cave), la nature famennoise (au 1er) et la vie des seigneurs de Lavaux (au rez-de-chaussée). Également visite possible de la *zone humide,* où sont reconstitués sur 6 ha trois milieux naturels (marais, prairie et étang) tels qu'ils existaient il y a un siècle.
La visite du château est libre. Elle démarre au sous-sol, dans de belles caves voûtées avec le *musée de la vie rurale* au début du XXe s. Métiers, reconstitution d'intérieurs avec tous les ustensiles utilisés dans la vie quotidienne, la grande cuisine, les ateliers... L'ensemble est sonorisé pour donner du relief. Puis vient la partie sur *les seigneurs de Lavaux,* une succession de salles aménagées comme aux XVIe et XVIIe s. Fiche explicative dans chaque salle, qui est meublée et bruitée comme à l'époque, ce qui crée une jolie ambiance. On traverse successivement la chambre de Mademoiselle, la chapelle des seigneurs, la salle à manger, le cabinet d'écriture (belle table Renaissance, grosse cheminée), prolongé par un cabinet de curiosités, puis le salon de musique, où flottent quelques notes... Noter l'intéres-

sante et rare salle de bains, avec une vraie baignoire en marbre noir, datant du XVIIe s. Particulièrement rare pour l'époque où en général l'on apportait une baignoire dans la chambre de la personne à décrasser. Mieux, on ne se lavait pas du tout ! Dans le donjon, belle maquette du château fort vers 1450, où l'on peut observer le côté éminemment défensif de l'édifice. *Le musée de la Nature famennoise*, enfin, présente une riche collection d'oiseaux et de mammifères naturalisés, ainsi qu'une petite section sur la chasse. Noter le petit salon, doté d'un mobilier décoré de bois de chevreuil et daims. Noter l'impressionnante canardière du XIXe s et le miroir aux alouettes (si si, ça existe vraiment !) pour attirer puis tirer les... alouettes. Si vous avez pris le billet combiné, vous pouvez ensuite aller vous balader dans la zone humide, à côté du château.

Où dormir ? Où manger à Lavaux-Sainte-Anne et dans les environs ?

De prix moyens à chic

🏠 |●| *Relais Marraine Zulma* : *rue de la Station, 30, Wellin 6920.* ☎ 084-38-85-83. ● info@zulma.be ● zulma.be ● *À quelques km au sud de Lavaux-Sainte-Anne, sur la grande route qui traverse le village. Compter 65-75 € pour 2 pers (les plus chères avec baignoire) ; petit déj 10 € ; moins cher à partir de 3 nuits. Une chambre possède également une chambrette attenante (séparée par une sdb), parfaite pour 2 adultes et 2 enfants, 95 €. Possibilité également d'y déjeuner et d'y dîner sur résa. Lunch 18 € ; 2 menus le soir 25-35 €. Apéro offert sur présentation de ce guide. Logement chez l'habitant dans une haute maison faite de brique et de tourelles, datant de 1918, situé au bord de la grand-route. Tenu par Valérie et Kris. Vous y trouverez 7 chambres charmantes avec plancher partout, joli papier* peint et lits douillets. Sans oublier les salles de bains, impeccables. Hôtesse sympathique, qui plus est, table d'hôtes sur demande (c'est le mari qui cuisine) et petit salon pour l'apéro.

🏠 |●| *Lemonnier* : *rue Baronne-Lemonnier, 82, au cœur du village de Lavaux-Sainte-Anne.* ☎ 084-38-88-83. ● info@lemonnier.be ● lemonnier.be ● *Resto fermé mar-mer. Compter 95-120 € pour 2 pers ; petit déj 12 €. Si vous avez quelque chose à fêter dans le coin, autant le faire ici. Bel hôtel de caractère doublé d'un resto gastronomique réputé, proposant une dizaine de chambres modernes très agréables, spacieuses et tout confort ! Superbes salles de bains dans les chambres rénovées, en particulier celles, très spacieuse, avec bains à bulles, de la chambre de luxe (la plus chère).*

LES GROTTES DE HAN

Les plus célèbres grottes de Belgique, situées sur la commune de Han-sur-Lesse, en plein centre. Elles furent découvertes en 1814 par quatre gamins qui, au retour, marquèrent l'itinéraire à l'aide de farine. C'est en 1895 que démarra l'exploitation touristique du site. Beaucoup de monde en saison, ça va de soi.

Adresse utile

🛈 *Office de tourisme* : *pl. Théo-Lannoy, 3, Han-sur-Lesse.* ☎ 084-37-75-96. ● valdelesse.be ● *L'été (juil-* *août), tlj 9h30-17h30 ; à la mi-saison, 10h-16h30 ; en hiver, en sem slt 10h-16h (hors petites vac scol belges).*

Vente des cartes de promenades à faire dans le coin. Fait aussi la location de vélos, mais c'est franchement cher.

Où dormir ? Où manger à Han et dans les environs ?

De prix modérés à plus chic

🛏 *Chambres d'hôtes :* chez Mme Gillet, rue Grand-Hy, 20, Han-sur-Lesse 5580. ☎ 084-37-72-89. *À proximité de la Lesse. Compter 40-45 € pour 2 pers, petit déj compris. CB refusées. Garage pour vélos et motos à disposition. Réduc de 10 % à partir de la 2ᵉ nuit sur présentation de ce guide.* Une grande villa au calme tenue par un gentil couple. Grande pelouse sur le devant, plantée de cerisiers, pommiers et poiriers. 3 chambres spacieuses (double et triple – dont une plus petite) avec sanitaires privés, impeccables. Confitures maison au petit déj et excellent accueil de la famille qui vous reçoit. Globalement une bonne affaire, vu la modicité des prix et la qualité du lieu.

🍽 *La Taverne du Centre :* rue du Grottes, 5. ☎ 084-37-73-67. *Tlj midi et soir en saison. Menus 15,50-22,50 €. Nombreux plats (copieux) 11-14 €, qui peuvent faire office de repas.* Petite adresse sans chichis pour grignoter un petit bout. Cuisine classique parmi les classiques. Écoutez voir ! Chicons au gratin, carbonade flamande, poêlée forestière (on mange dans la poêle), oiseaux sans tête à la blonde de Han... Plus local tu meurs.

🍽 *L'Hexagone :* rue des Grottes, 19. ☎ 084-47-71-78. *Tlj sf mer (et jeu midi en hiver) midi et soir. Plat du jour 11,90 € ; repas complet 25-30 € ; patelles 9,50-17 €.* Resto de belle tenue, décorée avec goût et modernité, proposant une cuisine française mais aussi typiquement locale, comme cette *patelle* (5 sortes), allant de la plus rustique (du terroir) à la plus exotique (à l'indienne), en passant par la campagnarde. On ne les a pas toutes goûtées, mais la nôtre était fort réussie. D'autres préparations savent se faire plus légères. Excellent accueil.

Où dormir dans les environs de Han ?

🛏 *Ma Résidence :* rue de l'Église, 124, Tellin 6927. ☎ 084-38-74-41. ● dan@maresidence.be ● maresidence.be ● *À env 7 km au sud de Han. Juste sur le flanc droit de l'église (c'est la rue qui en fait le tour). Double 100 €, petit déj compris.* Pour nos lecteurs pas trop fauchés, un B & B cossu, installé dans une belle et grande maison de pierre grise, avec tourelle pointue, prolongée d'un parc de 2 ha avec piscine. Chambres toutes un peu différentes et très classes, avec salles de bains équipées de radio et garnies d'un lavabo encastré dans une grosse planche en bois. Petit déj (jus de pomme pressée et jambons locaux) servi au salon, très cossu lui aussi (cheminée et canapé moelleux). Et sauna à disposition.

À voir

Les différentes attractions ci-dessous (sauf la Maison de la vie paysanne et des métiers oubliés) peuvent faire l'objet d'un ticket combiné à 18,90 € (réductions). Cela inclus la réserve d'animaux, le *Speleogame,* le musée du Monde souterrain et la grotte de Lorette.

🎭🚶 *Le domaine des grottes de Han :* rue J.-Lamotte, 2, Han-sur-Lesse 5580. ☎ 084-37-72-13. ● grotte-de-han.be ● *Horaires un rien compliqué, accrochez-*

vous ! De mi-juil à fin août, visites ttes les 30 mn 10h-12h, 13h-17h30. Avr et oct, tlj 10h-16h, départ ttes les heures. Mai-juin, 10h-12h, 13h-16h30, ttes les 30 mn en sem (17h le w-e). Sept, en sem sf lun 10h-16h, ttes les heures (w-e 10h-12h, 13h-16h30, ttes les 30 mn). En fév-mars, fermé lun. Fermé de janv à mi-fév et en déc (sf période de Noël). Enfin, Noël-Nouvel An, pdt les vac scol de fév, ainsi que les w-e de mars, visites ttes les heures et demie 11h30-16h. Vente des billets dans le hall d'accueil, en face de l'église. Entrée : 11,90 € ; réduc. Un tramway centenaire conduit jusqu'à l'entrée de la grotte. Compter 1h30 de visite (et prévoir une petite laine !). Sortie des grottes à 500 m du village. Le parcours dans la grotte, le long des galeries et des salles, fait environ 3 km (plus de 14 km ont été découverts par les spéléos). La grotte fut profondément creusée par la Lesse. On ne va pas tout vous révéler mais voici les principaux temps forts : salles des Mystérieuses décorées de belles concrétions, la grande salle d'armes (là où la Lesse ressurgit), qui mesure 20 m de haut (spectacle son et lumière). Stupéfiante salle du Dôme avec ses 65 m de haut et 145 m de long. En tout, 400 m à monter et à descendre. Au passage, vous admirerez le Minaret, jolie stalagmite qui mérite son nom, et le Trophée, énorme concrétion de 20 m de circonférence. À la sortie de la grotte... surprise sonore.

À voir aussi

🦌 **La réserve d'animaux sauvages :** parc de 250 ha qui se visite en car panoramique. Mêmes horaires d'ouverture et mêmes fréquences de départ que les grottes, mais légèrement décalé par rapport aux départs de visites des grottes. Durée : 1h15. Entrée : 10 € ; réduc. Ticket combiné. L'occasion de voir en liberté sangliers, cerfs, daims, bisons, ours bruns, bouquetins, chamois, loups et peut-être un lynx ! On y voit uniquement des animaux d'origine européenne.

🚶 **Le musée du Monde souterrain :** près de l'église, pl. Théo-Lannoy. ☎ 084-37-75-96. Ouv début avr-début nov : tlj 10h-18h en été (17h au printemps et à l'automne, 16h en hiver). Fermé le lun en hiver. Entrée : 3,50 € ; réduc. Ticket combiné avec les autres attractions. Collections archéologiques de la période du fer et du bronze et produits des fouilles souterraines. Photos et coupe transversale d'une maquette de grotte.

🚶 **La Maison de la vie paysanne et des métiers oubliés :** rue des Grottes, 14. ☎ 084-34-59-08. Juil-août, tlj 10h-18h ; avr-juin et sept-oct, tlj sf lun 10h-17h. Fermé nov-fin mars. Entrée : 5 € ; réduc. Un peu cher pour ce que c'est, mais permet de découvrir, à travers toute une série de petits ateliers, des métiers qu'on n'imaginait pas avoir existé, comme ceux de scieur de bois, réparateur de parapluies (et seulement de parapluies !), planteur de tabac, fabricant de manches ou organiste.

🦌 **Le Speleogame :** à « La Ferme », rue des Grottes. Juil-août, tlj 12h-19h ; avr, sept et oct, tlj (sf certains lun) 12h-17h30 ; mai-juin, en tlj 12h-18h (18h30 le w-e) ; en hiver, tlj sf lun 13h-17h30. Entrée : 6 € ; réduc. Ticket combiné avec la grotte. Il s'agit d'un film en 3D de 20 mn qui plonge le spectateur au cœur des grottes, armé d'une commande manuelle lui permettant d'agir sur l'image. Bon, franchement pas convaincant et vraiment cher. Également petite expo sur l'histoire des grottes et le monde souterrain en général.

ROCHEFORT (5580) 12 200 hab.

Populaire centre de villégiature, petite capitale de la Famenne. La Fayette et Chateaubriand y furent arrêtés par les Autrichiens en 1792. Rochefort s'emplit de touristes belges et néerlandais dès le premier rayon de soleil. C'est l'une des particularités de la Wallonie que ces villes qui n'ont pas d'attrait en elles-mêmes mais où l'on va parce que c'est touristique, sans plus se rappeler très bien d'ailleurs pourquoi c'est touristique... Certes, il y eut bien, il y a long-temps déjà, un gros château mais il fut vendu au XIXᵉ s en morceaux. Bon, il reste un donjon et, plus loin, il y a une grotte... Alors, ville-étape ? Allez, ville-étape ! Et puis il y a la trappiste de l'abbaye Saint-Rémy, avec la Merveille à 10° ! Allons, la vie est belle ! D'autant plus que Rochefort organise chaque année un festival du Rire. Pour en savoir plus : ● *festival-du-rire.be* ●

Adresse utile

🖺 *Maison du tourisme du val de Les-se-Beauraing-Houyet-Rochefort :* rue de Behogne, 5. ☎ 084-21-25-37. ● *valdelesse.be* ● *Dans la rue princi-pale. En sem 8h-18h (17h hors saison),* le w-e 9h30-17h ; l'hiver, horaires res-treints. Vente de passeports touristi-ques pour les attractions de Rochefort et d'une carte de balades à pied, à vélo ou à cheval dans la région.

Où dormir ? Où manger ?

🛏 |●| *Gîte d'étape Le Vieux Moulin :* rue du Hableau, 25. ☎ 084-21-46-04. ● *gite.rochefort@gitesdetape.be* ● *gites detape.be/rochefort* ● À 5 mn à pied du centre. Ouv aux individuels slt pdt les vac scol d'été, les petites vac scol et les w-e. Nuitée 7,65-14,60 € selon âge, petit déj compris. Carte de membre demandée pour bénéficier de ces tarifs. Possibilité de pens complète. Carte de membre gratuite sur présentation de ce guide. Quelque 90 lits en petites cham-bres agréables et impeccables, de 4 à 14 lits, dans un ancien moulin rénové, peint couleur corail. Lavabo dans les chambres mais douches communes. D'ailleurs l'ensemble est parfaitement tenu.

🛏 *Le Vieux Logis :* rue Jacquet, 71. ☎ 084-21-10-24. ● *levieuxlogis@skynet. be* ● *levieuxlogis.be* ● Au pied du châ-teau. Fermé dim soir et 2ᵈᵉ quinzaine de sept. Double 80 €, petit déj inclus. Petit hôtel d'une dizaine de chambres. Plus proche d'ailleurs de la pension de famille par son atmosphère d'intimité et de calme. Un bel ameublement ancien (armoires anciennes, parquet, vieux fau-teuils...) et le côté gentiment vieillot du décor lui donnent un surcroît de charme. De plus, bon accueil et super jardin à l'arrière, avec tables en fer forgé, tran-sats en été, et même un barbecue à dis-position des hôtes ! Une bonne adresse.

🛏 |●| *Hôtel Le Luxembourg :* pl. Al-bert-Iᵉʳ, 19. ☎ 084-21-31-68. ● *leluxem bourg@proximedia.be* ● *leluxembourg. be* ● En plein centre. Resto fermé jeu soir (et lun hors saison). Doubles 75-85 €, petit déj-buffet inclus. Menu du jour 18 € en sem et 29 € le w-e ; à la carte, plats 16-20 €. Apéro offert sur présentation de ce guide. Un bon gîte pour une étape à Rochefort : chambres claires et sympa-thiquement arrangées, avec belle salle de bains toute blanche. Fruits de bienve-nue sur la table ! Ravissante salle de petit déj. Quant au resto, il est situé place Albert-Iᵉʳ, au n° 2, face à l'hôtel de ville (à 1 mn de l'hôtel). Bonne petite cuisine avec des plats classiques, mais on vient surtout pour les grillades au feu de bois et les salades en été. Préférez la salle à l'arrière, plus agréable.

|●| *La Diva :* pl. Albert-Iᵉʳ, 12. ☎ 084-21-15-77. Tlj sf mer-jeu ; service le soir jusqu'à 23h. Plats 8-12 €. Cadre sym-pathique qu'apprécie bien la clientèle locale. La recette est simple : des pâtes et des pizzas au feu de bois et quelques grillades de bon aloi. Simple, réussi, le tout à prix doux.

Où dormir ? Où manger dans les environs ?

🛏 *Chambres d'hôtes Derrière les Ter-res :* rue de la Lhomme, 7, 5580 Jemelle. ☎ 084-22-19-50. ● *info@derrierelester res.be* ● *derrierelesterres.be* ● À 3 km à l'est de Rochefort. Fermé 15 nov-15 déc. Compter 40 € pour 2 pers, petit déj compris. CB refusées. Bienvenue chez Malou, très accueillante. Posée en bordure de rivière, cette petite maison en pierre grise possède 3 jolies chambres soignées, avec sanitaires privés, proposées à un prix vraiment attractif. En outre, les écolos pourront consulter quelques livres sur la nature dans le petit salon réservé aux hôtes. Petit jardin à l'arrière. Dans le même esprit, on est invité, la veille au soir, à préciser ce qu'on veut pour le petit déj, histoire d'éviter le gaspillage. Une démarche qu'on salue !

|●| Relais Saint Rémy : route de Ciney, 140. ☎ 084-21-39-09. ● info@relaisstremy.be ● À 4 km de Rochefort. Fermé mer (et jeu hors saison), ainsi que 1 sem en mars. Plat du jour 9,30 € ; menu 23 € ; carte env 30 €. Apéro offert sur présentation de ce guide. Une auberge blanche sur la route de Ciney. Cadre classique (salle rustique avec tête de sanglier) mais accueil chaleureux et cuisine recommandable, assez classique elle aussi mais de qualité constante. Poulet de ferme à la trappiste, jambonneau sur choux et fumet de pleurotes... C'est bon et copieux. Parfois, il reste des plats du jour le soir.

À voir

🍴 **Les vestiges de l'ancien château comtal :** ☎ 084-21-44-09. Avr-début nov, tlj 10h-17h. Entrée : 2 € ; réduc. Les ruines restent imposantes. Panorama intéressant du donjon. Musée dans la tour orientale.

🍴🍴 **La grotte de Lorette-Rochefort :** pas loin du centre, près de la chapelle de Lorette. ☎ 084-21-20-80. Ouv avr-début nov : juil-août, tlj, visites ttes les 45 mn 11h-17h ; le reste de la saison, tlj sf mer, ttes les 90 mn 10h30-16h30. Entrée : 7,75 € ; réduc. Comme d'habitude, prévoir une petite laine. Cette grotte verticale, à l'aspect sauvage et au parcours compliqué, abrite une station de recherche sur les mouvements tectoniques. On descend de 65 m pour voir la salle du cataclysme et, finalement, arriver à la grande et superbe salle du Sabbat, où un nouveau son et lumière a été mis en place. Possibilité de visionner un film au pavillon d'accueil sur les phénomènes tectoniques.

🍴 **L'archéoparc de Malagne la gallo-romaine :** Malagne, 1. ☎ 084-22-21-03. Avr-début nov, tlj (sf lun en dehors des vac scol) 11h-18h. Entrée : 4,20 € ; réduc. Sur le site archéologique d'une des plus grandes villas romaines de la Gaule du Nord, reconstitution de la vie quotidienne des Gallo-Romains : élevage, artisanat, culture... Accueil avec audiovisuel, boutique et cafétéria. Week-end du Folklore gallo-romain fin juillet et fêtes saturnales fin décembre.

LE SUD-OUEST DU NAMUROIS

Avant de se diriger vers le Hainaut, petit détour vers Viroinval, en marge de la N 99 (vers Couvin).

OIGNIES-EN-THIÉRACHE

Du temps de l'Europe des 15, le centre géographique de l'Union se trouvait à proximité de Oignies. Depuis l'élargissement, il se trouve quelque part du côté de Francfort en Allemagne. Qu'importe ! La vallée du Viroin mérite qu'on s'y attarde pour son remarquable état de préservation et la palette de richesses naturelles qui la caractérisent.

Où dormir ? Où manger chic ?

▲ |●| *Au Sanglier des Ardennes :* rue
J.-B.-Périquet, 4. ☎ 060-39-90-89.
● ausanglierdesardennes@hotmail.com
● ausanglierdesardennes.be ● *Au centre du village.* Fermé dim soir, lun soir (et
lun midi oct-janv) et mar (plus mer oct-
janv). Congés annuels : de mi-fév à mi-
mars et dernière sem d'août-1re sem de

sept. Doubles 56-89 € ; petit déj 12 €.
Au resto, menus 35 € le midi, à partir de
55 € (5 services, vins compris) le soir ;
plus cher à la carte. Plus que l'hôtel,
c'est le restaurant qui est réputé, on y
vient de toute la région pour sa cuisine
de haute volée.

➤ *DANS LES ENVIRONS
D'OIGNIES-EN-THIÉRACHE*

Adresses utiles

🛈 *Office de tourisme :* rue Vieille-
Église, 2, Nismes 5670. ☎ 060-31-16-
35. ● viroinval.be ● *En basse saison, lun-
ven 8h30-16h30, w-e 9h-16h30 ; en hte
saison, tlj 9h-17h (18h juil-août).* Très
bon accueil et infos précieuses. Liste
des chambres d'hôtes.
■ *Promenades guidées :* avec le Cer-

cle des naturalistes de Belgique.
Contacter M. Woué à Vierves-sur-
Viroin : ☎ 060-39-93-72.
■ *Location de vélos et de VTT :* chez
Raoul, rue Coliche, 2, à Olloy-sur-
Viroin. ☎ 060-39-02-41. Tlj à partir de
10h30. Loc à la ½-journée (13 €) ou,
pour 2 € de plus, à la journée.

Où camper ?

🏕 *Camping Le Try des Baudets :* rue
de la Champagne, Olloy-sur-Viroin
5670. ☎ 060-39-01-08. ● campingtry
desbaudets@hotmail.com ● *Ouv tte
l'année. Réception fermée mer hors sai-*

son. Compter 9 € pour 2 pers et 1 tente.
Surprise offerte sur présentation de ce
guide. Bien situé, sur une hauteur en
bordure de forêt.

À voir

🎯🎯 *Viroinval, Vierves-sur-Viroin, Dourbes* sont des localités bâties de calcaire
et d'ardoise, et pleines d'histoire : vestiges préhistoriques, gallo-romains et francs,
ruines d'anciens châteaux et points de départ pour découvrir une nature propice
au kayak, à l'escalade et à la spéléologie. Vierves est répertorié dans la liste des
plus beaux villages de Wallonie.

🎯🎯 *Nismes :* village millénaire de sabotiers qui voit se rejoindre l'Eau Blanche et
l'Eau Noire. L'office de tourisme organise, mais seulement pour les groupes, des
promenades dans le *parc naturel Viroin-Hermeton,* l'une des plus passionnantes
zones géographiques du pays. Ensemble de pelouses sur calcaire à la flore particulière (orchidées), le parc se singularise par des curiosités géologiques spectaculaires appelées *fondrys.* Gouffres naturels issus de l'ère glaciaire et creusés par les
eaux de pluie dans le calcaire sur une profondeur de 20 m parfois. Une activité
minière pour y exploiter le fer s'y déroula jusqu'au XIXe s. Soyez prudent si vous
voulez les explorer, cela peut être dangereux !

LA PROVINCE DE NAMUR

TREIGNES

Un tout petit village qui a, étonnamment, bien des choses à offrir. Un enfant du pays, Arthur Masson, écrivain régionaliste, y a créé le personnage romanesque de Toine Culot, maire du village imaginaire de Trignolles et archétype presque caricatural du Wallon bon vivant. Son univers est fort bien reconstitué dans l'espace Arthur-Masson.

Où manger dans le coin ?

|●| *Le Grain de Sel :* av. Roger-Posty, 28, à Vireux-Molhain. ☎ 03-24-41-80-90. ● info@grain-de-sel.fr ● Situé juste de l'autre côté de la frontière, donc en France, à 5 km de Treignes. Fermé dim soir et mer. Plat du jour 8,50 € ; menu 22 € ; à la carte, plat 11 €. Notre seul resto du guide qui n'est pas sur le territoire belge, mais vu qu'il est à deux pas de Treignes et d'un bon petit rapport qualité-prix, on a décidé de vous l'indiquer quand même. Savoureuse cuisine de terroir en effet, servie avec le sourire dans une agréable petite salle de bistrot. Les suggestions, à prix unique, changent tous les jours au gré du marché.

À voir. À faire

🚶🚶 *L'espace Arthur-Masson :* parcours-spectacle dans l'ancienne maison communale de Treignes, rue Eugène-Defraire, 36. ☎ 060-39-15-00. ● espacemasson. be ● Des vac de Carnaval à la Toussaint, mar-ven 10h-17h, sam-dim 11h-18h, fermé lun (sf vac scol) ; le reste de l'année, slt le w-e 11h-18h. Fermé 3 sem en janv. Entrée : 5 € ; réduc. Durée du parcours : 1h.
Une émouvante évocation, par le truchement d'un audioguide et de scènes en trois dimensions, de l'univers désuet et gentiment rural du « Pagnol wallon » entre les années 1930 et 1960. Humour, sensibilité, truculence et naïveté avec cette résistance au modernisme propre à Toine Culot, maïeur de Trignolles. Une fois qu'on s'est fait aux peu grossiers des personnages, on tombe vraiment sous le charme d'un monde romanesque révolu.
Pour rester dans l'ambiance après la visite, demandez à voir la salle de classe 1932, où un instit' simule un cours de cette époque pour les groupes qui en font la demande... Vous pouvez, le cas échéant, vous joindre à eux mais préparez-vous alors à revêtir un cache-poussière comme autrefois, voire, si vous faites le malin, à enfiler le bonnet d'âne !

🚶 *L'écomusée du Viroin :* rue Eugène-Defraire, 63. ☎ 060-39-96-24. ● ecomusee duviroin.be ● Abrité dans une ferme-château au milieu du village, en face de l'église. Avr-début nov, mar-ven sf mer (excepté pdt vac scol) 9h-12h, 13h-17h ; sam-dim et j. fériés 10h30-18h. Entrée : 4 € ; réduc. Tour-donjon du XVIe s. Collections présentées dans les anciennes étables. Outre de belles expos temporaires ayant trait à la vie d'autrefois, il y est question de tous les vieux métiers qui firent la prospérité de la région. Comme la saboterie, qui employa à Nismes jusqu'à 500 personnes travaillant sur des machines à sabots modernes. D'autres métiers liés à l'exploitation des forêts sont également évoqués : bûcherons, menuisiers, charpentiers, tonneliers... D'autres encore, liés au fer, sont mis en valeur au travers d'outils et de machines, comme les forgerons, maréchaux-ferrants et fondeurs. Voir aussi, au rez-de-chaussée, l'étonnante horloge astronomique du début du XXe s, puis passer au jardin, qui rassemble de pittoresques vieilles machines agricoles, dont la célèbre charrue brabant double. Enfin, petit estaminet garni d'un vieux poêle, où l'on sert les sept trappistes existantes.

🐾 *Le musée du Chemin de fer à vapeur :* *dans l'ancienne gare de Treignes.* ☎ *060-39-09-48.* ● *cfv3v.in-site-out.com* ● *Mars-juin et sept-nov, tlj sf lun 10h-17h (18h w-e) ; juil-août, tlj 10h-18h. Entrée : 5 € ; réduc.* La gare ferroviaire, quelque peu surdimensionnée par rapport au village, était autrefois une importante plaque tournante du trafic national belge et international (à deux pas de la frontière française). Elle abritait aussi les bureaux des recettes et des douanes, et contrôlait sept voies. Un grand hangar abrite ce musée ouvert en 1994. Nombreuses belles locos, dont la bonne vieille MF 73, le populaire bus sur rail 4616, la BB 12120, etc. Ainsi que d'antiques wagons de bois, circuits de trains miniatures, collection de gares en cartes postales, petit matériel ferroviaire, etc.
|●| Cafétéria à côté.

🐾 *Le chemin de fer des Trois Vallées :* Treignes est aussi le point de départ d'une chouette balade en loco à vapeur jusqu'à Mariembourg. *Infos : chaussée de Givet, 49, Mariembourg 5660.* ☎ *060-31-24-40.* ● *cfv3v.in-site-out.com* ● *Fonctionne le w-e avr-oct (tlj juil-août), à raison de 3 départs/j. (compter 2h aller-retour). Prix du billet : 11 € ; réduc.* Outre le trajet, vous verrez aussi à Mariembourg, dernière « rotonde » en activité en Belgique, toutes les vieilles locos restaurées qui roulent encore, comme l'impressionnante BR50 allemande de 138 t. Attention, pour le trajet, c'est alternativement la loco à vapeur ou un antique autorail Diesel. Se le faire préciser au moment de la réservation.

🐾🐾 *Le musée du Malgré-Tout :* *rue de la Gare, 28.* ☎ *060-39-02-43.* ● *users.sky net.be/cedarc* ● *En sem 9h30-17h30, w-e et j. fériés 10h30-18h. Fermé mer hors j. fériés et vac scol. Entrée : 5 € ; réduc ; gratuit jusqu'à 6 ans.* Son nom provient du lieu-dit voisin. Petit musée de paléontologie et d'archéologie. Il propose non seulement de remarquables expos temporaires mais aussi, de façon permanente, sept types d'habitat préhistorique grandeur nature, dont le plus ancien remonte à un million d'années. Intéressant. Toujours au rang des collections permanentes, on peut aussi y voir, dans une belle muséographie, des objets et ossements de l'époque de Néandertal à l'Antiquité, ainsi qu'une longue vitrine sur l'évolution de l'homme préhistorique et de ses activités. Enfin, ceux que le sujet titille concluront la visite en se rendant à la villa gallo-romaine des Bruyères, située en campagne à 700 m du centre de Treignes, direction Couvin.

➤ *DANS LES ENVIRONS DE TREIGNES*

🐾 *Gambrinus Drivers Museum :* *Fontaine-Saint-Pierre, 2 A,* *Romedenne 5600.* ☎ *082-67-83-48.* ● *gambrinus-drivers-museum.be* ● *Sur la route entre Philippeville et Givet. Avr-oct, tlj 11h-19h. Entrée : 5 € ; réduc.* Installé dans une ancienne malterie du XIXe s, le seul musée belge consacré aux camions de brasserie. Outre des camions de brasserie donc, le musée présente une expo de photos, jouets, documents et publicités sur une activité traditionnelle qui s'est fortement réduite de nos jours, du fait de la production industrielle.

COUVIN   (5660)   13 500 hab.

➤ *Pour y aller en train :* liaisons avec Charleroi.

UN PEU D'HISTOIRE

En 872, Charles le Chauve cède Couvin à l'abbaye de Saint-Germain, fondée à Paris par le fils de Clovis (oui, celle du Quartier latin, le monde est bien petit). Ensuite, pour 100 ans, Couvin appartient au Hainaut, puis la ville finit par être vendue à l'évêque de Liège pour 50 marks d'or (feu le mark était alors, déjà, une monnaie forte). Elle fut liégeoise jusqu'en 1794, puis française rattachée au département des Ardennes jusqu'en 1815. Place forte située sur un escarpement au-dessus de l'Eau Noire (noire parce que schisteuse), elle connut à de nombreuses reprises les joies des sièges et des pillages, pour finir par être démantelée par la France en 1673. Dès le Moyen Âge se développa une industrie métallurgique et Couvin peut tirer orgueil d'avoir vu construire en 1824 le premier four à coke d'Europe. De cette activité, il ne reste que quelques ruines d'ateliers mais, dans les archives de la ville, on trouve des traces du premier procès pour pollution connu de mémoire judiciaire. Un projet de *musée de la Poêlerie* est (depuis quelque temps déjà !) en préparation et devrait restituer le passé industriel de la cité.

Adresse utile

🛈 *Maison du tourisme de la vallée des Eaux Vives :* rue de la Falaise, 3. ☎ 060-34-01-40. • valleesdeseauxvives.be • Ouv tte l'année, lun-ven 9h-17h.

Où dormir ? Où manger ?

Spécialité culinaire de Couvin : l'*escavèche*, anguille ou truite cuite ou frite et servie avec une sauce acide et froide assez épaisse aux oignons. Côté douceurs, il y a aussi les « calcaires couviniens », sortes de truffes qu'on ne trouve qu'à la pâtisserie Moraux, sur la N 5 direction Cul-des-Sarts.

🏠 ❚◉❚ *Chambres d'hôtes Au Milieu de Nulle Part – Restaurant Nulle Part Ailleurs :* rue de la Gare, 8-12. ☎ 060-34-52-84. • info@nulle-part-ailleurs.be • nulle-part-ailleurs.be • Resto fermé mar-mer. Double 70 € ; petit déj 10 €. Lunch du jour env 10 € ; plats à la carte 10-20 € ; menus à partir de 32 €. Sans doute le meilleur endroit où loger et manger à Couvin. 5 chambres un peu rustiques, impeccables et personnalisées, avec salle de bains et TV. Petit déj pris dans un espace tout mignon aux tables vertes. Petit salon avec mini-billard. Le rez-de-chaussée abrite quant à lui 2 petits restos à la déco claire et champêtre, très appréciés des locaux. Cuisine de bistrot dans l'un, un peu plus sophistiquée (et un peu plus chère) dans l'autre. Vente de produits fins à la boutique attenante, possibilité de dégusta-tion de vins. Une bien, bien bonne adresse.

❚◉❚ *La Thiérache :* chaussée de Philip-peville, 2, Mariembourg 5660. ☎ 060-31-24-56. À 5 km au nord de Couvin. Tlj 11h-15h, plus ven-dim 18h-21h30. Résa conseillée, car l'endroit est souvent plein comme un œuf ! Choix entre 4 ou 5 plats du jour le midi en sem 8-9 € ; à la carte, plats 15-20 €. Jolie maison en pierre de pays sur la route principale de Mariembourg. Murs couleur saumon à l'intérieur, tables en bois, vieille horloge et objets de la vie rurale pour décorer. N'hésitez pas à pousser la porte, on y déguste une bien bonne et copieuse cuisine de grand-mère, à base de produits frais de la région, comme le jam-bonneau fermier, le pot-au-feu de petits-gris, les pieds de porc au four ou l'os à moelle gratiné.

Où camper dans les environs ?

⛺ *Camping Le Bailly :* rue du Bailli, 1, Cul-des-Sarts. ☎ 060-37-73-66. À 11 km au sud de Couvin. Ouv de mi-mars à oct. Emplacement (tente, voiture et 2 pers) 8 €. Possibilité de baignade et pêche dans les environs.

À voir. À faire

🏮 **Les cavernes de l'Abîme :** *rue de la Falaise.* ☎ 060-31-19-54. ● *abime.be* ● *Ouv avr-sept : tlj juil-août, slt w-e le reste de la saison, 10h-12h, 13h30-18h. Entrée : 5,50 € ; réduc. Billet combiné avec les grottes de Neptune : 12 € ; réduc.* Petit circuit au départ du plus grand surplomb rocheux de Belgique. On y découvre d'abord un petit musée sur la préhistoire, avant d'accéder à un point de vue sur la ville de Couvin et la vallée de l'Eau Noire. À proximité se trouve le trou de la prison où les Couvinois avaient jadis enfermé le prince de Chimay. De là, on redescend vers la « marmite géante », une cavité de 13 m de haut sur 70 m de long, mise en valeur par un son et lumière et où un spectacle audiovisuel vous montrera comment l'homme de Néandertal faisait du feu. Compter 45 mn en tout.

➤ **Circuit dans la « bonne ville » :** agréable balade dans la vieille ville pour découvrir les maisons anciennes. Demandez la petite brochure à la maison du tourisme.

➤ *DANS LES ENVIRONS PROCHES DE COUVIN*

🏮 **Les grottes de Neptune :** *rue de l'Adugeoir, 24, à **Pétigny**.* ☎ 060-31-19-54. ● *grottesneptune.be* ● *À 2 km au nord de Couvin. Juil-août, tlj 10h-12h, 13h30-18h ; avr-sept, tlj 10h30-16h (18h juil-août) ; le reste de l'année, slt le w-e et vac scol 12h30-16h. Fermé déc-fin fév. Entrée : 8 € ; réduc. Billet combiné avec les cavernes de l'Abîme de Couvin : 12 €. Durée : 45 mn.* Après un parcours à pied, on prend place dans une barque pour 20 mn de navigation sur l'Eau Noire souterraine. Pas les grottes les plus spectaculaires de Belgique, non, mais le son et lumière, à la fin de la visite (avec effet stroboscopique sur une cascade d'eau), est sympathique.

🏮 **Le bunker de Hitler – QG allemand :** *à **Bruly-de-Pesche**.* ☎ 060-37-80-38. *À 6-7 km au sud de Couvin. Pâques-sept, tlj sf lun (excepté juil-août) 10h30-17h ; oct, le w-e slt. Entrée : 4 € ; réduc.* QG de la Wehrmacht, où le Führer séjourna du 6 au 28 juin 1940, pour diriger la campagne de France. Lieu de mémoire, le musée associe les souvenirs de 1940 à ceux de la Résistance régionale contre les nazis.

🏮 **La brasserie des Fagnes :** *route de Nismes, 26, à **Mariembourg**.* ☎ 060-31-15-70. ● *fagnes.com* ● *Ouv sem 11h-19h30 ; w-e, j. fériés, juil-août 10h-21h. Fermé lun sf juil-août et j. fériés. Entrée gratuite.* La brasserie des Fagnes, c'est une jeune équipe motivée renouant avec la tradition locale des brasseries familiales et qui a embrassé, si l'on peut dire, le métier de brasseur avec enthousiasme, tout en faisant le pari de tout montrer de leur activité. Ainsi, on peut venir voir les brassins du mercredi au dimanche (pas en permanence car ça dure tout de même 14h !), discuter technique avec le brasseur, observer le travail dans les cuves et déguster le produit fini, à savoir la Super des Fagnes (blonde, brune ou griotte), dans un environnement plus convivial qu'industriel puisqu'on peut aussi apprécier en accompagnement quelques produits faits maison comme la croûte des Fagnes et visiter le petit musée de la Bière où sont exposées quelques pièces intéressantes que les spécialistes reconnaîtront aisément, ainsi qu'une belle collection de plaques émaillées. Borne interactive et petit quiz amusant. On vous recommande le miniplateau de quatre cuvées spéciales à 5,50 €.

LA PROVINCE DU HAINAUT

Quand on pense voyage en Belgique, on imagine Bruxelles *brusselant* et les tours de Bruges et de Gand. Peu de voyageurs envisagent de partir, ni même de s'arrêter en Hainaut. Allons, peut-être à Binche pour le carnaval ou à Tournai pour la cathédrale. Et quoi d'autre ? Qu'attendre d'une petite région limitrophe de la France, au passé certes prestigieux et qui fut longtemps lieu de villégiature royale, mais que la révolution industrielle et l'extraction du coke auraient ravagée ? Qu'espérer de ces gros bourgs et de ces petites villes, de cette campagne jugée monotone avant que d'être vue ? En réalité, plein de choses.

Les villes sont riches de monuments, vivantes et animées ; les restaurants y servent tard et les bistrots veillent parfois jusqu'aux petites heures, dans le brouhaha sympathique des étudiants houblonnés. Les gros bourgs, fiers de leur passé et de leurs traditions, consacrent une énergie parfois phénoménale pour les préserver. Les villages sont habités, ce qui se fait rare dans l'Hexagone, souvent surmontés d'un château ou dominant les vestiges archéologiques d'un phalanstère du XIXe s. Et la campagne est verte, vallonnée, parfois pleine de jolies vaches blanches mouchetées de noir. Et les gens... Le plus beau dans cette province du Hainaut, ce sont eux. Il y a ici sens de l'accueil, de la chaleur et, surtout, de la fête, qui culmine lors des nombreux carnavals et ducasses. Alors, 60 km avant Bruxelles, quittez l'autoroute !

CHIMAY   (6460)   10 000 hab.

Tout au fond de la botte du Hainaut, à proximité de Couvin, une petite cité chargée d'histoire. Le célèbre Jean Froissart, chroniqueur de la guerre de Cent Ans, y fut chanoine. Deux musts : le château et la collégiale.

Adresse utile

⊡ Maison du tourisme de la botte du Hainaut : rue de Noailles, 6. ☎ 060-21-98-84. ● botteduhainaut.com ● Lun-ven 8h30-17h, w-e 10h-17h ; juil-août, tlj 8h30-18h.

Où dormir ? Où manger à Chimay et dans les environs ?

Camping

⅄ Camping communal de Chimay : allée des Princes, 1. ☎ 060-21-18-43. Ouv juin-oct. Emplacement (tente et 2 pers) 8 €. Pas très champêtre. Mieux vaut camper du côté de Couvin.

Prix moyens

⌂ Chambres d'hôtes Le Petit Chapitre : pl. du Chapitre, 5. ☎ 060-21-10-42. ● brim@skynet.be ● http://users.skynet.be/bs938209/lepetitchapitre ● Résa conseillée. Compter 80 € pour 2 pers, petit déj compris. Réduc de 10 % sur le prix de la chambre en sem, sur présentation de ce guide. Belle demeure ancienne, meublée d'antiquités. 4 chambres doubles décorées avec goût, toutes avec une très jolie salle de bains. La plus petite est moins chère. Sinon, il y a aussi une suite à 100 €, avec un salon privé Louis XVI. Agréable terrasse pour les hôtes.

⌂ Hôtel de Franc-Bois : rue Courtilaux-Martias, 18, Lompret 6463. ☎ 060-21-44-75. ● info@hoteldefrancbois.be ● hoteldefrancbois.be ● À 6 km à l'est de Chimay. Fermé en janv. Doubles 80-90 €, petit déj compris. Une adresse d'un certain charme, dans l'un des plus beaux villages de Wallonie. Face à une falaise, une aile d'un ancien château, accolée à une petite tour, a été complètement restaurée pour accueillir des chambres confortables, claires et impeccables, avec sanitaires étincelants. Également une chambre pour 4 à 5 personnes. Circuit découverte à partir de là.

|●| *La Malterie :* pl. Léopold, 7. ☎ 060-21-32-30. ● fr.nicolaschimay@swing.be ● Dans le centre. Fermé mar soir et mer, plus sem Carnaval et 1ʳᵉ quinzaine de juil. Plats 10-20 €. Café offert sur présentation de ce guide. Un nouveau resto à Chimay, bien inspiré au niveau du décor (salle aux murs de brique et plafond voûté). On y mange de bons petits plats et des recettes locales : *escavèche* maison, onglet à la Chimay rouge, plus des suggestions différentes tous les jours... Clientèle d'habitués. Pos-

sède aussi un comptoir avec des produits du terroir.

🏠 |●| *Auberge de Poteaupré :* rue de Poteaupré, 5, 6464 Bourlers. ☎ 060-21-14-33. ● poteaupre@chimaygestion.be ● chimay.com ● À 8 km au sud de Chimay, non loin de l'abbaye de la trappe de Scourmont. Fermé lun tte l'année, mer hors saison, et de mi-déc au 15 fév. Doubles 65-75 € ; petit déj 7,50 €. Au resto, plats 11-18 €. Wifi gratuit. Bière « spéciale Poteaupré » offerte sur présentation de ce guide. Bâtiment bas à façade blanche abritant une vaste brasserie rénovée et garnie de photos de... bières. À l'arrière, une véranda avec une grande demi-cuve en cuivre, prolongée par une terrasse donnant sur les prés de l'abbaye (où paissent des vaches, pour le lait). Bref, de l'espace, car avec les cars de touristes qui y font halte, il faut bien ça ! Cuisine de terroir utilisant les produits de Chimay : jambonneau à la Chimay bleue, lapin à la trappiste, lasagne au fromage de Chimay... Propose aussi 7 chambres tout confort (minibar, chaîne hi-fi...), dont 1 pour les grands (lits de 2,20 m) !

À voir

🎄 *La collégiale Saints-Pierre-et-Paul :* édifiée en 1250. Le chœur date de cette époque. Trois nefs du XVIᵉ s séparées par des arches et des colonnes d'une grande pureté architecturale. Colonne avec chapiteau. Voûte en brique rouge. Clocher datant de 1732. Les chapelles latérales offrent nombre d'œuvres dignes d'intérêt. À gauche, chapelle Notre-Dame-du-Rosaire, première à partir du chœur, tableau de la Vierge au rosaire attribué à l'école de Bruegel. Souvenir du temps où toute la chrétienté priait contre la menace des Turcs. D'aucuns prétendent même que cela facilita la victoire de Lépante en 1571. Chapelle de Saint-Jacques (troisième en partant du chœur) avec un rare saint Jacques à cheval, appelé *matamore* (qui tue les Maures). Buste de saint Arnould, patron des brasseurs (reconnaissable à sa pelle à malter). Noter aussi les fonts baptismaux en marbre. Les deux grandes coquilles exotiques apposées aux deux premières colonnes servent de bénitier. Elles proviennent de l'océan Indien.

🎄🎄 *Le château des princes de Chimay :* ☎ 060-21-28-23. ● chateaudechimay.com ● Pâques-Toussaint, visites à 10h, 11h, 15h et 16h. Entrée : 7 € ; réduc. On vous souhaite de faire la visite avec la proprio, absolument adorable et captivante ! Construit au XIVᵉ s, le château a connu une existence tumultueuse. Pas moins de huit incendies en tout. Le dernier en 1935 (mais qui épargna heureusement une grande partie de l'intérieur). Façade sobre en pierre grisée. Fenêtres à meneaux. Tour massive avec clocheton original.
Propriété des Croÿ jusqu'en 1616, le château fut, au début du XIXᵉ s, la demeure de la célèbre Mme Tallien, dont l'histoire mérite d'être contée.

Notre-Dame de Thermidor

Née en Espagne, Juana Maria Ignazia Teresa Cabarrus, fort jolie, venue à Paris pour entrer dans le monde, épouse un marquis dont elle divorce en 1793. En prison à Bordeaux comme épouse d'émigré et promise à l'échafaud, elle est sauvée in extremis par le proconsul Tallien, séduit par sa beauté voluptueuse. Elle devient sa maîtresse dans la cellule de sa prison, puis l'épouse. Menacée à nouveau de la guillotine par le Comité de salut public, qui lui reproche de soustraire ses amis aux foudres de la Terreur, elle accuse Tallien de lâcheté de telle manière que celui-ci n'a plus d'autre issue que de renverser Robespierre le 9 Thermidor pour sauver la tête de sa belle intrigante. Libérée, on la surnomme « Notre-Dame de Thermidor ». Sous le Directoire, elle joue les égéries et lance les modes comme les toilettes inspirées de la Grèce antique. Elle est maîtresse de Barras et copine avec Joséphine de Beauharnais, et reçoit Talleyrand, Fouché, Benjamin Constant et David. Elle divorce à nouveau et après un passage dans les bras du banquier Ouvrard dont elle a trois enfants en 2 ans, le coup d'État de Brumaire met un terme à sa vie publique. Teresa épouse en 1805 le comte Riquet de Caraman, prince de Chimay. Après la Restauration la sulfureuse et intrépide Mme Tallien termine benoîtement sa vie au château de Chimay, où elle tient une petite cour tout en élevant ses 11 enfants nés d'amours différentes. Mélomane avertie, elle y fait venir les grands musiciens de l'époque : la Malibran, Cherubini, qui y donnent des concerts. Elle a été enterrée en 1835 dans la sacristie de l'école locale en compagnie de son époux. Une vie bien remplie, sans aucun doute !

La visite

On entame la visite par la **chapelle,** qui est la partie la plus ancienne. Murs très épais. C'était l'ancienne salle de justice du village. Elle a abrité le fameux saint suaire de Turin. L'évêque de Liège ayant émis des doutes à son sujet, il fut vendu à la maison de Savoie et c'est comme ça qu'il se retrouva à Turin. Puis vient la **grande pièce d'entrée,** avec un beau plafond. Joli meuble avec des tiroirs en *paesina,* ces tranches de marbre choisies pour leur ressemblance avec des paysages. S'ensuit la **salle des gardes,** avec son plafond voûté de brique et croisée d'ogives en pierre. Cheminée monumentale. Un truc étonnant et rare : le pavage de la salle. Des dizaines de milliers d'ardoises posées sur la tranche et formant des figures en étoile ! On passe ensuite au **salon des portraits,** chargé de souvenirs historiques, dont un portrait de Mme Tallien par le baron Gérard. Layette du roi de Rome. Enfin, le **théâtre,** qui surprend par ses dimensions et séduit par sa déco à l'italienne. Il a servi de décor au film belge *Le Maître de musique.* Détruit pendant la dernière guerre et reconstruit en 1958, il a accueilli, 25 ans durant (jusqu'en 1983), des concerts donnés par de grands artistes tels Samson François, Rostropovitch, Rampal, Lagoya, Yehudi Menuhin ou Byron Janis. Des travaux sont actuellement en cours à côté du château pour mettre au jour une église de l'époque carolingienne.

🚶🏃 **L'Aquascope de Virelles :** au bord de l'étang de Virelles, à 3 km au nord de Chimay. ☎ 060-21-13-63. • aquascope.be • *De mi-mars à mi-nov, tlj sf lun (sf j. fériés, vac scol et juil-août) 10h-17h (19h juil-août). Entrée : 6 € ; réduc.* Petit parcours nature sur caillebotis le long de l'étang de Virelles, pour en apprendre sur l'écosystème du coin et se voir rappeler les nombreuses menaces qui pèsent sur notre environnement. À faire en famille. Si vous avez du temps et êtes âgé de plus de 12 ans, vous pouvez aussi suivre le « sentier contemplatif », dans la partie la plus sauvage de la réserve. Petit supplément pour ce dernier et, surtout, on vous fera signer une charte par laquelle vous vous engagerez à cheminer seul... le but de la promenade étant de se ressourcer au contact de la nature. On vous remettra même une besace contenant la clé du portail, de quoi dessiner et... un œuf, à poser devant les diverticules où vous aurez choisi de vous isoler pour rêvasser, histoire de ne pas être dérangé...

CHARLEROI

(6000)   environ 210 000 hab. (agglomération : environ 500 000 hab.)

> « Plutôt des bouges
> Que des maisons,
> Quels horizons
> De forges rouges
> Sites brumeux
> Oh, votre haleine
> Sueur humaine
> Cris des métaux
> Les gares tonnent
> Les yeux s'étonnent
> à Charleroi ? »
>
> Paul Verlaine.

Grande cité industrielle, capitale de l'ancien pays Noir (rebaptisé « pays de Charleroi »), une des cinq villes les plus importantes de Belgique. Autant vous mettre de suite au parfum : Charleroi n'a pas grand-chose d'une destination touristique, ni même routarde. On lui consacre ce modeste chapitre... au cas où vous passeriez justement par ici ; et parce que c'est, on l'a dit, une grande ville ; qu'il y a tout de même deux ou trois musées intéressants (notamment celui de la photo, incontournable pour les amateurs, à Mont-sur-Marchienne) ; que nos lecteurs férus de poésie urbaine y trouveront un marché dominical vivant avec, à deux pas, un des derniers vrais paysages industriels d'Europe ; et que... et que les fondus d'histoire sociale y trouveront leur content, notamment en visitant le *bois du Cazier,* à Marcinelle, dédié aux 256 victimes de la catastrophe minière de 1956.

UN PEU D'HISTOIRE

Au début, il y eut les Romains. Preuve que le pays n'était pas si noir que ça. Un colon, du nom de Marcius, s'y construisit une villa. Ça devint *Villa Marcianae,* à l'origine de Marchienne et Marcinelle, deux cités jouxtant aujourd'hui Charleroi. Puis il y eut le Charnoy, tout petit village, appelé comme ça à cause d'un bois de charmes. Les Espagnols, qui ont pris une sévère piquette à Rocroi en 1643 et cédé plein de places fortes proches des Flandres, y édifient une forteresse. Exit le bois des charmes, mais une nouvelle ville naît en 1666, qui prend le nom de Charleroi (en l'honneur de **Charles II, roi d'Espagne**). Un an après, Louis XIV s'en empare. Il fait construire la ville basse. **Vauban** met sa touche aux remparts... qui redeviennent espagnols en 1679. Bref, Charleroi connaît le ballet incessant du vidage des locataires (français, espagnols, autrichiens, hollandais...) avant de choir dans le giron de la France de 1794 à 1814. La ville a adhéré à la Révolution et gagné le beau nom de Libre-sur-Sambre. Toujours en 1814, les cosaques campent devant la ville. Le 15 juin 1815, Napoléon y passe une dernière nuit avant Waterloo. C'est la fin.

Capitale de l'ancien pays Noir

Pendant la révolution industrielle, grâce à ses mines de charbon, la ville connaît un développement extraordinaire et se pare d'usines. C'est le *pays Noir.* D'abord exploité en surface, le charbon va se chercher désormais profond. En 1868, la forteresse est abattue. Un gag ! Ce symbole de l'oppression militaire, c'est la population qui a commencé à le démolir, sans autorisation du pouvoir et dans une ambiance de fête. Sacrés Carolorégiens, leur gaieté aujourd'hui perdure pour toujours !

En 1886, dans toute la Wallonie, c'est la crise économique sur fond de misère ouvrière. À Liège, pour le 15ᵉ anniversaire de la Commune de Paris, la manif dégénère en émeute. Charleroi se met en grève : les mines, puis l'industrie métallurgique, les verreries. Rien n'arrête la colère des grévistes. Les patrons envoient l'armée les mater. Le premier jour : 12 morts. Les leaders ouvriers passent en procès. Les juges ont la main lourde : 20 ans de travaux forcés ! Cependant, tout cela n'a pas été inutile. De grandes réformes sociales se mettent en place et les conditions de vie s'améliorent.

C'est bientôt la fin du charbon. Les puits ne sont plus rentables. Les mines ferment une à une. Cette fantastique école d'union, de solidarité et d'insertion disparaît par la même occasion. Car Charleroi s'est également construite par l'immigration. Surtout italienne. (En 1667, 1 an après la création de la ville, les deux premiers morts par accident du travail étaient italiens.) Le 8 août 1956, tragique catastrophe minière à Marcinelle. Un des sauveteurs remonte effondré et soupire : « *Tutti cadaveri* » (« Tous morts »). Il est italien. Sur les 262 victimes, 136 le sont aussi...

RIMBAUD, VERLAINE...

Depuis Marcius le Romain, Charleroi a eu ses prestigieux touristes. Le premier d'entre eux échoue dans la ville presque par hasard pour une histoire de train. Il a à peine 16 ans, écrit de la poésie et s'ennuie fortement à Charleville, sa p'tite ville de province. Il décide alors de partir pour Paris, en pleine guerre de 1870. Pas de pot, les Prussiens occupent la voie. Le guichetier lui suggère alors de faire le détour par Charleroi. Le gamin s'exécute, arrive finalement à Paris, où il ne reste

RENÉ AVAIT L'ŒIL

Autre histoire d'amour : celle d'un ado de 15 ans qui va à la foire de Charleroi, s'amusant à observer d'un œil photographique les personnages les plus pittoresques. Mais ce jour-là, c'est une gamine de 12 ans qui attire son attention. Elle s'appelle Georgette. Ils sympathisent. Quelques années plus tard, ils tomberont amoureux pour de bon. René Magritte a trouvé sa muse et ses drôles de bonshommes de foire. Une consécration universelle...

pas longtemps, et repart pour Charleroi où il espère un p'tit boulot dans un journal. En train, à pied, en stop. De ce voyage, il laisse une trace : « Depuis 8 jours, j'avais déchiré mes bottines aux cailloux des chemins. J'entrais à Charleroi. » Bonjour, Arthur... Il y retourne une troisième fois, avec Verlaine, en 1872. Ce dernier trouve la ville triste mais revient quand même 21 ans après au pays Noir pour une conférence, invité par *Jules Destrée.* Malheureusement, il a très mal vieilli. Complètement déglingué. Il apparaît ivre devant le public et fait le coup de « l'eau ferrugineuse, oui, l'alcool, non ! ».

... ET LE MARSUPILAMI

Enfin, une bébête sympa, toute jaune avec des points noirs et une longue queue, nous raconte une belle histoire. Elle a condescendu à descendre du socle où on l'avait statufiée au milieu d'une grande place pour nous livrer l'explication de sa présence là : « À la fin du XIXᵉ s, un jeune amoureux des livres crée sa propre imprimerie et lui donne son nom : Jean Dupuis. Puis il devient amoureux de la B.D. et cherche un héros vraiment belge. En 1938, *Spirou* surgit avec ses copains Fantasio et moi le marsupilami, houba, houba ! Le succès est immédiat. Avec Franquin, Jijé et plein d'autres, c'est la naissance de l'école de Marcinelle. » Le pays Noir capitale de la B.D., quel incroyable pied de nez aux clichés ! Dis, monsieur, dessine-moi un coron...

Adresses utiles

🏛 *Maison du tourisme du pays de Charleroi* : pl. Charles-II, 20, dans la ville haute. ☎ 071-86-14-14. Tlj 9h-18h. Brochure sur la ville avec plan. Vous pouvez aussi demander le petit dépliant *Charleroi Art nouveau.*

🏛 *Bureau d'information touristique* : sq. des Martyrs-du-18-Août, en face de la gare sud. ☎ 071-31-82-18. Ouv slt en sem 9h-17h30.

✉ *Poste* : à côté de la gare, à droite en sortant. Lun-ven 8h-19h, sam 9h-14h.

💻 *Internet* : au *Cybercafé du Collège*, rue du Collège, 11 (dans la ville basse, près de la gare). Ouv tlj 9h30-22h (minuit le w-e).

■ *TEC* (transports communaux) : pl. des Tramways, 9. ☎ 071-23-41-15.

🚉 *Gare de Charleroi-Sud* : ☎ 071-60-22-94. 2 départs/h pour Bruxelles et 1 liaison/h en *Thalys* (le mat) avec Paris (1h48 de trajet).

✈ *Aéroport de Charleroi* (aussi appelé Bruxelles-Sud) : l'aéroport de Gosselies (banlieue nord de Charleroi) accueille plusieurs compagnies *low-cost* dont *Ryanair*. On peut rejoindre l'aéroport de Charleroi, au départ de toute gare belge. Demandez le billet « code 814 – aller simple ou code 815 – aller-retour » au guichet. À l'arrivée à la gare de Charleroi-Sud, il suffit d'emprunter le bus direct (bus A) qui relie en quelques minutes la gare au terminal. Le prix du billet comprend le train et le transfert en bus. Une formule rapide, efficace et peu coûteuse. Sinon, un service de bus *(bus Elan)* est assuré chaque heure depuis la gare du Midi à Bruxelles. Rendez-vous 2h30 avant le départ des avions côté rue de France. Prix du trajet : 13 €, aller-retour 22 €. Les billets sont en vente soit sur ● *voyages-lelan.be* ●, soit dans le terminal de l'aéroport de Charleroi Bruxelles-Sud ou sur le bus au départ de Bruxelles.

Où dormir ? Où manger ?

Peu touristique, Charleroi ne compte pas beaucoup d'endroits où loger. Le plus recommandable, selon nous, est encore l'hôtel...

🏨 *Hôtel Ibis* (si, si !) : quai de Flandre, 12. ☎ 071-20-60-60. ● *ibishotels. com* ● En face de la gare. Compter 65-85 € pour 2 pers ; petit déj 13 €. Parking payant. Wifi payant. On vous offrira l'apéro sur présentation de votre guide favori. Encore agréable pour un *Ibis*. Les chambres sont des chambres d'*Ibis* mais le bâtiment est joli et il y a même un resto à la déco sympa (avec des nappes en vichy).

🍴 *Les Templiers* : pl. du Manège, 7. ☎ 071-32-18-36. Derrière l'hôtel de ville et en face du palais des Beaux-Arts. Ouv tlj 10h-minuit. Plats 9-15 €. Déco banale, boiseries, quelques scènes moyenâgeuses, ambiance bon enfant et petit coin resto avec nappes roses pour se régaler (sauf le week-end) des quelques suggestions du jour. Bonne petite cuisine de base aussi : *américain* garni, boulettes sauce tomate, andouillettes ou escabèche de Virelles. Troquet d'habitués ; siège de la société des Gilles, « les Récalcitrants ».

🍴 *Chez Julot* : av. de l'Europe, 6. ☎ 071-65-02-10. Dans la ville haute, non loin du précédent. Ouv jusqu'à 23h30 (0h30 ven-sam). Fermé le midi sam-mar. Pâtes 9-11 € et viandes env 12 €. Cadre familial et accueillant. Linge au plafond et dessins aux murs. Grande ardoise pour les bons et copieux plats du jour. Parmi les plus plébiscités, citons les scampi maison, les *rigatoni* 4 fromages et l'escalope *Julot*. Bons vins de la péninsule. Service enjoué.

🍴 *Le Trou Normand* : rue du Comptoir, 12. ☎ 071-32-51-34. ● *trounormand@proximedia.be* ● Dans la ville basse, non loin de la gare. Tlj sf dim-lun, le soir jusqu'à 2h (4h le w-e !). Plats 13-35 €. Apéro offert sur présentation de ce guide. Genre de gros bouchon ouvert la nuit. Cuisine traditionnelle de qualité constante à prix encore abordables. Attention, il n'y a presque que de la viande à la carte : magret de canard,

brochette de bœuf, cailles à la Normande, contre-filet à la moelle, entre-côte au roquefort, lapin, etc. Huîtres et gibier en saison. Serveurs à l'ancienne.
|●| *La Digue : rue du Grand-Central, 37 (pl. de la Digue).* ☎ 071-32-50-97. *Tlj 11h30-23h, sf pdt les fêtes de Noël.*

Moules à partir de 16,50 €. Apéro offert sur présentation de ce guide. Salle toute simple pour des moules qui arrivent quotidiennement. Pas moins de 33 façons de les préparer ! Présentation en grosses marmites de 2 ou 3 l. Quelques poissons aussi.

Où boire un verre ? Où écouter de la musique ?

Charleroi n'est ni Liège ni Gand en matière de vie nocturne. Tant s'en faut ! Voici néanmoins quelques cafés et bars où passer honnêtement un bout de soirée, voire de nuit.

🍸 *Aux Mille Colonnes 1891 : rue de Marchienne, 6.* ☎ 071-32-05-34. *Dans la ville basse, à l'entrée du passage de la Bourse. Ouv 9h-23h.* On aime bien cet établissement dans la tradition des grands cafés du XIXe s, au pied d'un bel immeuble d'époque. Grand choix de bières. Aux beaux jours, terrasse de 84 chaises.

🍸 🎵 *La Cour des Miracles : pl. de la Digue, 42.* ☎ 071-30-22-71 *Dans la ville basse. Ouv le soir jusqu'à minuit (2h30 w-e). Apéro maison offert sur présentation de ce guide.* Il n'y a pas de miracles, c'est l'une de nos cours préférées. Dommage cependant que le décor, autrefois complètement décadent, digne d'un château à la Polanski, ait été épuré. Enfin, les gros fauteuils à dorure,

les murs rouges et, bien sûr, la configuration des lieux ont été maintenus. Une centaine de cocktails à la carte, du *Waï-kiki* au *Point G* en passant par le *TNT* et *20 000 lieux sous les bulles*. Plusieurs étages et plein de salles et de recoins pour les romantiques en goguette. Le week-end, il y a un DJ et l'endroit est bondé !

🍸 🎵 *L'Impasse Temps : dans une impasse donnant sur la rue de Damprémy, 61.* 📱 *0498-161-250. Dans la ville basse.* Un des plus vieux établissements de la ville, tenu par le même proprio que *La Cour des Miracles.* Là aussi, décor agréable, très intime, sur 5 étages. Musique d'ambiance, nombreux cocktails et super jardin suspendu à la belle saison.

À voir

Vous l'avez remarqué car ça revient dans nos adresses, le Charleroi qu'on visite à pied se divise en deux : ville haute, ville basse.

La ville basse

Face à la gare ferroviaire sud, c'est un demi-cercle limité par la Sambre et le boulevard Tirou, et complètement cerné par les autoroutes du périphérique (ancien bras de la Sambre). On y trouve nombre de petits commerces, restos, boîtes et les quelques hôtels que compte la ville. Également une certaine animation et quelques intéressants éléments architecturaux.

🏛 *La rue du Collège :* immeubles en brique avec pignons dentelés de la fin du XIXe s. D'autres avec corniches ouvragées. À l'angle des rues du Collège et Marchienne, le plus caractéristique d'entre eux, avec une élégante rotonde de brique en angle. À ses pieds, le fameux *Mille Colonnes.*

🏛 *Le passage de la Bourse :* typique du paysage urbain. Ce fut l'un des tout premiers passages commerciaux de la Belgique. Longue façade intérieure de style néoclassique respectant les trois ordres (dorique, ionique et corinthien). On y trouve plusieurs librairies.

➢ **Vers la ville haute :** au passage, place Saint-Fiacre, la minuscule *chapelle Saint-Fiacre* en brique du XVIIᵉ s. À gauche, la place de la Digue, typique du Charleroi XIXᵉ, avec ses demeures basses. À droite, la rue Damprémy, commerçante et piétonne, doyenne des rues de la ville. Au niveau du n° 49, l'*escalier des Rames*, vestige d'un des chemins qui donnaient accès aux remparts. Longtemps, les tisseurs qui y habitaient firent sécher leurs laines aux arbres. Au bout de Damprémy, début de la fameuse rue de la Montagne, également piétonne. Tout du long, quelques échantillons intéressants d'architecture du début du XXᵉ s, notamment Art nouveau (demander la brochure à l'office de tourisme).

La ville haute

Regardez un plan de ville. Avec sa place, ses rues rayonnantes et sa forme hexagonale, la ville haute a épousé le schéma de l'ancienne citadelle. Le cœur battant en est la place Charles-II et ses jeux d'eau bien rafraîchissants.

🏃 **L'hôtel de ville :** construit en 1936. Façade néoclassique avec colonnes, fronton abondamment sculpté et lanternon sophistiqué. Coquetterie supplémentaire, il s'est payé, comme les autres villes belges, un beau beffroi Art déco. Le classement des beffrois belges au Patrimoine de l'Unesco lui a permis de bénéficier de la consécration alors qu'il n'a que 70 ans. À l'intérieur, le musée des Beaux-Arts, mais surtout une superbe décoration Art déco. Lignes élégantes, volumes harmonieux. Hall d'honneur et grand escalier particulièrement remarquables.

🏃🏃 **Le musée des Beaux-Arts et le musée Jules-Destrée :** au 2ᵉ étage de l'hôtel de ville, pl. Charles-II. ☎ 071-86-11-34. Entrée par la pl. du Manège, à l'arrière. Tlj sf dim (sf en cas d'expo importante) et lun 9h-12h30, 13h15-17h. Fermé les j. fériés. Entrée gratuite pour le musée, payante pour les expos temporaires : 4 € ; gratuit pour les moins de 12 ans.
Les artistes présentés reflètent remarquablement l'essence de l'art carolorégien. Avant tout, présence dans les œuvres de préoccupations et réalités sociales. Celles-ci sont exposées par roulement mais on peut citer, outre de nombreux contemporains, Gustave Camus (peintre populiste) et Constantin Meunier, qui puisa une grande partie de son inspiration dans la classe ouvrière. On a beaucoup aimé *La Cité industrielle* de Pierre Paulus où, au-delà des fumées d'usine, se dégage la luminosité du futur (bon, peut-être un peu osé comme vision !). Intéressant *Jeunesse,* où se lit une certaine résignation sur les visages, ainsi que *Coin de Sambre, Coron sous la neige.* D'autres dans la même filiation, Larion, Van den Houten... Jean Ransy attire l'attention avec ses réminiscences daliesques dans *Les Livres.* En revanche, ses autres œuvres semblent plus figées. De Fernand Commaerts, un paysage très personnel. Puis *La Périchole,* d'Anto Carte, et *Portraits de dame,* de Léon Devos. Chez Gilberte Dumont, il y a du Delvaux dans le lyrisme et cette minutie du détail en arrière-plan. Quelques clins d'œil surprenants, comme l'immeuble en ruine dans *Soir de fête.*
On peut souvent voir aussi pas mal de Navez (François-Joseph), grand portraitiste de la première moitié du XIXᵉ s (mais il peignait comme au XVIIIᵉ). Adorables *Petites filles aux oiseaux.*
Quelques orientalistes, comme Van der Ouderaa (*Mur des Lamentations,* avec une belle lumière) et Jean Portaels *(Portrait d'une jeune Nord-Africaine).*
De Paul Delvaux, *L'Annonciation* (curieusement, pas de train !), et de René Magritte, quelques toiles où il donne dans l'abstraction géométrique, contrairement à ce qu'on voit habituellement de lui. De Joseph Manesse enfin, *Marché de la ville basse,* et de Paul Leduc, *Grand Canal à Venise.*

🏃 **La place du Manège :** place jumelle de la place Charles-II. On y trouve le *palais des Beaux-Arts,* édifié en 1954 en style néoclassique. Plus haut, boulevard

Roullier, voir le hall d'entrée de l'*Institut supérieur industriel* (du début du XXe s). On y trouve trois beaux vitraux Art nouveau symbolisant les trois ressources de la région : le charbon, le fer et le verre.

Marché

– *Marché dominical :* pl. Charles-II, pl. du Manège et rue d'Orléans. L'un des plus pittoresques et des plus anciens marchés de Wallonie (1709). Coloré et chaleureux, rituel immuable des Carolorégiens. On y va autant pour rencontrer ses amis que pour faire des achats. Arrêt quasi obligatoire au grand café *Les Huit Heures,* haut lieu de la mémoire ouvrière de la ville. C'est là que se réunissaient les militants se battant pour la réduction du temps de travail et pour de meilleures conditions d'existence. *Les Huit Heures,* quel bel hommage à leur combat !

Animations

– *Carnaval de Charleroi :* le Mardi gras. Défilé des fameux géants, El Facteur, El Champète, Maka, La Housse, D'Jean et D'Jenne... Grand moment pour les mômes. Ça se finit par le *bal masqué des Climbias,* le samedi suivant le Mardi gras.
– *Brocante des Quais :* en juin. Immense marché aux puces qui dure 24h. Le grand rendo annuel.

➤ *DANS LES ENVIRONS DE CHARLEROI*

BALADE DANS LE PAYS DE CHARLEROI

L'ancien pays Noir est là, aux portes de la ville. Longue litanie de banlieues ouvrières : Marchienne-au-Pont, Montignies-sur-Sambre, Couillet, Jumet, Lodelinsart... À priori, pas une destination touristique en soi. Hors de question d'y découvrir merveilles et exotisme torride. En revanche, il y a paradoxalement une véritable poésie urbaine, des clins d'œil architecturaux, des structurations insolites de l'espace, des télescopages esthétiques originaux, etc. Et puis, malgré tout, de belles églises anciennes, les « châteaux » des capitaines d'industrie et deux intéressants musées.
Enfin, l'image des noirs terrils et tristes corons évolua devant la prodigieuse vitalité de la nature. Progressivement, les terrils se recouvrirent d'herbe, d'arbustes, voire d'arbres. Telles maisons, jadis dans un environnement sinistre, se retrouvent aujourd'hui collées à des collines verdoyantes, terrains de jeu, espaces de liberté extraordinaires pour les mômes. Des oiseaux y nichent. Sur certains terrils, à Trazegnies, pousse même la vigne. Bien sûr, avec la reconversion des friches industrielles, certains chevalements de mines et terrils ont été rasés mais, aujourd'hui, tout ce patrimoine est protégé, comme témoin d'une dure mais riche époque, comme mémoire du travail des hommes...

MONT-SUR-MARCHIENNE (6032)

Au sud de la ville. Accès par l'échangeur autoroutier situé derrière la gare ferroviaire sud. Sortie 29 sur le ring. Bien indiqué.

🍴🎭 *Le musée de la Photographie :* av. Paul-Pastur, 11. ☎ 071-43-58-10. ● mu seephoto.be ● *À env 3 km au sud-ouest de la gare de Charleroi. Pour s'y rendre depuis celle-ci, bus n°s 70, 71 et 170. Tlj sf lun 10h-18h. Entrée : 6 € ; réduc ; gratuit 1er dim du mois.* Installé dans un ancien carmel de style néogothique et doté d'une structure annexe moderne couverte d'aluminium inaugurée en juin 2008. Musée exceptionnel, que les amateurs de photo ne peuvent absolument pas rater, il est en passe d'être reconnu comme le plus grand d'Europe en son genre. On y vient avant tout pour les expositions temporaires d'envergure qui s'y tiennent (une bonne dizaine par an), mais le musée possède aussi une importante collection permanente de clichés originaux représentatifs de l'histoire de la photographie, de sa naissance, il y a 150 ans, à nos jours. Inutile de citer tous les photographes, d'autant que la sélection de photos change parfois, mais vous pouvez être assuré de voir des grands noms tels que Man Ray, Cartier-Bresson, Doisneau, Alvarez-Bravo, Willy Ronis, Diane Arbus, Marissiaux, Capa ou Salgado. Pour finir, outre une excellente bibliothèque en consultation, belle collection de vieux appareils et espace destiné à faire découvrir au visiteur certains procédés et techniques couramment utilisés en photographie. Jardin d'hiver très réussi à l'intérieur. Autour de cet ensemble, un parc où les grands tirages sur bâche annoncent les expos temporaires.

MARCINELLE

Symbole même de la ville minière. C'est là que se déroula la terrible catastrophe de 1956 (262 morts). Le site en question a été reconverti en musée à la mémoire des victimes. Voir aussi, sur la grande place, la belle église Saint-Martin du XVᵉ s, qui possède toujours une grosse tour romane du XIIᵉ s.

%% *Le site du bois du Cazier* : rue du Cazier, 80. ☎ 071-88-08-56. ● leboisduca zier.be ● *Mar-ven 9h-17h, sam-dim 10h-18h. Entrée : 6 € ; réduc.* C'est donc l'endroit où se produisit la tragédie de 1956, au cours de laquelle 262 mineurs, à cause d'une erreur humaine, perdirent la vie. Un monument en marbre blanc à l'entrée du site permet de lire les noms des victimes. Un peu plus loin, l'espace « 8 août 1956 » évoque la catastrophe à travers un film et de nombreux témoignages et photos. Il y est aussi question de l'immigration italienne et de la bataille du charbon. Le second axe du musée est l'industrie en Belgique, dans un autre bâtiment où sont installées de grosses machines (dont un laminoir à tôles) et une exposition, bien faite, sur l'industrie du verre et la condition ouvrière au début du XXᵉ s. Expos temporaires dans « l'espace forum ». Enfin, en 2006, le musée du Verre a été inauguré dans l'ancienne lampisterie, de même que d'autres mémoriaux dans la « recette », l'endroit où descendaient et remontaient les mineurs. On peut même désormais monter, en suivant la « drève de la mémoire », sur le terril n° 3, d'où l'on jouit d'une vue panoramique sur toute la région.

AU SUD DE CHARLEROI EN REMONTANT LA SAMBRE

%% *Gozée* : ruines de l'*abbaye d'Aulne*. *Avr-fin sept, tlj sf lun. Entrée : 3 €.* Abbaye cistercienne créée au XIIᵉ s et incendiée par les sans-culottes en 1794 avec une bibliothèque de 40 000 livres dont 5 000 manuscrits anciens (un vrai Fahrenheit 451 !). Les rescapés de l'autodafé furent rachetés par un libraire de Thuin qui les utilisa comme papier d'emballage ! Il reste tout de même des vestiges impressionnants de grandeur, qui laissent imaginer la richesse passée de l'institution.

%% *Thuin* : ancienne citadelle de la principauté de Liège, elle vaut assurément la promenade pour sa ville haut perchée au-dessus de la Sambre, riche d'un ensemble de maisons anciennes et de ruelles pavées. Les remparts datent du Xᵉ s. Le beffroi de 1639 est classé au Patrimoine mondial de l'Unesco. La ville basse, elle, a conservé son quartier batelier. En suivant un itinéraire jalonné de panneaux didactiques, on peut aussi visiter les jardins suspendus qui ont été restaurés.

BINCHE
(7130)　　　　　　　　　　　　　　　33 000 hab.

Binche connut un âge d'or. En 1544, Charles Quint donne cette ville fortifiée à sa sœur, Marie de Hongrie. Elle y fait construire un palais, mène grand train, reçoit des empereurs, organise des fêtes fastueuses, jusqu'à ce que le roi de France Henri II prenne la ville et la détruise. Splendeur éphémère. Devenue une bourgade ouvrière qui possède encore ses remparts du XIIᵉ au XIVᵉ s, flanqués de 27 tours (rare en Belgique), Binche résiste tant bien que mal à la crise économique. Heureusement, chaque année la ville connaît à nouveau son heure de gloire, avec son carnaval, pendant lequel les célèbres Gilles traversent cette cité tout en longueur pour finir leur danse rituelle sur la Grand-Place.

LE CARNAVAL

Ils en sont fiers, les Binchous, de leur carnaval, d'autant plus qu'il a été classé au Patrimoine oral et immatériel de l'Unesco, qui a ainsi reconnu sa valeur culturelle. Que de temps, que de travail, que de sacrifices, pour une journée de folie ! Une version officielle fait remonter le carnaval au temps des fêtes de Marie de Hongrie. Le Gille serait une représentation des Indiens d'Amérique du Sud, dont on venait de découvrir l'existence. Mais les historiens réfutent formellement cette thèse. Car il semble que, bien avant, on fêtait déjà à Binche le début du carême, période de jeûne du calendrier chrétien (d'où, en effet, le sens étymologique du mot carnaval, dérivé du latin carne, viande, et levare, lever, dans le sens d'ôter).
Toute l'année, Binche pense à son carnaval et le prépare selon un rituel immuable. Dès janvier, chaque dimanche est une répétition. Les fanfares défilent en ville, les soumonces, rafales de tambour, claquent dans la nuit, et ce peut être déjà une bonne façon d'avoir un aperçu du carnaval. La délirante nuit « des Trouilles de Nouilles », où la moitié de Binche se masque, a lieu le lundi de la semaine précédant les jours gras. Le dimanche gras voit les défilés de nombreuses sociétés qui rivalisent d'originalité pour inventer leur costume. Le lundi appartient aux enfants, et il faut attendre le Mardi gras, le 16 février en 2010, pour qu'enfin les fameux Gilles fassent leur apparition.
Dès le petit matin, après une coupe de champagne, le Gille, qui vit cette journée comme un immense honneur, enfile la blouse et le pantalon décorés de lions héraldiques, d'étoiles et de blasons. Chacun de ses gestes et de ses actes est codifié par une tradition rigoureuse. Portant un fagot (le ramon), une ceinture de grelots et chaussé de sabots, il part en dansant au son des tambours chercher ses camarades. Tous se retrouvent masqués de cire devant l'hôtel de ville, accompagnés des paysans, pierrots et arlequins, autres groupes rituels. Après un rondeau, tout ce petit monde part déjeuner. Huîtres et champagne.
Puis les Gilles reprennent la danse, coiffés de leur chapeau en plumes d'autruche et armés d'oranges dont ils bombardent la foule (ne jamais les renvoyer : c'est un cadeau, et ils prennent très mal qu'on le refuse). Le martèlement des sabots sur le pavé transmet la transe à la foule, qui se presse sur le parcours. Tout le monde accompagne les « sociétés » sur la Grand-Place pour entamer le rondeau final. À la lumière des feux de Bengale et d'artifice, la fête dure tard dans la nuit, au rythme des tambours, sans lesquels un Gille ne peut se déplacer. Tout le monde rentre au petit matin, et voilà, c'est fini pour 1 an. Sachez aussi, pour être complet, que le Gille authentique ne quitte jamais sa ville. Les Gilles des villes voisines ne seraient que de pâles imitations.

Adresses utiles

ℹ Office de tourisme : hôtel de ville, Grand-Place. ☎ 064-33-67-27. • bin che.be • Dans le parc communal, à côté du musée du Carnaval et du Masque.

Lun-ven 10h-12h, 13h-17h ; w-e 14h-18h. Fermé mar avr-sept, le w-e oct-mars, et les j. fériés.
✉ *Poste :* rue des Récollets. Lun-ven 9h-12h30, 13h30-17h ; sam 9h-12h30.

🚂 *Gare :* pl. Derbaix. ☎ 065-88-42-61. De cette gare néogothique, liaison avec Bruxelles ttes les heures jusqu'à 22h. Tarifs spéciaux pour le carnaval.

Où dormir ?

🏠 *Les Volets Verts :* rue de la Triperie, 4. ☎ 064-33-31-47. • lesvoletsverts@ hotmail.com • lvv.net • Fermé pdt le Carnaval. Compter 80 € pour 2 pers ; petit déj compris. 10 % de réduc sur le prix de la 1re nuit, sur présentation de ce guide. Agréable maison d'hôtes proposant 4 chambres confortables, dont 2 (celles de la partie moderne) particulièrement réussies. Toutes avec salle de bains. Petit déj « gourmand », avec pain frais du matin et jus d'orange pressée. Joli jardin pour les beaux jours et bon accueil. En fait, une bonne adresse, la meilleure, de Binche.

🏠 *Hôtel des Remparts :* rue Saint-Paul, 28. ☎ 064-73-02-70. ▯0495-52-17-30. • hoteldesremparts@skynet. be • Double 55 € ; petit déj 5 €. Plutôt pour dépanner, car, franchement, ce n'est pas Byzance. Dans une ancienne demeure bourgeoise, 6 chambres pas mal tenues mais à la moquette un peu sale, avec sanitaires privés, un peu sommaires, sur le palier. Parking gratuit, en revanche, et petite salle pour le petit déj avec un effort de décoration.

Où manger ?

🍴 *L'Industrie :* Grand-Place, 4. ☎ 064-33-10-53. À gauche de l'hôtel de ville quand on lui fait face. Fermé mar-mer et en août. Plats 8,50-17,50 €. Café offert sur présentation de ce guide. Décor sans grande fantaisie mais la cuisine familiale de ce petit resto, tenu par un jeune couple très soucieux de bien faire, continue à brasser du monde, en particulier le dimanche. À la carte : tête de veau, anguille au vert, contre-filet à l'Ours (l'Ours étant une bière), moules ; bref, un bel échantillon de la gastronomie du coin. Gardez tout de même une place pour le dessert. Possibilité aussi, en les commandant la veille, de goûter aux fameuses doubles de Binche, ces crêpes de sarrasin fourrées au fromage.

À voir

🎭 *Le musée international du Carnaval et du Masque :* rue Saint-Moustier, 10. ☎ 064-33-57-41. • museedumasque.be • Dans le centre, en face de l'église Saint-Ursmer. Mar-ven 9h30-17h, w-e 10h30-17h30. Entrée : 6 € ; réduc ; gratuit 1er dim du mois. Visite guidée sur résa. Un Gille de bronze marque l'entrée de ce musée installé dans l'ancien collège des Augustins. Large panorama des masques et costumes d'Europe, des Sourvaskari de la Saint-Basile bulgare aux Krampus qui accompagnent Saint-Nicolas en Autriche, en passant par les Pierrots du carnaval de Limoux. De quoi éprouver une drôle de sensation, surtout si on est seul dans le musée ! Une section porte sur les carnavals de Wallonie, dont bien sûr celui de Binche, avec la fabrication des différents éléments du costume des Gilles, affiches et photos anciennes. La visite se termine au 2e étage par une collection de masques superbement mis en valeur. Enfin, ne pas négliger non plus les expos temporaires qui, chaque année, mettent en avant les fêtes masquées d'une région ou d'un pays en particulier.

🎭 *La collégiale Saint-Ursmer :* en face du musée du Carnaval et du Masque. À visiter discrètement pendant les offices. Austère église de pierre grise qui abrite quelques sculptures religieuses des XVe et XVIe s, dont un poignant Christ de Piété. De l'autre côté du jubé Renaissance, remarquez la *Mise au tombeau* du XVᵉ s en pierre polychrome, expressive bien qu'un peu ruinée. On conduit saint Ursmer en procession aux alentours du 18 avril.

🏃 *L'hôtel de ville :* Grand-Place. Jadis halle aux viandes, avec fondations du XIVᵉ s et beffroi classé au Patrimoine mondial de l'Unesco. Trois jolies salles, avec plafond en chêne et cheminée Renaissance, mais malheureusement pas ouvertes au public.

🏃 Avant de partir, jetez un coup d'œil à l'**enceinte de remparts,** nouvellement restaurée, qui domine le petit parc communal où se trouve l'office de tourisme, ainsi qu'à la **pharmacie** de l'avenue Charles-Deliège, à gauche en venant de la Grand-Place. On vilipendera au passage les gougnafiers qui n'ont pas respecté cette magnifique façade publicitaire en carrelage du XIXᵉ s. On y vante, entre autres, les mérites de l'émulsion *Scott* qui, comme chacun le sait, « guérit les maladies de la gorge, des poumons et du sang ».

➤ DANS LES ENVIRONS DE BINCHE

🏃 **Le domaine et le musée royal de Mariemont :** *chaussée de Mariemont, 100,* **Morlanwelz.** ☎ 064-21-21-93. ● *musee-mariemont.be* ● *À une vingtaine de km au nord-est de Binche. Tlj sf lun (non fériés) 10h-18h (17h oct-mars). Entrée : 1 € pour la collection permanente, 4 € pour les expos temporaires ; gratuit 1ᵉʳ dim du mois.* Mariemont, c'est à la fois un magnifique parc de 50 ha, dessiné au XIXᵉ s sur un terrain ayant appartenu à Marie de Hongrie (qui lui a donné son nom), et un musée un peu vieillot qui évoque les civilisations du monde entier.

Allez d'abord faire un tour dans le *parc,* qui possède une roseraie odoriférante et des essences rares, parfois tricentenaires. Il abrite aussi de nombreuses sculptures, dont les *Bourgeois de Calais* de Rodin et, près de la roseraie, le *Semeur* de Constantin Meunier.

Entrez ensuite dans le bâtiment qui, abritant le *musée,* a tenté d'intégrer les ruines du château de Mariemont. Admettons. Quoi qu'il en soit, ce bloc de béton, ombragé par un magnifique cèdre du Liban, offre de beaux espaces clairs et aérés à des collections d'antiquités égyptiennes, grecques, romaines ou d'Asie. Vous y verrez de magnifiques cratères (vases) grecs de l'époque classique, des statuettes du panthéon romain, des sarcophages égyptiens, des sculptures bouddhiques, du mobilier chinois du IIIᵉ s et de la céramique coréenne contemporaine. Au sous-sol, salle dédiée à l'archéologie locale (nécropole mérovingienne de Ciply) et section sur l'histoire de Mariemont, dont une belle maquette du château en 1620. La section des porcelaines de Tournai, pour terminer, conduit à une moche cafétéria qui, en contrepartie, offre une vue imprenable sur les paons du parc. Si vous êtes là le troisième dimanche du mois, ne loupez pas non plus la *cérémonie du thé* au pavillon du Thé, construit par des charpentiers japonais.

🏃 🛇 *Le canal du Centre :* séparant Mons de Charleroi, le Centre a connu au XIXᵉ s un essor important, dû aux charbonnages. Sa capitale, La Louvière, est une ville industrielle inintéressante pour le touriste. Le développement de la région appela bien sûr celui des moyens de communication. Il fallait relier la Meuse à l'Escaut par le truchement d'un canal. Problème : une dénivellation de 90 m entre les deux bassins, qui rendait délicate la construction d'écluses, au demeurant grandes consommatrices d'eau. On opta alors pour un système venu d'outre-Manche, à savoir quatre ascenseurs successifs permettant aux bateaux de franchir la pente. Installés à **Houdeng-Goegnies,** il s'agit d'impressionnantes structures métalliques se composant d'un portique et de deux bacs pour les bateaux, que d'énormes pistons hydrauliques montent ou descendent en balancier sur une quinzaine de mètres. Le site, désormais classé au Patrimoine de l'Unesco, se visite en bateau mais a laissé la place, pour le trafic commercial, au gigantesque ascenseur vertical de **Strépy-Thieu,** qui se visite également.

➢ *Balade en bateau sur le site de Houdeng-Goegnies :* avr-oct, tlj à 10h et 14h, mais mieux vaut réserver ses places à l'avance (au ☎ 064-84-78-31), car le bateau est parfois vite plein. Départ de la cantine des Italiens, rue Tout-y-Faut (à Houdeng-Goegnies). Coût : 12 € ; réduc.

➢ *Visite de l'ascenseur de Strépy-Thieu :* fév-nov, tlj 9h30-18h30 (dernière entrée à 17h). ☎ 078-059-059. Entrée : 5,50 € pour l'ascenseur seul, 9 € pour l'ascenseur et son franchissement en bateau-mouche ; réduc.
Une œuvre pharaonique que cet ascenseur à bateaux de Strépy-Thieu ! C'est bien simple, c'est le plus grand jamais construit dans le monde. Il fait 102 m de haut et sa construction, commencée en 1982, ne fut achevée qu'en 2002. Depuis cette année, il remplace pour le trafic commercial les ascenseurs à bateaux cités plus haut et, surtout, il permet désormais le passage par le canal du Centre de péniches de 1 350 t, hissées ou descendues de 73 m dans des bacs de 112 m de long pesant plusieurs milliers de tonnes !
La visite, si elle comprend un parcours-spectacle de 40 mn assez ennuyeux sur le génie belge (dans tous les domaines), permet de monter au sommet de l'ascenseur, pour une vue sur la campagne, et de voir l'impressionnante salle des machines.

🎯🎯 *L'écomusée du Bois-du-Luc :* rue Saint-Patrice, 2B à **Houdeng-Aimeries** (accès fléché). ☎ 064-28-20-00. ● ecomuseeboisduluc.be ● À la sortie ouest de La Louvière (bus depuis la gare). De mi-avr à fin oct, mar-ven 9h-17h, w-e 10h-18h. Fermé lun. Entrée : 7,50 € ; réduc ; gratuit 1er dim du mois. Parcours-spectacle à 9h (sf w-e), 10h, 11h, 13h30, 15h (et 16h30 le w-e). Le site minier du Bois-du-Luc, créé en 1685, était au début du XXe s l'un des plus importants de Wallonie. L'extraction de la houille y cessa en 1959. Comme d'autres charbonnages du pays, il fut reconverti en musée, dans le but de préserver la mémoire d'une activité qui, au faîte de son rendement, employait 3 300 personnes, toutes professions confondues. Car le site, et c'est sa grande particularité, fonctionnait comme une petite ville, où l'on trouvait tout ce qui était nécessaire ou utile à la vie quotidienne, de l'hôpital à l'école en passant par les magasins et les ateliers de construction d'outils. Muni d'un audioguide, le visiteur part à la découverte de cet univers étrange et pourtant pas si lointain, d'abord à travers les bureaux, les ateliers et, même, une rue commerçante reconstituée, puis grâce au parcours-spectacle se déroulant dans la fosse Saint-Emmanuel, où sont évoqués et détaillés la journée des mineurs, le travail des enfants et des femmes, la structure du châssis à molette et l'histoire du charbonnage. Après la visite, n'hésitez pas à vous balader un peu dans la cité ouvrière qui jouxte l'écomusée, c'est l'âme même du site.

🎯🎯 *Le musée de la Mine du Bois-du-Luc :* à côté de l'écomusée. ☎ 064-22-54-48. ● users.swing.be/musee-mine-boisduluc ● Lun-ven 8h30-17h, w-e et j. fériés 14h-17h. Entrée : 3 € ; réduc. Il s'agit d'un autre musée de la Mine du Bois-du-Luc, situé à côté (mais totalement indépendant !) du précédent. À la différence de ce dernier, vous n'y verrez, dans une suite de salles (la salle de paie, les bureaux d'ingénieurs...), qu'un vaste ensemble d'objets relatifs au travail dans la mine et à la vie qui tournait autour. À noter en particulier : la salle de classe 1900 et la reconstitution d'une véritable galerie avec taille et écurie. Certes moins vivant que l'écomusée mais, en un sens, plus riche. Quoi qu'il en soit, les deux se complètent plutôt bien.

🎯 *Le château de Seneffe :* rue L.-Plasman, 7-9. ☎ 064-55-69-13. ● chateaudeseneffe.be ● Au nord de La Louvière. Tlj sf lun (non fériés) 10h-18h. Entrée : 5 € ; réduc. Résidence de plaisance conçue par le fécond Laurent-Benoît Dewez en 1763, le château fut commandé par un certain Julien Depestre, riche parvenu grâce au commerce avec les Indes et les fournitures aux armées françaises. Le nouveau riche en voulut pour son blé et le résultat néoclassique pur se donne des airs de petit Versailles. En particulier la *cour d'honneur,* flanquée de chaque côté de colonnades monumentales clôturées par deux pavillons. Le *logis princi-*

pal, lui, abrite le ***musée de l'Orfèvrerie*** *de la Communauté française.* Huit cents pièces en argent, provenant de différents centres de production d'Europe, y sont conservées et exposées dans les salons rehaussés de stucs, de dorures et de miroirs. Les parquets sont tellement précieux et fragiles que vous devrez enfiler des patins pour la visite. Enfin, à l'extérieur, une orangerie, un petit théâtre, une glacière et un parc à la française à terrasses combleront votre soif de belles choses.

MONS   (7000)   91 000 hab.

« À Mons, quand on se fâche, on va d'un boulevard à l'autre en un quart d'heure », nous a dit un Montois à qui nous demandions notre chemin. On n'a pas vérifié, et pourtant on aurait pu car, ici, il arrive justement que ça chauffe un petit peu dans les rues, les soirs de biture. Oh, rien de bien méchant, mais comme Mons est une ville estudiantine... Et puis, la plupart du temps, tout se passe fort bien, dans une joie et une bonne humeur capables de faire sourire un centre qui, autrement, se réduirait un rien tristement à sa jolie Grand-Place, ses élégantes ruelles pavées et son impressionnant beffroi.

À la différence de Naples, on ne mourra pas après avoir vu Mons. On y passera juste un agréable moment. Si vous êtes dans le coin le dimanche qui suit la Pentecôte, vous devez toutefois y faire un saut car ce sont les fêtes de la ducasse (voir plus bas) et la ville, vraiment, se métamorphose. À noter également dans les environs de Mons : le musée des Arts contemporains (MAC'S) et le parc d'Aventures scientifiques (PASS), deux lieux uniques en Belgique. En outre, Mons a renforcé sa capacité d'attrait en matière d'offre culturelle en réaménageant splendidement son désuet musée des Beaux-Arts et s'est mis sur les rangs pour une candidature au titre de ville européenne de la Culture en 2015.

UN PEU D'HISTOIRE

Sur cette colline, que les Romains auraient baptisée Montes, Waudru, pieuse dame et bonne épouse, fonde au VIIe s un monastère. Elle sera rejointe par les comtes de Hainaut qui fortifièrent la ville pour en faire leur capitale. La ville se développe au Moyen Âge et devient très riche sous Charles Quint, grâce à ses manufactures de draps. Cette prospérité sera toutefois mise à mal par les guerres de Religion, puis par les bombardements ordonnés par Louis XIV en 1691. Plusieurs fois occupée puis perdue par la France, Mons fut reprise une dernière fois par Dumouriez en 1792 lors de la bataille de Jemmapes, qui livra le pays aux révolutionnaires français. Elle fut finalement rendue à la Belgique indépendante, devint le centre commercial de la région minière du Borinage, puis le théâtre de farouches batailles pendant les deux dernières guerres.

Parmi les Montois célèbres, le peintre Jean Prévost (1472-1529), l'architecte Jacques Du Brœucq (1510-1584) et le musicien Roland de Lassus (1531-1594). Verlaine y rédigea *Romances sans paroles,* alors qu'il était emprisonné pour avoir tenté de flinguer son pote Arthur.

LES FÊTES DE LA DUCASSE DE MONS

Ce rendez-vous annuel des Montois avec leur tradition plonge la ville dans une incroyable effervescence. On s'y prépare longtemps à l'avance, mais la fête culmine le dimanche de la Trinité, soit celui qui suit la Pentecôte. Premier moment fort : la *procession du Car d'or.* On charge sur la charrette garée dans la collégiale la châsse de sainte Waudru qui sera promenée dans toute la ville, suivie et précédée d'une cinquantaine de groupes folkloriques et de l'ensemble de la population, qui poussera le chariot jusqu'en haut de la rampe pentue de la collégiale. Un malheur s'abattrait sur la ville si le chariot venait à échapper au cortège. Ce serait, paraît-il, arrivé en 1914 et en 1939. Terrible présage ! Second temps fort : le *combat* dit *du Lumeçon.* Un saint Georges à cheval épaulé par les *chinchins,* des figurants déguisés en toutous et harcelés par une bande de diables, combattent un dragon d'osier sur l'air du *Doudou.* Le rituel, très établi, aboutit toujours à la victoire du saint homme sur le monstre, dont les spectateurs arrachent les poils porte-bonheur du pompon de la longue queue. À 13h, tout est fini et les Montois font ripaille. En 2005, l'Unesco a classé ces festivités montoises au Patrimoine immatériel de l'Humanité.

Circuler à Mons

La ville n'est pas grande et tout peut se découvrir à pied ; mais en cas de fatigue, sachez que vous pouvez emprunter gratos les minibus du Mons intra-muros. Trois circuits parcourent la ville. Cette initiative destinée à décongestionner le centre et à réduire la pollution mérite d'être soulignée.

Adresses utiles

🛈 **Maison du tourisme de Mons** (plan B2) : Grand-Place, 22 B. ☎ 065-33-55-80. ● paysdemons.be ● Tlj 9h-19h (18h30 oct-mars).
– Vous trouverez aussi un pavillon d'accueil en verre en face de la gare, ouvert aux mêmes heures que le précédent.
■ **Fédération touristique de la province du Hainaut** (plan A2, **1**) : rue des Clercs, 31. ☎ 065-36-04-64. ● hainaut. be ● Pour des infos sur toute la province.

✉ **Poste** (plan B2) : pl. du Marché-aux-Herbes. Lun-ven 9h-18h, sam 9h-12h30.
🛈 **Internet** (plan B1, **2**) : au 2e étage du Mundanéum. *Mar-dim 12h-18h.* Un espace d'expositions (temporaires) installé dans un ancien grand magasin des années 1930 joliment restauré.
🚉 **Gare** (hors plan par A2) : pl. Léopold. ☎ 065-32-25-86. 2 trains/h pour Bruxelles et 1 liaison/j. (le mat) avec Paris en *Thalys* (durée : 1h18).

Où dormir ?

Camping

⚴ **Camping du Waux-Hall** (hors plan par B2, **11**) : av. Saint-Pierre, 17. ☎ 065-33-55-80. Jouxte le parc du même nom, à la sortie est de la ville. Ouv tte l'année. Emplacement pour 2 pers avec tente et voiture 10 €. Sur présentation de ce guide, 10 % de réduc sur le prix de l'emplacement. Pour un camping urbain, il pourrait être plus mal situé. Ouf ! Sanitaires propres, branchements électriques et, même, jeux pour les enfants et courts de tennis.

Bon marché

🛏 **Auberge de jeunesse du Beffroi** (plan A2, **12**) : rampe du Château, 2. ☎ 065-87-55-70. ● mons@laj.be ● laj. be ● Au pied du beffroi. Navettes gratuites depuis la gare. Fermé en janv. Nuitée 17,50-23 €, petit déj et draps compris. Internet. Réduc de 10 % sur le prix de la chambre, sur présentation de ce guide. Une AJ moderne, en béton et alu, avec vaste espace commun au rez-de-chaussée. Propose 115 lits en tout, répartis dans des chambres agréables, avec parquet, de 3 à 6 lits. Toutes sont équipées de douche et toilettes. Bar sympa à la réception, belle et grande cuisine à disposition, ping-pong, casiers et téléphone.

Prix moyens

🏠 **Infotel Hotel** (plan B2, **10**) : rue d'Havré, 32. ☎ 065-40-18-30. ● info@hotelinfotel.be ● hotelinfotel.be ● Compter env 75 € pour 2 pers ; un peu moins si vous réglez en liquide le j. de l'arrivée ; petit déj non compris. Promenade de découverte de la ville documentée offerte sur présentation de ce guide. Chambres à la déco standard mais soignées et confortables. Rien à redire pour le prix. Un hôtel fonctionnel.

Un peu plus chic

🏠 **Hôtel Saint-James** (hors plan par B2, **13**) : pl. de Flandre, 8. ☎ 065-72-48-24. ● hotelstjames@hotmail.com ● hotelstjames.be ● Sur l'un des boulevards qui ceinturent le centre, à 10 mn à pied de la Grand-Place. Compter 80 € pour 2 pers ; petit déj non compris. Réduc de 10 % sur le prix de la chambre le w-e, sur présentation de ce guide. Niché dans une résidence du XVIIIᵉ s, un hôtel récent proposant de fort jolies chambres à la déco design. Salles de bains du même style, très réussies. En prime, excellente literie et minibar dans chaque piaule. Le meilleur rapport qualité-prix de la ville, pour un hôtel.

Où dormir dans les environs ?

MONS

🏠 **Hôtel Mercure Mons** (hors plan par B1, **14**) : rue des Fusillés, 12. ☎ 065-72-36-85. ● mercure.com ● À 6 km du centre de Mons, direction Nimy. Double 85 €, sans petit déj. Bel hôtel, de la chaîne *Accor*, certes, mais plus personnalisé que beaucoup d'autres, on vous le promet ! Situation agréable, dans un parc à l'écart de la ville, et beau bâtiment en brique brune abritant 53 chambres très bien arrangées, dans les tons crème et marron. Beaucoup d'élégance et excellent confort à prix encore raisonnables.

■ **Adresses utiles**

🛈 Maison du tourisme de Mons
✉ Poste
🚉 Gare
🅿 Parkings
  1 Fédération touristique de la province du Hainaut
▣ 2 Internet
◉ 50 Marché de fruits et légumes et brocante de la place du Béguinage

⚐ 🏠 **Où dormir ?**

  10 Infotel Hotel
  11 Camping du Waux-Hall
  12 Auberge de jeunesse du Beffroi
  13 Hôtel Saint-James
  14 Hôtel Mercure Mons

🍴 **Où manger ?**

  20 Le Pastissou
  21 Boule de Bleu
  22 Aux Folies Potagères
  23 Henri

🍷 ♪ **Où boire un verre ? Où sortir ?**

  32 Le Chinchin
  33 O'Malley

🗡 **À voir**

  40 Collégiale Sainte-Waudru
  41 Beffroi
  42 Grand-Place
  43 Hôtel de ville
  46 Musée du Folklore et de la Vie montoise
  47 Beaux-Arts Mons
  48 Musée d'Histoire militaire

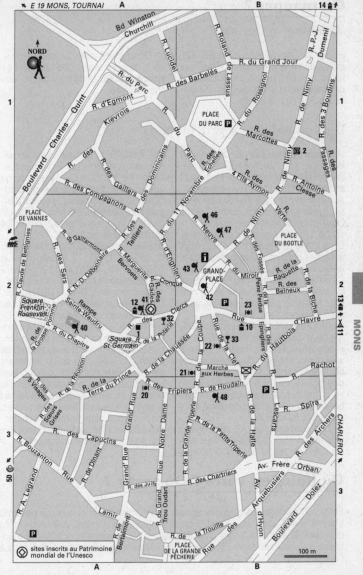

Où manger ?

Très bon marché

|●| Sur la Grand-Place *(plan B2, 42)*, mais seulement le week-end et les jours fériés, de 12h à minuit, une *baraque à caricoles* vend ses escargots. Rappelons qu'il s'agit de bulots.

|●| Mons étant une ville estudiantine, on y trouve aussi de nombreux *snacks-pitas,* tentants comme des snacks-pitas.

De bon marché à prix moyens

|●| *Boule de Bleu (plan B2, 21) :* rue de la Coupe, 46. ☎ 065-84-58-19. *Presque sur la pl. du Marché-aux-Herbes. Tlj sf dim-lun 11h-15h (23h ven-sam). Restauration env 10-12 €. Thé ou café offert sur présentation de ce guide.* Façade jaune et petite enseigne discrète sur la vitrine. Un très bon choix pour le midi. On y avale d'exquises salades, mais aussi des quiches et des *focaccie* dans une salle genre boutique de brocanteur. Ce qu'est d'ailleurs un peu l'endroit, car ici, tout ce que vous voyez est à vendre ! Agréable petite terrasse couverte avec fontaine. Service très sympa.

|●| *Aux Folies Potagères (plan B2, 22) :* rue de la Clef, 36. ☎ 065-36-36-08. *Tlj sf dim-lun midi et soir. Plats 8-9 €.* Petite salle marocaine avec des tables en bois blanc. À la carte, juste des couscous et des tajines. Pas vraiment typique, on vous l'accorde, mais la cuisine est bonne et copieuse, les prix serrés et il y a toujours du monde !

|●| *Le Pastissou (plan A3, 20) :* rue des Fripiers, 14. ☎ 065-31-92-60. *Tlj sf dim-lun 12h-14h, 18h30-21h30 (20h30 mar-*

jeu). *Plats 11-17 €. Salle* toute simple. Aux murs, photos du Pays basque. L'essentiel est dans l'assiette, à savoir une irréprochable cuisine du Sud-Ouest (bœuf bordelais, canard périgourdine, cassoulet, tripoux auvergnats...). Vraiment le resto que tous les Montois apprécient.

|●| *Henri (plan B2, 23) :* rue d'Havré, 41. ☎ 065-35-23-06. *Tlj sf soir dim-lun 11h30-14h, 18h-20h30. Fermé 2ᵈᵉ quinzaine de juil. Plat du jour 6,90 € ; sinon, compter 6,50-13 €. CB refusées. Café offert sur présentation de ce guide.* C'est le rendo familial des employés du centre-ville. Entrée genre café peu tentant, rattrapée par la vieille salle en brique avec cheminée et beau plafond de chêne. En gros, rien de bouleversant dans l'assiette mais c'est correct, bien servi et pas cher. On conseille même la choucroute, surtout aux grosses faims ! À part ça, steaks à toutes les sauces, moules-frites, plats de ménage et grandes salades l'été. La tradition veut que l'on paie au comptoir en sortant.

Où boire un verre ? Où sortir ?

En gros, l'animation débute aux abords de la Grand-Place et culmine place du Marché-aux-Herbes, située 200 m plus loin. Sur cette dernière, nombreux cafés déversant chacun une bonne dose de décibels sur le trottoir pour attirer une jeunesse qui, de toute façon, passerait naturellement et joyeusement d'un rade à l'autre.

♟ *Le Chinchin (plan A2, 32) :* rue des Clercs, 15. ☎ 065-84-29-15. *Tlj sf dim à partir de 20h.* L'incontournable de Mons. Installé dans une cave voûtée, c'est le café des fins ou débuts de soirée. Atmosphère un peu confinée, enfumée et bruyante, mais où l'on peut dis-

cuter sans devoir s'époumoner. On y boit aussi le *chinchin,* un alcool un peu traître, d'autant qu'il est servi à petites doses !

♟ *O'Malley (plan B2, 33) :* rue de la Clef, 31. À deux pas de la Grand-Place. Dim-jeu 15h-22h, ven-sam 14h-3h. Oui, la ville a désormais son *Irish pub* ! Lumière orangée, vieilles bibliothèques, petit coin salon, barriques, chaude ambiance (surtout le week-end)... Que faut-il de plus pour brasser du Montois ?

À voir

Les principaux sites et monuments du centre

🦌 *La collégiale Sainte-Waudru* (plan A2, **40**) *:* entrée par le côté, rue du Chapitre. ● waudru.be ● *Ouv tte l'année 9h (7h dim)-18h30. Entrée libre.*
Sur cette colline que Waudru avait choisie pour fonder son monastère au VIIe s, les chanoinesses de sa communauté religieuse firent édifier la collégiale. Les travaux commencèrent en 1450 par le chœur pour s'arrêter en 1686, date à laquelle ces dames renoncèrent à faire élever la tour de 190 m dont elles avaient rêvé. Mathieu de Layens (celui de l'hôtel de ville de Louvain) fut l'un des premiers maîtres d'œuvre et ses nombreux successeurs respectèrent le style gothique brabançon voulu par les chanoinesses. Du coup, et même si cette imposante église n'a rien extérieurement d'exceptionnel, on pourra au moins en apprécier la cohérence.
L'intérieur est en fait plus spectaculaire : plan en croix latine, élévation à 3 étages, 110 m de long, 34 m de large, et d'énormes piliers soutenant la voûte en brique, 25 m plus haut. On dénombre pas moins de 29 chapelles, qui toutes étaient dédiées à une corporation ou à une confrérie. Dans la nef, près de la porte principale, est garé le Car d'or. C'est dans cette charrette baroque du XVIIIe s, pleine d'angelots fessus, qu'on véhicule la *châsse de sainte Waudru* lors de la procession du même nom. À cette occasion, la charrette doit franchir d'un seul coup la rampe qui longe la collégiale, sous peine qu'un malheur ne s'abatte sur la ville. Ladite châsse, en cuivre doré du XIXe s, domine l'autel. La tête de la sainte repose dans un autre reliquaire placé dans la dernière chapelle droite de la nef.
Sept gracieuses statues blanches ornent le chœur. Curieux, on en compte huit, mystère ! Les quatre premières représentent les vertus cardinales (Tempérance, Force, Justice, Prudence), les trois autres les vertus théologales (Foi, Espérance, Charité). Elles faisaient partie d'un jubé exécuté par un artiste montois du XVIe s, qui fut détruit par les révolutionnaires en 1797. Outre ces sculptures, les bas-reliefs purent aussi être sauvés. Ils décorent aujourd'hui le transept. Dans la quatrième chapelle gauche du déambulatoire, retable en marbre noir et albâtre et, deux chapelles plus loin, un *Saint Michel terrassant le démon* (XVe) et une *Sainte Waudru* (XVIe). Un coup d'œil sur les vitraux du transept et du chevet datant du XVIe s, et passons au trésor, qui serait le troisième plus riche de Belgique !
– *Le trésor :* dans l'ancienne salle capitulaire, à droite de la nef. *Mars-nov, tlj sf lun 13h30-18h (17h w-e). Entrée : 2,50 €.* Toiles, collection d'orfèvrerie du XIIIe au XIXe s, calices, reliquaires, et même une bague et une agrafe qui auraient appartenu à Waudru en personne.

🦌 Ⓞ *Le beffroi* (plan A2, **41**) *:* illustre observateur de l'urbanisme montois, sur les traces duquel nous marchons avec humilité, Victor Hugo décrivit ce beffroi comme « une énorme cafetière, flanquée au-dessous du ventre de quatre théières moins grosses ». « Ce serait laid si ce n'était grand », concluait Victor Hugo dans la lettre qu'il adressait à sa femme. Qu'ajouter ? C'est grand en effet (87 m), et ce serait probablement laid si c'était plus petit. Le beffroi domine la cité et en marque l'importance. Bâtie au XVIIe s, cette tour est désormais inscrite au Patrimoine mondial de l'Unesco. Et puisqu'on en est aux emprunts, citons encore ce proverbe local : « C'est comme la tour de Sainte-Waudru, on n'en verra jamais le bout » (référence à la tour inachevée de la collégiale). Des travaux de rénovation à l'intérieur en interdisent l'accès mais n'empêchent heureusement pas les 49 cloches du carillon de sonner les heures.

🚶 *La Grand-Place* (plan B2, *42*) : devenue piétonne, et c'est tant mieux. Plutôt vaste et aérée, la Grand-Place a dû subir la construction de quelques immeubles « soixantisards », mais conserve encore, côté hôtel de ville surtout, des maisons anciennes dont certaines remontent au XVIᵉ s, ainsi que deux façades à pignons de part et d'autre de la mairie. On pourra observer le soleil se coucher derrière elles depuis l'une des nombreuses terrasses de cafés de la place, qui toutes se valent.

🚶🚶 *L'hôtel de ville* (plan B2, *43*) : sur la Grand-Place. *Juil-août, tlj à 14h30 (et le reste de l'année sur rdv), visite guidée de 2h englobant la collégiale. Prix : 3 €.*
Encore Mathieu de Layens ! L'architecte vedette du XVᵉ s commence ce bâtiment sous les ordres de Charles le Téméraire. La mort du commandataire va perturber les travaux, qui ne reprendront qu'un siècle plus tard. D'importantes modifications (campanile, toit d'ardoises, éléments néogothiques...) seront apportées aux XVIIIᵉ et XIXᵉ s. Reste tout de même un ensemble à peu près cohérent, genre gothique finissant, avec ses corniches de pierre, ses fenêtres et son portail en arc brisé. On remarquera, sur l'un des vantaux de la porte, une puissante serrure, copie de l'original conservé dans le cabinet du bourgmestre et, à gauche de la porte, une curieuse sculpture de singe dite du Grand Garde. L'origine de ce singe, chef-d'œuvre d'un maître ferronnier du XVᵉ s, demeure incertaine. Il pourrait s'agir de l'enseigne d'un cabaret, dont les recettes auraient renfloué les caisses municipales, ou, plus probablement, d'un pilori où l'on enchaînait les enfants. Quoi qu'il en ait été, le singe reçoit aujourd'hui les caresses de tous les visiteurs superstitieux.
L'hôtel de ville ne se visite officiellement que selon une procédure compliquée. Cela dit, les portes sont souvent ouvertes. Poussez celle qui part à droite du passage cocher et vous verrez bien si l'on vous met dehors. Quelques belles pièces : salle des mariages avec plafond en chêne ; salon gothique avec sublime parquet, impressionnants luminaires, plafond à caissons. À gauche de ce salon, derrière l'estrade, quelques marches mènent vers le salon des parapluies dont vous apprécierez la superbe voûte de brique ouvragée.

Les musées

🚶 *Le musée du Folklore et de la Vie montoise* (plan B2, *46*) : maison Jean-Lescarts, rue Neuve. ☎ 065-31-43-57. *Fermé pour travaux.* Dans une ancienne infirmerie du XVIIᵉ s, on y expose des objets usuels du passé : enseignes, instruments de mesure, mobilier... Évocation des prémices de l'aide sociale, avec notamment le « tournoir », sorte de guichet pour colis postaux où l'on abandonnait les enfants pour l'orphelinat. Une demi-image apportant quelques précisions (prénom, baptême...) était placée sur l'enfant et ne le quittait jamais. Ses géniteurs gardaient l'autre moitié et pouvaient ainsi prouver leur filiation si, d'aventure, ils récupéraient leur progéniture. Vraiment émouvant. Également des objets liés au folklore, dont le fameux dragon qui participe au combat dit « du Lumeçon ». Un film aide aussi à comprendre la liesse qui s'empare de Mons le jour de la fête.

🚶 *Beaux-Arts Mons* (BAM ; plan B2, *47*) : rue Neuve, 8. ☎ 065-40-53-30. *Tlj sf lun 12h (11h dim)-18h. Visites guidées sur résa. Entrée : 8 € (ticket combiné) ; réduc ; gratuit 1ᵉʳ dim du mois.* Entièrement refait, doté d'une longue façade de verre et d'une structure qui allie aussi bois et métal, le musée présente surtout des expos temporaires d'art contemporain. On y trouve aussi, en sous-sol, une petite sélection permanente de peintures, sculptures et gravures du XVᵉ au XXᵉ s. Pas vraiment de grands noms mais un fonds intéressant, notamment en ce qui concerne les expressionnistes wallons du groupe Nervia (1928-1938).

PLANS ET CARTES
EN COULEURS

Planches **2-3**   _____   La Belgique

Planches **4-5**   _____   Bruxelles – nord (plan II)

Planches **6-7**   _____   Bruxelles – sud (plan III)

SOMMAIRE

2

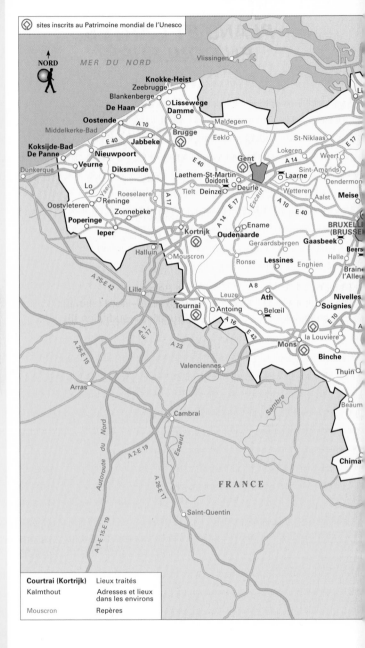

LA BELGIQUE

Courtrai (Kortrijk)	Lieux traités
Kalmthout	Adresses et lieux dans les environs
Mouscron	Repères

LA BELGIQUE

BRUXELLES – NORD (PLAN II)

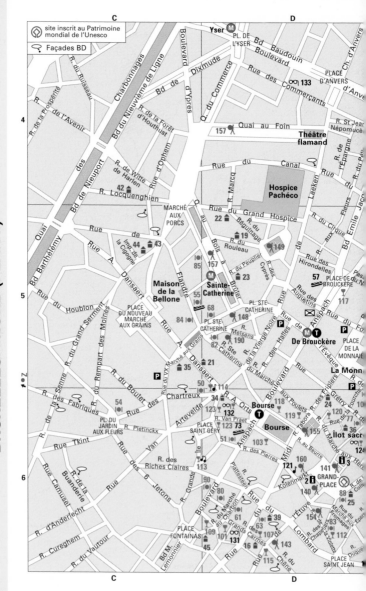

BRUXELLES – NORD (PLAN II)

BRUXELLES – SUD (PLAN III)

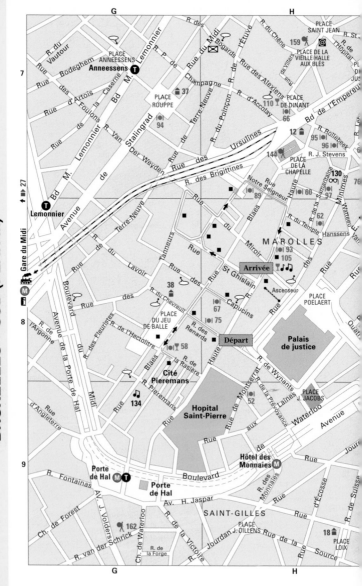

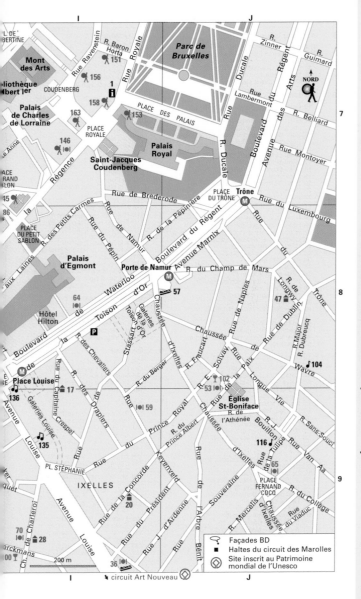

BRUXELLES – SUD (PLAN III)

BRUXELLES – REPORTS DES PLANS II ET III

■ **Adresses utiles**

🅱 **1** BIP INFO *(plan III)*
🅱 **2** BITC Grand-Place *(plan II)*
🅱 **3** Toerisme Vlaanderen *(plan II)*
✉ Bureaux de poste *(plans II et III)*
🅿 BXL *(plan II)*
🅿 Parkings *(plans II et III)*

🛌 **Où dormir ?**

10 Centre Vincent-Van-Gogh CHAB *(plan II)*
11 Gîte d'étape-auberge de jeunesse Jacques-Brel *(plan II)*
12 Auberge de jeunesse Bruegel *(plan II)*
13 Espace du Sleep-Well *(plan II)*
14 2GO4 Hostel *(plan II)*
16 Hôtel La Vieille Lanterne *(plan II)*
17 Hôtel Argus *(plan III)*
18 Hôtel Europa *(plan III)*
19 Résidence Les Écrins *(plan II)*
20 Hôtel Rembrandt *(plan III)*
21 Pacific Café-Hôtel *(plan II)*
22 Hôtel Noga *(plan II)*
23 Hôtel Welcome *(plan II)*
24 Hôtel Opéra *(plan II)*
25 Hôtel Saint-Michel *(plan II)*
26 Hôtel Bloom *(plan II)*
27 Hôtel Floris Ustel Midi *(plan III)*
28 Hôtel Manos Stéphanie *(plan III)*
29 Hôtel Le XVIIe *(plan II)*
30 Hôtel du Congrès *(plan II)*
34 Hôtel Orts *(plan II)*
35 Hôtel Atlas *(plan II)*
36 Hôtel Arlequin *(plan II)*
37 Hôtel À la Grande Cloche *(plan III)*
38 Hôtel Galia *(plan II)*
39 Hôtel La Légende *(plan II)*
42 Le White Room *(plan II)*
43 Chambre d'hôtes Les Remparts *(plan II)*
44 La Maison Jaune *(plan II)*
45 Downtown-BXL *(plan II)*
46 Chambres d'hôtes Vaudeville *(plan II)*
47 Chambres en Ville *(plan III)*

🍴 🥡 **Où manger ?**

36 Pain Quotidien *(plan III)*
46 Café du Vaudeville *(plan III)*
50 Fin de Siècle et 9 et Voisins *(plan III)*
51 Le Petit Boxeur *(plan II)*
52 Stekerlapatte *(plan III)*
53 Mano a Mano *(plan III)*
54 In 't Spinnekopke *(plan II)*
55 Viva m'Boma *(plan II)*
56 Chez Vincent *(plan II)*
57 EXKI *(plans II et III)*
58 De Skieven Architek *(plan II)*
59 Les Brassins *(plan III)*
60 L'Arrosoir *(plan II)*
61 Tapas Locas et Mam Mam *(plan II)*
62 Le Corbier *(plan III)*
63 Le Lotus bleu *(plan II)*
64 Au Passage de Milan *(plan III)*
65 Le Volle Gas *(plan III)*
66 Bleu de Toi et Vert de Gris *(plan III)*
67 Le Bazaar *(plan II)*
68 Le Fourneau *(plan II)*
69 La Tour d'y Voir *(plan II)*
70 Ma Folle de Sœur *(plan II)*
73 Au Suisse – Maison Scheggia-Togni *(plan II)*
74 Hémisphères *(plan II)*
75 Restobières *(plan III)*
76 Lola et L'Entrée des Artistes *(plan II)*
77 Aux Armes de Bruxelles *(plan II)*
79 Ricotta & Parmesan *(plan II)*
80 Épicerie de la Senne *(plan II)*
81 Den Talurelekker *(plan II)*
82 La Mer du Nord *(plan II)*
83 La Roue d'Or *(plan II)*
84 Le Pré Salé *(plan II)*
85 Bij den Boer *(plan II)*
86 Le Pain Quotidien *(plan II)*
87 Arcadi Café *(plan II)*
88 't Kelderke *(plan II)*
89 La Grande Porte *(plan III)*
90 Kika *(plan II)*

91 Le Meyboom *(plan II)*
92 Le Corbeau *(plan II)*
93 Easy Tempo *(plan III)*
94 Café Bebo *(plan III)*
95 Bocca d'Oro *(plan III)*
96 La Clef des Champs *(plan III)*
97 Soul *(plan II)*
146 Museum Brasserie *(plan III)*

🍷 🎵 🎶 **Où boire un verre ? Où écouter de la musique ?**

100 Malte *(plan III)*
101 Au Soleil *(plan II)*
102 L'Ultime Atome *(plan III)*
103 Le Falstaff *(plan II)*
104 Le Grain d'Orge *(plan III)*
105 Havana *(plan III)*
106 Delirium Café et Floris Bar *(plan II)*
107 Le Cercle des Voyageurs *(plan II)*
109 Le Fontainas *(plan II)*
110 La Fleur en Papier Doré *(plan II)*
111 À la Mort Subite *(plan II)*
112 Goupil le Fol *(plan II)*
113 Le Java *(plan II)*
114 L'Archiduc *(plan II)*
115 Poechenellekelder *(plan II)*
116 Sounds Jazz Club *(plan III)*
117 Le Métropole *(plan II)*
118 Le Cirio *(plan II)*
119 À la Bécasse *(plan II)*
120 À l'Imaige de Nostre-Dame *(plan II)*
121 The Music Village *(plan II)*
122 De Ultime Hallucinatie *(plan II)*
123 Zebra, Mappamundo, Café Bizon et le Roi des Belges *(plan II)*
124 Chez Toone *(plan II)*

👓 🍷 **Où voir un spectacle ?**

124 Chez Toone *(plan II)*
130 La Samaritaine *(plan II)*
131 Chez Maman *(plan II)*
132 Beursschouwburg *(plan II)*
133 Le Magasin 4 *(plan II)*

🎵 **Où danser ?**

134 Le Fuse *(plan III)*
135 Le Louise Gallery *(plan III)*
136 Studio 44 *(plan III)*
137 Le Claridge *(plan III)*
138 Le You et le Duke's *(plan II)*

🏛 **À voir**

124 Théâtre de Toone *(plan II)*
140 Hôtel de ville *(plan II)*
141 Maison du Roi et musée de la Ville *(plan II)*
142 Galeries Saint-Hubert *(plan II)*
143 Manneken-Pis *(plan II)*
144 Église La Chapelle *(plan II)*
145 Église Notre-Dame-du-Sablon *(plan II)*
146 Musées royaux des Beaux-Arts *(plan II)*
147 Église de la Madeleine *(plan II)*
148 Église Sainte-Catherine *(plan II)*
149 Église Saint-Jean-Baptiste-du-Béguinage *(plan II)*
150 Place des Martyrs *(plan II)*
151 Palais des Beaux-Arts *(plan II)*
152 Centre belge de la bande dessinée *(plan II)*
153 Musée BELvue *(plan III)*
154 Musée du Costume et de la Dentelle *(plan II)*
155 Église Saint-Nicolas *(plan II)*
156 Hôtel Ravenstein *(plan II)*
157 Anciens bassins *(plan II)*
158 Musée des Instruments de musique *(plan II)*
159 Éditions Jacques Brel *(plan III)*
160 Musée du Cacao et du Chocolat *(plan II)*
161 Musée du Jouet *(plan II)*
162 Maisons Art nouveau *(plan III)*
163 Musée Magritte Museum (MMM ; plan II)*
190 La centrale électrique *(plan II)*

🎎 *Le musée des Arts décoratifs François-Duesberg* (plan A2) **:** sq. F.-Roosevelt, 12. ☎ 065-84-16-56. Tlj sf lun 13h30-18h. Entrée : 4 € ; réduc. Prestigieuse collection ayant appartenu à un couple de mécènes liégeois. Pendules aux sujets exotiques dites « au nègre », bronzes dorés, porcelaines, faïences, objets d'orfèvrerie, gravures, reliures précieuses et collection d'objets insolites.

🎎 *Le musée d'Histoire militaire* (plan B3, **48**) **:** rue de Houdain, 13. ☎ 065-35-55-80. Mar-sam 12h-18h ; dim 10h-12h, 14h-18h. Entrée : 1,25 € ; gratuit pour les moins de 10 ans. L'histoire militaire de Mons présentée dans un ancien hospice. La ville, précisons-le, fut une place forte de 1290 à 1865 et accueille aujourd'hui dans sa périphérie une base de l'OTAN. Coïncidence, c'est aussi à Mons que retentirent le premier et le dernier coups de feu de la Première Guerre mondiale ! Enfin, ce fut la première ville de Belgique à être libérée par les Américains en 1944. Tout cela valait bien un musée, non ? Musée que l'on visitera, entre autres, pour sa collection d'objets insolites des différents conflits.

À faire

🏵 Tous les dimanches matin, sur la *place du Béguinage* (hors plan par A3, **50**) le *marché de fruits et légumes* accueille une extension *brocante.* Du tout venant, quelques belles pièces et beaucoup de monde. Vous pourrez reprendre votre souffle au *Batia Moûrt Soû* (le « Bateau Ivre »), un rade de la place tenu par un sympathique jeunot qui aime les bières inconnues.

➤ *DANS LES ENVIRONS DE MONS*

🎎🚶🧒 *Le PASS* (parc d'Aventures scientifiques) **:** rue de Mons, 3, à **Frameries.** ☎ 070-22-22-52. ● pass.be ● À 6 km au sud de Mons (bus n⁰ˢ 1 ou 2 depuis la gare). Fléché depuis l'E 19. Lun-ven sf mer 9h-16h, w-e et j. fériés 12h-18h ; pdt les vac scol, tlj 10h-18h. Fermé début janv et sept. Entrée : 12,50 € ; réduc. Le charbonnage du Crachet a cessé toute activité en 1961. Cet exceptionnel ensemble minier, constitué d'un châssis à molette de 60 m de haut, d'un belvédère, d'une ancienne voie ferrée, d'une salle des machines, d'un silo géant et d'un terril, fut classé en 1989 puis réhabilité en 1997 pour abriter quelque 8 000 m² d'expositions interactives dédiées aux sciences, aux technologies et au processus d'apprentissage. Concrètement, le PASS propose une dizaine d'espaces différents s'articulant chacun autour d'un thème. Ça commence dans la longue passerelle (*pass*'erelle) avec l'exposition « Doué pour apprendre » qui, en montrant les différentes facettes du processus d'apprentissage à travers 26 expériences ludiques, donnerait presque aux mômes l'envie d'aller à l'école. De là, on rejoint d'autres parties, comme l'expo « Portraits », sorte de palais des glaces où l'on pourra s'interroger sur sa propre identité... physique. Vient ensuite l'expo « Touche-à-tout », sur tous les matériaux qui nous entourent et auxquels on ne prête plus attention. Puis une autre, intitulée « Sport en tête », où l'on peut tester ses réflexes, enregistrer sur vidéo un lancer de ballon de basket, chronométrer son départ dans des starting-blocks... Amusant et instructif. On a beaucoup aimé aussi celle sur le corps humain (« Corps à corps »), très belle et hautement didactique ; elle est précédée de « Gènes et éthique » (joli jeu de mots), pas mal fichue elle non plus... Enfin, citons encore l'expo « Veaux-vaches-cochons-couvées », pour ne plus manger idiot, le « Grenier des histoires », consacré au travail de la mine et aux mouvements sociaux, et « Le jardin des aventures », qui consiste en une balade avec GPS sur un terril visant à faire découvrir son écosystème. Et puis un film de 30 mn dressant une sorte de bilan de santé de notre bonne vieille Terre, à éviter si vous avez le cafard. Possibilité aussi de monter par un ascenseur tout en haut du châssis à molette pour embrasser toute la région du regard. En bref, pas mal d'activités qui, si elles ne se valent pas toutes, ont le grand mérite de nous faire réfléchir sur le monde et la société dans lesquels nous vivons.

🍸 Belle *cafétéria* dans le palais des images.

🍴🍴🍴 **Le musée des Arts contemporains (MAC'S) :** *rue Sainte-Louise, 82, à Hornu.* ☎ 065-65-21-21. ● grand-hornu.be ● mac-s.be ● *À 8 km env à l'ouest de Mons. De l'E 19, prendre la sortie 25 et suivre la direction Saint-Ghislain, Hornu ; ensuite, c'est fléché. En bus, lignes n°s 7 ou 9 depuis la gare. Tlj sf lun 10h-18h. Entrée : 6 € ; réduc. Audioguide sur l'histoire du site en supplément. Le billet donne aussi accès aux expos de l'association Grand-Hornu Images. Le 1er mer de chaque mois, entrée gratuite et explications prodiguées par des historiens de l'art.*

Les bâtiments de l'ancien charbonnage du Grand-Hornu abritent depuis 2002 le remarquable musée des Arts contemporains, unique en son genre en Belgique francophone. Mais d'abord, un mot sur le site. Celui-ci est un complexe industriel et urbanistique voulu au début du XIXe s par l'homme d'affaires Henry de Gorge qui, ambitionnant de construire une cité ouvrière idéale, à l'image de celles rêvées en France par Nicolas Ledoux, fit vivre et travailler ici jusqu'à 2 500 personnes. Logés dans les petites maisons que l'on peut encore voir tout autour du site, les mineurs s'activaient dans les puits, tandis qu'ouvriers et ingénieurs fabriquaient tout ce qui était nécessaire au travail de la mine et à la communauté, de la locomotive à la petite cuillère. L'ensemble est resté actif jusqu'en 1954, avant d'être sauvé de la destruction par un architecte hornutois, Henry Guchez, que nous remercions au passage.

On entre par la cour carrée où trône une fontaine de Pol Bury. À gauche, la partie dévolue aux expos temporaires d'art design de l'association Grand-Hornu Images ; à droite, le MAC'S, qui a trouvé ici de superbes espaces, tantôt rénovés, tantôt entièrement construits, pour ses expositions. Toujours temporaires, celles-ci présentent des œuvres illustrant l'art contemporain sous toutes ses formes. Enfin, le MAC'S, c'est aussi la volonté de toucher un large public et de lui faciliter la compréhension des œuvres par une série d'outils didactiques et pédagogiques, comme la création d'une revue (le *DITS*) et d'un journal pour enfants, le *MINI MAC'S*. Un bien beau projet en somme, qui, en outre, contribue à dynamiser une zone touchée de plein fouet par la crise.

🍴 **La maison de Van Gogh :** *rue du Pavillon, 3, à Cuesmes.* ☎ 065-84-15-61. *Tlj sf lun 10h-18h. Entrée : 5 € ; réduc.* Petite maison toute simple et récemment rénovée, où Vincent vécut d'août 1879 à octobre 1880, alors qu'il s'était donné pour mission d'évangéliser les mineurs de la région. Pas de toiles originales (hormis un dessin) mais des reproductions et un audiovisuel pas mal fichu.

🍴 **La réserve naturelle des marais de Harchies Pommerœul,** pour les amateurs d'oiseaux nicheurs et migrateurs, se trouve à 12 km à l'ouest de Mons, à proximité de Bernissart. Elle évoque, dans un petit musée, la découverte des fameux iguanodons qui se trouvent au musée des Sciences naturelles de Bruxelles. Une des grosses bêtes vient de lui être restituée. On pense encore en trouver dans le sous-sol. La chasse est ouverte.

🍴 ⊕ **Les minières néolithiques de Spiennes :** *près du village de Spiennes (accès fléché), à 6 km au sud-est de Mons.* ☎ 065-35-34-78. ● minesdespiennes. org ● *Ouv slt mars-nov, le 1er dim du mois 10h-16h. Entrée : 2,50 € ; réduc.* On a hésité à vous signaler ce site, car il n'est ouvert que 1 jour par mois, puis on s'est dit qu'on allait quand même vous en toucher un mot. En effet, il s'agit d'une des très rares mines de silex du Néolithique visitables en Europe. D'ailleurs, elle figure depuis 2000 au Patrimoine mondial de l'humanité de l'Unesco. Après avoir vu la petite expo sur la vie à cette époque et quelques spécimens de pierre polie, on descend par une échelle dans un puits de 8 m de profondeur pour se voir expliquer l'extraction et la taille du silex avant l'âge du bronze. Rien de très spectaculaire en soi mais un témoignage unique de l'activité de nos ancêtres en ces temps très reculés.

SOIGNIES

(7060)   24 000 hab.

Gros bourg qui prospéra au XIVe s grâce au commerce du drap, Soignies étire ses rues sinueuses et pavées autour de sa sévère collégiale Saint-Vincent. Le saint en question, Madelgaire de son vrai nom et époux de Waudru (voir Mons), avait fondé ici une abbaye au VIIe s. Il est aujourd'hui la vedette du Grand Tour, la procession de sa châsse qui réunit de nombreux figurants chaque lundi de Pentecôte. Sur la place principale, le même jour, kermesse aux Célibataires.

Adresse utile

🏛 **Office de tourisme :** rue du Lombard, 2. ☎ 067-34-73-76. • soignies. be • Ouv tte l'année, mar-ven 8h30-12h, 13h30-16h15 ; et, de juin à mi-sept, le w-e 14h-18h.

Où dormir dans les environs ?

🏠 **Chambres d'hôtes La Fermette :** chemin du Bois-de-Steenkerque, 2 A, Horrues 7060. ☎ 067-33-96-72. • gite lafermette.focan@skynet.be • gite-lafermette.com • À 5 km de Soignies, sur la route d'Enghien (c'est fléché). Compter 48 € pour 2 pers, petit déj compris. CB refusées. Internet. Réduc de 10 % sur le prix de la chambre à partir de 3 nuitées, sur présentation de ce guide. Charmante fermette aménagée avec goût. 2 chambres avec salle de bains, fort différentes mais toutes 2 très réussies et impeccablement tenues. Elles ont même été traitées « géo-biologiquement » ! Celle en duplex possède une table à manger et un tout nouveau coin cuisine. Également un gîte bien agréable pour 4 personnes. Pain et confiture maison pour le petit déj. Terrasse avec barbecue, pelouse et étang où s'ébattent des canards. Les hôtes, fort sympathiques, vous feront partager leur passion pour la région et vous initieront au vin de fruits et au jardinage. Une bien, bien bonne adresse.
🏠 **Chambres d'hôtes La Japolinière :** chemin de Rognon, 24, Petit-Rœulx-lez-Braine 7090. ☎ 067-55-39-21. • lajapoliniere@skynet.be • lajapoli niere.net • À 8 km de Soignies vers Enghien (accès fléché depuis la N 55). Doubles 50-60 €, petit déj compris. Possibilité de table d'hôtes 15-20 €. CB refusées. Wifi gratuit. Apéro offert sur présentation de ce guide ! Une très jolie maison de campagne entourée de fleurs et de verdure au mobilier glané chez les brocanteurs. 3 chambres très bien arrangées, avec ou sans salle de bains privée. Petit salon pour les hôtes. Excellent accueil, vélos à dispo pour sillonner la campagne. Un endroit chaudement recommandé.
🏠 **Le Triherée :** chemin de Triherée, 2, Écaussinnes 7190. ☎ 0477-29-01-15. • info@letriheree.be • letriheree.be • Entre Écaussinnes et le petit village d'Henripont, à env 12 km à l'est de Soignies. Compter 58 € pour 2 pers, avec le petit déj ; moins cher à partir de 2 nuits. Table d'hôtes 25 €. Bien située au milieu des champs, cette ancienne ferme de 1752 propose 2 chambres ravissantes avec sanitaires privés. Déco agréablement rustique. L'une, en duplex, possède même un petit salon. On est accueilli avec un verre et, le soir, Noëlle et Thierry se feront un plaisir de cuisiner pour vous si vous le souhaitez (avec, entre autres, les légumes du potager). Piscine dans le jardin pour les beaux jours (avec vue sur la campagne), vélos à disposition, ping-pong, barbecue l'été, petit déj avec confitures maison et fromage de ferme...

Où manger à Soignies et dans les environs ?

De prix moyens à chic

|●| **Le Modern :** *rue de la Station, 73.* ☎ 067-33-22-21. ● *restomodern@tele2. be* ● *Pas loin de la gare. Tlj sf sam 12h-14h30 slt. Fermé juil et fin déc.* Formules plat du jour avec potage ou buffet froid 13-15 € ; à la carte, plat env 20 €. Dégustation gratuite de la bière locale sur présentation de ce guide. Les patrons de cette magnifique maison Art nouveau en brique ont eu le bon goût de ne rien changer. Du comptoir ouvragé aux vitraux floraux, en passant par la mezzanine en fer forgé, que c'est beau ! Spécialités : le *filet américain* (le plat le moins cher) et le ris et rognon de veau. Moules en saison.

|●| **Le Pilori :** *rue du Pilori, 10, Écaussinnes-Lalaing (voir ci-dessous « Dans les environs de Soignies »).* ☎ 067-44-23-18. ● *pilori@gmail.com* ● *Dans une rue* près du château, mais fléché un peu partout. *Lun-ven 12h-14h30, plus jeu-ven 19h-21h30. Fermé vac de Pâques, vac de Noël et 1re quinzaine d'août.* 1er menu 27 € ; à la carte, repas complet, sans les vins, min 55 €. Ici, on dîne dans des salles aux murs de pierre et beaux carrelages ou, s'il fait beau, au jardin. Si le calme règne dans cette maison ancienne, dans les assiettes, en revanche, c'est la folie. Cuisine de saison. Sandre au coulis de cresson, carpaccio de Saint-Jacques, terrine de foie gras cuit, fricassée de homard aux champignons des bois, etc. Bon, ne vous emballez pas trop : c'est certes plus qu'excellent, mais c'est cher, voire très cher. Cela dit, on peut goûter à la finesse de la cuisine de ce *Pilori* en optant pour le très raisonnable menu du jour.

À voir

🛐 **La collégiale Saint-Vincent :** *tlj 8h-18h (17h en hiver).* Vaste église bâtie entre les Xe et XIIIe s, dont l'austère élégance arrêta la fureur destructrice des révolutionnaires. Ses deux lourdes tours et ses dimensions imposantes (72 m de long et 34 m de haut) en font un édifice important et représentatif du roman scaldien, celui de la cathédrale de Tournai qui lui est postérieure. Les voûtes des bas-côtés et du chœur narguent, du haut de leur ancienneté, le plafond plat de la nef, restauré au XIXe s. La collégiale abrite quelques belles pièces. Jubé Renaissance en pierre noire, marbre et stuc, émouvante Vierge allaitant son enfant du XIVe s, gothique chapelle Saint-Hubert et, dans le déambulatoire, les impressionnants visages figés dans la pierre d'une *Mise au tombeau* du XVe s. Le chœur richement décoré, en rupture avec la sévérité ambiante, renferme la châsse de saint Vincent au-dessus de stalles du XVIIe s.
– Un *musée du Chapitre* (☎ 067-33-12-10 ; *mai-sept, dim 14h-18h ; entrée : 2 €, gratuit pour les moins de 12 ans*) a vu le jour, il y a quelque temps, dans l'aile occidentale du cloître. Une partie du trésor y est exposée.

➤ *DANS LES ENVIRONS DE SOIGNIES*

Adresse utile

🛈 **Maison du tourisme du parc des Canaux et Châteaux :** *pl. Mansart, 21-22, La Louvière.* ☎ 064-26-15-00. ● *parcdescanauxetchateaux.be* ● *Lun-ven 8h30-18h30, sam 9h-18h, et, en saison, dim 9h-17h.*

À voir

🏰🏰 **Le château d'Écaussinnes-Lalaing :** *rue de Seneffe, 1.* ☎ 067-44-24-90. ● *chateaufort-ecaussinnes.be* ● *Juil-août, tlj sf ven 10h-12h, 14h-18h ; avr-juin et sept-oct, w-e et j. fériés slt. Entrée : 5 € ; réduc.*

On a eu un petit coup de cœur pour ce château qui domine le village. Est-ce dû à son origine féodale très bien préservée ? Parce que les gens qui y vivent encore ont égayé les fenêtres de la façade de volets rouges ? Parce qu'il se dégage de l'endroit une atmosphère familiale et qu'on y vend de la confiture maison ? Ou bien – plus certainement – parce que le château abrite un agréable et sympathique musée bric-à-brac ?

Commencé en pierre grise au XIIe s, le château a été modifié au XVe. On y accède en passant sous une tour carrée. La visite des salles commence à l'étage. Calandre à repasser, objets religieux, oratoire du XVIe s. Au-dessus, une salle consacrée au dramaturge Albert Du Bois, où est exposé – allez savoir pourquoi – un coffre du XVe s, dont les sept serrures devaient être ouvertes par sept échevins, pour permettre l'accès aux archives municipales contenues dans cette boîte en chêne. On redescend vers le grand salon et son impressionnante cheminée où Adam et Ève sont sculptés dans la masse, puis vers la salle du Folklore et son billard du début du XIXe s. Collections de médailles, de poteries, de « bousilliers » (objets en verre), de michaulines et de grands bis, les ancêtres du vélo, parmi lesquels dort pour l'éternité un incongru chat momifié.

On visite encore la chapelle (vaste pour un château !) surplombant la prison (attention aux marches), la magnifique cuisine équipée du XVe s et sa buanderie. Des coffres anciens, dont un à roulettes pour le transport des trésors de guerre, reposent sur les dalles de la grande salle d'armes. Vers la caisse en sortant, jetez un coup d'œil à la clepsydre, une horloge à eau qu'on remonte à midi, quand sonne l'angélus.

– Nous fermerons le chapitre de ce village en signalant que chaque lundi de Pentecôte se tient sur la place une *kermesse aux Célibataires* (goûter matrimonial).

🖈 **Le plan incliné de Ronquières :** ☎ 067-64-66-80. *Avr-oct, tlj 10h-19h. Entrée : 7 € ; réduc. Promenade en bateau slt de mai à mi-sept. Billet combiné avec le bateau-mouche : 8,50 €.* Plutôt que de construire plusieurs écluses sur le canal Charleroi-Bruxelles, on conçut, en 1968, cette rampe de près de 1,5 km qui permet à des péniches de 1 350 t de franchir une dénivellation de 68 m. Alternative audacieuse aux ascenseurs à bateaux, le plan incliné fonctionne avec deux bacs de 91 m de long sur 12 m de large, que l'on fait glisser, à la manière d'un funiculaire, le long de rails... grâce notamment à des contrepoids de plus de 5 000 t ! On voit de loin cette tour de 150 m (construite en 34 jours !), qui abrite un parcours-spectacle aux effets un peu cornichons mais du haut de laquelle on jouit d'une vue imprenable sur la campagne vallonnée (par beau temps, on peut même apercevoir l'Atomium). Ceux qui voudront tout faire franchiront aussi le plan en bateau-mouche. Un accueil des visiteurs a été aménagé dans une deuxième tour de 36 m.

🖈 **Le château de Louvignies :** *rue de Villegas.* ☎ 067-41-04-19. *À quelques km à l'ouest de Soignies. Visites juil-sept, dim slt 14h-18h. Entrée : 8 € ; gratuit pour les moins de 12 ans.* Joli petit château du XIXe s bordé d'un parc à l'anglaise avec glacière. La cuisine a servi de décor à des scènes du film *Germinal,* de Claude Berri ; c'est dire si elle n'a pas changé d'un poil (poêle) ! Tout comme le reste du château d'ailleurs, qui constitue, avec son mobilier, ses ornements, son argenterie et son authentique bric-à-brac, une évocation prenante du quotidien de nos arrière-grands-parents. Chaque année, l'intérieur est en partie réorganisé autour d'un aspect particulier de la vie à la Belle Époque.

ATH
(7800) 25 000 hab.

Petite ville marchande à une grosse vingtaine de kilomètres au nord-ouest de Mons, qui connut le privilège d'être assiégée par Louis XIV lui-même en 1667. D'autres épisodes guerriers achevèrent de détruire les fortifications de la ville, dont il ne reste que la tour de Burbant, donjon carré massif élevé au XIIe s par

Baudouin le Bâtisseur, comte du Hainaut. À part ça et l'hôtel de ville du XVIIe s qui domine la Grand-Place bordée de cafés, Ath ne présente guère d'intérêt, sauf le 4e dimanche d'août, date à laquelle ont lieu les fêtes de la Ducasse, où des géants d'osier de plus de 4 m défilent après avoir été symboliquement mariés la veille. Dans une atmosphère de liesse populaire, certains d'entre eux s'affrontent sur la Grand-Place. Cette fête a été classée en 2005 au Patrimoine immatériel de l'Unesco en compagnie des cortèges de géants du Nord de la France.

Ath est la capitale du pays du même nom, une verdoyante et agricole région baignée par deux rivières homonymes, les Dendre, qui se rejoignent à Ath. Le pays d'Ath regorge de curiosités, comme nous allons le voir.

Adresse utile

🛈 **Office de tourisme :** rue de Pintamont, 18 (à 200 m de la Grand-Place). ☎ 068-26-51-70. • ath.be • Mar-ven 10h-12h, 13h-18h (17h hors saison) ; w-e et j. fériés 14h-18h. Fermé lun et Noël-Nouvel An.

Où manger ?

🍴 **Le Jardin d'Italie :** rue aux Gades, 18. ☎ 068-28-78-75. Fermé dim soir, lun, mar soir et 2de quinzaine de juil. Plats 10-25 €. Un limoncello offert sur présentation de ce guide. À deux pas de la Grand-Place, resto italien au cadre un peu chic, très apprécié des Athois. Carte classique (viandes, pâtes et pizzas) mais bonne cuisine, soignée et servie dans de belles grandes assiettes.

À voir

🚶 **La maison des Géants :** dans le même bâtiment que l'office de tourisme. Mêmes horaires d'ouverture. Entrée : 5 € ; réduc. Durée de la visite : 1h30. Dans une superbe maison de maître, parcours multimédia et audioguidé assez bien fait, pour tout savoir sur les géants de la ducasse d'Ath et, plus généralement, sur le phénomène des géants en Europe. Petit film sur l'histoire de ces grands échalas avant de passer dans les divers espaces consacrés aux géants d'Ath, puis, enfin, dans une salle où des géants d'autres pays d'Europe racontent les traditions qui les ont engendrés. Une jolie serre accueille aussi des expositions temporaires, toujours en rapport avec la thématique des géants, et un agréable parc permet aux mômes de se dégourdir les jambes.

– Pour ceux qui ont du temps, quelques autres musées ou attractions à Ath :

🚶 **L'Espace gallo-romain :** rue de Nazareth, 2. ☎ 068-26-92-33. Mar-ven 10h-12h, 13h-17h ; w-e et j. fériés 14h-18h. Fermé lun tte l'année, dim hors saison et dernière sem de déc. Entrée : 5 € ; gratuit 1er dim du mois. Sur trois niveaux, évocation interactive de la navigation fluviale et de divers aspects de la vie dans l'Antiquité, au travers d'embarcations et du matériel issu des fouilles du site de Pommerœul. Voir le chaland, une longue barque du IIe s, ainsi qu'une reconstitution de la villa de Meslin-l'Évêque. Le dernier étage est consacré aux différents métiers de cette époque (poterie, tannage, métallurgie, tissage, etc.).

🚶 **Le musée d'Histoire et de Folklore :** rue de Bouchain, 16. ☎ 068-26-51-79. Avr-sept, tlj sf sam 14h-17h (18h dim et j. fériés). Entrée : 2,50 €. Documents et œuvres d'art de la préhistoire à nos jours, maquettes de la ville montrant son évolution et géants miniatures (si, si !) pour illustrer les fêtes de la Ducasse.

🍴 *Le musée de la Pierre et le site des Carrières :* chaussée de Mons, 419. ☎ 068-26-92-36. Avr-sept, les w-e et j. fériés 14h30-18h30, ainsi que lun-ven 14h-17h juil-août. Entrée : 3 €. Petit musée sur l'industrie de la pierre bleue, extraite dans la région, et le travail de la pierre en général.

🍴 *Le musée des Jeux de paume :* dans le grenier de l'hôtel de ville (Grand-Place). ☎ 0475-47-40-19. Avr-sept, dim et j. fériés 14h30-18h. Entrée : 2,50 €. Après cette visite, les jeux de paume, appelés jeux de balle en Belgique, n'auront plus de secret pour vous. On y a aussi reconstitué un café de la première moitié du XXe s, où l'on voit l'importance des jeux de balle à cette époque. Insolite.

➤ DANS LES ENVIRONS D'ATH

🍴🍴 *Le château de Belœil :* rue du Château, 11. ☎ 069-68-94-26. ● chateaudebeloeil.com ● Juil-août, tlj 13h-18h ; avr-juin et sept, slt w-e et j. fériés. Fermé le reste de l'année. Entrée : 8 € ; réduc.

Famille de diplomates et de militaires qui fut de toutes les alliances et batailles européennes, la lignée des princes de Ligne remonte au Moyen Âge mais ne s'est installée à Belœil qu'au XIVe s. Le château date des XVIe et XVIIe s mais il fallut attendre l'intervention du plus célèbre des Ligne, le maréchal Charles-Joseph, pour qu'il prenne l'aspect résidentiel qu'on lui connaît aujourd'hui.

On entre par un pont au-dessus des douves dans la cour de cette grosse bâtisse de brique flanquée de quatre tours rondes. Les descendants de Charles-Joseph habitant encore les lieux, on ne visite qu'une dizaine de salons et de chambres, richement décorés. Dommage que des cordons interdisent de s'approcher des tapisseries des Gobelins ou de Bruxelles, des précieuses marqueteries Boulle et des meubles anciens. Vous noterez, dans le salon, les armes de Charles-Joseph et de ses fils, et, dans la chambre d'Amblise (la 3e), parmi des tapisseries lilloises du XVIIe s, le somptueux lit à baldaquin qu'aurait commandé Marie-Antoinette, Mme Louis XVI, dans le style de son mari. Importante collection de toiles évoquant la famille et les moments forts de son histoire : Charles-Joseph plusieurs fois en situation dans la première chambre à coucher ; dans la galerie du 1er étage, étonnante toile réalisée comme un plan du siège de Courtrai. Ne ratez pas non plus la bibliothèque ancienne où sont conservés plus de 20 000 volumes du XIVe au XIXe s, ni le grand bureau orné de bronze doré qu'aurait appartenu à Talleyrand, dans le salon des Maréchaux.

– On ira ensuite prendre l'air, car le *parc* du château est vraiment sublime. Les jardins à l'anglaise étant privés, on ne voit que celui dessiné à la française par l'architecte Chevrotet, qui s'ordonne autour de l'immense pièce d'eau et offre d'heureuses perspectives, notamment celle de la Grande-Vue, large et longue allée de 5 km. Il est possible de flâner longtemps dans ce « Versailles belge » superbement entretenu, et même de s'y perdre entre une roseraie et un bassin.

UN GRAND EUROPÉEN

Maréchal, diplomate, homme de lettres et esthète, Charles-Joseph (1735-1814), prince de Ligne, créa à Belœil un jardin à l'anglaise et s'allia aux Autrichiens. Il fréquenta Rousseau, Voltaire, Goethe, Mme de Staël et entretint une abondante correspondance avec Catherine II de Russie. Ce qui ne l'empêcha pas de déclarer que « chaque homme a deux patries : la sienne et puis la France ». C'est ça, l'Europe.

LA PROVINCE DU HAINAUT

🍴 *Le château d'Attre :* av. du Château, 8. ☎ 068-45-44-60. Juil-août, w-e 13h-18h ; avr-juin et sept-oct, dim et j. fériés 14h-18h. Visites guidées env ttes les heures ; durée : 1h. Entrée : 5,50 € pour le parc et le château ; 3,50 € pour le parc seul. Contrairement au précédent qui, bien qu'habité, possède vraiment l'organisation d'un musée, on sent dans le château d'Attre une famille qui vit. On ne visite d'ailleurs que les pièces du rez-de-chaussée, sous la direction d'un monsieur souriant.

Par l'entrée, qui cache dans un placard une étonnante chapelle, on accède à une enfilade de salons donnant sur le parc. Meubles anciens, lits à alcôve, papiers peints d'origine et magnifiques parquets. Certains, ceux du salon chinois, sont en trompe l'œil, d'autres en rose des vents pour rappeler la fortune issue des voyages de la Compagnie des Indes. Belle frise animalière en 3D dans le salon de musique.

– N'oubliez pas le guide, et partez vous perdre seul dans le *parc* extravagant à l'arrière du château. En s'éloignant de la classique façade, on entre dans un univers curieux. Colombier, pilori, ruines, puis un chalet en bois vermoulu qui domine de petits tunnels tout noirs. Pas de danger, allez-y. Dans la végétation touffue coule la Dendre et prospèrent des arbres centenaires. L'un des tunnels mène au rocher artificiel. Cette curiosité de pierres ajustées au XVIII° s, qui a demandé 8 ans de travaux avec 18 chevaux et 40 ouvriers, devait servir d'observatoire de chasse à la fantasque Marie-Christine de Saxe-Teschen, mais celle-ci ne passa en tout et pour tout que 6 jours de sa vie au château... Surplombant un étang, le rocher, assez ruiné aujourd'hui mais haut de 24 m à l'origine, donne des allures de forêt enchantée à ce qui n'est, en fait, qu'un grand jardin sauvage et charmant.

🎭🎭 🧍 **Le parc Paradisio :** *domaine de Cambron, à* **Cambron-Casteau.** ☎ 068-25-08-50. ● *paradisio.be* ● *Entre Ath, Mons et Soignies. Avr-début nov, tlj 10h-18h (19h juil-août). Entrée : 19,80 € ; réduc.*
Saint Bernard fonda ici, au XII° s, la 55° « fille de Cîteaux » (c'est comme ça qu'il appelait les abbayes cisterciennes). Après quelques siècles de vie pieuse et laborieuse, les moines de l'abbaye s'enrichirent et prirent goût aux plaisirs terrestres. Les mœurs se relâchant, la rigoureuse organisation fit bâtir plusieurs édifices de convenance, dont l'escalier classique du XVIII° s'est l'un des derniers vestiges. De ces trois volées de marches élégantes qui enjambent la Dendre et un jardin persan, l'empereur Joseph II déclara : « Cet escalier est l'un des plus beaux d'Europe, mais je doute qu'il mène au ciel. » Les meilleures choses ayant une fin, l'abbaye pervertie fut définitivement supprimée par les autorités françaises en 1797.
Abandonné pendant plusieurs décennies, ce domaine de 55 ha fut racheté par une riche famille férue d'oiseaux, qui en a fait un gigantesque parc ornithologique saupoudré d'animaux aquatiques et terrestres. Parmi les vieilles pierres, les rivières sinueuses et les sous-bois aux arbres parfois tricentenaires, vivent en semi-liberté quelque 3 000 volatiles de 400 espèces différentes. Les échassiers gambadent près des étangs, les rapaces possèdent leur propre quartier (démonstrations régulières de vol), mais les deux endroits les plus spectaculaires sont sans doute la volière-cathédrale, l'une des plus grandes au monde, et l'oasis tropicale avec toit amovible (7 000 m^2, 15 m de haut), qui abrite non seulement des oiseaux exotiques mais aussi des reptiles, des poissons, des singes, des loutres et des suricates. Dans les serres suivantes, vous noterez les calaos à cimier, un géocoucou, l'oiseau coureur « Bip-bip » du dessin animé, des tortues géantes et même, sans doute, le plus gros pigeon du monde.
Le parcours se poursuit avec le *Nautilus,* un bel aquarium à thème conçu dans l'esprit de Jules Verne, et l'archipel des lémuriens, complété de l'île de Madidi, où s'ébattent des sapajous, ces petits singes moqueurs d'Amérique (dont Haddock, rappelez-vous, a fait l'un de ses jurons favoris) ; puis par le baleinier *Mersus Emergo,* un vaisseau de 2 400 t abritant les quartiers d'hiver des hippos et des girafes et présentant, sur 3 niveaux, une exposition originale sur les trop nombreuses menaces qui pèsent sur l'environnement.
Enfin, le parc vient d'ouvrir un magnifique jardin de 3 ha : le *Rêve de l'empereur Han Wu Di,* qui n'est autre que le plus grand jardin chinois d'Europe ! Conçu d'après celui que fit réaliser Han Wu Di pour tenter d'attirer à lui les Immortels, c'est un véritable havre de paix qui met tous les sens en éveil, avec son pavillon du ciel, sa forêt de bambous, sa grotte où coule un rideau d'eau, son pont arc-en-ciel, ses multiples allées tortueuses, ses *pen jing* (ancêtre du bonsaï), ses essences variées et ses sympathiques animaux, comme les canards mandarins, les grues de Mandchourie et les pandas roux.

On terminera la visite du domaine par un passage à la ferme abbatiale, où vivent des animaux de basse-cour nains, puis par un verre pris sur la terrasse du château. Une agréable journée en perspective, surtout, mais pas seulement, si vous êtes un enfant.

🍴 *L'archéosite d'Aubechies :* rue de l'Abbaye, 1. ☎ 069-67-11-16. ● archeosite. be ● Lun-ven 9h-17h (18h juil-août) et, de Pâques à mi-oct, w-e et j. fériés 14h-18h (19h juil-août). Fermé dernière sem de déc. Visites guidées tlj des vac scol. Entrée : 7,50 € ; réduc. Aubechies fait partie des plus beaux villages de Wallonie. Son voisin, Blicquy, était déjà habité au Néolithique. En hommage à ces glorieux ancêtres, un ensemble de maisons de cette période et jusqu'à l'habitat gaulois est ici reconstitué : murs de torchis sur armature en bois et toits de paille, de chaume ou de roseaux. Diverses reproductions d'objets usuels jonchent les sols de terre battue. En saison, les maisons s'animent le dimanche. Des artisans amateurs, parfois talentueux, viennent travailler le fer, le cuir, le pain ou la laine en costume d'époque. Tâchez d'y être à ce moment-là, c'est plus amusant, surtout si vous êtes avec des enfants. Ne pas manquer non plus la petite nécropole, la villa et le temple gallo-romains, exactement comme dans *Astérix* ! Enfin, deux petits musées regroupant des objets issus de fouilles dépendent de l'archéosite. S'y renseigner pour les faire ouvrir, mais ne vous sentez pas obligé.

➤ Pour ceux qui cherchent des *balades* à faire dans le coin, l'office de tourisme d'Ath vend 2 livrets intitulés *Randonnées dans le Tournaisis* (2 €), avec chacun 35 promenades, dont celle de *La Ronde du Blanc Moulin,* en plein pays d'Ath. Point de départ : le *Blanc Moulin,* un moulin-tour construit en 1789, entre Pidebecq et Ostiches, à quelques kilomètres au nord-ouest d'Ath.

LESSINES (7860) 16 000 hab.

Petite bourgade tranquille et un peu léthargique de la région des collines, elle fut pourtant bien chahutée par l'histoire puisque, « terre des débats », elle fut disputée entre les comtés de Flandre et de Hainaut. Pays de carrières de porphyre, elle vit aussi naître un amateur de chapeaux melon et de pipes : René Magritte.

Adresse utile

🏠 *Office de tourisme :* rue de Grammont, 2. ☎ 068-33-36-90. À deux pas de l'hôpital Notre-Dame-à-la-Rose. Lun-ven 9h30-17h30.

À voir

🍴 *La fresque géante en hommage à Magritte :* square... Magritte. Un oiseau, une pipe et une chaise sur fond de nuages dans l'azur d'un ciel. Tous les ingrédients réunis sur deux pignons par un artiste local, Xavier Parmentier.

🍴🍴 *L'hôpital Notre-Dame-à-la-Rose :* pl. Alix-de-Rosoit. ☎ 068-33-24-03. ● no tredamealarose.com ● Avr-oct, sam-dim et j. fériés 14h-18h30 (juil-août, tlj sf lun aux mêmes heures). Visite guidée à 15h ; durée : 1h45. Entrée : 7,50 € ; réduc. Audioguide.
Fondé en 1242 par Alix de Rosoit, fille d'un puissant seigneur du Nord de la France, ce couvent hospitalier fonctionna jusqu'en 1980. Il fut reconstruit à partir du XVIe s et se compose, depuis, d'un quadrilatère entourant un jardin. Façade de style Renaissance flamande avec pignon à gradins. On y a ajouté un portail baroque.

Tout l'intérieur a été soigneusement restauré, et l'essentiel des tableaux, objets, meubles et, surtout, du matériel médical qui appartenait à l'hôpital y est très judicieusement mis en valeur. Avec ses clystères, ventouses, instruments chirurgicaux et pots d'onguent, il régalera, outre les passionnés d'histoire, les amateurs de pittoresque. On ne va pas vous infliger une visite guidée, voici juste quelques temps forts. À commencer, bien sûr, par les deux salles des malades. Dans la première, celle du XVIIIe s, les patients dormaient encore deux par deux, dans des lits en bois pour se tenir chaud (bonjour les miasmes !). Les beaux rideaux rouge vif, eux, n'étaient pas là pour faire joli mais, entre autres, pour que le sang se voie moins. Ce n'est qu'au XIXe s que l'on commença à séparer les malades, comme le montre la deuxième salle. Dans le dortoir des sœurs, un tableau unique : un christ aux seins de femme ! Ne pas rater non plus la pharmacie, avec l'histoire des médicaments, dont l'*Helkiase*, désinfectant puissant à base de mercure (d'où le Mercurocrum), inventé ici même. On peut aussi y lire la recette de préparation d'un bon sang de bouc ! Dans le réfectoire, cycle complet de la Passion du Christ, l'un des plus remarquables de Belgique, et, dans le bureau de la sœur supérieure, tableau montrant une religieuse aux yeux troués, pour permettre à l'occupante des lieux de contrôler ce qui se passait à côté. Bien d'autres salles encore, dont certaines récemment ouvertes au public, comme la salle du trésor (orfèvrerie religieuse et civile) ou encore la cuisine, mais inutile de les citer toutes.
En sortant, allez jeter un œil au jardin des plantes médicinales, ainsi qu'à la glacière, cette grande chambre froide souterraine où l'on entreposait une telle quantité de glace pendant l'hiver que celle-ci mettait tout l'été à fondre.

Manifestation

– *Procession des Pénitents encagoulés :* le soir du vendredi saint. Au son des tambours. Impressionnant.

➤ *DANS LES ENVIRONS DE LESSINES*

🚶 *Elezelles :* le grand *moulin du Cat sauvage* est encore en activité et ouvert, comme le dit la pancarte, « quand il est en action ». Lapalisse doit être né dans le coin ! Fin juin, *sabbat des Sorcières* à Elezelles. Heureusement pour elles, on ne les brûle plus sur le bûcher !

🚶 *La maison du pays des Collines :* ruelle des Écoles, 1, **Elezelles** 7890. ☎ 068-54-46-00. ● pays-des-collines.be ● Mar-ven 10h-17h, w-e et j. fériés 13h-17h. Fermé lun. Entrée : 4 € ; ticket familial. Parcours-spectacle fantastique sur le thème du pays des Collines, habité par des créatures étranges et des sorcières venues des contes et légendes de la région. Également au programme : son terroir, ses produits (la bière Quintine) et ses métiers ancestraux. En route pour le grand sabbat ! Vous pouvez aussi vous procurer la brochure de la promenade du sentier de l'Étrange.

🚶 *La brasserie à vapeur Dits :* rue Maréchal, 1, **Pipaix** 7904. ☎ 069-66-20-47. ● vapeur.com ● Près de Leuze-en-Hainaut. Visite et dégustation avr-oct dim à 11h (ou sur rdv), et brassin dernier sam de chaque mois, tte l'année, à partir de 9h. Une brasserie artisanale étonnante (la dernière du genre dans le monde !), qui utilise la force motrice de la vapeur pour fabriquer une bière de saison autrefois destinée à rester fraîche en été pour désaltérer les travailleurs des champs. L'outillage du XIXe s est encore en activité et son exploitant, également prof d'histoire, n'a pas son pareil pour vous faire un cours sur l'art difficile mais ô combien passionnant d'être brasseur. Ses bières : Saison de Pipaix, Vapeur légère, Vapeur en folie et Vapeur cochonne (ambrée et douce, mais oui, mais oui...) sont cataloguées par les spécialistes parmi les 50 meilleures au monde. Il en exporte en France, aux États-Unis et au Canada. Demandez à M. Dits de vous faire goûter l'« esprit de Vapeur cochonne », un distillat de bière (entre whisky, genièvre et calva) qui étonnera le plus blasé des poivrots.

TOURNAI

(7500)   68 000 hab.

Moins exubérante car moins étudiante que Mons, Tournai pâtit de la proximité de la France et de la concurrence de Lille. Il faut dire qu'ici on n'a pas le sentiment d'être à l'étranger mais dans une petite ville de province, au passé prestigieux et au futur incertain. Alors comment expliquer que l'apparente banalité de cette ville, l'une des plus anciennes de Belgique, ait attiré les Romains, les Francs, les Anglais, les Français, les Autrichiens, et aujourd'hui les quelque 4 000 étudiants de la prestigieuse école d'art et d'architecture Saint-Luc ? Tout simplement parce que Tournai conserve un peu plus longtemps que les autres ses secrets, à l'ombre de son beffroi et de sa somptueuse cathédrale. Et si elle n'a pas la générosité immédiate des villes wallonnes, elle a la coquetterie de ne se livrer qu'à ceux qui savent attendre. Ses musées sont riches, ses cafés animés, et l'on y mange plutôt bien.

UN PEU D'HISTOIRE

Avec Tournai, il faudrait même beaucoup d'histoire car la ville existe depuis fort longtemps. Les Romains s'étaient déjà installés ici, mais ce furent les Francs et les Mérovingiens qui en firent une capitale, la leur. *Childéric* y meurt en 481 et son fils, *Clovis,* préfère aller voir à Soissons l'état de la vaisselle, laissant le pouvoir à l'évêché de Tournai. Mais la ville restera toujours un symbole pour la Couronne française, et la fleur de lys orne encore son blason. Ravagée par les Normands, Tournai est rattachée à la France par *Philippe Auguste.* De cette période fastueuse datent le beffroi, la cathédrale et la prospérité de la ville due au commerce de la laine et de la pierre. Les Anglais, guidés par Henri VIII, prennent Tournai, puis c'est au tour de Charles Quint. À la suite des troubles religieux, *Christine de Lalaing* défend héroïquement la cité face aux Espagnols, mais les combats la ruinent. *Louis XIV* s'y intéresse, l'occupe, puis laisse les Autrichiens s'en emparer, mais le temps de la splendeur est révolu. Louis XV conduira dans les environs l'inutile et victorieuse bataille de *Fontenoy* et, passé l'onde de la Révolution française, Tournai sera rattachée au Hainaut belge.

Durement touchée par les bombardements allemands de mai 1940, la ville sera courageusement reconstruite selon un certain nombre de plans d'origine.

Adresses utiles

🏠 *Office de tourisme* (plan A2) : Vieux-Marché-aux-Poteries, 14. ☎ 069-22-20-45. • tournai.be • Au pied du beffroi. De Pâques à mi-oct, lun-ven 8h30-18h ; sam 9h30-12h, 14h-17h ; dim 10h-12h, 14h30-18h. Horaires un peu plus limités le reste de l'année. Prenez-y la brochure Visitez Tournai, ainsi que le plan de la ville avec circuit pédestre. Pour ceux qui veulent visiter la région de Tournai, il y a aussi le livret Le Tournaisis. Enfin, le lieu abrite une salle de projection qui diffuse le film (un peu ennuyeux) Le Couloir du temps, sur l'histoire de Tournai (entrée : 2 €).

✉ *Poste* (plan A2) : rue Saint-Martin, à deux pas de l'office de tourisme. Lun-ven 8h30-12h30, 13h30-17h ; sam 9h-12h30.

🖥 *Internet : Cyber Center,* pl. Paul-Émile-Janson. Au pied de la cathédrale. Tlj 11h (14h le w-e)-22h.

🚂 *Gare* (hors plan par B1-2) : pl. Crombez. ☎ 02-528-28-28 (rens). Train pour Bruxelles ttes les heures env jusqu'à 22h min.

Où dormir ?

Camping

⚓ *Camping de l'Orient :* rue Jean-Baptiste-Moens, 8. ☎ 069-22-26-35. ● campingorient@tournai.be ● tournai.be ● À 2,5 km du centre ; sur la route de Mons et Bruxelles, tourner à droite aux 1ers feux, puis, 500 m plus loin, à gauche au rond-point. Ouv tte l'année. Compter 10 € pour 2 pers, 1 tente et la voiture.

Surtout des caravanes mais les proprios n'ont rien contre les tentes. Épicerie avec petite restauration et, juste à côté du camping, cafétéria, piscine avec toboggans (moitié prix pour les clients du camping) et étang avec embarcation à pédales.

Bon marché

🛏 *Auberge de jeunesse de Tournai* (plan A3, **10**) : rue Saint-Martin, 64. ☎ 069-21-61-36. ● tournai@laj.be ● laj.be ● À 300 m de la Grand-Place. Fermé 10h-17h, ainsi qu'aux individuels en janv. L'auberge ferme à 22h, mais carte magnétique pour les noctambules. Nuitée 15,40-33 €, petit déj compris. Installée dans l'ancienne Académie royale de musique du XVIIIe s, voici une auberge qui renferme des trésors rares pour ce type d'établissement : salle de lecture avec plafond à dorures et magnifiques parquets, salle de réunion aux murs couverts de tapisseries XVIIIe tissées par l'école de Watteau et

bureau décoré par Horta lui-même, venu construire le musée des Beaux-Arts. On accède aux 19 chambres par un escalier vieux de pas moins de 3 siècles. Plus conformes à la tradition des AJ, elles possèdent un lavabo et 4 à 8 lits superposés. Sanitaires sur le palier. Également une chambre double. Bar au rez-de-chaussée, où a lieu de temps en temps une soirée-concert de rock progressif (le patron, Christian, en est baba !). Terminons par l'accueil sympa, l'accessibilité aux handicapés et le souci du ménage bien fait, et vous comprendrez qu'il s'agit d'une bien bonne adresse à Tournai.

TOURNAI

■ **Adresses utiles**

  🛈 Office de tourisme
  ✉ Poste
  🚂 Gare

🛏 **Où dormir ?**

  10 Auberge de jeunesse de Tournai
  11 L'Europe
  12 Chambres d'hôtes

🍽 **Où manger ?**

  20 Un Thé sous le Figuier
  21 Eva Cosy
  22 Rive gauche
  23 Giverny
  24 Le Grand Jacques

🍽 **Où déguster une pâtisserie ?**

  25 Pâtisserie Quénoy

🍷♪ **Où boire un verre ? Où écouter de la musique ?**

  30 The Fish Ball Café
  31 Aux Amis Réunis
  32 La Fabrique, Le Contre-Quai, L'Ozmoz et Le Bouchon
  33 O'Malley's

🏛 **À voir**

  40 Cathédrale Notre-Dame
  41 Beffroi
  42 Grand-Place
  43 Musée des Beaux-Arts
  44 Hôtel de ville, musée d'Histoire naturelle et musée des Arts décoratifs
  45 Musée de la Tapisserie et des Arts du Tissu
  46 Musée de Folklore
  47 Musée d'Archéologie
  48 Musée d'Armes et d'Histoire militaire
  49 Église Saint-Brice
  50 Pont des Trous

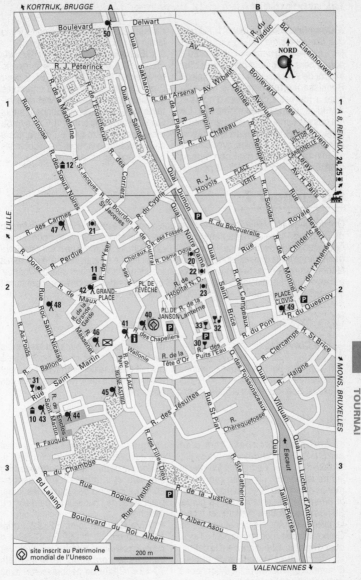

TOURNAI

De prix modérés à prix moyens

🏠 *Chambres d'hôtes* (plan A1, *12*) : rue des Sœurs-Noires, 35. ☎ 069-23-22-88. ● fdaniel@skynet.be ● *Compter 60 € pour 2 pers, avec petit déj ; moins cher à partir de 2 nuits.* Dans la seule maison Renaissance tournaisienne qui subsiste à Tournai, 2 chambres d'hôtes et 2 studios, proposés au même prix. On n'a pas été conquis par les chambres, à la déco un peu lourde, mais les studios, installés dans les combles, avec canapé et coin cuisine, sont d'un bon rapport qualité-prix. On peut prendre le petit déj dans le salon, décoré à l'ancienne. Beau jardin en été. Une adresse originale.

🏠 *L'Europe* (plan A2, *11*) : Grand-Place, 36. ☎ 069-22-40-67. ● europohotel@skynet.be ● *Compter 65 € pour 2 pers, petit déj compris.* 8 chambres classiques, équipées de TV et de sanitaires privés. Celles qui donnent sur la Grand-Place offrent une vue sympa mais peuvent être un peu bruyantes à cause du simple vitrage. Bar à cocktails à côté. Accueil assez froid.

Où manger ?

On mange plutôt bien à Tournai, et dans une gamme de prix très large, de la friterie de la Grand-Place au restaurant très chic. Si nous étions chauvins, nous dirions que la proximité de la France y est pour quelque chose. Comme ce n'est pas notre genre, nous vous conseillerons de ne pas quitter la ville sans avoir goûté au lapin à la tournaisienne (raisins et pruneaux) ou aux curieux *ballons noirs* que les Quénoy, pâtissiers depuis plusieurs générations et inventeurs desdits *ballons,* continuent inlassablement de fabriquer (voir « Où déguster une pâtisserie ? »).

Bon marché

🍴 *Eva Cosy* (plan A2, *21*) : rue Piquet, 6. ☎ 069-77-22-59. *Mar-ven 8h30-18h, sam-dim 9h-18h. Soupes, tartines et assiettes du jour 4,50-14,70 €. CB refusées.* Salle comme à la maison, aux murs gris, avec des plats sur les appuis de fenêtre. Il s'agit d'une boulangerie qui fait aussi salon de thé, où l'on peut manger léger à midi. Propose aussi des petits déj.

Prix moyens

🍴 *Le Grand Jacques* (hors plan par B1-2, *24*) : bd des Déportés, 62. ☎ 069-84-74-04. *Fermé soir lun-mer et jeu tte la journée. Lunch en sem 10 € ; menus à partir de 29 €.* Apéro ou digestif offert sur présentation de ce guide. En hommage à Brel, bien sûr, et face à la gare ; ou plutôt la gare est en face du *Grand Jacques,* comme se plaît à l'indiquer Christian. Christian, c'est le patron, un Français très vieille France et plein d'humour qui met un point d'honneur à contenter ses clients en ne leur servant que des plats bien mijotés, toujours à base de produits très frais. Propose surtout des menus complets mais possibilité de ne prendre qu'un simple plat. Au programme : daube, pieds-paquets, cassoulet, ris de veau aux Saint-Jacques, crème brûlée maison ainsi que des plats régionaux du Tournaisis, tels que le *potournai,* l'*assiette des cinq clochers* et la *chaise tournaisienne* ; enfin, ça dépend des jours. Des jours, mais aussi de l'humeur et, bien sûr, du marché.

🍴 *Rive Gauche* (plan B2, *22*) : quai Notre-Dame, 37. ☎ 069-35-47-36. ● rivegauche@internaute.be ● *Tlj midi et soir. Résa conseillée le w-e. Plats 10-19 €.* Cadre de néobrasserie, avec un arbre au milieu de la salle et des murs bruns ornés de gravures. L'endroit ne désemplit pas, et pour cause : on y sert des grillades bien fondantes, parmi les meilleures de Tournai. Accompagnées de frites bien croquantes, vous nous en direz des nouvelles ! De plus, joli choix

(*Angus beef*, andouillette à la dijonnaise, noix d'entrecôte, pavé bleu-blanc-belge, steak de jambon grillé...) et vins au verre sélectionnés avec soin. Attention, pensez à réserver le week-end, ou vous risquez de devoir aller manger votre grillade ailleurs...

|●| *Un Thé sous le Figuier* (plan B2, **20**) : quai Notre-Dame, 26. ☎ 069-84-88-48. ● info@unthesouslefiguier.com ● Mar-sam dès 19h, dim midi, et veille de fêtes. Fermé en août. Résa conseillée. Plats 11-30 €. *Digestif offert sur présentation de ce guide.* Encore un resto (maghrébin cette fois), souvent plein à craquer lui aussi. À la carte, de fameux couscous, à toutes les sauces : berbère, bédouin, touareg, végétarien, au poisson... On mange dans 2 salles à la déco marocaine chaleureuse, dont l'une sert aussi de boutique (vente de vaisselle). Côté vins, vous pouvez faire confiance au rouge de la maison, très buvable. Excellent accueil. Que dire de plus ?

Chic

|●| *Giverny* (plan B2, **23**) : quai Marché-aux-Poissons, 8. ☎ 069-22-44-64. Au bord de l'Escaut. Fermé sam midi, dim soir et lun. Lunch 3 services 30 € ; menus à partir de 50 €. Également des menus-enfants. *Apéro offert sur présentation de ce guide.* Bel et luxueux établissement, dont la décoration rend hommage à l'Art nouveau, et le nom et les couleurs à Monet. Miroirs imposants et fresques ont été remis au goût du jour avec délicatesse par les charmants patrons. Spécialité de poisson, mais les amateurs de viandes y trouveront aussi leur content. Bien sûr, tant de raffinement a un prix, et il est assez élevé. Mais en venant un midi en semaine, vous pourrez vous en sortir sans trop de dégâts.

Où déguster une pâtisserie ?

|●| *Pâtisserie Quénoy* (hors plan par B1-2, **25**) : pl. Crombez, 2. ☎ 069-22-39-23. Sur la même place que la gare. Tlj sf mer 7h30-18h30. Voici la fameuse pâtisserie où l'on fabrique encore, selon le brevet déposé au début du siècle dernier par Émile Quénoy, les fameux *ballons noirs* qui sont à Tournai ce que les bêtises sont à Cambrai. La pâtisserie elle-même, de style Art nouveau d'origine, mérite le coup d'œil. En un mot, la 4e génération de Quénoy sait y faire et, cerise sur le gâteau, madame est aussi charmante que bavarde.

Où boire un verre ? Où écouter de la musique ?

Ⅰ |●| *Aux Amis Réunis* (plan A3, **31**) : rue Saint-Martin, 89. ☎ 069-55-96-59. Lun-sam 10h-22h. Fait aussi resto le midi en sem. En cas de repas, apéro offert sur présentation de ce guide. Un café dont la déco, en 2011, fêtera ses 100 ans. Des banquettes en bois au comptoir ouvragé, tout est d'origine. Y compris le jeu de fer, une archaïque variante du billard. C'est gratuit, mais si on perd, on paie la tournée ! Les non-joueurs pourront toujours lire la presse ou admirer ce bel endroit, presque en face de l'auberge de jeunesse. Beau choix de vins au verre.

Ⅰ |●| *The Fish Ball Café* (plan B2, **30**) : rue des Puits-l'Eau, 23. ☎ 088-60-70-55. Tlj à partir de 15h. *Un cocktail de bière flambée offert sur présentation de ce guide.* Changement de cadre et d'ambiance avec ce café de nuit tout tamisé au plafond en pente et aux murs de pierre. Intéressant mélange d'ancien et de couleurs électriques. Y venir à plusieurs ou alors être un gros buveur car, ici, on commande des bières flambées de 1 l ! Propose aussi des cocktails, cela dit.

🍷 🎵 Sur la rive gauche de l'Escaut, quai Marché-aux-Poissons, s'alignent 4 autres cafés *(plan B2, 32),* ouverts toute la nuit le week-end : *La Fabrique,* à tendance plutôt rock (café offert sur présentation de ce guide !), *Le Contre-Quai, L'Ozmoz* et *Le Bouchon,* qui organise des « concerts impromptus », de tout type (chanson française, musique jamaïcaine, « punk-acoustique »...).

🍷 Et puis, à deux enjambées de là, sur la place Saint-Pierre, il y a encore l'*O'Malley's (plan B2, 33),* un nouveau pub irlandais bourré de monde en fin de semaine. On y sert de la Guinness au fût, bien sûr, mais aussi l'authentique café irlandais, fait comme en Irlande.

À voir

Tournai possède de nombreux musées, qui ont tous la bonne idée d'avoir les mêmes horaires d'ouverture : d'avril à fin octobre, tous les jours sauf le mardi 9h30-12h30, 14h-17h30 ; le reste de l'année, tous les jours sauf le dimanche matin et le mardi 10h-12h, 14h-17h. Les prix d'entrée varient de 2 à 3 €. Le mardi, à tout seigneur tout honneur, on viendra plutôt pour la cathédrale aux cinq clochers.

👥👥👥 ⊗ *La cathédrale Notre-Dame (plan A2, 40) :* une tornade s'est abattue sur la ville en 1999. Cet événement a mis en évidence le déséquilibre dont souffrait la structure de l'édifice et particulièrement la tour Brunin. Très vite, des travaux provisoires ont été entrepris pour sauvegarder et étançonner le chœur gothique mais aussi pour renforcer les contreforts et stabiliser la tour. Le chantier de rénovation de l'édifice et la mise en valeur des trésors qu'il recèle s'annonce long et difficile. Du coup, certaines parties décrites plus bas peuvent être fermées (les échafaudages changent régulièrement de place) mais à toute chose malheur est bon et leur présence, quand c'est autorisé, permet aussi de se promener à des hauteurs inusitées et de se rendre compte des travaux entrepris, comme ceux de la toiture. Pour les dernières informations, vous pouvez cliquer sur ● *cathedraledetournai.be* ●
Elle est belle, ma cathédrale, elle est belle ! Classée au Patrimoine mondial de l'Unesco, cette élégante masse de calcaire, dominée par cinq tours carrées, dont la plus haute (83 m) repose sur les piliers de la croisée du transept, a inspiré plusieurs des autres églises de la ville. La cathédrale Notre-Dame, bâtie entre le XIIIe s (la nef) et le XIVe s (le chœur), marque le passage du roman scaldien au gothique. De sa façade, modifiée au cours des siècles, on retiendra les deux portes romanes, ainsi que la fausse porte, large arche surmontée d'un passage reliant la cathédrale au palais épiscopal.
En entrant dans l'église, longue de 130 m, on est frappé d'abord par le gigantisme et l'élégance, puis par la rupture entre la pureté de la nef romane, ses 10 travées et son élévation à quatre niveaux, et le chœur gothique, richement décoré de fresques et de vitraux du XIXe s. Un jubé Renaissance de Cornelis Floris de Vriendt sépare les deux parties presque égales de l'église. Dans la nef, chapiteaux sculptés de motifs floraux, humains et animaux, ainsi que l'ajout tardif de la chapelle gothique Saint-Louis, à droite. Dans le transept, impressionnante sculpture du XVIIIe s en bois de Nicolas Le Creux, représentant les anges déchus chassés par saint Michel, une peinture murale du XIIe s évoquant la légende de sainte Marguerite et de précieux vitraux du XVe s. Pas loin, le Purgatoire vu et peint par Rubens. Et puis, près du déambulatoire, où les anges semblent menacer les visiteurs du leur blason, on arrive à la *chapelle Saint-Esprit,* couverte d'une tapisserie d'Arras de 1402. La *Vie de saint Piat et saint Éleuthère* s'étale sur 22 m et 14 tableaux. Un mince couloir conduit à la *salle du chapitre* et à ses lambris du XVIIIe s, provenant de l'abbaye Saint-Ghislain.
– *Le trésor :* accès par la rue des Chapeliers. Ouv 9h30-12h, 14h-18h (17h en hiver). *Fermé mat sam-dim. Entrée : 2 €.* Il a été victime d'une attaque à main armée en février 2008 ! Résultat : 13 pièces d'orfèvrerie en moins dans les vitrines, dont la célèbre croix byzantine offerte à la cathédrale au XIIIe s, celle dont on disait qu'elle

contenait un bout de la Vraie Croix. Affaire à suivre, car cette croix, certes de grande valeur (elle était d'ailleurs inassurable), est réputée invendable car trop connue. Mais il reste quand même quelques belles pièces : calices, ciboires, bras-reliquaires, porte-missel, fragments de retable et tapisseries (de saint Piat, saint Éleuthère) datant pour la plupart du XIIIe au XIXe s. Diptyque carolingien en ivoire sculpté aussi et deux châsses du XIIIe s dont l'une, aux personnages superbement ciselés, est due à Nicolas de Verdun. Jetez également un coup d'œil au merveilleux manteau de velours tissé d'or porté par Charles Quint en personne et au *Christ aux outrages* peint par Quentin Metsys.

🕯 *Le beffroi* (plan A2, 41) : en face de l'office de tourisme. Mars-fin oct, mar-sam 10h-13h, 14h-17h30 ; dim 11h-13h, 14h-18h30. Le reste de l'année, tlj sf lun et dim mat 10h-12h, 14h-17h. Entrée : 2 €. Le plus ancien beffroi de Belgique, bâti à la fin du XIIe s, a été plusieurs fois renforcé et joliment restauré depuis. Heureusement, cette tour carrée, terminée par des tourelles, carillonne encore à chaque heure sur différents airs, dont celui de *Les Tournaisiens sont là* (air connu). Classé au Patrimoine mondial de l'Unesco comme la plupart des autres beffrois de Belgique. La visite vous conduira, par un escalier de 256 marches, à 42,50 m de hauteur. En chemin, on peut voir un spectacle audiovisuel sur l'histoire des beffrois dans le nord de l'Europe, l'ancien tambour à musique et l'ancien mécanisme de l'horloge, qui actionnait le carillon. Ah oui, des latrines aussi, celles qui servaient aux détenus, car le beffroi fut aussi une prison.

🕯 *La Grand-Place* (plan A2, 42) : ce triangle, au mobilier urbain inspiré par le jeu de fer et dont le beffroi marque la pointe, est bordé sur ses trois côtés par la cathédrale, l'ancienne halle aux draps du XVIIe s et l'église Saint-Quentin. Partiellement détruites par les bombardements de la dernière guerre, certaines de ses maisons anciennes, dont la halle aux draps, ont été reconstruites à l'identique. Christine de Lalaing, héroïne de la ville, trône au centre de la place.

🕯🕯 *Le musée des Beaux-Arts* (plan A3, 43) : enclos Saint-Martin, 1. ☎ 069-33-24-31. À côté de l'hôtel de ville. Fermé mar. Entrée : 3,50 € (audioguide compris). D'emblée, on est frappé par la beauté du bâtiment, dont la façade blanche et courbée est surmontée d'un gigantesque bronze. Il faut préciser que l'architecture est due à Victor Horta, star de l'Art nouveau. Il a conçu ce musée afin que les salles, distribuées autour d'un hall à l'élégance discrète, bénéficient de la lumière naturelle. De magnifiques verrières les coiffent et permettent d'apprécier les intéressantes collections.

– *Rez-de-chaussée* : couvre les périodes allant du XVe au XIXe s. Dans le département des peintures anciennes, on remarquera un effrayant raccommodeur de soufflet, attribué à l'atelier de Bosch, et une copie de Bruegel le Jeune *(Paysage d'hiver)*, d'après son père, ainsi qu'une *Vierge à l'Enfant*, une *Nativité* et le triptyque du *Salve Regina* de Rogier de la Pasture, plus connu sous le nom de Van der Weyden. Une exposition permanente montre aussi les reproductions photographiques de tout son travail. Rubens, Watteau et Jacob Jordaens, entre autres, représentent les XVIIe et XVIIIe s, mais la section du XIXe est bien plus « goûtue ». Outre la gigantesque toile de Louis Gallait évoquant la peste de Tournai, le musée possède quelques chefs-d'œuvre des impressionnistes et postimpressionnistes français : un paysage de Monet, un autre de Seurat et surtout *Chez le père Lathuile* et le *Couple d'Argenteuil*, les deux seuls tableaux d'Édouard Manet en Belgique.

– Le *niveau supérieur* offre une jolie vue sur les sculptures du hall et expose des peintres contemporains, locaux pour la plupart. Des dessins de Van Gogh ou de Toulouse-Lautrec complètent les collections de ce superbe musée qui, incontestablement, mérite un détour.

🕯 *L'hôtel de ville* (plan A3, 44) : rue Saint-Martin, 50. Mêmes horaires d'ouverture que les musées (voir plus haut, au début de la rubrique). Entrée gratuite. Bâtiment néoclassique élevé dans une partie de l'ancienne abbaye bénédictine de Saint-Martin. On peut encore y voir la grande crypte romane, datée du XIe s, et une partie du cloître.

🏃 *Le musée d'Histoire naturelle* (plan A3, **44**) : rue Saint-Martin, 50. ☎ 069-33-23-43. Accès par la cour de l'hôtel de ville. Entrée : 3,50 €. Fondé avant l'indépendance de la Belgique, ce qui en fait le plus vieux musée d'Histoire naturelle du pays, le muséum de Tournai a été rénové et comporte désormais, en plus de sa longue galerie peuplée d'animaux naturalisés, un vivarium de plus de 70 espèces de reptiles, amphibiens, poissons et invertébrés. Au menu : téjus rouges, dendrobates bleus, poissons-diables, crabes-arlequin et fouette-queues, pour ne citer qu'eux. Dans l'ancienne partie, vous verrez le premier éléphant à avoir foulé le sol belge, des chauves-souris géantes et même, pour compléter la série, un squelette de cobra !

🏃 *Le musée des Arts décoratifs* (plan A3, **44**) : rue Saint-Martin, 50. ☎ 069-33-23-53. Accès par la cour de l'hôtel de ville. Entrée : 3,50 €. « À la pension de madame Vauquer, il y a des piles d'assiettes en porcelaine épaisse à bords bleus, fabriquées à Tournai », écrivait Balzac ; comme quoi, la réputation des porcelaines de Tournai dépassait de loin les limites du Tournaisis. Ce modeste musée en présente une belle collection, appartenant pour la plupart à la seconde moitié du XVIIIe s, et recèle des pièces d'argenterie et des monnaies de bronze ou d'or des XVIe et XVIIe s.

🏃 *Le musée de la Tapisserie et des Arts du Tissu* (plan A3, **45**) : pl. Reine-Astrid, 9. ☎ 069-84-20-73. Entrée : 3,50 € ; gratuit 1er dim du mois. Ce musée conserve des tapisseries, activité qui contribua à la fortune de Tournai. Quelques belles pièces anciennes, notamment *La Famine de Jérusalem,* où les mères de famille en sont réduites à cuire leurs enfants à la broche. À l'étage, on passe directement aux tapisseries contemporaines *(Somville-Dubrunfaut),* dont certaines représentent des scènes de groupe, genre réalisme social. Tous les jours sauf le week-end, une tisseuse travaille. Sachant qu'il faut environ 1 mois pour achever un mètre carré, elle ne va pas très vite, mais elle donne d'intéressantes explications.

🏃 *Le musée de Folklore* (plan A2, **46**) : réduit des Sions, 36. ☎ 069-22-40-69. Entrée : 3,50 €. Vaste et attachant musée qui, par une jolie collection d'objets anciens, fait revivre les métiers et les corporations du passé. Ateliers de sabotier, de tonnelier, reconstitutions d'une chapelle, d'un couvent, d'une salle de classe, d'une pharmacie, d'un estaminet... « Au Roi des Radis » ! Une mise en scène simple des outils et des meubles rend la visite didactique. Des toiles et des gravures d'artistes locaux, une salle consacrée au carnaval, des photos des destructions des dernières guerres, des uniformes militaires et civils, des accessoires de mode, de superbes maquettes de la ville (dont celle, gigantesque, de Tournai en 1701), des blasons des grandes familles locales, des marionnettes, des instruments de musique et un cabinet consacré au poète Georges Rodenbach complètent les collections.

🏃 *Le musée d'Archéologie* (plan A2, **47**) : rue des Carmes, 8. ☎ 069-22-16-72. Entrée : 3,50 €. Une haute et mince tour domine ce bâtiment du XVIIe s qui fut l'un des premiers monts-de-piété ouverts en Europe. Des objets gallo-romains du rez-de-chaussée, on retiendra un sarcophage en plomb du IVe s, trouvé quelques rues plus haut. L'escalier en colimaçon de la tour conduit aux maigres trésors mérovingiens. Celui de Childéric fut découvert dans la région en 1653, par un sourd-muet répondant (ou plutôt ne répondant pas) au doux nom d'Adrien Quinquin. Il aurait mieux fait de « se taire » car des malfaisants le dérobèrent au XIXe s. Du trésor, sans doute fondu, il ne reste que deux abeilles et un pommeau d'épée conservés au musée de la Monnaie, à Paris. Ce bien pauvre et vieux musée, au milieu d'un quartier en pleine rénovation, possède aussi quelques silex régionaux.

Enfin, pour peloter l'exhaustivité, citons encore :

🏃 *Le musée d'Armes et d'Histoire militaire* (plan A2, **48**) : rue Roc-Saint-Nicaise, 59-61. ☎ 069-21-19-66. Entrée : 3,50 €. Collection d'armes et d'objets militaires. Au rez-de-chaussée, une salle consacrée au Ier Empire et à la dynastie royale, une autre à la marine. À l'étage, les deux grandes guerres : souvenirs de la Résistance, uniformes et matériel de combat ; voir le gros fusil allemand de la Première Guerre mondiale, fait pour percer 25 mm de blindage (une broutille comparé aux 25 cm dont viennent à bout les lance-roquettes modernes). La visite se termine au grenier, où vous attendent une trentaine de drapeaux offerts au musée par les sociétés patriotiques de la ville.

🏛 **Le centre de la Marionnette** (plan A2) : rue Saint-Martin, 47. ☎ 069-88-91-40. Mar-ven 9h-12h30, 14h-17h ; sam-dim et j. fériés 14h-18h. Entrée : 2,50 €. Exposition, par roulement, de marionnettes de toutes provenances. C'est aussi un centre de documentation et d'animation.

🏛 **L'église Saint-Brice** (plan B2, 49) : pl. Clovis. Restaurée dans son état originel, avec sa tour carrée et sa triple halle. Deux maisons romanes du XIIe s, parmi les plus anciennes d'Europe encore debout, la jouxtent, mais faites vite car l'une d'elles penche dangereusement.

🏛 *Last but not least,* le célèbre **pont des Trous** (plan A1, 50) enjambe l'Escaut et défend Tournai depuis le XIIIe s. Vestige des anciens remparts, il a été rehaussé de plus de 2 m en 1948 pour faciliter le trafic fluvial. Mais il gêne encore les péniches, si bien que son avenir est incertain. Vous y trouverez une brasserie.

Manifestations

– *Carnaval :* ven-sam à la mi-carême. Nuit des Intrigues ; jet de *pichous,* petits pains aux fruits confits ; intronisation du roi ; rondeau puis marche funèbre.
– *Grand marché aux fleurs :* le vendredi saint. S'étend de la gare jusqu'aux quais.
– *Les 4 Cortèges :* le 2e w-e de juin. Parade de chars fleuris et de géants, tels Clovis, Louis XIV et d'autres personnages qui ont compté dans l'histoire de la ville.
– *Grande procession :* le 2e dim de sept, à 15h. A lieu depuis 1092, en souvenir d'une épidémie de peste avortée.
– *Grand festival de Danse folklorique :* du dernier mar de sept au 1er dim d'oct. Musiques et danses du monde entier.
– *Festival de la Marionnette :* la sem de la Toussaint. Spectacles et expositions de marionnettes (dans le centre de la marionnette, entre autres).

➤ *DANS LES ENVIRONS DE TOURNAI*

ANTOING

Petite ville non loin de Tournai. Par la route qui longe l'Escaut, peu avant l'entrée du bourg, on peut voir la *ferme fortifiée* où Louis XV fêta la victoire de Fontenoy en mai 1745. On y prononça cette phrase restée célèbre : « Mewssieurs les Garwdes franswaises, tirwez les prewmiers ! » Cela n'empêcha pas que, le soir de la bataille, 10 000 morts gisaient sur le carreau. En face du cimetière, vous ne pourrez pas rater ce bâtiment en L (et sa tourelle carrée), édifié en 1633, qui ne se visite pas.
Deux cents mètres avant, un chemin part sur la gauche, vers l'Escaut. Empruntez-le (à pied), il conduit à un *four Brébard.* On fabriquait la chaux dans ces fours qui ressemblent à des bouteilles de lait rangées dans un casier.

À voir

🏛 **Le château d'Antoing** : de mi-mai à fin sept, dim et j. fériés, visites à 15h et 16h. Les billets s'achètent à l'office de tourisme, pl. Barra, 18. ☎ 069-44-17-29. Entrée : 3 €. Personnel charmant et compétent. On ne visite que quelques salles dans la surprenante tour de ce château, partiellement reconstruit au XIXᵉ s et toujours habité par la famille de Ligne, celle de Belœil (voir plus haut « Dans les environs d'Ath »). Malheureusement, une tourelle du donjon sur lequel s'adosse la tour menace de s'effondrer, et donc on ne monte plus au sommet. Et pourtant, la devise des Ligne précise : *Où que tombent les choses, la Ligne reste droite.* Comme quoi... Outre le *bolwerk,* muraille restaurée au XVᵉ s, on peut aussi voir dans la chapelle une belle collection de pierres tombales, notamment celle de Jean de Melun et de ses deux épouses. À l'entrée du château, une stèle rappelle que Charles de Gaulle, Mon Général lui-même, étudia en 1907 chez les jésuites d'Antoing.

NOS NOUVEAUTÉS

BRUXELLES (novembre 2009)

Imaginez à moins de 1h30 en train de Paris une destination parmi les plus surprenantes d'Europe. Loin de son austère réputation de capitale d'une Europe bureaucratique, elle a fait de la multiculturalité son image de marque : on y trouve 120 nationalités parlant 170 langues différentes. Cette Babel moderne est le prototype du village-monde du XXIᵉ s où il fait bon vivre. Désormais, culture, humour, cosmopolitisme et gastronomie sont ses atouts les plus séduisants. Venez découvrir les façades de la Grand-Place, de l'Art nouveau et des créateurs de la B.D. Découvrez l'œuvre de Magritte au mont des Arts. Sortez du périmètre d'arrosage du Manneken-Pis pour chiner dans le quartier des Marolles. Puis descendez une des innombrables bières que proposent les estaminets chaleureux, avant d'entamer une casserole de moules charnues, accompagnées de frites croustillantes. Et n'oubliez pas de rapporter des chocolats !

TOURISME DURABLE (paru)

Mais que signifie cette nouvelle notion ? Quels sont les acteurs qui agissent en faveur du tourisme durable ? Où peut-on le pratiquer ? Avec ce guide, nous souhaitons mieux comprendre les enjeux de ce nouveau type de tourisme. Modestement, à notre échelle, nous voulons contribuer à vulgariser un sujet qui ne doit pas rester l'apanage de quelques spécialistes. Et pour vous prouver que tourisme durable peut rimer avec confort, charme et plaisir, vous y trouverez une sélection d'adresses en France et à l'étranger, respectueuses de cette tendance.

"Qui **sauve un enfant,** sauve le **monde"**

Pour nous soutenir, vous pouvez envoyer vos dons à :

La Chaîne de l'Espoir
96, rue Didot
75014 Paris

AGRÉÉ PAR
C COMITÉ DE LA CHARTE
don en confiance

La chaîne
de l'espoir

www.chainedelespoir.org

Cour pénale internationale :
face aux dictateurs et aux tortionnaires,
la meilleure force de frappe,
c'est le droit.

L'impunité, espèce en voie d'arrestation.

Fédération Internationale des ligues des droits de l'homme.

www.fidh.org

routard
ASSURANCE
L'ASSURANCE VOYAGE
UNION EUROPÉENNE

VOTRE ASSISTANCE EUROPE LA PLUS ETENDUE

RAPATRIEMENT MEDICAL **ILLIMITÉ**
(au besoin par avion sanitaire)
VOS DEPENSES : MEDECINE, CHIRURGIE, (env. 650.000 FF) **100.000 €**
   HOPITAL, GARANTIES A 100% SANS FRANCHISE
   HOSPITALISE : RIEN A PAYER ! … (ou entièrement remboursé)
BILLET GRATUIT DE RETOUR DANS VOTRE PAYS : **BILLET GRATUIT**
   En cas de décès (ou état de santé alarmant) **(de retour)**
   d'un proche parent, père, mère, conjoint, enfant(s)
*BILLET DE VISITE POUR UNE PERSONNE DE VOTRE CHOIX **BILLET GRATUIT**
   si vous êtes hospitalisé plus de 5 jours **(aller - retour)**
   Rapatriement du corps – Frais réels **Sans limitation**

RESPONSABILITE CIVILE «VIE PRIVEE» A L'ETRANGER

Dommages CORPORELS (garantie à 100%) ....(env. 4.900.000 FF) **750.000 €**
Y compris Assistance Juridique (accidents)
Dommages MATERIELS (garantie à 100%) ....(env. 2.900.000 FF) **450.000 €**
(dommages causés aux tiers) **(AUCUNE FRANCHISE)**
Y compris Assistance Juridique (accidents)
EXCLUSION RESPONSABILITE CIVILE AUTO : ne sont pas assurés les dommages
causés ou subis par votre véhicule à moteur : ils doivent être couverts par un contrat
spécial : ASSURANCE AUTO OU MOTO.
CAUTION PENALE .... (env. 49.000 FF) **7.500 €**
AVANCE DE FONDS en cas de perte ou de vol d'argent ..(env. 6.500 FF) **1.000 €**

VOTRE ASSURANCE PERSONNELLE «ACCIDENTS» A L'ETRANGER

Infirmité totale et définitive (env. 490.000 FF) **75.000 €**
Infirmité partielle – (SANS FRANCHISE) **de 150 €** à **74.000 €**
   (env. 900 FF à 485.000 FF)
Préjudice moral : dommage esthétique (env. 98.000 FF) **15.000 €**
Capital DECES (env. 98.000 FF) **15.000 €**

VOS BAGAGES ET BIENS PERSONNELS A L'ETRANGER

Vêtements, objets personnels pendant toute la durée de votre voyage à l'étranger :
vols, perte, accidents, incendie, (env. 13.000 FF) **2.000 €**
Dont APPAREILS PHOTO et objets de valeurs (env. 1.900 FF) **300 €**

NOUVEAUTÉ
CONTRAT
"ROUTARD SÉNIOR"
Nous consulter Tél. : 01 44 63 51 00
Souscription en ligne : www.avi-international.com

À PARTIR DE 4 PERSONNES
TARIFS
"Spécial Famille"
Nous consulter Tél. : 01 44 63 51 00
Souscription en ligne : www.avi-international.com

routard
ASSURANCE
L'ASSURANCE VOYAGE
UNION EUROPÉENNE

BULLETIN D'INSCRIPTION

NOM : M. Mme Melle ⌞_____⌟

PRENOM : ⌞_____⌟

DATE DE NAISSANCE : ⌞_____⌟

ADRESSE PERSONNELLE : ⌞_____⌟

⌞_____⌟

⌞_____⌟

CODE POSTAL : ⌞_____⌟ TEL. ⌞_____⌟

VILLE : ⌞_____⌟

E-MAIL : ....

DESTINATION PRINCIPALE...

Calculer exactement votre tarif en SEMAINES selon la durée de votre voyage :
7 JOURS DU CALENDRIER = 1 SEMAINE

Pour un Long Voyage (2 mois…), demandez le ***PLAN MARCO POLO***
Nouveauté contrat Spécial Famille - Nous contacter

COTISATION FORFAITAIRE 2009-2010

VOYAGE DU ⌞_____⌟ AU ⌞_____⌟ = ⌞__⌟
                                                  SEMAINES

Prix spécial (3 à 50 ans) : **15 € x** ⌞__⌟ = ⌞_____⌟ €

De 51 à 60 ans (et – de 3 ans) : **23 € x** ⌞__⌟ = ⌞_____⌟ €

De 61 à 65 ans : **30 € x** ⌞__⌟ = ⌞_____⌟ €

Tarif "**SPECIAL FAMILLES**" 4 personnes et plus : **Nous consulter au 01 44 63 51 00**
Souscription en ligne : www.avi-international.com

Chèque à l'ordre de ROUTARD ASSURANCE – *A.V.I. International*
28, rue de Mogador – 75009 PARIS – FRANCE - Tél. 01 44 63 51 00
Métro : Trinité – Chaussée d'Antin / RER : Auber – Fax : 01 42 80 41 57

ou Carte bancaire : Visa ☐ Mastercard ☐ Amex ☐

N° de carte : ⌞_____⌟

Date d'expiration : ⌞___⌟ ⌞___⌟ Signature

Cryptogramme : ⌞____⌟ Notez les 3 derniers chiffres du numéro à
7 chiffres au verso de votre carte

*Je déclare être en bonne santé, et savoir que les maladies
ou accidents antérieurs à mon inscription ne sont pas assurés.*

Signature :

Information : www.routard.com / Tél : 01 44 63 51 00
Souscription en ligne : www.avi-international.com

Faites des copies de cette page pour assurer vos compagnons de voyage.

INDEX GÉNÉRAL

1914-1918 (itinéraire) 405

A

ALLE-SUR-SEMOIS 520
AMAY (collégiale
   Sainte-Ode) 485
ANDENNE 535
ANDERLECHT
   (commune d') 196
ANHÉE (jardins du château
   d'Annevoie-Rouillon) 537
ANNEVOIE-ROUILLON
   (jardins du château d') 537
ANTOING 599
ANTWERPEN (ANVERS) 227
ANVERS (ANTWERPEN) 227
ANVERS (port d') 272

ANVERS (PROVINCIE
   ANTWERPEN ;
   province d') 227
ARDENNES FLAMANDES
   (les) 321
ARLON 506
ATH 585
ATTRE (château d') 587
AUBECHIES (archéosite d') 589
AUBEL 459
AUDENARDE
   (OUDENAARDE) 321
AYWAILLE 485

B

BACHTE-MARIA-LEERNE
   (château d'Ooidonk) 320
BARVAUX-SUR-OURTHE 497
BASTOGNE 503
BAUGNEZ 44 HISTORICAL
   CENTER 474
BEERSEL (château de) 205
BELŒIL (château de) 587
BINCHE 570
BLANKENBERGE (Sea Life
   Centre) 386
BLEGNY (mine de) 457
BOKRIJK (domaine provincial
   de) 223
BOTASSART 520
BOTRANGE 470
BOTRANGE (centre nature
   de) 469

BOUILLON 514
BOULANGERIE ET DE
   LA CONFISERIE
   (musée de la) 397
BRABANT FLAMAND
   (VLAAMS BRABANT ;
   province du) 204
BRABANT WALLON
   (province du) 412
BRUGES (BRUGGE) 326
BRUGGE (BRUGES) 326
BRULY-DE-PESCHE (bunker
   de Hitler – QG allemand) 559
BRUSSEL (BRUXELLES) 93
BRUXELLES (BRUSSEL) 93
BRUXELLES-CAPITALE
   (région de) 93

C

CAMBRON-CASTEAU (parc Paradisio) 588
CAPUCINS (arboretum du bois des) 205
CELLES 546
CENTRE (canal du) 572
CHAMELEUX (relais romain de) 513
CHARLEROI 563
CHARLEROI (pays de) 568
CHASSEPIERRE 513
CHAUDFONTAINE (Source O Rama) 456
CHEVETOGNE 549
CHIMAY 560

CHINY-SUR-SEMOIS 513
CINEY 548
COGELS OSYLEI 271
COO 480
COQ (DE HAAN ; LE) 385
CORBION 517
CORROY-LE-CHÂTEAU 534
COURTRAI (KORTRIJK) 408
COUVIN 557
COXYDE-OOSTDUINKERKE (KOKSIJDE) 391
CRUPET 539
CRUPET (vallée du) 539
CUESMES (maison de Van Gogh) 582

D-E

DAMME 371
DE HAAN (LE COQ) 385
DE PANNE (LA PANNE) 393
DEINZE 320
DEURLE 319
DIEST 214
DIKSMUIDE (DIXMUDE) 397
DINANT 541
DIXMUDE (DIKSMUIDE) 397

DOURBES 555
DURBUY 495
ÉCAUSSINNES-LALAING (château d') 584
ELEZELLES 590
ENAME 326
ESCAUT (LINKEROEVER ; rive gauche de l') 272
EUPEN 467

F

FALAËN (draisines de la Molignée) 538
FAULX-LES-TOMBES (château de) 536
FLANDRE OCCIDENTALE (WEST-VLAANDEREN ; province de) 326
FLANDRE ORIENTALE (OOST-VLAANDEREN ; province de) 284

FOURNEAU-SAINT-MICHEL 502
FOY-NOTRE-DAME (église de) 547
FRAMERIES (PASS, parc d'Aventures scientifiques) 581
FRANCHIMONT (château de) 484
FREŸR (château de) 545
FREŸR (rochers de) 546
FURNES (VEURNE) 394

G

GAASBEEK (château de) 206
GAND (GENT) 285
GAUME (la) 508
GENT (GAND) 285

GENVAL (lac de) 425
GILEPPE (barrage et lac de la) 466
GLEIZE (musée historique de

Décembre-1944 ; La) 479
GOYET (grottes et cavernes de) 536

GOZÉE (ruines de l'abbaye d'Aulne) 569

H

HAAN (LE COQ ; DE) 385
HAINAUT (province du) 559
HAN (grottes de) 550
HARCHIES POMMERŒUL (réserve naturelle des marais de) 582
HASPENGOUW (HESBAYE LIMBOURGEOISE) 224
HASSELT 219
HAUTES-FAGNES (les) 469
HERVE 459
HERVE (pays de) 458
HESBAYE LIMBOUR-

GEOISE (HASPENGOUW ; la) 224
HOOGE-CRATER (le) 405
HORNU (MAC'S, musée des Arts contemporains) 582
HOUDENG-AIMERIES (écomusée et musée de la Mine du Bois-du-Luc) 573
HOUDENG-GOEGNIES 572
HOUFFALIZE 494
HULPE (LA) 205, 426
HUY 486

I-J-K

IEPER (YPRES) 400
IVOZ-RAMET (préhistosite et grotte de Ramioul) 455
IXELLES (commune d') 178
JABBEKE 373
JEHAY-AMAY (château de

Jehay) 485
KNOKKE-HEIST 387
KOKSIJDE (COXYDE-OOSTDUINKERKE) 391
KORTRIJK (COURTRAI) 408

L

LA GLEIZE (musée historique de Décembre-1944) 479
LA HULPE 205, 426
LA PANNE (DE PANNE) 393
LA ROCHE-EN-ARDENNE 490
LAARNE (château de) 320
LAEKEN (domaine royal de) ... 194
LAETHEM-SAINT-MARTIN 319
LAFORÊT 520
LANGEMARK 405
LAVAUX-SAINTE-ANNE (château de) 549
LE COQ (DE HAAN) 385
LE ZWIN (réserve naturelle) ... 388
LÉAU (ZOUTLEEUW) 217
LEIE (région de la Lys) 318
LESSINES 589
LEUVEN (LOUVAIN) 208

LIÈGE 427
LIÈGE (province de) 427
LIER (LIERRE) 273
LIERRE (LIER) 273
LILLO 273
LIMBOURG 465
LIMBOURG (PROVINCIE LIMBURG ; province du) 219
LINKEROEVER (RIVE GAUCHE DE L'ESCAUT) 272
LOUVAIN (LEUVEN) 208
LOUVAIN-LA-NEUVE 421
LOUVIGNIES (château de) 585
LUSTIN (musée des Bières belges) 537
LUXEMBOURG (province du) 489
LYS (LEIE ; région de la) 318

M

MALINES (MECHELEN) 277
MALMEDY 471
MARCHE-EN-FAMENNE 498
MARCINELLE 569
MAREDSOUS (abbaye de) 538
MARIEMBOURG (brasserie
  des Fagnes) 559
MARIEMONT (domaine et
  musée royal de) 572
MECHELEN (MALINES) 277
MEISE (Jardin botanique
  national de) 207
MEUSE (basse) 457
MEUSE (vallée de la) 536

MIDDELHEIM (musée de
  Sculptures en plein air du) ... 272
MODAVE (château de) 489
MOLIGNÉE (draisines de la)   538
MONS 574
MONT-SUR-MARCHIENNE 568
MONTAIGLE (château de) 538
MONTQUINTIN 512
MORLANWELZ (domaine
  et musée royal de
  Mariemont) 572
MUIZEN (parc animalier de
  Planckendael) 284

N

NADRIN (belvédère des
  Six-Ourthes) 492
NAMUR 521
NAMUR (province de) 521
NAMUROIS (sud-est du) 548
NAMUROIS (sud-ouest du) 554
NIEUPORT

(NIEUWPOORT) 389
NIEUWPOORT
  (NIEUPORT) 389
NISMES 555
NIVELLES 417
NOTRE-DAME-AU-BOIS
  (église) 205

O

OIGNIES-EN-THIÉRACHE 554
OOIDONK (château d') 320
OOST-VLAANDEREN
  (PROVINCE DE FLANDRE
  ORIENTALE) 284

OOSTENDE (OSTENDE) 374
ORVAL (abbaye d') 512
OSTENDE (OOSTENDE) 374
OUDENAARDE
  (AUDENARDE) 321

P

PANNE (DE PANNE ; LA) 393
PANNE (LA PANNE ; DE) 393
PARC CHLOROPHYLLE (le)   493
PÉTIGNY (grottes de
  Neptune) 559
PIPAIX (brasserie à vapeur
  Dits) 590

POELKAPPELLE 405
POILVACHE (château de) 538
POPERINGE 406
PRAETBOS-VLASDO
  (cimetière allemand de) 399
PROVINCIE ANTWERPEN 227
PROVINCIE LIMBURG 219

R

RAMIOUL (préhistosite et
  grotte de) 455

RAVERSIJDE
  (domaine de) 385

RECHT (Schieferstollen
Recht) 474
RECOGNE (Ferme des
Bisons) 506
REDU (village du livre de) 503
RÉGION FLAMANDE 204
RÉGION WALLONNE 412
REINHARDSTEIN (château
de) 470
REMOUCHAMPS
(grottes de) 485
RENINGE (Old Timer

Museum Bossaert) 400
ROCHE-EN-ARDENNE
(LA) 490
ROCHEFORT 552
ROCHEHAUT 518
ROMEDENNE (Gambrinus
Drivers Museum) 557
RONQUIÈRES (plan incliné
de) 585
ROUGE-CLOÎTRE (prieuré
du) 205

S

SAINT-GILLES (commune
de) 184
SAINT-HUBERT 500
SAINT-VITH (SANKT VITH) 474
SAINTE-ANNE (quartier ;
Anvers) 272
SAMBRE (la) 569
SAMSON (vallée du) 536
SANKT VITH (SAINT-VITH) 474
SCHAERBEEK (commune
de) 197
SEMOIS (basse) 517
SEMOIS (haute) 513
SEMOIS (vallée de la) 513
SENEFFE (château
de) 573

SERAING (château et
cristalleries du Val
Saint-Lambert) 456
SIX-OURTHES (belvédère
des) 492
SOIGNES (ZONIËNWOUD ;
forêt de) 204, 426
SOIGNIES 583
SOIRON 460
SPA 480
SPIENNES (minières
néolithiques) 582
SPONTIN (château féodal
de) 541
STAVELOT 475
STRÉPY-THIEU 572, 573

T

TERVUEREN 201
THEUX 484
THON 536
THUIN 569
TONGEREN (TONGRES) 224
TONGRES (TONGEREN) 224

TORGNY 510
TOURNAI 591
TRANSINE (Euro Space
Center) 501
TREIGNES 556

U-V

UCCLE (commune d') 185
VAL SAINT-LAMBERT
(château et cristalleries
du) 456
VERVIERS 461
VEURNE (FURNES) 394

VÊVES (château de) 547
VIELSALM 493
VIERVES-SUR-VIROIN 555
VILLERS-LA-VILLE (abbaye
de) 420
VIROINVAL 555

VIRTON 509
VLAAMS BRABANT
  (PROVINCE DU

BRABANT FLAMAND) 204
VRESSE-SUR-SEMOIS 520

W

WAHA (église Saint-Étienne)   499
WARNANT 538
WATERLOO 412
WÉPION (musée de la
  Fraise) 534
WEST-VLAANDEREN

(PROVINCE DE FLANDRE
  OCCIDENTALE) 326
WOLUWE-SAINT-LAMBERT
  (commune de) 198
WOLUWE-SAINT-PIERRE
  (commune de) 198

Y-Z

YPRES (IEPER) 400
ZILLEBEKE 405
ZONIËNWOUD (FORÊT DE
  SOIGNES) 204

ZONNEBEKE 405
ZOUTLEEUW (LÉAU) 217
ZWIN (réserve naturelle ;
  LE) 388

OÙ TROUVER LES CARTES ET LES PLANS ?

- Antwerpen (Anvers) – plan d'ensemble (plan I) 234-235
- Antwerpen (Anvers) – sud-ouest (plan II) 237
- Anvers (Antwerpen) – plan d'ensemble (plan I) 234-235
- Anvers (Antwerpen) – sud-ouest (plan II) 237
- Audenarde (Oudenaarde) ... 323
- Belgique (la), *cahier couleur* 2-3
- Bruges (Brugge) – plan d'ensemble (plan I) 332-333
- Bruges (Brugge) – centre (plan II) 335
- Brugge (Bruges) – plan d'ensemble (plan I) 332-333
- Brugge (Bruges) – centre (plan II) 335
- Bruxelles (le métro de) .. 108-109
- Bruxelles – vue d'ensemble (plan I) 103
- Bruxelles – nord (plan II), *cahier couleur* 4-5
- Bruxelles – sud (plan III), *cahier couleur* 6-7
- Bruxelles-Ixelles – circuit Art nouveau (plan IV) 181
- Gand (Gent) 290-291
- Gent (Gand) 290-291
- Leuven (Louvain) 211
- Liège 432-433
- Lier (Lierre) 275
- Lierre (Lier) 275
- Louvain (Leuven) 211
- Malines (Mechelen) 279
- Mechelen (Malines) 279
- Mons 577
- Namur 524-525
- Oostende (Ostende) 378-379
- Ostende (Oostende) 378-379
- Oudenaarde (Audenarde) ... 323
- Tournai 593

Les **Routards** *parlent aux* **Routards**

Faites-nous part de vos expériences, de vos découvertes, de vos tuyaux.
Indiquez-nous les renseignements périmés. Aidez-nous à remettre l'ouvrage à jour.
Faites profiter les autres de vos adresses nouvelles, combines géniales... On adresse
un exemplaire gratuit de la prochaine édition à ceux qui nous envoient les lettres les
meilleures, pour la qualité et la pertinence des informations. Quelques conseils cependant :
– Envoyez-nous votre courrier le plus tôt possible afin que l'on puisse insérer vos
tuyaux sur la prochaine édition.
– N'oubliez pas de préciser l'ouvrage que vous désirez recevoir.
– Vérifiez que vos remarques concernent l'édition en cours et notez les pages du
guide concernées par vos observations.
– Quand vous indiquez des hôtels ou des restaurants, pensez à signaler leur adresse
précise et, pour les grandes villes, les moyens de transport pour y aller. Si vous le
pouvez, joignez la carte de visite de l'hôtel ou du resto décrit.
– N'écrivez si possible que d'un côté de la lettre (et non recto verso).
– Bien sûr, on s'arrache moins les yeux sur les lettres dactylographiées ou correctement écrites !
En tout état de cause, merci pour vos nombreuses lettres.

Les Routards parlent aux Routards :
122, rue du Moulin-des-Prés, 75013 Paris

e-mail : guide@routard.com
Internet : routard.com

Le Trophée du voyage humanitaire ROUTARD.COM
s'associe à VOYAGES-SNCF.COM

Ils ont aidé à la création d'un poste de santé autonome au Sénégal, à la reconstruction
d'un orphelinat à Madagascar... Et vous ?
Envie de soutenir un projet qui favorise la solidarité entre les hommes ? Le Trophée du
Voyage Humanitaire Routard.com est là pour vous ! Que votre projet concerne le
domaine culturel, artisanal, écologique, pédagogique, en France ou à l'étranger, le
Guide du routard et Voyages-sncf.com soutiennent vos initiatives et vous aident à les
réaliser ! Si vous aussi vous voulez faire avancer le monde, inscrivez-vous sur
● *routard.com/trophee* ou sur ● *tropheesdutourismeresponsable.com* ●

Routard Assurance *2010*

Routard Assurance et Routard Assurance Famille, c'est l'Assurance Voyage Intégrale.
Dépenses de santé et frais d'hôpital pris en charge directement sans franchise jusqu'à
300 000 € + caution + défense pénale + responsabilité civile + tous risques bagages et
photos. Assurance personnelle accidents : 75 000 €. Très complet ! Tarif à la semaine
pour plus de souplesse. Tableau des garanties et bulletin d'inscription à la fin de chaque
Guide du routard étranger. Pour les départs en famille (4 à 7 personnes), demandez le
bulletin d'inscription famille. Pour les longs séjours, contrat *Plan Marco Polo* « spécial
famille » à partir de 4 personnes. Pour un voyage « éclair » de 3 à 8 jours dans une ville
d'Europe, bulletin d'inscription adapté dans les grandes villes avec des garanties allégées
et un tarif « light ». Également un nouveau contrat *Seniors* pour les courts et longs
séjours. Si votre départ est très proche, vous pouvez vous assurer par fax : 01-42-80-
41-57, en indiquant le numéro de votre carte de paiement. Pour en savoir plus : ☎ 01-
44-63-51-00 ou ● *avi-international.com* ●

Photocomposé par MCP - Groupe Jouve
Imprimé en France par Aubin
Dépôt légal : septembre 2009
Collection n° 13 - Édition n° 01
2448215
I.S.B.N. 9782012448216